LE CONSEIL D'ÉTAT

son histoire
à travers les documents d'époque

1799-1974

Dessiné par Isabey et Percier. *Gravé par Massard Père.*

Conseiller d'Etat dans le costume dessiné par Isabey pour le sacre de Napoléon *(Gravure extraite de l'ouvrage "Le Sacre de l'Empereur Napoléon", Paris, Imprimerie impériale).*

HISTOIRE DE L'ADMINISTRATION FRANÇAISE

LE CONSEIL D'ÉTAT

son histoire à travers les documents d'époque

1799-1974

Préface
de M. Alexandre Parodi
Membre de l'Institut
Vice-Président honoraire du Conseil d'État

ÉDITIONS
DU CENTRE NATIONAL DE LA RECHERCHE SCIENTIFIQUE
15, quai Anatole France - PARIS
1974

ISBN 2-222-01672-X

AVANT-PROPOS

Membres, anciens membres et fonctionnaires du Conseil d'Etat, universitaires et archivistes français et étrangers ont donné leur concours; il est donc bien vrai que ce livre soit une œuvre collective, comme Louis Fougère l'écrit modestement dans l'Introduction. Il oublie seulement de préciser que nul effort commun n'aboutit à une création s'il n'a été inspiré, animé, ordonné par un homme. C'est lui-même qui, avec une patience inlassable et une lucidité vigilante, a assumé cette tâche.

Alexandre Parodi partage le mérite d'avoir voulu que fût édifiée une somme de l'histoire du Conseil; quand j'ai eu l'honneur de lui succéder à la vice-présidence, je n'ai eu qu'à me réjouir d'apprendre qu'un tel travail avait été entrepris et à en suivre le progrès, dans le respect scrupuleux d'une liberté de recherche et d'expression qui devait être la règle.

Le Conseil d'Etat joue son rôle en un secteur de la vie nationale où les lignes de l'action politique du gouvernement et les impératifs quotidiens de la gestion administrative se croisent. Aussi s'est-il toujours soumis aux obligations de réserve que, sous des formes et à des degrés divers, il a lui-même imposées à l'ensemble de la fonction publique. La conséquence est qu'il est mal connu, non seulement de ceux qui constituent ce qu'on appelle le « grand public », mais même de certains juristes, au demeurant très éminents, qui n'ont pas pu observer d'assez près le fonctionnement de nos formations administratives et contentieuses qui se conjuguent ensemble et s'enchevêtrent de façon parfois complexe.

Or pour connaître un homme, un peuple ou une institution, il faut d'abord apprendre son histoire. A travers les âges et par l'action des hommes qui l'ont animé, sous la pression des événements et par l'affirmation de quelques principes, le Conseil d'Etat d'aujourd'hui s'est lentement formé. Le mérite des auteurs de cet ouvrage est de montrer, dans la perspective dynamique d'un passé lointain et récent, l'un des rouages essentiels de l'organisation de notre Etat. Je souhaite qu'ils trouvent leur récompense dans l'intérêt qu'un très large public peut prendre à cette étude et que, pour d'autres institutions de la France, leur exemple soit suivi.

Bernard Chenot
Vice-Président du Conseil d'Etat

PRÉFACE

Cet important ouvrage a son origine dans une suite de colloques organisés par l'Institut français des Sciences Administratives avec l'intention de réunir progressivement les matériaux d'une Histoire de l'Administration Française. Il est le fruit d'un travail collectif dû pour l'essentiel à des membres du Conseil d'Etat dirigés par M. le Conseiller Louis Fougère, qui a été l'animateur, le maître d'œuvre et aussi pour une grande part le rédacteur de cette histoire. Félicitons-nous en et remercions-le, car sa plume est excellente et il a rendu ce tableau du développement de la première de nos grandes institutions administratives d'une lecture facile et passionnante.

Ce travail était nécessaire, car si la littérature consacrée au Conseil d'Etat, à sa place dans notre système juridique, à sa jurisprudence, est abondante, l'histoire même du corps n'avait jamais été écrite, sinon partiellement et pour certaines périodes seulement. Nous connaissions bien le Conseil d'Etat du Ier Empire par les travaux du Professeur Durand, nous commencions à connaître le Conseil d'Etat du IIe Empire grâce à ceux de M. Vincent Wright, professeur d'histoire à la London School of Economics and Political Science, mais notre ignorance restait grande sur tout le reste d'une évolution qui s'étend maintenant sur plus d'un siècle et demi. Voici cette lacune aujourd'hui comblée, la période étudiée allant, après un rappel succinct des apports de l'Ancien Régime et de la Révolution, de la création du Conseil d'Etat par Napoléon jusqu'à l'actualité la plus récente.

La méthode suivie fait une grande place aux citations, soit qu'il s'agisse des textes qui ont organisé le Conseil d'Etat, soit de textes émanant du Conseil d'Etat lui-même ou de ses membres ou de textes contemporains relatifs à son existence, son action ou ses méthodes. Les auteurs ont été particulièrement heureux dans le choix de ces citations qui reconstituent bien l'atmosphère de chaque période étudiée. Enfin, de courtes biographies des membres les plus éminents du Conseil d'Etat complètent de manière très vivante l'histoire de chaque période.

Quels sont les traits principaux qui ressortent de cette histoire du Conseil d'Etat ? J'en retiens trois qui me paraissent remarquables et, lorsqu'on y réfléchit, à plusieurs égards surprenants.

La manière d'abord dont Napoléon, pour l'aider dans sa tâche législative et administrative, conçoit et crée le Conseil d'Etat est assez étonnante, puisqu'avec son puissant réalisme, il lui donne d'emblée tous les traits principaux qui, à travers les révolutions et les changements de régime du XIXe siècle, se retrouvent encore de nos jours. D'abord la forte structure du corps avec la hiérarchie des formations superposées, sections et assemblée — La collaboration des âges, qui devait se révéler si féconde, avec le travail en commun des conseillers et des maîtres des requêtes, puis, à partir de 1803, avec la création de l'auditorat — L'emploi des membres du Conseil, suivant leurs aptitudes, au travail de réflexion qui est le rôle propre d'un Conseil, mais aussi, en fonction des besoins, à des tâches d'administration active, la science des uns assurant la formation des autres et se renforçant à son tour de l'expérience que ceux-ci acquièrent dans l'action — Enfin les méthodes de travail : la procédure écrite, le travail préalable d'un rapporteur, la réflexion commune, en remontant, si besoin est, d'une formation à une autre.

Ces formations ont pu se modifier dans le détail, se démultiplier, se répartir différemment les compétences, changer d'appellation : pour l'essentiel les structures et les méthodes de travail sont restées sensiblement les mêmes. La participation de membres du Conseil d'Etat à l'administration se retrouve aussi et il offre toujours à l'Etat, comme Napoléon l'avait conçu, une réserve d'hommes compétents aptes à des tâches actives. Leur apport devenu si important aux cabinets ministériels n'est-il pas dans la plus directe tradition de la conception napoléonnienne ?

Que le Conseil d'Etat ait si bien conservé les traits marquants de son organisation à travers le XIXe siècle, au milieu des plus grands changements politiques et alors que son existence même était souvent en question, témoigne de la qualité et de la profondeur de l'empreinte napoléonienne. Elle ne fut pas moins remarquable par la manière dont l'Empereur fit le choix des hommes parmi ceux que la Révolution, après les avoir durement formés, laissait derrière elle.

L'outil ainsi forgé devait prouver très vite son efficacité. Le Conseil d'Etat réalise son premier chef-d'œuvre avec la rédaction des Codes. Du travail accompli il tire une autorité qui va assurer sa durée.

Car le second trait bien remarquable aussi est que le Conseil d'Etat ait survécu à tous les changements de régime et d'abord à la chute de Napoléon. Il avait été si étroitement mêlé à l'action politique et administrative du Premier Empire qu'il eût été normal qu'il disparût avec lui et il s'en fallut de peu qu'il ne disparût en effet. Louis XVIII fut sur le point de signer une Ordonnance qui commençait par : « Le Conseil d'Etat est supprimé », mais le fait est qu'il ne la signa finalement pas.

La raison du maintien du Conseil d'Etat fut sans doute la qualité des hommes qui le composaient, la valeur de ses traditions de travail, en fin de compte le prestige que lui donnaient les services rendus. Ne valait-il pas mieux conserver une institution qui s'était révélée si efficace, quitte à changer une partie de son personnel pour assurer son ralliement sincère au nouveau régime, procédé bien naturel à l'égard d'un corps associé de si près à l'action gouvernementale ?

Mais si le Conseil d'Etat survit, il est pendant toute la Restauration l'objet d'attaques constantes touchant son rôle, ses attributions ou son existence même et la Révolution de 1830 *manque de nouveau l'emporter. Il traverse sans trop d'encombre la Révolution de* 1848 *et la* 2e *République.*

Le Second Empire lui rend son lustre et les compétences qu'il avait eues sous Napoléon Ier, mais par là-même il est de nouveau compromis et son existence remise en cause après 1870. *Le Gouvernement de la Défense Nationale songe à le supprimer et ne fait que lui substituer une Commission Provisoire qui en est pour l'essentiel une assez exacte reproduction. Comme en* 1814 *et* 1815, l*a République a la sagesse de rétablir l'Institution en changeant, largement cette fois, son personnel. Toutefois, comme il est normal, la fonction législative du Conseil d'Etat disparaît alors pratiquement, la confection des lois ne pouvant plus relever que du Parlement. Mais les compétences administrative et juridictionnelle, les méthodes de travail, les traditions jurisprudentielles se retrouvent intactes.*

Cette fois encore c'est le prestige que le Conseil d'Etat doit à son passé et qu'il a su maintenir, qui en fin de compte le protège.

Le troisième trait remarquable, le plus remarquable, de l'histoire du Conseil d'Etat est sans doute le développement du contentieux et la création du droit administratif.

Des trois fonctions que le Conseil d'Etat a remplies au cours du XIXe siècle, l'une a pratiquement disparu avec l'installation de la République, la deuxième, la fonction administrative, n'a guère évolué, tout en se développant à la mesure de l'augmentation des tâches de l'Administration. Mais, paradoxalement, la troisième, existant à peine sous Napoléon, qu'il n'avait, celle-là, ni conçue ni voulue, grandit et prend une importance majeure.

Le Conseil d'Etat du Ier Empire en effet n'a eu d'attributions contentieuses que très secondairement. Sa compétence en ce domaine ne représente au début du XIXe *siècle qu'un petit germe, placé très discrètement par les rédacteurs de la Constitution de l'An VIII à la fin de son article* 53, *et qui pouvait très bien ne pas se développer et dépérir. Elle s'exerce à l'origine sans que les affaires soient soumises à aucune procédure particulière; elles ne sont pas traitées par une formation spécialisée; ce sont, parmi beaucoup d'autres, quelques affaires « comme les autres », donnant matière à des avis comme les autres — bon an mal an, quelques* 2 *à* 300 *affaires à côté de milliers d'affaires législatives et administratives. Il s'agit seulement de mettre de l'ordre en réglant équitablement les réclamations que suscite la vie courante de toute administration.*

Mais le petit germe de l'an VIII va grandir pendant tout le XIXe *siècle, se développer en nombre d'affaires, s'organiser en traditions et en jurisprudences et l'on s'aperçoit progressivement qu'il a donné naissance à une branche nouvelle du droit, que d'autres pays vont bientôt imiter, création spécifiquement française comme le droit civil remonte à Rome ou le droit commercial aux villes italiennes du Moyen-Age, création pragmatique et progressive qui prend corps peu à peu d'un cas d'espèce à un autre, qui se forme par le souci du juge de justifier la décision qu'il rend par un raisonnement et de ne pas se contredire d'un raisonnement à l'autre, ajoutant l'une à l'autre des règles qui deviennent finalement les grandes théories du droit administratif. C'est après les Codes le deuxième chef-d'œuvre du Conseil d'Etat, de création continue celui-là.*

Un dernier caractère de cette évolution, conséquence du développement de l'œuvre contentieuse du Conseil d'Etat, se dégage de la comparaison du point de départ et du point d'arrivée. C'est l'institution même établie à l'origine pour assurer le bon fonctionnement d'un pouvoir absolu, qui avec le temps devient un procédé remarquablement efficace de protection des droits des individus et de leurs libertés. Cela sans contradiction et par un développement logique du germe initial : car dès le début, il s'est agi, par souci d'ordre, de tempérer l'autorité absolue de l'Etat par des règles d'équité. Celles-ci reconnues bonnes sont devenues des règles de droit dont le principe, le pouvoir absolu disparu, est de justement équilibrer les prérogatives légitimes de l'intérêt général et les droits des individus.

Alexandre PARODI
Membre de l'Institut
Vice-président honoraire du Conseil d'Etat

INTRODUCTION

Cet ouvrage est né d'un colloque et d'une rencontre.

Le 30 janvier 1971 se tint à Paris, à l'initiative de l'Institut français des Sciences Administratives, un colloque consacré à l'histoire de l'administration française contemporaine. Les nombreux participants — archivistes, fonctionnaires, professeurs — furent unanimes à souligner l'intérêt et l'importance de cette histoire et à déplorer qu'elle soit très mal connue. Le succès de cette journée d'études avait été si grand que M. Parodi, qui la présidait, réunit ses organisateurs quelques semaines plus tard pour tirer des conclusions pratiques. La création d'une revue d'histoire de l'administration française fut envisagée, mais jugée, dans l'immédiat du moins, une entreprise trop ambitieuse. Le projet d'une collection d'ouvrages sur les principaux corps de l'administration française fut par contre adopté. Je proposai que le premier fût consacré au Conseil d'Etat.

Cette proposition n'aurait certainement pas été faite, si plusieurs membres du Conseil n'avaient déjà à cette époque rencontré au Palais-Royal un historien anglais, professeur à la London School of Economics and Political Science, Vincent Wright. Il préparait alors son ouvrage « Le Conseil d'Etat sous le Second Empire ». Nous le voyions redescendre, quelque peu poussiéreux, du demi-étage où se trouvent rangées nos archives. Il nous en révéla l'intérêt. Il nous rendit curieux de notre histoire. Il nous encouragea à l'écrire et se trouva ainsi associé dès l'origine à une entreprise qui est parvenue aujourd'hui au terme de sa première étape avec la publication de cette histoire du Conseil d'Etat.

Celle-ci est une œuvre collective.

Dans sa conception, tout d'abord. C'est au sein d'un comité de rédaction — qui s'est réuni une dizaine de fois en 1971 et 1972 — qu'ont été faits les choix essentiels concernant le contenu, la forme et le plan de l'ouvrage (1).

Il fut décidé dès l'abord qu'il embrasserait tous les aspects de

(1) Ont participé aux travaux de ce comité : M. de Margerie, conseiller d'Etat honoraire, M. André Moreau-Néret, maître des requêtes honoraire, MM. Lefas, Heilbronner, Letourneur, Méjan, Fougère, Gazier, Vallery-Radot, conseillers d'Etat, Madame Bauchet, Madame Latournerie, Madame Aubin, MM. Michel Guillaume, Jean Salusse, Dieudonné Mandelkern, François d'Harcourt, Gabriel de Broglie, Henri Teissier du Cros, maîtres des requêtes, M. Thuillier, conseiller référendaire à la Cour des Comptes, ...

l'histoire du Conseil d'Etat. Cette histoire est inséparable depuis 1799 de l'histoire générale de la France, dont la plupart des grands événements ont eu leur écho ou leur prolongement au Conseil. C'eût été la mutiler que la limiter à la description de l'organisation, du fonctionnement et des activités du corps. Elle n'aurait pas été non plus pleinement mise en lumière, s'il n'avait été fait, pour l'introduire, un bref retour sur le Conseil du Roi de l'Ancien Régime.

Le choix de la forme fut arrêté aussi sans grandes hésitations. C'est aux documents d'époque, éclairés par des textes d'introduction, de liaison et, le cas échéant, de commentaire, qu'il a été demandé de retracer l'histoire du Conseil.

Cette méthode préservait contre des interprétations contestables du passé; elle permettait aussi de ramener au jour bien des textes oubliés, voire même inédits, dont la qualité ou l'intérêt sont souvent très grands. Le souci de ne négliger aucun des aspects de l'histoire du Conseil imposait de recourir à des sources nombreuses et variées, archives du Conseil d'Etat (pour la période postérieure à l'incendie en 1871 du Palais d'Orsay, où il siégeait alors), débats parlementaires, organes de presse, mémoires, correspondances privées, etc. Le recours aux textes n'a pas été utilisé cependant pour les sections de l'ouvrage qui traitent du contentieux. Il eût été en effet impossible de retracer clairement sa genèse et son développement, dans un nombre limité de pages, en réunissant des textes d'arrêts, des conclusions de commissaires du gouvernement et des commentaires d'arrêtistes.

L'histoire du Conseil et celle de la France ont toujours été si étroitement mêlées qu'un plan chronologique était le seul possible. Les divisions en chapitres correspondent à peu près exactement à la succession des régimes que la France a connus aux XIXe et XXe siècles. Un tel plan avait cependant l'inconvénient de fractionner l'étude de questions dont le lecteur pouvait souhaiter prendre une vue d'ensemble. On a cherché à y remédier en plaçant à la fin de l'ouvrage des annexes où certains sujets ont été présentés brièvement de façon synthétique. Un guide bibliographique que Mademoiselle Rabant a rédigé par périodes et par matières et l'index des noms propres et des matières établi par Madame Hubert Dehollain répondent au même souci.

Cet ouvrage est aussi une œuvre collective dans son exécution pour laquelle il a été fait appel à des concours nombreux. Les membres du

...
Maître Boré, avocat aux Conseils, M. Vincent Wright, professeur à la London School of Economics, M. Drago, professeur à l'Université de Paris II, Mademoiselle Rabant, conservateur de la bibliothèque et des archives du Conseil d'Etat, M. Chabin, archiviste paléographe, Mademoiselle Elisabeth de Pusy-Lafayette. Le secrétariat du Comité était assuré par Mademoiselle Rey, secrétaire d'administration au Conseil d'Etat, dont l'activité ne s'y est pas limitée. Avec l'aide de Mademoiselle de Pusy-Lafayette et de Mademoiselle Anne de Groër, elle a pendant trois ans infatigablement rassemblé et vérifié textes et documents.

Conseil d'Etat en ont assumé la plus grande part, mais ils ont bénéficié d'aides extérieures précieuses, trouvées notamment auprès de conservateurs, archivistes et bibliothécaires, aux Archives nationales, à la Bibliothèque nationale, aux bibliothèques de l'Assemblée nationale, de la Cour des Comptes, de la Fondation Thiers, de la Ville de Paris, aux Archives départementales de la Loire-Atlantique, etc.

Monsieur Gazier, conseiller d'Etat, est l'auteur du premier chapitre : « Du Conseil du Roi au Conseil d'Etat », pour la préparation duquel M. Bercé, conservateur aux Archives nationales, a orienté et facilité ses recherches.

La période capitale du Consulat et du Premier Empire était la plus aisée à traiter, grâce aux ouvrages qui lui ont été consacrés par M. Charles Durand, professeur honoraire à la faculté de droit d'Aix-en-Provence. Nous y avons puisé l'essentiel du second chapitre, dont l'ordonnance doit également beaucoup à ses conseils. Une contribution complémentaire d'un grand prix y a été apportée sur trois questions demeurées jusqu'ici peu claires ou mal connues, par M. Tony Sauvel, conseiller d'Etat honoraire, pour la création du Conseil et les débuts du contentieux; par M. Massot, maître des requêtes, pour les Conseils d'Etat des Etats vassaux de l'Empire.

Les périodes suivantes : 1815 à 1830 et 1830 à 1848, — périodes de relatif effacement pour le Conseil — étaient beaucoup moins bien connues. Encadrant les Cent jours, dont Madame Aubin, maître des requêtes, a crayonné les traits les plus marquants, la Première et la Seconde Restauration ont été étudiées par Maître Boré, avocat aux Conseils et M. Chabin, ancien élève de l'Ecole des Chartes où il prépara et soutint, en 1972, une thèse sur le Conseil d'Etat de la Restauration. Ces deux chapitres font une large place aux débats parlementaires, au cours desquels l'existence, la légalité, les attributions et l'organisation du Conseil furent constamment remises en cause. M. Vallery-Radot, conseiller d'Etat, M. Sandevoir, professeur à l'Université de Lille, MM. Pirotte et Savoye, maîtres-assistants à la même Université, ont lu et analysé la totalité de ces débats.

Il revenait évidemment à M. Vincent Wright de retracer l'histoire du Conseil de 1848 à 1879. Il connaît parfaitement cette période que ses travaux antérieurs ont beaucoup contribué à éclairer.

Nous ne disposions d'aucune étude comparable pour les années 1879 à 1919. Les archives du Conseil d'Etat de cette période n'avaient jamais encore été exploitées. C'est à partir des documents essentiels qu'ils ont réunis que MM. Michel Guillaume et Gabriel de Broglie, maîtres des requêtes, ont élaboré le plan du chapitre qui lui est consacré, tandis que M. Jacques d'Yvoire et M. Fanachi, attaché principal d'administration au Conseil d'Etat, extrayaient des débats d'assemblée générale la matière des deux sections où il est traité des affaires religieuses et des problèmes de la fonction publique. M. Braibant, maître des requêtes, a rédigé le chapitre sur l'essor du contentieux administratif pendant cette période essentielle de son épanouissement.

La période couverte par les trois derniers chapitres — 1919-1939, 1939-1945, 1945 à aujourd'hui — présentait moins de difficultés. Les archives — qui comprennent notamment les discours et allocutions des gardes des sceaux et des vice-présidents analysés par M. Heilbronner, conseiller d'Etat — étaient abondantes. Leur apport a été beaucoup enrichi par les souvenirs que de nombreux membres du Conseil d'Etat ont bien voulu nous communiquer.

Le cadre chronologique a été abandonné pour l'étude de certaines questions qu'il a paru préférable de confier dans leur ensemble à un même auteur : l'auditorat, à M. Mandelkern, maître des requêtes; les bilans d'activité du Conseil, à Madame Latournerie, maître des requêtes; les résidences successives du Conseil, à M. Loisel, attaché à la Caisse nationale des monuments historiques; le costume des membres du Conseil, à M. Ordonneau, conseiller d'Etat; l'Ordre des avocats aux Conseils, à Maitre Boré; les Polytechniciens au Conseil d'Etat, à M. Pomey, maître des requêtes. Les pages consacrées aux trois premiers de ces sujets ont été distribuées entre les chapitres; les trois dernières études, qu'il eût été arbitraire d'insérer dans tel chapitre plutôt que dans tel autre, ont fait l'objet, comme on l'a dit plus haut, d'annexes en fin d'ouvrage. Ont été également réparties entre les chapitres et placées à la fin de ceux-ci les quarante-trois biographies de membres du Conseil d'Etat, dont la rédaction, coordonnée par Madame Bauchet, maître des requêtes, a été assurée par trente-deux membres du Conseil et par M. Drago, professeur à l'Université de Paris II.

L'ouvrage contient des illustrations que nous devons à l'amabilité de l'administration des Monnaies et Médailles, du Musée historique de la Ville de Paris, de la Documentation française et de plusieurs membres du Conseil d'Etat.

Cet ouvrage n'aurait pu être publié sans les concours matériels qui nous ont été généreusement donnés. L'Institut français des Sciences Administratives a manifesté par une subvention l'intérêt qu'il portait à un livre, dont il peut revendiquer le patronage, puisqu'il est issu d'un colloque organisé par lui.

Nous sommes également redevables au président du Conseil d'administration de la Caisse nationale des Monuments Historiques et au directeur de celle-ci, notre collègue Jean Salusse, qui ont pris en charge une partie des frais d'illustration. Ces contributions ont heureusement complété l'aide capitale du Centre national de la Recherche Scientifique qui a accepté d'éditer l'ouvrage. Nous avons trouvé pendant trois ans auprès de la direction générale du Centre et auprès de notre collègue Pierre Creyssel, son directeur administratif et financier, le concours le plus aimable et le plus efficace.

Louis Fougère
Conseiller d'Etat

CHAPITRE PREMIER

DU CONSEIL DU ROI AU CONSEIL D'ÉTAT

CHAPITRE I

DU CONSEIL DU ROI AU CONSEIL D'ÉTAT

Naissance au XIIIe siècle du Conseil du Roi — Texte du serment des conseillers — Arrêts du Conseil des XIVe et XVe siècles — Le personnel du Conseil : conseillers et maîtres des requêtes — Portrait du conseiller Pussort — Les avocats aux Conseils — Organisation et fonctionnement du Conseil : les séances, la procédure, les divers actes — Le Conseil à la veille de la Révolution : essais de réforme — Sa disparition en 1791.

LE CONSEIL DES ORIGINES

L'acte de naissance officiel du Conseil d'Etat se trouve dans la Constitution de l'an VIII, ce qui en fait une institution déjà vénérable dont on a fêté en 1950 le cent cinquantième anniversaire. Toutefois, comme l'a noté M. Sauvel dans le Livre Jubilaire publié pour commémorer cet anniversaire, on connait plus malaisément l'âge d'une institution que celle d'un homme et les origines du Conseil d'Etat sont à rechercher bien avant l'an VIII.

Sans remonter, comme le font certains auteurs, jusqu'à l'Empire romain ni même à l'assemblée qui, aux temps des Mérovingiens et Carolingiens, siégeait à côté du prince et des grands officiers de la couronne, on s'accorde en général à situer l'origine du Conseil du Roi au XIIIe siècle, lorsque se détachèrent de la Curia Regis le Parlement et la Chambre des Comptes pour ne laisser qu'un organisme aux contours flottants désigné sous les appellations de conseil privé, conseil étroit, conseil secret ou grand conseil.

Ce conseil s'institutionnalisa lentement.

On vit d'abord apparaître les conseillers et quelques éléments de leur statut. C'est ainsi qu'à été conservé le texte du serment qu'ils prêtaient sous Louis IX et Philippe III :

« *FORMA JURAMENTI QUOD FACIUNT ILLI QUI SUNT DE CONSILIO DOMINI REGIS.*

Nous jurons que nous serons leal au Roi et le conseillerons leailment, quant il nous demandera conseil, et celerons son secré et son conseil en bonne foi; et, ès causes que nous orrons devant lui, ou sanz lui par s'autorité, nous li garderon sa droiture et l'autrui en bonne foi; ne le lerrons pour amour, ne pour haine, ne pour grace, ne pour autre chose; et que nous ne prendron nul don, ne par nous ne par autre, de bailli, ne de prevost, ne de autre qui ait fait le serement au Roi que li bailli font, tandis com il seront en l'office, ne de nule autre persone qui ait cause meue en la Court le Roi, ou qui apere qu'el doie estre meue, partans que nos sachiens, ne emprès la cause pour achoisen de la cause, se ce n'est vins hors de tonnel, ou chiens, ou oisiaux, ou viande, hors de buef ou de pors, ou de autre chose qui tournant à mauvaise convoitise. »

(*Cité par Noël Valois. Inventaire des arrêts du Conseil d'Etat. Paris 1886-1893, p. VII*).

Puis sous Philippe le Bel les attributions du Conseil reçurent un début de définition. C'est ainsi que l'article 12 de l'ordonnance du 23 mars 1302 pour le bien, l'utilité et la réformation du royaume donna au Conseil certains pouvoirs de révision des arrêts de la Cour :

« (12) *Item. Volumus, sancimus et etiam ordinamus quod judicata, arresta et sententie, que de nostra Curia, seu nostro communi Consilio processerint, teneantur, et sine appellatione aliqua executioni mandentur. Et si aliquid ambiguitatis, vel erroris continere viderentur, ex quibus merito suspicio indiceretur, correctio, interpretatio, revocatio, vel declaratio eorumdem ad nos, vel nostrum commune Consilium spectare noscantur, vel ad majorem partem consilii nostri, vel providam deliberationem specialis mandati nostri, et de nostra licentia speciali super omnia antea requisita servetur.* »

(*Collection des ordonnances des rois de France de la troisième race, par M. de Laurière, Paris, 1723, t. I, p. 359*).

Les Archives nationales conservent un très grand nombre des actes rendus, à cette haute époque, par le Roi en son Conseil, d'abord rédigés en latin, puis en langue commune, portant mention des nombreuses résidences où le Conseil accompagnait le souverain et assortis du grand sceau de France.

Ils portent en général sur des différends d'ordre privé que, pour les raisons les plus variées, le roi se trouvait amené à trancher en personne. Certains sont encore aujourd'hui d'une lecture assez savoureuse.

Ainsi en est-il, parmi beaucoup d'autres, d'un acte en Conseil du 31 juillet 1354 dans lequel le roi Jean le Bon relate la cérémonie de réparation faite à Philippe, évêque de Meaux, conseiller du Roi, par Doignon, homme d'armes, qui l'avait diffamé, en présence de tous les conseillers du roi, dont onze prélats ou seigneurs nommément désignés dans l'acte. Voici, après les paroles d'excuse et de repentir prononcées au nom de l'offenseur, comment s'acheva la procédure :

« ... *Quibus sic factis cambellanus noster adduxit dictum Johannem Doignon coram episcopo meldense predicto consiliario nostro. Et tunc dicto Johanni precipit prefatus avunculus noster Dux Borbonesii quod emendaret predicta episcopo meldense supradicto et statim dictus Johannes Doignon flexis genibus ad terram nudato capite anteriorem partem sui capucii dicto episcopo tradens premissa emendavit. Qua emenda per dictum episcopum admissa voluit et consensit dictus episcopus quod ipsa taxaretur juxta dispositionem et arbitrium avunculorum nostrorum predictorum. Quod ut firmum et stabile permaneat in futurum presentibus litteris nostrum fecimus apponi sigillum.*

Actum Parigius, in dicta nostri parlamenti camera, ultima die julii anno Domini millesimo trecentesimo quinquagesimo quarto. Per consilium in quo erant domini in presentibus nominati et alii quamplurimi. »

(*Arch. nat. JJ 82 fol° 220 verso*).

On citera aussi, un siècle plus tard, un arrêt du 19 juin 1455 qui met en cause Jacques Cœur et montre qu'on ne plaisantait pas à cette époque avec le paiement des dépens :

« Le XIXe jour de juing audit an, au Conseil, auquel estoient MM. le Chancelier, les evesques de Angolesme et de Constances, les sires de Torcy et du Monteil, sire Jehan Hardoyn, Mes Estienne le Fevre, Françoys Hallé et Philippe Gervays,

Sur la requeste faicte par Guillemette la Barbière, povre femme chargée de quatre enfans, par laquelle elle dit que, autresfoiz et dès l'an mil CCCC XLV, ainsi qu'elle venoit de la ville de la Rochelle à Paris, elle trouva unes bouges appartenans à feu Nicole Cuer, lors evesque de Luçon, où il avoit Clc cinquante escuz et deux anneaulx d'or, lesquelles choses elle a depuis rendues, et que, ce non obstant, à l'occasion de ce qu'elle ne rendit (pas) lesdites choses incontinent après le cry qui en fut fait, on lui fait question des despens que ledit evesque fit en la poursuite de la matière, et, à ceste cause, le procureur du Roy l'a tenue en prison au Chastellet de Paris par l'espace de deux ans et neuf moys, et y est encores, pour ce que lesditz despens appartiennent au (Roy), parce que Jacques Cuer estoit heritier dudit evesque de Luçon; et pour ce requiert qu'il plaise au Roy la quitter desditz despens, qui sont encore à tauxer, et (luy) faire delivrance de ses biens, qui, à celle cause, sont en sa main : a semblé que, considéré le long temps qu'il a que ladite Guillemette (est) en prison, et que la chose n'est que pour les despenz que ledit evesque de Luçon demandoit, le Roy lui puet donner et quitter lesditz despens, se s'est son plaisir, et ses biens et heritaiges à ceste cause saisiz lui faire délivrer, considéré que, se le procès eust esté encommancié an nom du Roy, il n'esust eu nulz despens contre elle, ne elle contre lui. »

(*In Noël Valois. Le Conseil du Roi aux* XIVe, XVe *et* XVIe *siècles. Paris 1888, pp. 320-321*).

LE PERSONNEL DU CONSEIL

Dès les origines, le Conseil du Roi, outre des membres de droit : ducs et pairs, chancelier, ministres et secrétaires d'Etat, contrôleur général des finances, est composé de deux catégories de membres à statut nettement différencié : les conseillers qui délibèrent et les maîtres des requêtes qui rapportent.

Les fonctions de conseiller d'Etat n'ont jamais été constituées en office. C'était une dignité s'apparentant à une commission, donc en principe révocable. Leur choix était une prérogative royale dont, à certaines époques, il fut fait un usage excessif. Des efforts furent tentés, à maintes reprises, pour en limiter le nombre.

Les chiffres rassemblés par M. Roland Mousnier (1) montrent les étonnantes variations de l'effectif des conseillers selon les époques. Ils étaient 15 en 1543, 21 en 1570, puis passèrent à 30, 44, 100 même en 1572. Pendant la seconde Ligue leur nombre double encore. Ce n'est qu'après la Fronde, une fois la monarchie affermie, qu'on put mettre fin à ces débordements et ramener le Conseil à une trentaine de membres, dont en principe 3 d'église, 3 d'épée et 24 de robe longue.

De ces générations de conseillers d'Etat l'histoire et la littérature nous ont parfois conservé les noms et même les portraits.

Saint Simon en a dessiné quelques silhouettes suggestives.

On retiendra ici celle du conseiller Pussort :

« Pussort, conseiller d'Etat et doyen du Conseil, mourut bientôt après; il était aussi l'un des deux conseillers au conseil royal des finances et avait quatre vingt sept ou quatre vingt huit ans. M. Colbert l'avait fait ce qu'il était; son mérite l'avait bien soutenu. Il était frère de la mère de M. Colbert et fut toute sa vie le dictateur et, pour ainsi dire, l'arbitre et le maître de toute cette famille si unie. Il n'avait jamais été marié, était fort riche et fort avare, chagrin, difficile, glorieux, avec une mine de chat fâché qui annonçait tout ce qu'il était, et dont l'austérité faisait peur et souvent beaucoup de mal, avec une malignité qui lui était naturelle; parmi tout cela beaucoup de probité, une grande capacité, beaucoup de lumière, extrêmement laborieux, et toujours à la tête de toutes les grandes commissions du Conseil et de toutes les affaires importantes du dedans du Royaume. C'était un grand homme sec, d'aucune société, de dur et difficile accès, un fagot d'épines, sans amusement et sans délassement aucun, qui voulait être maître partout et qui l'était parce qu'il se faisait craindre, qui était dangereux et insolent et qui fut fort peu regretté. »

(*Mémoires. Edit. de La Pleiade. Chap. XXVI, pp. 364-365*).

Le conseiller Pussort eut également le malheur de déplaire à Madame de Sévigné, pour n'avoir pas pris fait et cause pour Foucquet lors de son procès :

« M. Foucquet a parlé aujourd'hui deux heures entières sur les six millions. Il s'est fait donner audience, il a dit des merveilles; tout le monde en était touché, chacun selon son sentiment. Pussort faisait des mines d'improbation et de négative, qui scandalisaient les gens de bien.

Quand M. Foucquet a eu cessé de parler, Pussort s'est levé impétueusement et a dit : « Dieu merci, on ne se plaindra pas qu'on ne l'ait

---

(1) Roland Mousnier. Le Conseil du Roi de Louis XII à la Révolution. P.U.F., Paris, 1970, p. 21.

laissé parler tout son soûl ». Que dites vous de ces belles paroles ? Ne sont elles pas d'un fort bon juge ?...

Ce matin, Pussort a parlé quatre heures, mais avec tant de véhémence, tant de chaleur, tant d'emportement, tant de rage, que plusieurs des juges en étaient scandalisés et l'on croit que cette furie peut faire plus de bien que de mal à notre pauvre ami. Il a redoublé de force sur la fin de son avis et a dit sur ce crime d'Etat, qu'un certain Espagnol nous devait faire bien de la honte, qui avait eu tant d'horreur d'un rebelle qu'il avait brûlé sa maison, parce que Charles de Bourbon y avait passé; qu'à plus forte raison nous devions avoir en abomination le crime de M. Foucquet; que pour le punir il n'y avait que la corde et les gibets; mais qu'à cause des charges qu'il avait possédées, et qu'il avait plusieurs parents considérables, il se relâchait à prendre l'avis de M. de Sainte-Hélène. Que dites vous de cette modération ? C'est à cause qu'il est oncle de M. Colbert et qu'il a été récusé, qu'il a voulu en user si honnêtement. Pour moi, je saute aux nues quand je pense à cette infamie. »

(Lettre à M. de Pomponne. 1664. Ed. de La Pléiade, T. I, pp. 139-140).

Les maîtres des requêtes sont apparus parmi le personnel de l'Hôtel du Roi avant même les conseillers et y tenaient une juridiction spéciale : les Requêtes de l'Hôtel. Leur charge fut érigée en office, ce qui, tout autant que leur fonction, les distinguait des conseillers. Ils n'avaient d'ailleurs pas droit aux mêmes égards, rapportant debout dans la salle du Conseil et s'asseyant loin de la table sur des bancs ou sur des chaises.

Les maîtres des requêtes n'étaient d'ailleurs pas confinés dans le seul service du Conseil; des missions extérieures leur étaient souvent confiées, parmi lesquelles les célèbres chevauchées auxquelles fait référence l'article 7 de l'ordonnance du 12 février 1566 pour la réformation de la justice :

« Les maistres des requestes ordinaires de nostre Hostel feront leurs chevauchées par toutes les provinces de nostre Royaume, selon le département qui à ces fins sera fait par chacun an par nostre dit chancelier, auquel ils rapporteront leurs procès-verbaux des contraventions qu'ils trouveront avoir esté faites à nos ordonnances, et autres cas qui mériteront punition et correction. »

(Recueil général des anciennes lois françaises de 420 à 1789. Tome XIV, p. 191).

Leur office n'était en général qu'une étape au cours d'une carrière qui devait se poursuivre au delà, soit comme conseiller d'Etat, soit comme intendant par exemple, et selon la formule souvent citée de d'Aguesseau, il ne faisait pas bon vieillir dans ces fonctions :

« Les maîtres des Requêtes sont comme les désirs du cœur humain : ils aspirent à n'être plus; c'est un état que l'on n'embrasse que pour le quitter; un corps où l'on n'entre que pour en sortir et quiconque y vieillit se sent tous les jours dépérir et tomber dans l'oubli. »

(D'Aguesseau. Discours sur la vie et la mort de M. d'Aguesseau, Conseiller d'Etat, son père, Paris 1720).

Si l'origine des conseillers et des maîtres des requêtes remonte aussi loin que le Conseil lui même, ce n'est par contre qu'au XVIIe siècle qu'apparut un corps d'avocats aux Conseils distinct de celui, beaucoup plus ample, des Avocats au Parlement.

Un édit du 7 novembre 1643, érigeant « en titre d'office 160 charges d'avocats ès Conseils d'Estat et privé de Sa Majesté », a dessiné les contours de ce qui était appelé à devenir l'Ordre des avocats au Conseil d'Etat et à la Cour de Cassation :

> « Louys, par la grâce de Dieu Roy de France et de Navarre, A tous presens et advenir, Salut. Nous ayant esté représenté en nostre Conseil, que pour remédier aux désordres qu'apporte la multitude des Advocats receus en iceluy, plusieurs reductions en auroient esté faites en divers temps...
>
> ... A ces causes Sçavoir faisons, qu'ayant fait voir en nostre Conseil les Reglemens concernant ladite reduction, De l'advis de la Reyne Regente, nostre très honorée Dame et Mère, de nostre très cher Oncle le Duc d'Orléans, de nostre cher Cousin le Prince de Condé, et de plusieurs Grands et notables personnanges de nostre Conseil, De nostre certaine science, pleine puissance, et authorité Royale; Nous avons par le présent Edict perpétuel et irrévocable, Revoqué et Revoquons toutes les nominations, matricules et receptions d'Advocats en nosdits Conseils, accordés jusques à présent par nos amez et feaux Chanceliers et Gardes de nos Seaux, sans qu'à l'advenir ils en puissent accorder aucunes pour quelque cause et prétexte que ce soit. Faisons très expresses défenses à ceux qui exerçoient lesdites charges d'Advocats en nostre Conseil, d'en faire aucune fonction et exercice en vertu des dites matricules, à peine de faux : Et avons par cedit présent Edict créé et érigé, créons et érigeons en titre d'Office formé, Huit vingts Offices d'Advocats en nosdits Conseils pour par ceux qui en seront pourveus, en faire la fonction et exercice, occuper et plaider en iceux, jouir des honneurs, authoritez, prerogatives, privileges, droits des Requestes, Presentations, instructions d'instances, escritures et productions, declarations de despens, et de tous autres droicts, fruicts, profits, esmolumens, salaires et vacations qui entrent en taxes, dont jouissaient ceux qui ont exercé lesdites charges d'Advocats jusques à présent, en vertu desdites matricules. »
>
> *(Isambert, Recueil des anciennes lois françaises. T. XVII, p. 34).*

Enfin tout le personnel du Conseil était régi par des réglements minutieux et souvent révisés qui fixaient, outre ses effectifs, le détail des préséances et des tenues.

Voici comment le Réglement du Conseil publié par le maître des requêtes Tolozan à la veille de la Révolution décrivait la tenue des conseillers :

> « Les conseillers d'Etat de Robe assistent au Conseil des Parties et au Conseil des Dépêches, lorsqu'ils y sont appelés, avec une robe de soie, en forme de simarre, qui était l'habillement que les magistrats portaient autrefois dans leurs maisons; elle est de laine quand ils sont en deuil.
>
> Les conseillers d'Etat d'Eglise y entraient autrefois en soutane et manteau long. Ceux d'entre eux qui sont du second ordre, y ont porté depuis

quelque temps une robe en forme de simarre, et il n'y a que les Evesques qui y assistent en soutane et manteau long. Les conseillers d'Etat d'Epée y viennent avec leurs habits ordinaires, aussi bien que les Secrétaires d'Etat et le Contrôleur Général des Finances.

La robe de cérémonie des conseillers d'Etat est différente de celle qu'ils ont au Conseil, elle est de satin noir; mais ils ne la portent que lorsqu'ils accompagnent M. le Chancelier dans les occasions dont on a déjà parlé, ou lorsqu'ils président au Grand Conseil, ou qu'ils assistent au Sacre du Roi; dans cette cérémonie ils ont aussi un cordon d'or à leur chapeau, des gands avec une bordure ou frange d'or et des glands d'or à leur ceinture, suivant l'ancien usage ».

(Tolozan. Réglement du Conseil d'Etat. Paris 1786, pp. 10-11).

ORGANISATION ET FONCTIONNEMENT DU CONSEIL

L'étude du Conseil du Roi est rendue malaisée par le fait que, comme toutes les institutions d'ancien régime, il n'a cessé d'évoluer et de se transformer.

Sa complexité apparaît notamment à travers la multiplicité de ses formations, la minutie de sa procédure, la variété des actes qui en émanent.

Les séances.

Le Conseil du Roi était un en son principe, mais multiple en ses formations, on disait alors ses « séances ». Leur nombre, leurs qualifications, leurs attributions n'ont cessé de se transformer au long des siècles et il n'est pas simple d'en démêler le fil. Aussi préfère-t-on souvent en donner une vision instantanée en décrivant l'organisation du Conseil à une date précise où l'on est particulièrement renseigné sur sa composition du moment.

C'est ainsi que M. Michel Antoine a réussi à en dresser un tableau très clair en se situant au milieu du règne de Louis XV et plus précisément en l'année 1745 (1). On est ainsi amené à distinguer :

1) Les Conseils de Gouvernement, tenus par le Roi en personne, qui sont au nombre de quatre : le Conseil d'En-haut, le Conseil des Dépêches, le Conseil royal des Finances, le Conseil royal du Commerce;

2) Les Conseils pour les affaires administratives, judiciaires et contentieuses, tenus en principe par le Roi et en fait par le Chancelier et qui forment : le Conseil d'Etat privé, finances et direction;

3) Les bureaux et les commissions du Conseil.

(1) Michel Antoine, Le fonds du Conseil d'Etat du Roi aux Archives nationales, Paris, 1955, pp. 4 sq.

Les Conseils de Gouvernement préfigurent le Conseil des Ministres ou les Comités interministériels d'aujourd'hui et n'intéressent donc pas directement le présent ouvrage.

En revanche le Conseil d'Etat privé, finances et direction apparaît bien comme l'ancêtre tout à la fois de la Cour de Cassation et du Conseil d'Etat moderne. C'est là qu'on traitait de justice et d'administration. Le Roi était toujours censé présider les séances, mais son fauteuil restait généralement vide et la présidence effective incombait au Chancelier.

Deux formations composaient ce Conseil à la fin de l'ancien régime : d'une part le Conseil d'Etat privé, ou Conseil des Parties, où le Roi exerçait la justice retenue, maintenait l'ordre des juridictions et statuait sur l'appel des ordonnances et jugements rendus en matière judiciaire par les intendants; d'autre part le Conseil d'Etat et des Finances, qui expédiait les questions courantes d'administration des finances et jugeait un bon nombre d'affaires contentieuses dans ce domaine.

La procédure.

La procédure suivie au Conseil privé est le fruit d'une longue tradition progressivement codifiée, en dernier lieu par le grand règlement du 28 juin 1738, qui n'était d'ailleurs qu'un simple arrêt en Conseil, aisément modifiable dans les mêmes formes. En voici le début :

Règlement concernant la procédure du Conseil

« Le Roi s'étant fait représenter les règlements généraux faits en 1660, 1675 et 1687, et autres règlements particuliers donnés en conséquence, au sujet des procédures qui doivent être faites en son Conseil, pour l'instruction et le jugement des affaires qui y sont portées, S.M. auroit jugé à propos de réunir dans un seul réglement général, tout ce qui lui a paru devoir être conservé dans les dispositions des réglements précédents, et tout ce qu'elle a cru devoir y ajouter, pour rendre la forme de procéder plus simple ou plus facile, et l'expédition des affaires plus prompte et moins onéreuse à ses sujets; à quoi voulant pourvoir, S. M. étant en son Conseil, a ordonné et ordonne ce qui suit :

PREMIÈRE PARTIE
De la manière d'introduire les différentes espèces d'affaires qui sont portées au conseil, et des règles qui sont propres à chacune desdites affaires

TITRE PREMIER. — Des évocations sur parentés et alliances, et des règlements de juges en matières civile et criminelle.

ART. PREMIER — Les instances d'évocation sur parentés et alliances seront introduites au conseil par une simple assignation donnée en vertu de la cédule évocatoire sans qu'il soit besoin de lettres ni d'arrêts... »

(Isambert, Recueil des anciennes lois françaises. Règne de Louis XV, p. 42).

Cette procédure est décrite de façon très vivante dans le cours de doctorat qu'a consacré au Conseil d'Etat du Roi le professeur Olivier-Martin en 1947-1948 :

« On se bornera ici à rappeler les très grandes lignes de cette procédure, mise au point au cours des siècles de fonctionnement du Conseil du Roi et encore si proche de celle que suit aujourd'hui le Conseil d'Etat.

... Au Conseil d'Etat privé les affaires étaient introduites par le Chancelier qui, dès leur admission, les distribuait à un maître des requêtes rapporteur et à quelques conseillers d'Etat, commissaires du Conseil pour l'affaire considérée.

La procédure était purement écrite et sur pièces, d'où l'importance du rôle des avocats. Le rapporteur devait communiquer son dossier aux commissaires, mais pouvait aussi solliciter tout avis qu'il jugeait nécessaire et était complètement maître de son instruction. Lorsque le dossier était au point, il en dressait l'extrait, c'est à dire l'énumération méthodique des pièces qu'il comportait avec leur résumé. C'est alors qu'il « en communiquait » avec les conseillers commissaires, puis l'affaire venait en Conseil, qui jugeait en dehors de la présence des parties et dont les audiences n'étaient pas publiques.

Le maître des requêtes lit son rapport, sans être interrompu. Puis les conseillers qui le désirent opinent. La discussion achevée, le Chancelier prend les avis en commençant par le moins ancien. La décision est prise à la majorité, la voix du Chancelier étant prépondérante. Le greffier note les avis sur son « plumitif » et l'arrêt est en général prononcé séance tenante.

Son dispositif commence par la formule rituelle : « Le Roi en son Conseil, faisant droit à l'instance... » et se termine par les mots : « fait au Conseil d'Etat privé du Roi, tenu à... » à telle date. Quand, par exception, le Roi a assisté à la séance, la formule reste : « Le Roi en son Conseil... » mais on ajoute au début : « Ouï le rapport fait en présence de Sa Majesté », et la phrase finale devient : « Fait au Conseil d'Etat privé du Roi, S. M. y étant ». »

(Les Cours de Droit. Paris, 1948).

Les actes.

La multiplicité et la diversité qui caractérisent les séances du Conseil du Roi se retrouvent dans les actes qui en émanent. Tous ne constituent pas des arrêts : sont pris en Conseil des ordonnances, des édits, des lettres patentes, des déclarations, des brevets, des rôles, des états, des résultats, etc.

Et au sein des arrêts du Conseil d'Etat du Roi, des distinctions sont encore à faire, les arrêts en commandement, émanant des Conseils de Gouvernement et commençant par les mots : « Le Roi étant en son Conseil... » s'opposant aux arrêts simples issus du Conseil d'Etat privé et débutant par la phrase : « Le Roi en son Conseil ». A quoi s'ajoute la distinction entre les arrêts de propre mouvement et les arrêts sur requête.

Les minutes de ces arrêts ont été conservées et classées et constituent aujourd'hui un des fonds les plus riches des Archives nationales.

De cette masse d'arrêts du Conseil d'Etat du Roi, on en retiendra trois, à titre d'exemple, échelonnés dans le temps du début du XVIIe siècle à la fin du XVIIIe :

1) Un arrêt de propre mouvement rendu sous le règne de Henri IV en matière d'administration des finances royales;

« Le Roy en son Conseil, désirant avoir lumière et connoistre au vray quelles parts et portions de son domaine, greffe, sceaulx et tabellionnages ont esté vendus et revendus soit à perpétuité ou à faculté de rachapt perpétuel comme aussy des aides, huitièmes, vingtièmes, subsides et impositions et à quels effets les deniers qui en sont provenus ont esté emploiez, a ordonné et ordonne que tous ceux qui ont esté commis à fere la recette des deniers provenant desdites ventes, reventes et allienations dudit domaine, aides huitièmes, vingtièmes et autres impositions depuis l'année 1582 jusques à huy présenteront audit conseil les estats au vray du maniement qui en a esté par eux sur ce faict, et où il se trouvera qu'ils en eussent jà compté rapporteront les doubles de leurs comptes et ce deux mois après la signiffication qui leur sera faicte du présent arrest. Sinon à faulte d'y satisfere y seront contraints par toutes voies deues et raisonnables ainsy qu'il est accoustumé pour les propres deniers et afferes de Sa Majesté. Faict au Conseil du Roy tenu à Paris le 24e jour de janvier 1602.

Bellievre — Maupeou
De Bethune
Hurault »

(Arch. nat., E 4a, f° 27. Registre des minutes authentiques d'arrêts du Conseil du Roi).

2) Un arrêt simple du Conseil privé, rendu en 1764 dans la célèbre affaire Calas :

« Le Roy en son Conseil faisant droit sur la dite instance a cassé et casse la sentence des cappitouls du 27 octobre 1761 en ce qu'en ordonnant que les accusés seraient confrontés les uns aux autres il n'aurait pas été ordonné qu'ils seraient récolés sur leurs interrogatoires, ce faisant a cassé les confrontations desdits accusés faites sans avoir procédé préalablement à leur récolement, en conséquence a cassé ledit arrêt du 9 mars 1762 ensemble celui du 18 mars suivant et tout ce qui a suivi lesdits arrêts, a évoqué à soy et à son Conseil le procès criminel jugé par lesdits arrêts et (...) a renvoié et renvoie aux sieurs Maîtres des Requêtes de l'hostel au souverain pour y estre ordonné et fait le récolement desdits accusés, et ensuite estre procédé à de nouvelles confrontations desdits accusés les uns aux autres et à telles instructions qu'il appartiendra pour le fait estre statué sur ledit procès. Ordonné à cet effet que les charges et procédures apportées au greffe du Conseil seront portées à celui des dites Requêtes de l'hostel, même les confrontations déclarées nulles par le présent arrêt, lesquelles serviront de mémoire seulement. Ordonne que l'amende consignée par les demandeurs leur sera rendue

De Maupeou
Thiroux de Crosne

Daguesseau
Feydeau de Marville
Rapporté à Paris le 4 juin 1764. »

(Arrêt reproduit in Michel Antoine. Le fonds du Conseil d'Etat du Roi aux Archives Nationales, Paris 1955, Planche VIII).

3) Un arrêt en commandement de 1779 ordonnant la suppression d'un imprimé de Beaumarchais jugé subversif :

« Le Roi étant informé qu'il s'est répandu dans le public un imprimé ayant pour titre : Observations sur le mémoire justificatif de la Cour de Londres, par Pierre-Augustin Caron de Beaumarchais; Sa Majesté y auroit remarqué avec surprise, outre différentes assertions hasardées et qualifications trop peu ménagées, que l'Auteur aurait établi en fait, qu'il existoit dans le Traité de Paris de 1763, une stipulation, soit publique, soit secrète, qui limiteroit le nombre des Vaisseaux que la France pourroit entretenir. Cette allégation étant entièrement contraire à la vérité et démentie, tant par le Traité qui ne renferme aucun article secret, que par les actes qui l'ont précédé et suivi; Sa Majesté auroit estimé ne pouvoir laisser subsister une assertion aussi fausse et aussi absurde : Considérant en outre que cet ecrit a été publié et répandu en contravention aux reglemens de la Librairie; Sa Majesté étant en son Conseil, de l'avis de M. le Garde des Sceaux, a ordonné et ordonne, que ledit imprimé, ayant pour titre : Observations sur le Mémoire justificatif de la Cour de Londres, par Pierre Augustin Caron de Beaumarchais, sera et demeurera supprimé : A fait et fait Sa Majesté expresses inhibitions et défenses à tous Libraires, Imprimeurs, Colporteurs et autres, d'imprimer, vendre, colporter et distribuer ledit Ecrit; enjoint à tous ceux qui en auront des exemplaires, de les rapporter dans quinzaine pour tout délai, au Greffe du Conseil, pour y être supprimés. Ordonne en outre Sa Majesté, que le présent arrêt sera imprimé, publié et affiché partout où besoin sera : Enjoint au sieur Lieutenant général de Police à Paris de tenir la main à l'exécution du présent arrêt. Fait au Conseil d'Etat du Roi, Sa Majesté y étant, tenu à Versailles le dix neuf décembre mil sept cent soixante dix neuf. Signé Amelot ».

(A Paris, De l'Imprimerie Royale, 1779).

LE CONSEIL A LA VEILLE DE LA RÉVOLUTION ET SOUS LA RÉVOLUTION

A la fin du règne de Louis XVI le mouvement tardif de réforme que suscita l'approche du mouvement révolutionnaire et qui ne suffit pas à l'enrayer toucha également le Conseil du Roi. Il se manifesta par l'institution de deux comités qui, l'un et l'autre, introduisirent le terme « contentieux » dans le titre officiel d'un organisme public.

Le premier est le Comité Contentieux des Finances créé par Necker le 5 juin 1777 en même temps qu'étaient supprimés six offices d'intendants des finances. L'édit qui l'institua en justifiait ainsi la création :

« Les changements successifs arrivés depuis notre règne dans l'exercice des fonctions du contrôleur général de nos finances nous ayant engagé à examiner ce qui pouvoit convenir le mieux à cette administration, nous avons résolu de lui donner à quelques égards une forme différente...

... Nous avons reconnu que des fonctions semblables à celles qu'exercent les intendants des finances n'étoient point de nature à rester attachés à des offices; et, déterminés encore par des vues d'économie, nous avons jugé qu'il étoit du bien de notre service de supprimer les six offices d'intendants des finances actuellement existants; et nous avons eu soin de pourvoir exactement à leur remboursement...

... Mais nous avons cru en même temps conforme à la justice que nous devons à nos sujets, de chercher à prévenir les inconvénients inséparables du trop grand nombre de décisions abandonnées jusqu'à présent au ministre des finances et nous avons pensé que, sans contrarier l'unité de dessein et d'opérations, nécessaire à une telle administration, il étoit de notre sagesse d'établir un comité, sous les yeux duquel passeroient les affaires contentieuses qui y sont relatives; ce comité, composé de trois personnes que nous choisirons de préférence dans notre conseil, servira particulièrement à assurer l'observation des règles et des formes, et nous y trouverons l'avantage de procurer aux décisions plus de confiance et d'autorité. Nous pensons qu'une pareille institution, devenue permanente, sera infiniment propre à maintenir et à perpétuer les principes et nous ne doutons pas que des administrateurs véritablement animés de l'amour du bien public n'envisagent cet établissement comme un moyen de se garantir de la surprise et de l'erreur, et de répondre plus dignement à notre confiance... »

(Isambert. Recueil général des anciennes lois françaises, Règne de Louis XVI, p. 51).

Le second comité contentieux, dit des départements, fut créé douze ans plus tard par un arrêt du Conseil du Roi du 9 août 1789, en même temps qu'étaient fusionnés en une assemblée unique appelée Conseil d'Etat, le Conseil d'En haut, le Conseil des Dépêches et le Conseil Royal des Finances et du Commerce :

« Le Roi ayant reconnu la nécessité de faire régner, entre toutes les parties de l'administration, cet accord et cette unité si désirables dans tous les temps, et plus nécessaires encore dans les temps difficiles, Sa Majesté a jugé à propos de réunir au Conseil d'Etat le Conseil des dépêches et le Conseil royal des finances et du commerce; et pour que les affaires contentieuses qui étaient portées par les secrétaires d'Etat au Conseil des dépêches soient à l'avenir vues et discutées dans une forme capable de préserver des variations et des surprises, Sa Majesté a, en même temps, jugé convenable de former, pour ces sortes d'affaires, un comité semblable à celui qui existe pour les affaires contentieuses du département des finances : elle espère trouver dans cet établissement les mêmes avantages et la même utilité que le comité contentieux des finances a constamment procurés depuis son institution.

ART. PREMIER. — Le Conseil des dépêches et le Conseil royal des finances et du commerce seront et demeureront réunis au Conseil d'Etat, pour ne former à l'avenir qu'un seul et même Conseil, lequel sera composé des personnes que le Roi jugera à propos d'y appeler.

ART. 2. — Pour mettre d'autant plus d'accord dans toutes les parties d'administration, et prévenir l'influence de la faveur ou des prédilections, le Roi a ordonné que toutes les nominations aux charges, emplois ou bénéfices dans l'église, la magistrature, les affaires étrangères, la guerre, la marine, la finance et la maison du Roi, seront présentées dorénavant à la décision de Sa Majesté dans son Conseil.

ART. 3. — Toutes les demandes et affaires contentieuses qui étaient rapportées au Conseil des dépêches par les secrétaires d'Etat, seront renvoyées de chaque département à un comité que Sa Majesté établit sous le titre de Comité contentieux des départements.

ART. 4. — Le Comité sera composé de quatre conseillers d'Etat, et il y sera attaché quatre maîtres des requêtes en qualité de rapporteurs.

ART. 5. — Les avis du Comité seront remis au secrétaire d'Etat du département; et dans le cas où une affaire aura paru d'une nature et d'une importance telles qu'il doive en être rendu un compte particulier au Roi, Sa Majesté appellera à son Conseil les conseillers d'Etat composant ledit Comité, et le maître des requêtes rapporteur, pour, sur son rapport, être statué par Sa Majesté.

ART. 6. — Il en sera usé de même à l'égard du Comité contentieux des finances; et Sa Majesté se réserve en outre d'appeler particulièrement à son dit Conseil le contrôleur général de ses finances, toutes les fois que les circonstances pourront l'exiger ».

(*Duvergier, t. I, p. 35*).

Mais cet effort de simplification et de rénovation venait trop tard. En août 1789 les jours du Conseil, comme ceux de la Royauté, étaient déjà comptés. Les nouveaux dogmes constitutionnels de la souveraineté nationale et de la séparation des pouvoirs étaient radicalement incompatibles avec l'institution qu'était le Conseil du Roi.

Aussi bien, dès le 15 octobre 1789, le ministère posa à l'Assemblée Nationale la question de l'existence et de l'avenir du Conseil en lui présentant un mémoire exposant les fonctions du Conseil et plaidant en faveur de son maintien, au moins provisoire :

« Dans la circonstance actuelle et d'après les derniers règlements faits sur la police intérieure, ce conseil se divise en deux branches principales : le conseil privé ou des parties et le Conseil d'Etat.

Le Conseil privé ou des parties n'a pour objet que le maintien des règles qui intéressent l'ordre judiciaire.

... Le Conseil d'Etat est celui où le Roi délibère sur les intérêts du royaume, et de l'administration considérée sous tous les rapports.

... A l'égard des objets qui ne concernent que le pouvoir exécutif, il est incontestable que le Roi peut exercer ce pouvoir sous toute autre forme que celle d'un arrêt du Conseil; mais il faut que cette forme soit bien établie.

... Quant à la partie judiciaire ou mixte confiée jusqu'à présent soit au conseil privé, soit au Conseil d'Etat, il ne s'agit pas d'un simple changement de forme et de nom, il faut déterminer un ordre nouveau, décerner de nouveaux pouvoirs, fixer de nouvelles attributions.

L'existence du conseil privé est fondée sur la nécessité d'un tribunal neutre et indépendant qui maintienne l'exécution rigoureuse des formes protectrices à la fois des personnes et des propriétés; qui anéantisse le jugement par lequel elles auraient été violées; qui conserve à chaque cour le droit de juridiction qui lui appartient; qui prévienne leurs usurpations respectives, et qui les contienne toutes dans les limites qui leur ont été fixées.

De si grands intérêts ne peuvent pas rester un instant suspendus. Les parties qui ont formé des demandes attendent des jugements : il en est dont la fortune, la liberté, l'honneur, la vie même dépendent du sort d'une cassation, d'une révision prête à être rapportée. La lenteur et l'incertitude seraient pour elles une cause de souffrance, une occasion de ruine, et peut être le principe d'un malheur irréparable.

D'un autre côté l'ordre public et la perception des impôts sont dans un état de trouble et de stagnation qui chaque jour devient plus funeste; partout on discute, on refuse, on s'oppose : il faut décider, il faut agir, il faut contraindre, et, sans doute, il est important que la forme sous laquelle l'action du pouvoir exécutif doit s'exercer, soit claire et positive, et qu'elle ne donne pas lieu à de nouveaux doutes et à de nouvelles résistances.

... Ne conviendrait-il pas au bien de la justice et à celui de l'administration que les pouvoirs anciens et les anciennes formes fussent conservés jusqu'à ce que l'ordre nouveau, constitué dans toutes ses parties, présentât un remplacement actuel et complet, capable de concilier à la fois la confiance et l'obéissance ? Ce moyen parait nécessaire pour prévenir les dangers incalculables qui ne manqueraient pas de résulter bientôt de la suspension de toutes les affaires qui sont pendantes aux conseils du Roi, et de l'inaction du pouvoir exécutif dans presque toutes les parties de l'administration.

Telle est la question que les ministres du Roi soumettent à la considération de l'Assemblée nationale, en l'invitant à vouloir bien s'en occuper sous les différents rapports, et en lui demandant avec instance de leur faire promptement connaître la marche et les formes qui devront être suivies provisoirement. »

(Archives Parlementaires de 1787 à 1860. Assemblée nationale, séance du 15 octobre 1789. Mémoire annexé. Paris 1877, T. IX, pp. 455-456).

Cette proposition souleva de la part de certains constituants une très vive opposition, notamment de Camus :

« Il ne nous faut pas déguiser que c'est le conseil du Roi qui a introduit le despotisme en France. Ce tribunal, composé presque toujours d'officiers qui ne sont ni magistrats, ni hommes publics, et qui, par circonstance, sont l'un et l'autre à la fois, a envahi tous les pouvoirs. Un homme était-il protégé ? Son adversaire était jugé au conseil et perdait sa cause. Réclamait-il ses juges naturels ? C'est une affaire d'administration, cela ne se peut pas. Demandait-il justice ? C'est une affaire d'administration. Enfin, Messieurs, le Roi, qui ne peut rien juger, a rendu des arrêts célèbres, arrêts du propre mouvement, arrêts illégaux et injustes. Je pense qu'il faut ajourner. »

(Archives parlementaires de 1787 à 1860. Assemblée nationale, séance du 15 octobre 1789 Paris 1877, T. IX, p. 451).

Néanmoins l'Assemblée préféra déférer provisoirement et partiellement à la demande du gouvernement et rendit le décret suivant, daté du 20 octobre 1789 :

« L'Assemblée nationale décrète que jusqu'à ce qu'elle ait déterminé l'organisation du pouvoir judiciaire et celle des administrations provinciales, le conseil du Roi est autorisé à continuer ses fonctions comme par le passé, à l'exception des arrêts du propre mouvement, et de ceux portant évocation des affaires au fond, lesquels ne pourront plus avoir lieu à compter de ce jour; décrète en outre qu'il sera pris dans le comité de réformation des lois, quatre commissaires pour examiner le surplus du mémoire du garde des sceaux et en faire leur rapport à l'Assemblée ».

(Duvergier, t. I, p. 52).

Ce n'était là qu'un sursis qui fut toutefois confirmé par un décret du 29 août 1790. Mais quelques mois plus tard la création du Tribunal de Cassation entraîna la suppression corrélative du Conseil des parties par le décret des 27 nov./1er déc. 1790, art. 30 :

« Le Conseil des parties est supprimé, et il cessera ses fonctions au jour que le Tribunal de cassation aura été installé ».

(Duvergier, t II, p 65).

Enfin la loi des 27 avril/25 mai 1791, relative à l'organisation du ministère (1) donna le titre de Conseil d'Etat au conseil des ministres, sonnant ainsi le glas du Conseil du Roi.

Dès lors un silence complet se fait sur l'institution, entraînée tout entière dans la débâcle de l'Ancien régime et que dorénavant personne n'ose plus évoquer.

La coupure fut si marquée et l'oubli où était jeté le Conseil du Roi si profond que lorsqu'en l'an VIII, dans tout l'éclat du nouveau régime, le Conseil d'Etat réapparut au premier rang des institutions publiques de la France, il fut salué comme une création entièrement nouvelle et non la résurrection d'une institution traditionnelle. Et il fallut bien des années pour que, revenant à une plus juste vision des choses, on redécouvre les liens profonds de filiation qui unissent le Conseil du Roi au Conseil d'Etat moderne.

---

(1) Duvergier, t. II, p. 408.

CHAPITRE II

LE CONSULAT ET LE PREMIER EMPIRE (1799 - 1814)

INTRODUCTION

Cette première période a été sans conteste la plus brillante de l'histoire du Conseil d'Etat. Son éclat provient certes pour une bonne part de l'Empereur qui présidait souvent, ce que ne fit plus par la suite de manière habituelle, ni même fréquente aucun chef d'Etat ou de Gouvernement. La réputation du Conseil d'Etat napoléonien doit beaucoup également à la réhabilitation, puis à l'exaltation dont le régime impérial fut l'objet au cours du XIXe siècle. Ecoutons Cormenin décrire à la fin de la Monarchie de juillet le corps où il avait siégé comme auditeur en 1810 : « Le Conseil d'Etat était le siège du Gouvernement, la parole de la France, le flambeau des lois et l'âme de l'Empereur. Ses auditeurs, sous le nom d'intendants, assouplissaient au frein les pays subjugués. Ses ministres d'Etat, sous le nom de présidents de section, contrôlaient les actes des ministres à portefeuille. Ses conseillers en service ordinaire, sous le nom d'orateurs du Gouvernement, soutenaient les discussions des lois au Tribunat, au Sénat, au Corps Législatif. Ses conseillers en service extraordinaire, sous le nom de directeurs généraux, administraient les régies des Douanes, des Domaines, des Droits réunis, des Ponts et Chaussées, de l'Amortissement, des Forêts et du Trésor, levaient des impôts sur les provinces d'Illyrie, de la Hollande et de l'Espagne, dictaient nos codes à Turin, à Rome, à Naples, à Hambourg et allaient monter à la française des principautés, des duchés et des royaumes ». Et en regard de cette grandiose évocation Cormenin place l'image du Conseil d'Etat amoindri de la monarchie parlementaire : « Lorsque l'étranger, attiré par la beauté de leurs colonnes jaspées, de leurs tableaux et de leurs pendentifs, aperçoit dans les salons du quai d'Orsay (1) quelques personnages brodés et emplumés qui viennent statuer sur la mise en jugement d'un garde-champêtre ou sur le curage d'un simple ruisseau, il demande si c'est là ce Conseil d'Etat dont le nom retentissait en Europe, et dont les Codes immortels régissent encore plusieurs royaumes détachés de la France. Non, le Conseil d'Etat actuel, petite jugerie, compétence disputée, repaire de sinécures, établissement sans forme et sans largeur, n'est plus ce corps puissant qui, sous Napoléon, préparait les décrets, règlementait les provinces, surveillait les ministres, organisait les provinces réunies, interprétait les lois et gouvernait l'Empire » (2).

---

(1) Le Conseil d'Etat a siégé de 1840 à 1870 au Palais d'Orsay sur le quai d'Orsay.
(2) Timon (pseudonyme de Cormenin), Livre des Orateurs, 13e édition, Paris, 1844, pp. 139-140.

Opposition exagérée : le Conseil d'Etat de la Monarchie de juillet était plus et mieux qu'une « petite jugerie » et celui du 1er Empire n'a pas « gouverné » la France. Il est vrai cependant que durant les quinze premières années de son existence — années de son histoire qui nous sont les mieux connues et à vrai dire les seules jusqu'ici bien connues (1) — le Conseil d'Etat occupa une place et joua un rôle dont l'importance n'a pas été égalée. Jamais ses attributions ne furent plus étendues, son rang dans l'Etat plus élevé, la situation de ses membres plus brillante. Jamais aussi son modèle ne fut aussi souvent et aussi fidèlement imité au-delà des frontières. Jamais non plus, depuis lors, il ne s'est rencontré au cours de son histoire une autre période où l'ensemble des institutions françaises ait été, en peu d'années, l'objet d'une œuvre de refonte semblable à celle à laquelle il fut, sous le Consulat et l'Empire, étroitement associé.

Malgré quoi, malgré aussi l'évolution continue qui a fait dans ses activités une place de plus en plus grande au contentieux dont l'importance était très minime — moins de 200 affaires par an — au début du XIXe siècle, le Conseil d'Etat d'aujourd'hui — et d'hier — se reconnaît dans celui des origines, corps essentiellement consultatif, aux attributions à la fois législatives, administratives et juridictionnelles, composé, avec ses conseillers, ses maîtres des requêtes et ses auditeurs, de classes d'âge différentes et complémentaires, déjà divisé en sections, mais réuni au sein de ses assemblées générales, appliquant des méthodes d'instruction et de délibération qui ont à peine varié, employant un « style » et envisageant les affaires de l'Etat d'un point de vue et dans un esprit auxquels il est demeuré fidèle.

---

(1) Grâce au grand nombre des Mémoires d'hommes politiques de cette époque ainsi qu'aux remarquables ouvrages consacrés au Conseil d'Etat napoléonien par M. Charles Durand, professeur honoraire à la faculté de droit d'Aix-en-Provence.

I
LA CRÉATION DU CONSEIL D'ÉTAT

Les commissions législatives — Les idées et les projets de Sieyès — L'intervention de Bonaparte et le rôle de Daunou — La Constitution du 22 frimaire an VIII — La réunion officieuse du 3 nivôse et l'installation officielle du Conseil d'Etat (5 nivôse an VIII) — La première assemblée générale — La rédaction du Règlement (5 nivôse an VIII). Le choix des hommes. — La composition du Conseil jugé par le chancelier Pasquieer — Les premiers travaux — Le texte du premier avis — L'installation aux Tuileries (30 pluviose an VIII).

DES RÊVERIES DE SIEYÈS A LA PENSÉE DE BONAPARTE

Rien n'est plus mal connu, faute de tout procès-verbal et même de tout document officiel (1) que les étranges travaux préparatoires d'où sortit, avec la constitution du 22 frimaire an VIII (15 décembre 1799), le Conseil d'Etat. Le lendemain même du coup d'Etat, le 19 brumaire, les deux assemblées du Directoire, Conseil des anciens et Conseil des cinq cents, décidèrent la création de deux commissions « chargées de préparer les changements à apporter aux institutions organiques de la Constitution dont l'expérience a fait sentir les vices et les inconvénients ».

Ces commissions désignèrent des sections de constitution, où fut discuté un projet rédigé par Boulay de la Meurthe, sinon sous la dictée, du moins sur les indications de Sieyès.

---

(1) Pendant longtemps les historiens ont eu pour seuls éléments d'appréciation le récit de Boulay de la Meurthe, quelques phrases de Roederer (qui avait assisté à tout), les dires de Thibaudeau et de Miot de Mélito (qui n'y étaient pas), de Mignet et de Taillandier qui écrivirent bien après, mais avaient connu certains témoins.

Sur les circonstances dans lesquelles fut adoptée la Constitution de l'An VIII, voir notamment :

Mignet : Histoire de la Révolution française, 1827, t. 2, p. 273 sq.

Thibaudeau : Le Consulat et l'Empire, 1834, t. 1, p. 17 et 95.

Boulay de La Meurthe : La théorie constitutionnelle de Siéyès, 1836.

Taillandier : Documents biographiques sur J. P. Daunou, 1re édition, 1841, seconde édition, 1847.

Roederer : Œuvres, publiées par son fils, 1853, t. 3.

Miot de Melito : Mémoires, 1858, t. 1, p. 251 sq.

Nous disposons aujourd'hui des archives de Siéyès récemment entrées aux Archives nationales, ou plutôt de ce qu'il en reste, des coupes sombres y ayant été faites, on ne sait quand.

(*Arch. nat., Archives de Sieyès, 284 AP5*).

L'inventaire des Archives de Sieyès a été dressé par Robert Marquant. Les Archives de Sieyès, 1970. Cf également Paul Bastid : Sieyès et sa pensée, seconde édition, 1970.

Celui-ci, dès le lendemain du coup d'Etat, avait déclaré à Boulay : « J'ai bien quelques idées dans la tête, mais rien n'est écrit. Je n'ai ni le temps ni la patience de rédiger ». Ce projet fut discuté au cours de conférences entre Sieyès et Bonaparte. Le Conseil d'Etat y figurait à peu près certainement, comme le donnent à penser deux documents se trouvant dans les papiers de Sieyès et qui furent rédigés à cette époque : la loi organique de l'ordre politique en France; les observations constitutionnelles.

« La loi organique » est à ses débuts rédigée en forme d'articles. On y lit ceci, pièce 78 :

> Article 10. Toute loi qui impose une obligation aux citoyens ne peut être portée que sur la proposition du Conseil d'Etat, après communication faite au Tribunat appelé à contre-dire s'il le juge utile, et par la décision de la législature.
>
> Article 12. Quand le Conseil d'Etat porte une proposition à la législature, celle-ci en fait donner communication au Tribunat, et elle fixe le jour où le Tribunat et le Conseil d'Etat seront entendus contradictoirement sur cette proposition.
>
> (Il est dit ensuite que la décision de la législature « a le nom de décret législatif »).
>
> Article 15. Lorsque le décret est rendu, si le Conseil d'Etat ou le Tribunat se plaignent qu'il est inconstitutionnel, la réclamation est portée au Collège conservateur.

Et, plus loin, pièce 82 :

> « Les fonctions du Conseil d'Etat sont :
>
> 1) Comme Conseil de proposition, de présenter au corps législatif et de lui demander les lois imposant obligations aux citoyens.
>
> 2) Comme Jury d'exécution, pour les lois déjà rendues, de décider sur les demandes ministérielles, soit qu'elles aient pour objet l'explication d'une loi ou la confirmation des ordres contestés.
>
> 3) Le Conseil d'Etat, comme Législateur réglementaire, fait les règlements qui imposent obligation aux fonctionnaires et officiers publics sur le rapport des ministres.
>
> (Ils ne doivent pas dépendre des ministres seuls).
>
> 4) Comme Jury de jugement, il juge les réclamations adressées contre les ministres, soit par les fonctionnaires inférieurs, soit par les citoyens qui se trouvent lésés quand ces réclamations ne sortent pas de l'ordre administratif.
>
> (Pour celles qui en sortent il y a un tribunal politique).

Enfin, pièce 94 :

> « Les consuls sont les chefs de gouvernement et tiennent dans leurs mains les moyens d'exécution énoncés. Ils choisissent et destituent les ministres, les conseillers d'Etat et les juges politiques. Sous la confirmation du Grand Electeur au nom de qui tout se fait.
>
> Chacun d'eux préside son Conseil d'Etat.
>
> S'il s'élève une division entre les deux consuls, soit pour la compétence,

soit pour les opinions, le Grand Electeur est chargé de les mettre d'accord par son droit de destitution et de nomination, et le point de compétence est porté par le Conseil d'Etat au corps législatif pour être décidé. »

(*Arch. nat. 284 AP*[5] *dossier 2 pièces 74 à 97*).

En tête des « observations constitutionnelles » Sieyès a placé l'indication suivante :

« Observations constitutionnelles dictées au citoyen Boulay (de la Meurthe), membre de la commission législative des cinq cents, dans les derniers jours de brumaire de l'an VIII et qu'il m'a rendues après les avoir fait transcrire, mais rien n'est plus incomplet que ce canevas dicté à la hâte (1).

C'est d'après ces idées qu'a été écrite la Constitution adoptée avec apparence de satisfaction, changée ensuite, altérée de plus en plus et enfin successivement abolie ».

(*Arch. nat 284 AP*[5] *dossier 2, pièce 7*).

On ne saurait mieux résumer tout un chapitre de l'histoire de notre droit public, et les désillusions d'un idéologue. Siéyès a dit également :

« Puissance électorale exécutrice (que, sous le nom de Grand Electeur, Sieyès plaçait au sommet de l'édifice gouvernemental).

Cette puissance, dans l'ordre exécutif, sera investie de plusieurs attributions importantes, dont aucune cependant ne pourra lui donner le droit d'exécuter par elle-même aucune portion de l'autorité exécutive.

Elle nomme deux consuls qui sont chefs du gouvernement, l'un pour l'intérieur, l'autre pour l'extérieur.

Les affaires extérieures embrassent quatre départements ministériels : 1) les rapports avec les autres gouvernements, 2) l'armée de terre, 3) la marine, 4) les colonies.

Le consul de l'Intérieur a la police, la justice, l'intérieur proprement dit et les finances.

Les moyens de gouvernement entre les mains des consuls sont le Conseil d'Etat, les ministres et les grands tribunaux de justice politique.

Le Conseil d'Etat pour le Gouvernement intérieur a quatre grandes attributions :

1) Les propositions à présenter au corps législatif pour obtenir les lois : comme tel, il est en regard (sic) à la tribune des pétitionnaires pour le peuple. Il a aussi la contradiction des propositions faites à la tribune du peuple.

2) Il est le jury d'exécution pour les lois rendues, quand les ministres demandent une interprétation ou confirmation d'un ordre contesté.

3) Les règlements à faire qui imposent obligation aux officiers publics, à la différence des lois qui imposent obligation aux citoyens. Ces règlements ne doivent pas dépendre des ministres seuls, étant distincts des ordres ministériels. Dans cette matière le Conseil d'Etat est législateur réglementaire.

(1) Miot de Melito a dit de même que les commissions avaient travaillé « sur le canevas que Sieyès avait fourni » (Mémoires, t. I, p. 273).

4) Il a le jugement des réclamations adressées contre les ministres soit par les fonctionnaires inférieurs, soit par les citoyens, mais seulement lorsque ces réclamations appartiennent purement à l'ordre administratif, car il ne faut pas usurper sur les fonctions judiciaires du tribunal politique.

Le Consul chargé de l'Extérieur a aussi un Conseil d'Etat, mais plus simple, plus secret, et moins nombreux, ayant aussi la faculté de proposer des lois, de faire des règlements, de décider comme jury d'exécution et de juger des réclamations adressées contre les ministres.

Les deux consuls sont chefs et présidents-nés de leur Conseil d'Etat.

Le second moyen de gouvernement entre les mains des consuls sont (sic) les ministres auxquels appartient l'exercice du pouvoir proprement exécutif; chaque ministre est chef unique de son département, car, règle générale, dans l'exécution point de délibération.

....

Le troisième moyen de gouvernement entre les mains de consuls sont (sic) les chambres de justice, qu'il ne faut pas confondre avec les tribunaux de justice pour les citoyens, car on ne gouverne pas les citoyens, on ne gouverne que les fonctionnaires publics... ».

(*Arch. nat. 284 AP*[5]*, dossier 2, liasse 7, pièce 146*).

Ces vues ne brillaient ni par la simplicité, ni par la clarté. On comprend que Bonaparte ait alors dit à Daunou, membre de la commission des Cinq Cents : « Citoyen Daunou, mettez-vous là et écrivez », et lui ait dicté un projet qui n'était plus le projet de Sieyès. Le texte de ce projet n'a pas été conservé et demeure inconnu, alors que nous a été transmis celui d'un autre projet que Daunou avait établi, compte tenu tant du travail des deux commissions que de ses conceptions personnelles.

Ce projet (1) prévoit un Conseil d'Etat unique dont traitent les articles 6, 58, 66 et 67 :

Il est dit à l'article 6 que les fonctions de Conseiller d'Etat ne peuvent être confiées « à ceux qui n'ont pas exercé une fonction départementale, administrative, ou judiciaire ».

....

Art. 58. — Le premier consul promulgue les lois; il nomme et révoque à volonté les conseillers d'Etat, les ministres, les ambassadeurs, les officiers de l'armée de terre et de mer, les préfets...

Art. 66. — Le nombre des conseillers d'Etat est fixé à vingt cinq; celui des ministres est de six au moins, de huit au plus.

Art. 67. — Les fonctions des conseillers d'Etat sont de proposer aux consuls, et sur leur demande, la solution des difficultés qui s'élèvent en matière administrative, de rédiger des projets d'arrêtés consulaires et des projets de loi, de discuter les uns et les autres, et de porter la parole, au nom des consuls, devant le Corps législatif et devant le Sénat.

Un conseiller d'Etat ne peut être chargé d'aucune branche d'administration active, ni générale, ni spéciale, ni locale.

---

(1) Ce projet n'est connu que par la seconde édition de l'ouvrage de Taillandier. Documents biographiques sur Daunou, Paris, 1897, pp. 174 sq.

Palais Royal. Salle de travail dite Salle Napoléon.

Dispositions assez proches déjà, sur bien des points, de celles de la Constitution du 22 frimaire relatives au même objet.

LA CONSTITUTION DU 22 FRIMAIRE AN VIII

On sait mal dans quelles conditions le texte de celle-ci fut adopté. Du moins sait-on que sa rédaction traduisait avant tout la pensée de Bonaparte.

Les dispositions intéressant le Conseil d'Etat figurent aux titres IV et VI :

TITRE IV — Du Gouvernement.

39. Le gouvernement est confié à trois consuls nommés pour dix ans et indéfiniment rééligibles.

. . . .

40. Le Premier Consul a des fonctions et des attributions particulières, dans lesquelles il est momentanément suppléé, quand il y a lieu, par un de ses collègues.

41. Le Premier Consul promulgue les lois; il nomme et révoque à volonté les membres du Conseil d'Etat, les ministres, les ambassadeurs et autres agents extérieurs en chef, les officiers de l'armée de terre et de mer.

. . . .

52. Sous la direction des consuls, un Conseil d'Etat est chargé de rédiger les projets de lois et les règlements d'administration publique, et de résoudre les difficultés qui s'élèvent en matière administrative.

53. C'est parmi les membres du Conseil d'Etat que sont toujours pris les orateurs chargés de porter la parole au nom du Gouvernement devant le Corps Législatif.

Ces orateurs ne sont jamais envoyés au nombre de plus de trois pour la défense d'un même projet de loi...

. . . .

TITRE VI — De la responsabilité des fonctionnaires publics.

69. Les fonctions des membres, soit du Sénat, soit du Corps Législatif, soit du Tribunat, celles des consuls et des conseillers d'Etat ne donnent lieu à aucune responsabilité.

70. Les délits personnels comportant peine afflictive ou infamante, commis par un membre soit du Sénat, soit du Tribunat, soit du Corps Législatif, soit du Conseil d'Etat, sont poursuivis devant les tribunaux ordinaires, après qu'une délibération du corps auquel le prévenu appartient a autorisé cette poursuite...

. . . .

75. Les agents du Gouvernement autres que les ministres ne peuvent être poursuivis pour des faits relatifs à leurs fonctions, qu'en vertu d'une

décision du Conseil d'Etat; en ce cas, la poursuite a lieu devant les tribunaux ordinaires ».

(Duvergier, t. XII, p. 20).

Ces dispositions, comme d'ailleurs l'ensemble de la Constitution, ne furent guère commentées à l'époque. Boulay de la Meurthe qui avait pris l'engagement de rédiger pour *Le Moniteur* un article, qui eût été une introduction à la Constitution nouvelle, hésita et s'abstint. « C'eût été, dit-il, me faire le panégyriste de la Constitution de l'an VIII et la présenter comme devant répondre à tous les besoins du pays. Le doute agita mon esprit et je crus qu'il était sage de m'abstenir ».

Cabanis, membre lui aussi des commissions législatives, médecin et philosophe, avait engagé les savants de son espèce à approuver la constitution. « Le projet dont on parle beaucoup d'établir un gouvernement militaire, leur avait-il dit, ne peut entrer dans aucune tête raisonnable ». Reconnaissant quinze jours après que cette phrase était « devenue hors de propos », il la publiait cependant. Mais ajoutait une « note additionnelle » : « Le pouvoir exécutif a lui-même encore, dans sa propre organisation, quelques régulateurs qui le retiennent et le modèrent. Car la responsabilité des ministres fortement organisée et la marche mesurée du Conseil d'Etat arrêteront beaucoup les entreprises du Consul le plus audacieux ».

Cette phrase discrète est peut-être la seule opinion qui, au moment même de sa création, ait été formulée sur le Conseil. Les journaux n'ont, semble-t-il, rien dit de lui (1).

INSTALLATION ET PREMIERS ACTES DU CONSEIL D'ÉTAT
(3, 4 et 5 nivôse an VIII)

L'installation officielle du Conseil d'Etat eut lieu le 4 nivôse, mais il se tint la veille une réunion officieuse où le Premier Consul accueillit les nouveaux conseillers d'Etat, adressa un mot à chacun et reçut leurs serments individuels. Dans sa « Notice de ma vie pour mes enfants », Roederer a laissé une relation de cette réunion du 3 nivôse :

« La Constitution nomma les trois consuls, Bonaparte, Cambacérès et Lebrun. Elle nomma Sieyès et Roger Ducos, sénateurs. Et le 3 nivôse (24 décembre) furent élus 31 sénateurs. J'étais du nombre, lorsqu'on lui

---

(1) On doit se demander si, en créant un Conseil d'Etat, les auteurs de la Constitution avaient songé au Conseil du Roi de l'ancienne monarchie et s'en étaient inspirés.

De Sieyès, Sainte-Beuve a dit très justement : « L'histoire fut toujours en défaveur auprès de cet esprit qui visait à tout tirer de la raison ». Bonaparte a utilisé les termes dont s'était servi ce rêveur à des fins que celui-ci n'avait pas envisagées. Au 22 frimaire, rien ne permet de dire si quelqu'un songeait au passé. Mais, dès le 5 nivôse, un rappel du passé sera visible. Et en 1806 on se reportera ouvertement au Règlement du Conseil de 1738 rédigé par d'Aguesseau.

apporta la liste des 31 sénateurs élus. Il me dit : « N'acceptez pas votre nomination. Qu'est-ce que vous feriez là ? Il vaut mieux entrer au Conseil d'Etat. Il y a là de grandes choses à faire. C'est là que je prendrai les ambassadeurs et les ministres ». Je me laissai aisément persuader...

Le Conseil d'Etat fut ainsi formé. Les membres qui devaient le composer étaient convoqués au Luxembourg, dans une des salles de l'appartement du Premier Consul. Vers cinq heures, on commença à les faire entrer successivement. Chacun, après avoir prêté serment, prenait séance. Le général Brune fut appelé le premier. Il était destiné à présider la section de la guerre. Je fus appelé après lui. Regnaud de Saint Jean d'Angely, qui avait eu beaucoup de peine à obtenir une place au Conseil, fut appelé le dernier. Sa réception fut remarquablement plus froide que celles qui l'avaient précédée (1) ».

(Roederer (Baron A.), Œuvres complètes, du Comte P. L. Roederer, Paris, Firmin-Didot, 1853, t. III, pp. 308-309).

Et, dans une note distincte, Roederer a précisé quelques détails :

« Bonaparte a fait entrer Brune et l'a nommé conseiller d'Etat. Moi après Brune et Boulay après moi, etc. Cet ordre n'était pas sans motif. En nommant Brune le premier, Bonaparte a voulu montrer le prix qu'il met aux services militaires. Il a employé avec tous les conseillers d'Etat à peu près la même formule : « Les consuls vous ont nommé... » ou « Vous êtes appelé à une place de conseiller d'Etat. J'espère, ou ils espèrent, que vos talents et votre zèle contribueront au succès du nouvel ordre des choses. Vous allez prêter serment à la Constitution de l'an VIII »... A moi, il n'a rien dit que ma nomination et m'a fait prêter serment. A Fourcroy et à Berlier il a dit : « Nous espérons que la modération de vos principes et votre zèle éclairé contribueront... », etc. A Moreau (2), il a dit : « Nous espérons que vos talents et votre courage dont vous avez donné des preuves éclatantes pendant la Révolution contribueront..., etc. ».

La vie officielle commence le 4 nivôse (25 décembre 1800) avec l'installation du Gouvernement suivie de la première Assemblée générale du Conseil d'Etat. L'une et l'autre sont ainsi relatées à la première page du registre des procès-verbaux du Gouvernement Consulaire :

PROCES-VERBAL DE L'INSTALLATION DU GOUVERNEMENT

« Le quatre nivôse, l'an huitième de la République française, une et indivisble, à deux heures, en exécution de la loi du jour d'hier qui fixe à ce jour d'hui l'entrée en fonctions du Sénat conservateur et des consuls, les citoyens Bonaparte et Cambacérès et Lebrun, nommés consuls par l'art. 39 de la constitution, se sont réunis dans l'une des salles du Palais national du gouvernement provisoire à Paris, à l'effet d'entrer en exercice des fonctions à eux constitutionnellement déléguées. »

(Il est dit ensuite que les trois consuls prêtent serment de fidélité à la Constitution, puis nomment les ministres).

---

(1) Chose bien surprenante si l'on songe à ce que fut ensuite toute la carrière de celui-ci.

(2) Il s'agit de Moreau de Saint-Mery.

Venait après cela une phrase qui figurait sur le plumitif (1), et qui a été biffée :

« Les consuls s'occupent de l'organisation du Conseil d'Etat...; ils arrêtent à cet égard le règlement ci-après : transcrire le règlement pour l'organisation du Conseil d'Etat ».

Et le procès verbal continue ainsi :

« En exécution de l'art. 52 de la Constitution portant institution d'un Conseil d'Etat sous la direction des consuls, le Premier Consul déclare nommer aux fonctions de conseillers d'Etat les citoyens dont les noms suivent :

Savoir :

— Pour la section de la guerre :

Les Citoyens Brune, général de division,
Dejean, général d'artillerie (2),
Lacuee, ex-législateur,
Marmont, général de division,
Petiet, ex-législateur.

— Pour la section de la marine :

Les Citoyens Gantheaume, contre-amiral,
Champagny, ancien officier de la marine,
Fleurieu, ex-ministre de la marine,
Lescallier, commissaire ordonnateur de la marine,
Redon, ex-commissaire de la marine.

— Pour la section des finances ·

Les Citoyens Defermon, ex-commissaire de la trésorerie,
Duchatel (de la Gironde), ex-législateur,
Devaisnes, administrateur de la caisse des comptes courants,
Dubois (des Vosges), ex-législateur,
Jollivet, ex-législateur,
Régnier, ex-législateur,
Dufresne, ex-directeur du trésor public.

— Pour la section de législation :

Les Citoyens Boulay (de la Meurthe), ex-législateur,
Berlier, ex-législateur,
Moreau de St. Mery, ex-constituant,
Emmery, ex-constituant,
Real, commissaire près l'administration centrale du département de la Seine.

— Pour la section de l'intérieur :

Les Citoyens Roederer, ex-constituant,
Benezech, ex-ministre de l'intérieur,
Cretet, ex-législateur,
Chaptal, membre de l'Institut,
Regnaud (de St. Jean d'Angely), ex-constituant,
Fourcroy, membre de l'Institut.

---

(1) AF IV. 911.

(2) Dejean n'était pas général d'artillerie, mais général du génie, arme dont il devint le premier inspecteur général en octobre 1808. La même erreur se trouve dans le Bulletin des Lois.

Le citoyen Locré, ex-secrétaire-rédacteur du Conseil des Anciens, est nommé Secrétaire Général du conseil d'Etat (1).

Le Premier Consul mande à la séance les citoyens ci-dessus désignés. Tous à l'exception des citoyens Champagny, Dejean, Caffarelli, Chaptal et Dufresne se présentent, déclarent qu'ils acceptent les fonctions auxquelles ils sont appelés et prêtent le serment de fidélité à la Constitution.

Le Premier Consul ordonne que les citoyens Lescallier, Regnier et Cretet seront spécialement chargés dans la répartition des travaux qui sont assignés au Conseil, le premier de la partie des colonies, le second de celle des domaines nationaux, le troisième de celle des Ponts et Chaussées, canaux et cadastre.

Le Premier Consul nomme pour remplir pendant l'an huit les fonctions de président de chacune des sections du conseil d'Etat les membres du Conseil dont les noms suivent :

Pour la section de la guerre, le citoyen Brune,
Pour la section de la marine, le citoyen Gantheaume,
Pour la section des finances, le citoyen Defermon,
Pour la section de législation, le citoyen Boulay (de la Meurthe),
Pour la section de l'intérieur, le citoyen Roederer.

....

Les citoyens Chaptal et Dufresne, nommés conseillers d'Etat, adressent au Premier Consul l'acceptation individuelle de leur nomination et lui demandent à être admis à prêter serment.

Le Premier Consul renvoie cette prestation de serment à la première Assemblée du Conseil d'Etat à laquelle il va présider.

A quatre heures et demie, les consuls suspendent la séance et se rendent... dans une des salles du palais préparée pour la tenue de l'Assemblée générale du Conseil d'Etat à l'effet de présider à l'ouverture de ses séances.

La séance est reprise à cinq heures et quart. »

(*Arch. nat. A.F. IV, 911*).

Qu'il y ait eu à cette première assemblée une allocution du Premier Consul est vraisemblable. Roederer pourtant n'en a rien dit. Il y eut certainement les serments de Chaptal et de Dufresne. Le registre des renvois (2) mentionne une seule affaire dans les termes suivants :

« Mot de recherche :
GENIE (projet d'organisation du).
Notice des pièces.
Rapport du Ministre relatif à l'organisation de l'arme du Génie dans les colonies.

---

(1) V. l'arrêté du 4 nivôse an VIII, Arch. nat. AF IV. 4, plaquette 15, pièce 37, Bulletin des lois n° 3522. Une 1re liste, pièce 20, ne comportait que 24 noms. La section de législation y était dite de la Justice. Le nom de Daunou, qui refusa le Conseil et préféra être membre du Tribunat ne figure sur aucune de ces listes. Aux 28 noms de l'arrêté du 4 nivôse, il faut ajouter celui de Caffarelli du Falga dont le nom pour des raisons obscures, a été omis sur cette liste. Caffarelli était un ancien officier de marine et fut affecté à la section de la Marine.

(2) Les registres des « Renvois aux différentes sections du Conseil d'Etat » (Arch. nat. AF* IV, 215 sq) provenant du fonds de la Secrétairerie d'Etat, énumèrent les affaires que l'Assemblée générale du Conseil d'Etat renvoie à l'une des sections. Ils ne renseignent malheureusement pas sur la suite donnée aux affaires.

Le Premier Consul désire que la section de la guerre s'occupe d'un projet de règlement sur cet objet.

Renvois.

Au Président de la section de la guerre du Conseil d'Etat. »

LE PREMIER RÈGLEMENT DU CONSEIL D'ÉTAT

(5 nivôse an VIII)

C'est au cours d'une séance extraordinaire tenue le 5 nivôse par les Consuls que ceux-ci arrêtent le règlement du Conseil.

Les conditions dans lesquelles ce règlement a été préparé et rédigé sont mal connues. On sait seulement par une phrase du *Moniteur Universel* que le 1er nivôse ceux qui allaient bientôt être membres du Conseil s'étaient réunis « chez le Premier Consul pour convenir de leur organisation et adopter leur règlement ». C'en est assez pour comprendre que ce texte n'est pas seulement la suite de la Constitution. Il est l'œuvre d'une équipe où ne se retrouvent que deux membres des commissions législatives du Directoire, Boulay et Cretet. A côté d'eux Roederer qui vient de jouer constamment un rôle au cours de la rédaction de la Constitution. Au-dessus d'eux, certainement, Cambacérès, alors ministre de la Justice et qui va bientôt comme second Consul présider la plupart des séances du Conseil d'Etat. Mais aussi près de vingt noms nouveaux.

Connaissant la personnalité de Cambacérès, de Boulay, de Roederer, sachant ce qu'ils seront par la suite, on devine que le règlement du 5 nivôse leur doit beaucoup.

Règlement qui ne se borne pas à développer les dispositions constitutionnelles en organisant le Conseil, mais qui y ajoute en étendant ses attributions propres et celles de ses membres. C'est ainsi qu'aux termes de l'article II « Le Conseil d'Etat développe le sens des lois, sur le renvoi qui lui est fait par les Consuls des questions qui leur ont été présentées ». C'est là l'origine des avis interprétatifs qui, approuvés par les Consuls et publiés au Bulletin des lois, seront considérés comme ayant valeur législative à la suite de la décision de la Cour de cassation du 30 plusviose an XII. Celle-ci avait déclaré le 1er floréal an X que nul tribunal ne peut contrôler la validité des arrêtés consulaires; trois ans plus tard, elle étendit cette règle aux avis du Conseil approuvés par l'Empereur et qui avaient ainsi « acquis dans les tribunaux la même autorité qu'une loi proprement dite ».

Aux termes du même article :

« Il prononce d'après un semblable renvoi : 1) sur les conflits qui peuvent s'élever entre l'administration et les tribunaux; 2) sur les affaires contentieuses dont la connaissance était précédemment remise aux ministres ».

Tout aussi important est l'article 7 qui charge spécialement les conseillers d'Etat de diverses parties d'administration. Cet article écarte l'idée de Daunou qui était d'interdire aux membres du Conseil toute fonction administrative et annonce les missions de toute sorte qui pendant l'Empire et au-delà leur seront confiées.

Le procès verbal de la séance extraordinaire du 5 nivôse an VIII mentionne :

« Les consuls délibèrent sur le mode d'organisation du Conseil d'Etat. Ils arrêtent à cet égard le règlement ci-après :

Règlement pour l'organisation du Conseil d'Etat :
Les Consuls de la République arrêtent :

ART. PREMIER. — Le Conseil d'Etat est composé de trente à quarante membres.

ART. 2. — Il se forme en assemblée générale et se divise en sections.

ART. 3. — L'Assemblée générale ne peut avoir lieu que sur la convocation des Consuls.

Elle est présidée par le Premier Consul, et, en son absence, par l'un des deux autres Consuls.

ART. 4. — Les ministres ont la faculté d'entrer dans l'assemblée générale du Conseil d'Etat, sans que leur voix y soit comptée.

ART. 5. — Les conseillers d'Etat sont divisés en cinq sections, savoir : une section des finances, une section de législation civile et criminelle, une section de la guerre, une section de la marine, une section de l'intérieur.

ART. 6. — Chaque section est présidée par un conseiller d'Etat nommé chaque année par le Premier Consul.

Lorsque le second ou troisième Consul se trouve à une section, il la préside.

Les ministres peuvent, lorsqu'ils le croient utile, assister, sans voix délibérative, aux séances des sections.

ART. 7. — Cinq conseillers d'Etat sont spécialement chargés de diverses parties d'administration, quant à l'instruction seulement : ils en suivent seulement les détails, signent la correspondance, reçoivent et appellent toutes les informations et portent aux ministres les propositions de décision que ceux-ci soumettent aux Consuls.

Un d'eux est chargé des bois et forêts et anciens domaines.

Un autre, des domaines nationaux,

Un autre, des ponts et chaussées, canaux de navigation et cadastre,

Un autre, des sciences et des arts,

Un autre, des colonies.

ART. 8. — La proposition d'une loi ou d'un règlement d'administration publique est provoquée par les ministres, chacun dans l'étendue de ses attributions.

Si les Consuls adoptent leur opinion, ils renvoient le projet à la section compétente pour rédiger la loi ou le règlement.

Aussitôt le travail achevé, le président de la section se transporte auprès des Consuls pour les en informer.

Le Premier Consul convoque alors l'Assemblée générale du Conseil d'Etat.

Le projet y est discuté sur le rapport de la section qui l'a rédigé.

Le Conseil d'Etat transmet son avis motivé aux Consuls.

ART. 9. — Si les Consuls approuvent la rédaction, ils arrêtent définitivement le règlement, ou, s'il s'agit d'une loi, ils arrêtent qu'elle sera proposée au Corps Législatif.

Dans le dernier cas, le Premier Consul nomme, parmi les conseillers d'Etat, un ou plusieurs orateurs, qu'il charge de présenter le projet de loi et d'en soutenir la discussion.

Les orateurs, en présentant les projets de lois, développent les motifs de la proposition du Gouvernement.

ART. 10. — Quand le Gouvernement retire un projet de loi, il le fait par un message.

ART. 11. — Le Conseil d'Etat développe le sens des lois, sur le renvoi qui lui est fait par les Consuls des questions qui leur ont été présentées.

Il prononce, d'après un semblable renvoi :

1. sur les conflits qui peuvent s'élever entre l'administration et les tribunaux;

2. sur les affaires contentieuses dont la décision était précédemment remise aux ministres.

ART. 12. — Les conseillers d'Etat chargés de la direction de quelque partie de l'administration publique n'ont point de voix au Conseil d'Etat lorsqu'il prononce sur le contentieux de cette partie.

ART. 13. — Le Conseil d'Etat a un secrétaire général;

Ses fonctions sont :

1. De faire le départ des affaires entre les différentes sections ;

2. De tenir la plume aux assemblées générales du Conseil d'Etat et aux assemblées particulières que les présidents des sections tiendront chaque décade;

3. De présenter aux Consuls le résultat du travail de l'assemblée générale;

4. De contre-signer les avis motivés du Conseil et les décisions des bureaux;

5. De garder les minutes des actes de l'assemblée générale du Conseil d'Etat, des sections et des conseillers chargés des parties d'administration; d'en délivrer ou signer les expéditions ou extraits.

ART. 14. — Le traitement uniforme des conseillers d'Etat est de vingt-cinq mille francs.

Il est accordé un supplément de traitement aux présidents des sections et à ceux des conseillers d'Etat qui seront chargés de la direction de quelque partie de l'administration publique.

ART. 15. — Le traitement du secrétaire général est fixé à quinze mille francs. »

(Arch. nat. AF IV 911 liasse 4).

LE CHOIX DES HOMMES

Vingt-neuf conseillers avaient été nommés le 4 nivôse. Ils furent quarante à la fin de l'an VIII. Il n'y eut que deux nominations au cours de l'an IX.

Le choix de ces hommes est caractérisé par l'éclectisme politique et le souci d'efficacité du Premier Consul. Celui-ci compose le Conseil d'Etat d'hommes très divers par leurs origines, leur passé politique, leurs opinions, qu'il distingue en raison de leurs lumières, de leur capacité et de leurs vertus (1).

En réponse à ceux qui se plaignaient de ce qu'il se trouvait des royalistes dans ses choix, il dit :

> « Gouverner par un parti, c'est se mettre tôt ou tard dans sa dépendance. On ne m'y prendra pas; je suis national. Je me sers de tous ceux qui ont de la capacité et la volonté de marcher avec moi. Voilà pourquoi j'ai composé mon Conseil d'Etat de constituants (sic) qu'on appelait modérés ou Feuillans, comme Defermon, Roederer, Regnier, Regnaud; de royalistes, comme Devaisnes et Dufresne; enfin, de Jacobins, comme Brune, Réal et Berlier. J'aime les honnêtes gens de toutes les couleurs ».
>
> *(Thibaudeau. Le Consulat et l'Empire, Paris 1834, t. 1, p. 115).*

Dans ses mémoires, décrivant une situation postérieure de quelques années, mais qui n'était pas très différente de celle de l'an VIII, le Chancelier Pasquier peint un bon tableau de cette assemblée si diverse, qui, « hors le jacobinisme resté intransigeant et le royalisme militant » selon l'expression de C. Durand, réunit des représentants de toutes les familles spirituelles et politiques de la France :

> « La composition du Conseil était de telle nature que nulle autre main que celle d'un chef aussi ferme n'aurait pu la former et surtout la soutenir, sinon dans une homogénéité parfaite, du moins dans une série de travaux dirigés vers un même but. Les six premières années de l'existence du Conseil avaient d'abord amené dans son sein presque tout ce que la Révolution avait produit d'hommes distingués par des mérites ou par des talents qui s'étaient le plus souvent signalés dans des camps opposés; il avait fallu que ces éléments disparates vinssent en quelque sorte s'y fondre.
>
> Ainsi, l'Assemblée constituante avait fourni M. Mounier qui, le premier, s'était nettement prononcé contre ses violences, qui avait fui devant les scènes du 14 juillet et du 6 octobre. A ses côtés se trouvaient MM. Roederer et Regnaud qui, tous les deux, avaient été comptés parmi les membres les plus ardents du parti de la Révolution. On devait à l'Assemblée législative M. Français de Nantes, l'un de ses plus bouillants orateurs; M. Dumas, un des plus persévérants défenseurs de la royauté dans les jours qui précédèrent le 10 août; M. Bigot de Préameneu, remarquable à la même époque par la sagesse de ses principes, et M. Muraire qui avait expié, par une longue détention durant la Terreur, le talent et la modération par lesquels il s'était fait remarquer en 1792. Le siège sur lequel il siégeait touchait à celui de M. Merlin, auteur de la loi des suspects; le Conseil avait reçu de la Convention M. Defermon, proscrit au 31 mai; puis

(1) Sur 29 conseillers nommés en nivôse an VIII, dix-huit avaient appartenu à une ou plusieurs des assemblées de la Révolution. En outre, Benezech, ministre de l'Intérieur en l'an IV et en l'an V, Réal et Brune, avaient joué un rôle politique. Parmi les conseillers nommés après nivôse an VIII, on trouve 9 membres du corps législatif (dont Joseph Bonaparte) ou du Tribunat, un ministre (Forfait), 16 préfets, 6 magistrats, 11 hauts fonctionnaires civils, 8 maîtres des requêtes, un auditeur (Vincent Marniola qui, cas sans doute unique, fut à 27 ans, promu directement conseiller), 15 officiers généraux (dont Louis Bonaparte), 2 évêques et un négociant (Begouen).

M. Berlier et M. Treilhard (1), tous deux ayant voté la mort de Louis XVI, tous deux ayant, depuis le 31 mai, persévéramment siégé au sommet de la Montagne.

Les purs Jacobins avaient donné M. Réal; la défense du Roi, M. Tronchet (2); le Conseil des Anciens et celui des Cinq-Cents, M. Portalis et M. Siméon, tous deux victimes du 18 fructidor; M. Lacuée, qui avait échappé, quoique fort compromis, aux désastres de cette journée, et M. Boulay (de la Meurthe), l'un de ses principaux artisans, M. Boulay, dont l'esprit cassant contrastait si parfaitement avec celui de M. de Ségur qui, par l'élégance de ses formes et l'urbanité de son langage, semblait être le représentant des grâces de l'ancien régime. Je ne cite que les noms dont le rapprochement produit un contraste plus marqué; à ces représentant des carrières civiles, il faut encore ajouter des hommes de guerre très distingués, les généraux Gouvion Saint-Cyr, Dejean, Dessolle, Andréossy, l'amiral Gantheaume ».

(Mémoires du Chancelier Pasquier, 7e Ed., Paris 1914, t. I, pp. 262-263).

LES PREMIERS TRAVAUX

Au cours de la séance du 5 nivôse, après l'adoption du règlement, le Conseil entendit un certain nombre de communications ou de rapports des Consuls ou des Ministres sur les sujets les plus divers : exercice des cultes, soldes des militaires embarqués sur des vaisseaux, ouverture du port d'Anvers aux grands bâtiments, concessions de terres inondées à St. Domingue, droits civiques des ci-devants nobles et parents d'émigrés. L'étude de la plupart des affaires fut renvoyée aux sections.

La dernière d'entre elles mérite une mention particulière en raison de son importance comme de la célérité avec laquelle elle fut traitée et qui fait de l'avis exprimé sur elle par le Conseil le premier acte de ce corps. Le 5 nivôse, le ministre de la justice avait proposé de saisir la commission de législation des Cinq Cents — qui existait encore — de la question des droits des ci-devants nobles et des parents d'émigrés. C'est le Conseil d'Etat qui fut consulté. Son assemblée générale, sur le rapport de la section de législation, rendit le jour même (3) l'avis suivant, dont la solution libérale fut adoptée par les Consuls :

« Extrait du registre des délibérations du Conseil d'Etat du 4 nivôse.

Le Conseil d'Etat, délibérant sur le renvoi qui lui avait été fait par les Consuls de la République d'un arrêté de la section de la législation présentant la question de savoir si les lois des 3 brumaire an III, 19 fructidor an V et 9 frimaire an VI, qui excluent de la participation aux droits politiques et de l'admissibilité aux fonctions publiques les parents

(1) Treilhard n'avait voté la mort de Louis XVI que sous l'expresse condition du sursis, de sorte que son vote ne fut pas compté pour la mort.

(2) Tronchet siégea au Conseil d'Etat pour la discussion du Code civil, mais sans avoir jamais été conseiller d'Etat.

(3) L'avis fut publié au Bulletin des Lois comme étant du 4, date certainement fausse.

d'émigrés et les ci-devants nobles, ont cessé d'exister par le fait de la Constitution, ou s'il faut une loi pour les rapporter.

Est d'avis que les lois dont il s'agit, et toute autre loi dont le texte serait inconciliable avec celui de la Constitution, ont été abrogées par le fait seul de la promulgation de cette Constitution, et qu'il est inutile de s'adresser au législateur pour lui demander cette abrogation.

En effet, c'est un principe éternel qu'une loi nouvelle fait cesser toute loi précédente ou toute disposition de loi précédente contraire à son texte; principe applicable, à plus forte raison, à la Constitution, qui est la loi fondamentale de l'Etat.

Or les conditions qui déterminent le droit de voter et celui d'être élu aux diverses fonctions publiques, sont réglées par l'acte constitutionnel. Il n'est pas permis au législateur d'en retrancher quelques-unes, ni d'en ajouter de nouvelles : son texte est général, impérieux, exclusif.

Donc toute loi ancienne qui en contrarierait l'application, a cessé d'exister, du moment où l'acte constitutionnel a été promulgué.

Ainsi le Gouvernement a le droit d'appeler aux fonctions publiques ceux des ci-devant nobles ou parents d'émigrés qu'il jugera dignes de sa confiance; il n'a pas besoin pour cela du consentement du législateur; le peuple, en acceptant la Constitution, lui en a donné le droit absolu.

Les lois dont il s'agit n'étaient d'ailleurs que des lois de circonstance, motivées sur le malheur des temps et la faiblesse du Gouvernement d'alors. Aujourd'hui ces motifs ne peuvent plus être allégués. Le Gouvernement créé par la Constitution de l'an VIII a toute la force nécessaire pour être juste et maintenir dans toute leur pureté les principes de l'égalité et de la liberté. La seule distinction qui puisse diriger ses choix est celle de la probité, des talents et du patriotisme ».

(Duvergier, t. XII, p. 47).

Du 5 nivôse au 30 pluviôse, pendant les cinquante jours qui séparent la première séance du Conseil dans une des salles du Petit Luxembourg de son installation au Palais des Tuileries où il siégea quinze années, le Conseil sera saisi de 201 affaires.

LE CONSEIL D'ÉTAT AUX TUILERIES

(30 pluviôse An VIII - 19 février 1800)

La loi du 3 nivôse an VIII avait affecté aux diverses autorités constituées « plusieurs édifices nationaux ». Parmi eux le Palais des Tuileries aux Consuls. Le Conseil, qui n'était pas une « autorité constituée », n'était pas nommé. Il devait suivre les Consuls. Ceux-ci gagnèrent les Tuileries le 30 pluviôse.

Thibaudeau, longtemps après, a raconté la cérémonie, brièvement, avec un brin d'ironie :

« Le cortège partit du Luxembourg en voitures, en grand costume, avec de la musique et une escorte. Il n'était pas encore somptueux; c'était en partie l'héritage mobilier laissé par les Directeurs. On y voyait peu de voitures de maître; le reste du cortège se trouvait formé par des fiacres dont les numéros étaient recouverts de papier.

A peine arrivé aux Tuileries, le Premier Consul monta à cheval et passa une revue. Ensuite chaque Ministre lui fit la présentation des fonctionnaires dépendants de son département.

Voilà donc le premier magistrat de la République installé dans ce palais où respiraient encore de toutes parts les souvenirs de la monarchie ».

(Thibaudeau, Mémoires sur le Consulat, Paris 1827, p. 2).

Sur le moment même, Roederer avait donné dans le *Journal de Paris* un récit plus long et bien entendu plus élogieux :

« Hier le résultat des votes émis sur la Constitution a été proclamé dans Paris. Aujourd'hui le gouvernement s'est installé aux Tuileries. A midi les consuls, les ministres et les conseillers d'Etat se sont réunis au Luxembourg en habit de cérémonie.

A une heure ils en sont partis pour se rendre aux Tuileries. Un piquet de hussards ouvrait la marche. Suivaient vingt carosses de conseillers d'Etat, un peloton de guides et l'état major, six carosses de ministres, un autre peloton de guides, la voiture des trois consuls, entourée d'officiers à cheval, la garde à cheval des consuls. La marche était fermée par des piquets des 8e et 9e Régiments de dragons et du 15e de chasseurs.

Le cortège a suivi la rue de Thionville (1) et le quai Voltaire. Deux haies de grenadiers de la garde des consuls bordaient la cour des Tuileries.

Le premier Consul en descendant de voiture est monté à cheval, et a fait la revue des troupes rassemblées dans la cour et au Carrousel. Il s'est ensuite placé au-devant de la porte d'entrée des Tuileries, et, entouré des commandants militaires et de leur état-major, il a vu défiler les troupes...

Les deux consuls (2) pendant la revue étaient avec les ministres et une partie du Conseil sur le balcon du palais.

Le Premier Consul est monté dans les appartements. Les consuls, les ministres et les conseillers d'Etat sont entrés avec lui dans son cabinet. Le Ministre de l'Intérieur y a fait introduire et a présenté aux consuls les autorités administratives de Paris.

. . . .

Le Premier Consul a ajourné le Conseil d'Etat à demain ».

(Journal de Paris du 30 pluviose an VIII).

Et le 3 ventôse Roederer ajoutait :

« Aujourd'hui le Premier Consul, entouré des consuls, des ministres et des conseillers d'Etat, a reçu les ambassadeurs et ministres des puissances étrangères (...) Plusieurs lui ont remis leurs lettres de créance (...) Le Ministre de la Justice a ensuite présenté aux consuls le tribunal de cassation (...) Les tribunaux civils, criminels et de police correctionnelle ont ensuite été introduits (...) ».

(Journal de Paris du 3 ventôse an VIII).

---

(1) Aujourd'hui rue Dauphine.
(2) C'est-à-dire Cambacérès et Lebrun.

II
LE CORPS ET SES MEMBRES

Le Conseil, second corps de l'Etat — Sa place au sommet de la hiérarchie administrative — Les diverses catégories de conseillers : service ordinaire, service extraordinaire, conseillers à vie — Absence d'un statut — Expulsion de Portalis (1811) — Préséances, honneurs et prérogatives des conseillers — Traitements et gratifications, leur importance — Diversité de composition et jeunesse du corps — La valeur de ses membres — Les maîtres des requêtes : création, rôle, situation — L'auditorat : création (1803) — transformations — les vues de Napoléon — les effectifs — accès et recrutement — fonctions des auditeurs au Conseil, en mission, dans des postes extérieurs — jugements sur l'auditorat.

UN GRAND CORPS

La constitution de l'an VIII - dont le titre II traitait du Sénat conservateur et le titre III du Pouvoir législatif exercé par le Tribunat et le Corps Législatif - ne faisait qu'une place apparemment modeste dans son titre IV au Conseil d'Etat, placé « sous la direction des Consuls » pour « rédiger les projets de lois et les règlements d'administration publique et (...) résoudre les difficultés qui s'élèvent en matière administrative ».

En fait, le Conseil fut considéré et traité très tôt comme le second corps de l'Etat, venant immédiatement après le Sénat et placé avant le Corps Législatif et le Tribunat. Cet ordre de préséance fut rappelé par une note officieuse publiée dans *le Moniteur* du 15 décembre 1808 sur l'ordre, dit-on, de l'Empereur que des déclarations hâtives de l'Impératrice avaient irrité :

Paris, le 14 décembre

« Plusieurs de nos journaux ont imprimé que S. M. l'Impératrice, dans sa réponse à la députation du Corps Législatif, avait dit qu'elle était bien aise de voir que le premier sentiment de l'Empereur avait été pour le Corps Législatif qui représente la nation.

S. M. l'Impératrice n'a point dit cela; elle connaît trop bien nos constitutions; elle sait trop bien que le premier représentant de la nation, c'est l'Empereur; car tout pouvoir vient de Dieu et de la Nation.

Dans l'ordre de nos constitutions, après l'Empereur, est le Sénat; après le Sénat, est le Conseil d'Etat; après le Conseil d'Etat, est le Corps Législatif; après le Corps Législatif, viennent chaque tribunal et fonctionnaire public dans l'ordre de ses attributions. Car s'il y avait dans nos constitutions un corps représentant la nation, ce corps serait souverain; les autres corps ne seraient rien et ses volontés seraient tout.

La Convention, même le Corps Législatif ont été représentants. Telles étaient nos constitutions alors. Aussi le président disputa-t-il le fauteuil au roi, se fondant sur ce principe que le président de l'assemblée de la nation était avant les autorités de la nation. Nos malheurs sont venus en partie de cette exagération d'idées. Ce serait une prétention chimérique, et même criminelle, que de vouloir représenter la nation avant l'empereur.

Le Corps Législatif, improprement appelé de ce nom, devrait être appelé Conseil Législatif, puisqu'il n'a pas la faculté de faire des lois, n'en ayant la proposition. Le Conseil Législatif est donc la réunion des mandataires des collèges électoraux. On les appelle députés des départements, parce qu'ils sont nommés par les départements.

Dans l'ordre de notre hiérarchie constitutionnelle, le premier représentant de la nation est l'Empereur, et ses ministres, organes de ses décisions; la seconde autorité représentante est le Sénat; la troisième, le Conseil d'Etat qui a de véritables attributions législatives; le Conseil Législatif a le quatrième rang.

Tout rentrerait dans le désordre, si d'autres idées constitutionnelles venaient pervertir les idées de nos constitutions monarchiques ».

(Moniteur Universel, 15 décembre 1808, pp. 1577-1578).

Ce rang se trouvait marqué par la place faite au Conseil comme corps dans les cérémonies publiques. L'article 2 du décret du 24 messidor an XII relatif aux cérémonies publiques, préséances, honneurs civils et militaires, qui dispose que les grands corps de l'Etat n'auront rang et séance que dans les cérémonies publiques auxquelles ils auront été invités par lettres closes de Sa Majesté, cite ces grands corps dans l'ordre suivant : le Sénat, le Conseil d'Etat, le Corps législatif, le Tribunat, la Cour de Cassation.

Le Conseil d'Etat en corps ou par députation assistait à toutes les cérémonies publiques de quelque importance : ouverture des sessions du Corps législatif et du Tribunat, réception des ambassadeurs, couronnement et mariage de l'Empereur.

Certains de ses membres y tinrent même un rôle particulier. Ainsi, à la cérémonie du couronnement, la formule du serment constitutionnel fut mise sous les yeux de l'Empereur par François de Neufchâteau, président du Sénat, Defermon, le plus ancien des présidents de section du Conseil d'Etat, Fontanes, président du Corps législatif et Fabre de l'Aude, président du Tribunat, qui se rangèrent ensuite à la gauche du trône sur les premières marches. A la même cérémonie, les auditeurs au Conseil, faisant fonction d'adjoints aux cérémonies, accueillaient à l'entrée de Notre-Dame les personnalités qui s'étaient réunies au Palais de Justice à sept heures et en venaient à pied (1).

Le prestige que le Corps devait à son rang se trouvait encore rehaussé par l'appartenance ès qualités d'un nombre élevé de ses

(1) Cf. procès-verbal de la cérémonie du sacre et du couronnement de LL. MM. l'Empereur Napoléon et l'Impératrice Joséphine par L.P. Ségur (Arch. nat. BB^{30} 1130^{A}).

membres aux plus hautes institutions du régime impérial ou par leur présence aux actes les plus solennels de la vie publique.

Le Senatus-consulte du 16 thermidor an VIII, instituant le consulat à vie, avait prévu deux conseillers d'Etat parmi les membres du Conseil privé - conseil qui ne fut d'ailleurs jamais formé - qui devait discuter les projets de Sénatus-consulte et donner son avis avant la ratification des traités de paix et d'alliance (art. 57 et 58); deux conseillers d'Etat siégeaient dans le Conseil privé dont le Premier Consul recueillait l'avis avant d'exercer le droit de grâce (art. 86); les présidents de section et quatorze conseillers d'Etat faisaient partie de la Haute Cour Impériale de justice instituée par le Sénatus-consulte organique du 28 floréal an XII.

Le Conseil d'Etat était avec le Sénat, le Corps législatif et le Tribunat l'un des quatre corps en présence desquels devaient prêter serment : le citoyen nommé pour succéder au Premier Consul (art. 43 du S. C. du 16 thermidor an X), l'Empereur dans les deux ans suivant son avènement ou sa majorité (art. 52 du S.C. organique du 28 floréal an XII), la personne chargée de la Régence (art. 54 du même S. C.).

En cas d'empêchement du secrétaire d'Etat de la maison impériale, c'était un conseiller d'Etat qui, après le décès des princes et princesses de la maison impériale, apposait les scellés dans leurs palais et maisons (art. 25 du décret du 30 mars 1806 portant statut sur l'état de la famille impériale).

L'Empereur tenait la main à ce que le rang du Conseil fût respecté. Le conseil de l'Université l'apprit à ses dépens lors d'une séance décrite dans ses souvenirs par le duc de Broglie :

> « Cette première époque de mon existence au Conseil d'Etat fut marquée par une séance mémorable. Le développement rapide qu'avait pris depuis quelque temps l'institution des petits séminaires avait inspiré quelque inquiétude à l'Empereur. Il avait fait convoquer le conseil de l'Université au Conseil d'Etat; tout annonçait de l'orage. L'Empereur entra, comme à son ordinaire, vers une heure et demie. Voyant M. de Fontanes et les conseillers de l'Université placés au même rang que les conseillers d'Etat, il en manifesta beaucoup d'humeur et traita très brutalement M. de Ségur, conseiller d'Etat lui-même et grand maître des cérémonies. Il fit évacuer par les maîtres des requêtes la place qu'ils occupaient au bout de la salle, en face de son bureau. Les conseillers de l'Université furent installés à la place des maîtres de requêtes et ceux-ci relégués au rang des auditeurs. Alors la séance commença ».
>
> *(Duc de Broglie, Souvenirs, Paris 1886, t. I, pp. 68-69).*

Le rang élevé du Corps n'était pas purement honorifique. Placé à la jonction de l'ordre gouvernemental et de l'ordre administratif, il occupait le sommet de la hiérarchie de ce dernier. Etre nommé au Conseil constituait toujours une promotion pour les fonctionnaires du rang le plus élevé, y compris les préfets. Thibaudeau, préfet de la Gironde, tenait pour telle son entrée au Conseil :

> « Le Premier Consul nomma, le cinquième jour complémentaire (22 sep-

tembre 1800), plusieurs conseillers d'Etat, dont deux pris parmi les préfets, Français de Nantes et moi. Je reçus, avec l'arrêté de ma nomination, une lettre du secrétaire d'Etat de la même date et ainsi conçue : « Les consuls, en vous confiant la préfecture de la Gironde, savaient qu'ils accordaient à ce département une distinction que méritait l'importance de cette portion de la République. Ils lui donnaient pour administrateur l'un des citoyens les plus recommandables par ses talents, ses services et son caractère. Ils vous chargeaient d'une mission digne de vous. Toutes les espérances du gouvernement et des administrés ont été réalisées; vous les avez même surpassées, et les consuls vous ont reconnu propre à de plus hautes fonctions. Le Premier Consul me charge de vous annoncer qu'il vient de vous nommer conseiller d'Etat ataché à la section de Législation. Je vous invite à vous rendre à votre poste aussi promptement qu'il vous sera possible ».

En même temps que cette lettre, m'arrivèrent les félicitations de mes amis...

« Bonjour, bon an, mon cher ami, m'écrivit Siméon, le Premier Consul nous donne de bonnes étrennes en vous nommant, vous et Portalis, conseillers d'Etat. On vous enlève à un département important auquel vous vous attachiez. Mais vous passez sur un plus grand théâtre, et pour dot vous aurez le monde. Vous serez directement utile à toute la France, le bien public y gagnera beaucoup et vos amis aussi... Adieu, citoyen préfet, citoyen conseiller d'Etat, mieux que cela, adieu Thibaudeau, venez vite je vous désire comme je vous estime et vous aime. »

(Thibaudeau, Mémoires, Paris 1913, pp. 38-39).

Cet « avancement » ne fit d'ailleurs qu'un demi-plaisir à son bénéficiaire qui regrettait d'avoir quitté trop tôt des fonctions actives et un département important où il y avait beaucoup à faire. Nommé un peu plus tard préfet des Bouches-du-Rhône, il note néanmoins dans ses Mémoires :

« Passer d'une préfecture au Conseil d'Etat et redevenir préfet, c'était, dans l'opinion, sinon déroger, au moins rétrograder. Je ne me le dissimulai pas, et, dans le monde, on prit cela pour une défaveur. Quelques amis me regrettèrent; des collègues, qui me regardaient comme un rival, ne furent pas fâchés de ne plus me trouver sur leur chemin. »

(Thibaudeau, Mémoires, Paris 1913, p. 81).

LES CONSEILLERS D'ÉTAT

Au nombre de trente à quarante selon le règlement du 5 nivôse an VIII (1), ils constituèrent d'abord à eux seuls tout le Conseil. Mais

(1) Le maximum fut porté à cinquante par le Sénatus-consulte du 16 thermidor an X. Au total, si l'on excepte quatre conseillers en service extraordinaire qui ne furent jamais qu'en titre, il fut nommé, de 1799 à 1814, 112 conseillers d'Etat, dont 54 furent en service ordinaire moins de 3 ans (dont 19 moins d'un an), 25 de 3 à 6 ans, 15 de 6 à 10 ans et 18 au moins 10 ans (dont 6 de nivôse an VIII à avril 1814). Le rôle joué au Conseil ne dépend d'ailleurs pas de la durée, car, pour plusieurs, des fonctions extérieures à Paris primèrent le service au Conseil.

celui-ci s'enrichit vite de nouveaux membres : auditeurs et maîtres des requêtes furent créés respectivement en 1803 et 1806; les princes du sang, les princes grands dignitaires de l'Empire, les ministres (1) se virent reconnaître la qualité accessoire, et surtout honorifique à vrai dire, de membres du Conseil d'Etat.

Service ordinaire et service extraordinaire.

Il n'existait à l'origine qu'une seule catégorie de conseillers d'Etat. Il fut très vite fait des distinctions parmi eux. Dès l'an VIII un arrêté du 7 fructidor les répartit entre le service ordinaire et le service extraordinaire :

Arrêté du 7 fructidor an 8

Les consuls de la république arrêtent :

ART. PREMIER. — A compter du 1er vendémiaire prochain, le service des conseillers d'Etat sera distingué en service ordinaire ou service du Conseil d'Etat, et en service extraordinaire, consistant soit en fonctions permanentes, soit en missions temporaires.

ART. 2. — Il ne pourra être employé au service ordinaire, ou service du Conseil d'Etat, plus de quarante conseillers d'Etat.

ART. 3. — Les conseillers d'Etat chargés d'un service extraordinaire conserveront leur titre.

ART. 4. — Lorsqu'un membre du Conseil d'Etat sera chargé par le Premier Consul d'un service extraordinaire, il cessera d'être porté sur la liste des conseillers d'Etat en service ordinaire.

ART. 5. — Tous les trois mois le Premier Consul arrêtera la liste des conseillers d'Etat en service ordinaire.

ART. 6. — Les conseillers d'Etat en service extraordinaire, qui seraient de retour de leur mission, ne pourront prendre séance au Conseil d'Etat qu'au commencement du trimestre où ils seront portés sur la liste des conseillers d'Etat en service ordinaire.

ART. 7. — Le présent arrêté ne sera point imprimé.

Le Premier Consul, signé, Bonaparte.
Par le Premier Consul,
Le secrétaire d'Etat, signé, H. B. Maret.

(Duvergier, t. XII, p. 293).

Une décision du même jour fixait à 29 l'effectif du service ordinaire et plaçait 11 membres du Conseil en service extraordinaire.

Un peu plus tard furent nommés des conseillers d'Etat en service ordinaire qui n'étaient rattachés à aucune section et ne siégeaient donc qu'à l'assemblée générale. Tel fut le cas du préfet de police et du président du Tribunal de cassation nommés conseillers d'Etat par des

(1) Le premier règlement du Conseil du 5 nivôse an VIII donnait aux ministres entrée à l'assemblée générale du Conseil d'Etat, « sans que leur voix y soit comptée ». Voix délibérative leur fut attribuée en l'an X.

arrêtés du 14 floréal an X. Le décret du 11 juin 1806 en son article 3 formalisa cette distinction :

« Sur la liste du service ordinaire seront distingués ceux de nos conseillers qui feront partie d'une section et ceux que nous croirons ne devoir attacher à aucune. »

(Duvergier, t. XV, p. 376).

Une nouvelle catégorie de conseillers fut créée par l'article 77 du sénatus-consulte du 28 floréal an XII, celle des conseillers à vie :

« Lorsqu'un membre du Conseil d'Etat a été pendant cinq années sur la liste des membres du Conseil en service ordinaire, il reçoit un brevet de conseiller d'Etat à vie.

Lorsqu'il cesse d'être porté sur la liste du Conseil d'Etat en service ordinaire ou extraordinaire, il n'a droit qu'au tiers du traitement de conseiller d'Etat.

Il ne perd son titre et ses droits que par un jugement de la Haute Cour impériale emportant peine afflictive ou infamante. »

(Duvergier, t. XV, p. 8).

C'était peut-être là l'amorce d'un système de carrière, plus sûrement sans doute l'une des sources de la nouvelle noblesse impériale. Le décret du 1er mars 1808 concernant les titres disposait en effet par ses articles 4 et 5 :

ART. 4. — Nos ministres, les sénateurs, nos conseillers d'Etat à vie, les présidents du Corps législatif, les archevêques porteront pendant leur vie le titre de Comte.

Il leur sera à cet effet délivré des lettres patentes, scellées de notre grand sceau.

ART. 5. — Le titre sera transmissible à la descendance directe et légitime, naturelle ou adoptée, de mâle en mâle, par ordre de primogéniture, de celui qui en aura été revêtu...

(Duvergier, t. XVI, p. 223).

L'expulsion de Portalis.

Le Conseil d'Etat n'était pas alors une carrière et ses membres n'avaient pas de statut au sens moderne de ce terme. Le gouvernement pouvait nommer librement au Conseil toute personne inscrite sur la liste des citoyens éligibles aux fonctions publiques nationales (art. 58 - Constitution an VIII) (1). La fonction avait - sauf pour les conseillers à

(1) Cette unique exigence demeura d'ailleurs théorique : l'art. 14 de la constitution prévoyait la première formation des listes d'éligibles dans le cours de l'an IX ; l'institution fut abolie par le Sénatus-consulte du 16 thermidor an X avant d'avoir joué le moindre rôle dans le recrutement du Conseil d'Etat.

vie - un caractère essentiellement précaire : il suffisait pour exclure un membre du Conseil de ne pas le réinscrire sur la liste de service établie chaque trimestre. L'exclusion pouvait même intervenir à tout instant et parfois de la manière la plus brutale (1), comme ce fut le cas le 4 janvier 1811 pour Portalis fils, accusé par Napoléon de ne pas l'avoir informé de l'existence d'un bref du Pape qui courait alors sous le manteau à Paris :

> « La colère (de l'Empereur) jugea à propos d'éclater le 2 ou 3 janvier 1811. Elle n'avait rien d'imprévu. On s'y attendait, le Conseil d'Etat en devait être le théâtre; aussi, en se réunissant, chacun parlait bas à son voisin; on faisait, tout au plus, semblant de discuter. L'Empereur entra, à l'heure accoutumée. Je ne dirai point que son visage était sévère, je dirai plutôt qu'il portait sur son visage un masque de sévérité; tout était joué dans la scène qu'il préparait.
>
> Il s'assit, prit son binocle et en dirigea les deux branches sur M. Portalis. Cela fait, il appela sur l'ordre du jour une première affaire et la mit en discussion, interrogeant pour qu'on lui répondit.
>
> Après avoir renouvelé ce jeu plusieurs fois, comme un chat qui guette une souris avant de lancer sur elle sa griffe, il se tourna vers l'archichancelier et lui demanda si M. Portalis était là. Celui-ci s'étant incliné affirmativement, il s'élança sur sa victime, comme un oiseau de proie, et la secoua, pour ainsi dire, pendant plus d'une heure et demie, sans lui laisser ni le temps de répondre, ni presque celui de respirer. Enfin, quand son vocabulaire d'invectives fut épuisé et que l'haleine lui fit défaut, il termina par cette apostrophe foudroyante :
>
> — Sortez de mon conseil, que je ne vous revoie plus; retirez-vous à quarante lieues de Paris.
>
> Le pauvre M. Portalis, qui n'avait pu saisir un intervalle pour placer deux mots, ne se le fit pas dire deux fois; il sortit à pas pressés, laissant sur sa petite table un portefeuille à demi-ouvert et son chapeau.
>
> Durant le cours de l'allocution impériale, tout le Conseil resta muet et consterné. Deux de ses membres, je le rappelle à leur honneur, eurent le courage, et il en fallait pour cela, d'intervenir dans cette fable du loup et de l'agneau. Ce furent M. Pasquier et M. Regnault de Saint Jean d'Angely (2).
>
> M. Pasquier, récemment nommé préfet de police, aurait été le vrai coupable, s'il y avait eu le moindre tort de la part de personne; il ne craignit point de le rappeler; M. Regnault se porta au secours du faible par esprit de justice et par bonté naturelle. Cela lui arrivait assez souvent ».
>
> *(Duc de Broglie, Souvenirs, Paris, 1886, t. I, pp. 123-124).*

La qualité d'auditeur ne donnait aucun droit à être nommé maître des requêtes, ni cette dernière à devenir conseiller d'Etat. Si en fait il s'établit un certain avancement à l'intérieur du corps, ce fut pure pratique

(1) L'exclusion pouvait revêtir des formes plus discrètes et apparemment flatteuses pour les intéressés. Ainsi en fut-il de la nomination de Roederer au Sénat où douze autres conseillers prirent une retraite dorée.

(2) Le nom s'écrivait à l'époque tantôt Regnault, tantôt, et plus fréquemment, Regnaud.

qui en raison de la brève durée de l'Empire ne put se transformer en véritable règle coutumière.

La fonction de conseiller d'Etat fut cependant assujettie à certaines règles et bénéficia de nombreuses prérogatives. Bien qu'aucun texte ne l'ait édictée, il y eut toujours incompatibilité entre la qualité de membre du Conseil et celle de sénateur, de législateur ou de tribun. Le Consulat et l'Empire ne connurent pas le cumul, qui fut admis et pratiqué si largement de 1814 à 1848, des fonctions de conseiller d'Etat et du mandat parlementaire. Napoléon tint de même à ce que les membres du Conseil fussent au seul service de l'Etat. Il écrivait en ce sens au conseiller Forfait en 1805 :

Châlon sur Saône, 17 germinal an XIII (7 avril 1805)

« Monsieur Forfait, j'ai reçu votre lettre, le ministre de la marine m'a fait connaître que, de votre propre aveu, vous aviez un intérêt dans plusieurs compagnies, soit de constructeurs, soit de fournisseurs. Moi-même j'avais éprouvé une sensible peine de voir que vous aviez intérêt avec un constructeur d'Anvers. Ces choses sont incompatibles avec la confiance que je donne aux personnes que je prends à mon service. Cependant je vous rends la justice de penser que, dans aucune circonstance, cela n'a pu influer sur vos devoirs. Si des spéculations de commerce vous paraissent plus avantageuses que votre service au Conseil d'Etat ou dans la marine, je ne m'oppose point à ce qui peut vous être avantageux; mais, si vous voulez continuer à servir, soit au Conseil d'Etat, soit dans la marine, j'exige que vous renonciez à toute espèce d'intérêt avec des fournisseurs ou des constructeurs, sous quelque prétexte que ce soit. ».

Napoléon

(Correspondance de Napoléon Ier, t. X, N° 8544, p. 445).

Préséances, honneurs et prérogatives.

Les prérogatives et avantages dont jouissaient les conseillers d'Etat étaient importants. Le décret du 24 messidor an XII relatif aux cérémonies publiques, préséances, honneurs civils et militaires leur assurait à cet égard une situation élevée.

En matière de préséance, les conseillers d'Etat en mission prenaient rang, à titre individuel, après les princes français, les grands dignitaires, les cardinaux, les ministres, les grands officiers de l'Empire et les sénateurs dans leur sénatorerie, précédant les grands officiers de la Légion d'honneur, les généraux de division, les archevêques, les préfets etc.

Tout conseiller d'Etat revêtu de son costume avait droit individuellement et en tout lieu aux honneurs militaires : les sentinelles faisaient face et présentaient les armes. Lorsqu'un conseiller mourait dans l'exercice de ses fonctions et dans la ville où siégeait le Conseil, la garnison fournissait quatre détachements de 50 hommes, commandés chacun par un capitaine et un lieutenant aux ordres d'un chef de bataillon ou d'escadron.

Les conseillers d'Etat en mission recevaient des honneurs civils et aussi, d'après les ordres donnés par le ministre de la guerre, des honneurs militaires, qui étaient les mêmes que ceux rendus aux sénateurs dans leurs sénatoreries. Locré, commentant le décret du 24 messidor an XII, décrit ainsi ces honneurs :

« Voici quels sont les honneurs militaires.

Les conseillers font leur entrée en voiture, et accompagnés de leur suite, dans les chefs-lieux des départements où leur mission les appelle.

Le Commandant de la place se trouve à la barrière pour les recevoir et les accompagner.

Les troupes sont en bataille sur leur passage.

Les officiers supérieurs saluent.

Les tambours rappellent.

On tire cinq coups de canon, et de même à leur sortie.

Il est envoyé au-devant d'eux, à un quart de lieue, un détachement de vingt hommes de cavalerie, commandé par un officier, avec un trompette qui les escorte jusqu'à leur logis. Outre ce détachement, il est envoyé à leur rencontre quatre brigades de gendarmerie, commandées par un lieutenant. Le capitaine de la gendarmerie se trouve à la porte de la ville et les accompagne.

Dans les mêmes chefs-lieux, et aussi dans les autres places de l'arrondissement où les conseillers exercent leur mission, il leur est donné une garde de trente hommes, commandée par un lieutenant; le tambour rappelle.

Il est placé deux sentinelles à la porte de leur logis.

Les postes ou gardes devant lesquels ils passent, prennent et portent les armes, ou montent à cheval; les tambours ou trompettes rappellent; les sentinelles présentent les armes.

Il leur est fait des visites de corps.

Les honneurs civils sont ainsi réglés.

A leur entrée, un détachement de la garde nationale est sous les armes à la porte de la ville.

Les maires et adjoints se trouvent à leur logis avant leur arrivée et vont prendre congé d'eux au moment de leur départ.

Ils sont visités, immédiatement après leur arrivée, par toutes les autorités placées après eux dans l'ordre des préséances.

Les Cours d'appel s'y rendent par une députation composée d'un Président, du Procureur général et de quatre Juges; les autres Cours et Tribunaux, par une députation composée de la moitié de la Cour ou du Tribunal.

Aussitôt après avoir reçu ces visites, les conseillers d'Etat en rendent, à leur tour, aux personnes placées avant eux dans l'ordre des préséances.

. . . .

Les conseillers en mission rendent aussi, en la personne des Chefs des corps, les visites qu'ils ont reçues des autorités constituées.

Mais ils ne doivent de visite que lorsqu'ils séjournent plus de vingt-quatre heures dans le lieu. Le service de S. M. ne doit pas être retardé par des devoirs de bienséance, quelque justes qu'ils soient. »

(*Locré, Du Conseil d'Etat, Imp. Impériale, 1810, Liv. I, Ch. III, p. 80*).

Les honneurs ou du moins certains d'entre eux n'étaient rendus qu'aux membres du Conseil revêtus de leur costume, qui avait été institué par l'arrêté des Consuls du 14 nivôse de l'an VIII (1).

Lorsque fut créé l'ordre de la Légion d'Honneur, tous les conseillers d'Etat en furent nommés membres. Beaucoup d'entre eux reçurent des décorations qui, selon Thibaudeau, flattèrent bien des vanités :

« On organisa la Légion d'honneur. Dans le civil, les sénateurs, les conseillers d'Etat, les ministres, les ambassadeurs, les cardinaux en furent d'abord nommés membres. Siméon m'écrivit :
« Tout le monde est simple légionnaire, l'archevêque de Paris comme un tambour qui a une baguette d'honneur. Ce n'est que lorsqu'on aura nommé tous les légionnaires que l'on choisira les officiers ».
....

Lorsqu'on nomma aux grades, tous les conseillers d'Etat furent promus à celui de commandant (2). Je fus compris dans cette promotion. Ils ne reçurent pas tous le traitement de 2 000 F alloué à leur grade. Ce fut l'objet de faveurs et de décisions spéciales de l'Empereur. Je ne le réclamai point; je n'en jouis jamais.

Des conseillers d'Etat obtinrent ensuite l'ordre de la couronne de Fer, celui de la Réunion. Les uns devinrent grands officiers, d'autres eurent des ordres étrangers. On fut chamarré de rubans, de cordons. Assurément, la plupart des décorés ne doutaient pas que cela n'ajoutât à leur valeur intrinsèque. Je ne désirai, je ne demandai, je ne reçus rien autre que mon titre de commandant de la Légion d'honneur dont je me contentai. »

(Thibaudeau, Mémoires, Paris 1913, Chap. 9, p. 135).

Les conseillers d'Etat bénéficiaient de nombreuses prérogatives juridiques et juridictionnelles : ils exerçaient leur droits politiques dans la municipalité librement choisie par eux; leur témoignage en justice était

---

(1) Sur le costume sous le Consulat et l'Empire et aux époques postérieures cf. Annexe II.

Les conseillers d'Etat possédaient une médaille, frappée en l'an VIII, gravée par Duvivier. Cette médaille ovale en hauteur se présente ainsi :

— à l'avers : République Française - Tête de Minerve à gauche, casquée de lauriers, dessous : Duvivier An VIII.

— au revers : dans le champ : Conseil d'Etat; en bas : 2 branches de laurier en sautoir.

Il est vraisemblable que les conseillers d'Etat l'utilisaient comme coupe-file. Elle fut remplacée, en 1882, par la médaille actuellement portée par les membres du Conseil d'Etat. Consulté au sujet de ces deux médailles, M. Dehaye, directeur de l'administration des Monnaies et Médailles écrivait le 30 juin 1971 : « Nos recherches relatives aux deux médailles sont demeurées infructueuses. Nous pouvons seulement affirmer qu'elles servaient toutes deux de coupe-file et que la seconde fut mise en service en 1882. L'avers n'est autre que la fameuse Cérès-République d'Oudiné, type monétaire 1848-1898, qui servit également pour de nombreuses médailles, jetons publicitaires, poinçons, estampilles, timbres poste, etc. Il semble que cette effigie fameuse succède directement au type créé par Benjamin Duvivier en l'an VIII ». L'administration des Monnaies et Médailles a bien voulu en 1968, à la demande du Conseil d'Etat, refrapper la médaille de l'an VIII, qui est remise aux membres du Conseil partant à la retraite.

(2) Si tous les conseillers en fonction à la fin de l'an XII furent nommés en même temps commandants de la Légion d'Honneur, plusieurs de ceux qui furent nommés ensuite dans l'Ordre n'étaient qu'officiers de celui-ci à la fin de l'Empire.

reçu à leur résidence, s'il était fourni dans une affaire pendante devant un tribunal séant hors de leur commune; s'ils étaient désignés comme jurés, la Cour d'Assises devait faire droit à leur excuse; ils ne pouvaient être poursuivis pour délit personnel qu'après autorisation du Conseil d'Etat; ils étaient justiciables de la Haute Cour impériale pour les infractions commises dans l'exercice de leurs fonctions.

Traitements et gratifications.

Les conseillers d'Etat percevaient un traitement fixé à 25 000 F (1) par an par l'article 14 du règlement du 5 nivôse an VIII. Traitement fort élevé, si on le compare à celui dont bénéficiaient à la même époque le président du Tribunal de cassation et un archevêque (15 000), ou un professeur d'université (6 000). Les conseillers d'Etat supportaient, il est vrai, des dépenses de représentation assez élevées et payaient, semble-t-il, de leur deniers certains frais de secrétariat. Regnaud de Saint Jean d'Angely, président de la section de l'Intérieur, le rappelle à l'Empereur dans son rapport sur les travaux de sa section en 1809 :

> « Votre Majesté jugera peut-être devoir donner quelques coopérateurs à cette section chargée à elle seule de plusieurs fois le travail des quatre autres.
>
> Son président, Sire, j'ose l'assurer à Votre Majesté, obligé par devoir de réviser tout ce qui s'expédie, chargé seul de plusieurs parties importantes, travaille nécessairement et assidûment autant que ses forces le lui permettent.
>
> Indépendamment d'un chef de bureau payé au Conseil, sujet distingué par sa probité, son intelligence, son assiduité, nommé Boullée, il est forcé d'avoir des secrétaires particuliers qui le secondent, qui font les états, la correspondance très considérable avec le ministre de l'Intérieur, etc. et ces employés sont payés et placés chez lui, dans des bureaux qu'il entretient.
>
> Il n'a même, pas plus que les autres Présidents, la faculté de donner aux employés de sa section un témoignage de satisfaction, ni la gratification la plus modique, si ce n'est de ses propres deniers ».
>
> *(Arch. nat., AF. IV 1 042, pp. 36-37).*

Une nomination au Conseil d'Etat n'était pas toujours considérée comme une bonne affaire financière (2). Telle fut l'opinion de Siméon :

> « Siméon fut nommé conseiller d'Etat, d'abord pour son propre mérite et probablement aussi pour son opinion en faveur de l'hérédité; il en fut

(1) Les présidents de section avaient un traitement de 30 000 F.

(2) Quarante ans plus tard, sous le Second Empire qui fit aux conseillers d'Etat une situation matérielle qu'ils n'avaient plus connue depuis 1815, Billault écrivait : « Le (Prince) Président m'a offert hier une place de conseiller d'Etat; je l'ai remercié, mais j'ai refusé; je lui ai dit que je n'étais pas assez riche pour substituer les 25 000 F de cette place aux 50 000 que me rapporte mon état » (Arch. dép. Loire-Atlantique 20 15 pièce 14).

contrarié. Il regrettait l'indépendance du Tribunat et son cabinet d'avocat, dont le produit égalait au moins le traitement de conseiller d'Etat, sans être obligé à aucune dépense de représentation. »

(Thibaudeau, Mémoires, Paris 1913, Chap. IX, p. 134).

Mais pour certains conseillers d'Etat des gratifications substantielles venaient grossir le traitement. Gratifications accordées de façon discrétionnaire par Napoléon qui donnait à cet égard en 1802 les instructions suivantes à Locré, secrétaire général du Conseil :

Paris, 16 ventôse an X (7 mars 1802).

« Vous trouverez ci-joint, Citoyen, un arrêté qui met à votre disposition 100 000 F. Vous les distribuerez de la manière suivante :

15 000 F au citoyen Regnier; 15 000 F au citoyen Defermon; 15 000 F au citoyen Lacuée; 15 000 F au citoyen Portalis; 15 000 F au citoyen Roederer.

Vous garderez 10 000 F pour vous et 15 000 F en caisse pour petites dépenses imprévues.

Vous remettrez ces sommes de la main à la main à chacun de ces conseillers d'Etat, sans dire à l'un que les autres l'ont reçue, mon intention étant que ceci reste très secret. Votre décharge sera cette lettre ».

(Correspondance de Napoléon 1er, tome VII, N° 5982, p. 514).

Le secret n'était guère apprécié des bénéficiaires des largesses de l'Empereur, comme Locré en informait le comte Daru par la lettre suivante :

Paris, le 11 février 1813.

« Monsieur le comte,

Votre Excellence a fait demander dans mes bureaux l'état des dernières gratification accordées par l'Empereur.

Permettez-moi de répondre directement à cette demande, car l'intention manifestée par Sa Majesté dans les ordres qu'elle a daigné me donner chaque année a toujours été que les dons qu'Elle a faits ainsi, demeurassent ignorés de tout autre que de celui qui les a reçus.

Sa Majesté me faisait l'honneur de m'envoyer une lettre par laquelle Elle m'indiquait les personnes auxquelles Elle voulait accorder des gratifications ou les sommes qu'Elle destinait à chacune.

Cette lettre était accompagnée :

1) d'un ordre adressé dans l'origine au ministre des finances, ensuite à M. le trésorier de la Couronne...;

2) d'une lettre de Sa Majesté à chacun des membres du Conseil qui recevait une gratification. Cette lettre était conçue dans les termes suivants : M..., M. Locré, secrétaire général de mon Conseil d'Etat vous remettra de ma part la somme de ... Je désire que vous regardiez cette gratification comme une marque de ma satisfaction pour vos services pendant l'année...

En envoyant ces lettres, j'y joignais un billet par lequel j'avertissais que l'intention de Sa Majesté était qu'il ne fût donné aucune publicité à son don.

Je puis assurer Votre Excellence que la lettre de Sa Majesté faisait encore plus de plaisir que la gratification et que les membres du Conseil regretteraient beaucoup de ne plus la recevoir. Chacun la gardait comme un titre précieux; on l'aurait montrée avec orgueil, si l'on n'avait été retenu par la défense de l'Empereur, et il me souvient que M. Treilhard, la première fois qu'il en reçut une pareille, dit à Sa Majesté en la remerciant, qu'il était bien fâché de ne pouvoir pas s'en vanter ».

(Arch. nat. AF IV 1305).

Certains considéraient ces suppléments de traitement comme un dû :

« Sire, écrivait le 18 janvier 1810, Regnaud de St. Jean d'Angely à l'Empereur, le travail du président de la section de l'intérieur de votre Conseil est plus considérable que Votre Majesté n'a pu le connaître.

4 869 affaires dont un grand nombre longues et difficiles, comme la loi sur les mines, y ont été expédiées.

800 budgets ont été vus par moi et réglés.

J'ai eu chez moi des commis, des bureaux et j'ai fourni à ces dépenses à grand'peine.

Cette année, Sire, je ne le pourrai pas. J'ai déjà fait connaître à Votre Majesté les causes de cette impossibilité.

Je supplie Votre Majesté de considérer qu'en 1809 j'ai eu 30 000 F de gratification.

En 1810, malgré la lettre de Votre Majesté, je n'ai rien reçu.

J'ai remis à votre Secrétaire d'Etat une note sur cet objet. Je supplie Votre Majesté d'y avoir égard. »

(Ach. nat. AF IV, 1042, p. 38).

Les conseillers investis en même temps de fonctions extérieures cumulaient souvent les rémunérations attachées à celles-ci avec le traitement et les gratifications du Conseil, percevant au total des sommes qui n'ont pas leur équivalent dans la fonction publique d'aujourd'hui, comme le montrent des extraits d'un état nominatif établi en 1810 des « émoluments et gratifications » accordés à certains d'entre eux :

SERVICE ORDINAIRE

Section de Législation

Comte Boulay : Traitement :

comme conseiller d'Etat président	30 000	60 000
dotations	30 000	

Gratifications accordées :
1809 : 10 000

Comte Berlier : Traitement :

comme conseiller d'Etat	25 000	56 000
comme Pt du conseil des prises	15 000	
dotations	16 000	

Gratifications accordées :
1809 : 10 000

Comte Real : Traitement :

comme conseiller d'Etat	25 000	56 000
comme chargé de police	15 000	
dotations	16 000	

Section des Finances

Comte Defermon : Traitement :

comme conseiller d'Etat président	30 000	120 000
comme intendant général du domaine extraordinaire de la couronne	40 000	
dotations	50 000	

Gratifications accordées :
an IX : 15 000
1806 : 10 000
1809 : 15 000

Comte Jaubert : Traitement :

comme conseiller d'Etat	25 000	101 000
comme gouverneur de la Banque	60 000	
dotations	16 000	

Gratifications accordées :
1806 : 30 000

Section de la Marine

Comte Gantheaume : Traitement :

comme conseiller d'Etat président	30 000	117 000
comme vice-amiral	15 000	
comme inspecteur général des côtes de l'Océan	12 000	
dotations	60 000	

Section de l'Intérieur

Comte Regnaud de St-Jean-d'Angely : Traitement :

comme conseiller d'Etat président	30 000	146 000
comme procureur général près la Haute cour impériale	36 000	
comme secrétaire d'Etat de la famille impériale	30 000	
dotations	50 000	

Gratifications accordées :
1806 : 30 000
1809 : 15 000

Comte de Segur : Traitement :

comme conseiller d'Etat	25 000	160 882
comme grand maître des cérémonies	50 000	
dotations de la charge	50 000	
dotations personnelles	45 882	

SERVICE EXTRAORDINAIRE (1)

Comte Andreossy : Traitement :

comme conseiller d'Etat	»	217 500
comme général de division	7 500	
comme ambassadeur	150 000	
dotations	60 000	

Comte Julien : Traitement :

comme conseiller d'Etat	10 000	34 000
comme général de brigade	»	
préfet du Morbihan	20 000	
dotations	4 000	

(*Arch. nat. AF IV 1305*)

Des hommes divers et jeunes.

Bonaparte avait tenu à réunir au sein du Conseil des hommes d'origines, de formations et de tendances politiques très diverses. Ces diversités sont apparues si marquées à certains mémorialistes de l'époque, que, les exagérant sans doute, ils ont dépeint le Conseil d'alors comme formé de deux partis opposés.

Ainsi, Cormenin, nommé auditeur en 1810 :

« Les conseillers d'origine bourgeoise s'y distinguaient des conseillers d'origine noble : c'était comme deux rivières qui coulaient dans le même lit sans mêler leurs eaux. Les uns affectaient la simplicité des conventionnels et semblaient mal à l'aise sous l'habit de cour, que les autres portaient avec une grâce négligente. Les uns étaient plus polis dans leurs manières et dans leur langage; les autres, plus rudes et, dans l'entretien familier, parfois cyniques. »

(*Timon* (2), *Livre des Orateurs, 13e édition, Paris, 1844, p. 141*).

Napoléon mettait à profit et arbitrait ces oppositions qui, à en croire Molé, pouvaient aller jusqu'à la haine :

« Sa position dans le Conseil entre deux partis qui se haïssaient faisait ainsi pour lui de ce qui est une faute pour tout le monde une tactique et une habileté. D'ailleurs ces deux partis, stupéfaits de le voir déployer tant de ressources et d'artifices pour les mettre d'accord au lieu de les briser, se persuadaient de plus en plus que s'il ne leur donnait pas toute satisfaction,

---

(1) En principe les conseillers en service extraordinaire cessaient de percevoir le traitement de conseiller. Mais l'Empereur pouvait par décision individuelle le leur conserver en tout ou partie.

(2) Pseudonyme de plume de Cormenin.

il leur épargnerait toujours d'être livrés à leurs adversaires ou humiliés devant eux. »

(Marquis de Noailles, Le Comte Molé, Paris 1922, t. I, p. 80).

Jugement sans doute excessif, car les oppositions, si vives fussent-elles — et qui allèrent d'ailleurs sans doute en s'atténuant avec l'augmentation au sein du Conseil du nombre des éléments modérés — n'empêchèrent pas la formation d'un esprit de corps qui se manifesta par exemple lors de l'entrée au Conseil en 1810 de Fiévée, ainsi racontée par le chancelier Pasquier :

« M. Fiévée, n'ayant aucune indépendance de fortune et vivant de sa plume, devait être exposé à subir des influences. Son entrée dans le Conseil produisit un assez mauvais effet et son attitude hautaine, pour ne pas dire arrogante, contribua encore à aggraver les dispositions qui lui étaient contraires. Chacun se disait que nous allions avoir au milieu de nous un officieux qui enregistrerait nos moindres paroles, qui en rendrait compte, et la sécurité qui, malgré des opinions fort différentes, grâce à l'esprit de corps si naturel entre gens qui exercent en commun les mêmes fonctions, avait toujours régné entre nous, allait disparaître. Il résulta de cette impression que, sans qu'il y eût de projet concerté, chacun de son côté se tint le plus possible éloigné de M. Fiévée... »

(Chancelier Pasquier, Mémoires t. I, 7e ed., Paris 1914, p. 406).

Une diversité supplémentaire devait apparaître au sein du Conseil lorsque l'annexion de nouvelles provinces à l'Empire y fit entrer à part entière et avec la nationalité française des personnalités originaires de Gênes, comme Corvetto, de Florence, comme Corsini, de Turin, comme Saint-Marsan, de Hollande, comme Appelius (1). Leur participation ne fut pas de pure forme, à en juger par le souvernir que le duc de Broglie avait conservé de celle des membres hollandais :

« Appelés à siéger au Conseil d'Etat et à prendre part à la métamorphose de leur pays, les personnages les plus considérables de la Hollande portaient, dans ces discussions, le bon sens, la fermeté et le sang-froid de leur caractère national; ils résistaient, par d'excellentes raisons, à la pédanterie bureaucratique et tracassière qu'on s'efforçait de substituer à leurs habitudes locales; ils opposaient le fond à la forme, la probité traditionnelle aux précautions compliquées, l'appréciation sensée aux chiffres et aux colonnes de la statistique. L'Empereur leur donnait habituellement gain de cause et n'épargnait pas les sarcasmes à ses conseillers ordinaires. Il ne se lassait pas de leur répéter que, dans l'administration hollandaise, tout était fondé sur la présomption d'honneteté et de bons sens, et tout, dans la nôtre, sur la présomption de sottise et de fraude.

Néanmoins, et malgré le poids de l'approbation impériale, ce fut, de guerre lasse, notre administration qui l'emporta. »

(Duc de Broglie, Souvenirs, t. I, pp. 114-115).

---

(1) Les étrangers devenus français après 1800 qui siègent au Conseil se répartissent ainsi d'après leurs nationalités d'origine : deux piémontais, un génois, un toscan, deux romains, quatre hollandais, deux allemands.

A ces hommes si divers, Napoléon à Sainte Hélène décernait un éloge collectif en évoquant dans ses conversations avec Las Cases « tous mes conseillers d'Etat, si sages, si bons travailleurs », « gens instruits,... et de bonne réputation ».

Dans les souvenirs que plusieurs d'entre eux ont laissés, les bénéficiaires de cet éloge ont placé très haut les compétences, les talents, voire même les vertus de leurs collègues. Le caustique Stendhal a écrit lui-même que « Napoléon avait réuni dans son Conseil d'Etat les cinquante français les moins bêtes ». Seul le comte Molé se montre plus réservé (1) :

> « En résumé, écrit-il, je dirai du Conseil d'Etat et des membres de cette assemblée ce qu'on a dit avec tant de vérité de nos grandes armées et des généraux qui les commandaient. Quand Napoléon était à la tête de ces dernières, elles devenaient irrésistibles, et les généraux sous ses ordres semblaient tous de grands capitaines. Etait-il absent, ces armées avaient peine à se maintenir, et les lieutenants de Napoléon, commandant en chef, se divisaient, s'enviaient et ne faisaient plus rien. Cette longue table en fer à cheval du Conseil d'Etat, toute garnie d'hommes d'origine et d'opinions si différentes, dont pas un ne pouvait être cité comme un grand esprit, ni comme un talent supérieur, se transformait quand, au bout du fer à cheval, sur une estrade, on voyait apparaître le génie organisateur. Elle devenait alors sous sa main comme un clavier dont il tirait des sons et composait des accords, bien moins dûs à l'instrument lui-même qu'à celui qui savait s'en servir.
>
> Je le dirais de tous ceux que Napoléon employa dans le civil ou dans l'armée; en les mettant à leur place, en leur demandant seulement ce qu'ils pouvaient et ce qu'ils savaient, il doublait leur aptitude et leur succès. Napoléon tombé, j'ai vu les mêmes hommes employés sous la Restauration; ils ne justifiaient plus l'idée qu'ils m'avaient donnée d'eux. On pourrait souvent comparer les hommes à des zéros, dont le chiffre qui les précède fait toute la valeur. Otez Louis XIV et nul ne saurait dire ce qu'auraient été sans lui tant de grands capitaines, de grands magistrats, de grands écrivains, moins encouragés, moins appuyés, obligés de se faire eux-mêmes leur place. Napoléon de moins, nous avons vu ce qu'étaient ses lieutenants, ses conseillers d'Etat et tant d'autres, qui n'ont brillé que du reflet de sa gloire et de son génie. »
>
> *(Marquis de Noailles, Le Comte Molé, Paris 1922, t. I., pp. 74-75).*

Le corps fit preuve, en tout cas, pendant le Consulat et l'Empire, d'une extraordinaire vitalité. Sous l'impulsion de Bonaparte, c'est vers lui que s'étaient portés les hommes les plus actifs, les plus ambitieux et aussi les plus jeunes. Le choix que fit Roederer entre le Sénat et le Conseil est significatif :

> « J'étais seul avec le Premier Consul lorsqu'on lui apporta la liste des

(1) Molé, si dénigrant dans cette citation pour ses anciens collègues, n'en déclarait pas moins le 18 mars 1823 à la Chambre des Pairs que Napoléon l'avait fait « asseoir, bien jeune encore, dans les conseils, auprès d'hommes qui m'étaient si supérieurs par leur expérience et leurs lumières ». (Arch. Parl. XXXVIII - p. 689).

31 sénateurs élus. Il me dit : « N'acceptez pas votre nomination. Qu'est-ce que vous feriez là ? Il vaut mieux entrer au Conseil d'Etat; il y a là de grandes choses à faire; c'est là que je prendrai les ambassadeurs et les ministres (1).

Je me laissai aisément persuader de préférer le Conseil, où il y avait beaucoup à faire, au Sénat, et j'allais sur le champ donner ma démission. Siéyès me dit le lendemain en particulier : « Nous savions bien que vous n'accepteriez pas, mais nous vous devions une marque d'estime ».

(Roederer (Baron A.), Œuvres complètes du Comte P.L. Roederer, Paris 1853, t. III, p. 308).

La moyenne d'âge y était plus basse que dans les assemblées. Elle avoisinait 45 ans. Si le corps comptait quelques membres de plus de 60 ans, les éléments les plus jeunes y jouaient les premiers rôles : ainsi Regnaud de St Jean d'Angely, nommé à 38 ans, Defermon à 44 ans, Berlier à 39 ans, Gouvion St Cyr à 36 ans. Des conseillers plus jeunes encore furent nommés par la suite, ainsi Molé promu conseiller à 28 ans, Portalis fils nommé à 30 ans et Vincent-Marniola qui fut sans doute le cas unique d'un auditeur promu directement conseiller d'Etat à 27 ans. Cette « jeunesse » du corps transparaît dans l'anecdote peu flatteuse pour l'Empereur que Beugnot rapporte dans ses mémoires :

« A quelques jours de là, je fus admis à diner avec l'Empereur à l'Elysée. Je partageais cet honneur avec trois de mes confrères au Conseil d'Etat, MM. Regnault, Molé et Corvetto, et avec les sénateurs de Laplace et Monge.

....

L'Empereur passa (de ce sujet) à son Conseil d'Etat, dont il fit un éloge mérité. Il dit qu'il s'était trompé quand, dans l'origine, il avait voulu faire de ses conseillers d'Etat des espèces de gens de cour. Leur costume très convenable alors, et lorsqu'il fallait secouer le cynisme qui était partout et jusque dans le vêtement, pèche aujourd'hui par le défaut de caractère et de gravité. De là, il est amené à parler des femmes de MM. les conseillers d'Etat. Il se plaint de ce qu'elles ne sont rien moins que belles, et, s'adressant à M. Molé, il lui demande si la sienne fait exception. M. Molé répond, avec la dignité qui ne l'abandonne jamais, qu'il lui serait difficile de répondre à la question de l'Empereur, parce qu'un mari est un mauvais juge de la beauté de sa femme. Le tour du Sénat vint ensuite : là il ne fut plus question de la beauté des dames, l'examen eût été une insulte à leur âge. »

(Mémoires du comte Beugnot, recueillis par son fils, Paris 1889, pp. 348-350).

(1) Il y a eu de nivôse an VIII à avril 1814 vingt six ministres. Sept nommés en nivôse an VIII n'avaient pu être conseillers d'Etat auparavant. Forfait est l'un d'eux. Maret, secrétaire d'Etat dès ce moment, reçut rang de ministre en 1804. Tous les autres furent conseillers d'Etat avant d'être ministres, sauf les généraux Carnot, Savary, de Caulaincourt et l'Amiral Decrès. Quatorze ministres, dont les généraux Dejean, Clarke, Lacuée, sortaient donc directement du Conseil d'Etat.

LES MAÎTRES DES REQUÊTES

Les maîtres des requêtes furent créés par le décret du 11 juin 1806 :

Chapitre II. Des maîtres des requêtes

4. Il y aura au Conseil d'Etat des maîtres des requêtes dont les fonctions sont ci-après déterminées.

5. Les maîtres des requêtes seront distribués en service ordinaire et en service extraordinaire, suivant la liste qui sera par nous arrêtée le 1er de chaque trimestre.

6. Les maîtres des requêtes prendront séance au Conseil d'Etat après les conseillers d'Etat.

7. Ils feront le rapport de toutes les affaires contentieuses sur lesquelles le Conseil d'Etat prononce, de quelque manière qu'il en soit saisi, à l'exception de celles qui concernent la liquidation de la dette publique et les domaines nationaux, dont les rapports continueront d'être faits par les conseillers d'Etat chargés de ces deux parties d'administration publique.

8. Les maîtres des requêtes pourront prendre part à la discussion de toutes les affaires qui seront portées à notre Conseil d'Etat.

Dans les affaires contentieuses la voix du rapporteur sera comptée.

9. Les maîtres des requêtes auront pour costume l'habit bleu, avec les broderies pareilles à celles des conseillers d'Etat.

Ceux qui seront en activité auront un traitement équivalent au cinquième de celui des conseillers d'Etat.

10. Les fonctions des maîtres des requêtes seront compatibles avec toutes autres fonctions qui leur auraient été ou qui leur seraient par nous conférées.

(Duvergier, t. XV, p. 377).

Ce décret du 11 juin 1806 créait en même temps la commission du contentieux, chargée de l'instruction et du rapport de toutes les affaires contentieuses. Les maîtres des requêtes étaient spécialement attachés à cette commission et n'étaient pas distribués dans les sections du Conseil.

Leur apparition se trouve donc liée, dans l'histoire du Conseil, à l'organisation de l'exercice de la fonction contentieuse de celui-ci. Ils n'y restèrent pas longtemps confinés. Ils furent affectés aux sections dès février 1810 et employés à l'extérieur. Certains avaient même avant ce moment été chargés de missions à l'extérieur et mis à cet effet en service extraordinaire :

« Napoléon, écrit Pelet de la Lozère, sentait le besoin, à mesure que son empire s'étendait, d'élargir les cadres de son administration pour avoir plus d'instruments à sa disposition, pour satisfaire plus d'ambitions, et pour engager un plus grand nombre de personnes dans sa cause ».

(Pelet de la Lozère, Opinions de Napoléon, Paris 1833, p. 185).

La maîtrise des requêtes n'avait pas été créée par lui pour devenir la pépinière des conseillers d'Etat : « Est-ce que la fonction de maître des requêtes est un premier degré en administration ? » déclara-t-il sèchement à Norvins qui espérait y accéder avec l'appui de Pauline Borghèse.

Les promotions de maîtres des requêtes furent formées d'hommes très divers par leur formation et leur âge : s'y côtoient des magistrats judiciaires comme Guieu, Favard de Langlade, Zangiacomi, des militaires comme Préval, Allent, des administrateurs comme Chabrol de Volvic, préfet de la Seine, des savants comme Cuvier, secrétaire perpétuel de l'Institut pour les sciences physiques; des sexagénaires, tels Chadelas et Belleville, y voisinent avec des hommes tout jeunes, Molé, Brignole et Pelet de la Lozère fils, âgés respectivement de 25, 25 et 26 ans.

Le décret du 11 juin 1806 ne fixa ni le nombre des maîtres des requêtes (1) — qui demeura toujours indéterminé —, ni leurs garanties et prérogatives. Celles dont jouissaient les conseillers d'Etat ne leur furent pas en principe étendues, mais la place qui leur fut donnée au Conseil leur valut un traitement de fait qui conduisit à poser la question de leur rang dans la hiérarchie gouvernementale et administrative. Question dont fut saisie en 1811 la section de l'Intérieur. Le Conseil préféra l'éluder pour des raisons de convenance, mais fut obligé peu après d'y proposer une solution, comme il est exposé dans le rapport que présenta le comte de Ségur devant l'Assemblée générale :

> « Le ministre secrétaire d'Etat, d'après les ordres de l'Empereur, avait écrit à M. le président de la section de l'Intérieur pour l'inviter à faire examiner par la section la question suivante, provoquée par plusieurs préfets :
>
> Est-il nécessaire d'assigner un rang particulier aux maîtres des requêtes dans les cérémonies publiques, et quel doit être ce rang ?
>
> La section, consultée sur cette question, pensa qu'on devait assigner un rang aux maîtres des requêtes et présenta au Conseil un projet de décret qui plaçait, dans les cérémonies publiques, les maîtres des requêtes en service extraordinaire ou en mission immédiatement après les conseillers d'Etat et avant tous les fonctionnaires publics désignés après lesdits conseillers d'Etat dans le décret du 24 messidor an 12.
>
> Les motifs de cette proposition se tiraient des attributions des maîtres des requêtes et de la place qu'ils occupent dans le Conseil, à la cour, et dans les cérémonies où sa Majesté est présente. En effet, ils portent le même uniforme que les conseillers, ont séance avec eux au Conseil, entrent au palais dans les mêmes appartements. Mais, comme cette décision pouvait exciter quelques réclamations de la part des grands officiers de la Légion d'honneur, des généraux de division et des premiers présidents des Cours d'appel, le Conseil pensa qu'elle devait être ajournée et qu'il était convenable de discuter cette question en présence de Sa Majesté.

(1) Il fut nommé au total sous l'Empire 66 maîtres des requêtes, dont 18 parmi les auditeurs. Vingt-deux ne furent jamais en service ordinaire. On compte parmi eux neuf ex-étrangers : 3 belges, 3 hollandais, un piémontais, un génois, un toscan ; 4 conseillers à la Cour de cassation et deux présidents de chambre à la Cour de Paris, dont le premier président Séguier, qui tous les six appartenaient au service ordinaire.

Aujourd'hui, le ministre de l'Intérieur expose à l'Empereur, dans un rapport, qu'il est nécessaire de fixer le rang que doivent occuper les directeurs généraux et les commissaires spéciaux de police et Sa Majesté a renvoyé ce rapport à l'examen de la section de l'Intérieur.

Le ministre n'émet pas d'opinion sur le rang des directeurs généraux; il croit seulement que ce rang doit être relevé, puisque la surveillance de plusieurs départements leur est confiée et il demande qu'on décide s'ils doivent précéder ou suivre immédiatement les préfets.

La section croit qu'ils doivent suivre immédiatement les préfets et que les placer avant eux serait une mesure qui diminuerait sans nécessité la juste considération qu'on doit à des magistrats chargés de si importantes fonctions.

Quant aux commissaires spéciaux, le ministre dit que l'on n'a pas une juste idée de leurs fonctions; qu'on montre peu d'empressement à solliciter ces places, dans l'idée où l'on est qu'elles ne peuvent faire espérer un avancement proportionné au travail qu'elles exigent.

Il regarde comme important d'éclairer sur ce point l'opinion trompée, et il propose à Sa Majesté de déclarer que les auditeurs de seconde et troisième classes, titulaires actuels de commissariats spéciaux, appartiennent dès ce moment à la première classe et que leur rang sera réglé conformément à cette décision.

La section partage, à cet égard, l'opinion du ministre; mais comme le changement de classe des auditeurs titulaires actuels des commissariats spéciaux ne serait pas convenablement placé dans un décret général sur la fixation des rangs des directeurs généraux et des commissaires spéciaux, elle propose un projet de décret séparé pour déclarer que, dès ce moment, les auditeurs de 2e et 3e classe qui sont commissaires spéciaux, appartiennent à la 1re classe.

Elle présente ensuite un projet de décret dont l'objet est de fixer le rang des maîtres des requêtes immédiatement après les conseillers d'Etat.

Celui des directeurs généraux de police immédiatement après les préfets;

Celui des commissaires spéciaux, selon leur classe lorsqu'ils sont auditeurs et, lorsqu'il ne le sont pas, immédiatement après les maires.

Telles sont les dispositions et les motifs de projets de décret que la section me charge de soumettre au Conseil d'Etat ».

(*Arch. nat. AF IV - 573, pl. 4510, n° 33*).

Cette prise de position du Conseil d'Etat prouve que, quelques années à peine après leur création, les maîtres des requêtes faisaient partie intégrante du corps et y occupaient une place qui ne devait plus être remise en cause.

L'AUDITORAT

L'auditorat est une création napoléonienne sans précédent sous l'Ancien Régime et, en dépit de la permanence du nom, sans véritable équivalent après la chute de l'Empire.

Créé par un arrêté du 19 germinal an XI (9 avril 1803), il s'est développé progressivement quant au nombre des auditeurs et aux fonctions qui leur ont été confiées, pour prendre dans le décret du

26 décembre 1809 une forme plus achevée et même largement nouvelle. La lecture de ces deux textes révèle en effet entre l'auditorat de 1803 et celui de 1809 des différences très importantes, qu'il s'agisse du nombre des auditeurs, de leur recrutement, de leur emploi et de leurs prérogatives, ou de leur situation vis-à-vis du Conseil d'Etat.

Les textes.

Arrêté du 19 Germinal An XI

Art. 1er. Il y aura, auprès des ministres et du Conseil d'Etat, seize auditeurs destinés, après un certain nombre d'années de service, à remplir des places dans la carrière administrative et dans la carrière judiciaire.

Ils seront distribués ainsi qu'il suit :

Quatre auprès du grand-juge, ministre de la Justice, et de la section de Législation;

Deux auprès du ministre et de la section des Finances;

Deux auprès du ministre du Trésor public et de la section des Finances;

Quatre auprès du ministre et de la section de l'Intérieur;

Deux auprès du ministre, du directeur-ministre et de la section de la guerre;

Deux auprès du Ministre et de la section de la marine.

2. Ces auditeurs seront chargés de développer, près les sections du Conseil d'Etat, les motifs soit des propositions de lois ou de règlements faites par les ministres, soit des avis ou décisions qu'ils auront rendus sur les diverses matières qui font l'objet des rapports soumis par eux au Gouvernement, et dont le renvoi est fait au Conseil d'Etat.

3. En conséquence, pour tous les cas prévus par les articles 8 et 11 du règlement du 5 nivôse an 8, les ministres indiqueront, à la marge de leur rapport, le nom de l'auditeur attaché près d'eux et près de la section du Conseil d'Etat correspondante à leur ministère, dont ils auront fait choix pour remplir les fonctions détaillées en l'article 2.

Ne sont pas compris dans cette disposition les objets qui sont de la compétence des conseillers d'Etat chargés spécialement de quelque partie de l'administration.

4. Lorsque les rapports des ministres auront été renvoyés par le Gouvernement au Conseil d'Etat, les auditeurs chargés d'en développer les motifs se rendront aux sections du Conseil qui doivent en faire l'examen, le jour que le président leur aura fait indiquer pour être appelés aux séances dans lesquelles la discussion aura lieu.

5. Si la section a besoin de renseignements ultérieurs, elle les fera recueillir dans le département du ministère par l'auditeur : et, à cet effet, le ministre ordonnera aux chefs de ses bureaux de donner les communications qui seront demandées.

6. Les auditeurs seront présents au Conseil d'Etat.

Ils y auront séance, sans voix délibérative, et se placeront derrière les conseillers d'Etat de la section à laquelle ils seront attachés.

Ils n'auront la parole que pour donner les explications qui leur seront demandées.

7. Les auditeurs du département de la justice sont spécialement chargés, auprès du grand-juge, du rapport des demandes de lettres de grâce et de

commutation de peine. Celui d'entre eux qui aura fait le rapport accompagnera le grand-juge ministre de la justice au Conseil privé; il y aura la même séance qu'au Conseil d'Etat.

8. Le traitement des auditeurs sera de deux mille francs.

9. Les auditeurs porteront l'habit de velours ou de soie noire, à la française, complet, avec broderie de soie noire au collet; aux parements et aux poches, dessin du Gouvernement; chapeau français et une épée.

(*Duvergier, t. XIV, pp. 60-61*).

Les auditeurs apparaissent ainsi en 1803 comme des intermédiaires entre le Conseil d'Etat et les différents ministères, en même temps que des « stagiaires » destinés, après un temps de formation, aux hautes fonctions de l'Etat. Ce second objectif passe au premier rang dans le décret de 1809 :

Décret du 28 décembre 1809 concernant l'organisation et le service des auditeurs près le Conseil d'Etat.

Titre 1er. Des capacités et conditions requises pour obtenir le titre d'auditeur.

Art. 1er. — Le titre d'auditeur ne sera conféré désormais qu'à ceux;

Qui seront âgés de vingt ans au moins,

Qui auront satisfait au devoir de la conscription,

Qui jouiront d'une pension assurée par leurs parents ou d'un revenu de six mille francs au moins.

2. Dans trois ans, à compter du 1er janvier 1813 : ceux qui aspireront au titre d'auditeur devront, en outre, être licenciés en droit ou licenciés ès-sciences et subir, avant leur prestation de serment, un examen de capacité devant trois membres de notre Conseil d'Etat nommés par nous.

3. Les candidats justifieront à notre grand-juge, ministre de la justice, de l'accomplissement des conditions avant que le décret de leur nomination soit présenté à notre signature.

Titre II. De l'organisation et du service des auditeurs.

4. Les auditeurs près de notre Conseil d'Etat continueront d'être, les uns en service ordinaire, les autres en service extraordinaire.

Section 1re : Des auditeurs en service ordinaire .

5. Les auditeurs en service ordinaire près notre Conseil d'Etat seront divisés en deux classes.

6. L'une comprendra les auditeurs remplissant près des ministres et des sections du Conseil les fonctions déterminées par l'arrêté du 19 germinal An XI.

7. L'autre comprendra les auditeurs attachés au ministère de la police, aux préfets du département de la Seine et de police et aux diverses administrations et désignés en l'article 11.

8. Tous les auditeurs en service ordinaire, à quelque classe qu'ils appartiennent, continueront d'avoir séance au Conseil d'Etat, en la manière réglée par l'arrêté du 19 germinal an XI et sous la distinction établie par l'article 12 de notre décret du 11 juin 1806. Les auditeurs désignés en l'article 7 pourront être appelés aux sections toutes les fois que les présidents le jugeront convenable.

9. Le nombre des auditeurs attachés aux ministres et aux sections demeure fixé à quarante, lesquels seront distribués ainsi qu'il suit :

Huit auprès du grand-juge, ministre de la justice, et de la section de législation;

Huit auprès du ministre des finances, du ministre du Trésor public, et de la section des finances;

Dix auprès du ministre et de la section de l'intérieur;

Deux auprès du ministre des cultes et de la section de l'intérieur;

Huit auprès du ministre de la guerre, du ministre-directeur de l'administration de la guerre et de la section de la guerre;

Quatre auprès du ministre et de la section de la marine.

10. Le service de la commission du contentieux, de la commission des pétitions et de celle de haute police sera fait par les auditeurs attachés aux sections, d'après les désignations qui seront faites sur les listes de trimestre.

11. Les auditeurs en service ordinaire non attachés aux sections seront au nombre de cent vingt, et demeureront placés comme il suit :

Auprès du ministre de la police, douze;

Auprès du directeur général des revues et de la conscription, six;

Auprès de l'administration des ponts et chaussées, douze;

Auprès de celle de l'enregistrement et des domaines, douze;

Auprès de celle des douanes, douze;

Auprès de celle des bois et forêts, huit;

Auprès de celle des droits réunis, huit;

Auprès de celle des vivres, douze;

Auprès de celle des postes, huit;

Auprès de celle de la loterie, quatre;

Auprès du Conseil des prises, quatre;

Auprès du Conseil des mines, six;

Auprès de la caisse d'amortissement, quatre;

Auprès de l'administration des poudres, quatre;

Auprès du préfet du département de la Seine, quatre;

Auprès du préfet de police, quatre.

12. Il sera incessamment statué par nous sur les fonctions et les traitements des auditeurs dont il est parlé en l'article précédent, sans qu'il soit néanmoins dérogé à nos décrets antérieurs relatifs aux auditeurs établis près le ministre de la police et le préfet de police de Paris, près l'administation des ponts et chaussées et à l'inspecteur de l'imprimerie impériale.

13. Les auditeurs non attachés aux sections feront le service des voyages, pour nous apporter le portefeuille de notre Conseil, lorsque les auditeurs attachés aux sections ne pourront y suffire.

Section II : Des auditeurs en service extraordinaire.

14. Les auditeurs qui, se trouvant classés dans le service ordinaire, seraient nommés à une fonction permanente qui les obligerait de résider hors de notre capitale, passeront de plein droit en service extraordinaire, du jour de leur nomination, à quelque époque qu'elle soit faite.

Lorsque la mission ne sera que temporaire, nous nous réservons de déterminer à quel service l'auditeur appartiendra.

15. Il sera placé, près du préfet de chaque département, un auditeur qui aura le titre et qui fera les fonctions de sous-préfet de l'arrondissement du chef-lieu. Nous nous réservons de statuer sur la portion des frais d'abonnement qui devra être affectée aux besoins des bureaux de la sous-préfecture.

16. Il y aura de plus un auditeur, en service extraordinaire, auprès des

préfets de chacun des départements dont l'état est joint au présent décret (1). Ces auditeurs auront séance aux conseils de préfecture, sans voix délibérative.

Ils prendront place en face du préfet ou du président.

Leur nombre, ou celui des départements destinés à en recevoir, pourra être augmenté par des décrets spéciaux, si le besoin l'exige.

17. Ils seront à la disposition du préfet, qui pourra les charger de remplacer provisoirement, en cas de mort, de vacance, de congé ou de tout autre empêchement légitime, les sous-préfets du département; qui pourra leur confier l'instruction de toute affaire contentieuse, soit qu'elle exige ou non des déplacements dans l'intérieur du département, enfin l'exercice des fonctions qui seront ultérieurement déterminées par nous, comme il est dit à l'article 12.

Il n'est pas dérogé néanmoins aux dispositions qui règlent la manière dont le préfet sera remplacé en cas d'absence ou d'empêchement.

Nous nous réservons de régler le traitement qui sera accordé aux auditeurs dont il est question au présent titre.

18. Les préfets rendront compte chaque année à notre ministre de l'intérieur du service des auditeurs placés près d'eux.

Notre ministre de l'intérieur nous fera un rapport d'après lequel nous nous réservons d'appeler près de notre Conseil d'Etat ceux des auditeurs employés auprès des préfets qui se seront distingués ou de leur accorder d'autres récompenses.

Titre III. Des prérogatives attachées au titre d'auditeur.

19. Tous les auditeurs, à quelque service et quelque classe qu'ils appartiennent, jouiront du rang, des distinctions et des prérogatives attachés à ce titre jusqu'à ce jour et notamment de celles qui suivent :

Ils prêteront tous serment entre nos mains;

Ils nous seront présentés;

Ils seront admis dans nos palais conformément à l'usage.

20. Le quart des sous-préfectures qui viendront à vaquer ne sera conféré, à mesure qu'elles viendront à vaquer, qu'à ceux qui auront été auditeurs près de notre Conseil d'Etat, en service ordinaire ou extraordinaire, pendant l'espace de deux ans au moins et aux auditeurs qui auront été pendant quatre ans en service auprès des préfets.

21. Notre décret du 31 mars 1806, qui appelle les auditeurs aux places de secrétaires d'ambassade et de légation, est applicable à tous les auditeurs sans distinction.

Titre IV. Des traitements des auditeurs.

22. Tous les auditeurs en service près de nos ministres et des sections, désignés en l'article 6, et dont le nombre est fixé en l'article 9, recevront un traitement annuel de deux mille francs sur les fonds affectés aux dépenses de notre Conseil d'Etat.

Tous les autres recevront, sur les mêmes fonds, un traitement annuel de cinq cents francs. A cet effet, la somme portée cette année au budget pour notre Conseil d'Etat sera augmentée du montant desdits traitements.

23. Les auditeurs désignés en l'article 7 et dont le nombre est fixé en l'article 11 recevront en outre le traitement qui leur a été assigné déjà par

(1) Cf. cet état, ci-après p. 64.

nos décrets ou qui le sera par le règlement dont il est parlé aux articles 12 et 17 du présent décret.

Titre V. Dispositions générales.

24. Les dispositions des arrêtés et décrets antérieurs relatifs aux auditeurs, auxquelles il n'est pas dérogé par le présent décret, continueront de recevoir leur exécution.

25. Nos ministres sont chargés de l'exécution du présent décret.

Etat des départements dont les préfets auront près d'eux un auditeur en service extraordinaire :

Aisne, Arno, Bouches-du-Rhône, Calvados, Charente-Inférieure, Côte d'Or, Dyle, Escaut, Finistère, Haute-Garonne, Gênes, Gironde, Ile-et-Vilaine, Jemmape, Loire-Inférieure, Lys, Manche, Meurthe, Mont-Tonnerre, Nord, Ourthe, Pas-de-Calais, Pô, Puy-de-Dôme, Bas-Rhin, Rhône, Roër, Sarthe, Seine-Inférieure, Somme, Seine-et-Oise.

(*Duvergier, t. XVI, pp. 434 sq*).

L'auditorat se modifie certes : groupe relativement restreint d'une cinquantaine de jeunes hommes qui participent tous à la vie et à l'activité du Conseil, il devient à partir de 1810 une troupe nombreuse dont la plupart des membres n'auront guère d'autre lien que leur titre avec le Conseil. Sous ses deux formes, il reflète cependant des conceptions napoléoniennes voisines qu'il faut préciser avant de décrire l'institution dans ses différents aspects.

La conception napoléonienne de l'auditorat.

L'auditorat a d'abord pour objet d'apprendre « l'art de gouverner » : quelle meilleure école pour cela que le Conseil d'Etat, qui est alors le premier organe de travail gouvernemental ? Dans un rapport de 1806, présenté au nom de la section de l'Intérieur par le comte d'Hauterive lors de l'examen d'un projet de décret qui réservait aux auditeurs les postes de secrétaires d'ambassade et de légation, cette idée est développée avec éloquence :

« Ici se discutent tous les intérêts du gouvernement et de l'Empire. Ici se combinent tous les moyens d'entretenir sa force, d'assurer dans son sein le respect des lois, de maintenir sa sûreté intérieure, de préserver et d'améliorer les principes de sa puissance et les sources de sa prospérité. Il n'y a pas une discussion dont le résultat ne soit, pour ceux mêmes qui n'y portent que de l'attention, de recueillir sans efforts des vérités réduites à des termes faciles à comprendre ou des faits intéressants à retenir. L'esprit d'un jeune homme s'y dispose insensiblement à s'étendre, à s'élever et à s'agrandir. Son imagination y perd l'attrait des vaines théories; son discernement s'y habitue à chercher et à saisir dans tous les objets ce qui est constant, ce qui est utile, ce qui est praticable; et comme ces discussions ne sont pas moins intéressantes qu'instructives, on peut être assuré que, lorsque son devoir l'appellera à séjourner dans un pays étranger, il ne perdra son temps ni à des amusements frivoles, ni à des recherches et à des études sans méthode, dont les résultats sont quelquefois aussi stériles que les plus frivoles amusements.

Il étudiera la législation, les finances, la police, le système militaire des pays où il résidera. Le goût si naturel des comparaisons entre les objets de ses études passées et de ses études récentes deviendra pour lui un motif constant de se perfectionner dans la connaissance, de se fortifier dans l'amour des intérêts de son pays; et, soit qu'il persiste toute sa vie dans la carrière diplomatique, soit que Sa Majesté l'appelle à La servir dans l'intérieur de l'Empire, Elle trouvera toujours en lui le zèle éclairé d'un serviteur utile, l'expérience d'un homme instruit, et les sentiments d'un bon Français ».

(Cité par le Comte Dubois. De l'institution des auditeurs au Conseil d'Etat. Extrait de la Revue Contemporaine, Paris, 30 avril 1859, pp. 7-8).

Si les auditeurs n'intervenaient activement que dans le travail des sections, et si, dans les séances plénières, ils se contentaient, conformément à leur titre, d'écouter, la formation qu'ils retiraient de l'assistance à ces séances gagnait beaucoup à la présence fréquente de l'Empereur. L'un d'entre eux, Camille de Tournon, écrit :

« L'Empereur présidait le Conseil presque toujours deux fois par semaine, et il y restait de onze à trois ou même quatre heures. J'ai assisté à des séances qui ont duré jusqu'à sept heures ».

(Cité in : Abbé Moulard. Le Comte Camille de Tournon, Paris, t. I, p. 55).

Aussi secrets ou politiques que fussent les débats, les auditeurs pouvaient assister à la discussion. Le comte de Plancy rapporte dans ses souvenirs — qui sont, il est vrai, sujets à caution — l'anecdote suivante :

« Un jour où la réunion se tenait à Saint-Cloud, M. Régnaud de Saint-Jean-d'Angély, conseiller d'Etat, dit au Premier Consul qu'en raison de l'importance de la discussion qui allait s'ouvrir il serait peut-être nécessaire que les auditeurs se retirassent. Mais le Premier Consul lui répondit avec un bienveillant sourire : « J'ai autant de confiance dans mes auditeurs que dans mes conseillers d'Etat », et il ordonna seulement aux huissiers de sortir. Puis il demanda qu'on prêtât serment de ne rien divulguer de ce qui allait être discuté avant qu'un sénatus-consulte n'eût été promulgué pour le ratifier. Le serment prêté, on se mit à délibérer sur l'organisation d'un gouvernement impérial » (1).

(Souvenirs du Comte Adrien Godard de Plancy publiés par son petit-fils le baron Georges de Plancy, Paris, 1904, p. 26).

Pour Napoléon, grâce à l'auditorat, se lèvera une nouvelle génération d'administrateurs non seulement compétents, mais dévoués. Il résume ainsi sa conception devant le Conseil d'Etat le 21 novembre 1809, lors de la discussion du décret du 26 décembre 1809 :

« Le but de l'institution est de mettre sous la main de l'Empereur des hommes d'élite, qui lui soient sincèrement dévoués, qui auront prêté ser-

(1) Les souvenirs de Plancy contiennent des allégations peu dignes de foi. Ainsi en est-il de ce curieux serment qui aurait été prêté pour une seule séance.

ment entre ses mains, qu'il verra d'assez près pour pouvoir apprécier leur zèle et leurs talents, qui se formeront, pour ainsi dire, à son école, et qu'il pourra employer partout où le besoin de son service les rendra utiles. C'est de là que sortiront de vrais magistrats, de vrais administrateurs.

Sa Majesté a essayé l'institution lorsqu'elle a chargé des auditeurs de l'administration des pays conquis. Elle a trouvé en eux du zèle, de la probité, de l'intelligence. Elle espère que la nouvelle organisation qu'elle va leur donner fondera l'administration en France, fournira pour toutes les branches des hommes capables et sûrs.

Sa Majesté désire qu'on spécifie leurs prérogatives, qu'on énonce qu'ils ont les honneurs du palais en la manière qui a été réglée. L'intention de Sa Majesté est que les auditeurs soient reçus à la cour, afin que si, d'un côté, ils se forment au travail, ils contractent, de l'autre, l'urbanité, le bon ton et l'usage du monde, qui sont nécessaires dans les places auxquelles ils peuvent être appelés. Sa Majesté dit que les préfets ne sont pas vus à la cour du même œil que les auditeurs : ceux-ci tiennent de plus près au monarque. Il est vrai que les fonctions d'auditeur ne sont qu'une école et un acheminement à d'autres fonctions; que, dès lors, ce titre n'est pas destiné à être perpétuel; mais il deviendrait un titre d'incapacité pour celui que, pendant un long cours d'années, il n'aurait conduit à rien, et alors il faudrait le lui ôter ».

(D'après Locré cité par A. Gazier dans Revue de Paris, mars 1903, p. 160).

Cette déclaration, comme le décret qui en est résulté, montre une évolution par rapport à l'idée originelle. En 1803, l'école d'administration est le Conseil d'Etat lui-même. A partir de 1809, l'auditorat, sans se détacher du Conseil, relâche ses liens avec lui et pour une raison pratique facile à déceler : dès l'instant où il est entendu que la majorité des titulaires des principaux postes administratifs ou judiciaires doivent avoir été auditeurs et où, à cette fin, l'on nomme jusqu'à 350 auditeurs, le Conseil d'Etat ne peut plus assumer son rôle de formation à l'égard de tous : d'où les catégories créées par le décret de 1809 (auditeurs attachés aux ministres et aux sections, auditeurs en service ordinaire non attachés aux sections, auditeurs en service extraordinaire).

A travers l'auditorat, Napoléon poursuivait aussi des buts plus politiques, au sens courant du mot : l'institution représentait pour lui un moyen, parmi d'autres, de rallier à son régime les élites de la « vieille France » et d'affermir la conquête des nouveaux territoires. Molé, descendant d'une grande famille de l'Ancien Régime, commente ainsi l'arrêté du 22 germinal an XI :

« Le but annoncé était d'établir un intermédiaire entre les ministres et les sections du Conseil; les premiers se plaignant de ce que leurs projets étaient rejetés ou changés sans qu'on en appréciât les motifs, ni qu'il s'élevât une voix dans les sections pour les défendre. Mais le but politique de Bonaparte était d'offrir aux classes élevées, à cette jeunesse dont les parents se tenaient encore à l'écart, une manière agréable et tentante d'entrer dans la carrière publique. Les auditeurs avaient séance au Conseil, derrière les conseillers d'Etat; ils pouvaient même y être interrogés sur les affaires qu'ils rapportaient dans les sections; enfin, ceux placés auprès du ministre de la Justice le suivaient au Conseil privé et y faisaient le rapport des demandes en grâce ou commutation de peine.

Je l'avoue, lorsque je lus dans mon journal cet arrêté de la création des auditeurs, lorsque je me représentai que je pourrais assister à ces séances dont l'Europe retentissait, voir et entendre journellement cet homme qui remplissait le monde de son nom, et le voir sur ce terrain, dans ce cadre, où la renommée de son habileté avait surpassé l'éclat de ses victoires, je me sentis possédé d'un tel désir d'être auditeur que j'en perdis le repos pendant plusieurs jours et plusieurs nuits ».

(Molé. Souvenirs d'un témoin de la Révolution et de l'Empire, publiés par la Marquise de Noailles, Genève, 1943, pp. 353-354).

Molé devait devenir auditeur en 1806.

La même appréciation se retrouve sous la plume du chancelier Pasquier, qui appartenait lui aussi à une famille royaliste et devait lui aussi se rallier en acceptant en 1806 une place de maître des requêtes :

« En France, tout respirait le bonheur et, il faut le dire, l'enivrement du succès. De tous les coins de l'Empire, on accourait à Paris pour voir le vainqueur et sa nouvelle cour, pour admirer les fêtes qu'on y donnait. On remarqua surtout un bal, d'une magnificence extrême, donné par les maréchaux dans la salle de l'Opéra. Tout ce que la capitale avait de plus considérable, sans distinction d'origine, fut invité à ce bal. L'Empereur l'honora de sa présence et il affecta une obligeance particulière, dans cette grande réunion, pour ce qui tenait à l'ancienne France. Il voulait évidemment la gagner. Il l'attirait à la cour et cherchait à lui donner des emplois dans la haute administration.

Son Conseil d'Etat lui fut sous ce rapport extrêmement utile; c'était une excellente école; les idées que les anciens royalistes pouvaient y apporter n'y devaient avoir aucun inconvénient. Sa majorité était dévouée aux institutions nouvelles. L'Empereur le présidait souvent, il en surveillait les travaux. Il avait, dans le cours de la précédente année, conçu et mis en pratique l'institution des auditeurs. Ses premiers choix étaient tombés sur des jeunes gens appartenant aux meilleures familles et remarquables par leurs moyens et leur esprit. M. Molé s'était trouvé dans le nombre, J'eus par lui connaissance de la nature du travail auquel on était appelé dans cette carrière ».

(Pasquier. Mémoires, 7e édit., Paris 1914, t. I, p. 220).

D'un autre côté, Napoléon entendait lier à la France les pays conquis en faisant entrer dans l'administration des représentants des principales familles de ces pays :

« Bonaparte, écrit Chaptal, avait appliqué ce système de fusion à tous les pays qu'il faisait passer sous sa domination. On a vu des Hollandais, des Belges, des Piémontais, des Génois, des Toscans, des Romains, des Parmesans, dans son Conseil d'Etat, au Sénat et dans les tribunaux. Il exigeait que les enfants des pays réunis fussent élevés en France. Il forçait même ceux dont les opinions étaient le plus prononcées contre la réunion de leur pays ou contre le nouvel ordre de choses, à vendre leurs propriétés pour en placer le produit sur des biens-fonds dans l'intérieur de la France ».

(Chaptal. Mes souvenirs sur Napoléon, Paris 1893, p. 234).

En 1809, Napoléon écrit au Prince Borghèse, placé à la tête des départements français du Piémont et de Ligurie :

« Je désirerais que vous me remissiez une note de quelques jeunes gens, pris dans les familles les plus riches et les plus considérées du pays, parmi lesquels je puisse choisir deux pages. Présentez-moi également une note de jeune gens instruits et de bonne famille, susceptibles d'être nommés auditeurs en mon Conseil d'Etat ».

(Correspondance de Napoléon Ier, t. XVIII, n° 14789, p. 320).

A Cambacérès, il écrit dans le même esprit, en 1810 :

« Je vous envoie l'état des jeunes gens des départements de la Belgique qu'on me propose de nommer auditeurs. Prenez des renseignements sur leur compte et faites-m'en un rapport particulier. En nommant ces jeunes gens auditeurs, j'ai deux buts : d'abord attacher les Belges au Gouvernement et ne pas les laisser se considérer comme des étrangers à la France; ensuite mettre en place des gens qui, par leur fortune, pourront soutenir leur rang ».

(Correspondance de Napoléon Ier, t. XX, n° 16156, p. 158).

Dans le mémorial de Sainte Hélène, l'on trouve une phrase de l'Empereur qui résume l'ensemble de ses vues sur l'auditorat :

« Je ménageais à mon fils une situation des plus heureuses. J'élevais précisément pour lui à l'école nouvelle la nombreuse classe des auditeurs au Conseil d'Etat. Leur éducation finie et leur âge venu, ils eussent, un beau jour, relevé tous les postes de l'Empire; forts de nos principes et des exemples de leurs devanciers, ils se fussent trouvés tous douze à quinze ans de plus que mon fils, ce qui l'eût placé précisément entre deux générations et tous leurs avantages : la maturité, l'expérience et la sagesse, au-dessus; la jeunesse, la célérité, la prestesse, au-dessous ».

(Mémorial de Sainte-Hélène, Ed. de La Pléiade, Paris, 1948, t. II, chap. II, p. 469).

385 auditeurs (1).

L'arrêté du 19 germinal An XI fixait le nombre des auditeurs à 16. Les effectifs réels s'élevèrent à 16 en 1805, 29 en 1807, 34 en 1808, 60 en 1809.

Ces chiffres ne tiennent pas compte des auditeurs en service extraordinaire, catégorie créée par un décret du 11 juin 1806.

---

(1) Chiffres donnés dans l'Almanach impérial.

Fauteuil qui, selon la tradition, était utilisé par Napoléon Ier, lorsqu'il présidait le Conseil d'Etat. Il se trouve actuellement dans le bureau du secrétaire général.

Le décret du 26 décembre 1809 prévit :

— 40 auditeurs en service ordinaire, attachés aux sections du Conseil d'Etat;

— 120 auditeurs en service ordinaire, non attachés aux sections;

— des auditeurs en service extraordinaire, savoir :

- ceux qui, étant en service ordinaire, sont nommés dans un poste permanent hors de Paris ;
- ceux qui, dans chaque département, exercent les fonctions de sous-préfet de l'arrondissement chef-lieu ;
- ceux qui sont en outre placés auprès du préfet de 31 départements importants.

Un décret du 7 avril 1811 augmenta le nombre d'auditeurs en service ordinaire en englobant notamment dans cette catégorie ceux d'entre eux qui étaient en fonctions dans les départements. Il y eut désormais 350 auditeurs dont :

— 60 attachés à un ministère et à une section du Conseil (dans l'esprit de l'arrêté du 19 germinal an XI) ;

— 128 placés dans les administrations centrales;

— 128 sous-préfets des arrondissements chefs-lieux;

— 34 à la disposition des préfets.

A la fin de l'Empire, les effectifs réels étaient les suivants :

en 1813 { 169 auditeurs en service ordinaire;
214 auditeurs en service extraordinaire (1).

en 1814 { 185 auditeurs en service ordinaire (2);
200 auditeurs en service extraordinaire (3).

L'accès et le recrutement.

L'arrêté du 19 germinal an XI ne posait aucune condition particulière pour l'accession à l'auditorat. Le décret du 26 décembre 1809, au contraire, prévoit que le titre d'auditeur ne sera conféré qu'à ceux qui auront justifié jouir d'une pension ou d'un revenu de 6 000 F au moins et qui, en outre, seront licenciés en droit ou ès sciences et auront passé avec succès un examen devant trois membres du Conseil d'Etat.

Si la possession d'une licence ne fut exigée, conformément au décret, qu'à partir du 1er janvier 1813, l'examen — en fait une simple conversation destinée à éliminer, après la nomination, les moins aptes — a été organisé dès 1810. Il a donné lieu à des appréciations dont certaines

(1) Chiffres cités par Durand, « Les auditeurs au Conseil d'Etat 1803-1814 » p. 76.

(2) Chiffres cités par le Comte Dubois, *op. cit.*

(3) Il fut fait au total 463 nominations d'auditeurs : 101 avant la fin de 1809 (dont 49 au cours de cette année) et 362 ensuite, dont 127 le 19 janvier 1810 et 139 le 1er août suivant, mais seulement 6 en 1812, cinq en 1813 et une le 6 février 1814. Sur ces 362 nominations, 27 furent rapportées pour raisons de santé, non accomplissement total des conditions exigées, erreur de nom ou double emploi.

méritent d'être mentionnées. L'on apprend ainsi que Stendhal (Marie-Henri de Beyle) a été interrogé « sur ses différents services » et qu'il « réunit à une bonne éducation une expérience déjà acquise et qui le rend propre au service de l'administration » (1).

L'auditeur Feutrier a fait bonne impression à la commission, qui exprime sur son compte cette opinion : « M. Feutrier nous a prouvé qu'il connaît très bien les langues latine et anglaise, qu'il a profité de la bonne éducation qu'il a reçue et acquis la première instruction dans la partie des contributions. Il annonce d'heureuses dispositions et réunit un physique avantageux (1). Sur Saint-Chamans, cette courte observation : « A besoin de s'instruire » (1). Bref commentaire aussi pour Achille Prévot : « sait médiocrement le latin » (1).

Cependant, dans la course à l'auditorat, l'examen n'est qu'un épisode. F. Barthélémy, dans ses « Souvenirs d'un ancien Préfet », dit comment il s'y est pris (2).

« Tous mes efforts convergeaient à me créer des titres pour l'auditorat qui était alors le but visé par tous ceux qui, dans la jeunesse française, voulaient se faire une carrière; mais, à cause de cela même, c'était une position excessivement recherchée et difficile à enlever; je ne voulus donc négliger aucune des relations qui pouvaient me procurer un atout dans mon jeu.

C'est à mon retour à Paris, après quelques semaines d'automne passées dans ma famille, que commença sérieusement ma campagne (septembre 1809); je venais d'apprendre qu'on préparait une promotion qui ne devait pas comprendre moins de plusieurs centaines d'élus, disait-on. Cette nouvelle me déplut, parce que cela me semblait devoir nuire à l'importance de l'auditorat; mais, d'un autre côté, cela devait augmenter mes chances; peu de jours après, je fus rasséréné en apprenant que la promotion ne contiendrait que 214 noms.

C'est alors qu'avec une affection véritable et un zèle touchant, M. le Comte de Cetto se mit à s'occuper de moi, tout en conservant son apparente froideur : il me proposa spontanément une démarche personnelle auprès du Duc de Bassano, Ministre d'Etat, duquel dépendaient les propositions. Cet intérêt me surprit et il ne se démentit jamais. Mais la nomination appartenait au Grand-Juge, le Duc de Massa. Ce dernier, originaire de Blamont, près de Nancy, et longtemps représentant de la Meurthe, comptait de nombreux amis dans l'intimité de mon père et, grâce à cela, j'eus des recommandations très chaleureuses pour arriver à lui. Comme je l'écrivais à mon pére : « jamais les Juifs n'ont attendu le Messie avec autant d'impatience que j'attendais le retour du Maréchal Oudinot ». Celui-ci était encore en Lorraine et, comme je l'ai dit, il comptait au nombre des amis particuliers de Madame de Magnac; il était même venu, en 1808, chez mes parents, à Dommartin, et avait déjà fait des démarches sérieuses en ma faveur....

(1) Arch. nat. A.F. IV 1335.

(2) L'ancien auditeur Barthélémy a rédigé ses souvenirs très tard - d'où sans doute certaines inexactitudes. Ainsi, à la suite des examens subis par les auditeurs le 19 (et non le 29) janvier 1810, il n'en fut exclu aucun (et non 26).

L'examen contribua à faire exclure un des 135 auditeurs nommés le 1er août suivant.

Le 2 décembre 1809, je me présentai chez lui, muni des lettres de Madame de Magnac et de mon père; dès qu'il m'eût reconnu, il me témoigna beaucoup de bonté, me réitéra ses promesses formelles d'intérêt.... Je ne négligeais cependant rien, loin de m'endormir sur ces promesses : mon père adressa une pétition à l'Empereur, ce qui ne pouvait faire ni chaud ni froid.... Mon espoir était dans le maréchal; je fus le retrouver; il me dicta lui-même une lettre pour Maret et me promit de me présenter à Regnier : c'étaient ces deux grands personnages qui devaient établir ensemble la liste des auditeurs proposés. Cette dernière nouvelle me causa une véritable émotion; je me commandai dans ce but un habit à la française, un chapeau à plumes, j'achetai une épée, je fis accommoder mes dentelles. Mon anxiété croissait à mesure que la solution approchait; pour cent cinquante nominations annoncées, on comptait cinq mille demandes. Chaque jour, je cherchais à me créer une relation nouvelle pour entretenir la bonne volonté de mon protecteur que je craignais d'importuner par mes démarches personnelles. C'est ainsi que je me fis présenter chez le Comte de Ham, sénateur, dont le fils, le colonel Jacqueminot, — depuis lieutenant-général et aide-de-camp du roi Louis-Philippe —, était attaché au Duc de Reggio. Ce soir-là il y avait dans son salon les maréchaux Oudinot et Masséna, Regnier, président du Sénat, le Comte Daru et plusieurs autres personnages. Le Duc de Reggio me présenta aussitôt au Grand-Juge en lui exprimant tout ce qu'il y avait à dire de plus obligeant et de plus pressant et ce dernier me promit formellement son appui du moment où le maréchal apostillerait ma demande. Quand Regnier et M. de Ham eurent vu ce colloque, ils vinrent d'eux-mêmes me promettre leur appui en m'invitant à leurs réceptions....

Le 29 janvier (1810), l'Empereur signa le décret attendu si impatiemment et j'étais au nombre des cent six élus. Il était réellement temps que cela se décidât, car, depuis quatre jours, je ne mangeais ni ne domais.... Rien n'était cependant terminé et bien des semaines devaient encore s'écouler avant que la question des auditeurs reçût sa solution définitive. La nomination avait bien paru, mais restait l'examen dont dépendait notre classement et par conséquent notre avenir. Je passai donc tout l'hiver à travailler et à redoubler d'activité pour me ménager des appuis. Enfin, le grand jour arriva.... J'eus pour examinateur le Comte Defermon, président de la section des finances au Conseil d'Etat; le résultat fut excellent et je le dus en partie à la facilité avec laquelle j'expliquai un passage de Tacite, tandis que mes camarades se montrèrent peu familiers avec les auteurs latins (2 avril 1810). Le décret confirmatif parut le 27 avril et vingt-six élus furent éliminés. Nous restions quatre-vingts. Le 1er mai, nous fûmes tous mandés en séance générale du Conseil et installés par le prince archichancelier. Le 6 juin, nous allâmes prêter serment, à Saint-Cloud, devant l'Empereur ».

(Barthélémy (F. de). Souvenirs d'un ancien préfet, Paris 1886, pp. 50 sq).

Rôle et tâches des auditeurs.

Au Conseil d'Etat le travail des auditeurs consistait normalement, d'une part à représenter les départements ministériels devant les sections, d'autre part à établir, pour le compte des maîtres des requêtes et des conseillers, les rapports que seuls ceux-ci pouvaient présenter devant le Conseil tout entier. Mais il arrivait que, devant cette formation, les auditeurs eussent à intervenir. Dans ses Mémoires, le Comte de Rambuteau raconte ainsi une séance de janvier 1811 :

« Quand la réglementation des polders de la Belgique et de la Hollande vint en question, on discuta plus de trois heures sans parvenir à déterminer la participation de l'Etat, les cotisations, les attributions des conseils de surveillance, etc., car il s'agissait d'intérêts financiers considérables, et le Trésor pouvait être fortement engagé. Plusieurs fois l'Empereur s'était penché vers Cambacérès qui, avec son admirable sang-froid, lui répondait : « Que voulez-vous ? Ils n'ont pas le sens commun ». A la fin, Napoléon lui dit : « N'avez-vous pas parmi vos jeunes gens quelqu'un qui ait été sur les lieux et qui connaisse bien l'affaire ? » — « Oui, Sire, il y a le petit Maillard que voici ». L'Empereur lui dit : « Monsieur Maillard, levez-vous », et, avec sa précision habituelle, il lui posa une série de questions sur l'origine de l'exploitation, les travaux, les usages, les réglements successifs, etc. Maillard, un peu embarrassé au début, reprit bientôt son assurance, répondit à tout modestement, fit toucher du doigt le danger des mesures projetées, montra les avantages des pratiques anciennes et le moyen de les concilier avec notre système administrtaif, si bien qu'il eut un plein succès. L'Empereur le félicita et le lendemain le nomma maître des requêtes... Maillard fut, en même temps, nommé directeur des polders. »

(Rambuteau (Comte Claude-Philibert de). Mémoires publiés par son petit-fils, Paris 1905, pp. 71-72).

L'Empereur confiait fréquemment des missions aux auditeurs.

Venu au camp de Boulogne faire signer des documents par Napoléon, Godard de Plancy reçoit l'ordre suivant, rédigé de la main même de l'Empereur :

« Boulogne, le 17 thermidor an XII.

M. de Plancy se rendra dans les cantons les plus abondants en bled des départements du Nord, de la Lys, de l'Escaut, des Deux-Nethes et de Jemmapes.

Sa mission a pour objet de prendre des renseignements sur les apparences de la récolte, sur les dommages qu'elle a éprouvés par les événements de la saison et sur la proportion dans laquelle on prévoit qu'elle sera, en plus ou en moins, avec les années communes.

Pour obtenir ces renseignements, il s'adressera d'abord aux autorités constituées; il cherchera ensuite à connaître par lui-même et sans intermédiaire l'opinion des riches propriétaires et des riches fermiers.

Il fera les mêmes opérations pour les départements de l'Aisne et de l'Oise en revenant à Paris.

Il convient qu'il ne mette aucune sorte d'ostentation dans sa mission qui ne doit pas être publiquement connue et qui produira des résultats d'autant plus dignes de confiance qu'ils auront été donnés à un simple voyageur, sans autre objet que de voir avec détails, pour son instruction, des pays dont l'agriculture est justement célèbre.

signé : Napoléon ».

Plancy poursuit :

« Je ne manquai pas de faire appel à l'expérience et à la bienveillance de mon beau-père (1), dont l'appui pouvait m'être d'un grand secours en ces circonstances. Commencée le 8 thermidor an XII, ma mission était terminée le 10 fructidor suivant. J'avais effectué cent cinquante-cinq relais de poste et m'étais arrêté successivement à Calais, Dunkerque, Lille, Tournai, Mons, Charleroi, Bruxelles, Gand, l'Ecluse, Bruges, Ostende, Menin, Douai, Saint-Quentin, Laon, Soissons, Compiègne, Senlis, Clermont et Beauvais, sans compter nombre de villes et de villages intermédiaires. Les préfets m'avaient accueilli partout avec une grande cordialité et j'en ai pour témoignage plusieurs de leurs lettres que je relis parfois encore avec plaisir.

Dès mon retour à Paris, je rédigeai mon rapport à l'Empereur et je fus assez heureux pour le satisfaire pleinement. Il m'en témoigna sa reconnaissance et me remboursa de mes frais de déplacement qui s'étaient élevés à la somme de 1 152 livres, en me donnant sur sa cassette particulière une gratification qu'il m'annonça en ces termes :

« Monsieur de Plancy, auditeur en mon Conseil d'Etat, je vous ai accordé une gratification de quatre mille francs à l'occasion de la mission dont je vous ai chargée et de la manière satisfaisante dont vous l'avez remplie. Sur ce je prie Dieu qu'il vous ait en sa sainte garde.

A Saint-Cloud, le 29 brumaire an XII.

Signé : Napoléon ».

(*Plancy* (*Godard de*), *Souvenirs, Paris 1904, pp. 29-30*).

Des circonstances plus romanesques entourent la mission dont est chargé un jour Roederer fils :

« Le ... mars 1809, me trouvant au bal chez Madame de Thélusson, mon domestique vint m'y chercher vers onze heures pour me prévenir que le comte de Montalivet, directeur général des Ponts et Chaussées (j'étais comme auditeur attaché à son administration) me faisait appeler près de lui. J'y courus sur le champ en habit de bal. Il me dit : « Etes-vous disposé à partir sur le champ pour une mission ? — Je ne demande que le temps de me mettre en habit de voyage et de faire mettre les chevaux à ma voiture. — Soyez ici à minuit pour partir d'ici même sans aller nulle part ailleurs avant votre départ. Je vous donnerai vos instructions et vous saurez où vous allez. — Si je vais loin, il me faudra de l'argent. — Vous aurez tout ce qu'il vous faudra ». A minuit, j'étais à mon poste et j'appris que j'allais jusqu'à Milan en m'arrêtant à tous les postes de télégraphe sur la route pour y remettre promptement le service en activité en employant tous les moyens d'urgence afin que l'ont pût dans le plus bref délai possible reprendre les communications négligées depuis quelque temps entre Paris et Milan. J'étais un des précurseurs de la campagne qui allait s'ouvrir et qui en effet s'ouvrit à quelques semaines de là. L'objet de ma mission ne devait pas transpirer précisément parce qu'il eût donné des indications au public ».

(Arch. nat. Archives Roederer AP 29, cartons 14 à 18).

(1) L'ancien Consul Lebrun, Architrésorier de l'Empire.

Certains auditeurs, ceux qui étaient affectés au Ministère des Travaux publics, étaient d'ailleurs exclusivement employés à des tournées. Le décret du 27 octobre 1808 précise ainsi leurs pouvoirs :

> ART. 6. — Les auditeurs dans leurs tournées prendront connaissance des opérations des inspecteurs divisionnaires et de celles des ingénieurs de tous grades; ils examineront les travaux, les prix et l'exécution des entreprises, l'avancement des ouvrages, les paiements faits, les sommes dûes et la situation des crédits; à cet effet, ils prendront communication de tous registres et papiers auprès des préfets et ingénieurs.
> ART. 7. — Ils exerceront sur les ingénieurs, concurement avec les inspecteurs divisionnaires, les mesures de police et de discipline portées aux paragraphes 1, 2, 3 et 4 de l'article 17 de notre décret du 7 fructidor an XII.
>
> *(Duvergier, t. XVI, p. 315).*

Les auditeurs furent souvent aussi investis de fonctions permanentes à l'extérieur du Conseil.

La carrière préfectorale est celle qui a exercé sur les auditeurs le plus grand attrait. En 1813, 45 sous-préfectures sur 397 sont tenues par des auditeurs; 31 préfets sur 130 sont d'anciens auditeurs. Roederer, dans son Journal, rapporte ce propos de Napoléon en 1809 :

> « J'ai des préfets excellents. On n'a pas d'idée du bien que font les préfets que j'ai nommés dans les auditeurs.
> Ce sont des gens nourris des idées du Conseil d'Etat, qui ont de la fortune, de la politesse. Vincent a fait à merveille à Turin, Molé à Dijon. J'ai actuellement cinq auditeurs âgés de plus de trente ans, que je puis employer avec le plus grand succès dans des préfectures. Ils y arriveront tous avec l'âge. C'est une excellente institution ».
>
> *(Roederer, Journal, pp. 257-258).*

Les auditeurs sont également employés dans de nombreux autres postes administratifs et en particulier aux armées pour s'occuper des approvisionnements, ou comme intendants dans les pays conquis. Dans de tels postes, ils entrent parfois en conflit avec les autorités militaires (en Espagne et en Illyrie notamment). Même lorsque les relations sont bonnes, leur position n'est pas toujours facile. Barante écrit dans ses souvenirs :

> « Notre situation d'auditeurs, au milieu de l'armée, avait quelque chose de gauche. Dix ou onze jeunes gens qui ne partageaient ni les dangers, ni les pratiques de la guerre, qui promenaient leur frac ou leur habit officiel brodé en soie parmi les brillants uniformes des aides de camp et des officiers, sans devoirs ni occupation, c'était ce qui semblait à nous, et sans doute aux autres, une contenance ridicule ».
>
> *(Souvenirs du Duc de Barante, Paris 1890, p. 190).*

Les auditeurs ne peuvent faire mieux, parfois, que tenter de se rendre utiles. Plusieurs d'entre eux, par exemple, participent à la recherche des blessés sur le champ de bataille de Wagram (juillet, 1809) :

« Nous nous étions, écrit de Breteuil, partagés le terrain entre les six auditeurs qui sont ici pour, volontairement, chercher et ramasser les pauvres blessés français et autrichiens perdus dans les blés, les trous, les ruines, dès lors abandonnés. J'ai été assez heureux, pour ma part, d'en trouver la première fois 44, et la seconde 132, que j'ai ramenés moi-même ici dans des fiacres ».

(Cité par G. de Grandmaison, La Congrégation, Paris, p. 93).

En dehors même de ces circonstances particulières, les auditeurs sont parfois affectés à des emplois qui pourraient aujourd'hui paraître insolites. Ainsi, l'Empereur écrit le 26 février 1809 au Comte Regnaud de Saint-Jean-d'Angely, président de section au Conseil d'Etat :

« Monsieur Regnaud, j'ai pris un décret pour attacher quatre auditeurs à chacun des trois conseillers d'Etat chargés des trois premiers arrondissements de la police, et quatre au préfet de police; je désire que vous me présentiez un projet de décret pour fixer leurs attributions. Les auditeurs près le préfet de police seront chargés de l'interrogatoire des individus qui sont dans les dépôts de Saint-Denis et de Villers-Cotterets; ils feront l'inspection de ces maisons toutes les semaines, de manière que j'aie dans leur surveillance une garantie que, sous le prétexte de vagabondage, aucun individu n'est vexé. Ils exerceront la même surveillance à Bicêtre, à Charenton, etc. afin que, sous le prétexte de folie, il ne soit exercé aucun acte arbitraire. Les individus, arrêtés chaque jour, qui ne pourront pas être interrogés par le préfet de police, le seront par les auditeurs, afin que ces interrogatoires aient une forme légale et soient faits par des hommes qui aient ma confiance et avec la diligence nécessaire pour prévenir toute vexation ou détention injuste. Indépendamment de ces fonctions, vous leur en trouverez d'autres analogues. Mon but secret est d'avoir des hommes de confiance qui apprennent la marche de la police et se mettent au fait de ses détails. Je désire aussi que tous les citoyens qui vont à la préfecture de police et qui ne peuvent pas parler au préfet, trouvent toujours un auditeur auquel ils puissent s'adresser ».

(Correspondance de Napoléon Ier, t. XVIII, p. 337).

L'auditorat jugé.

Les auditeurs sont dans l'ensemble satisfaits de leur sort et d'eux-mêmes. Camille de Tournon écrit à sa mère :

« Cette place m'ouvre une carrière honorable, ma chère maman, et me donne l'espérance de me rendre utile à mon pays et à mes amis, seul but de mon ambition. Je passerai le temps qu'il plaira dans cette excellente école, si propre à former des hommes d'Etat. La place d'auditeur donne dans le monde un rang et une existence très agréable; on est présenté de droit. L'Empereur, pendant la guerre, a confié à plusieurs auditeurs des fonctions importantes dans les pays conquis et il vient de nous accorder un privilège précieux, celui de fournir exclusivement à toutes les places de la diplomatie, ce qui prouve sa bonne opinion des personnes qui composent ce corps ».

(Abbé Moulard, Le Comte Camille de Tournon, t. I, p. 52).

Il estime que ses camarades et lui forment « le corps certainement le mieux tourné et le plus leste de l'Etat ».

Même lorsqu'ils rencontrent des difficultés, les auditeurs gardent confiance : ils se sentent soutenus par l'Empereur. Barthélémy, dans ses souvenirs, raconte qu'il a été affecté, dès sa nomination, avec plusieurs de ses collègues, à l'administration des droits réunis :

« Malheureusement nous fûmes mal accueillis par notre chef, le comte François de Neuchâteau (1); il cherchait autant que possible à nous rendre inutiles, ne nous recevait pas et tout son entourage avait le mot pour ne nous épargner aucun désagrément... Il ne faisait d'ailleurs qu'imiter l'attitude des autres chefs de service qui voyaient avec humeur arriver les auditeurs auprès d'eux pour troubler leur quiétude et entraver l'avancement de leurs protégés; en effet, on comprenait que désormais le chemin était barré pour ceux qui n'étaient pas de notre « confrairie ». Je ne m'en inquiétais pas, car nous savions que l'Empereur tenait beaucoup à sa création et que, tôt ou tard, nos persécuteurs seraient obligés d'en rabattre ».

(Barthélemy, Souvenirs d'un ancien préfet, Paris 1885, p. 61).

Plus d'un parmi les auditeurs a dû se comporter comme celui qui, nommé sous-préfet de Genève, est ainsi dépeint par une génevoise : « un jeune bavard, qui se faisait moquer de soi, car il parlait toujours de lui; d'ailleurs il remplissait assez bien sa place ».

Les jugements sont parfois plus sévères : l'arrivisme, la docilité de ces hauts fonctionnaires en herbe, suscitent de nombreuses critiques. Certaines s'exprimaient sur le mode plaisant : une chanson fait dire au directeur général des Ponts et Chaussées, s'adressant à son personnel :

« Gens de bureau, je vous donne
Pour cadeau du jour de l'An
Un auditeur en personne,
Qui marche, parle, raisonne,
Qui punit, gronde, pardonne,
Qui dans son petit bureau,
Au coin de son petit âtre,
Représente un petit pâtre
Comptant son petit troupeau...

Je prétends en toute affaire,
S'il n'y reste rien à faire,
Que jamais il ne diffère

(1) Barthélémy fait ici une confusion grossière de personnes entre Français de Nantes et François de Neufchâteau qui ne fut jamais conseiller d'Etat ni à la tête des droits réunis.

A donner son coup de main
Bien qu'il soit ici sans doute,
Moins pour s'occuper de route
Que pour faire son chemin ».

(Journal du Maréchal de Castellane, Paris, t. II, p. 343).

Un anonyme écrit à Roederer que les jeunes préfets sont objet de mépris :

« L'établissement des auditeurs a tué l'esprit public et l'émulation en France. Bientôt la carrière des emplois a été fermée aux hommes utiles. Il a fallu être fils de sénateur, de général, ou noble pour arriver aux préfectures et aux autres emplois ».

(Arch. nat. Archives Roederer 29 AP Carton 75).

Chaptal estime que la conception napoléonienne de l'auditorat illustre tout un système de gouvernement :

« Ce système de conduite dérivait partout du même principe : c'est que, s'étant isolé du reste des hommes, ayant concentré dans ses mains tous les pouvoirs et toute l'action, bien convaincu que les lumières et l'expérience d'autrui ne pouvaient lui être d'aucun secours, il pensait qu'il n'avait besoin que de bras, et que les plus sûrs étaient ceux d'une jeunesse dévouée.

Cette conduite de la part de Bonaparte n'a pas peu contribué à lui aliéner l'esprit des Français. Un département qui se voit placé sous l'administration d'un écolier se croit humilié par ce choix; sa confiance dans le chef du gouvernement s'affaiblit; son respect pour la magistrature n'existe plus et le mépris pour l'administrateur relâche bientôt les liens qui doivent l'attacher au monarque. La résistance à un pouvoir mal placé s'établit peu à peu. La lutte s'engage et l'administré, qui ne peut se rattacher au chef par un mandataire qu'il n'estime point, ne tarde pas à avoir pour le chef les sentiments que lui inspire l'agent qui le représente ».

(Chaptal, Mes souvenirs sur Napoléon, Paris 1893, pp. 229-230).

Pourtant, les observateurs et les historiens devaient assez vite rendre justice à l'auditorat. Ce n'est pas encore le cas du chancelier Pasquier, qui, sans doute, regrette que la Restauration l'ait supprimé, mais pour la seule raison qu'elle s'est privée ainsi « de l'avantage d'avoir à sa disposition un nombre assez considérable de places peu rétribuées, avec lesquelles on pouvait satisfaire beaucoup de familles en donnant une carrière à leurs enfants ». En 1844, Portalis fils rend à l'auditorat un hommage d'une autre portée quand, dans son éloge funèbre de l'ancien auditeur Monnier, il parle de « cette institution dont nous ne voyons que les restes et qu'il serait désirable que l'on fît sortir de ses ruines en la remaniant » et quand il souligne que les régimes qui ont succédé à l'Empire y « ont trouvé la plupart des hommes d'Etat qui ont fait leur force (1) ».

(1) Eloge funèbre de Monnier à la Chambre des Pairs le 28 juin 1844 (Moniteur du 4 juillet 1844).

Au total l'auditorat napoléonien apparaît sans doute comme entaché de certains défauts, dont les principaux sont le favoritisme qui a assez souvent présidé au choix des auditeurs (1) et l'attribution de responsabilités trop élevées à des hommes trop jeunes. Mais l'institution révèle aussi, chez celui qui l'a créée, des idées dont l'évolution ultérieure a montré la justesse : importance des tâches administratives dans le monde moderne et nécessité d'attirer vers elle une élite du pays. D'une certaine façon, l'Ecole nationale d'administration d'aujourd'hui est ainsi la lointaine continuatrice de l'auditorat napoléonien.

(1) On a parlé à ce propos de népotisme. Le terme parait excessif. Dans l'état de l'enseignement supérieur au début de l'Empire, le recrutement fait forcément une large part aux relations de famille et aux recommandations. Mais ce ne sont pas toujours les mieux pourvus d'appuis qui sont choisis et qui, surtout, une fois nommés auditeurs, ont un brillant avancement, fussent-ils le fils du grand juge Régnier ou un parent de Murat.

III

ATTRIBUTIONS ET POUVOIRS

Les attributions initiales — Leur extension — Importance de ces attributions — Le Conseil d'Etat n'a pas pouvoir de décision — Un débat au Tribunat — L'opinion de Locré — Un projet de décret fixant les attributions du Conseil (1806).

LES ATTRIBUTIONS

Les attributions du Conseil d'Etat furent fixées pour l'essentiel dès sa création par les articles 52, 53 et 75 de la Constitution du 22 frimaire an VIII :

Article 52. Sous la direction des consuls, un Conseil d'Etat est chargé de rédiger les projets de lois et les réglements d'administration publique et de résoudre les difficultés qui s'élèvent en matière administrative.

Article 53. C'est parmi les membres du Conseil d'Etat que sont toujours pris les orateurs chargés de porter la parole au nom du Gouvernement devant le corps législatif.

Article 75. Les agents du Gouvernement autres que les ministres ne peuvent être poursuivis pour des faits relatifs à leurs fonctions qu'en vertu d'une décision du Conseil d'Etat...

Ces attributions furent précisées et étendues dès le 5 nivôse an VIII par le premier règlement du Conseil dont l'article 11 disposait :

Le Conseil d'Etat développe le sens des lois sur le renvoi qui lui est fait par les Consuls des questions qui leur ont été présentées. Il prononce d'après un semblable renvoi :

1) sur les conflits qui peuvent s'élever entre l'administration et les tribunaux

2) sur les affaires contentieuses dont la décision était précédemment remise aux ministres (1).

(*Duvergier, t. XII, p. 20*).

---

(1) Un cas particulier d'interprétation de la loi fut réglé par la loi du 26 septembre 1807 : interprétation donnée dans la forme des règlements d'administration publique, lorsque la Cour de cassation annule deux arrêts ou jugements en dernier ressort rendus dans la même affaire entre les mêmes parties et qui ont été attaqués par les mêmes moyens.

Nouvelle extension en l'an X par les articles organiques de la convention du 26 messidor an IX, c'est-à-dire du Concordat avec le Saint Siège, et par les articles organiques propres aux cultes protestants :

Articles organiques de la convention du 26 messidor an IX :

Article 6. Il y aura recours au Conseil d'Etat dans tous les cas d'abus de la part des supérieurs et autres personnes ecclésiastiques.

Les cas d'abus sont l'usurpation ou l'excès de pouvoir, la contravention aux lois et réglements de la République, l'infraction des règles consacrées par les canons reçus en France, l'attentat aux libertés, franchises et coutumes de l'Eglise gallicane et toute entreprise ou tout procédé qui, dans l'exercice du culte, peut compromettre l'honneur des citoyens, troubler arbitrairement leur conscience, dégénérer contre eux en oppression ou en injure ou en scandale public.

Article 7. Il y aura pareillement recours au Conseil d'Etat, s'il est porté atteinte à l'exercice public du culte et à la liberté que les lois et réglements garantissent à ses ministres.

Articles organiques des cultes protestants.

Article 6. Le Conseil d'Etat connaîtra de toutes les entreprises des ministres du culte et de toutes les dissensions qui pourront s'élever entre ces ministres.

(*Duvergier, t. XIII, p. 91*).

Le Sénatus-consulte organique du 28 floréal an XII (18 mai 1804) qui fonda l'Empire prévit l'intervention du Conseil d'Etat dans la procédure de contrôle de la constitutionnalité des lois. Ce contrôle était confié par l'article 71 au Sénat, qui pouvait exprimer l'opinion « qu'il n'y a pas lieu à promulguer la loi ». La suite de la procédure est ainsi fixée par l'article 72 :

L'Empereur, après avoir entendu le Conseil d'Etat, ou déclare par un décret son adhésion à la délibération du Sénat ou fait promulguer la loi.

Nouvelle extension d'attributions par le décret du 11 juin 1806 dont l'article 14 confie au Conseil la connaissance :

1) Des affaires de haute police administrative, lorsqu'elles lui auront été renvoyées par nos ordres;

2) De toutes contestations ou demandes relatives soit aux marchés passés avec nos ministres, avec l'intendant de notre maison ou en leur nom, soit aux travaux ou fournitures faits pour le service de leurs départements respectifs pour notre service personnel ou celui de nos maisons;

3) Des décisions de la comptabilité nationale et du conseil des prises.

Le titre III de ce décret précise ce qu'est cette haute police administrative (1) :

---

(1) cf. le décret du 9 août 1806 relatif aux formalités à observer pour la mise en jugement des agents du Gouvernement. Ce décret harmonise les dispositions de l'article 75 de la constitution de l'an VIII et celles du décret du 11 juin 1806.

Article 15. Lorsque nous aurons jugé convenable de faire examiner par notre Conseil d'Etat la conduite de quelque fonctionnaire inculpé, il sera procédé de la manière suivante...

Article 16. Si la commission (formée d'un président de section et de deux conseillers chargés de l'instruction) juge que les faits dont il s'agit doivent donner lieu à des poursuites juridiques, elle nous en rendra compte par écrit afin que nous donnions au grand juge ministre de la Justice l'ordre de faire exécuter les lois de l'Etat.

Article 20. Si la commission est d'avis que les fautes imputées ne peuvent entraîner que la destitution ou des peines de discipline et de correction, elle prendra nos ordres pour faire son rapport en Conseil d'Etat.

Article 22. Le Conseil d'Etat pourra prononcer qu'il y a lieu à réprimander, censurer, suspendre ou même destituer le fonctionnaire inculpé (1).

(*Duvergier, t. XV, p. 462*).

A ces extensions directes de compétence il faut ajouter celles — beaucoup plus nombreuses et plus importantes en fait — résultant de lois ou de décrets qui réglementèrent des matières politiques, religieuses ou administratives en exigeant l'intervention, pour les mesures de détail ou d'application, de décrets en Conseil d'Etat.

Les textes prévoyant cette intervention touchent aux domaines les plus variés : expropriation, législation minière, dessèchement des marais, réception de bulles pontificales, création de tribunaux de commerce, Banque de France, etc.

Ainsi se constitua pour le Conseil un champ de compétence aussi étendu que l'administration elle-même et qui forma pour l'avenir, à travers les changements de constitution et de régimes, le noyau irréductible et incontesté de ses attributions (2).

Celles-ci, telles qu'elles avaient été fixées à l'origine, subirent peu de réductions pendant le Consulat et l'Empire. Dès l'an X, des arrêtés, d'une

---

(1) Cet article 22 ne parait pas avoir été très fréquemment appliqué. Il le fut contre Pichon, consul général aux Etats-Unis, accusé d'avoir procédé à des engagements et à des paiements de dépenses irrégulières ou injustifiées, contre le préfet des Deux-Nethes d'Argenson, contre un chef de division du ministère de la Marine et quelques conseillers de préfecture. C'est une procédure différente, instituée ad hoc, qui fut mise en œuvre contre Frochot, conseiller d'Etat et préfet de la Seine, impliqué dans la conspiration du général Malet (cf. au Moniteur du 25 décembre 1812 les avis des différentes sections du Conseil d'Etat sur le cas de Frochot).

(2) La mission confiée par le décret du 20 septembre 1806 à une « commission des pétitions » ne peut être comprise dans les attributions du Conseil d'Etat, bien que cette commission fût composée uniquement de membres du Conseil (2 conseillers, 4 maîtres des requêtes, 4 auditeurs). Cette commission soumettait directement à l'Empereur les résultats de ses travaux. Son service était réglé « de manière qu'il y ait trois fois par semaine, depuis dix heures du matin jusqu'à midi, en notre palais impérial des Tuileries, l'un desdits conseillers d'Etat, deux maîtres des requêtes et deux auditeurs lesquels seront chargés de recevoir les pétitions et d'entendre les pétitionnaires » (Art. 3).

légalité douteuse puisqu'ils touchaient à l'article 75 de la constitution, donnèrent compétence à des chefs d'administration pour autoriser des poursuites judiciaires contre leurs agents : arrêtés du 9 pluviôse an X (29 janvier 1802) concernant les agents inférieurs de l'administration de l'enregistrement et des domaines, de la loterie nationale, des postes aux lettres ; arrêtés des 10 et 29 thermidor an XI (29 juillet et 17 août 1803) concernant les agents des monnaies, les préposés de l'octroi municipal et les préposés des douanes. La seconde réduction, d'une légalité tout aussi contestable, fut l'œuvre d'un décret du 25 mars 1813 qui, abrogeant sur ce point la loi du 18 germinal an X, transféra du Conseil d'Etat aux Cours impériales la connaissance des appels comme d'abus.

Cette dernière modification demeura sans effet, car, le Pape ayant retiré son consentement au concordat de Fontainebleau pour l'exécution duquel avait été pris le décret du 25 mars 1813, la loi prévue par ce décret pour régir la procédure et les sanctions ne fut pas rédigée et rien ne fut changé à la compétence existante. Sous la Restauration, des décisions du Conseil d'Etat et des arrêts de la Cour de Cassation et des Cours royales déclarèrent que la loi du 18 germinal an X n'avait pu être légalement modifiée par un simple décret.

Par l'exercice — qui fut presque toujours effectif (1) — de ces nombreuses et importantes attributions, le Conseil d'Etat joua un rôle et acquit un éclat qui se trouvèrent encore renforcés par la situation de simples figurants à laquelle se trouvèrent réduites les assemblées politiques :

> « Le Conseil d'Etat, écrit Thibaudeau, était alors le théâtre le plus favorable à l'ambition. On y prenait part aux grandes affaires d'Etat; on pouvait s'y élever à la faveur et à la fortune ».
>
> (*Thibaudeau. Mémoires. Chapitre IV, p. 45*).

Cormenin, qui appartint au Conseil à la fin de l'Empire, le décrivait comme :

> « une immense fabrique d'avis, d'interprétations, de décrets, de lois déguisées sous la forme de décrets et de réglements d'administration publique (2) ».
>
> (*Du Conseil d'Etat envisagé comme Conseil et juridiction, Paris 1818, p. 51*).

---

(1) Le chancelier Pasquier écrit dans ses mémoires : « Hors les cas qui dérivaient immédiatement de la politique et surtout de la politique d'invasion, comme les décrets du blocus continental, ceux de la déchéance définitive dans la liquidation générale et plusieurs autres de même nature, hors ces cas, dis-je, les ministres du premier consul ou de l'Empereur n'ont presque jamais présenté à sa signature un décret de quelque importance, sans qu'il ait été renvoyé à la section du Conseil dont les attributions correspondaient à la matière qui y était traitée. Cela se pratiquait également pour la Justice, pour les Finances, pour l'Intérieur, pour la Guerre et pour la Marine ».

(*Mémoires, 7e Ed., Paris 1914, T. I, p. 260*).

(2) Cormenin fait ici allusion à la pratique suivie sous l'Empire de régler par décrets des matières qui en raison de leur nature, auraient dû faire l'objet de lois.

Il était bien davantage encore pour Locré, son secrétaire général qui, pour en bien « faire connaître l'existence morale », haussait à un lyrisme un peu grandiloquent son style habituellement sec et terne :

> « N'être séparé du souverain par aucun intermédiaire; tenir de sa confiance, et non de la volonté impérieuse de la loi, la plus grande partie de ses attributions; coopérer aux desseins qu'il forme pour la prospérité de ses peuples; les discuter directement avec lui; les réduire en projets; être son organe auprès des grands corps de l'Etat; avoir la pensée de la législation et en devenir ensuite le seul interprète; tracer à l'administration sa marche par des règles générales; lever, par des projets de décrets ou par des avis, les difficultés qui l'arrêtent; juger ses actes, exercer, au degré le plus éminent, la justice administrative; embrasser, dans ses délibérations, depuis les conceptions législatives les plus élevées, jusqu'aux détails les plus minutieux de l'administration, depuis le Code Napoléon jusqu'à l'autorisation de couper quelques arbres sur un point presque imperceptible de la France; montrer au Prince la vérité toute entière, et devenir ainsi pour le peuple, une garantie bien plus sûre que ces anciens corps dont les remontrances, dangereuses sous un roi faible, étaient inutiles et méprisées sous un roi fort : telle est la brillante destination du Conseil d'Etat, tels sont les travaux dont il se trouve chargé. »
>
> (*Locré, Législation et jurisprudence françaises, Paris 1810, Chap. prélim., p. 20*).

Cette page de Locré conduit à poser une question relative aux pouvoirs du Conseil d'Etat napoléonien : fut-il, en même temps qu'un donneur d'avis, un organe doté de pouvoirs de décision propres ? Question nullement théorique ; elle fut sous le Consulat et même sous l'Empire l'objet de vives discussions.

LES POUVOIRS DU CONSEIL D'ÉTAT

Certains des textes fixant les attributions du Conseil d'Etat étaient pour le moins ambigus. Ils le chargeaient de « résoudre » les difficultés qui s'élèvent en matière administrative, de « décider » si les agents du Gouvernement peuvent être poursuivis pour les faits relatifs à leurs fonctions, de « prononcer » sur les conflits et sur les affaires contentieuses. Ne devait-on pas déduire de ces termes que le Conseil était plus qu'un simple organe de conseil, et que, dans certains cas au moins, il possédait des pouvoirs propres de décision ?

Un débat au Tribunat.

La question se trouve posée très tôt par une pétition émanant d'acquéreurs de biens nationaux adressée au Tribunat. Celui-ci, en vertu de l'article 28 de la constitution de l'an VIII devait, soit d'office, soit à la demande des citoyens, « déférer au Sénat conservateur, pour cause d'inconstitutionnalité seulement, les actes du Gouvernement ». Par une pétition du 19 frimaire an IX, le citoyen Paris Mainvilliers dénonça au Tribunat un avis du Conseil d'Etat du 12 brumaire an IX qui avait été approuvé par les consuls et envoyé à tous les préfets. Cet avis, interprétant la loi du 11 frimaire an VIII, déclarait que cette loi n'avait pas supprimé le droit du gouvernement de procéder à la revente sur folle enchère des domaines nationaux dont les acquéreurs n'avaient pas exécuté leurs obligations. Paris Mainvilliers soutenait que la loi du 11 frimaire An VIII avait aboli ce droit de revente sur folle enchère et que par conséquent l'avis du Conseil d'Etat violait la loi.

L'examen de l'affaire fut confié à une commission du Tribunat qui conclut au rejet de la pétition pour le motif que l'acte incriminé était l'œuvre du Conseil d'Etat qui n'était pas le Gouvernement et que, par conséquent, l'article 28 de la constitution, qui ne visait que les actes du Gouvernement, était inapplicable.

Les conclusions de cette commission furent combattues à la séance du 12 nivôse an IX par deux tribuns, Guinard et Gary. Les opinions de ceux-ci divergeaient sur la solution à adopter : selon Guinard, l'avis, qui était bien un acte du Gouvernement parce que les consuls, en lui donnant leur accord, se l'étaient approprié, devait être renvoyé à la commission pour examen au fond ; pour Gary, ce renvoi était inutile, car l'avis, à le supposer contraire à la loi du 11 frimaire an VIII, ne violait ni principe ni règle constitutionnels. Mais les deux tribuns fondaient leurs solutions différentes sur les mêmes prémisses : l'avis du Conseil d'Etat était un acte du gouvernement, parce que dans tous les domaines le Conseil d'Etat ne possédait qu'un simple pouvoir consultatif.

Dans son intervention Guinard rappela tout d'abord les motifs invoqués par la commission :

> « L'acte du 12 brumaire ne peut être l'objet d'une discussion au Sénat, n'étant pas un acte du Gouvernement, mais un simple avis du Conseil d'Etat, que l'article 52 charge de résoudre, sous la direction des Consuls, les difficultés qui s'élèvent en matière administrative.
>
> Ce n'est pas la volonté, la décision personnelle du Premier Consul que cet acte énonce; il n'a fait qu'y apposer son approbation : ce qui ne produit d'autre effet que de légaliser, d'autoriser l'acte et de le rendre authentique.
>
> Toute contestation en matière administrative a son terme dans le Conseil d'Etat, qui décide en dernier ressort, comme en matière civile ce terme se trouve dans le tribunal d'appel ou de cassation. »

Après avoir souligné que la question « imprévue » élevée par la commission était une des plus importantes que le Tribunat pouvait traiter, il invoque notamment à l'appui de sa thèse des raisons tirées de l'esprit de la constitution de l'an VIII et des nécessités du gouvernement :

> « J'ai dit que le système de la Commission tend à dépouiller le Gouvernement de sa plus belle et plus nécessaire prérogative. En effet, si le Conseil d'Etat développe les lois, juge les conflits et le contentieux en dernier ressort,

le Gouvernement, que l'on a cru jusqu'à présent, d'après la Constitution, le principe, le foyer, la pensée, le centre de l'administration générale de la République, le Gouvernement, dans l'hypothèse que je combats ici, se trouvera arrêté dans sa marche quand il plaira au Conseil d'Etat. Celui-ci fera sortir des lois un sens faux, restrictif ou destructeur des pouvoirs donnés au Gouvernement pour faire le bien du peuple. Le Gouvernement, présidant par un de ses membres le Conseil d'Etat, sera obligé de voir forger ainsi ses propres chaînes ou celles de la nation. Le Conseil d'Etat ne résoudra plus sous la direction des Consuls, il dirigera les Consuls. Le Gouvernement, par son approbation et la signature du Premier Consul, sera obligé de légaliser, d'autoriser, d'authentiquer les actes du Conseil d'Etat, quels qu'ils soient, ou celui-ci se passera de l'approbation; car la Commission ne peut sortir de ce dilemne : ou le Conseil d'Etat doit pouvoir prononcer indépendamment de la volonté des Consuls, ou il ne décide pas en dernier ressort.

Et pouquoi fuir ainsi la raison et la vérité qui nous pressent; pourquoi se dérober au sens impérieux de la constitution, qui ne permet au Conseil d'Etat de résoudre que sous la direction des Consuls ? Qui ne sent ici que diriger, c'est présider, coopérer, ordonner, rectifier, redresser, approuver ?

L'article 52 de la Constitution est un des plus utiles qui y soient insérés. La création d'un Conseil d'Etat est la conception la plus heureuse des auteurs de la Constitution. Sous les précédentes Constitutions auxquelles cet établissement manquait, de nombreuses fautes en administration en ont fait sentir la nécessité.

En effet, le temps est mesuré pour les gouvernants comme pour les autres hommes; les ministres, les gouvernants, alors chargés par la loi du travail studieux du Conseil d'Etat, absorbés d'ailleurs par l'exigence de l'administration, ne pouvaient, faute de temps, ni soigner les détails, ni approfondir les difficultés administratives, ni mûrir les décisions, ni faire une juste application des lois. Ils décidèrent rarement ou tardivement. Presque tout restait en souffrance. Cependant quelquefois il leur arrivait de décider; mais ils le faisaient pour ainsi dire, par sauts et par bonds : heureux quand ils rencontraient juste !

Le Conseil d'Etat, divisé en sections, est aujourd'hui chargé de préparer la base des décisions des gouvernants. Notre législation est embarrassée; il peut la simplifier en distinguant les parties subsistantes et les parties abrogées. Elle est éparse dans le temps, dans les livres, et par cela languissante et sans force; il peut la ranimer, lui rendre sa vigueur, en rapprochant, en réunissant dans un même code les dispositions qui se cherchent, qui s'appellent et se lient. Si le Conseil d'Etat exécute avec exactitude cette œuvre de patience, ces Codes formés sur chaque partie de la législation, il rendra le plus grand service à la nation; il aura bien mérité de la patrie. Alors on ne dira plus que nous avons vingt mille lois; mais nous avons vingt lois. Ce travail précieux, fait dans le silence du cabinet, aura cet autre avantage de faire juger au Conseil d'Etat quelles lois il faut rapporter, lesquelles il faut proposer; il lui indiquera aussi le moyen de solution des points contentieux qui ne sont contentieux que parce que les lois sont mal connues ou mal entendues et sujettes à interprétation.

Comment les gouvernants pourraient-ils se livrer à ces détails sans laisser souffrir l'administration ? Je le répète : le Conseil d'Etat est une institution indispensable dans un Gouvernement bien réglé; mais sa destination visible ets uniquement d'éclairer, de conseiller, non de décider souverainement et d'administrer.

J'ajouterai une remarque dont vous sentirez tout le poids. Les fonctions de conseiller d'Etat ne donnent lieu à aucune responsabilité, dit l'article 69 de la Constitution. »

(*Arch. parl. de l'an IX de la République, Paris, 1863, t. II, séance du 12 nivôse, an IX, p. 37 à 40*).

Prenant ensuite la parole, Gary développa au soutien de la même thèse une argumentation de caractère plus juridique :

« Moi aussi, je pense et j'établirai par d'autres motifs que la décision du Conseil d'Etat du 12 brumaire an IX, ne peut être soumise à votre censure.

J'examinerai surabondamment, et en peu de mots, les reproches d'infraction aux lois qu'on a faits à cette décision.

Je ne puis d'abord adopter la distinction plus ingénieuse que solide qu'on a établie entre les décisions du Conseil d'Etat et les actes du Gouvernement. Je ne puis voir dans le Conseil d'Etat que le conseil du Gouvernement, conseil que lui donne la Constitution et qu'il doit consulter dans les cas qu'elle a prévus. Jamais je n'y verrai un tribunal indépendant et agissant autrement que par l'impulsion et l'influence nécessaires du Gouvernement.

Il me suffit, pour arrêter à cet égard mes idées, d'ouvrir la Constitution. Dans le nombre des attributions qu'elle a mises dans les mains du Gouvernement, il en est qui, par leur nature, doivent être exercées, je ne dis pas avec plus de réflexion et de maturité, mais avec des formes et une sorte d'appareil qui garantissent d'avance et attestent la sagesse des résultats. Telles sont la proposition des lois, la confection des règlements nécessaires pour en assurer l'exécution, enfin la solution des difficultés en matière administrative. Je m'arrête à cette dernière attribution, comme étant la seule qui doive nous occuper. Beaucoup de difficultés en matière administrative intéressent directement les particuliers : la ligne qui doit séparer l'administration de la justice ne permettrait pas d'en confier la solution aux tribunaux; le Gouvernement seul, comme chef suprême de l'administration, pouvait en être chargé; mais, en rendant cet hommage aux principes, il fallait en même temps préserver le Gouvernement de l'influence si souvent funeste des bureaux, entourer ses décisions de toutes les formes propres à exciter la confiance des parties intéressées et le soumettre enfin à consulter les hommes dont la Constitution lui avait fait un devoir de s'entourer pour éclairer et assurer sa marche. Voilà ce qu'a fait l'article 52 de l'acte constitutionnel : « sous la direction des Consuls, le Conseil d'Etat est chargé de rédiger les projets de loi et les règlements d'administration publique et de résoudre les difficultés qui s'élèvent en matière administrative ».

Vous voyez, mes collègues, que tout se fait sous la direction des Consuls. Le Conseil d'Etat n'a par lui-même ni juridiction, ni autorité. Le transformer en tribunal indépendant, c'est dénaturer sa destination; c'est le séparer du Gouvernement, dont il n'est que le Conseil, auquel il est essentiellement rattaché et subordonné et sans lequel il n'est rien. Et, puisque le même article contient à la fois les trois attributions de rédiger les projets de lois, les règlements d'administration publique, et de résoudre les difficultés en matière administrative, si cet article pouvait autoriser le Conseil d'Etat à prononcer sur ces difficultés, sans l'aveu, sans l'intervention, et indépendamment de la volonté du Gouvernement; s'il faisait enfin autre chose qu'éclairer la décision du Gouvernement, il n'y aurait pas de raison pour ne pas conclure de ce même article qu'il a le droit aussi de former à lui seul les projets de lois et les règlements d'administration publique.

C'est le Gouvernement qui statue en dernier ressort sur les questions qui s'élèvent dans l'administration, comme c'est lui qui propose les projets de lois et qui arrête les règlements nécessaires pour assurer leur exécution; mais ces actes de son autorité ne paraissent qu'avec la certitude qu'il s'est entouré des lumières de son Conseil, c'est-à-dire avec une plus forte garantie de leur sagesse et environnés de cette force morale qui fait aimer aux peuples ce qu'ils ont à exécuter et qui assure l'observation des lois et des décisions sur l'opinion qu'on a conçue de leur justice et de leur bonté.

Le Conseil d'Etat lui-même n'a jamais entendu autrement les attributions qui lui sont confiées par la Constitution. Vous en voyez un exemple dans l'acte même qui vous est déféré. Il n'y fait que proposer, soumettre, motiver son avis; mais voilà tout. La décision est seulement et ne peut être que dans l'approbation des Consuls.

Je conclus que la décision du 12 brumaire ne peut être regardée que come un acte du Gouvernement; mais je n'en persiste pas moins à penser que la Constitution elle-même le soustrait à votre examen. »

(*Arch. parl. de l'an IX de la République, Paris 1863, t. II, séance du 12 nivôse an IX, pp. 40-43*).

A l'issue de ce débat, le Tribunat décida de passer à l'ordre du jour. Il rejetait ainsi la pétition, mais sans motiver sa décision. Celle-ci ne tranchait pas la question dans son ensemble et de manière définitive : elle ne concernait que le sens à donner à la disposition finale de l'article 52 de la Constitution de l'an VIII et ne liait aucune autorité. Mais elle exprimait, en la motivant fortement, une opinion déjà dominante, et que Napoléon tenait sans aucun doute à faire prévaloir.

« Le Conseil d'Etat n'a pas d'autorité qui lui soit propre » (Locré).

Il est significatif à cet égard que Locré dans son ouvrage « Législation et Jurisprudence françaises » paru en 1810, ait affirmé avec une insistance toute particulière que le Conseil ne possédait aucun pouvoir propre :

« Par une erreur assez commune, on regarde ce Conseil comme un corps qui exerce dans l'Etat une autorité.

Le Conseil n'a pas d'autorité qui lui soit propre; il n'agit que sous la direction et sous l'autorité du Chef de l'Etat : nos Constitutions l'y placent, même pour les attributions qu'elles lui confient. On retrouve cette direction dans la manière dont il est saisi, dans le mode de ses délibérations, dans le caractère de ses actes.

Le Conseil, en effet, n'est saisi que par l'Empereur car les Sections et les Commissions ne peuvent s'occuper que des objets que S. M. leur ordonne d'examiner. Elle a fait un renvoi général au conseiller d'Etat chargé des domaines nationaux et à la Commission du contentieux des affaires qui les concernent respectivement; mais pour toutes les autres, il faut un renvoi spécial.

Le Conseil ne se réunit jamais de son propre mouvement, mais sur l'ordre de S. M. Il ne discute que les affaires sur lesquelles l'Empereur le charge de délibérer. Cette autorisation est même rappelée, 1° dans les procès-verbaux, où chaque rapport est ainsi annoncé : M..., au nom de la Section de..., et d'APRES LE RENVOI DE S. M. I. et R., fait un rapport sur ...; 2° en tête des projets que le Conseil arrête; tous commencent par ces mots : Le Conseil d'Etat, qui, d'APRES LE RENVOI de S. M. I. et R., a entendu .... C'est l'Empereur qui, en personne, ou par le Prince grand dignitaire qu'il commet, préside les délibérations.

Le Conseil enfin ne décide qu'en matière de mise en jugement seulement, et sauf l'approbation de l'Empereur. Pour le surplus, il n'a que voix consultative : sa mission, en effet, se borne à donner son opinion dans des avis qui n'ont de force que lorsque S. M. les approuve, ou à présenter de simples projets, soit de lois, soit de décrets, que l'Empereur adopte, rejette ou modifie, comme il lui plaît. C'est pour cette raison que dans les décrets sur lesquels le Conseil a délibéré, son concours n'est indiqué que par cette formule : « le Conseil d'Etat entendu » et qu'il n'est nullement fait mention du Conseil dans les projets de loi que l'Empereur propose au Corps législatif.

Le Conseil d'Etat est donc, dans la plus étroite acception des termes, le Conseil du Prince.

On voit maintenant pourquoi nos Constitutions, qui règlent, avec tant de soin, tout ce qui regarde les grands corps de l'Etat, s'occupent si peu du Conseil.

C'est que cette matière, comme celle de l'organisation du Ministère, sur laquelle les Constitutions sont également muettes, est, de sa nature, toute règlementaire. Au Prince seul doit appartenir de déterminer la forme d'une institution qui n'est dans sa main qu'un moyen de gouvernement. Aussi est-ce des règlements, des arrêtés, des décrets impériaux que le Conseil d'Etat tient et son organisation et une grande partie de ses attributions.

Les règlements n'ont pas dû en faire un corps dans l'Etat; il ne saurait y avoir de corps politique là où il n'y a pas d'autorité indépendante. Ainsi, lors des séances, hors de la présidence de l'Empereur ou du Prince grand dignitaire que S. M. a délégué, il n'y a plus de Conseil; il ne reste que des membres sans chef, et auxquels tout acte collectif est interdit ».

(*Locré. Législation et jurisprudence françaises, Paris, 1810, pp. 17-19*).

Un projet de décret fixant les attributions du Conseil.

Il est fort possible qu'en dénonçant « l'erreur assez commune » qui faisait regarder le Conseil comme un corps exerçant dans l'Etat une certaine autorité, Locré ait visé certains membres du Conseil, sinon le Conseil tout entier. Si celui-ci ne paraît pas avoir été avide de responsabilités proprement politiques, peut-être souhaitait-il se voir reconnaître des pouvoirs propres dans le domaine qui était le sien. On peut l'inférer d'un curieux projet, élaboré, semble-t-il, par le Conseil d'Etat lui-même, et qui y fut rapporté en 1806 par Regnaud de Saint Jean d'Angely, intitulé « Des attributions du conseil de sa Majesté ». Ce projet regroupait en un texte unique toutes les attributions alors exercées par le Conseil d'Etat, précisait celles-ci — notamment en énumérant toutes les matières administratives qui devaient être réglées par des décrets délibérés comme règlements d'administration publique (1) —, les étendait sur certains points, — notamment en ce qui concerne les pouvoirs de haute police du Conseil sur les agents publics —, et, surtout, faisait, certainement à dessein, par les termes qu'il employait, une distinction entre les affaires où le Conseil ne donnait qu'un simple avis et celles où il possédait un certain pouvoir de décision.

L'article 1 de ce projet disposait :

Le Conseil d'Etat, composé de la manière prescrite par les constitutions de l'Empire, exercera ses fonctions ainsi qu'il suit :

Il lui donnera son avis sur toutes les affaires sur lesquelles il lui sera demandé par Sa Majesté.

Il aura pour attributions spéciales :

1. La rédaction des projets de lois, leur interprétation, et les règlements d'administration publique.
2. Les décisions sur les affaires de haute police administrative.
3. Les décisions sur les affaires d'administration publique.
4. Le jugement des affaires contentieuses administratives.

L'article 9 venait couper court, il est vrai, aux conclusions abusives qu'on aurait pu tirer des termes « décision » et « jugement » :

Nulle délibération du Conseil d'Etat, sur quelque partie que ce soit de ses attributions, ne peut avoir d'effet sans être revêtue de l'approbation de S. M., contre-signée par le ministre secrétaire d'Etat.

Mais les articles 24 et 25 du projet conféraient une valeur particulière à certaines décisions du Conseil :

Article 24

Lorsque S. M. n'approuve pas les décisions en matière de haute police et d'administration, elles sont regardées comme non avenues.

Article 25

Lorsqu'Elle n'approuve pas les décisions en matière d'administration ou celles sur les affaires contentieuses, elle ordonne, si elle le juge convenable, la révision.

En ce cas, il est convoqué une assemblée extraordinaire où les membres du Conseil doivent être au nombre prescrit pour la délibération des lois et règlements et la décision, rendue à la majorité des voix, est de nouveau soumise à S. M.

(*Archives du Conseil d'Etat. Collection de Gerando, n° 1323*).

Le projet n'eut aucune suite.

---

(1) Les matières ainsi énuménées à l'art. 16 sont au nombre de 379 ! On y relève avec surprise, à côté de matières bien connues comme les concessions de mines, l'agence judiciaire du Trésor ou les règlements généraux sur les conflits de juridiction, des questions aussi minuscules ou bizarres que : la publication dans la 27e division militaire des lois relatives à la renonciation des ex-religieuses à la pension de retraite (92), les horlogeries de Besançon, Grenoble et Versailles (224), l'uniforme pour les préposés des postes (261), les états de liquidation envoyés par M. Jollivet (291).

IV
LE ROLE DU CONSEIL D'ÉTAT

Le Conseil est souvent saisi directement, et parfois de questions politiques, sous le Consulat — Résistance des ministres — Un mémoire de Beugnot à Lucien Bonaparte, ministre de l'Intérieur — Rivalité et collaboration du Conseil et des ministères — Opinions de Pasquier et de Hochet — Le Conseil et la vie politique — Roederer suggère au Premier Consul de faire jouer au Conseil un rôle politique plus actif (1802) — Le « tournant » de 1810 : effacement relatif du Conseil.

CONSEIL DU GOUVERNEMENT
ou
CONSEIL DE GOUVERNEMENT

On sait par de nombreux documents — notamment pièces d'archives de la secrétairerie d'Etat et mémoires de ses membres — que le Conseil d'Etat, au cours de ses premières années d'existence, fut souvent saisi dans leur ensemble et non seulement sous leur aspect juridique et parfois même en l'absence de tout projet de loi ou de décret, de questions politiques. C'est ainsi que le Premier Consul lui demanda et son avis et des propositions sur les meilleurs moyens de ranimer l'activité économique des Antilles ou de pacifier la Vendée ; qu'après la lecture, à la séance du 2 nivôse an X (23 décembre 1801), du projet de loi concernant l'instruction publique, il mit en discussion la question suivante : « Convient-il mieux au Gouvernement de présenter cette loi pendant la session présente ou d'attendre la session prochaine ? » et qu'il termina cette séance en chargeant la section de l'Intérieur de « proposer une organisation du Tribunat et du Conseil de telle sorte que le Tribunat ne puisse insulter en public le Gouvernement » (1).

Si des consultations de ce genre étaient devenues une pratique habituelle, le Conseil d'Etat, à peine né, eût joué le rôle d'un véritable conseil de gouvernement. Rôle auquel Bonaparte n'eût sans doute pas été hostile. Il accordait plus d'importance aux travaux du Conseil — qu'il

---

(1) *Roederer, Journal, p. 87.* Parmi les délibérations du Conseil qui eurent un caractère politique, il faut citer les débats, longuement relatés par Roederer et Thibaudeau, sur les mesures de rigueur projetées contre les jacobins en nivôse an IX, après l'attentat de la machine infernale. Il est à noter que le Conseil ne fut pas consulté sur le Concordat et qu'il ne le fut que pour la forme sur la réforme constitutionnelle de thermidor an X.

présidait souvent lui-même et où il choisissait la plupart de ses ministres et certains de ses conseillers intimes — qu'à ceux du Sénat, du Corps législatif ou du Tribunat.

Roederer rapporte dans son Journal une anecdote significative à cet égard :

> « 4 nivôse an XI (25 décembre 1801).
> A l'ouverture de la séance du Conseil, le Premier Consul a dit à Tronchet : « Eh bien ! citoyen Tronchet, vous n'êtes pas au Sénat pour voter à l'élection d'un nouveau Sénateur ? — Citoyen Consul, j'ai pensé que ma voix n'était pas nécessaire, que s'il y avait partage, il faudrait recommencer, et qu'en ce cas, je ne pourrais m'y trouver; et j'ai cru que je pouvais être plus utile ici ». — « Vous avez raison, votre tête vaut mieux que votre boule ».
>
> (*Roederer, Journal, Paris, 1909, p. 87*).

C'est vraisemblablement avec l'accord de Bonaparte que les travaux du Conseil — dont les séances étaient privées — reçurent parfois alors, comme le prouve l'avis suivant publié au Moniteur du 29 prairial an VIII sous le titre « Actes du Gouvernement », une publicité qui paraît aujourd'hui assez surprenante :

CONSEIL D'ETAT

Travail de la section de législation du Conseil d'Etat.

Conseillers d'Etat :

Boulay (Meurthe), Président	Détermination des qualités de français, de citoyen et d'étranger et de leurs effets. Révision du code des délits et des peines. Mariages des enfants mineurs. Enfants naturels.
Emmery	Tribunaux de commerce. Instruction par jurés. Successions.
Moreau Saint-Mery ..	Organisation des notaires. Forme des testaments. Célébration des mariages. Contrats de mariage ou stipulations à cause de noces.
Berlier	Mode de procéder devant les tribunaux. Police judiciaire et municipale. Adoption. Nombre et attributions des juges de paix. Communauté entre époux.
Réal	Organisation des avoués, greffiers et huissiers, prescriptions.

Les membres de la section recevront avec plaisir les mémoires qu'on voudra leur envoyer sur les divers objets dont ils sont chargés. Il faudra les adresser au secrétaire du Conseil d'Etat.

Boulay (de la Meurthe).

(*Le Moniteur Universel, 29 prairial an VIII, p. 1087*).

Le Conseil ne devint cependant ni une quatrième assemblée ni un conseil de gouvernement.

Il ne semble pas qu'il ait lui-même cherché à tirer parti de ses larges attributions et de la confiance de Napoléon pour y parvenir. En une occasion au moins il a éludé volontairement, semble-t-il, l'aspect politique d'un problème que le Premier Consul lui avait soumis — la pacification de la Vendée — pour borner son examen aux questions juridiques (1).

Cambacérès qui, comme consul puis comme archi-chancelier, présida très souvent le Conseil, exerça certainement dans le même sens son influence sur les travaux et l'action de celui-ci. Dans ses « Eclaircissements » (2), il exprimait la crainte que « l'esprit d'assemblée ne l'emportât » dans le Conseil « sur l'esprit de gouvernement » et, après avoir cité la phrase de Napoléon : « Je traiterai si bien ceux que je placerai dans le Conseil qu'avant peu cette distinction deviendra l'objet de l'ambition de tous les hommes de talent qui désirent y parvenir », il ajoutait :

> « (ce système) eut l'inconvénient de donner aux conseillers d'Etat une trop haute idée de leurs fonctions et de leur persuader qu'ils avaient sur les travaux ministériels un droit de censure qu'ils prirent pour de la supériorité ».
>
> *(Cité par A. Vandal, L'avènement de Bonaparte, Paris 1907, t. II, p. 168).*

LE CONSEIL D'ÉTAT ET LES MINISTRES

Appelés à collaborer, ministres et Conseil n'en étaient pas moins des puissances rivales. Dès le lendemain de l'entrée en vigueur de la constitution de l'an VIII, certains ministres s'employèrent à affirmer et à défendre leurs prérogatives contre la propension de Bonaparte à consulter le Conseil directement et contre les empiètements possibles de celui-ci. Placé par Lucien Bonaparte au ministère de l'Intérieur, Beugnot le mettait en garde le 18 nivôse an VIII par la note suivante, où se trouve formulée, concernant les rapports du Conseil et des ministres, une « doctrine » dont ceux-ci se sont sans doute inspirés par la suite :

> « Le Gouvernement peut tout compromettre, s'il continue de faire prendre des arêtés (sic) par le Conseil d'Etat sans avoir demandé au ministre un rapport sur la matière agitée au Conseil. L'initiative du ministre sur le

(1) Tel était, selon A. Vandal (« L'Avènement de Bonaparte », t. II, p. 167), le sens de l'avis présenté sur cette question par Roederer au nom de la section de l'intérieur. Malheureusement le texte de cet avis (qui définissait peut-être une doctrine en la matière), que A. Vandal consulta aux Archives nationales, n'a pu être retrouvé dans le carton où il était alors classé et répertorié.

(2) Ces « Eclaircissements » n'ont pas été publiés. A. Vandal les eut à sa disposition, lorsqu'il écrivit « L'avènement de Bonaparte » où il les cite à plusieurs reprises. Ils se trouvent actuellement dans les papiers privés de descendants de la famille de Cambacérès.

Conseil est fondée sur les mêmes principes que celle du Conseil sur le Corps législatif. La première est l'élément de la seconde et on n'aura fait que trocquer (sic) une complette (sic) ignorance des faits contre une autre ignorance un peu moins complette (sic) et tout aussi dangereuse, si on laisse faire par un conseiller d'Etat ce qu'on a très sagement interdit à un tribun. Le danger de cette mesure est déjà manifeste. Si le ministre eût produit l'ensemble des faits qu'on impute aux prêtres catholiques dans les actes publics que j'ai sous les yeux, le Conseil eût arêté (sic) sur l'exercice des Cultes. Le Conseil va s'occuper des émigrés, il s'occupe d'une nouvelle division du territoire et d'organisations nouvelles. Il serait bien à désirer qu'il attendît que le ministre eût présenté le tableau de la situation actuelle de la France; car il serait possible que le Conseil lui-même reconnût qu'il vaut mieux se servir encore quelque temps des instruments en place, dont l'action et le jeu sont définis, que d'élever une machine nouvelle au milieu des hasards de la guerre extérieure et quand les troubles intérieurs nous pressent du nord au midi. Enfin, l'organisation du Conseil d'Etat me paraît vicieuse sous beaucoup de rapports. Elle brise l'unité d'action du pouvoir exécutif, dissémine l'autorité entre quarante conseillers d'Etat et promet à la France un gouvernement de comités, c'est-à-dire le pire de tous les gouvernements, celui précisément auquel la France s'applaudit d'avoir échappé. »

(Arch. nat., Papiers Beugnot 40 AP 14).

Quelques jours plus tard, à la demande de Lucien Bonaparte, qui partageait sans doute son point de vue, Beugnot développait plus amplement les mêmes idées dans un rapport que son ministre devait remettre au premier Consul et qui s'achevait par le texte d'un projet d'arrêté définissant les compétences respectives du Conseil d'Etat et des ministres :

« Dix mille lois incohérentes, contradictoires et passionnées, dix années d'agitations et de troubles ont enfin averti la France du danger de placer l'initiative des lois partout ailleurs qu'entre les mains du Gouvernement. La Constitution de l'an 8 lui confie même exclusivement ce droit essentiel...

Mais il est arrivé de ce droit d'initiative ce qui arrive nécessairement de l'usage précipité d'un droit nouveau...

Des projets de loi, des règlements ont été proposés au Conseil d'Etat; ils y ont été adoptés et le Gouvernement les a envoyés au Corps législatif sans la provocation nécessaire des ministres. Le procédé est une infraction à la constitution et se trouve en opposition avec la nature même des choses... (suit une analyse du travail de préparation des lois et règlements).

La préparation de l'initiative ainsi définie, on voit déjà qu'elle n'appartient et ne peut appartenir qu'aux ministres. Le ministre peut seul recueillir les faits; seul les comparer; seul porter un jugement, car il a seul les données nécessaires pour cela.

Un conseiller d'Etat est placé par la Constitution en dehors de la puissance exécutive; il lui est tout aussi étranger qu'un membre du Corps législatif.

Il ne voit, ne peut voir les choses générales que d'une manière abstraite ou absolue et sans la connaissance des positions qui changent, modifient ou atténuent les pensées d'ensemble les plus séduisantes...

(Le Conseil d'Etat) est... chargé expressément par la Constitution de rédiger les projets de lois et les règlements et nulle autre autorité n'a constitutionnellement ce droit. Mais ce droit se borne à la rédaction et il y a très loin de la rédaction à la provocation... Et il est si vrai que toute proposition est sévèrement interdite aux membres du Conseil d'Etat que dans les matières où on les a officieusement chargés de quelques détails d'administration, ils rapportent leur travail au Ministre pour qu'il propose. Le besoin de faire qui agite le Conseil d'Etat est une disposition qui n'a rien d'étonnant; tous les Corps ont une tendance naturelle à l'extension de leur autorité; les hommes réunis vont toujours en avant; la responsabilité ne les embarrasse pas; ils s'excitent en se comptant.

Mais il est réservé au patriotisme qui anime les membres de ce Conseil de s'arrêter en présence d'un intérêt qui domine tous les autres, de celui de la liberté...

La liberté nationale ne peut exister que par l'unité du pouvoir exécutif et par l'action bien dirigée du droit d'initiative... Et pour cela le Ministre de l'Intérieur propose les articles d'arrêté suivants :

Art. premier. Les pétitions, mémoires et projets adressés directement aux Consuls seront renvoyés aux Ministres dans leurs départements respectifs.

Art. 2. Aux termes de l'art. 44 de la Constitution et de l'art. 8 du règlement (1) il ne sera passé au Conseil aucun projet de loi ou règlement d'administration publique que sur la provocation nécessaire des ministres, chacun dans l'étendue de ses attributions.

Art. 3. Les Consuls pourront en tout temps recommander aux ministères de provoquer une loi ou un règlement sur les matières où ils le jugeront convenable et même fixer le délai dans lequel les ministres seront tenus d'apporter leur travail au Conseil.

Art. 4. Les ministres autres que celui dans l'attribution duquel se trouve la proposition de loi ou de règlement remise au Conseil seront entendus lorsqu'ils auront des renseignements à fournir sur la matière.

Art. 5. Ils seront prévenus des matières dont le Conseil s'occupe par un ordre de travail que le Conseil rédigera pour chaque décade et qui sera envoyé aux six ministres. ».

(Arch. nat., Papiers Beugnot, 40 AP 14).

Nous ignorons si le projet d'arrêté fut soumis à Bonaparte ; en tout cas il ne fut pas signé, mais les règles qu'il définissait furent généralement appliquées. Le Conseil délibéra habituellement sur des projets de texte ou des demandes d'avis d'origine ministérielle. Mais les projets et rapports ministériels ne fournissaient souvent qu'un point de départ pour son travail. La section compétente pouvait — et il en fut souvent ainsi — écarter le texte ministériel et rédiger un projet entièrement différent qu'elle soutenait devant le Conseil.

Le Conseil était donc pour les ministres une autorité souvent rivale et un censeur redouté ou agaçant. Les témoignages de l'époque sont sur ce point nombreux et concordants. On retiendra parmi eux ceux du chancelier Pasquier et de Hochet :

« Ces sections (du Conseil) devenaient alors pour les ministres, écrit Pasquier, des surveillants assez gênants, quelquefois même fort sévères

---

(1) Il s'agit du règlement sur le Conseil d'Etat du 5 nivôse an VIII.

et dont ils ne supportaient le contrôle qu'avec un dépit mal déguisé. Ils rencontraient, en effet, des adversaires presque toujours aussi éclairés qu'eux, pouvant quelquefois se croire destinés à les remplacer et toujours bien aises de faire montre de leur capacité, en ne laissant passer aucune des erreurs ou des fautes qu'ils pouvaient découvrir. »

(Chancelier Pasquier, Mémoires, 7e ed., Paris 1914, t. I., chap. X, p. 260).

Hochet développe plus longuement la même opinion :

« Les rapports faits par les ministres au chef du gouvernement étaient respectivement renvoyés à chacune des sections; le président de la section gardait l'affaire pour lui-même ou nommait un conseiller d'Etat rapporteur et, quand il lui plaisait d'en rendre compte, la section en délibérait. L'avis adopté était porté à l'assemblée générale du Conseil d'Etat et converti en projet de décret, que l'Empereur signait, s'il le trouvait bon.

Il est aisé de sentir, au premier aperçu, tous les inconvénients de cette marche. Le premier et le plus grave de tous, c'est que le ministre était étranger à cette double délibération. Sa proposition était jetée au milieu des sections et du Conseil, seule et sans appui, n'ayant d'autre escorte qu'un rapport, dont le conseiller d'Etat rapporteur donnait à peine lecture, et qui demeurait presque toujours inconnu, soit à la section, soit au Conseil, et, quand ce rapport eût été connu, il serait très souvent arrivé qu'il n'aurait pas encore suffi pour déterminer la délibération. Tous ceux qui ont l'habitude de l'administration savent bien que l'utilité et la convenance d'une mesure administrative tiennent à la connaissance d'une foule de faits et détails qu'il sera trop long d'écrire et qui ne peuvent être appris que de vive voix.

Mais, dira-t-on, les ministres avaient le droit d'assister aux assemblées soit de sections, soit du Conseil. Ils en avaient le droit, sans doute, mais il n'est pas moins vrai qu'ils ne l'exerçaient pas; les ministres n'assistaient jamais aux assemblées de section et très rarement aux assemblées du Conseil, et l'on va voir que cela était dans la nature des choses.

Les sections et le Conseil étaient entièrement indépendants des ministres. Si un ministre voulait se rendre dans les sections, véritable et unique source des délibérations du Conseil, il se trouvait subordonné au président de la section qui était son inférieur dans la hiérarchie administrative; celui-ci dirigeait la délibération à son gré : le ministre était seul, contre tous; et pour peu qu'il ne se sentît pas un grand talent de discussion, il ne pouvait consentir à une lutte aussi inégale. Le président de la section restait donc sans contestation maître absolue du champ de bataille et il est facile de juger ce qui devait s'en suivre.

Le travail du ministre se trouvait soumis à l'approbation et à la critique de ceux qui, placés immédiatement au-dessous de lui dans cette hiérarchie administrative, étaient les héritiers présomptifs de sa place, et, par cette raison, ce travail était en général accueilli avec peu d'indulgence. Chaque président de section, intéressé à démontrer l'incapacité et l'ineptie du ministre, employait son art à faire prévaloir ses propres propositions sur les propositions ministérielles, et, s'il ne pouvait en obtenir le rejet absolu, il réussissait presque toujours à les modifier à tel point qu'elles en étaient méconnaissables. De là aucun ensemble dans les lois d'une certaines étendue, qui souvent offraient les plus inconcevables contradictions.

En vain on dirait que ces vues personnelles de chaque section étaient arrêtées par l'Assemblée générale du Conseil; il faut n'avoir pas beaucoup réfléchi sur l'esprit de corps et n'avoir pas connu l'esprit particulier du Conseil d'Etat pour ignorer quelles complaisances les sections avaient les unes pour les autres; et la chose devait être ainsi sans qu'on pût même en faire un reproche au Conseil. Quand la section de législation, par exemple, venait lire un projet de loi de 50 ou 100 articles, quelle part pouvait y prendre la section de la guerre ou de la marine; ne devait-elle pas, sur la foi de ses collègues, adopter le projet de confiance ? N'en était-il pas de même pour toutes les autres sections, selon leurs attributions respectives, et, si le ministre croyait devoir défendre son projet dans l'Assemblée générale du Conseil, ceux des conseillers d'Etat, qui étaient incapables d'avoir un avis sur l'objet de la délibération, dans le doute entre deux propositions contraires, ne devaient-ils pas préférer l'avis de leurs collègues, ne fût-ce que pour humilier un ministre, en présence du maître ? Plaisir que, dans la carrière de l'ambition, on se refuse difficilement. De là nulle responsabilité des ministres, je ne dis pas envers la nation, il n'en était pas question alors, mais envers leur propre maître, car sur tous les vices des lois, sur toutes les mauvaises mesures de l'administration, ils pouvaient presque toujours affirmer et prouver qu'elles n'étaient pas leur ouvrage. »

(Hochet, Du Conseil d'Etat tel qu'il existait sous Napoléon Bonaparte, Paris, s.d., p. 5).

L'avantage de se trouver ainsi mis à couvert par l'opinion du Conseil poussait souvent d'ailleurs les ministres à admettre de bonne grâce, voire même à rechercher les interventions de celui-ci :

« Souvent aussi, note Cornemin, les ministres sollicitèrent eux-mêmes pour les plus simples projets la délibération préalable du Conseil, non moins pour mettre leur responsabilité à couvert vis-à-vis du peuple que pour la mettre à couvert vis-à-vis du Souverain d'où venaient le châtiment et la récompense. Les directeurs généraux des administrations qui avaient entrée et voix délibérative en Conseil (1) demandaient aussi, pour se décharger de la responsabilité morale de l'exécution, que les règlements qu'ils devaient appliquer fussent discutés dans le Conseil en leur présence ».

(Du Conseil d'Etat envisagé comme Conseil et comme juridiction, Paris 1818, p. 30).

Les membres du Conseil se montrèrent de leur côté jaloux de leurs rang et prérogatives. En 1800, Roederer veillait déjà à les défendre ; il note dans son Journal :

« Depuis le retour du Premier Consul de Marengo, il y a eu une multitude d'actes qui ont diminué la considération du Conseil d'Etat :

. . . .

3) Il (le Premier Consul) a voulu donner aux ministres la prérogative constitutionnelle du Conseil, celle d'être orateurs du gouvernement près du Corps législatif.

(1) Les directeurs généraux n'avaient entrée et voix délibérative au Conseil que s'ils en étaient membres et en tant que tels. C'était le cas d'un grand nombre d'entre eux.

4) Le ministre de la guerre, par un arrêté de « lui-même » approuvé par le Conseil, a nommé le général Saint-Cyr conseiller d'Etat président d'une commission destinée à recevoir les pétitions adressées au ministre de la Guerre et à lui en rendre compte. »

(Roederer, Journal, pp. 53-54).

Et il rapporte ailleurs une conversation qu'il eut alors avec Bonaparte :

« Vous ne voulez pas que les ministres aillent au Corps législatif ? » me dit un matin le Premier Consul.

— Non, général; ce serait attenter au plus beau privilège du Conseil d'Etat.

— Vous avez tort; c'est unir le Conseil aux ministres. D'ailleurs, ils n'auraient pas abusé de cette faculté. C'est pour Lucien qui a de l'éloquence, du talent, que cela pourrait être bon quelquefois. Pourquoi se priver d'une ressource dont on peut disposer ? ».

(Roederer, Œuvres complètes, t. III, p. 354).

Au cours des dernières années de l'Empire, les ministres développèrent davantage leurs pouvoirs propres, au détriment sans doute du rôle du Conseil. Celui-ci dut en souffrir. Le texte suivant de Stendhal, par l'exagération même de ses assertions que contredisent beaucoup d'autres documents de l'époque, exprime bien les sentiments d'amertume et de dépit qui devaient s'y manifester :

« Le Conseil fut excellent jusqu'à ce que l'Empereur se fût fait une cour, jusqu'en 1810.

Alors les ministres aspirèrent ouvertement à devenir ce qu'ils étaient sous Louis XIV. Il devint dupe et par conséquent ridicule de s'opposer franchement aux projets de décrets d'un ministre.

Encore quelques années et il fût devenu choquant, dans un rapport de section, d'être d'un avis opposé à celui du ministre. Toute franchise dans le style fut bannie; l'empereur appela au Conseil d'Etat plusieurs hommes qui, bien loin d'être des enfants de la Révolution, n'avaient acquis dans les préfectures que l'habitude d'une servilité outrée et d'un respect aveugle pour les ministres... Il manquait de ces honnêtes gens un peu bourrus que rien ne peut empêcher de dire une vérité qui déplaît aux ministres.

Les frères Caffarelli (1) étaient de ce caractère, mais tous les jours, cette vertu devenait plus gothique et plus ridicule. Il n'y avait guère plus que les comtes Defermon et Andreossy qui, portés par leur caractère taquin, osassent ne pas être à genoux devant les projets des ministres. Ceux-ci mettant leur vanité à faire passer les projets de décrets de leurs bureaux, peu à peu les conseillers d'Etat étaient remplacés par les commis, et les projets de décrets n'étaient plus discutés que par l'Empereur au moment de les signer. ».

(Stendhal, Œuvres complètes, Vie de Napoléon, Paris, Champion 1929, t. I, pp. 200-201).

---

(1) Un seul des frères Caffarelli fut membre du Conseil d'Etat.

Texte auquel on peut opposer les nombreux avis du Conseil approuvés par l'Empereur et publiés au Bulletin des Lois qui, durant cette période, et parfois sans ménagement de forme, écartent des projets des ministres ou réprouvent les actes de ceux-ci.

LE CONSEIL D'ÉTAT ET LA VIE POLITIQUE

Conseil législatif et administratif, le Conseil d'Etat ne resta cependant pas à l'écart de la vie politique du Consulat et de l'Empire.

Il s'y trouvait mêlé tout d'abord par l'examen des textes — projets de loi ou de senatus-consultes (1) — touchant à la politique qui lui étaient soumis. Beugnot simplifiait à l'excès en réduisant à la « provocation » et à la « rédaction » la procédure législative ou réglementaire. Entre ces deux opérations il y avait place pour la « délibération » au cours de laquelle le Conseil pouvait former et formuler des avis qui concernaient aussi bien l'opportunité que la légalité des projets sur lesquels il était consulté. Il hésita rarement à le faire et fut ainsi amené à se prononcer souvent sur des questions proprement politiques.

Dans certaines circonstances où son intervention n'était exigée ni par la constitution de l'an VIII ni par aucun autre texte, Napoléon la provoqua afin d'obtenir l'appui ou la caution du Conseil en faveur de mesures à l'adoption desquelles il tenait particulièrement. Ainsi en fut-il pour l'établissement de l'hérédité :

> « Le Sénat, écrivait à ce propos Regnaud de Saint-Jean d'Angely à Thibaudeau alors en poste en province, a présenté une adresse au Premier Consul finissant par la demande d'une haute cour nationale et d'institutions propres à consolider son ouvrage; de manière qu'après avoir réparé le passé, il garantisse l'avenir. Son vice-président, Lecouteux de Canteleu, a annoncé que c'était l'hérédité que le Sénat demandait. Les présidents de sections ont exprimé au Consul leurs regrets de ne pouvoir à leur tour exprimer un vœu. Il les a autorisés à assembler secrètement le Conseil d'Etat pour avoir son avis. On s'est réuni à la section de la marine. Cinq séances ont été employées à discuter trois questions. L'hérédité vaut-elle mieux que le gouvernement électif ? Le moment est-il opportun pour l'établir ? Comment faut-il l'établir ? Un seul a trouvé que l'hérédité n'était pas préférable. Quelques-uns ont varié d'opinion sur la deuxième question. Sur la troisième, il a été parlé de garanties pour le peuple, de pacte, etc. Les présidents avaient été chargés de rédiger un avis; il n'a pas passé unanimement. On a arrêté que chacun donnerait son opinion individuelle. Hier, elles ont été réunies. Ce matin, nous portons à Saint-Cloud l'opinion individuelle de chacun, ce qui est assez curieux. »
>
> *(Thibaudeau, Mémoires, pp. 121-122).*

(1) Aucun texte n'exigeait que le Conseil d'Etat fût consulté sur les projets de sénatus-consulte. Napoléon tint cependant à recueillir son avis sur plusieurs d'entre eux, notamment celui du 5 février 1813 relatif à la régence d'un souverain mineur.

Dans certains cas, où le secret s'imposait, Napoléon recueillait, à défaut de l'avis du corps tout entier, celui de quelques-uns de ses membres et notamment des présidents de section :

Note dictée par l'Empereur au Ministre Secrétaire d'Etat
et adressée à MM. les Comtes de Cessac, Regnaud, Defermont
et Treilhard, conseillers d'Etat
Questions sur des français
au Service Etranger
17 mars 1809

Un français pris les armes à la main (comme pourrait l'être le sieur Rohan qui est au service d'Autriche) devrait-il être condamné à mort ?

Nos lois sont-elles positives ?

Lors du jugement du sieur de St Simon, à Madrid, le Conseil de guerre a éprouvé beaucoup de difficultés.

Un français qui reste à un service étranger est-il exclu de tout héritage et de tous autres droits en France ?

S'il est exclu de tout héritage, qui est-ce qui hérite à sa place ?

Si les dispositions des lois sur ces deux questions sont claires, il suffit de les reconnaître et de les exposer.

Si elles ne le sont point, il est utile de proposer un projet de décret.

S.M. désire également qu'on lui propose les dispositions à prendre pour rappeler tous les français qui sont au service d'Autriche, il y a encore beaucoup de Piémontais à ce service.

S.M. a fait rappeler du service d'Autriche tous les sujets des membres de la confédération, il est juste qu'elle prenne les mêmes mesures.

(Arch. nat., AF IV 909 III pla. 3).

Ce sont peut-être ces initiatives de Napoléon qui inspirèrent à certains membres du Conseil l'ambition de voir celui-ci jouer un rôle politique plus direct. Dans un mémoire remis au Premier Consul le 14 nivôse an X (4 janvier 1802) Roederer, alors président de la section de l'Intérieur, suggérait de redresser la situation politique qui paraissait alors compromise par les succès de l'opposition dans les assemblées, en chargeant les conseillers d'Etat d'exercer sur les membres de ces dernières une action discrète qui ne lui semblait ni de la dignité du Premier Consul, ni de la compétence des ministres :

« Le premier magistrat de la République ne doit pas descendre aux soins qui gagnent les petites vanités, aux insinuations qui gagnent les petites ambitions, pas même aux communications, aux explications qui frappent et décident les esprits médiocres, et c'est le grand nombre.

En Angleterre, ce sont les ministres qui font et entretiennent la majorité. C'est dans leur maison, dans leur campagne, à leur table que se préparent les discussions, les attaques, les défenses; ils s'assurent des principaux orateurs et, par ceux-ci, des votants obscurs. Leur traitement est réglé sur la dépense qu'exige ce système.

En France, les ministres ne peuvent pas remplir le même office, et de ce fait, ils ne l'ont pas rempli. La composition, la rédaction des projets de loi leur sont étrangères; l'exposition des motifs, l'étude des objections, le soin de les réfuter, ne les regardent pas; ils n'ont donc pas intérêt à suivre les discussions; ils n'ont donc pas les instructions nécessaires pour rendre utiles des communications amicales avec des orateurs du Tribunat ou des Législatifs. Ils n'ont donc pas même d'intérêt à savoir quels sont les hommes influents, les menées secrètes, etc.; ils ne servent donc à rien pour assurer la majorité du gouvernement.

Les conseillers d'Etat, au contraire, réunissent tous les intérêts dont les ministres sont dépouillés et toute l'instruction qui manque à ceux-ci pour des communications utiles. Ce sont eux qui reçoivent le choc des discussions et sur qui tombe l'humiliation des défaites; ce sont eux qui préparent, discutent, composent les projets de loi, et en connaissent les motifs les plus secrets, comme les plus éloignés. C'est à eux qu'il conviendrait d'entretenir des relations amicales avec la majorité des deux corps; et il suffirait, pour cela, que les présidents des sections apprissent du Premier Consul que son intention est qu'ils réunissent souvent leurs collègues, chez eux, avec des Tribuns ou des Législatifs influents.

....

Des intermédiaires étant nécessaires pour former et entretenir une majorité liée dans les deux corps, il importe que les demandes de places et de grâces qui sont faites par des Tribuns ou des Législatifs passent par ces intermédiaires et ne soient pas habituellement accueillies par le Premier Consul immédiatement.

....

J'ose dire au Premier Consul, au risque d'être soupçonné d'intérêt personnel, qu'il lui importe d'élever le Conseil d'Etat.

Je crois qu'il faut le rendre plus nombreux. Je crois qu'il faut augmenter les traitements; je crois qu'il faut obliger les présidents à une représentation qui facilite les communications amicales, les seules qui fassent marcher les affaires sans laisser voir qu'on les conduit.

L'utilité de cette mesure ne regarde pas seulement les rapports du gouvernement avec le Corps législatif et le Tribunat; elle intéresse aussi les rapports du gouvernement avec le Sénat. Il faut que le Conseil d'Etat soit prépondérant dans l'opinion, s'il y a dissentiment et surtout pour prévenir tout dissentiment entre le Sénat et le Gouvernement.

Enfin, elle intéresse les rapports du gouvernement avec le militaire. Il est essentiel que les places du Conseil soient assez considérables pour qu'un général de première ligne trouve honneur et profit à y entrer. Tel homme que le gouvernement ne pourrait sans scandale absorber dans le Sénat, il pourra le gagner en l'appelant au Conseil. »

(Roederer, Journal, Paris 1909, pp. 339-341).

Le Conseil d'Etat napoléonien fut en tout cas une assemblée où, par la force des choses, on « parla politique », lorsque le Premier Consul ou l'Empereur présidait ses séances, c'est-à-dire fort souvent —deux fois par semaine en moyenne, lorsqu'il n'était pas absent de Paris ou de Saint-Cloud — pendant le Consulat et les premières années de l'Empire. Les discussions, ou du moins les propos de Napoléon ne pouvaient être enfermés dans les limites des projets de loi ou de règlement ou des demandes d'avis dont le Conseil était saisi. Ils en débordaient tout naturellement et c'est pourquoi ces séances ont laissé de si vifs souvenirs à ceux qui y assistèrent :

« Je me trouvais à une autre séance, écrit Roederer fils, où l'Empereur parla bien longuement de l'affaire du général Dupont à Baylen et de la capitulation de Mantoue par le général Latour-Foissac : « Des troupes en pleine campagne se rendre par capitulation ! répétait-il plusieurs fois, cela est honteux. Si la situation était désespérée, ce qui n'est pas vrai, il fallait laisser faire les soldats, ils s'en seraient mieux tirés. 25 hommes ensemble ne doivent point se rendre en corps par capitulation. Qu'ils jettent leurs armes et chacun se sépare des autres, chacun agit pour sa propre personne, chacun est isolé, il n'y a point de deshonneur. Il faut que mes officiers soient bien pénétrés de ce principe : tant que je vivrai à la tête du peuple français, je veillerai à son honneur. Après ma mort on fera ce qu'on voudra. » La séance fut longue et d'un prodigieux intérêt. Il parla seul pendant plusieurs heures et je m'en voudrais de n'avoir pas écrit ses discours en sortant de là, si ce n'eût été réprouvé comme une indiscrétion coupable. Je n'osais point la commettre.

Un jour, tandis qu'on travaillait aux égoûts qui conduisent des Tuileries à la Seine, l'Empereur vint de très mauvaise humeur au Conseil. On se tut longtemps. Il parla enfin, se plaignant de l'esprit des Parisiens pour lesquels il faisait tant de choses et qui frondaient toujours. « Ils disent, ajoutait-il, que les égoûts sont des mines que je fais pratiquer autour du château pour sa défense et pour faire sauter le peuple, s'il vient l'attaquer comme au 10 août. Quelle bêtise ! Qu'ils y viennent m'attaquer, ils verront si j'ai besoin de cette précaution pour me défendre ! ».

Le discours roula longtemps sur ce sujet et toute la séance s'en ressentit encore.

Une autre fois il raconta tous les différends avec le pape. Je ne me doutais guère alors que j'aurais à m'en mêler un jour comme j'ai eu à le faire.

A une autre séance qu'il présida à l'instant même de son arrivée de l'armée d'Espagne, il annonça qu'il allait repartir sous peu de jours pour marcher sur (ou contre) les Autrichiens qui venaient de lui déclarer la guerre : « C'est la première fois, disait-il, que ces gens là montrent de l'esprit. Ils s'y sont pris assez adroitement pour se former une armée de 600 000 hommes et le moment est bien choisi où mon armée est en Espagne. C'est la première fois que je leur vois de l'habileté, mais ils n'en sont pas où ils croient. Je n'ai que ma garde et des conscrits et cela suffit pour être à Vienne avant 3 mois. » Il était en effet à Vienne avant l'époque indiquée.

....

Toutes les fois que l'Empereur présidait, il donnait aux discussions une direction et une couleur inattendues et merveilleuses. Cela était d'un intérêt prodigieux. »

(Notes manuscrites de Roederer Fils., Arch. nat., 29 AP).

LE « TOURNANT » DE 1810

Le plus souvent absent de Paris, absorbé par des soucis croissants, l'Empereur présida beaucoup moins souvent le Conseil d'Etat pendant les dernières années de son règne. Le pouvoir était de plus en plus concentré entre ses mains, et, comme ses ministres, il s'embarrassait de moins en moins de conseils. L'heure des grands travaux législatifs — dont beaucoup avaient été menés à bien entre 1799 et 1810 — était aussi passée. Il n'est donc pas surprenant qu'après 1810 le Conseil ait joué un rôle moins actif et moins important qu'auparavant.

Napoléon, si soucieux autrefois de toujours consulter le Conseil, n'hésite pas à se passer de son avis dans certaines circonstances :

« J'apprends, écrit-il de Dresde le 26 juin 1813 à Cambacérès, qu'une foule de questions contentieuses retardent la vente des biens des communes. Si le Conseil d'Etat veut me faire manquer mon affaire, mon intention est que ces questions soient décidées par vous, le ministre des Finances et le grand juge, sans être portées au Conseil. Votre décision serait soumise sur le champ à l'approbation de la régence. Mais vous ne prendriez cette mesure que dans le cas où les affaires éprouveraient encore des retards au Conseil. Vous ferez connaître sur-le-champ mes intentions à cet égard aux présidents des sections. Il importe, dans la situation actuelle des affaires, de soutenir le Trésor; tout le reste est indifférent. » (1).

(Lecestre, Lettres inédites de Napoléon, Paris 1897, t. II, p. 253).

Mme Devaines, une familière des Tuileries, écrivait à Thibaudeau le 14 août 1812, en lui donnant des conseils pour la conduite de sa carrière, que le Conseil n'avait plus comme autrefois l'oreille de l'Empereur (2) :

« Concluez de ceci qu'il faut plus que jamais que vous meniez sagement votre barque, que vous fassiez le moins de dépenses possible, que vous vous arrangiez pour rester dans votre place jusqu'à ce que l'âge vous ait ôté les moyens de travailler; car le rappel seul au Conseil d'Etat serait une triste perspective. Un ministère ! C'est le gros lot à la loterie, surtout avec l'éloignement de l'Empereur pour les hommes de la Révolution. Vous êtes encore trop jeune pour le Sénat. Au total, le Conseil d'Etat est tout a fait tombé dans l'esprit de l'Empereur. Il ne peut plus souffrir Defermon et le traite mal. Chaque jour prouve qu'il jette l'orange après l'avoir pressée. Vous croyez bien que les ministres ne travaillent pas à relever le Conseil ».

(Thibaudeau, Mémoires, Chapitre XIX, pp. 320-321).

L'Empereur a peut-être songé à cette époque à apporter au Conseil d'Etat des modifications qui auraient touché ses structures et amoindri son rôle, sinon sa situation. C'est ce que donne à penser une note dictée par lui à Maret, à une date, il est vrai, inconnue (3) :

« Quelques changements dans le Conseil d'Etat sont aussi nécessaires. Les idées sont déjà préparées sur cet objet. Il y a aujourd'hui du ridicule et bien de l'inconvenance à ce que le souverain aille entendre et discuter des affaires importantes devant des maîtres des requêtes, des auditeurs, parce qu'ils sont au Conseil d'Etat. Les ministres ne s'y trouvent jamais parce que l'ordre du Conseil est commun à beaucoup d'objets peu importants et à des objets d'une grande importance.

---

(1) En l'espèce, la vente des biens des communes était d'un intérêt capital et urgent pour la défense nationale. A la fin de 1813, quand il s'agit d'augmenter les impôts fonciers, Napoléon, alors à Paris, saisit le Conseil puis, devant l'opposition de la majorité, retire le projet. Au début de 1814 il en usa autrement.

(2) Les appréciations de Madame Devaines doivent être accueillies avec prudence.

(3) Vraisemblablement en 1811.

Le conseil des affaires contentieuses, le conseil des budgets des communes, tout ce qu'on appelait conseil des dépêches, devrait comme jadis être une chose à part. Le Conseil d'Etat, tel qu'il est, a pu et peut m'être utile encore, mais ce n'est pas une institution permanente. »

(Cité in S. d'Huart, Lettres, ordres et apostilles de Napoléon Ier extraites des archives Daru, n° 865, pp. 299-300).

Des intentions analogues de réforme sont mentionnées dans une lettre — dont la date est connue, 11 novembre 1811 — écrite par Daru à Maret, auquel il venait de succéder comme ministre secrétaire d'Etat :

« Sa Majesté m'avait plusieurs fois ordonné de lui présenter le travail qu'Elle avait demandé sur l'organisation du Conseil d'Etat. Votre Excellence a eu la bonté de me dire qu'elle désirait s'en occuper parce qu'il lui paraissait plus exact et plus simple de rédiger le projet que de faire une note où les intentions de l'Empereur fussent exposées de manière à me mettre à même de faire le travail. »

(Arch. nat., AF IV 200, p. 1182).

Nous n'en savons pas plus. Le projet, s'il fut établi, demeura un simple projet. Il ne fut pas touché aux attributions du Conseil et la diminution — d'ailleurs relative — du rôle de celui-ci fut la conséquence des circonstances politiques (1).

---

(1) Il ne faut sans doute pas accorder sur ce point une trop grande confiance aux mémorialistes de l'époque et exagérer la diminution du rôle du Conseil d'Etat après 1810. M. Charles Durand a démontré, en se référant aux registres de Locré que la consultation du Conseil était demeurée la règle et que le Conseil d'Etat n'hésitait pas, dans les affaires administratives au moins, à exprimer franchement son opinion (cf. Charles Durand, « Napoléon et le Conseil d'Etat pendant la seconde moitié de l'Empire », Etudes et Documents 1969 p. 269). C'est plutôt l'importance des affaires traitées qui a diminué. Impression confirmée par les lettres de Cambacérès à Napoléon. (cf. notamment les lettres du 3 août 1813 et 8 mars 1814 : « Au Conseil d'Etat, dans les affaires expédiées, il n'y a eu d'important qu'un règlement relatif au service des cantonniers du Mont Cenis »... « Les travaux du Conseil d'Etat continuent comme dans le temps le plus paisible, mais ils ne présentent rien de remarquable »). Ces lettres, acquises par le Baron Dr. Guido Zerilli-Marimo et données par lui aux Archives nationales, ont été publiées en 1973 aux éditions Klincksieck avec une préface et des notes de M. Jean Tulard, directeur d'études à l'Ecole pratique des Hautes Etudes.

V
LE CONSEIL D'ÉTAT A L'ŒUVRE

La salle du Conseil aux Tuileries — Des séances fréquentes et longues — Les vacances de 1807 — La présidence des séances par Napoléon — La liberté de discussion et d'opinion — L'organisation du travail — Séances de section et d'assemblée générale — La sobriété des débats — Les travaux du Conseil : nombre et catégories d'affaires — Un rapport de Regnaud de Saint Jean d'Angely sur l'activité de la section de l'Intérieur, en 1809 — Les procès-verbaux des délibérations — Texte d'un avis de 1807 sur un projet de décret relatif au commerce avec les neutres — Relation par Barante d'une délibération sur les juifs — Résumé par Locré de la discussion de la loi minière.

LE CADRE DE TRAVAIL

Le Palais des Tuileries, incendié en 1871, fut le siège du Conseil d'Etat pendant le Consulat et l'Empire. De la salle et de l'ordonnance des séances, Las Cases a donné la description suivante dans le Mémorial de Sainte-Hélène :

« La salle du Conseil d'Etat aux Tuileries, lieu ordinaire des séances, était une pièce latérale à la chapelle et de toute sa longueur; le mur mitoyen présentait plusieurs portes pleines, qui, ouvertes le dimanche, formaient les travées de la chapelle; c'était une très belle pièce allongée. A l'une de ses extrémités, vers l'intérieur du palais, était une grande et belle porte qui servait de passage à l'Empereur, lorsque, suivi de sa cour, il se rendait le dimanche à sa tribune pour y entendre la messe. Cette porte ne s'ouvrait le reste de la semaine que pour l'Empereur, quand il arrivait à son Conseil d'Etat. Les membres de ce Conseil n'entraient que par deux petites portes pratiquées à l'extrémité.

Dans toute la longueur de la salle, à droite et à gauche, était établie accidentellement, et pour le temps du Conseil seulement, une longue file de tables assez éloignées du mur pour y admettre un siège et une libre circulation extérieure. Là s'asseyaient hiérarchiquement les conseillers d'Etat, dont la place d'ailleurs se trouvait désignée par un carton portant leur nom et renfermant leurs papiers. A l'extrémité de la salle, vers la grande porte d'entrée et transversalement à ces deux files de tables, il en était placé de semblables pour les maîtres des requêtes; les auditeurs prenaient place sur des tabourets ou des chaises, en arrière des Conseillers d'Etat.

A l'extrémité supérieure de la salle, en face de la grande porte d'entrée, se trouvait la place de l'Empereur, sur une estrade élevée d'une ou deux marches. Là était son fauteuil et une petite table recouverte d'un riche tapis et garnie de tous les accessoires nécessaires, ainsi qu'en avaient devant eux tous les membres du Conseil : papier, plumes, encre, canif, etc.

A droite de l'Empereur, mais au-dessous de lui et à notre niveau, le prince archichancelier, sur sa petite table séparée; à gauche, le prince architrésorier, qui y assistait fort rarement; et enfin, à la gauche encore de celui-ci, M. Locré, rédacteur des procès-verbaux du Conseil.

Quand il venait accidentellement des princes de la famille, ils avaient une pareille table placée sur le même alignement et selon leur rang hiérarchique. Si c'étaient seulement des ministres, qui tous d'ailleurs avaient faculté de se présenter au Conseil quand bon leur semblait, ceux-ci prenaient place sur les files latérales, en tête des premiers conseillers d'Etat. Une grande enceinte intérieure restait vide; elle n'était jamais traversée que par l'Empereur ou les membres du Conseil, quand ils allaient lui prêter serment. Des huissiers, même pendant les délibérations, parcouraient silencieusement la salle pour le service des membres du Conseil. Chacun de ceux-ci d'ailleurs se levait à son gré et circulait extérieurement, pour chercher auprès de ses collègues les renseignements particuliers dont il eût pu avoir besoin.

Les pourtours supérieurs de la salle représentaient des peintures allégoriques relatives aux fonctions du Conseil d'Etat, telles que la Justice, le Commerce, l'Industrie, etc., etc., et enfin, le plafond se trouvait décoré du beau tableau de la bataille d'Austerlitz par Gérard. Ainsi c'était sous un des plus beaux lauriers dont Napoléon ait ennobli la France qu'il administrait son intérieur.

Quand la cour était à Saint-Cloud, c'était là que le Conseil était convoqué; mais quand la séance y était indiquée de trop bon matin ou s'annonçait devoir être trop longue, alors il arrivait à l'Empereur de la suspendre, pour qu'on pût prendre quelque nourriture, et il s'élevait alors dans quelques pièces voisines, pour les besoins du Conseil, une certaine quantité de petites tables des plus magnifestement servies, et rien ne saurait donner une juste idée de l'espèce de féerie en toutes choses dont nous avons été les témoins dans les palais impériaux ».

(Las Cases, Mémorial de Sainte Hélène, Ed. de la Pléiade, Paris 1948, t. I, pp. 802-804).

UN CORPS LABORIEUX ET OCCUPÉ

Le Conseil d'Etat travailla beaucoup pendant le Consulat et l'Empire. Les séances étaient fréquentes et longues, notamment celles que Napoléon présidait lui-même. Tous ceux qui y prirent part l'ont noté dans leurs souvenirs :

« Revenu à Paris, en 1809, écrit le duc de Broglie, je suivis avec assiduité les séances du Conseil d'Etat. L'Empereur le convoquait à Saint-Cloud; il fallait quelque attention pour n'y point manquer : tantôt la convocation était à sept heures du matin (1), tantôt à une heure après-midi et les séances duraient quelquefois jusqu'à la nuit ».

(*Duc de Broglie, Souvenirs, t. I, pp. 113-114*).

(1) Le Conseil d'Etat fut parfois même convoqué en pleine nuit, ainsi la section des finances dont les membres se trouvèrent réunis le 22 décembre 1812 à 2 h. du matin d'après les lettres de convocation qui leur avaient été adressées dans la nuit pour examiner le cas de Frochot, préfet de la Seine, impliqué dans la conspiration du général Malet.

Il en était déjà ainsi au cours des années précédentes, selon Marquiset :

« Pendant les années 1803, 1804 et 1805, les plus laborieuses par la rédaction des codes, lois, règlements constituant l'administration dont nous vivons aujourd'hui, les séances duraient tantôt toute la journée, tantôt toute la nuit. En voyant ses jurisconsultes épuisés, vaincus par le sommeil, l'Empereur prenait un malin plaisir à prolonger la réunion; il la suspendait enfin et se retirait tandis que les libérés se précipitaient dans les pièces voisines où étaient dressées des petites tables magnifiquement servies. Roederer assure que le monde parisien plaisantait fort MM. les conseillers sur leur subordination; ils finissaient par manger leur dîner en place du souper et n'arrivaient jamais avant sept heures chez les hôtes qui avaient le malheur de les attendre à six heures précises ».

(Marquiset - Napoléon sténographié au Conseil d'Etat, pp. 19-20).

Roederer rapporte, en effet, dans ses mémoires les plaisanteries qui couraient à ce sujet dans Paris et dont certaines auraient pris naissance au Conseil même dans des séances qui n'en finissaient pas. Elles revêtaient la forme de lettres supposées, telles que celles-ci :

Du citoyen X, général de division au citoyen X, banquier :

« Je ne puis, mon cher ami, accepter le dîner que vous me proposez pour quartidi, à moins que vous ne m'assuriez positivement que vous n'avez point invité de conseiller d'Etat : ces citoyens-là n'arrivent qu'à sept heures dans les maisons où on a le malheur de les attendre; mon estomac ne peut souffrir un aussi long retard. Ils disent pour leur excuse que le Premier Consul les retient au Conseil depuis midi jusqu'à six heures et demie. Cela est fort bien; mais ventre affamé n'a point d'oreilles », etc.

Autre, d'un conseiller d'Etat à une Dame de ses amies.

« Je vous prie, ma chère amie, d'avancer votre souper tous les jours de Conseil d'Etat et de le mettre à huit heures; je pourrai aller dîner à votre souper, et je suis obligé de recourir à cette ressource, car mon père, ma femme et mes enfants ne veulent pas m'attendre à dîner jusqu'à la sortie du Conseil, et mes amis ne veulent plus m'inviter chez eux », etc.

Réponse au conseiller d'Etat :

« Engagez, mon cher ami, vos respectables collègues à ne pas disserter sur ce qu'ils ne savent pas, à ne dire sur ce qu'ils savent que les paroles nécessaires, alors vous ne serez ni ennuyé, ni offensé; vos femmes ne s'impatienteront pas, et vos convives ne maudiront pas les bavards ».

(*Roederer, Œuvres complètes, t. III, p. 426*).

Hors les jour fériés ordinaires (1) et les autorisations d'absence qu'ils pouvaient obtenir individuellement, les membres du Conseil d'Etat

(1) Il était de coutume que le Conseil d'Etat vaque le Vendredi Saint qui, d'après le Concordat, n'était pas jour férié. Mais en 1813, Locré, secrétaire général du Conseil, jugeait nécessaire de prendre les ordres de l'Empereur sur ce point, ajoutant toutefois dans sa lettre au duc de Cadore, secrétaire d'Etat p.i. qu'il ne convoquerait « qu'en cas d'ordre contraire » *(Arch. nat. AF IV 759 pl. 87).*

n'avaient pas alors de vacances. Le premier et probablement le seul congé collectif dont ils bénéficièrent leur fut accordé par un décret du 15 septembre 1807, signé à Rambouillet, qui ne fut publié ni au *Bulletin des Lois* ni au *Moniteur*. Le texte de ce décret était précédé d'un exposé des motifs :

> « Les conseillers en Notre Conseil d'Etat ayant toujours rempli avec zèle et exactitude les fonctions honorables qu'il Nous a plu leur confier, Nous avons reconnu qu'il était juste de leur accorder pour quelques moments un repos dont les circonstances permettent de les faire jouir et qui est nécessaire à la plupart d'entre eux, pour se rendre au sein de leur famille ou pour s'occuper de leurs affaires personnelles. Toutefois, Notre intention est que ces vacances ne ralentissent pas le mouvement de l'administration et que les membres présents du Conseil soient toujours prêts à se réunir extraordinairement, si Nous jugeons convenable de les convoquer.
>
> A ces causes, Nous avons décrété et ordonné, décrétons et ordonnons ce qui suit :
>
> Art. 1er. — Les séances ordinaires de Notre Conseil d'Etat sont suspendues depuis le 1er octobre prochain jusqu'au 1er novembre suivant.
>
> Art. 2. — Pendant cet intervalle, il sera loisible aux membres de Notre dit Conseil de se rendre dans telle partie de Notre Empire qu'ils jugeront convenable.
>
> Le présent décret leur tiendra lieu de congé spécial.
>
> Art. 3. — Le congé ci-dessus n'est pas étendu aux conseillers d'Etat chargés de quelque partie d'administration publique (rayé sur la minute : lesquels ne pourront s'éloigner, sans Notre permission, de Notre bonne ville de Paris).
>
> Art. 4. — Nous nous réservons, si Notre service l'exige, de convoquer extraordinairement en Conseil d'Etat, ceux des Membres de Notre dit Conseil, qui se trouveront à Paris pendant l'espace de temps déterminé en l'article premier.
>
> Ce décret ne sera pas imprimé. »
>
> Napoléon
>
> *(Arch. nat., AF IV 270, pl. 1898).*

PRÉSIDENCE ET PRÉSIDENTS

En plaçant le Conseil d'Etat « sous la direction des consuls », l'article 52 de la Constitution de l'an VIII confiait à ceux-ci la présidence du corps. Cette présidence fut ensuite attribuée à l'Empereur par l'article 37 du sénatus-consulte organique du 28 floréal an XII. Cet article ajoutait : « Lorsque l'Empereur ne préside pas... le Conseil d'Etat, il désigne celui des titulaires des grandes dignités de l'Empire qui doit présider ». Il désigna à cet effet l'archichancelier Cambacérès et, à défaut de celui-ci, l'architrésorier Lebrun qui, consuls avec lui de 1799 à 1804, avaient, à ce titre, déjà présidé le Conseil pendant cette période. Les textes qui organisèrent la Régence prévirent que la personne chargée de celle-ci présiderait le Conseil en l'absence de l'Empereur.

Ce tableau de Blondel qui décore aujourd'hui le salon bleu du Conseil, représente Napoléon visitant le Palais-Royal en 1807, au lendemain de la suppression du Tribunat qui y siégeait. L'Empereur, en bas de l'escalier d'honneur, refuse les plans d'aménagement du Palais que lui présentent les architectes.

L'impératrice Marie-Louise présida le Conseil à la fin de l'Empire. Présidence purement protocolaire, qui l'ennuyait et prêtait à sourire :

> « Quand nous la voyions paraître et s'asseoir à la place de l'Empereur, avec sa dame d'honneur derrière elle, nous avions tous le sourire sur les lèvres. Le sérieux avec lequel l'archichancelier avait l'air de la consulter et de prendre ses ordres sur toutes choses n'était pas fait pour atténuer cette impression ».
>
> *(Chancelier Pasquier, Mémoires, 7e éd., Paris, 1914, t. II, p. 67).*

Elle ne cachait pas à lEmpereur l'ennui, visible aux dires de tous les assistants, que ces séances lui causaient :

> « J'ai reçu ta lettre du 1er juillet, lui répondait Napoléon en 1813. J'ai vu avec peine que tu ne t'es pas amusé (sic) au Conseil d'Etat. Il n'y a pas de mal que tu le préside (sic) tous les mois une fois ».
>
> *(Lettres inédites de Napoléon Ier à Marie Louise, éd. des Bibliothèques nationales, Paris, 1935, n° 175, p. 137).*

L'architrésorier Lebrun présida rarement et fort mal, Cambacérès très souvent et de façon remarquable :

> « Le président, M. de Cambacérès, écrit Pasquier, avait au plus haut degré les talents nécessaires dans cette haute situation, conduisant toujours la discussion sans la gêner, n'intervenant que quand cela était indispensable et toujours de la manière la plus lumineuse : sobre de paroles, parce qu'il n'en prononçait jamais pour se mettre en valeur, il résumait et posait les questions avec une lucidité qui aurait forcé l'esprit le moins éclairé à les saisir et à les comprendre ».
>
> *(Chancelier Pasquier, Mémoires, 7e éd., Paris, 1914, t. I, p. 269).*

Les séances étaient beaucoup plus brèves sous sa présidence que sous celle de l'Empereur, comme celui-ci le rappelait à Sainte-Hélène au général Bertrand :

> « Au Conseil d'Etat, j'écoutais beaucoup et je laissais aller tant qu'on voulait, au lieu que Cambacérès s'y opposait, disant : ce sont des bavardages qui ne mènent à rien, il faut les faire finir. Lorsqu'il était seul à présider, les séances étaient très courtes... ».
>
> *(Général Bertrand, Cahiers de Sainte Hélène, Paris, 1919, t. II, p. 250).*

Mais, malgré le talent de Cambacérès, c'est à la présidence de Napoléon que le Conseil d'Etat dut l'éclat de ses travaux et la vivacité des souvenirs qu'ils laissèrent à tous ceux qui y prirent part pendant le Consulat et l'Empire.

Jusqu'en 1810, Napoléon présida souvent et même de manière habituelle, lorsqu'il se trouvait aux Tuileries ou à Saint-Cloud, les assemblées du Conseil. Il dirigea ainsi une grande partie des discussions relatives aux travaux législatifs majeurs de cette époque : cinquante-cinq sur cent sept des séances consacrées au Code Civil, neuf sur vingt-quatre de celles où fut rédigée la loi minière, toutes les séances, sauf une, où furent discutés — de 1808 à 1810 — les textes sur l'imprimerie, la librairie et la presse. S'il ne pouvait présider une séance, il faisait souvent reporter à une séance suivante l'examen d'une affaire importante, plus souvent encore le Conseil ajournait de lui-même une discussion lorsqu'il jugeait les questions posées « assez importantes pour n'être discutées qu'en présence de sa Majesté » (1).

Les contemporains ont fait dans leurs lettres ou leurs mémoires de nombreuses descriptions des séances présidées par l'Empereur. La petite histoire en a conservé des traits pittoresques : les coups de canif dont, pendant les discussions, il découpait les bords ou le tapis de la table ; la tabatière en or où il puisait continuellement des pincées de tabac dont la plus grande partie retombait sur les revers blancs de son uniforme et que d'un mouvement machinal il remettait, lorsqu'elle était vide, au chambellan de service ; les sommeils profonds où il tombait parfois, la tête posée sur son bras arrondi, et pendant lesquels Cambacérès continuait la délibération.

Tous — ou presque tous — ont laissé des témoignages admiratifs du véritable spectacle que constituait la présidence par Napoléon des séances du Conseil d'Etat, que Stendhal qualifie même de « parties de plaisir » :

> « Les séances du Conseil d'Etat étaient brillantes pour l'Empereur. Il est impossible d'avoir plus d'esprit. Dans les affaires les plus étrangères à son métier de général, dans les discussions sur le Code civil par exemple, il étonnait toujours. C'était une sagacité merveilleuse, infinie, étincelante d'esprit, saisissant, créant dans toutes questions des rapports inaperçus ou nouveaux; abondant en images vives, pittoresques, en expressions animées, et pour ainsi dire, dardées, plus pénétrantes dans l'incorrection même de son image, toujours un peu imprégné d'étrangeté, car il ne parlait correctement ni le français, ni l'italien.
>
> Ce qu'il y avait de charmant, c'était sa franchise, sa bonhomie. Il disait un jour qu'on discutait une affaire qu'il avait avec le Pape : « Cela vous est bien aisé à dire à vous; mais si le Pape me disait : « Cette nuit l'ange Gabriel m'est apparu et m'a dit telle chose », je suis obligé de le croire ».
>
> Il y avait au Conseil d'Etat des têtes du Midi qui s'animaient, allaient fort loin et souvent ne se payaient pas de mauvaises raisons : le comte Bérenger par exemple. L'empereur n'en gardait aucune rancune; au contraire souvent il les animait à parler : « Hé bien, baron Louis, qu'avez-vous à dire là-dessus ? ». Son bon sens corrigeait à tous moments les vieilles absurdités admises par prescription dans les peines. Il était excellent, critiquant la juriprudence contre le vieux comte Treilhard. Plusieurs des plus sages dispositions du Code civil viennent de Napoléon, particulièrement dans le titre du mariage. Les séances du Conseil étaient une partie de plaisir ».
>
> *(Stendhal, Vie de Napoléon, p. 197-198).*

(1) La formule revient souvent dans les procès-verbaux de Locré. cf. par ex. séance du 9 juillet 1808, tome XXV, p. 442, sur les pouvoirs judiciaires des préfets, séance du 9 septembre 1808, tome XXIII, p. 26-28, sur la possibilité pour les cours pénales de recommander les condamnés à la clémence de l'Empereur.

Le duc de Broglie fut, semble-t-il, le seul à ne pas partager cet enthousiasme :

« En général, sur les trois séances hebdomadaires l'empereur en présidait deux. Il arrivait, une heure environ après l'ouverture de la séance, c'est-à-dire vers une heure et demie, interrompait la discussion; l'ordre du jour étant déposé sur son bureau, il appelait l'affaire qu'il lui convenait de faire discuter.

Il écoutait patiemment et attentivement; il interrogeait volontiers et souvent, principalement Regnault de St. Jean d'Angely, Defermon et Treilhard, mais surtout l'archichancelier; quand la discussion avait duré quelque temps, il prenait la parole. Il parlait longtemps, sans beaucoup de suite dans les idées, très incorrectement, revenant, sans cesse, sur les mêmes tours de phrase, et je dois l'avouer en toute humilité, je n'ai jamais remarqué, dans son élocution décousue et souvent triviale, ces qualités éminentes dont il a fait preuve dans les mémoires dictés par lui aux généraux Bertrand et Montholon.

Ces mémoires restent, pour moi, une véritable énigme. S'il est un écrivain doué du talent qui s'y révèle, de cet ordre lumineux dans la distribution des idées, de cette clarté, de cette fermeté simple dans le langage, de ce ton d'autorité fier et naturel, de cette précision, enfin de cette correction dans l'habitude même du style, que cet écrivain-là se montre et se nomme.

Si, comme il n'y a pas lieu d'en douter, Napoléon est le véritable auteur des mémoires qui portent son nom, s'il a été, comme ces mémoires en rendent, à mon avis, témoignage, l'un des maîtres de notre langue, le talent de parler, chez lui, comme chez beaucoup d'autres d'ailleurs, n'égalait pas, tant s'en faut, celui d'écrire. Au reste, je dois convenir qu'à l'époque dont je parle, parvenu au comble de la puissance, objet d'adoration et presque d'idolâtrie, il était loin de porter dans les affaires cette activité vigilante et puissante qui avait signalé les premiers temps de son règne. Les procès-verbaux de la discussion du Code civil lui font plus d'honneur que les séances auxquelles j'ai assisté, et l'abjection servile de cette admiration qu'excitaient ses moindres paroles me rend peut-être injuste à son égard ».

(Duc de Broglie, Souvenirs, t. I, pp. 65-67).

LA LIBERTÉ DE DISCUSSION ET D'OPINION

Les opinions divergent beaucoup par contre sur la liberté de discussion et d'opinion au Conseil. Las Cases, dont le jugement a priori un peu suspect, est appuyé par d'autres témoins, affirme que la première fut très grande, sinon totale :

« L'Empereur, écrit-il dans le Mémorial de Ste Hélène, me demandait si la discussion était bien libre au Conseil d'Etat, si sa présence n'en gênait pas les délibérations. Je lui citai une séance fort longue où il était demeuré constamment seul de son avis et avait en conséquence succombé. Je fus assez heureux pour lui en rappeler, tant bien que mal, le sujet. Il y fut aussitôt. « Oui, dit-il, ce doit être une femme d'Amsterdam, sous la peine de mort, trois fois acquittée par les cours impériales, et dont la cour de cassation réclamait encore la mise en jugement »...

Dans le monde où l'on ne se doutait même pas de ce qu'était le Conseil d'Etat, on était persuadé que personne n'osait y prononcer une parole en sens différent de l'Empereur; et je surprenais fort dans nos salons, lorsque je racontais qu'un jour, dans une discussion assez animée, interrompu trois fois dans son opinion, l'Empereur, s'adressant à celui qui venait de lui couper assez impoliment la parole, lui dit avec vivacité : « Monsieur, je n'ai point encore fini, je vous prie de me laisser continuer. Après tout, il me semble qu'ici chacun a bien le droit de dire son opinion ». Sortie qui, malgré le lieu et le respect, fit rire tout le monde et l'Empereur lui-même.

« Toutefois, lui disais-je, on pouvait s'apercevoir que les orateurs cherchaient à deviner quelle serait l'opinion de Votre Majesté; on se voyait heureux d'avoir rencontré juste, embarrassé de se trouver dans un sens opposé; on vous accusait de nous tendre des pièges, pour mieux connaître notre pensée ». Néanmoins, la question une fois lancée, l'amour-propre et la chaleur faisaient qu'on soutenait généralement sa véritable opinion, d'autant plus que l'Empereur excitait à la plus grande liberté. « Je ne me fâche point qu'on me contredise, disait-il, je cherche qu'on m'éclaire. Parlez hardiment, répétait-il souvent, quand on se rendait obscur ou que l'objet était délicat; dites toute votre pensée : nous sommes ici entre nous, nous sommes en famille ».

(Las Cases, Mémorial de Ste Hélène, éd. La Pléiade, Paris, 1948, t. I, chap. II, pp. 174-175).

Les affirmations en sens contraire ne manquent pas. La plupart d'entre elles sont, il est vrai, relatives aux dernières années de l'Empire où Napoléon supportait de moins en moins la contradiction. Thibaudeau, dans ses mémoires, insiste sur cette évolution :

« Sur la liberté de discussion au Conseil d'Etat les opinions ont varié. Suivant les uns, elle y était sans bornes; suivant les autres, il n'y en avait pas du tout. Il faut distinguer les matières et les époques.

Sous le Consulat, qui fut un temps d'organisation et où toutes les grandes questions furent agitées sous la présidence du Premier Consul, il laissa le plus libre cours à la discussion. Souvent même, lorsqu'elle paraissait languir, il la ranimait. Malgré sa capacité supérieure, il avait besoin d'apprendre bien des choses jusque-là étrangères à ses études et à ses occupations. La contradiction lui plaisait parce qu'elle lui fournissait l'occasion de développer les ressources de son esprit et de faire prévaloir son opinion moins par autorité que par de bonnes raisons.

Le Conseil était composé d'hommes d'opinions très diverses; chacun soutenait librement la sienne. La majorité n'était pas oppressive. Loin de se rendre à son avis, le Premier Consul excitait la minorité. Il laissait se prolonger pendant des heures entières des discussions qu'il aurait pu terminer en un quart d'heure. Il n'y avait que la contradiction publique qu'il ne supportait pas.

Sous l'Empire, la liberté de discussion ne s'éteignit pas tout de suite; l'Empereur conserva encore quelques habitudes du Premier Consul. Dans le partage des voix sur la ferme de la boucherie de Marseille qu'il adoptait, il fit le sacrifice de son opinion. Bien que la majorité fût disposée à aller au-devant de ses volontés, on s'aperçut que peu à peu il provoquait moins la discussion. Persuadé que dans ce genre de guerre sa réputation était bien établie, il ne paraissait plus autant s'y complaire; il écoutait encore la contradiction, il ne la recherchait plus.

Au retour de Tilsit, il s'en montra impatient. Il abrégea les discussions; il fermait la bouche en taxant les objections d'idéologie, ce que les conseillers d'Etat traduisaient ainsi : « Ce que vous dites ne vaut pas la peine que j'y réponde ». Mais on avait toute liberté en abondant dans le sens de l'Empereur. Les opposants, lorsqu'il y en avait, ne se permettaient de balbutier qu'avec beaucoup de ménagements ce que, sous le Consulat, ils auraient articulé hardiment. La liberté diminuait dans la même proportion que la puissance extérieure de l'Empereur augmentait. Cela devint plus sensible après son mariage, depuis 1810 jusqu'à 1814.

Les séances commençaient par le petit ordre du jour, l'établissement d'une foire, d'un chemin, le contentieux des biens nationaux, c'était l'audience de sept heures; parlait qui voulait très librement. L'Empereur n'y était pas; un archi (1) présidait.

Lorsqu'il venait au Conseil, et il y venait moins souvent, on se demandait : « De quoi sera-t-il question ? ». Il apportait presque toujours des propositions imprévues; il n'y avait plus d'ordre du jour. On n'entendait plus l'Empereur dire comme autrefois après la lecture d'un projet : « La discussion est ouverte »; on ne le voyait plus attendre les opinions. — « Lisez », disait-il au conseiller d'Etat chargé de présenter le projet; c'était ordinairement Defermon ou Regnaud de St. Jean d'Angely.

Immédiatement après la lecture, l'Empereur prenait la parole, déclarait qu'il avait jugé la mesure nécessaire, déduisait brièvement ses motifs et demandait : « Quelqu'un veut-il parler sur la rédaction ? », comme s'il avait dit : « Ne vous occupez pas du fond; c'est décidé. » Quoique l'Empereur ne se crût pas lié par les votes, il ne prenait plus la peine de rien mettre aux voix. Après quelques observations plus ou moins minutieuses sur la rédaction, il appelait d'autres affaires pour lesquelles on suivait le même procédé, ou bien, il levait la séance. » (2)

(Thibaudeau, Mémoires, Chap. XVI, pp. 257-258).

Liberté de discussion n'impliquait pas nécessairement liberté d'opinion ; Napoléon pouvait tolérer la première sans respecter la seconde. Ici encore les jugements divergent sur ce qu'il en fut : les uns décrivent un Conseil attentif à ne jamais déplaire à un maître qui voulait être toujours approuvé, les autres font l'éloge de son indépendance d'esprit que Napoléon aurait acceptée, voire même encouragée. Ici encore la situation dut varier suivant les époques et les sujets. 1810 marque un tournant ou du moins une évolution. Napoléon ne souffrait pas ou mal, lorsque de graves intérêts politiques étaient en jeu, une liberté d'opinion qui fut admise en matière de législation ou d'administration, domaines où il tenait largement compte des avis librement formés et exprimés du Conseil et s'inclinait même devant eux. Dans le premier cas, par contre, le Conseil devait être l'instrument de ses volontés.

---

(1) C'est-à-dire soit l'archichancelier Cambacérès, soit l'architrésorier Lebrun.

(2) Le professeur Durand dans son étude précitée « Napoléon et le Conseil d'Etat pendant la seconde moitié de l'Empire » (Etudes et Documents 1969, p. 269) estime que même alors la liberté de discussion ne disparut pas complètement. Il oppose aux affirmations de Thibaudeau — qui ne siégea pas au Conseil entre 1802 et 1814 — les récits de témoins directs, Petit fils, Trémont, Fievée et des procès-verbaux de séances publiés par M. Bourdon.

On trouve l'expression impérative de celles-ci dans sa correspondance. Ainsi en 1807, à propos d'affaires religieuses concernant l'évêché de Plaisance :

Note pour une bulle concernant l'évêché de Plaisance.

Turin, 28 décembre 1807

Renvoyé au sieur Bigot de Préameneu pour en faire le rapport au Conseil d'Etat, qui doit rejeter cette bulle comme attentatoire aux droits des souverains, comme irrévérente et manquant aux égards dûs aux souverains temporels, comme renfermant des prétentions contraires aux libertés de l'Eglise gallicane, dont les diocèses de Parme font partie et notamment aux dispositions du Concordat. Cette réponse sera envoyée par le ministre des cultes à mon ministre à Rome. Mon intention est que le décret que rédigera le Conseil soit conçu en termes forts et modérés et fasse bien ressortir ce qu'il y a d'insensé dans l'établissement de ce pouvoir temporel étranger à l'Etat.

(Correspondance de Napoléon Ier, t. XVI, n° 13420, p. 264).

En 1811, une autre lettre à Bigot de Préameneu, ministre des Cultes, va plus loin encore à propos de la publication de décrets du Concile et d'un bref pontifical :

Rotterdam, 26 octobre 1811

« J'ai reçu votre lettre du 21 octobre avec le projet de décret qui y est joint. Je pense que ce décret ne serait pas propre à rétablir la paix et qu'il serait plus convenable de publier les deux décrets du concile comme lois de l'Etat et de rejeter la publication du bref, pour que les passages improuvés soient retranchés. Il faut, par un décret, partir de l'approbation des décrets du concile et les proclamer comme lois de l'Etat. En même temps, un avis du Conseil d'Etat dirait que le bref ne peut être publié, comme contenant des passages contraires à nos libertés, et qu'il ne le sera qu'autant qu'on effacera tels mots. On renverra le bref au Pape, avec une lettre de vous à un cardinal ou même à Bestolazzi, et il faudra bien que le Pape en passe par là.

....

Je vous recommande sur cela le plus grand secret et de ne rien dire au cardinal Fesch, ni aux évêques de la députation. Il sera même bon que l'explosion vienne du Conseil d'Etat et soit unanime. Il sera bon qu'il y ait un mémoire bien fait, distribué au Conseil d'Etat, qui dise qu'admettre ces prétentions du Pape, c'est anéantir le droit commun, etc., etc. »

(Lecestre, Lettres inédites de Napoléon Ier, Plon, Paris 1897, t. I, pp. 173-174).

Même fermeté dans une lettre à Cambacérès auquel il adressait au lendemain de la découverte d'une conspiration les directives suivantes :

Posen, 29 novembre 1806

« Mon cousin, je vous ai laissé maître de l'affaire de cette ridicule conspiration. Je crois qu'il y aurait du mal à la laisser dans l'obscurité, parce qu'elle a déjà fait trop de bruit et que, dès lors, elle passerait dans l'opinion pour être plus importante qu'elle n'est. Il y aurait du mal à la produire devant la haute cour. Il faut renvoyer le rapport du procureur général au Conseil d'Etat, et décider qu'il y a bien eu tentative de renverser l'Etat; qu'il y a crime particulier; qu'aucun personnage important ne se trouvant compromis, cette affaire ne peut être du ressort d'un tribunal tel que la haute cour, dont le principal but est d'être instituée pour la sûreté de l'Etat, mais des tribunaux ordinaires, dont la destination est de réprimer les crimes particuliers; que l'affaire dont il est question est un crime particulier, dans ce sens qu'il y avait si peu de probabilité de succès que l'Etat n'a couru aucun danger. Après ce raisonnement, le Conseil d'Etat conclura au renvoi devant le tribunal criminel de Paris, et, si le Conseil voit de la difficulté à renvoyer l'affaire au tribunal de Paris, il la renverra aux tribunaux spéciaux ordinaires, et on fera demander par mon commissaire près la cour de cassation qu'elle soit renvoyée au tribunal criminel de Paris. »

(Correspondance de Napoléon Ier, t. XIII, n° 11319, p. 714).

Les directives de cette nature furent sans doute presque toujours exécutées. Il n'est pas certain qu'elles l'aient toujours été sans résistance, sans représentations, ou du moins sans l'improbation du silence. Cormenin, en 1818, époque où tout ce qui touchait à l'Empire était hautement décrié, rendait l'éloge suivant au Conseil d'Etat impérial :

« Je suis bien loin de vouloir établir que le principe du Gouvernement impérial fût bon en lui-même; mais j'ai voulu seulement prouver que le Conseil d'Etat était conséquent à ce principe.

....

La postérité, qui doit juger les actes de ce Conseil, a déjà commencé pour lui : il ne m'appartient pas de prévenir son jugement.

Je dirai seulement que le code de nos lois civiles, ouvrage magnifique de ce Conseil, a résisté à la chute du trône impérial et à l'évanouissement de nos conquêtes, comme les tables des lois de Rome sont restées debout parmi ses ruines.

Je dirai que tant de décrets injustes et arbitraires ne sont point l'expression de l'opinion du Conseil, mais de la volonté d'un seul homme. Combien de fois n'a-t-il pas servi le peuple, en modérant les saillies fougueuses du chef par la lenteur et les sages avertissements de sa délibération ? Quelles improbations auraient été plus éloquentes que ces longs et taciturnes silences qui s'y faisaient par intervalles ! Et que de fois aussi plusieurs de ses honorables membres n'ont-ils pas fait entendre avec courage, devant le souverain même, et parmi les murmures des plus serviles complaisances, des accents de vertu et de liberté ! »

(Du Conseil d'Etat envisagé comme conseil et comme juridiction, Paris 1818, pp. 32-33).

LES MÉTHODES ET LE « STYLE » DE TRAVAIL DU CONSEIL D'ÉTAT

Divisé dès sa création en sections spécialisées, le Conseil d'Etat établit des procédures d'examen et de délibération des affaires qui pour l'essentiel sont les mêmes qu'aujourd'hui. Locré a décrit celles qui s'appliquaient en matière législative et qui étaient, à peu de choses près, suivies en matière administrative :

« Il faut expliquer ici comment le Conseil était employé dans l'exercice du pouvoir législatif.

C'était en assemblée générale qu'il arrêtait les projets de loi; mais ces projets exigeaient un travail préparatoire d'examen et de rédaction; et, à cet effet, les membres du Conseil étaient distribués en cinq sections, une de législation, une de l'intérieur, une des finances, une de la guerre, une de la marine.

Chaque section était présidée par celui de ses membres que la liste trimestrielle de service désignait.

Lorsque le chef du gouvernement croyait devoir donner suite à la proposition d'un ministre, le secrétaire d'Etat renvoyait, par son ordre, le rapport et le projet de loi, s'il en existait, au secrétaire général du Conseil d'Etat, qui, après l'avoir fait enregistrer, le distribuait à la section qu'indiquait le renvoi. C'était aussi par un semblable renvoi que la section était saisie quand l'ordre de faire un travail était donné de propre mouvement.

La section délibérait, élaborait, amendait le projet du ministre, ou en rédigeait un elle-même. Ce travail terminé, son président le portait au chef du Gouvernement.

Celui-ci, à moins qu'il n'abandonnât la détermination de proposer la loi, renvoyait le travail à l'assemblée générale du Conseil. Ce renvoi était fait dans la même forme que le premier. Immédiatement après, le secrétaire général du Conseil portait le projet à l'ordre du jour de l'assemblée générale.

Cette assemblée ne pouvait se former que sur la convocation du Consul. Le premier Consul, par des arrêtés généraux, lui avait donné des séances périodiques et la convoquait en outre extraordinairement, toutes les fois que les circonstances l'exigeaient.

....

Un membre de la section qui avait préparé le projet de loi en donnait lecture et en faisait le rapport, verbalement pour l'ordinaire. Quelquefois cependant on a présenté des rapports écrits.

Après le rapport et avant la discussion, l'impression des projets de loi était communément ordonnée, afin que chacun pût les méditer à loisir. Mais la distribution n'était faite qu'à ceux qui devaient en délibérer. Il leur était défendu de communiquer le projet au-dehors.

Après cette distribution, le projet était discuté.

S'il survenait des amendements, ce qui arrivait presque toujours, le président renvoyait le projet à la section pour en préparer une rédaction nouvelle et cette nouvelle rédaction était également imprimée, distribuée et discutée.

Enfin, quand la discussion était épuisée, on allait aux voix. Chacun donnait la sienne en levant la main pour ou contre. »

(Locré, Législation civile, commerciale et criminelle de la France, Paris 1827, t. I, chap. 2, pp. 54-56).

Dès cette époque le Conseil d'Etat adopta pour ses débats un « style » très sobre, d'où l'éloquence était bannie :

« Quiconque voulait parler, écrit Pelet de la Lozère, demandait la parole. Napoléon provoquait souvent ceux dont il désirait connaître l'avis. Les discours devaient être simples et sans phrases. L'éloquence de tribune eût été là ridicule : un nouveau membre, qui s'était fait une certaine réputation dans nos assemblées nationales, voulut, à son début, prendre le style oratoire; il s'aperçut qu'on se regardait en riant, et se hâta de baisser le ton. Il n'y avait pas moyen de déguiser le vide des idées sous l'emphase des paroles; il fallait posséder la matière et avoir dans l'esprit une abondante provision de faits. »

(Pelet de la Lozère, Opinions de Napoléon, Paris 1833, Préface, pp. 9-10).

L'usage s'établit aussitôt de ne jamais lire et de parler sans notes. Dure expérience pour les nouveaux membres, aux dires du Chancelier Pasquier :

« Les maîtres des requêtes avaient le droit de demander la parole dans toutes les affaires, mais jusqu'alors, par une timidité assez naturelle, ils n'avaient usé de ce droit que dans celles dont ils étaient rapporteurs. M. de Cambacérès nous fit sentir qu'il était temps de sortir de cette réserve. M. Regnaud de St. Jean d'Angély sachant que j'avais écrit quelques observations sur la contrainte par corps et que j'avais l'intention de les lire : « Quoi ! me dit-il, vous avez écrit et vous allez lire ? S'il en est ainsi, vous vous condamnez à ne jouer jamais aucun rôle dans le Conseil. Croyez-moi, jetez votre papier au feu, parlez d'abondance. Vous parlerez mal la première fois, plusieurs autres encore peut-être, mais vous finirez par en prendre l'habitude et, pour peu que vous ayez quelques moyens, vous vous ferez une place dans les affaires. » J'ai suivi son conseil et j'ai acquis ainsi le peu de talent qui a assuré mon existence politique. »

(Chancelier Pasquier, Mémoires, 7e Ed., Paris 1914, t. I, p. 300).

Ce « style » convenait à l'esprit dans lequel le Conseil d'Etat traitait des affaires. Esprit marqué par le souci de logique et d'efficacité, qui frappait les personnes étrangères au Conseil lorsqu'elles assistaient à ses séances. Ainsi, le comte de Rambuteau, chambellan de l'Empereur qui accompagnait souvent celui-ci au Conseil :

« Rien ne me plaisait mieux que de suivre l'Empereur au Conseil d'Etat, deux fois par semaine; souvent même je prenais le tour de celui de mes collègues de service, tant j'y trouvais d'attrait, et l'on me cédait d'autant plus volontiers la place que les séances duraient parfois jusqu'à sept ou huit heures du soir. Le colonel général se dispensait presque toujours d'y assister, tandis que l'habitude de m'y voir était si grande que ces messieurs du Conseil se faisaient un plaisir de me raconter la discussion, quand, pour un motif accidentel, je n'avais pas été là. C'était une grande école de gouvernement à laquelle je dois ce que j'ai pu valoir depuis. J'y ai appris à entrer dans l'esprit des affaires, à chercher dans toute mesure l'étroite connexion du principe et des effets, et à ne rien instituer sans cette sûre méthode que j'entendis un jour magistralement formuler par Cambacérès devant le Conseil de l'Université. M. X..., homme de savoir et de bonnes lettres, avait voulu faire de l'éloquence. L'Empereur, qui n'aimait pas les phrases, le laissa aller quelque temps, puis fit signe à l'Archi-Chancelier de lui répondre : « Monsieur, dit Cambacérès, nous ne sommes point ici à l'Académie; nous ne sommes que des gens d'affaires et ne devons jamais examiner les questions isolément, mais en considération du but général de notre œuvre, c'est-à-dire du gouvernement que nous servons. Chacun de nos actes est un anneau d'une grande chaîne, qui doit se souder à celui qui précède et à celui qui suit. Le reste est du temps perdu. »

(Comte de Rambuteau, Mémoires, Paris 1905, p. 54-55).

LES TRAVAUX DU CONSEIL D'ÉTAT

Le seul relevé statistique précis que nous possédions des affaires traitées par le Conseil d'Etat de 1800 à 1814 est celui qui figure pour mémoire dans le premier compte général, publié en 1835, des travaux du Conseil et de ses comités de 1830 à 1835. Relevé d'ailleurs incomplet : on n'y trouve pas indiqué le nombre des affaires examinées par les sections de l'intérieur, de la guerre et de la marine et par des sections réunies ; ces affaires sont comprises seulement dans la récapitulation générale.

Au total les cinq sections du Conseil examinèrent pendant cette période 79 187 affaires, dont 58 435 vinrent en assemblée générale, soit en moyenne 5 700 affaires par an (1).

Les affaires contentieuses recensées distinctement à partir de 1806, année de création du comité de contentieux, n'occupent dans ces chiffres qu'une place très modeste : 51 affaires en 1806, 258 en 1807, 221 en 1808, 185 en 1809, 135 en 1810, 225 en 1811, 320 en 1812, 332 en 1813, 193 en 1814 (2). Il en est de même des affaires de haute police administrative, tandis que les affaires, assez voisines, d'autorisations de poursuite contre des fonctionnaires atteignent le chiffre non négligeable de 1532 (dont 1227 autorisations de poursuite contre 305 refus).

La part revenant à la section de Législation — 3 810 affaires — est importante, si l'on songe que, par une interprétation extensive des pouvoirs du gouvernement, beaucoup de matières de nature législative furent alors réglées par de simples décrets. Cette importance s'explique par le fait que toutes les lois — y compris les lois de finances — étaient soumises à l'examen du Conseil, et plus encore par le fait que cette période, ou du moins le Consulat et les premières années de l'Empire, fut une période de reconstitution de l'édifice politique et social, au cours de laquelle il n'est guère de question qui n'ait été abordée, débattue et réglée.

L'autre grand chapitre de l'activité du Conseil est constitué par les affaires administratives particulières. Elles furent nombreuses, variées et

---

(1) Moyenne annuelle inférieure à celle des années 1815-1830. On ne doit pas en déduire que le Conseil d'Etat ait joué un rôle plus important ou du moins ait été plus occupé sous la Restauration que sous l'Empire. Cette progression numérique après 1814 a pour unique cause l'attribution au Conseil de la liquidation des pensions qui était faite jusqu'alors par les bureaux de chaque ministère.

(2) Cf. ci-dessous « Les débuts du contentieux », pp. 131 sq.

souvent mineures à une époque où la centralisation administrative était très grande. Un rapport à l'Empereur de Regnaud de Saint Jean d'Angely, président de la section de l'Intérieur, donne une bonne idée des travaux de cette formation.

Un rapport d'activité de la section de l'Intérieur.

Rapport à sa Majesté l'Empereur et Roi sur les travaux de la section de l'Intérieur de son Conseil d'Etat pendant l'année 1809 :

Sire,

Le travail de la section de l'Intérieur de votre Conseil d'Etat s'est accru successivement chaque année dans une progression remarquable.

Les affaires expédiées et sur chacune desquelles il est intervenu un décret de Votre Majesté sont au nombre de près de cinq mille.

Je présenterai d'abord à Votre Majesté des observations sur quelques classes de ces affaires, ensuite sur ce qui me semble nécessaire pour en assurer, l'année prochaine, la discussion et l'expédition aussi promptes que l'exige le bien de votre service.

Chapitre premier

Observations sur les diverses classes d'affaires

§ 1 — Budgets des départements.

Ce travail s'est fait, jusqu'à présent, par des tableaux généraux présentés à votre Conseil d'Etat.

Chaque tableau général est le résultat de l'examen particulier du budget d'un département.

....

Je finis sur cet objet en faisant observer que le travail des budgets départementaux ne peut jamais être l'ouvrage que d'un seul conseiller d'Etat.

Il faut avoir la tradition des années précédentes, la suite des vues générales pour les économies, les applications de fonds, etc.

Depuis que j'ai l'honneur de présider la section, j'ai toujours fait moi-même ce travail, après avoir consulté non seulement mes collègues de la section, mais encore tous ceux du Conseil que je fais prévenir spécialement à cet effet.

§ 2 — Budgets des communes.

On les arrêtait d'abord en l'an 11 par états généraux pour plusieurs communes, et seulement pour cinquante à soixante. Aujourd'hui, on fait chaque budget séparément et leur nombre est de plus de 320.

Ils doivent encore nécessairement être rédigés par une seule personne comme les budgets de départements et par les mêmes motifs.

Le tableau que j'ai remis à votre Majesté en contient le résumé pour 1808, je vais lui en remettre un pareil pour 1809.

Ce travail, Sire, est long et minutieux, et tous les chiffres doivent être posés, tous les décrets rédigés de la même main.

L'ordre est revenu, je crois pouvoir l'assurer, dans toutes les parties de l'administration municipale. Votre Cour des Comptes vous l'attestera, et la plus sévère vérification est apportée dans les dépenses.

Sur les hospices seuls, je n'ai pu, jusqu'à présent, obtenir des renseignements suffisants et empêcher l'accroissement graduel et assez rapide des dépenses.

....

§ 3 — Biens Communaux

Un décret de votre Majesté ordonne que toutes les décisions des Conseils de préfecture sur les partages de biens communaux seraient révisées en votre Conseil d'Etat.

Le motif de votre Majesté a été d'empêcher, comme sur les aliénations de biens nationaux, toute réaction contre des partages exécutés régulièrement ou au moins de bonne foi.

Son intention a été remplie. Souvent, presque toujours même, les partages ont été maintenus, ou bien les détenteurs ont été admis à continuer de posséder moyennant une redevance; rarement les partages ont été annulés.

Ainsi, nulle plainte ne s'est élevée et les particuliers ont conservé les biens qui leur avaient été abandonnés de bonne foi.

Une grande partie du travail relatif à cette matière a été fait par M. le comte Corvetto.

Il a été considérable et commence seulement à diminuer un peu.

....

§ 4 — Donations aux communies, fabriques ou établissements publics, ou découverte de biens cédés aux domaines.

Les donations aux hospices ont continué à peu près dans la même proportion que les années précédentes.

Mais l'indication de biens cédés a été plus considérable que l'année précédente.

Les donations aux séminaires et aux fabriques se sont enfin multipliées.

Nous en avons rejeté plusieurs qui, d'après des avis recueillis avec soin, n'avaient pas été faites avec liberté, avaient été influencées ou dépouillaient des familles intéressantes par leurs services ou leur pauvreté.

§ 5 — Autorisations pour construction de moulins à eau, usines à feu, etc.

Il n'y a eu cette année que le nombre d'affaires accoutumé sur cette matière.

§ 6 — Limites des départements, arrondissements, cantons ou communes.

Nous avons eu un très grand nombre d'affaires sur cette matière et M. le comte de Ségur en a été habituellement le rapporteur.

§ 7 — Concession des mines.

Tout ce qui est relatif à cette partie était, le plus ordinairement, mis au rapport de notre collègue Fourcroy.

Ce travail est considérable, difficile, souvent contentieux.

Nous avons été assez heureux pour ne présenter à votre Majesté aucune décision qui ait excité des réclamations, bien qu'elles aient porté sur de grands et notables intérêts.

Mais il importe bien d'établir sans délai les nouveaux principes conçus par votre Majesté et d'organiser l'administration qui doit la mettre en pratique.

§ 8 — Affaires d'intérêt local.

Un grand nombre de lois ou décrets pour échanges, concessions, acquisitions, impositions pour des églises ou presbytères et autres objets ont été rédigés annuellement.

Ce travail est minutieux, fastidieux, mais utile.

Il est fait avec assez de soin pour que la révision du Corps législatif n'y puisse trouver que peu ou point de changement.

§ 9 — Affaires générales.

Un grand nombre de règlements généraux ou d'affaires qui s'y rattachent ont été préparés, exécutés ou délibérés en votre Conseil. Il est inutile d'en présenter l'analyse, ou même d'en indiquer l'objet à votre Majesté qui en a presque toujours pris connaissance avant de les approuver. Votre Ministre Secrétaire d'Etat peut vous rendre témoignage du travail qu'ils ont exigé.

Il sera récompensé si votre Majesté approuve les efforts et le zèle de ceux qui s'y sont livrés. »

(Arch. nat., 1042, Année 1810 p. 37).

Les procès-verbaux.

La destruction, en 1871, des Archives du Conseil a malheureusement fait disparaître toutes les pièces où se trouvaient reproduites ou résumées les délibérations du corps. Plus souvent résumées que reproduites, si l'on en croit Locré, secrétaire général du Conseil sans interruption sous le Consulat et l'Empire :

« Je me contenterais de dire que le secrétaire général tenait procès-verbal de la séance, s'il n'était bon de redresser une erreur qui est assez généralement répandue, et que je retrouve même dans un ouvrage dont l'auteur a fait partie du Conseil d'Etat, mais y est venu trop tard et n'y est pas resté assez longtemps pour le bien connaître.

Parce qu'on voit la discussion des Codes consignées dans les procès-verbaux, on s'imagine qu'il en était de même des autres discussions.

On se trompe gravement : voici ce qu'il en est.

Dans la séance du 5 nivôse an VIII (26 décembre 1799), la seconde que tenait le Conseil d'Etat, après la lecture du procès-verbal où se trouvait la discussion de la séance précédente, le général Brune demanda que cette discussion fût retranchée et qu'à l'avenir le procès-verbal se bornât à relater les faits et les résultats sans reproduire les opinions. Cette proposition fut adoptée et l'arrêté pris alors a reçu son exécution pendant les quinze ans qu'à duré le Conseil d'Etat.

Quand on vint à la discussion du projet du Code Civil, on fit une exception à cette règle générale. L'exception a depuis été étendue aux autres Codes ».

(Locré, Législation civile, commerciale et criminelle de la France., Paris 1827, t. I., chap. 2, pp. 56-57).

La perte est donc moins grave qu'on pourrait le penser. Elle se trouve atténuée de diverses manières. Locré recueillit pour lui-même les plus importantes discussions et les publia sous la Restauration (1). D'autre part, plusieurs membres du Conseil ont relaté, en s'aidant parfois sans doute de notes prises en séance, tel ou tel débat. Enfin, les cartons de la Secrétairerie d'Etat, voire même le Recueil des Lois, nous ont conservé le texte de nombreux avis. Il est donc possible de se représenter assez exactement comment le Conseil d'Etat napoléonien travaillait. D'une abondante matière on a extrait et reproduit ci-dessous quelques affaires où apparaissent de façon particulièrement nette les traits caractéristiques de son esprit et de sa manière.

Un avis sur le commerce avec les neutres.

Le 7 mars 1807, du camp d'Osterode, Napoléon adressait au ministre de l'Intérieur la note suivante :

> « Les propositions arrêtées par le Conseil (2) dans sa séance du 28 janvier 1807 ne seraient peut-être pas sans inconvénients dans leur exécution, et n'atteignent peut-être pas assez directement le but qu'on se propose.
>
> D'autres moyens paraissent préférables et Sa Majesté est disposée à s'y arrêter.
>
> Elle désire en conséquence que le Conseil d'Etat soit mis dans le cas de délibérer successivement et sans délai sur les deux propositions ci-après :
>
> *Première proposition à discuter et à rédiger en projet de décret.*
>
> Les navires neutres qui arriveront dans les ports de l'Empire, chargés de denrées coloniales ou autres objets de commerce venant de l'étranger, seront tenus d'en exporter la contre-valeur en produits du sol de la France et de son industrie. »
>
> (*Correspondance de Napoléon Ier, t. XIV, n° 11969, p. 506*).

Le 24 mars, le Conseil, qui avait été saisi d'un projet de décret préparé par le ministre au reçu de cette note ,délibérait l'avis suivant où il ne dissimulait pas son hostilité à la mesure envisagée :

> Le Conseil d'Etat, qui a vu le projet de décret présenté par le ministre, par ordre de Sa Majesté Impériale et Royale, tendant à obliger les navires neutres à réexporter les denrées du sol ou les produits de l'industrie

---

(1) La véracité des procès-verbaux publiés par Locré dans les trente et un volumes parus sous le titre « La Législation civile, commerciale et criminelle de la France » a été mise en doute. Il a protesté à ce sujet dans la conclusion du commentaire et du complément du Code civil (p. 670 sq.). M. Charles Durand estime que ces procès-verbaux peuvent être tenus dans l'ensemble pour exacts quant au fond des débats, sinon toujours quant à l'argumentation juridique (cf. C. Durand. Etudes sur le Conseil d'Etat napoléonien, p. 16 sq.).

Sous le titre « Napoléon au Conseil d'Etat », M. Bourdon, professeur honoraire à la faculté des Lettres de Nancy, a publié de larges extraits, admirablement choisis et commentés, des procès-verbaux de Locré. Cet ouvrage permet de se représenter d'une manière très vivante les travaux du Conseil.

(2) Il s'agissait de l'emploi de 500 000 F donnés chaque mois pour faire travailller les manufactures.

française pour une somme égale à la valeur des denrées du sol ou de colonies étrangères qu'ils auront importées,

Est d'avis que cette mesure présente des inconvénients et les difficultés suivantes :

1) Les navires neutres qui ne sont pas et ne peuvent être prévenus de cette détermination et entreront dans nos ports, peuvent-ils être assujettis à l'exécution de la loi sans injustice ?

Les spéculations de leurs commettants ont été faites sur la foi de la législation existante, et, si le chargement en retour leur donne de la perte, peut-on équitablement les obliger à la supporter ?

2) Si on veut faire exécuter la mesure, les capitaines et subrécargues, ou les consignataires qui ont des instructions, pourront-ils déroger et ne seront-ils pas obligés de rester avec leur cargaison à bord, en attendant de nouvelles instructions ! Ou, s'ils mettent leurs marchandises à terre, par quels moyens les forcera-t-on à acheter et à réexporter, s'ils s'y refusent ? Sera-ce par saisie de leurs marchandises ou de leur navire ? Il n'y en a pas d'autres, et ils paraissent de nature à n'être pas employés sans inconvénients.

3) Quant aux navires neutres qui connaîtront le décret, de deux choses l'une : ou ils trouveront de l'avantage dans la double opération d'importer des denrées étrangères et de réexporter des denrées de marchandises françaises, et alors l'intérêt personnel suffira pour les y engager, ou ils trouveront du désavantage à faire cette opération, et alors ils ne viendront pas dans nos ports.

4) Mais alors les denrées qui sont apportées en France par les neutres y deviendront rares et subiront un renchérissement très prompt et très fort, et d'un autre côté, les douanes subiront sur leurs produits une réduction considérable par le défaut de l'introduction des matières sujettes aux droits de consommation.

5) Si une raison quelconque empêche les neutres d'arriver, les occasions d'exporter les denrées françaises seront plus rares encore.

On perdra un avantage qui existe aujourd'hui où souvent les navires étrangers, sans emporter une cargaison complète et égale en valeur à ce qu'ils ont importé, prennent pourtant quelque partie de leur chargement.

6) Le tonnage d'un vaisseau étranger, chargé de sucre, café ou coton, ne lui permettrait pas, quand il le voudrait, d'emporter une cargaison de vin d'égale valeur.

7) Enfin, un navire ne trouve pas toujours dans le lieu de sa destination de quoi prendre un retour; et la faculté d'aller chercher dans un autre port ne suffit pas pour faire entièrement disparaître la force de cette objection, et laisse toujours les frais et les inconvénients d'un nouveau voyage.

8) Quelquefois, les marchandises importées sont destinées à payer à des français des avances faites par eux, à des échanges ou sont pour le compte de français qui en ont envoyé le prix d'avance.

9) Souvent, les bâtiments neutres ne vendent pas leurs marchandises, mais les mettent en entrepôt, en tout ou partie.

Comment alors obliger ces bâtiments à emporter des contre-valeurs, quand ils n'ont réalisé aucune partie ou qu'une partie de leur cargaison ?

Alors, les immenses avantages de l'entrepôt n'existeraient plus, et le commerce français qu'il favorise souffrirait encore davantage.

Ces motifs font penser au Conseil que les inconvénients qu'il vient de relever paraîtront peut-être à sa Majesté de nature à lui faire suspendre l'exécution de la mesure indiquée.

Si cependant Sa Majesté croyait qu'elle fût nécessaire dans les circonstances présentes, le Conseil pense qu'il y a lieu de faire au projet du Ministre le changement suivant :

1) de rédiger l'article premier de la manière suivante :

« Pendant un an, à compter de la publication du présent décret, les navires neutres qui arriveront dans les ports de l'empire chargés de denrées coloniales étrangères ou autres objets de commerce venant de l'étranger, admis en France, seront tenus d'en exporter la contre-valeur en produits du sol de la France et de son industrie, dont la sortie n'est pas prohibée par les lois sur les douanes. »

2) d'ajouter à l'article 2 « l'indigo et la cochenille ».

3) de joindre au décret du Ministre dont on supprimerait l'article 4 les trois articles suivants qui formeraient les 4, 5 et 6 du décret :

Art. 4. « Pour constater les valeurs des objets importés et réexportés, les capitaines feront au change de commerce une déclaration de la valeur des marchandises qu'ils auront apportées ou qu'ils voudront emporter; et leurs expéditions de départ leur seront remises sur l'attestation de la Chambre de commerce qu'ils ont satisfait aux obligations imposées par le présent décret.

Art. 5. Quand le capitaine ou subrécargue d'un navire neutre aura fait la vente des marchandises de son chargement dans un port de l'Empire, et qu'il lui conviendra d'aller prendre en retour dans un autre port de France des produits du sol ou de l'industrie française, il sera tenu d'en passer au bureau de douanes sa soumission cautionnée par un négociant du lieu qui demeurera responsable de l'exécution de la soumission.

Art. 6. Si les navires neutres mettent totalité ou partie de leurs marchandises en entrepôt, ils seront exemptés de la réexportation pour la valeur des marchandises qu'ils auront laissées en entrepôt.

(*Arch. nat. AF IV, 1304, pl. 240-244).*

Une délibération sur les Juifs d'Alsace.

Mentionné dans les Mémoires de plusieurs contemporains, le débat ouvert en 1805 au Conseil d'Etat sur la répression des pratiques usuraires reprochées aux juifs d'Alsace se trouve relaté de manière très vivante par Barante, alors auditeur :

« La première discussion à laquelle j'assistai offrit un intérêt particulier. En revenant d'Austerlitz, Napoléon entendit à Strasbourg de vives plaintes contre les juifs; l'usure qu'ils pratiquaient révoltait la population. Un grand nombre de propriétaires et de cultivateurs, grevés d'énormes dettes, avaient reconnu devoir des capitaux bien supérieurs aux sommes prêtées; la moitié du sol était, disait-on, frappée d'hypothèques pour le compte des israélites. L'empereur promit d'y mettre bon ordre et arriva à Paris avec la conviction qu'un tel état de choses ne pouvait être toléré. Il soumit la question à l'examen du Conseil d'Etat.

La section de l'Intérieur, à laquelle M. Molé et plusieurs d'entre nous venaient d'être attachés, eut d'abord à s'en occuper. M. Regnaud de St. Jean d'Angely la présidait. Il chargea M. Molé de faire un rapport. Pour les hommes politiques et les légistes, Il ne semblait pas qu'il y eût difficulté ni matière d'un doute. Aucune disposition légale n'autorisait à établir la moindre différence entre les citoyens professant une religion quelconque.

S'enquérir de la croyance d'un créancier pour décider s'il avait le droit d'être payé, était une étrange idée, aussi contraire aux principes qu'aux mœurs actuelles. A la grande surprise des conseillers, M. Molé, simple auditeur de vingt-cinq ans, conclut à la nécessité de soumettre les juifs à des lois d'exception, du moins en ce qui touchait les transactions d'intérêt privé. Les conseillers accueillirent son rapport avec dédain et sourire; ils n'y voyaient qu'un article littéraire, une inspiration de la coterie antiphilosophique de MM. de Fontanes et de Bonald. M. Molé n'en fut nullement déconcerté. Il n'y eut pas de discussion, tous, hormis le rapporteur, étant du même avis.

La question devait ensuite être portée devant tout le Conseil. M. Regnaud exposa sommairement l'opinion de la section et ne crut pas nécessaire de soutenir un avis universel. M. Beugnot, nommé récemment conseiller et qui n'avait pas encore pris la parole, estima l'occasion bonne pour son début. Il traita ce sujet à fond, avec beaucoup de raison et de talent, et rencontra l'approbation générale. L'Empereur, d'une opinion contraire à celle qui se dessinait, attachait une grande importance à cette affaire. L'archichancelier déclara donc nécessaire de reprendre la discussion un jour où Napoléon présiderait. M. Regnaud pria M. Beugnot d'être rapporteur, pour mieux expliquer et défendre la pensée du Conseil.

La séance fut tenue à Saint-Cloud.

M. Beugnot, qui parlait pour la première fois devant l'Empereur et que son succès enivrait un peu, se montra cette fois emphatique et prétentieux, enfin tout ce qu'il fallait ne pas être au Conseil, où la discussion était entretien de gens d'affaires, sans recherches, sans besoin d'effets. On voyait que Napoléon était impatienté. Il y eut surtout une certaine phrase, où M. Beugnot appelait une mesure qui serait prise contre les juifs « une bataille perdue dans les champs de justice », qui parut très ridicule.

Quand il eut fini, l'Empereur, avec une verve et une vivacité plus marquées qu'à l'ordinaire, répliqua au discours de M. Beugnot, tantôt avec raillerie, tantôt avec colère; il protesta contre les théories, contre les principes généraux et absolus, contre les hommes pour qui les faits n'étaient rien, qui sacrifiaient la réalité aux abstractions. Il releva avec amertume la malheureuse phrase de la bataille perdue, et, s'animant de plus en plus, il en vint à jurer, ce qui, à ma connaissance, ne lui est jamais arrivé au Conseil. Puis il termina en disant : « Je sais que l'auditeur qui a fait le premier rapport n'était pas de cet avis, je veux l'entendre. »

M. Molé se leva, lut son travail et commença une discussion qui ne pouvait guère avoir de liberté.

M. Regnaud défendit assez courageusement l'opinion commune et même de M. Beugnot.

M. de Ségur risqua aussi quelques paroles :

« Je ne vois pas ce que l'on ferait !... » murmura-t-il.

L'Empereur se radoucit et tout se termina par la résolution de procéder à une enquête sur l'état des juifs en France et sur leurs habitudes concernant l'usure.

On composa la commission de trois maîtres des requêtes : MM. Portalis, Pasquier et Molé, à qui ce titre fut en même temps conféré. On chargea les préfets des départements où il existait une population juive de désigner des rabbins ou autres coreligionnaires considérables qui viendraient fournir des renseignements à la commission. M. Pasquier eut à les recueillir. Pour la première fois, on connut la situation des israélites, la division de leurs sectes, leur hiérarchie, leurs règlements. Le mémoire de M. Pasquier fut très instructif. Cette enquête avait été faite avec tolérance et impartialité.

L'Empereur, calmé, en était venu à l'idée très sage que le culte juif devait être officiellement autorisé. Un décret impérial, pour donner quelque satisfaction aux plaintes de l'Alsace, prescrivit des dispositions transitoires et une sorte de vérification qui ne mettait point à l'avenir les créanciers juifs hors du droit commun. Puis on convoqua, pour réglementer l'exercice de ce culte, un grand sanhédrin. En résumé toute cette affaire, commencée dans un grand mouvement d'irritation malveillante et d'intolérance, se termina par une reconnaissance solennelle des rabbins et des synagogues, par une éclatante confirmation de l'égalité civique des israélites ».

(Barante, Souvenirs, Paris, 1890, t. I, pp. 149 sq.).

La discussion de la loi minière.

L'élaboration du texte qui devait devenir la grande loi minière du 21 avril 1810 occupa au cours des années 1808 et 1809 de nombreuses séances du Conseil, relatées par Locré. Lors de la séance du 8 avril 1809 tenue sous la présidence de l'Empereur, fut discutée la question capitale de la propriété de la mine :

« 1. M. le comte Fourcroy, au nom de la section de l'Intérieur, reproduit la rédaction du projet de loi sur les mines présenté dans la séance du 21 octobre 1808, et que, dans la séance du 4 avril, la section avait été chargée de revoir.

2. M. le comte Regnaud (de St. Jean d'Angely) dit que les principales difficultés portent sur l'article 6, qui est ainsi conçu :

« Le droit de posséder et d'exploiter les mines s'acquiert par une concession du gouvernement, accordée à perpétuité, avec les formes et sous les conditions prescrites au Titre IV, section II, de la présente loi ».

Elles naissent de ce que le Conseil veut que le propriétaire de la surface ait part aux bénéfices de l'exploitation, même lorsqu'il n'exploite pas.

Il a été tenu des conférences chez le ministre de l'intérieur sur les moyens d'organiser l'application de ce principe et l'on a reconnu qu'il est impossible d'y parvenir.

Napoléon demande quels sont ces obstacles.

Le ministre de l'Intérieur répond qu'on ne peut qu'obliger ceux qui exploitent d'acheter la superficie ou d'admettre le propriétaire au partage avec eux.

Or, l'exploitation des mines est tellement dispendieuse, et le produit en est tellement incertain, que les concessionnaires ne voudront pas acheter, surtout si la concession est temporaire; que si, à défaut d'achat, on les force de donner une part de bénéfices au propriétaire, on se jette dans des embarras inextricables pour déterminer ce partage.

Napoléon dit qu'il est facile de faire cesser tous ces obstacles. Qu'on décide en général qu'il sera payé une redevance au propriétaire. L'acte de concession en règlera la quotité d'après les circonstances.

La propriété est le droit d'user ou de ne pas user de ce qu'on possède. Ainsi, dans la rigueur des principes, le propriétaire du sol devrait être libre de laisser exploiter, ou de ne pas laisser exploiter; mais puisque l'intérêt général oblige de déroger à cette règle à l'égard des mines, que du moins le propriétaire ne devienne pas étranger aux produits que sa chose donne; car alors il n'y aurait plus de propriété.

Au reste, personne, sans doute, ne soutiendra que le propriétaire de la superficie ne soit pas aussi propriétaire du fonds.

M. le comte Regnaud (de St. Jean d'Angely) dit que la section de l'Intérieur toute entière est d'avis qu'une mine devient la propriété de celui qui l'exploite. Personne n'oserait se livrer à une semblable entreprise, si le propriétaire de la superficie devait seul en profiter.

Napoléon dit que, d'après le Code Civil, la propriété du sol emporte la propriété du dessus et du dessous.

M. le comte Regnaud (de St. Jean d'Angely) dit qu'une mine est une propriété nouvelle qui n'appartient qu'au gouvernement et qui n'est pas soumise aux règles ordinaires.

Napoléon dit qu'une mine est de la même nature qu'une carrière de pierres et un cours d'eau, lesquels appartiennent à celui dans le sol duquel ils se trouvent.

M. le ministre de l'Intérieur propose, pour rendre hommage au principe que le chef du gouvernement vient de rappeler, d'accorder au propriétaire de la superficie un ou deux sous par arpent. Son Excellence est persuadée que, si la redevance était plus haute, personne ne voudrait entreprendre l'exploitation des mines.

Napoléon dit que, si le propriétaire du dessus ne l'est pas du dessous, il ne lui est absolument rien dû; que s'il l'est, il faut lui donner une part plus sérieuse dans les bénéfices et la fixer par l'acte de concession.

M. le comte de Segur dit que, chez tous les peuples, les mines sont une propriété publique. C'est par cette raison que tous les actes portant permission d'exploiter ont toujours établi une redevance au profit de l'Etat, et que l'Assemblée Constituante n'avait accordé qu'une indemnité au propriétaire chez qui l'on ouvrait la mine, et non une part dans les bénéfices : elle ne le considérait que comme propriétaire de la superficie.

Napoléon dit que, dans ce système, il faudrait du moins déterminer à quelle profondeur cesse cette propriété de la superficie; car autrement, sous prétexte de faire des fouilles, on pourrait couper la racine des arbres et ravager toutes les plantations.

M. le comte Defermon dit que le Code Civil désigne les biens qui sont des propriétés publiques et n'y comprend pas les mines.

Au surplus, il serait indispensable de décider à quelle profondeur cesse la propriété privée, afin que le Conseil des mines ne puisse pas prétendre arbitrairement qu'un propriétaire a creusé trop avant dans son propre sol.

M. le comte Berlier dit qu'on ne pourrait attribuer une redevance proportionnelle au propriétaire, sans établir entre lui et le concessionnaire une association forcée, ce qui serait contre les principes. Mais ce n'est pas là ce qu'on propose; il ne s'agit que d'établir une redevance fixe, qui sera déterminée par l'acte de concession. Or, cette redevance ne saurait être refusée; car certainement le propriétaire du dessus l'est aussi du dessous et ne doit pas être dépouillé des fruits du dessous sans recevoir une indemnité.

On objectera que les entrepreneurs peuvent ne pas obtenir de bénéfices et se trouver au contraire en perte.

Cela est vrai; mais alors ils seront dégagés de la redevance.

. . . .

Napoléon dit qu'il faut d'abord se bien fixer sur le caractère d'une concession.

. . . .

Une mine est une propriété nouvelle susceptible d'être concédée.

Les règles de la concession doivent sans doute être établies dans l'esprit de favoriser l'exploitation des mines, mais sans nuire au droit de propriété. Que le concessionnaire et le propriétaire du sol soient donc entendus contradictoirement; que leurs intérêts soient balancés et conciliés et que l'acte de concession les détermine.

M. le comte Defermon dit que, puisqu'il est possible de régler la redevance que le concessionnaire paie à l'Etat, il l'est certainement aussi de fixer celle qu'il devra payer au propriétaire.

M. le comte Regnaud (de St. Jean d'Angely) dit que, si l'on établit cette redevance, il faut que du moins elle soit fixe comme l'a proposé M. le comte Berlier.

3. Napoléon ordonne que le projet soit discuté article par article.

4. M. le comte Fourcroy fait la lecture du Titre Ier, « Des mines, minières et carrières ».

Il est adopté dans les termes suivants :

. . . .

18. L'article est discuté. Il est ainsi conçu : « Nul ne peut faire des recherches pour découvrir des mines... que du consentement du propriétaire ou avec l'autorisation du gouvernement et à la charge d'indemnité envers le propriétaire ».

M. le comte Berenger demande que le consentement du propriétaire soit toujours exigé, afin qu'on ne puisse pas, en vertu d'une autorisation quelconque, fouiller les propriétés des citoyens.

M. le comte Regnaud (de St. Jean d'Angély) observe qu'il faut cependant pouvoir vaincre la résistance d'un propriétaire qui s'oppose à une découverte utile.

Napoléon dit qu'on peut exiger que l'autorisation soit donnée par le préfet, d'après l'avis du Conseil des mines, portant qu'il est probable qu'une mine se trouve dans le terrain qu'on demande à fouiller, et à la charge d'indemniser le propriétaire.

. . . .

20. L'article 15 est discuté. Il est ainsi conçu :

Art. 15 (correspondant à l'art. 12 de la loi) : « Le propriétaire pourra faire des recherches, sans formalité préalable, dans les lieux réservés par le précédent article; mais il sera obligé d'obtenir une concession avant d'y établir une exploitation ».

M. le comte Berenger dit que le propriétaire doit avoir le droit de faire des recherches dans toutes ses propriétés, qu'elles soient ou qu'elles ne soient pas murées.

L'article est adopté avec cet amendement.

21. La section II : « De la préférence à accorder pour la concession » est soumise à la discussion.

23. L'article 18 est discuté. Il est ainsi conçu :

Art. 18 (correspondant à l'art. 16 de la loi) : « L'inventeur d'une mine a la préférence pour obtenir la concession de la mine qu'il a découverte, sur tout autre demandeur ».

M. le comte Regnaud (de St. Jean d'Angely) dit qu'ici vient la question de savoir si la préférence doit être accordée au propriétaire.

La section a pensé que, si elle n'était donnée à l'inventeur, il n'y aurait plus de recherches.

M. le comte Berenger propose de réduire la disposition au cas où l'inventeur a fouillé en vertu d'une permission et de donner la préférence au propriétaire lorsque la fouille aura été faite de son consentement.

M. le comte Regnaud (de St. Jean d'Angély) demande si M. Bérenger n'entend parler que des propriétaires du lieu où se fait l'ouverture, ou aussi de ceux sur les terrains desquels la mine passe.

Napoléon dit que l'acte de concession déterminera, suivant les circonstances, si la préférence doit être accordée au propriétaire ou à l'inventeur, et à quel propriétaire elle est dûe. Si, par exemple, après avoir fouillé une propriété d'une lieue, on trouve le puits dans un terrain d'un arpent, serait-il juste que le propriétaire de ce petit espace eût nécessairement la préférence ?

M. le comte Pelet (de la Lozère) dit qu'il serait juste du moins d'obliger le concessionnaire à acheter cette petite propriété.

M. le comte Fourcroy dit que cette obligation lui est imposée par un autre article.

Napoléon dit que plus il y réfléchit, plus il trouve exacte la définition qui qualifie les mines de propriété nouvelle : il faut que l'acte de concession purge toutes les propriétés antérieures, celles de la superficie, et même celle de l'inventeur. »

(*Locré, Législation civile et commerciale de la France, t. IX, pp. 405 sq.*).

VI
LES DÉBUTS DU CONTENTIEUX

Confusion initiale des affaires administratives et des affaires contentieuses — Propositions de réforme : Roederer, Martineau — Création de la commission du contentieux et des maîtres des requêtes — Décrets du 11 juin et du 22 juillet 1806 — L'influence du règlement du Conseil du Roi de 1738 — Distinction des affaires administratives et contentieuses. — L'œuvre de la commission du contentieux — Son éloge par Cormenin et Pasquier — L'administration contenue dans ses limites et soumise au droit — Les conflits d'attribution soumis à la procédure contentieuse.

LA CRÉATION DE LA COMMISSION DU CONTENTIEUX

Le dernier alinéa de l'article 11 de l'arrêté du 5 nivôse an VIII avait chargé le Conseil de se prononcer sous la direction des consuls « sur deux sortes d'affaires », d'une part « les conflits qui peuvent s'élever entre l'administration et les tribunaux », de l'autre « les affaires contentieuses dont la connaissance était précédemment remise aux ministres ».

Cette dernière disposition constituait le Conseil d'Etat héritier, non pas immédiat mais en ligne directe, du Conseil ordinaire des finances de la Monarchie dont les attributions avaient été dévolues aux directoires de district et de département, puis aux ministres. Conseil des finances qui, en fait, ne siégeait plus depuis longtemps, le contrôleur général des finances ayant pris l'habitude de se prononcer en son nom. En 1777 un comité contentieux des finances avait été créé auquel ce contrôleur pouvait demander avis.

L'article 11 ne prévoyait aucune règle spéciale de procédure. Le Gouvernement saisissait seul le Conseil des affaires contentieuses. Celles-ci étaient instruites, selon la nature de la question posée, par l'une ou l'autre des cinq sections. L'instruction, purement administrative, n'était pas contradictoire; les particuliers intéressés n'en n'étaient pas informés.

Dès Brumaire an X, Roederer, alors président de la section de l'Intérieur, signalait les inconvénients de cette situation et adressait au Premier Consul un projet de réforme :

« C'est, disait-il, un fait maintenant constaté par l'expérience de chaque jour qu'il y a un temps considérable de perdu pour chaque membre du Conseil dans chaque séance générale et dans les séances de sections. Le contentieux n'est écouté que par cinq ou six membres du Conseil et l'on ne peut guère espérer que des affaires très complexes de justice civile (sic) soient bien entendues par tous les membres du Conseil... Dans chaque section le contentieux est distribué entre chaque membre et tous ne sont pas également familiers avec les lois et les formes et les rapports prennent beaucoup de temps aux uns qui en coûteraient peu aux autres... De plus, en entremêlant le contentieux avec le législatif et le réglementaire dans chaque séance générale du Conseil, on oblige tous les membres à se trouver à toutes les séances... »

Et Roederer proposait les dispositions suivantes :

« Article premier. — Les projets de lois et de règlements renvoyés par les consuls au Conseil d'Etat continueront d'être rapportés en séance générale...

Article 2. — Il sera nommé tous les ans dans chaque section un rapporteur particulier pour le contentieux et un adjoint.

Article 3. — Les affaires contentieuses continueront d'être examinées dans chaque section. L'avis de la section sera rédigé par le rapporteur, signé par les membres et présenté aux consuls.

Article 4. — Pour prononcer sur le renvoi qui en sera fait par les consuls, le Conseil sera composé des rapporteurs et des rapporteurs adjoints de chaque section, sous la présidence d'un consul ou d'un conseiller d'Etat nommé par le Premier Consul. »

(Roederer, Œuvres complètes, t. VII, p. 173-174).

Deux ans plus tard, le Sénat, qui venait d'adresser au Premier Consul un message demandant que le Gouvernement de la République fût confié à un Empereur héréditaire, lui remit le 14 floréal an XII un mémoire où il suggérait diverses réformes, souhaitant notamment celle-ci :

« Le Conseil d'Etat serait organisé de manière que les citoyens y eussent un accès immédiat dans tous les cas où le recours au Conseil d'Etat leur est ouvert par la loi et qu'ils pussent connaître les moyens qui leur seraient opposés. »

(Arch. nat. AF IV, 1033 et CC 13, p. 164).

Au début de 1806, un ancien avocat au Conseil du Roi, Martineau, devenu avocat au Tribunal de Cassation, fit paraître un court écrit « Idées sur l'organisation du Conseil d'Etat », où il suggérait des réformes qui, sans copier le passé, se seraient inspirées de celui-ci dont le souvenir demeurait vivant chez de nombreux membres du Conseil :

« Des tribunaux de tous genres existent; des administrations règlent tout et la garantie sous ce point de vue est offerte au peuple d'une manière satisfaisante.

Mais l'autorité première, le Conseil d'Etat, cette partie du Gouvernement qu'on peut en considérer comme l'œil, a-t-elle toute la forme, toute la régularité qui lui conviennent ? Le Conseil d'Etat lui-même a senti qu'il ne les avait pas.

Chaque matière importante, tels que les domaines, les ponts et chaussées, etc. ont leurs bureaux. A leur tête, au lieu d'Intendants des Finances et du Commerce, sont des Conseillers d'Etat. Ces bureaux se rattachent donc tout simplement, comme autrefois, au Ministère des Finances, et le ministre en devient l'organe nécessaire à l'un comme à l'autre de ces Conseils. Seulement il conviendrait d'établir entre ces bureaux et le Ministre un Comité contentieux comme il en existait précédemment, auquel toutes les affaires seraient soumises avant de passer au Ministre et au Conseil.

Jusqu'à présent n'y ayant, à proprement parler, qu'un seul Conseil d'Etat, ce Conseil, n'étant ni divisé ni subdivisé, il en est résulté qu'il ne peut vaquer à tout et que la majeure partie des affaires reste à la décision des Ministres.

Pour qu'une affaire soit portée au Conseil il ne suffit pas, dans l'état actuel, qu'elle présente un intérêt puissant; il faut encore que Sa Majesté en ordonne expressément le rapport devant elle.

C'est un vice inhérent à l'unité du Conseil, qui ne peut tout examiner : car combien d'affaires majeures ne parviennent pas à la connaissance de S.M. ! Quelles difficultés pour les y faire arriver ! Combien cependant auraient intérêt de passer sous ses yeux !

On en pourrait citer mille exemples, je n'en citerai qu'un (Martineau cite ici un exemple).

Autrefois une pareille décision du Ministre eût été susceptible d'opposition, et cette opposition eût saisi le Conseil : pourquoi n'en serait-il pas aujourd'hui de même ? Mais la chose n'est possible qu'autant que les Conseils seront divisés, qu'ils auront leurs attributions séparées et des jours différents pour y suffire.

....

Le règlement de 1738, rédigé plus spécialement pour le Conseil privé, était adopté au Conseil des Dépêches, des Finances et du Commerce. Ainsi, dans tous les Conseils on procédait par demandes, par défenses, répliques, productions, incidents et requêtes; en un mot, tout y sentait la procédure et la forme des tribunaux judiciaires.

Ce tort, et c'en était un, tenait à l'habitude : on ne concevait pas alors d'autre genre d'instruction contradictoire. Mais ce tort doit cesser : en administration tout doit être dans la forme administrative, simple, précis et clair.

Ce ne sont donc plus ces formules judiciaires et ruineuses qu'il convient d'admettre aux Conseils; une demande peut être formée par un mémoire comme une assignation et la défense proposée par un autre mémoire; enfin les requêtes, les actes, les grosses doivent être écartés, parce que, pour être utiles au fisc par la consommation ou l'abus du papier timbré, ils ne le sont pas plus à la justice qu'aux parties. »

(Martineau, Idées sur l'Organisation du Conseil d'Etat, Paris 1806, passim).

Il est capital de voir Martineau, qui sur ce point doit exprimer la pensée de membres du Conseil d'Etat, renvoyer expressément au comité contentieux créé en 1777.

L'Empereur s'empara de ces idées, y ajouta sa marque et en tira le décret du 11 juin 1806. Celui-ci fut discuté, sur le rapport de Regnaud de Saint-Jean d'Angely, au cours des séances des 4 mars, 8 et 18 avril (1). Le souvenir de ces séances a été conservé par Pelet de la Lozère :

« Napoléon aimait le pouvoir arbitraire, en ce sens qu'il voulait être maître de décider; mais il aimait à s'entourer des lumières nécessaires pour décider en connaissance de cause; il pensait, avec raison, que l'arbitraire ne peut être justifié et maintenu que par le bon usage qu'on en fait. De là le soin qu'il apporta dans l'organisation et la composition de son Conseil d'Etat, seule institution qui éclairait sa marche dans l'administration intérieure. Il reconnut que dans le nombre des affaires sur lesquelles il statuait chaque jour d'après l'avis du Conseil d'Etat, il y en avait beaucoup qui intéressaient l'honneur ou la fortune des citoyens et qui devaient être instruites autrement qu'une autorisation de coupe de bois ou un règlement sur la voirie. De ce nombre étaient les autorisations pour la mise en jugement des fonctionnaires, et plus encore la décision des contestations entre l'administration et les fournisseurs. Il pensa que ces décisions étaient de véritables jugements, pour lesquels il fallait organiser, dans le sein du Conseil d'Etat, un tribunal qui procéderait selon les formes ordinaires de la justice, et qui entendrait, surtout, les parties.

. . . .

L'empereur fit dans le cours de la discussion diverses observations.

Il fit connaître que son intention était de créer dans le Conseil un rang intermédiaire entre celui des conseillers d'Etat et celui des auditeurs, en rétablissant les maîtres des requêtes, et en effet le décret les institua.

« J'ai besoin, dit-il, d'un tribunal spécial pour le jugement des fonctionnaires publics, pour les appels des Conseils de préfecture, pour les questions relatives à la fourniture des subsistances, pour certaines violations des lois de l'Etat, pour le cas, par exemple, où la banque les a violées, pour les grandes affaires de commerce que peut avoir l'Etat en sa qualité de propriétaire du domaine et d'administrateur.

« Il y a dans tout cela un arbitraire inévitable; je veux instituer un corps demi-administratif, demi-judiciaire, qui règlera l'emploi de cette portion d'arbitraire nécessaire dans l'administration de l'Etat; on ne peut laisser cet arbitraire dans les mains du prince, parce qu'il l'exercera mal ou négligera de l'exercer. Dans le premier cas, il y aura tyrannie, le pire des maux pour un peuple civilisé; dans le second cas, le Gouvernement tombera dans le mépris. Ce tribunal administratif peut être appelé conseil des parties, ou conseil des dépêches, ou conseil du contentieux. Je lui donnerai à juger la contestation entre l'intendant de ma liste civile et mon tapissier qui veut me faire payer mon trône et six fauteuils cent mille écus; j'ai refusé de payer cette somme exorbitante.

. . . .

Il y a en ce moment en France un grand vice dans le jugement des affaires contentieuses au Conseil d'Etat, puisqu'elles sont jugées sans entendre les parties... Je veux créer dans le Conseil d'Etat une commission pour le jugement des affaires contentieuses ».

(*Pelet de la Lozère, Opinions de Napoléon, Paris, 1833, pp. 183-sq*).

---

(1) Regnaud établit quatre rédactions successives en date des 8, 16 et 24 avril et 23 mai 1806. On voit les avocats au Conseil apparaître dans la seconde, la commission du contentieux dans la troisième seulement, les maîtres des requêtes dans la quatrième.

La réforme fut réalisée par les décrets du 11 juin et du 22 juillet 1806 qui donnaient au justiciable la faculté de saisir le Conseil d'Etat et instituaient devant celui-ci une procédure contradictoire. Cette justice demeurait une justice retenue.

Le décret du 11 juin 1806 sur l'organisation et les attributions du Conseil d'Etat.

D'un texte aussi connu il suffit de reproduire ici ce qui a trait aux affaires contentieuses :

Titre premier. De l'organisation du Conseil d'Etat.

Chapitre II. Des maîtres des requêtes.

4. Il y aura au Conseil d'Etat des maîtres des requêtes dont les fonctions sont ci-après déterminées.

5. Les maîtres des requêtes seront distribués en service ordinaire et en service extraordinaire, suivant la liste qui sera par nous arrêtée le 1er de chaque trimestre.

6. Les maîtres des requêtes prendront séance au Conseil d'Etat après les conseillers d'Etat.

7. Ils feront le rapport de toutes les affaires contentieuses sur lesquelles le Conseil d'Etat prononce, de quelque manière qu'il en soit saisi, à l'exception de celle qui concernent la liquidation de la dette publique et les domaines nationaux, dont les rapports continueront d'être faits par les conseillers d'Etat chargés de ces deux parties d'administration publique.

8. Les maîtres des requêtes pourront prendre part à la discussion de toutes les affaires qui seront portées à notre Conseil d'Etat.

Dans les affaires contentieuses, la voix du rapporteur sera comptée.

....

Titre IV. Des affaires contentieuses.

24. Il y aura une commission présidée par le grand-juge, ministre de la justice, et composée de six maîtres des requêtes et de six auditeurs.

25. Cette commission fera l'instruction et préparera le rapport de toutes les affaires contentieuses sur lesquelles le Conseil d'Etat aura à prononcer, soit que ces affaires soient introduites sur le rapport d'un ministre ou à la requête des parties intéressées.

26. Dans le premier cas, les ministres feront remettre au grand-juge, par un auditeur, tous les rapports relatifs aux affaires contentieuses de leur département, ainsi que les pièces à l'appui.

27. Dans le second cas, les requêtes des parties intéressées et les pièces seront déposées au secrétariat général du Conseil d'Etat, avec un inventaire dont il sera fait registre.

Deux fois par semaine, le secrétaire général remettra au grand-juge, ministre de la justice, le bordereau des affaires.

28. Dans les deux cas, le grand-juge nommera pour chaque affaire un auditeur, lequel prendra les pièces et préparera l'instruction.

29. Sur l'exposé de l'auditeur, le grand juge ordonnera, s'il y a lieu, la communication aux parties intéressées, pour répondre et fournir leurs défenses dans le délai qui sera fixé par le règlement.

A l'expiration du délai, il sera passé outre au rapport.

30. Le rapport sera fait par l'auditeur à la commission.

Les maîtres des requêtes auront voix délibérative.

La délibération sera prise à la pluralité des suffrages. Le grand-juge aura voix prépondérante en cas de partage.

31. Le grand juge nous remettra, chaque semaine, le bordereau des affaires qui seront en état d'être portées au Conseil d'Etat.

Les rapports des Ministres ou les requêtes des parties, ainsi que les pièces à l'appui, seront remis par le grand-juge au Ministre secrétaire d'Etat, et par celui-ci au secrétaire général du Conseil d'Etat, avec le nom du maître des requêtes que nous aurons désigné pour faire le rapport de chaque affaire au Conseil.

32. Le maître des requêtes prendra les pièces au secrétariat général et ne pourra présenter au Conseil d'Etat que l'avis de la commission.

Titre V. Dispositions générales.

33. Il y aura des avocats en notre Conseil, lesquels auront seuls le droit de signer les mémoires et requêtes des parties en matières contentieuses de toute nature.

34. Nous nommerons ces avocats sur une liste de candidats qui nous seront présentés par le grand-juge, ministre de la justice.

35. Le secrétaire général de notre Conseil d'Etat délivrera à qui de droit des expéditions des décisions et avis de notre Conseil qui auront eu notre approbation.

Les expéditions seront exécutoires.

36. Il sera fait un règlement qui contiendra les dispositions relatives à la forme de procéder.

(*Duvergier, t. XV, p. 376*).

Le décret du 22 juillet 1806 contenant le règlement sur les affaires contentieuses portées au Conseil d'Etat.

Ce décret d'application du décret précédent fut rapporté par Bigot de Préameneu, alors président de la section de Législation. Ses rédacteurs s'inspirèrent assez étroitement du règlement de 1738 (1).

Les dispositions essentielles de ce texte sont les suivantes :

Art. premier. Le recours des parties au Conseil d'Etat en matière contentieuse sera formé par requête signée d'un avocat au Conseil, elle contiendra l'exposé sommaire des faits et des moyens, les conclusions, les noms et

---

(1) Le projet initial — il fit l'objet de quatre rédactions successives — comptait 75 articles dont 34 étaient assortis d'une note en marge renvoyant à tel ou tel article du règlement de 1738.

demeures des parties, l'énonciation des pièces dont on entend se servir et qui y seront jointes.

2. Les requêtes, et en général toutes les productions des parties, seront déposées au secrétariat du Conseil d'Etat; elles y seront inscrites sur un registre suivant leur ordre de dates, ainsi que la remise qui en sera faite à l'auditeur nommé par le grand-juge pour préparer l'instruction.

3. Le recours au Conseil d'Etat n'aura point d'effet suspensif, s'il n'en est autrement ordonné.

Lorsque l'avis de la commission établie par notre décret du 11 juin dernier sera d'accorder le sursis, il en sera fait rapport au Conseil d'Etat, qui prononcera.

4. Lorsque la communication aux parties intéressées aura été ordonnée par le grand-juge, elles seront tenues de répondre et de fournir leurs défenses dans les délais suivants :

Dans quinze jours, si leur demeure est à Paris, ou n'en est pas éloignée de plus de cinq myriamètres;

Dans le mois, si elles demeurent à une distance plus éloignée dans le ressort de la Cour d'appel de Paris.

....

6. Le demandeur pourra, dans la quinzaine après les défenses fournies, donner une seconde requête, et le défendeur répondre dans la quinzaine suivante.

Il ne pourra y avoir plus de deux requêtes de la part de chaque partie, y compris la requête introductive.

....

8. Les avocats des parties pourront prendre communication des productions de l'instance au secrétariat, sans frais.

....

27. Les décisions du Conseil contiendront les noms et qualités des parties, leurs conclusions et le vu des pièces principales.

28. Elles ne seront mises à exécution contre une partie qu'après avoir été préalablement signifiées à l'avocat au Conseil qui aura occupé pour elle.

29. Les décisions du Conseil d'Etat rendues par défaut sont susceptibles d'opposition. Cette opposition ne sera point suspensive, à moins qu'il n'en soit autrement ordonné.

Elle devra être formée dans le délai de trois mois, à compter du jour où la décision par défaut aura été notifiée; après ce délai, l'opposition ne sera plus recevable.

30. Si la commission est d'avis que l'opposition doive être reçue, elle fera son rapport au Conseil, qui remettra, s'il y a lieu, les parties dans le même état où elles étaient auparavant.

La décision qui aura admis l'opposition sera signifiée dans la huitaine, à compter du jour de cette décision, à l'avocat de l'autre partie.

(Duvergier, t. XVI, p. 11).

LE FONCTIONNEMENT ET L'ŒUVRE DE LA COMMISSION DU CONTENTIEUX (1)

Les décrets de 1806 avaient créé un organe d'instruction et fixé les règles de procédure ; ils ne déterminaient pas de façon précise quelles affaires devaient être portées devant la commission du contentieux.

Ce problème de compétence était tout autant politique que juridique, comme l'a noté Locré dans son commentaire des textes de l'An VIII, après avoir rappelé avec prudence le vieil adage, « *omnis definitio periculosa* » :

> « Une affaire est du contentieux de l'Administration, toutes les fois que l'opposition d'intérêts porte sur une obligation ou sur un droit de nature à être régi par les lois civiles, et qui naît du fait de l'Administration publique.
>
> Je prie d'observer que cette règle ne s'applique qu'aux affaires dont les règlements et les lois n'ont pas formellement déterminé le caractère, et non à celles que, par des considérations d'un ordre supérieur, ils ont eux-mêmes placées dans le contentieux de l'administration.
>
> ....
>
> La règle générale est que toutes les affaires contentieuses seront portées devant la Commission.
>
> Mais cette règle se trouve modifiée par deux exceptions.
>
> I. — La première est relative au contentieux des domaines nationaux et à la liquidation de la dette publique. L'une et l'autre sont formellement exceptées du nombre des affaires dont la Commission doit s'occuper.
>
> Au moment où la Commission fut instituée, ces deux branches d'affaires

---

(1) La destruction des archives du Conseil d'Etat en 1871 rend difficile la connaissance de l'activité juridictionnelle du Conseil d'Etat sous le premier Empire. Ce n'est qu'à partir de 1822 que les décisions contentieuses du Conseil qui portaient le nom de « décrets » firent l'objet d'une publication régulière et complète. On dispose pour la période du premier Empire des sources suivantes;

— le Bulletin des Lois, où furent publiés, en vertu d'un ordre inséré dans leur dispositif, certains décrets, peu nombreux, assimilés aux avis « émis par le Conseil pour développer le sens des lois » et qui avaient, comme ceux-ci, force de loi (On voit ensuite d'autres arrêts se fonder sur eux en ayant soin de toujours mentionner expressément cette insertion);

— la jurisprudence du Conseil d'Etat de Sirey (1814) et le tome I (1816) du Recueil général des arrêts du Conseil d'Etat de Roche et Lebon. Ces ouvrages ont reproduit certains des décrets contentieux rendus sous le premier Empire;

— deux volumes d'un registre conservé aux Archives nationales venant de la Secrétairerie d'Etat et ayant pour titre « Renvoi au Conseil d'Etat des affaires contentieuses ». (Arch. nat. AF IV 227 et 228) ; ce registre énumère avec le nom du maître des requêtes rapporteur et l'avis émis par la commission du contentieux les affaires soumises à cette commission et que celle-ci décidait de renvoyer à l'examen du Conseil.

L'analyse de ces documents est parfois compliquée du fait qu'il n'est pas toujours possible de distinguer avant 1806 les décrets de caractère contentieux. A partir de 1806, ceux-ci sont toujours précédés de la mention « Vu l'avis » ou « Sur le rapport de notre section du Contentieux ». La plupart de ces décrets sont motivés; par contre, le visa des dispositions des lois, des lois même dont il est fait application, est tout-à-fait exceptionnel.

contentieuses étaient déjà traitées dans des formes particulières et auxquelles il n'y avait rien à changer.

....

II. — Il en existe une seconde.

Nonobstant l'institution de la Commission, il est possible que les circonstances d'une affaire décident le Ministre au département duquel elle appartient à faire son rapport à l'Empereur, au lieu de l'adresser directement au Grand-Juge.

Ceci peut arriver surtout pour les affaires dont le caractère est douteux ou change par l'effet des circonstances. Si le Ministre voit que, dans l'espèce de l'affaire, l'intérêt public prédomine sur l'intérêt privé, il peut se faire qu'il désire prendre les ordres de Sa Majesté sur le point de savoir si son rapport doit être examiné par la Commission ou par une des Sections du Conseil. »

(*Locre, Du Conseil d'Etat, Paris 1810, pp. 190-sq*).

Ces incertitudes — et les décisions arbitraires par lesquelles l'Empereur retira parfois à la Commission la connaissance des affaires qui en relevaient certainement (1) — n'empêchèrent pas la commission du contentieux — et le Conseil, dont l'assemblée générale adopta généralement les propositions de la commission — d'accomplir une œuvre remarquable en élaborant une jurisprudence qui eut pour mérites principaux de délimiter les domaines respectifs de la compétence juridictionnelle judiciaire et administrative, d'inclure dans celle-ci la matière des conflits d'attributions et d'imposer, ce faisant, certaines règles à l'action administrative.

L'administration contenue dans ses limites et soumise au droit.

L'œuvre accomplie à cet égard est bien décrite par Cormenin et Pasquier.

Cormenin, en 1818, écrivait :

« Les travaux et les services de la Commission du contentieux ont été aussi utiles qu'ils sont ignorés. J'éprouve véritablement le besoin de faire connaître les obstacles qu'elle a surmontés et les améliorations qu'elle a introduites dans la distribution de la justice administrative.

La raison d'Etat, la nécessité des circonstances, l'intérêt du Gouvernement, ont presque toujours été, pendant la révolution, l'âme des lois rendues

(1) On ne connaît pas d'exemple que Napoléon ait refusé de signer les arrêts contentieux soumis à son approbation. Ses interventions abusives semblent avoir revêtu une autre forme. La commission du contentieux pouvait ne pas avoir été saisie, et il pouvait aussi se faire qu'une affaire lui soit retirée. On peut citer en ce sens l'affaire dite des prames, bateaux plats construits au temps du camp de Boulogne, dont le constructeur réclamait le paiement; le 13 avril 1808, la commission du contentieux était d'avis que « la décision de son Excellence (le ministre de la Marine) ayant été motivée sur un ordre de l'Empereur, il n'y a pas à délibérer sur la requête ». (Renvoi au Conseil d'Etat des affaires contentieuses n° 272. Cf. Pasquier, Mémoires, tome I, p. 315 — Ch. Durand, Fonctionnement du Conseil d'Etat napoléonien, p. 234).

sur les matières administratives et des décisions prises en interprétation de ces lois par les corps administratifs.

Aussi l'administration souffre impatiemment, même aujourd'hui, une jurisprudence qui la gêne et qui limite ses prétentions et son autorité.

D'un autre côté, les citoyens ont toujours demandé que, pour la prompte expédition des affaires, les compétences fussent réglées, et que l'Etat, dans ses rapports avec eux, fût obligé, pour la garantie de leurs droits, de se soumettre jusqu'à un certain point aux maximes de la législation civile.

Cependant, ces justes réclamations n'étaient pas écoutées, avant l'établissement de la Commission du contentieux.

. . . .

Dans ces circonstances, l'institution de la Commission du contentieux fut un bienfait public. Les citoyens se rassurèrent, des avocats probes et éclairés défendirent leurs intérêts, les bureaux perdirent leur influence, et la Commission se développa et s'affermit dans sa marche.

. . . .

D'abord, elle établit comme fondement de sa jurisprudence et garda avec une scrupuleuse sévérité cette règle que toutes les questions de propriété appartiennent essentiellement aux tribunaux : règle universelle, dont les exceptions ne peuvent être déterminées que par des lois et qui s'applique à l'Etat comme aux citoyens.

Elle restitua à ces même tribunaux les questions relatives à l'interprétation, à la validité et à l'exécution des baux même administratifs.

Elle contraignit, en matière de domaines nationaux, les conseils de préfecture à ne puiser les motifs de leurs décisions que dans les actes qui avaient préparé et consommé la vente.

Elle réprima les entreprises des conseils de préfecture sur les tribunaux, des préfets et des ministres sur les conseils de préfecture.

Elle abrégea les voies de l'instruction, en séparant ce qui est administratif de ce qui est contentieux.

A l'aide de ces distinctions et de plusieurs autres également vraies, également sages, la Commission traça aux conseils de préfecture, jusqu'alors incertains dans leur marche, les méthodes d'après lesquelles ils devaient interpréter et appliquer les lois administratives. Plusieurs décrets émanés de la Commission qui renfermaient des cas singuliers et des principes généraux sur les différentes matières furent rendus publics.

Les citoyens connurent alors plus clairement la mesure de leurs droits; les préfets et les conseils de préfecture, la règle de leurs décisions et les limites de leur autorité. Il arriva de là que les particuliers s'engagèrent moins fréquemment dans des contestations ruineuses et que les préfets et les conseils de préfecture observèrent la loi avec plus de circonspection et d'équité.

Les conflits entre l'administration et les tribunaux, qui trop souvent suspendaient la distribution de la justice, furent également mieux réglés et par conséquent devinrent moins nombreux.

C'est ainsi que, par degrés, il se forma un corps de jurisprudence assez complet et que toutes les matières du contentieux administratif commencèrent à être gouvernées par des principes à peu près aussi réguliers que ces sortes de matières, si variables de leur nature, et essentiellement subordonnées au système général de l'administration, peuvent le comporter. »

(Du Conseil d'Etat envisagé comme Conseil et comme juridiction, Paris 1818, pp. 37-sq).

Escalier d'honneur du Palais-Royal construit par l'architecte Constant d'Ivry en 1763.

Confirmant tout cela, on lit dans les Mémoires de Pasquier :

« Arrivait-il à l'Empereur quelque vive réclamation contre les actes de ses ministres, contre l'administration de ses directeurs généraux, de ses préfets ? Ces réclamations étaient renvoyées au Conseil d'Etat et elles fournissaient matière à des examens qui, plus d'une fois, ont été fort rigoureux. Ce recours au Conseil devint une affaire encore plus sérieuse pour les Ministres comme pour les administrateurs, lorsqu'il fut ouvert à tous les particuliers par la voie du comité du contentieux, et cela indépendamment des renvois accoutumés qui émanaient du cabinet de l'Empereur. La création de ce comité fait époque dans l'histoire du gouvernement impérial. Comme il se trouva composé, sous la présidence du grand juge, des maîtres des requêtes dont il avait motivé la création, ceux-ci, ayant à faire leurs preuves, durent entrer avec zèle dans l'accomplissement des devoirs qui leur étaient imposés. Ils furent, en général, d'une consciencieuse, d'une rigoureuse équité, et, outre le redressement de beaucoup d'écarts dans la marche de l'administration, on leur dut un assez bon nombre de décisions dont les particuliers recueillirent le bénéfice et qui ont rendu les administrateurs infiniment plus attentifs sur la légalité de leurs actes.

Mais ce qui a surtout signalé l'existence des maîtres des requêtes, c'est le redressement des habitudes si abusives qu'avait prises l'autorité administrative d'empiéter sur la juridiction des tribunaux, en étendant outre mesure celle des conseils de préfecture. MM. les préfets soutenaient d'autant plus ces conseils, qu'ils se montraient soumis à la volonté de leur chef.

Le comité du contentieux mit fin à ce désordre et parvint, en fort peu de temps, à établir une bonne jurisprudence sur la limite qui devait séparer l'action des pouvoirs administratif et judiciaire. Les ministres eux-mêmes ne furent pas à couvert des avis de ce comité, confirmés par le Conseil. »

(Pasquier, Mémoires, 7e Ed. Paris 1914, t. I, p. 261).

Les conflits.

Le Conseil d'Etat était juge des conflits depuis l'An VIII. Dirigée à l'origine contre l'autorité judiciaire, la procédure du conflit fut maniée par le Gouvernement avec une grande sévérité à l'encontre des tribunaux. Les préfets pouvaient élever le conflit sur toute information, quelle qu'en fût la source, venue jusqu'à eux, « indépendamment de toute dénonciation des Commissaires du Gouvernement ». Le Conseil d'Etat tenait pour recevables les conflits élevés contre des jugements ayant force de chose jugée ; il autorisait des particuliers à déférer un jugement à propos duquel aucun arrêté de conflit n'était intervenu ; il n'admettait pas l'opposition contre un arrêté de conflit annulant un jugement dont le bénéficiaire n'avait pas été mis en cause. Le conflit était acte de Gouvernement.

On avait pu voir en l'an X, après annulation d'un jugement, les magistrats qui en étaient les auteurs invités à se rendre « à la suite du Conseil d'Etat » :

Arrêt Régie des domaines/Chatelain, 15 brumaire an X.

Les consuls de la République, vu l'arrêté pris le 18 fructidor an IX par le Conseil de préfecture du département du Doubs, par lequel il a élevé le conflit entre les autorités administrative et judiciaire, à raison du jugement rendu le 3 floréal de la même année, par le tribunal d'appel séant à Besançon, infirmatif d'un autre jugement du tribunal de première instance, troisième arrondissement, du même département, du 4 fructidor an VIII.

Vu lesdits jugements et pièces produits;

Le Conseil d'Etat entendu;

Considérant que le contentieux des domaines nationaux est attribué à l'autorité administrative par un grand nombre de lois, et spécialement par celle du 28 pluviôse an VIII et que la question dont les tribunaux du département du Doubs se sont arrogé la connaissance faisait évidemment partie du contentieux, puisqu'il s'agissait de prononcer si les paiements faits au Trésor public par des acquéreurs de domaines nationaux étaient valables ou non;

Considérant, de plus, qu'indépendamment de l'entreprise manifeste sur l'autorité administrative, le tribunal d'appel, en infirmant le jugement de première instance qui avait débouté Joseph-Xavier Chatelain de sa demande et en condamnant Jean-Ignace Dodane à payer une seconde fois une portion notable du prix de son acquisition, a porté une décision capable de répandre l'inquiétude et les alarmes parmi les acquéreurs de domaines nationaux auxquels la constitution de l'Etat accorde une protection spéciale;

Considérant enfin qu'avant de recourir à des mesures plus sévères, il importe au gouvernement de savoir si la conduite du tribunal d'appel du département du Doubs n'est que l'effet d'une simple erreur d'opinion ou s'il faut l'attribuer à une affectation coupable, arrêtent :

Article premier. Les jugements du 4 fructidor an VIII et 23 floréal an IX sont déclarés comme non avenus;

Article 2. Le président et, en cas d'empêchement légitime, le juge qui le suivra dans l'ordre du tableau et le commissaire du gouvernement près ledit tribunal se rendront à la suite du Conseil d'Etat. »

(*Arch. nat. AF IV 46 Pla. 264, p. 14*).

Bien des années après, en 1834, Thibaudeau conservait le souvenir du Premier Consul admonestant lui-même les magistrats :

« On vit bientôt les préfets, forçant les termes de l'arrêté du 13 brumaire, élever le conflit après des jugements en dernier ressort, attirer ainsi devant la juridiction administrative des procès terminés et remettre en litige la chose jugée.

Ce n'était pas assez d'avoir donné aux acquéreurs des biens d'émigrés une garantie contre la connivence de quelques juges. Le Premier Consul crut devoir agir directement sur l'opinion par un exemple de sévérité. Le tribunal d'appel de Besançon avait condamné un acquéreur libéré envers la République à payer une seconde fois à un émigré une partie notable du prix de son acquisition. Le préfet avait élevé le conflit. Un arrêté rendu en Conseil d'Etat annula le jugement et ordonna que le président du tribunal et le commissaire du gouvernement se rendraient à la suite du conseil. Lorsqu'ils furent introduits à sa barre (22 frimaire);

« le tribunal que vous présidez, leur dit le Premier Consul, est sorti des bornes de sa compétence, dans une matière qui intéresse le repos des citoyens et le salut de la République. Il était averti par l'exemple de plusieurs tribunaux qui ont respecté les limites posées par les lois; il aurait dû l'être encore par le commissaire du gouvernement, dont le devoir était de dénoncer cette infraction au ministre de la Justice. Il y a donc eu, d'un côté, violation des principes; de l'autre, oubli volontaire d'un devoir. Le gouvernement n'a voulu y voir encore qu'une erreur. Une seconde infraction serait un délit qui appellerait l'animadversion publique. Allez, dites à vos collègues qu'on n'est point véritablement magistrat sans le respect le plus profond, sans le dévouement le plus absolu aux grands intérêts de la patrie ! »

(Thibaudeau, Le Consulat et l'Empire, t. 2, p. 303).

Huit années plus tard, voici un autre arrêt pour affirmer la sévérité de la doctrine :

Arrêt Gaillard/Gambard, 11 janvier 1808.

Napoléon. Empereur des Français et Roi d'Italie,
Protecteur de la Confédération du Rhin,
Sur le rapport de notre commission du contentieux,
Vu la requête du sieur Gaillard, lequel se présente comme opposant au décret impérial du 16 mai 1807, qui a déclaré non avenu le jugement rendu le 12 prairial an X par le tribunal de première instance de Paris.

....

Considérant que le sieur Gaillard prétend à tort avoir été condamné par défaut; attendu qu'en matière de conflits les décisions sont d'intérêt public; qu'elles ne jugent que la compétence, sans préjudicier aux droits des parties et qu'ainsi il n'y a pas lieu à la communication;
Notre Conseil d'Etat entendu;
La requête du sieur Gaillard est rejetée.

(Registre de la Commission : 17 septembre 1807, n° 229, Sirey, p. 137, Roche et Lebon, p. 109).

Une évolution commence à se dessiner dès la parution des décrets de 1806. Cambacérès adresse alors à l'Empereur la note suivante :

« On a discuté au Conseil d'Etat si les conflits font partie des affaires qui doivent être portées à la commission du contentieux. Sa Majesté est priée d'ordonner que cette question soit examinée au Conseil sur le rapport du Grand Juge ou sur celui des sections de Législation et des Finances réunies ».

(Arch. nat. AF IV 1042 dossier 1806, p. 17 (1).

L'Empereur n'ayant pas répondu à cette note, le doute subsiste, et, si l'on vit dès cette époque de très nombreux conflits instruits par la

(1) Les notes de Cambacérès pour l'Empereur sont toujours sans nom ni date. Certaines disent : « note de l'archichancelier ». Leur style et l'écriture, toujours impeccable, du secrétaire de Cambacérès font facilement reconnaître les autres.

Commission du Contentieux, ils le furent dans la forme administrative (Cf. arrêt Gaillard précité). Mais en 1811 l'arrêt de Cambi contre Régie des Domaines du 4 novembre se prononçait dans un sens complètement opposé :

Napoléon, etc. Vu la requête présentée par le sieur Ugolin Thomas de Cambi, ex-grand-prieur de l'Ordre de Malte, tendant à ce qu'il nous plaise le recevoir opposant au décret du 6 février 1811; par suite, rapporter ledit décret et renvoyer devant les tribunaux la contestation dont il s'agit;

....

Vu le décret du 6 février 1811, qui confirme le conflit élevé par le préfet et renvoie le sieur Ugolin à se pourvoir par devant le Conseil de préfecture de l'Arno;

Considérant que le sieur Ugolin de Cambi n'a point été entendu lorsque le décret du 6 février dernier a été rendu;

que le décret du 22 juillet 1806, en accordant aux parties la voie de l'opposition contre les décisions rendues par défaut en matières contentieuses, ne fait point d'exception, lorsqu'il s'agit de prononcer sur un conflit d'attribution entre l'autorité judiciaire et l'autorité administrative;

Considérant, quant à la compétence, que, dans l'espèce particulière, il s'agit de décider si, à l'époque du 15 mars 1808, le sieur Ugolin Thomas de Cambi était habile à recueillir les commanderies devenues vacantes par la mort de Thomas de Cambi; que c'est par conséquent une question d'état qui ne peut être jugée que par les tribunaux ordinaires;

Article 1er. — Notre décret du 6 février dernier est rapporté, et les parties sont renvoyées à faire valoir leurs droits devant les tribunaux.

(Registre de la commission, 1er septembre 1811, n° 969, Sirey, p. 550, Roche et Lebon, p. 302).

A quelques jours de là un arrêt « Commune de Brest » du 12 novembre 1811 déclarait irrecevable une requête formée par cette ville directement contre un arrêt de la Cour d'Appel sans qu'il y ait eu ni conflit positif résultant d'un arrêté qui eût élevé le conflit, ni conflit négatif résultant du refus par l'autorité administrative et par l'autorité judiciaire de se reconnaître compétentes.

Un moment vint où le Conseil fut par ordre de l'Empereur invité à donner son avis d'une façon générale sur l'ensemble de la question. Cet avis émis le 19 janvier 1813 affirme que tous les conflits devaient être renvoyés à la Commission du Contentieux pour y être instruits conformément au règlement ;

Le Conseil d'Etat, qui, d'après le renvoi ordonné par sa Majesté, a entendu le rapport de la section de Législation sur celui du Ministre de l'Intérieur ayant pour objet de faire statuer sur un conflit d'attribution entre l'autorité administrative et l'autorité judiciaire élevé par le préfet du département des Bouches-de-l'Escaut à l'occasion d'un jugement rendu par le tribunal civil de Middelbourg, le 12 août 1812, entre le Sr Sierman, fournisseur pour le compte des communes de l'arrondissement de Zierikzée et le Sr Courtat, chargé des travaux des fortifications de Flessingue, lequel jugement condamne le Sr Courtat à payer au Sr Sierman une somme de deux mille six cents francs, avec les intérêts judiciaires;

Vu le décret impérial du 22 juillet 1806, contenant règlement sur les affaires contentieuses portées au Conseil d'Etat;

Considérant que les conflits d'attribution entrent dans le contentieux administratif, dont l'examen et l'instruction sont confiés à la commission du contentieux avant d'être portés au Conseil d'Etat;

EST D'AVIS,

Que les conflits entre l'autorité administrative et l'autorité judiciaire doivent être renvoyés à la commission du contentieux, pour y être instruits conformément au règlement.

(Duvergier, t. XVIII, p. 324).

Ainsi prend fin une longue évolution de jurisprudence dont on ne peut ici que marquer les points extrêmes. Sa sévérité initiale lui est venue des Jacobins. Et c'est sous le régime impérial, autoritaire s'il en fut, qu'elle aboutit, par les soins du Conseil, à une solution libérale.

VII
LES ACTIVITÉS EXTÉRIEURES DES MEMBRES DU CONSEIL D'ÉTAT

Un conseil extraordinaire sur l'opportunité de leur emploi à l'extérieur — Missions temporaires et fonctions extérieures permanentes — La liste trimestrielle de service du 4 janvier 1808 — Thibaudeau et Duchâtel en mission à Besançon, Grenoble et Genève — Réticences et critiques contre l'emploi à l'extérieur des membres du Conseil.

LA QUESTION DE PRINCIPE

La constitution de l'an VIII chargeait le Conseil d'Etat de rédiger les projets de lois et les règlements d'administration publique et de résoudre les difficultés qui s'élèvent en matière administrative. Mais dès l'origine le premier Consul entendit utiliser les membres du nouveau corps à d'autres fins : fonctions dans l'administration et missions temporaires. Il ne partageait pas les vues de Daunou qui avait inséré dans le projet de constitution rédigé par lui au lendemain du 18 brumaire l'article suivant : « Un conseiller d'Etat ne peut être chargé d'aucune branche d'administration active ni générale, ni spéciale, ni locale ».

Le premier règlement du Conseil du 5 nivôse an VIII confia par son article 7, de manière organique, à cinq conseillers d'Etat « diverses parties d'administration, quant à l'instruction seulement » :

> « ... ils en suivent seulement les détails, signent la correspondance, reçoivent et appellent toutes les informations et portent aux ministres les propositions de décision que ceux-ci soumettent aux Conseils.
> Un d'eux est chargé des bois et forêts et anciens domaines;
> Un autre, des domaines nationaux;
> Un autre, des ponts et chaussées, canaux de navigation et cadastre;
> Un autre, des sciences et des arts;
> Un autre, des colonies ».
>
> *(Duvergier, t. XII, p. 48).*

Peu après, l'arrêté du 7 fructidor an VIII (1) créait le service extraordinaire qui permettait de charger des conseillers d'Etat soit de

(1) *Duvergier, t. XII, p. 293.*

« fonctions permanentes », soit de « missions temporaires », sans qu'ils perdent leur qualité de membres du Conseil. L'auditorat et la maîtrise des requêtes furent organisés dès leur création de manière à permettre l'emploi de leurs membres à l'extérieur comme à l'intérieur du Conseil.

La participation des conseillers d'Etat à l'administration active ne fut pas admise sans difficultés par tous. Certains ministres — tel Lucien Bonaparte, ministre de l'Intérieur en l'an VIII — craignaient de trouver en eux des rivaux plutôt que des collaborateurs. Ces craintes s'exprimèrent notamment au cours d'un conseil extraordinaire qui, le 15 nivôse an VIII, réunit autour des Consuls les ministres des Finances, de l'Intérieur et de la Marine et les conseillers d'Etat Cretet, Regnier, Chaptal et L'Escalier. Le compte rendu nous en a été heureusement conservé :

« Le Premier Consul consulte (les assistants) sur la question de savoir s'il y a des inconvénients aux attributions particulières assignées à divers conseillers d'Etat.

Le ministre des Finances pense qu'il était très convenable d'attribuer à un conseiller d'Etat les domaines anciens et nouveaux; il établit son opinion sur ce que, dans cette partie de son ministère, tout est contentieux et qu'il était digne du Gouvernement de confier à l'examen d'un magistrat les intérêts qui tiennent à la propriété des citoyens. Il rappelle qu'on s'était proposé de former des forêts une attribution particulière, mais il ne voit pas l'utilité de cette mesure. Il finit en annonçant que le citoyen Regnier sera incessamment en possession de son travail et de ses bureaux.

Les colonies sont l'objet d'une de ces attributions qui est déférée au citoyen L'Escalier. Le ministre reconnaît tous les avantages de cette disposition. Il croit qu'elle ne diminuera pas ses signatures, mais il convient qu'elle assurera plus de maturité dans les déterminations qui exigent un homme tout entier.

L'attribution des Ponts et Chaussées, Canaux et Cadastre et celle de l'Instruction publique sont destinées, la première au citoyen Cretet et la seconde au citoyen Chaptal.

Le ministre de l'Intérieur pense que le système de ces attributions détruira la responsabilité ministérielle et que l'activité des opérations sera compromise si elle dépend d'un agent que le ministre ne pourra jamais destituer. Il distingue ce qui, pour l'instruction et l'exécution, tient à d'anciennes lois de ce qui concerne les règlements nouveaux et c'est sous ce second rapport qu'il pourrait reconnaître moins d'inconvénients dans les attributions proposées.

Le premier Consul observe que les objets dont on s'est proposé de faire des attributions particulières sont d'une telle importance que plusieurs personnes avaient pensé qu'ils devaient exiger des ministères particuliers; que cependant leurs rapports avec les administrations et avec les diverses attributions du ministère de l'Intérieur se trouveraient tellement essentiels et multipliés qu'il serait impossible que ces ministères existassent indépendants; que cette considération a conduit à un mezzo termine qui, en assignant à une partie les soins d'un homme tout entier, conserve la haute pensée au ministre.

Le second Consul examine également les objections du ministre de l'Intérieur. Il considère l'impossibilité dans laquelle se trouvent les ministres de tout lire et de tout signer. Tout ce qui tient à l'instruction se fait par les premiers commis, qui contresignent les lettres et y apposent la griffe ministérielle. Cet état de choses démontre l'utilité d'un magistrat chargé de l'instruction des affaires. Quant à la décision, elle reste toute entière au ministre, puisque c'est par lui que tout le travail revient au Gouvernement. Cette observation est faite par le second Consul pour répondre à l'objection tirée de la responsabilité.

Le premier Consul ajoute un dévelopement à l'opinion qu'il a déjà exprimée. Les idées en législation doivent naître des souvenirs de l'exécution. La transaction naturelle qui s'opère dans l'esprit de l'homme occupé à méditer un projet de loi se compose des besoins de la chose qui doit faire matière de ce projet et des ressources de l'esprit qui découvre les moyens de satisfaire ces besoins. Cette transaction ne peut s'opérer si les besoins ne sont pas exactement et entièrement connus et ces besoins ne peuvent se connaître que par le travail de l'exécution. Il est donc utile qu'un conseiller d'Etat soit appelé à la manipulation des affaires ,pour que les lois, dont il s'occupe dans son cabinet, soient d'accord avec les besoins et la possibilité de l'exécution.

Le ministre de l'Intérieur persiste dans son opinion. L'instruction des affaires doit donner sur elles à celui qui l'a faite une influence nécessaire. Le ministre à qui l'on ne présentera que les résultats, sans que le détail des moyens lui soit connu, sera privé des motifs sur lesquels devrait s'appuyer la détermination. Ce serait une mesure plus franche en administration que celle qui donnerait la décision à celui qui aurait l'instruction, en l'assujettissant seulement à correspondre avec le ministre.

Le citoyen Cretet, appelé à émettre son opinion, la réduit à ceci : qu'il vaut peut-être mieux prendre un conseiller d'Etat comme tête que comme bras.

Le premier Consul fait observer que, comme la nature a réuni la tête et le bras dans le même individu, de même elle a voulu que, dans le raisonnement, la connaissance matérielle des choses conduisît à l'opinion que l'esprit doit en concevoir. Il demande encore comment et par quelle transaction l'esprit peut être conduit à saisir l'utilité de cette loi, si ce n'est par le souvenir des détails de l'exécution.

Après cette discussion, le Conseil extraordinaire se sépare ».

(Note additionnelle à la Séance du 15 nivôse an VIII, Arch. nat., A.F. IV, 1238, p. 2).

LA LISTE TRIMESTRIELLE DE SERVICE DU 4 JANVIER 1808

Les listes trimestrielles de service du Conseil d'Etat donnent une bonne idée du nombre, de la variété et de l'importance des fonctions permanentes dont ses membres étaient chargés à l'extérieur. Ainsi, à titre d'exemple, la liste trimestrielle arrêtée le 4 janvier 1808 (1) :

(1) Il faut souligner l'importance des directions générales tenues par des membres du Conseil : directions des Ponts et Chaussées, de la Caisse d'amortissement, des Douanes, des Droits réunis, le rôle conidérable de Réal à la police et celui, bien plus important encore, de Daru comme intendant général de la grande armée soit en campagne, soit dans les pays allemands et autrichiens occupés.

CONSEILLERS

SERVCE ORDINAIRE

Section de Législation

Treilhard, CV (1), *président.*
Albisson.
Berlier, CV, président du Conseil des prises.
Faure.
Réal, CV, chargé du premier arrondissement de la police générale de l'Empire.

Section de l'Intérieur

Regnaud (de Saint-Jean-d'Angély), CV, *président,* ministre d'Etat, procureur général près la Haute-Cour impériale, Secrétaire de l'Etat civil de la famille impériale.
Bégouen.
Corvetto.
d'Hauterive, garde du dépôt des archives au ministère des Relations extérieures.
Fourcroy, CV, directeur général de l'Instruction publique.
Français (de Nantes), CV, directeur général de la régie des Droits réunis.
Lavallette, directeur général des Postes.
Maret, directeur général de l'administration des Vivres de la Guerre.
Montalivet, directeur général des Ponts et Chaussées.
Pelet (de la Lozère), CV, chargé du deuxième arrondissement de la police générale de l'Empire.
Portalis (fils).
Ségur, grand-maître des cérémonies.
Saint-Marsan.

Section des Finances

Defermon, CV, *président,* ministre d'Etat, directeur général de la Liquidation de la Dette publique.
Bérenger, CV, directeur général de la Caisse d'amortissement.
Bergon, directeur général de l'administration des Forêts.
Boulay (de la Meurthe), CV, chargé du contentieux des Domaines nationaux.
Collin, CV, directeur général des Douanes.
Duchâtel, CV, directeur général de l'administration de l'Enregistrement et des Domaines.
Jaubert, gouverneur de la Banque de France.

Section de la Guerre

Lacuée, CV, *président,* ministre d'Etat, général de division, directeur général de la Conscription et des Revues, gouverneur de l'Ecole polytechnique.
Gassendi, général de division, chef de la 6e division (Artillerie) au ministère de la Guerre.

Section de la Marine

Ganteaume, *président,* vice-amiral.
Najac, CV.
Redon, CV.

(1) CV : Conseiller à vie.

Hors section

Dubois, CV, préfet de police.
Frochot, préfet de la Seine.
Laumond, préfet de Seine-et-Oise.
Merlin, procureur général en la Cour de cassation.
Muraire, CV, premier président de la Cour de cassation.

SERVICE EXTRAORDINAIRE

Beugnot, ministre provisoire des Finances dans le royaume de Westphalie.
Bourcier, général de division, inspecteur général de la cavalerie de la Grande Armée.
Brune, maréchal de l'Empire.
Caffarelli, préfet maritime du 3e arrondissement (Brest).
Daru, intendant général de la Grande Armée, intendant général de la Maison de l'Empereur.
Dauchy, intendant du Trésor public dans les départements au-delà des Alpes, chargé d'administrer la Toscane.
Galli.
Gau, dirigeant la première section des bureaux au ministère de l'Administration de la Guerre.
Gouvion-Saint-Cyr, général de division, colonel général des cuirassiers.
Jollivet, CV, commissaire pour le partage des domaines réservés en Westphalie.
Jullien, général de brigade, préfet du Morbihan.
Laforest, ambassadeur à Madrid.
Marmont, général de division, colonel général des chasseurs à cheval, commandant en chef l'armée de Dalmatie.
Moreau de Saint-Méry.
Otto, ministre plénipotentiaire à Munich.
Shée, préfet du Bas-Rhin.
Siméon, ministre provisoire de la Justice et de l'Intérieur dans le royaume de Wesphalie.
Thibaudeau, préfet des Bouches-du-Rhône.

MAÎTRE DES REQUÊTES

SERVICE ORDINAIRE

Chadelas, inspecteur aux revues.
Dalpozzo.
Félix, inspecteur aux revues.
Janet.
Louis, administrateur du Trésor public.
Le Camus de Neville.
Pasquier.

SERVICE EXTRAORDINAIRE

Chaban, préfet de la Dyle.
Chabrol de Crouzol, premier président de la Cour d'appel d'Orléans.
Mayneau de Pancemont, premier président de la Cour d'appel de Nîmes.
Merlet, préfet de la Vendée.
Molé, préfet de la Côte d'Or.
Séguier, premier président de la Cour d'appel de Paris.
Vischer de Celles, préfet de la Loire-Inférieure.

42 auditeurs (34 en service ordinaire, 8 en service extraordinaire).

(Arch. nat., A.F. IV, 281, pl. 1967).

DES MISSIONS BRILLANTES

Les listes trimestrielles ne font pas mention des missions temporaires dont les membres du Conseil furent également investis et qui furent aussi nombreuses, variées et importantes que les fonctions permanentes. Plusieurs conseillers d'Etat furent envoyés en l'an IX dans les divisions militaires pour y procéder à une enquête générale sur la situation économique, l'état de l'esprit public et le fonctionnement de l'administration. A la fin de l'Empire, des conseillers d'Etat dirigèrent trois missions extraordinaires chargées d'assurer en province une stricte exécution des ordres du Gouvernement. Entre temps conseillers, maîtres des requêtes et auditeurs (1) accomplirent en France, dans les pays annexés ou à l'étranger de multiples missions.

Celles qui n'étaient pas secrètes furent souvent entourées d'un éclat qui rehaussait, avec l'autorité du pouvoir, l'importance du Conseil. Thibaudeau envoyé en mission en l'an IX dans la 6e division militaire dont le chef-lieu était Besançon rappelle avec complaisance dans ses Mémoires les honneurs et les égards dont il fut l'objet :

> « Arrivé à Besançon, j'eus à supporter tous les honneurs préparés pour l'envoyé du gouvernement : salves d'artillerie, visites d'autorités et de fonctionnaires, etc. On m'invita à un exercice au Polygone. Je crus m'apercevoir que, par jalousie du civil, les militaires voulaient m'éprouver. On me donna un beau cheval très fringant. Au premier coup de canon, il recula et voulut s'emporter. Je le ramenai à sa position et je l'y maintins pendant tout l'exercice, quoique, à chaque coup, il essayât de recommencer. Sans être écuyer, j'étais ferme à cheval. Je me fis une réputation et les rieurs furent de mon côté.
>
> Après ces corvées, je me mis au travail. Je tins des conseils d'abord avec les agents principaux des contributions directes et indirectes, ensuite avec les préfets et les ingénieurs en chef de la division. Ces conseils furent très longs et durèrent plusieurs jours. Ils avaient un grand intérêt pour moi. C'était une bonne école où, jouant le rôle de maître, je trouvais à m'instruire et à continuer sur une plus grande échelle mon éducation administrative. La visite des établissements civils et militaires était le délassement des travaux du cabinet. Je me rendis ensuite dans les chefs-lieux des autres départements de la division pour voir en détail et sur les lieux ce que je n'avais vu qu'en gros à Besançon d'après les rapports des agents de l'administration. Là recommencèrent les honneurs, les repas, les bals. J'eus, entre autres, à subir un festin monstrueux qui me fut offert à la Saline d'Arc par le commissaire du gouvernement Babey, ex-constituant et mon collègue à la Convention. Il y avait nombreuse compagnie et un immense étalage de vins d'Arbois et autres vins de la Franche-Comté. Il me fut impossible de tenir plus d'une heure à table. Je me levai en m'excusant de mon mieux et en exigeant que personne ne se dérangeât. On le trouva très mauvais. Cependant le repas continua et dura plusieurs heures.

---

(1) Sur les missions des auditeurs. Cf. Ci-dessus, pp. 72 sq.

Mon collègue Duchâtel remplissait la même mission que moi dans la 7e division, chef-lieu Grenoble. Avant de quitter Paris, nous étions convenus de nous retrouver à Genève...

L'arrivée de deux conseillers d'Etat en mission avait fait sensation à Genève et dans les environs. A la hauteur du château de Coppet, nos voitures furent arrêtées. Une personne s'approcha de la mienne et nous invita de la part de M. Necker à venir chez lui prendre quelques rafraîchissements. Mme de Staël était chez son père. Mon premier mouvement fut d'accepter. Je conférai un moment avec Duchâtel. Il ne fut pas curieux de voir ces personnages qu'il ne connaissait pas; il était tard, il se dit fatigué. Nous fîmes remercier M. Necker et nous continuâmes notre route. J'en eus du regret ».

(Thibaudeau, Mémoires, pp. 52-53).

RÉTICENCES ET CRITIQUES

L'exercice d'activités extérieures par les membres de Conseil se heurta cependant à des résistances.

Dans l'administration tout d'abord. Les ministres, les préfets et leurs agents ne virent pas toujours avec plaisir leurs départements ou leurs services inspectés par des hommes clairvoyants et dont les pouvoirs étaient fort étendus, à en juger par les instructions données au citoyen Regnaud lorsqu'il fut envoyé en mission extraordinaire dans une division militaire :

« Le conseiller d'Etat envoyé dans la 12e division militaire se transportera dans tous les chefs-lieux de département de cette division.

Il s'assurera par les registres de réception de la correspondance et par les registres d'expédition tenus à la préfecture si les affaires sont expédiées avec célérité.

Il prendra note des affaires arriérées et qui sont pendantes devant les préfets.

Il en usera de même à l'égard des affaires pendantes devant les conseils de préfecture.

Il indiquera le nombre des décisions portées par ces conseils durant l'an X.

Il rendra compte de celles qui auraient pu être prises contre l'esprit de la loi ou des règlements ou qui auraient pu être dictées par la prévention et la partialité ».

(Arch. nat., AF IV, 1305, liasse 72, p. 10).

Selon Mme Devaisnes, dont Thibaudeau cite les propos dans ses Mémoires, la détermination prêtée à Napoléon vers la fin de l'Empire de ne plus nommer des conseillers d'Etat à la tête des directions générales aurait enchanté les ministres :

« C'est Français qui est cause de la détermination prononcée qu'a prise l'Empereur de ne plus avoir de directions générales gérées par des conseillers d'Etat (1). Il a trouvé la section des Finances trop faible sur tout ce qui concernait les collègues et a prétendu qu'ils étaient juges et parties. C'est par les Douanes qu'il a commencé. Les ministres en sont enchantés et poussent à ce que les directions générales rentrent dans leurs attributions ».

(Thibaudeau, Mémoires, chapitre XIX, p. 320).

Des résistances se manifestèrent aussi au sein du Conseil où les tâches extérieures confiées à un grand nombre de ses membres faisaient peser sur une minorité tout le poids des affaires qui y étaient traitées. Regnaud de Saint Jean d'Angely s'en plaignait presque chaque année à l'empereur, auquel il écrivait en l'an XIII :

« Votre Majesté m'invitait, il y a peu de jours, à répartir le travail de la section entre les membres qui la composent.

Le bien de votre service me détermine à présenter à Votre Majesté quelques observations sur le travail de la section.

Peu de conseillers d'Etat ont le temps d'y contribuer autrement que par leur présence aux séances et aux délibérations.

Presque tous ont des départements qui prennent tous leurs moments.

Cretet a les Ponts et Chaussées auxquels il suffit à peine.

Fourcroy a l'Instruction publique, la direction du Jardin des plantes, des cours à faire à plusieurs écoles.

Lavalette se consacre entièrement à la direction générale des Postes.

Français de Nantes se livre tout entier aux Droits réunis.

Miot a un département de la Police et pourtant joint des travaux de rapport et ceux de délibération.

Petit a également un département de la Police.

Segur, depuis plusieurs mois, se borne aux fonctions qu'il remplit près de Votre Majesté.

Laumon, bon administrateur, laborieux, et que nous regrettons, a cessé de prendre part aux distributions de travail depuis sa nomination à d'autres fonctions.

Restent MM. Begouen, Deloé, et moi.

Cependant, Sire, j'ose assurer Votre Majesté qu'il n'y a point d'affaires en retard.

Quelques-unes se trouvent ajournées par diverses raisons, dans lesquelles il n'y a pas un soupçon de négligence à former.

Et pourtant, Sire, la section de l'Intérieur expédie plus de quinze cents affaires par an, de manière à ce qu'aucune réclamation ne soit parvenue jusqu'à vous. L'année dernière, elle en a expédié 1792.

J'ai cru devoir ces détails à l'attention de Votre Majesté qui les embrasse tous et qui, dans ses nouveaux choix, pourra penser à remplacer M. Laumon prêt à s'éloigner ».

(Arch. nat., A.F. IV, 1042, p. 10).

Les membres du Conseil en poste ou en mission à l'extérieur devaient se soucier beaucoup moins que Regnaud de Saint Jean d'Angely des

---

(1) Il est exact que Napoléon nomma alors à la tête des directions des Douanes et de la Conscription deux hommes étrangers au Conseil. Mais rien ne permet de penser qu'il ait décidé de ne plus confier de directions à des conseillers d'Etat.

travaux de la section de l'Intérieur. Comme devaient être alors passionnantes les tâches qui leur étaient confiées dans un Empire étendu presque jusqu'aux limites de l'Europe ! Beugnot décrit ainsi les sentiments qui l'animaient à son arrivée et pendant son séjour dans le Grand Duché de Berg :

« C'était alors une position en Europe que d'être français et c'en était une grande que de représenter l'Empereur quelque part; à cela près que je n'aurais pas impunément abusé, j'étais en Allemagne ce qu'avaient été autrefois les proconsuls de Rome. Même respect, même obéissance de la part des peuples, même obséquiosité de la part des nobles, même désir de plaire et de capter ma faveur. Nous étions à cette époque sous le charme de la paix de Tilsit, l'invincibilité de l'Empereur n'avait encore reçu aucune atteinte... Je me présentais dans le grand-duché sous l'empire de ces idées; rien ne m'étonnait dans les égards et même dans les respects dont j'étais l'objet; toutefois je ne m'endormais pas dans ces flatteuses réceptions, je travaillais du soir au matin avec une ardeur singulière, j'en étonnais les naturels du pays, qui ne savaient pas que l'Empereur exerçait sur ses serviteurs, et si éloignés qu'ils fussent de lui, le miracle de la présence réelle. Je croyais le voir devant moi lorsque je travaillais enfermé dans mon cabinet... »

(Beugnot, Mémoires, Paris, 1889, pp. 263-264).

Après avoir ainsi administré un grand duché, il dut, à son retour, trouver bien sévères ces séances du Conseil d'Etat, que redoutait Siméon, alors qu'il était ministre de l'Intérieur du roi de Westphalie :

« Vous me félicitez sur ma nouvelle dignité, écrivait-il à Thibaudeau, elle n'est que provisoire et peut-être de courte durée. L'Empereur ne s'explique pas et sans lui je ne peux rien accepter définitivement. Je croirais dans ce pays comme dans un autre. J'aimerais mieux en France quelque chose de moins, mais je n'y attends rien. Le Conseil d'Etat, si j'y rentrais en service ordinaire, ne m'a jamais beaucoup convenu. Il me paraîtrait bien insipide après avoir organisé et gouverné un royaume ».

(Thibaudeau ,Mémoires, chapitre XVI, pp. 254-255).

VIII
LES CONSEILS D'ÉTAT DES ÉTATS VASSAUX DE L'EMPIRE

Un « article d'exportation » de l'administration napoléonienne — Le rôle prédominant de l'Empereur dans leur création — Diversité des effectifs, de l'organisation, des attributions et du rôle de ces Conseils — Leurs ressemblance entre eux et avec le Conseil d'Etat français — Leur fonction politique — Un rapport de l'ambassadeur de France à Cassel — Le recrutement dans la noblesse et le Tiers Etat — Le rôle législatif de ces Conseils — Leur relative indépendance.

Au même titre que le Code Civil et les préfets, le Conseil d'Etat a été un des meilleurs « articles d'exportation » de l'administration napoléonnienne en Europe. Tous les Etats vassaux de quelque importance se sont vus doter de ce rouage essentiel, soit dans leur constitution faite au « moule » de la constitution de l'An VIII, soit même avant d'avoir une constitution comme le royaume de Naples de Joseph en 1806. Même le grand duché de Berg, avec ses 900 000 habitants, a eu le sien à côté des Royaumes d'Italie, de Hollande, de Naples, de Westphalie, d'Espagne ou du Grand Duché de Varsovie.

La création de ces Conseils d'Etat satellites fut l'œuvre de l'Empereur. L'intervention personnelle de celui-ci se manifeste à plusieurs reprises dans sa correspondance. C'est par exemple le cas pour le royaume d'Italie, son enfant chéri. Le 8 mai 1805, au moment où il se prépare à aller recevoir la Couronne de fer et à régner quelques semaines à Milan, il écrit à Maret :

« Vous vous concerterez avec le grand Chancelier (Melzi) pour que, dans la première heure de mon arrivée à Milan, vous puissiez me présenter le projet de décret qui institue le Conseil d'Etat, le divise en 5 sections, nomme les présidents de chacune. Les ministres ne seront d'aucune section, comme dans le Conseil d'Etat de Paris. »

(Correspondance de Napoléon Ier, t. X, n° 8701, p. 482).

Le même jour, il écrit à Melzi :

« Mon intention est de réunir, sous le titre de Conseil d'Etat, vous, les membres actuels de la Consulte, le ministère, autant que les affaires lui permettront de s'y trouver et des membres du corps législatif. Il sera divisé en 5 sections : justice, intérieur, finances, guerre et marine, cultes.

Je désire que vous me présentiez, ce soir, un projet de décret sur cet objet et la division entre les 5 sections ».

(Correspondance de Napoléon Ier, t. X, n° 8702, p. 482).

A plusieurs reprises, l'Empereur envoya des membres de son Conseil d'Etat préparer la mise en place de la nouvelle administration des Etats vassaux ; ainsi, en Westphalie, avant l'arrivée de Jérôme, le décret du 18 août 1807 institue une régence « composé de nos conseillers d'Etat MM. Beugnot, Siméon, et Jollivet et du général de division Lagrange » ; le premier devait l'année suivante se distinguer comme ministre de l'administration du Grand Duché de Berg. De même on trouve près de Joseph, à Naples puis en Espagne, Miot de Melito, conseiller d'Etat depuis la même date que Joseph, soit l'an VIII.

Cette volonté d'uniformisation devait cependant tenir compte des particularités historiques et politiques de chaque Etat. La situation n'était pas la même — et les organes mis en place devaient par suite être différents — dans les royaumes issus des républiques sœurs, cisalpine ou batave, dotées, très tôt, d'institutions inspirées du directoire ou de la république consulaire de l'an VIII, dans les Etats créés plus tard à partir des démembrements de la Prusse (Westphalie, Grands duchés de Berg et de Varsovie) ou encore dans les anciens royaumes de Naples ou d'Espagne, dont le dernier avait déjà un Conseil d'Etat sous l'ancien régime (1).

Différence d'abord entre les effectifs de ces divers conseils. Celui de Berg ne compte que huit conseillers et celui de Hollande treize seulement, alors que les Conseils d'Etat d'Espagne, de Naples et d'Italie sont beaucoup plus richement dotés avec respectivement 30 à 60, 39 et 38 conseillers. Si l'on trouve des auditeurs dans la plupart de ces Conseils, seuls ceux d'Espagne et de Pologne possèdent des maîtres des requêtes.

Différences ensuite dans l'organisation. Le Conseil de Pologne n'est pas divisé en sections, alors que tous les autres en comprennent de deux à six. Une place à part doit être faite à cet égard au Conseil d'Etat du Royaume d'Italie qui, à partir de 1805, est formé de la réunion de trois conseils : conseil des consulteurs, conseil législatif et conseil des auditeurs. Le nom de ce dernier ne doit d'ailleurs pas induire en erreur : chargé des attributions autres que la rédaction des lois et des règlements d'administration publique, donc essentiellement des attributions contentieuses, il était en fait composé exclusivement de conseillers.

Différences enfin en ce qui concerne les rôles et les attributions. Le Conseil d'Etat polonais, où seuls les ministres siègent avec la qualité de conseillers, joue un rôle quasi gouvernemental et remplit, comme celui de Westphalie, les fonctions d'une cour de cassation. Dans le grand duché de Berg, à partir de 1812 au moins, le Conseil d'Etat est chargé de

(1) Cf. Luis Jordana. Le Conseil d'Etat espagnol et les influences françaises au cours de son évolution. Livre jubilaire du Conseil d'Etat, p. 521 sq.

l'examen des comptes. En Espagne et à Naples les textes discutés en Conseil d'Etat peuvent parfois posséder force de loi, avant même leur présentation au corps législatif.

LE MODÈLE FRANÇAIS

Ces Conseils, malgré leur différences, sont cependant proches parents et ressemblent assez fidèlement à leur modèle français. Comme lui ils occupent une des premières places dans l'Etat et c'est le chef de celui-ci qui les préside. Tous les textes concordent sur ce point : « Le Conseil d'Etat est présidé par le Roi » (article 35 du statut du Royaume d'Italie du 6 juin 1805). Les ministres y ont toujours accès : la constitution du Royaume d'Italie emploie la vieille expression héritée du conseil du Roi :« Les ministres sont membres nés du Conseil d'Etat ».

En fait, la présidence fut loin d'être toujours assurée par le souverain. Si Joseph, fort de sa parfaite connaissance de l'italien, présida régulièrement le Conseil de Naples et y joua un rôle très actif, trop actif même au goût de Napoléon, celui-ci dissuada Eugène de Beauharnais de faire de même à Milan :

> « N'imitez pas en tout ma conduite, lui écrivait-il; vous avez besoin de plus de retenue. Présidez peu le Conseil d'Etat; vous n'avez pas assez de connaissances pour le présider avec succès. Je ne verrais pas d'inconvénient à ce que vous y assistiez sous la présidence d'un consulteur, qui présiderait de sa place. La connaissance qui vous manque de la langue italienne et même de la législation est un très bon prétexte pour vous abstenir. Ne prenez jamais la parole au Conseil : on vous écouterait sans vous répondre, mais on verrait aussitôt que vous n'êtes pas en force pour discuter une matière. On ne mesure pas la force d'un prince qui se tait; quand il parle, il faut qu'il ait la conscience d'une grande supériorité ».
>
> *(Correspondance de Napoléon, t. X, n° 8852, p. 605*].

Eugène exécute docilement les ordres reçus :

> « A 4 heures — après midi.
>
> Je sors à l'instant du Conseil d'Etat. Ainsi que Votre Majesté me l'a ordonné, j'ai fait présider en ma présence un consulteur.
>
> Aujourd'hui, c'était Paradisi, Containi m'ayant prié de l'en exempter, une autre fois ce sera lui et puis Guicciardi... et je m'en tiendrai dans la suite à celui qui me paraîtra présider le mieux. J'aurai l'honneur d'envoyer ce soir à Votre Majesté un extrait de la discussion. Elle verra qu'il n'y a eu de présenté au travail qu'un seul projet de loi relatif à la manière de présenter les lois au Corps législatif. Après deux heures de discussion, on est convenu à la grande majorité de n'en faire qu'un décret du gouvernement. Je prierai Votre Majesté de vouloir bien y donner son approbation. »

Et voici la réponse de l'Empereur :

« Mon cousin, j'ai reçu votre lettre sans date. Je pense que vous avez raison d'essayer pendant plusieurs jours quel est le meilleur président du Conseil d'Etat. Mais je crois nécessaire que, quand vous en aurez essayé plusieurs, vous fixiez votre choix sur un, car il est impossible de maîtriser les délibérations du Conseil, et il y en a toujours un qui prend de l'ascendant et qui, étant sûr de présider quelque temps, maîtrise un peu les affaires. Prenez un décret qui divise le Conseil législatif en sections. Le nombre des membres est complet. »

(Correspondance Napoléon Ier, t. X., n° 8880, p. 634).

L'installation matérielle des Conseils ne fut pas non plus toujours à la mesure du rang qu'on voulait leur voir tenir. L'auditeur Stendhal jugeait sévèrement celle du Conseil d'Etat italien, comme d'ailleurs, dans un jour de méchante humeur peut-être, l'ensemble du Palais Royal de Milan. On lit dans son Journal à la date du 12 septembre 1811 :

Milan,
« J'ai le projet de faire ma petite déclaration à Mme P (ietragrua) et de savoir si je dois rester à Milan ou partir. Rien ne m'y retient plus qu'elle.
Je sors du Palais Royal. Il n'y a rien de grand que la salle de bal, et une salle de concert qui me semble cependant inférieure à celle du Palais de Vienne.
La salle du Conseil d'Etat est mesquine; mais elle a de mieux que la nôtre que le jour y vient d'en haut et qu'on y entend facilement. C'est au reste la même mauvaise forme longue. Il les faudrait en demi-cercle.
Le Palais de Milan a l'air pauvre. Les glaces y sont petites et, en plusieurs pièces, les pendules indignes. Il y manque outre cela quarante ou cinquante beaux meubles de Jacob.
Les pendules sont de Paris, il y a beaucoup de ces horreurs d'anciens gobelins.
Il n'y a de beau dans ce palais que les pavés en marbre factice et les peintures d'Appiani. »

(Stendhal. Journal, Paris, Champion, 1934, p. 66).

Leurs attributions — comme leurs structures et leur procédure — rapprochent aussi ces conseils. Tous exercent les cinq attributions du Conseil d'Etat français :
— intervention dans la procédure législative par la rédaction avec le gouvernement des projets de loi et la présentation de ceux-ci devant le Parlement ou l'organe qui en tient lieu ;
— rédaction des règlements d'administration publique ;
— conflits de juridiction ;
— contentieux administratif ;
— garanties des fonctionnaires.

Tous ces Conseils, comme le Conseil français, n'ont qu'un rôle purement consultatif et ce caractère fut affirmé dans la plupart des constitutions des Etats vassaux. A dessein, sans doute, pour éviter les difficultés auxquelles avaient donné lieu en France dès l'An VIII les formules ambiguës de la constitution sur « les décisions » du Conseil d'Etat.

Les membres des Conseils furent souvent aussi chargés de missions prévues parfois explicitement par les actes constitutionnels. Ainsi l'article 43 du statut constitutionnel du royaume d'Italie :

> « Le Roi confie, quand il le juge convenable, aux membres du Conseil d'Etat soit des parties d'administration publique, soit des départements du ministère, soit des missions dans l'intérieur et à l'étranger ».

Une lettre du Prince Eugène à Napoléon nous fournit un exemple d'une mission en Istrie et en Dalmatie (qui ne formaient pas encore les provinces illyriennes). Le vice-roi d'Italie y émet quelques doutes sur le zèle de ses conseillers pour de telles missions :

> « Je me suis conformé aux ordres que Votre Majesté a daigné me donner dans sa dépêche du 11 de ce mois; j'ai envoyé les conseillers d'Etat Guastavillani, Gallino, Giovio, Pallaviccini et Fé, le 1er à Cherso, le 2e à Zara, le 3e à Sebenico, le 4e à Makarsca, et le 5e à Spalatro.
>
> Je les ai chargés de visiter toutes les villes et toutes les iles et de se faire rendre compte partout; 1) de la manière dont la justice est rendue; 2) de l'état des domaines nationaux, de leur valeur et du mode de régie auquel ils sont soumis; 3) des revenus publics, de la manière dont ils sont répartis, perçus et administrés; 4) de l'état du commerce et de la navigation; 5) et enfin de l'état actuel de l'administration de toutes les affaires civiles et ecclésiastiques.
>
> Je leur ai donné pour instruction de rédiger des mémoires particuliers sur chacune des parties qu'ils auront étudiées et de proposer leurs vues sur les améliorations qu'ils jugeraient convenable et possible d'appliquer à chacune desdites parties.
>
> Enfin j'ai statué que, lorsque la mission de chacun d'eux serait finie, nul ne pourrait revenir à Milan, sans y avoir été rappelé par moi.
>
> Tout cela, Sire, a été fait par un décret, dont le projet n'a été communiqué à personne.
>
> Ce décret sera connu demain. Je m'attends à quelques supplications pour être dispensé d'obéir. Votre Majesté sait mieux que moi combien il est difficile de mettre les hommes en mouvement; mais je tiendrai ferme et, si j'admets les excuses de quelqu'un, il faudra qu'elles soient appuyées sur des motifs bien puissants.
>
> Voilà pour la Dalmatie... »
>
> *(Arch. nat. AF IV 1713).*

Les auditeurs se voient confier des missions en tous points semblables à celles de leurs homologues français, et parfois de la main même du Souverain, comme le fit Louis, roi de Hollande :

> Utrecht, le 22 décembre 1807
>
> « Aux auditeurs au Conseil d'Etat.
>
> Un de nos auditeurs se rendra en Frise et en Groningue, un autre en Drenthe et en Over-Yssel, un troisième en Gueldre et en Brabant, un quatrième en Maesland et en Zélande, un cinquième dans la province

d'Utrecht et en ville d'Amsterdam. Les landdrosts (1), drossards (2), administrations des villes leur procureront tous les renseignements et toutes les facilités dont ils auront besoin.

Le but de leur mission est de nous faire connaître :

1) L'état des orphelins, enfants trouvés et généralement tous les enfants qui sont à la charge des villes ou des différentes communautés religieuses, en distinguant le nombre de garçons d'avec le nombre de filles.

2) Ce que coûtent les enfants mâles et ce que coûtent les filles annuellement, tous frais compris et cela dans la commune où l'institut, l'établissement et l'administration sont le moins dispendieux.

3) Comment ils sont nourris dans cet établissement, comment ils sont habillés, ce qu'on leur apprend.

4) Quels soins prend-on des enfants depuis leur naissance jusqu'à 7 ans ? L'administration et le prix sont-ils différents pour eux ?

5) Quand ils sont hommes, que deviennent-ils ?

6) Les villes désirent-elles en être déchargées ? Combien chaque département pourrait-il en fournir de chaque sexe, si l'on avait le projet de les réunir en deux grands établissements pour tout le royaume ? »

(Cité par A. Duboscq, Louis Bonaparte en Hollande d'après ses lettres, Paris 1911, p. 182).

UNE OPÉRATION POLITIQUE

Un autre trait rapproche les Conseils des Etats vassaux : leur création fut inspirée par un même dessein politique. Napoléon voulait en les formant favoriser les ralliements dans les pays conquis et mieux assurer la domination française.

Un bon témoignage de ces préoccupations — comme des difficultés de cette politique — nous est fourni par la lettre écrite le 29 décembre 1812 au ministre français des Relations extérieures par l'ambassadeur de France à Cassel, Reinhard. Ce dernier place dans cette lettre une galerie de portraits tracés d'une plume moins diplomatique que policière :

. . . .

« 8) M. de Biedersee, conseiller d'Etat, commandeur de l'ordre de la Couronne, prussien de naissance.

Il était ci-devant président de la régence de Halberstadt et l'est maintenant de la cour d'appel à Cassel. Il est honnête homme, mais un peu égoïste. Son ancien attachement à la Prusse s'effaça sitôt qu'il se trouva dans une position à ne plus avoir à craindre pour sa subsistance. La seule pensée d'un changement de gouvernement le fait trembler, puisqu'il craint d'en souffrir des pertes particulières. Ce n'est que cette peur qui lui inspire de la répugnance contre la France. Il passe pour un homme instruit, juste et très appliqué. La cour d'appel jouit, sous sa présidence, d'une parfaite réputation. Il n'est pas riche et ne pourra vivre sans être employé.

---

(1) Préfets des départements.

(2) Sous-préfets.

9) M. le baron de Leist, conseiller d'Etat, directeur général de l'Instruction publique, chevalier de l'ordre de la Couronne. Il est le fils d'un ci-devant bailli hanovrien qui demeure encore à Ebstorf, près de Lunebourg...

M. de Leist est un homme d'une ambition sans bornes; il est plein de cette présomption dont les professeurs allemands sont si facilement saisis. C'est son faible de s'entendre louer, et quiconque sait toucher adroitement cette corde disposera bientôt de M. de Leist. Sa nomination de conseiller d'Etat l'éblouissait tellement que dès ce jour-là son ancien vrai attachement au gouvernement hanovrien changea en une haine si forte qu'il ne sut trouver de propos assez durs pour témoigner sa répugnance. Il s'imagina longtemps que le roi de Westphalie n'avait pas besoin de la protection de la France. Sa fausse politique l'a séduit même quelquefois, au point de concevoir les ridicules idées que le gouvernement westphalien ne fût point obligé de recevoir des préceptes de l'Empereur.

11) M. de Schulte, membre de la commission du sceau des titres, chevalier de l'ordre de la Couronne. Il est Hanovrien; son bien de souche est à Burgoittense, petit endroit dans le département des Bouches de l'Elbe. Sa fortune est une des plus considérables du royaume.

A l'époque de la réunion du pays d'Hanovre à la Westphalie, M. de Schulte fut fait conseiller d'Etat, à cause de sa fortune qu'on voulut qu'il mangeât à Cassel.

On ne peut pas lui disputer de l'esprit et de l'instruction; mais il serait difficile de trouver un homme plus froid et plus fier que lui. Son aversion pour la France s'est adoucie un peu depuis que ses biens sont en France. Il est néanmoins très sujet à caution et, quand les circonstances exigeraient jamais de mettre en sûreté les personnes disposées à soutenir les projets des anglais ou des séditieux quelconques, je serai d'avis de ne point oublier M. de Schulte... »

(Cité par le Baron du Casse in Les Rois frères de Napoléon Ier, Paris 1883, pp. 433-sq.).

Le but poursuivi exigeait que le recrutement fût local. Il le fut toujours, sauf une exception : la nomination, par Joseph, de Miot et de Ferripisani dans les Conseils de Naples et d'Espagne, exception que Miot se croit tenu de souligner dans ses Mémoires.

Le choix des personnes fut fait souvent aussi en tenant compte davantage de considérations politiques que des capacités professionnelles. On le voit sans peine en lisant la liste des nominations faites par Joseph au Conseil de Naples :

« Outre les ministres, le secrétaire d'Etat du cabinet et le futur secrétaire d'Etat; le prince de Canosa (l'ex-régent, conservateur du tribunal de la noblesse); l'archevêque de Tarente; Capece-Latro (futur ministre de Murat), homme distingué, mais attaché aux idées de caste; le duc de Carigniano, président du Sénat de Naples; le lieutenant général Parisi; Martucci, président du tribunal de commerce; le chevalier Codronchi (florentin, créature d'Acton, démissionnaire vers la fin de 1806); le baron Nolli; le comte de Policastro; comme secrétaire du Conseil, Tito Manzi, un Toscan, professeur distingué; comme bibliothécaire, un économiste illustre, Galanti.

Ensuite, furent nommés le prince de Sirignano, président du Sacré Conseil, Melchiorre Delfico, l'illustre économiste et historien, le duc de Canzano, colonel de gardes provinciales, puis intendant; le duc S. Arpino, gouverneur de l'Albergo dei Poveri, puis intendant; le capitaine de vaisseau de Simone; L. Macedonio, ancien ministre des Finances de la République, intendant des domaines royaux; le marquis d'Acquaviva; G. Lamanna, un patricien de Scigliano, élève de Genevesi, ami de Beccaria et de Filangieri, déjà nommé président de la Vicaria, après avoir été chef de la police bourbonienne; le comte d'Anguissola, intendant de Lecce; le savant évêque de Pouzzoles Rossini; l'archiprêtre Giampaolo, promu soudainement à la suite d'une rencontre avec Joseph en Molise; l'ancien et futur ministre Zurlo; l'intendant de la province de Naples, de Gennaro, etc. »

(Cité par Rambaud in Naples sous J. Bonaparte, Paris 1911, p. 380).

Cette liste comprend une majorité de membres appartenant à la noblesse. Situation peu conforme sans doute aux vues de Napoléon, qui donnait pour instruction à ses représentants de choisir de préférence les membres des Conseils dans le Tiers Etat :

« Vous convoquerez, écrivait-il à Jérôme, roi de Westphalie, le 15 novembre 1807, les députés des villes, les ministres de toutes les religions, les députés des Etats actuellement existants, en faisant en sorte qu'il y en ait moitié non nobles et moitié nobles; et devant cette Assemblée ainsi composée, vous recevrez la constitution et prêterez serment de la maintenir, et immédiatement après vous recevrez le serment de ces députés de vos peuples. Les quatre membres de la régence seront chargés de vous faire la remise du pays. Ils formeront un conseil privé qui restera près de vous tant que vous en aurez besoin. Ne nommez d'abord que la moitié de vos conseillers d'Etat; ce nombre sera suffisant pour commencer le travail. Ayez soin que la majorité soit composée de non nobles, toutefois sans que personne s'aperçoive de cette habituelle surveillance à maintenir en majorité le Tiers-Etat dans tous les emplois. J'en excepte quelques places de cour, auxquelles, par suite des mêmes principes, il faut appeler les plus grands noms. Mais que dans vos ministères, dans vos conseils, s'il est possible, dans vos cours d'appel, dans vos administrations, la plus grande partie des personnes que vous emploierez ne soit pas noble. Cette conduite ira au cœur de la Germanie et affligera peut-être l'autre classe; n'y faites point attention. Il suffit de ne porter aucune affectation dans cette conduite et de surtout ne jamais entamer de discussions, ni faire comprendre que vous attachez tant d'importance à relever le Tiers-Etat. Le principe avoué est de choisir les talents partout où il y en a. Je vous ai tracé là les principes généraux de votre conduite. »

(Correspondance Napoléon 1er, t. XVI, n° 13363, p. 205).

Mais en Westphalie, comme ailleurs aussi sans doute, ces directives étaient malaisées à appliquer. Jérôme répondit à la lettre précédente :

« D'après le rapport qui m'a été fait par MM. les conseillers d'Etat français, j'annonce avec peine à Votre Majesté qu'il me sera bien difficile de choisir parmi le Tiers-Etat des candidats pour le Conseil d'Etat et les autres emplois du royaume, ainsi que je le désirais, la plus grande partie de cette classe étant composée d'hommes peu instruits et qui ne connaissent pas la langue française.

Je ferai cependant tout mon possible pour répondre au désir de votre

Majesté; mais je vois que je serai forcé de prendre plus de nobles que je ne l'aurais voulu. »

(Cité in Mémoires et Correspondance du roi Jérôme et de la reine Catherine, Paris, 1862, t. III, p. 112 sq).

LE ROLE DES CONSEILS

On se tromperait si l'on pensait que ces Conseils furent des institutions de pure façade et ne jouèrent pas de rôle effectif dans la vie gouvernementale et administrative des Etats vassaux. L'activité législative notamment de la plupart d'entre eux — celle sans doute à laquelle Napoléon tenait le plus — fut importante (1). L'ambassadeur de France en Westphalie note le 20 décembre 1809 que « le Conseil d'Etat s'assemble fréquemment pour préparer les projets de loi qui seront présentés aux Etats » (2). Le Conseil de Naples, sous l'impulsion personnelle de Joseph, accomplit un gros travail pour l'adaptation des codes napoléoniens. Adaptation et non pas simple incorporation à la législation locale :

« Malgré la hâte de l'empereur, le Code civil ne fut pas introduit à Naples sous Joseph; de Bayonne, le 22 juin 1808, le roi se bornait à en prescrire l'adoption pour l'année suivante. Une commission de conseillers d'Etat étudiait les modifications indispensables et les légistes du midi allaient amender sur plusieurs points le Code sacro-saint, que tout le reste de l'Italie avait accepté sans restriction; déjà ils critiquaient la « traduction barbare et souvent infidèle » qui en avait été faite à Milan. »

(J. Rambaud, Naples sous J. Bonaparte, Paris 1911, p. 412).

Ces Conseils ne furent pas non plus de simples chambres d'enregistrement. Plusieurs s'attirèrent de vives critiques de l'Empereur, des Rois ou des ministres pour leur « mauvaise volonté ». Déjà, sous la République italienne de 1802, Melzi se plaignait dans une lettre à Bonaparte des difficultés que lui créait le Conseil législatif, préfiguration du futur Conseil d'Etat créé en 1805 :

« La connaissance que vous avez de tous les membres que les circonstances ont fait entrer au Conseil législatif me dispense de les signaler. Sans doute il y a du mérite, des connaissances et du zèle parmi eux, mais il y a aussi beaucoup trop de nullité, beaucoup d'intérêt et de vues personnelles, manque absolu des habitudes que leurs fonctions demandent; point de tenue, point de secret, point de sentiment de faire partie du gouvernement, tendance même marquée à s'en isoler pour y faire plus librement les intérêts des départements, pour y remplir des vues tout-à-fait personnelles.

. . . .

Un des inconvénients les plus graves que j'ai remarqué dans la marche du Conseil législatif est l'opposition ouverte dans laquelle il s'est établi

(1) Les ouvrages et documents consultés pour la rédaction de ce chapitre ne contiennent rien sur l'activité contentieuse des Conseils.

(2) Cité dans : Baron du Casse — Les Rois frères de Napoléon — 1883, p. 333.

vis-à-vis des ministres; d'un côté l'ambition de marquer une supériorité sur eux, de l'autre le penchant naturel vers la censure; des passions, des antipathies personnelles et, plus que tout, la méconnaissance du véritable esprit de l'institution qui a créé le Conseil pour et non contre le Gouvernement ont ouvert déjà une lutte entre les conseillers et les ministres.

....

Je suis convaincu que le Conseil, séparé des ministres, sera toujours contre les ministres; dans un gouvernement vieux et consolidé, le mal se balancerait peut-être avec le bien; mais, dans notre cas, le mal n'est point compensé. Aux lenteurs, aux divergences, au découragement des ministres, il faut ajouter le tort immense qu'il en résulte à la considération du gouvernement même. Mon avis serait donc d'amalgamer les ministres et le Conseil en réduisant le nombre de ses membres actifs. »

(Cité in: Francesco Melzi d'Eril, Memorie Documenti, Milano 1865, t. II, p. 35).

De même Louis aura des démêlés avec son Conseil d'Etat qui est allé jusqu'à oser dire que « l'Armée en Hollande avant (son) règne était mieux qu'à présent et que nul ne se plaignait, tandis que tout le contraire a lieu aujourd'hui ». De même Jérôme se heurta à l'opposition du sien quand il voulut ajouter à sa liste civile les biens de l'Ordre Teutonique. De même encore, à Naples, Joseph eut tant de peine à faire accepter par les conseillers d'Etat la loi sur la contribution foncière et celle abolissant la féodalité, qu'à la fin de son règne il « était attentif, notait dans un rapport l'Ambassadeur de France, à ne plus leur envoyer des affaires dans lesquelles la mauvaise disposition de leur esprit aurait pu nuire à l'intérêt de l'Etat ». Ces exemples prouvent que les Conseils se comportèrent souvent en assemblées politiques défendant les droits et les intérêts locaux contre la politique française d'assimilation et les prélèvements de plus en plus lourds que l'administration napoléonienne voulait leur imposer. Pareille attitude, où se mêlaient prudence et courage, dut être en partie inspirée à certains conseillers — tels ceux dépeints par l'Ambassadeur Reinhart dans son rapport cité plus haut — par la préoccupation de leur avenir personnel. Mais le souci de protéger les biens les droits et les convictions de leurs concitoyens joua un rôle au moins aussi grand. C'est pour des raisons de cet ordre que l'introduction en Hollande du Code Civil, et, avec celui-ci, du divorce par consentement mutuel, se heurta à de nombreuses objections au sein de la commission du Conseil d'Etat qui avait été chargée d'étudier ce problème. Dans son rapport au Roi, la section de Législation du Conseil d'Etat rappela d'abord ces objections :

« Une autre difficulté de la commission, à notre avis plus importante et sur laquelle les opinions des plus grands jurisconsultes et des politiques les plus éclairés sont très opposées, est celle du 6e Titre du premier Livre du Code Napoléon traitant du divorce. Dans le chapitre trois de ce Titre, il est statué sur le divorce par consentement mutuel et la commission croit que cela ne doit pas être admis dans le nouveau code à cause que cela lui paraît contraire à la moralité, qu'on était beaucoup revenu sur cela en France même, et que la nation hollandaise répugnait extrêmement à ces divorces. »

La section n'adopta pas les conclusions de la Commission car elle estima que le Code civil subordonnait le divorce par consentement mutuel à des conditions très strictes, mais elle tint à affirmer qu'il ne devait pas être fait fi de l'opinion publique en de semblables matières :

> « Sire, l'intérêt et le bien général d'une Nation, dont Votre Majesté désire le bonheur, ordonnnent à la section de s'énoncer avec franchise et précision sur un objet si majeur. La section est convaincue que l'opinion publique qui en dernière analyse n'est autre chose que l'opinion des hommes éclairés dont la foule s'est emparée, n'est pas un monstre dont on doive se moquer. »
>
> *(Arch. nat. AF IV 1790 liasse 75).*

ANNEXE

Statut du 6 juillet 1808 du Royaume d'Espagne (1). (Extrait).

Titre VIII — Du Conseil d'Etat

52 Il y a un Conseil d'Etat présidé par le Roi.
Il sera composé de trente membres au moins et de soixante au plus.
Il sera divisé en six sections, à savoir :
— section de la Justice et des Affaires ecclésiatisques,
— section de l'Intérieur et de la Police générale,
— section des Finances,
— section de la Guerre,
— section de la Marine,
— et section des Indes.

53. Le prince héréditaire pourra assister aux séances du Conseil d'Etat, lorsqu'il aura atteint l'âge de 15 ans.

54. Sont de droit membres du Conseil d'Etat les ministres et le président du Conseil de Castille; ils assistent à ses séances, ne font partie d'aucune section et ne comptent point dans le nombre fixé par l'article ci-dessus.

55. Six députés des Indes sont adjoints à la section des Indes, avec voix consultative et conformément à ce qui est établi ci-après, article 95 titre 10.

56. Il y aura, près du Conseil d'Etat, des maîtres des requêtes, des auditeurs et des avocats au Conseil.

Acte constiutionnel du 16 novembre 1807 du Royaume de Wesphalie (Extrait).

22. La loi sur les impositions, ou loi des Finances, les lois civiles et criminelles, seront discutées et rédigées en Conseil d'Etat.

---

(1) Les textes des constitutions des Etats vassaux sont cités d'après l'ouvrage de C.J. Bonnin. « Droit public français ou code politique contenant les constitutions de l'Empire ». Paris 1809.

23. Les lois qui auront été rédigées au Conseil d'Etat seront données en communication à des commissions nommées par les Etats (1).

Les commissions, au nombre de trois, savoir : commission des finances, commission de justice civile, commission de justice criminelle, seront composées de cinq membres des Etats, nommés et renouvelés chaque session.

24. Les commissions des Etats pourront discuter, avec les sections respectives du conseil, les projets de lois qui leur auront été communiqués.

Les observations desdites commissions seront lues en plein Conseil d'Etat, présidé par le Roi; et il sera délibéré, s'il y a lieu, sur les modifications dont les projets de lois pourront être reconnus susceptibles.

25. La rédaction définitive des projets de lois sera immédiatement portée par des membres du Conseil aux Etats, qui délibèreront, après avoir entendu les motifs des projets de lois et les rapports de la commission.

26. Le Conseil d'Etat discutera et rédigera les règlements d'administration publique.

27. Il connaîtra des conflits de juridiction entre les corps administratifs et les corps judiciaires, du contentieux de l'administration et de la mise en jugement des agents de l'administration publique.

28. Le Conseil d'Etat, dans ses attributions, n'a que voix consultative.

Décret du 17 juillet 1806 du Roi Louis chargeant le Conseil d'Etat de Hollande d'une mission générale de réforme administrative.

Louis Napoléon, par la Grâce de Dieu et les Lois Constitutionnelles de l'Etat, Roi de Hollande,

Nous avons décrété et décrétons :

Article premier. Les sections du Conseil d'Etat s'occuperont de réviser toutes les instructions données par les Gouvernements précédents et par nous aux autorités quelconques du Royaume et de les adapter pour les différents ministres, secrétaires d'Etat, et directeurs généraux, lesquels comprennent et doivent comprendre toutes les branches d'administration publique sans exception.

Article 2. Elles s'occuperont encore de nous présenter un projet sur la manière d'organiser les bureaux des différents ministres, en les divisant en divisions et en bureaux et en règlant les attributions et le grade de chaque chef de division et de bureau, comme aussi le nombre des employés et leurs traitements, en observant toute l'économie possible.

Article 3. Chaque section sera chargée de présenter le travail pour le Ministère dont elle connaît les affaires. Ainsi celle de la Législation et Affaires générales préparera ce travail pour les Ministères de l'Intérieur, de la Justice et Police, des Affaires étrangères, et de la Secrétairerie d'Etat; celle des Finances pour le Ministères des Finances; celle de la Marine pour le Ministère de la Marine; celle du Commerce et des Colonies pour le Ministère du Commerce et des Colonies; celle de la Guerre pour le Ministère de la Guerre.

(Arch. nat. AF IV 1747 A, Liasse 28, p. 62).

---

(1) Il s'agit du Corps Législatif propre au Royaume de Westphalie.

IX
LA FIN DU CONSEIL D'ÉTAT NAPOLÉONIEN

Les instructions de repli de l'Empereur — Départ pour Blois des présidents de section et de quelques conseillers — Leur repli sur Orléans — Leur suspension par le Gouvernement provisoire — Les adresses de ralliement — Convocation du Conseil par le Gouvernement provisoire — Acte d'adhésion du 11 avril de 44 membres du Conseil — Réception de délégations du Conseil par le Comte d'Artois (16 avril) et le duc de Berry (26 avril).

Conseil de l'Etat, conseil de l'Empereur, le Conseil d'Etat devait être secoué par les événements qui aboutirent à la disparition de l'Empire et à la chute de Napoléon.

Celui-ci, dès le 8 février 1814, prévoyant le pire, écrivait de Nogent au Roi Joseph, son lieutenant général à Paris :

> « S'il arrivait bataille perdue et nouvelle de ma mort, vous en seriez instruit avant mes ministres. Faites partir l'Impératrice et le Roi de Rome pour Rambouillet; ordonnez au Sénat, au Conseil d'Etat et à toutes les troupes de se réunir sur la Loire... »
>
> (*Correspondance de Napoléon Ier, t. XXVII, n° 21 210, p. 153*).

Seuls en fait les présidents de section et quelques conseillers (1), dont Réal, Miot, Jaubert et Maret, quittèrent Paris le 29 mars et suivirent la Régente à Blois, puis à Orléans, d'où la plupart regagneront Paris vers le 10 avril. Leur départ de Paris leur vaudra d'être l'objet d'une mesure particulière du Gouvernement provisoire, dont un arrêté du 9 avril décide que « les ministres, membres du Conseil d'Etat et autres fonctionnaires qui ont suivi l'ancien gouvernement ne pourront reprendre leur service que d'après un acte spécial du Gouvernement provisoire » (2).

---

(1) Dans une lettre du 16 mars 1814 à son frère Joseph, Napoléon avait limité l'ordre précédent :

Reims, 16 mars 1814.

« Mon Frère, conformément aux instructions verbales que je vous ai données et à l'esprit de toutes mes lettres, vous ne devez pas permettre que, dans aucun cas, l'Impératrice et le Roi de Rome tombent entre les mains de l'ennemi. Je vais manœuvrer de manière qu'il serait possible que vous fussiez plusieurs jours sans avoir de mes nouvelles. Si l'ennemi s'avançait sur Paris avec des forces telles que toute résistance devînt impossible, faites partir dans la direction de la Loire la Régente, mon fils, les grands dignitaires, les ministres, les officiers du Sénat, les présidents du Conseil d'Etat, les grands officiers de la Couronne, le baron de la Bouillerie et le Trésor. Ne quittez pas mon fils, et rappelez-vous que le préférerais le savoir dans la Seine plutôt que dans les mains des ennemis de la France. Le sort d'Astyanax prisonnier des Grecs m'a toujours paru le sort le plus malheureux de l'histoire ». (*Correspondance de Napoléon Ier, t. XXVII, n° 21 497, pp. 377-78*).

(2) Cf. *Duvergier, t. XIX, p. 13.*

C'était dire que les autres demeuraient en fonction, ceux du moins — et c'était l'immense majorité — qui s'étaient ralliés au Gouvernement provisoire et déjà, à travers lui, aux Bourbons dont il annonçait et préparait le retour.

Ces ralliements individuels avaient commencé avant même que l'abdication de l'Empereur eût été rendue officielle. Adressés pour la plupart à Talleyrand, président du Gouvernement provisoire, ils affluent de Paris et de la province :

Du comte Maret :

« Monseigneur,

J'ai l'honneur d'adresser à votre Altesse Sérénissime mon adhésion à la constitution décrétée par le Sénat et publiée à Paris, le 8 de ce mois; j'y joins celle de mon gendre, le Baron Michel, général de division et major des grenadiers à pied de la garde, ainsi que celle de ses deux aides de camp; je prie votre Altesse Sérénissime de vouloir bien les recevoir.

Parti de Paris le 30 mars soir d'après les ordres des ministres dont dépendait l'administration qui m'avait été confiée, j'ai prévenu M. le ministre de la Guerre que je renvoyais à Paris les employés venus avec moi. Ils y reportent les papiers extraits des bureaux de la Direction générale des vivres, les minutes des lettres et actes faits pendant le voyage et tant en deniers qu'en pièces de dépenses la somme extraite de la caisse dont un caissier provisoire est comptable.

Je me propose, Monseigneur, d'être, sous peu, rendu à Paris; je suis retenu momentanément à Orléans par quelques soins que je dois à mon gendre blessé d'un biscayen dans la journée du 30 mars dernier.

Je suis avec respect
Monseigneur,
de votre Altesse Sérénissime
Le très humble et très obéissant serviteur,

Le comte Maret
Conseiller d'Etat

à S.A.S. Le Prince de Bénévent, Président du Gouvernement provisoire ».

Du comte Molé :

« Monseigneur,

J'avais d'abord pensé que n'exerçant plus aucune fonction dans l'Etat, j'étais sans titre pour adresser mon adhésion au Gouvernement provisoire, mais ne pouvant résister au désir d'exprimer mes sentiments dans une circonstance aussi importante, je m'empresse de déclarer que j'adhère pleinement et entièrement aux actes par lesquels le Sénat vient de relever le trône de Louis XIV, d'Henri IV et de Saint Louis.

Je suis avec respect,
Monseigneur,
de votre Altesse Sérénissime
Le très humble et obéissant serviteur,

Comte Mole

Paris, 11 avril 1814. »

De deux auditeurs en mission :

« Monseigneur,

Quoiqu'éloignés de la capitale, nous nous empressons de joindre nos vœux et nos serments à ceux de tous les Français. En conséquence, et comme faisant partie du Conseil d'Etat, nous supplions votre Altesse Sérénissime d'être auprès du Gouvernement l'interprète des sentiments de fidélité et d'obéissance que nous vouons à la Constitution qui vient d'être adoptée par la Nation française.

Nous sommes avec respect,
Monseigneur,
de votre Altesse Sérénissime,
Le très humble et très obéissant serviteur,

Les auditeurs au Conseil d'Etat,
envoyés en mission extraordinaire dans la 20e division militaire
L. M. de Cormenin et Viel Castel

Périgueux, le 11 avril 1814 ».

(Arch. nat. AF V 3).

Dès le 6 avril le Gouvernement provisoire avait invité le Conseil à reprendre ses travaux par la décision suivante :

Le Gouvernement provisoire fait connaître au secrétaire général du Conseil d'Etat que ce Conseil ait à reprendre ses fonctions; qu'il attende sa convocation et que, le prince archichancelier étant absent (1), il sera présidé par le prince architrésorier.

Le travail dont les différentes sections sont chargées ne doit souffrir aucune interruption.

Le gouvernement provisoire verra avec une grande satisfaction que des hommes aussi éclairés et qui, dans toutes les circonstances, ont donné des preuves si parfaites de leur amour pour la patrie, continuent à concourir par leurs lumières aux changements politiques que la force des choses a nécessités.

Le secrétaire général du Conseil d'Etat est invité à communiquer la présente disposition à tous les membres du Conseil d'Etat.

(Le Moniteur, 7 avril 1814, p. 582).

Locré déféra certainement à cette invite. Le jour même où celle-ci était publiée dans *le Moniteur,* il avait pris l'initiative de réunir le personnel des bureaux du Conseil et en rendit compte le lendemain au Gouvernement provisoire dans les termes suivants :

« Paris, le 8 avril 1814.

Au Gouvernement provisoire,

Messeigneurs,

J'ai cru devoir assembler les chefs de mes bureaux pour leur notifier l'acte constitutionnel qui, en rendant à la France ses antiques souverains, met enfin un terme aux funestes agitations où notre malheureuse patrie

(1) Cambacérès se trouvait alors à Blois avec l'Impératrice.

vit depuis 20 ans, lui assure une longue paix et lui ouvre le retour au bonheur. Tous m'ont demandé à prêter le serment de fidélité au Roi Louis XVIII. Je prends la liberté, Messeigneurs, de déposer entre vos mains copie certifiée du procès-verbal que j'en ai dressé.

Je vous supplie aussi de recevoir provisoirement le serment de fidélité que je prête du fond du cœur au Roi et que je renouvellerai plus solennellement avec les autres membres du Conseil d'Etat.

J'ai l'honneur d'être avec respect,

Messeigneurs,

Votre très humble et très obéissant serviteur,

Le Secrétaire général du Conseil d'Etat

Locre »

(Arch. nat. AF V 3).

Le serment collectif ainsi annoncé fut un simple acte d'adhésion signé de 44 noms et qui intervint le 11 avril :

11 avril 1814

Conseil d'Etat

Les conseillers d'Etat, maîtres des Requêtes et auditeurs soussignés, rassemblés dans leurs sections respectives, conformément à la lettre du Gouvernement provisoire du six de ce mois, pour préparer l'expédition des affaires dont elles sont chargées, ont cru devoir, avant de reprendre leur travail, profiter du premier moment dans leur réunion pour manifester au Gouvenement provisoire leur reconnaissance des dispositions et de la confiance envers le Conseil d'Etat et pour déclarer qu'ils adhèrent à tous les actes du Sénat et du Gouvernement provisoire et au rétablissement de la dynastie de nos anciens souverains conformément à la Charte constitutionnelle du six de ce mois.

Fait à Paris, au Palais des Tuileries, le onze avril mil huit cent quatorze et ont signé...

(Arch. nat., AF V 3).

Le lendemain 12 avril, le Gouvernement provisoire remettait ses pouvoirs au Comte d'Artois, lieutenant général du Royaume. Celui-ci reçut le 16 avril « les membres composant les sections du Conseil d'Etat ». *Le Moniteur* relate ainsi cette réception, à laquelle ne participèrent pas les membres du Conseil qui s'étaient rendus à Blois :

« Les membres composant les sections du Conseil d'Etat ont été admis aujourd'hui à l'audience de Monsieur.

M. le comte Bergon a porté parole et adressé le discours suivant à S.A.R. :

« Monseigneur,

Le Conseil d'Etat se félicite de voir le retour de V.A.R. dans la capitale et le palais de ses pères.

Enfin les fils de Saint-Louis et de Henri IV nous sont rendus ! Nos cœurs sont au Roi et à son auguste famille, et nos pensées, notre zèle, notre dévouement lui appartiennent.

Nos désirs, Monseigneur, sont d'être utiles au souverain et à la patrie, de voir se cicatriser les plaies de la France redevenue enfin la patrie commune du chef de l'Etat et des sujets, et de contempler notre monarque heureux par le bonheur de son peuple. »

Monsieur a daigné faire à ce discours une réponse remplie de bienveillance et dans laquelle, entr'autres expressions, il a déclaré qu'il partageait les sentiments dont MM. les membres des sections du Conseil d'Etat venaient de lui faire hommage; que le Roi et S.A.R. n'avaient jamais douté de leur dévouement et de leur zèle pour le service de l'Etat ».

(Le Moniteur, 17 avril 1814, p. 421).

Le 19 avril, le conseiller Berlier, ex-conventionnel régicide, président du Conseil des prises, harangua le comte d'Artois au nom de ce corps.

Dix jours plus tard, le 26 avril, certains conseillers et notamment Defermon, président de la section des Finances, qui avaient été tenus à l'écart de l'audience du 16 avril, obtinrent que le corps fût reçu par le duc de Berry, auquel Defermon adressa les paroles suivantes :

« Monseigneur,

La paix si nécessaire à la France et à l'Europe signale le retour de Votre Altesse Royale parmi nous. La magnanimité du Roi, les témoignages de bonté et de bienveillance de votre auguste frère et de Votre Altesse Royale nous donnent l'espoir de l'avenir le plus heureux ! Aussi tous les Français éprouvent-ils le besoin de se rendre dignes de si grands bienfaits par leur amour et leur reconnaissance.

Animés, Monseigneur, de ces mêmes sentiments, les membres du Conseil d'Etat mettront leur bonheur à prouver à leurs Souverains légitimes et leur fidélité et leur dévouement ».

(Arch. nat., AF V 3).

Cette réunion, comme la publication de cette harangue, à laquelle le duc de Berry répondit par quelques phrases banales, n'allèrent pas sans soulever des difficultés, à en juger d'après la lettre adressée le même jour par Locré au baron de Vitrolles, secrétaire d'Etat provisoire :

« Je crois devoir vous prévenir de ce qui s'est passé ce matin et de ce qui se passe encore en ce moment. Il paraît que M. Defermon a obtenu que les membres du Conseil d'Etat eussent l'honneur d'être admis auprès de S.A.R. Monseigneur le duc de Berry. Mais, sachant que, si j'étais chargé de la convocation, je n'appellerais pas les membres qui sont suspendus (1), il a pris le parti de le faire lui-même et, vers les une heure, j'ai reçu le billet ci-joint, ce qui n'a pas laissé de m'étonner (dans ce billet Defermon annonce la cérémonie de l'après-midi à Locré, l'invite à s'y rendre et le prie de faire porter de suite plusieurs lettres, sans doute des convocations).

Maintenant, voilà M. Defermon qui envoye dans mes bureaux le discours qu'il a prononcé. Il demande qu'on en fasse une copie pour être envoyée ce soir au Moniteur. Son nom figure en tête. Mes employés m'en ont référé. Je leur ai répondu qu'ils pouvaient faire la copie, mais qu'ils l'envoyassent à M. Defermon et non point au Moniteur, me réservant de prévenir Votre Excellence, afin qu'elle puisse arrêter l'insertion, dans le cas où elle la trouverait déplacée ».

(Arch. nat. A.F. V 3).

---

(1) En vertu de l'arrêté du Gouvernement provisoire du 9 avril 1814. Cf. ci-dessus, p.

BIOGRAPHIES

Henri Beyle — Antoine Boulay de la Meurthe — Jean-Jacques-Régis Cambacérès — Louis-Emmanuel Corvetto — Jean-Guillaume Locré — Philippe-Antoine Merlin de Douai — Louis-Mathieu Molé — Etienne-Denis Pasquier — Jean-Etienne-Marie Portalis — Michel-Louis Regnaud de Saint-Jean-d'Angély — Pierre-Louis Roederer.

Henri BEYLE
1783-1842
Auditeur au Conseil d'Etat

Au début de l'année 1806, Henry Beyle, qui n'est pas encore Stendhal, va avoir 23 ans ; il vit à Marseille, où il a suivi l'actrice Mélanie Guilbert. Une lettre de son grand père réveille une ambition assoupie derrière les comptoirs de l'épicerie Meunier : « J'étais à me figurer le bonheur que j'éprouverais si j'étais auditeur au Conseil d'Etat ou tout autre chose... peu à peu je devins d'une ambition forcenée ou presque furieuse », note-t-il dans son journal.

Son rêve tient alors dans ces quelques mots : « Paris - auditeur - 8 000 livres - répandu dans le meilleur monde et y ayant des femmes ».

Il lui faudra attendre quatre ans pour que ce rêve se réalise, au moins en partie: le 3 août 1810, « jour remarquable in my life », il ouvre la « bonne lettre » du ministre Secrétaire d'Etat lui annonçant enfin qu'il a été nommé auditeur au Conseil d'Etat. Après cette nomination, qu'il doit pour l'essentiel aux interventions de ses cousins Daru, il est astreint à passer les épreuves d'un examen subi selon lui « avec beaucoup d'avantages ». La commission d'examen ne manifeste pas, à vrai dire, un enthousiasme démesuré pour les qualités du candidat, mais admet qu'« il réunit à une bonne éducation, une expérience déjà acquise et qui le rend propre au service de l'administration ». Affecté d'abord à la section de la Marine, puis à celle de la Guerre, le nouvel auditeur est nommé par décret impérial du 22 août 1810 Inspecteur du mobilier et des bâtiments de la Couronne. C'est en cette qualité qu'il occupe un bureau à l'Hôtel du Châtelet, qu'il inspecte avec soin les palais de Versailles et de Fontainebleau, qu'il vérifie l'inventaire général des biens de la Couronne. Mais ces occupations ne lui prennent guère plus de 40 heures par mois : Stendhal peut mener tranquillement une vie brillante et se faire admirer dans les soirées avec son costume d'auditeur qu'il a commandé chez le meilleur tailleur de Paris, un costume « aussi chargé qu'il convient à un jeune homme ».

Au début de l'année 1811, il tente de se faire envoyer en mission à Rome, mais ses projets échouent, ce dont il se console en apprenant sa nomination au grade d'auditeur de première classe et en prenant un congé de trois mois, sans doute irrégulier, dans sa chère Italie. A son retour, le Comte Daru a changé de fonctions et « paraît dégoûté de le protéger »; la carrière de Beyle marque le pas. Il travaille, notamment en inspectant les écritures du concierge du Palais de Fontainebleau et en suggérant la rédaction d'une note relative aux devoirs à remplir par les valets de chambre dudit Palais... Enfin, en juillet 1812, il obtient, en sa qualité d'auditeur, la faveur de porter à l'Empereur le portefeuille des ministres contenant les documents à signer. C'est alors un voyage d'un mois, au terme duquel il rejoint le quartier général de Napoléon, qu'il suit à Smolensk et à Moscou. En octobre, il est nommé directeur général des approvisionnements de réserve et chargé de ces responsabilités pour les Gouvernements de Smolensk et Mohilev. Il s'acquitte avec calme et efficacité de ses fonctions et espère être récompensé de ses services par une nomination au grade de maître des Requêtes ou à celui de préfet; après avoir constaté qu'il ne figurait pas parmi les nombreux auditeurs promus au printemps 1813, il tire la morale de cet échec : « je me fiche de mes malheurs d'ambitions. Après m'être plus distingué qu'aucun autre, me voilà à la queue de ma compagnie, comme le capitaine des Dindons de Louis XIV ».

En avril, Beyle doit à nouveau quitter Paris, à la suite du Comte Daru; il est nommé intendant de la province de Sagan en Silésie — où il « règne, mais, comme tous les rois, baille un peu », jusqu'à ce qu'il tombe malade et soit autorisé à regagner Paris, qu'il quitte immédiatement pour aller passer trois mois en Italie.

L'année 1813 s'achevant, les auditeurs doivent participer à la Défense Nationale. Henri Beyle est, dès son retour de congé, envoyé, comme adjoint du général comte de Saint-Vallier, en mission extraordinaire à Grenoble pour accélérer les préparatifs de la défense nationale dans la 7e division militaire. Malade, « il travaille autant qu'il peut mais, malgré sa bonne volonté, il n'est que peu utile à la commission extraordinaire », note Saint-Vallier. Au bout de quelques mois, il retourne à Paris, où il voit partir l'Impératrice et le Roi de Rome et assiste au rétablissement de la monarchie à laquelle il se rallie avec plusieurs membres du Conseil d'Etat qui « ont cru devoir avant de reprendre leur travail profiter du moment de leur réunion pour manifester au Gouvernement provisoire leur reconnaissance de ses dispositions et de sa confiance envers le Conseil d'Etat ». En réalité, Beyle ne reprendra jamais ses fonctions au Conseil d'Etat, devenu selon lui, à la chute de l'Empire « presque insignifiant ». « J'étais bien dégouté du métier d'auditeur et de la bêtise insolente des puissants », écrit-il en juillet 1814.

Sa brève carrière est terminée ; Stendhal ne sera jamais maître des requêtes, mais il se souviendra plus tard avec une certaine nostalgie de son passage au Conseil d'Etat où Napoléon « avait réuni les cinquante français les moins bêtes » (Souvenirs d'égotisme), ce Conseil auquel on doit « l'admirable administration de la France » (Vie de Napoléon). Il se souviendra surtout de ses ambitions déçues lorsqu'écrivant Lucien Leuwen, il fera de son héros, « ce jeune homme à qui le ciel a donné quelque délicatesse d'âme » et qui est comme son reflet, un maître des requêtes.

Michel Gentot
Maître des requêtes au Conseil d'Etat.

Antoine BOULAY DE LA MEURTHE
1761-1840

Conseiller d'Etat
Président de la Section de Législation

Troisième fils d'une famille de cultivateurs modestes, Antoine Boulay de la Meurthe naît le 19 février 1761 à Chaumousey, non loin d'Epinal. Avec fermeté, sa mère, devenue prématurément veuve, dirige l'éducation de ses cinq enfants et reçoit vite, avec les succès scolaires d'Antoine, une récompense exemplaire. Elève du chanoine de Chaumousey, de l'instituteur d'Harel, puis du Collège de Toul, le jeune lorrain, sans passé familial, prépare avec opiniâtreté son avenir. Reçu au barreau de Nancy en 1783, il part trois ans plus tard, obscur et ambitieux, à la conquête de Paris.

Dans la capitale, Antoine Boulay compense, par la fréquentation des futurs acteurs de la Révolution, la médiocrité de sa clientèle ; il ajoute à ses connaissances juridiques de civiliste, le droit public et l'économie politique, pressentant que les évènements du printemps 1789 lui ouvriront sans doute une carrière plus riche.

La patrie en danger le trouve volontaire, d'abord simple soldat, maltraitant par devoir une santé fragile, puis capitaine sur les lignes de Weissenburg. Menacé ensuite par la Terreur contre laquelle il lutte avec énergie, il doit se cacher, livré aux seuls charmes de la méditation et des études.

La mort de Robespierre lui assure dans la capitale lorraine un retour triomphal. Procureur général pour les affaires criminelles, il est élu en l'an V député au Conseil des Cinq Cents. Convaincu de la nécessité de maintenir l'apport de la Révolution contre les royalistes mais aussi contre les anarchistes, il s'impose par son talent et sa rigueur intellectuelle, notamment à l'occasion de l'examen du projet de loi sur la police des cultes et principalement lors du coup d'Etat du 18 Fructidor auquel il participe par souci de sauver l'acquis révolutionnaire. Président du Conseil en nivôse de l'an VI, il défend particulièrement le principe de l'indépendance du corps judiciaire.

Lassé pourtant par l'impuissance du Directoire, Boulay de la Meurthe aspire à doter la France d'une organisation politique mieux appropriée à ses besoins et voit en Bonaparte la chance historique. Le 10 Brumaire il rencontre pour la première fois le Général auquel désormais le liera une fidélité sans faille. C'est ainsi qu'il prend part à la rédaction de la Constitution consulaire et entre, de manière éphémère au Tribunat, le 4 nivôse, le jour même où le Premier Consul le nomme conseiller d'Etat, président de la section de la Législation.

Le Conseil d'Etat offre à l'ancien juriste devenu « politique » par les hasards de l'histoire un cadre de réalisation complète dont il avait besoin. Tout entier consacré à l'œuvre de rénovation législative de la France, il néglige les fascinations de la vie mondaine et les coquetteries de salon.

Son attachement à Bonaparte ne le prive pas pour autant d'indépendance et de courage. Il n'hésite pas à souligner les inconvénients de telle mesure souhaitée par le maître du pays. Ainsi prend-il parti contre le Consulat héréditaire et plus tard contre la campagne de Russie. Le Premier Consul, puis l'Empereur ne s'offenseront pas de cette liberté d'expression : contre les vœux du collège électoral de la Meurthe qui présente la candidature de Boulay au Sénat, Bonaparte nomme l'intéressé directeur général du contentieux des domaines nationaux et lui confère le titre de conseiller d'Etat à vie.

En décembre 1810, Napoléon lui rend la présidence de la section de la Législation. Boulay siège désormais souvent au Conseil privé, au Conseil de Régence pour délibérer des affaires les plus graves ; il reçoit à cette époque le titre de comte.

La campagne de France constitue la première grande épreuve. Impuissant comme conseiller d'Etat à organiser efficacement la résistance dans la capitale, il se joint, simple garde national, à la compagnie chargée de la défense d'une des barrières de Paris. Napoléon éloigné à l'île d'Elbe, il envoie son adhésion au Gouvernement provisoire pour ne pas aggraver, par des discordes infructueuses, l'humiliation de la France occupée ; mais dorénavant, il renonce à la carrière politique, refuse de prêter serment et abandonne toute fonction publique.

Lors des Cent Jours, malgré sa fatigue, Boulay de la Meurthe cumule les fonctions : par devoir, il accepte de devenir adjoint de Cambacérès au ministère de la Justice , il reprend la présidence de la section de la Législation et remplace le Garde des Sceaux à la présidence du Comité du contentieux. Dans le même temps, il siège au Conseil des ministres et au Conseil privé; le 30 mars 1815, il devient ministre d'Etat, après avoir été élu par le département de la Meurthe membre de la Chambre des Représentants créée par l'Acte additionnel aux Constitutions de l'Empire. Jusqu'au bout, il demeure fidèle à l'Empereur, refusant de négocier directement la capitulation, défendant avec succès, à la tribune de la Chambre, les droits de l'Aiglon. Le 24 mars, il a remplacé Cambacérès et quittera son ministère le jour de l'entrée à Paris de Louis XVIII.

Dessiné et Gravé par Chataignier
Déposé à la Bibliothèque Nationale
Costume des Conseilliers d'Etat.
A Paris chez l'Auteur, Rue Jacques N° 54

Conseiller d'Etat en costume (*"Costumes militaires et civils sous le Consulat" par Chataigner et Poisson).* Cette gravure passe pour être le portrait de Roederer.

Cette fois, la retraite est définitive ; proscrit par l'ordonnance du 24 juillet 1815, Boulay de la Meurthe est transféré à Halberstadt. Là, histoire et philosophie occupent ses heures de solitude; il publiera ainsi la première partie de son étude sur l'histoire des Stuart.

L'ordonnance du 1er novembre 1819 autorise enfin son retour et le 26 décembre il retrouve Paris où, loin du monde, il vivra jusqu'au 2 février 1840.

Ce fils de cultivateur avait su demeurer, par-delà sa fidélité à l'Empereur, un homme de droit. Comblé d'honneurs mais sans goût pour les solennités, appelé aux plus hautes fonctions mais sachant se cantonner dans l'austérité d'une retraite anonyme, le vieux conseiller d'Etat avait accompli une dernière mission : l'éducation de ses deux fils, futurs président de section et président du Conseil d'Etat.

Guy-Willy Schmeltz
Maître des requêtes au Conseil d'Etat.

Jean-Jacques-Régis CAMBACÉRÈS
1753-1824

Second Consul
Archichancelier de l'Empire (1)

Son père, Jean-Antoine, conseiller à la Cour des Comptes de Montpellier, occupa pendant 20 ans la charge de maire de cette ville et s'y ruina. Les archives du Conseil d'Etat conservent de lui quatre lignes manuscrites : « J'ai reçu du citoyen Goursaud, représentant du peuple, la somme de deux cents livres qu'il a bien voulu me prêter pour ne pas mourir de faim, signé : Cambacérès père ».

Jean-Jacques-Régis, le futur prince archichancelier de l'Empire, né à Montpellier le 18 octobre 1753, avait lui-même sollicité, et obtenu, du roi Louis XVI, en 1778, une petite pension « en raison des malheurs de sa famille ».

Ces traits, et quelques autres, révèlent une lignée de magistrats intègres mais besogneux, ne dédaignant pas de recourir, le cas échéant, à certaines formes d'ostentation.

Aussi bien, la carrière de Cambacérès se déroulera-t-elle sur un fond de contrastes surprenants. Il sera successivement, et parfois simultanément, membre d'une confrérie de pénitents et franc-maçon, disciple de Voltaire et bon catholique, auteur d'un brillant éloge du mariage et

(1) Cambacérès ne fut jamais membre du Conseil d'Etat. Mais comme Second Consul puis, sous l'Empire, comme Archichancelier, il présida très souvent l'Assemblée Générale et exerca sur les travaux de celle-ci une très grande influence.

célibataire endurci, royaliste fervent et régicide, ami fidèle, serviteur exemplaire de Napoléon et rallié parmi les premiers à Louis XVIII.

A travers ces péripéties, il a rempli les plus hautes charges et assumé des responsabilités considérables.

Elu député aux Etats Généraux, Cambacérès « monte à Paris » en 1789, porteur des Cahiers de la noblesse de Montpellier qu'il a lui-même rédigés.

Membre de la Convention en 1792, affecté au Comité de législation, il s'affirme comme l'un des plus subtils juristes du temps. Dès la mort du roi, qu'il a votée dans la crainte, non sans avoir âprement défendu le parti contraire, il fait retraite et entreprend la refonte et le classement des quinze mille décrets votés depuis le commencement de la Révolution.

Après le 9 Thermidor, cueillant le fruit de son immense labeur (et de son habileté manœuvrière), il est porté à la présidence de la Convention. Il est membre, puis président du Comité de salut public, chargé des relations extérieures.

Le Directoire mis en place « dans la fatigue des volontés », il est appelé à la présidence du Conseil des Cinq-Cents, mais, pressentant la précarité du régime, il se retire encore une fois de la politique et se fait avocat. Sa réputation de jurisconsulte s'étend à tout le pays. Barras alors lui confie le ministère de la Justice.

Au 18 Brumaire, il est inféodé à Bonaparte (bien qu'il ait, quelques jours avant, signé la destitution du vainqueur de Marengo « par pure inadvertance », dira-t-il) et devient Second Consul.

Le Conseil d'Etat, comme les autres innovations de la Constitution de l'An VIII, est autant l'œuvre de Cambacérès que l'œuvre de Sieyès. C'est à lui que l'on demandera de choisir les 29 premiers conseillers, c'est lui qui, en l'absence du Premier Consul, et plus tard de l'Empereur, présidera le Conseil, lui qui, en 1806, obtiendra la nomination des premiers maîtres des requêtes, recréant du même coup le contentieux administratif à la dimension des temps modernes, lui, enfin, qui imprimera aux travaux de l'assemblée le caractère qu'ils ont gardé : prétorien sans sectarisme et pragmatiquement jurisprudentiel.

Partisan de l'apaisement et de la réconciliation des Français, Cambacérès tint à ce que la première manifestation d'activité du Conseil d'Etat fût un avis (en date du 5 Nivôse an VIII) recommandant aux Consuls d'abroger les lois d'exception qui avaient privé les ci-devant nobles et les parents d'émigrés de leurs droits politiques et civiques.

Pour avoir été, avec Portalis et Tronchet, l'un des rédacteurs du Code civil, Cambacérès se vit décerner par Napoléon un honneur insigne : sa statue en pierre fut érigée au palais des Tuileries dans la salle même des délibérations du Conseil d'Etat.

Membre de l'Académie française, président du Sénat et du Tribunat, archichancelier de l'Empire, altesse sérénissime, prince et duc de Parme, Cambacérès fut étroitement associé à la genèse de toutes les grandes institutions de l'époque impériale. La Légion d'Honneur et la Cour des Comptes lui doivent leur statut.

Il se montra par contre vivement hostile à l'arrestation du duc d'Enghien, au mariage autrichien et à la campagne de Russie. Enfin, il tenta, mais en vain, de se tenir à l'écart au retour de l'île d'Elbe.

Cambacérès mourut à Paris le 8 mars 1824. Les honneurs lui ayant été rendus, il eut des obsèques magnifiques. Louis XVIII lui avait accordé son pardon, mais il ne cessa d'être vilipendé par les royalistes et l'opinion publique continua de lui reprocher ses attitudes fluctuantes où ses détracteurs ne voyaient qu'irrésolution et opportunisme.

Pierre Voizard
Conseiller d'Etat honoraire.

Louis-Emmanuel CORVETTO
1756-1821

Conseiller d'Etat
Président du Comité des Finances et du Comité de l'Intérieur

Curieuse destinée que celle de ce Génois qui, après avoir rempli les plus hautes fonctions dans sa cité, allait devenir conseiller d'Etat de l'Empire, puis ministre des finances de la Restauration.

Louis Corvetto naquit à Gênes le 11 juin 1756. En 1789, il devient avocat et se spécialise dans les causes commerciales. Acquis aux idées répandues par la Révolution française, il gouverne, en 1797, l'éphémère République ligurienne, puis la jeune République de Gênes jusqu'en 1799. Il est Commissaire général de la population près de Masséna, lors du siège de Gênes, et après la reprise de la cité par les Français, il est appelé en 1802 à la direction de la Banque Saint-Georges qui fit jadis la prospérité de sa ville et dont il s'efforce de rétablir le crédit.

Gênes ayant été rattachée à la France en 1806, Napoléon l'appelle au Conseil d'Etat cette même année. Il est affecté à la section de l'Intérieur. Il y participe à l'élaboration du Code de commerce dont les titres IX et X du Livre II, consacrés aux « contrats à la grosse » et aux « assurances maritimes » doivent beaucoup à sa science commerciale et à son expérience des affaires maritimes. Il est un des trois commissaires chargés de défendre le projet de Code devant le Corps législatif, le 9 septembre 1807. Il collabore également avec Treilhard, Faure, Maret et Réal, en 1810, à la préparation du Code pénal dont le Titre « Des attentats à la propriété » est en grande partie son œuvre. Il y fait preuve d'une grande compétence, mais aussi d'une révérence à l'égard du rang et de la fortune qui lui vaudra quelques altercations avec Treilhard et Cambacérès, plus ardents défenseurs de l'égalité.

En revanche, vis-à-vis de l'Empereur, qui vient présider une séance de sections réunies consacrée à l'examen d'un projet de statut de la Banque Saint-Georges avec lequel Corvetto, rapporteur, n'est pas d'accord, il fait preuve d'une liberté de pensée et de parole qui lui attire une réplique un peu sèche du souverain, corrigée dès le dimanche suivant par cette déclaration de l'Empereur :« C'est comme cela que j'aime qu'on s'explique au Conseil quand je demande son avis ».

La réputation de Corvetto ne fait dès lors que s'affirmer. Nommé comte en 1810, il est chargé de visiter les prisons d'Etat et de faire rapport sur le traitement des détenus politiques, travail délicat dont il s'acquitte avec conscience et humanité.

Après la chute de l'Empire, il prépare son départ. Mais sa haute compétence, en cette période où le renouvellement du personnel de l'Etat risque de priver celui-ci de talents, le fait recommander par ses amis, Talleyrand et le Chancelier Pasquier, au Roi qui lui accorde la naturalisation et le fait rentrer au Conseil le 5 juillet 1814. On lui confie la présidence du Comité des Fnances où il étudie le problème de la liquidation des dettes de l'Etat et approfondit ses connaissances financières, se préparant ainsi aux nouvelles fonctions qu'il va bientôt assumer.

Fidèle à son nouveau souverain, il se tient à l'écart de la vie publique pendant les Cent Jours et, lors du retour de Louis XVIII, reprend sa place au Conseil où lui est confiée la présidence du Comité de l'Intérieur. Une Ordonnance du 9 juillet 1815 le charge de présider une commission chargée de suivre les problèmes posés par l'occupation étrangère.

Celle-ci impose à la France de lourdes charges auxquelles le baron Louis s'efforce de faire face. Dans le ministère du Duc de Richelieu, le portefeuille des Finances est confié à Corvetto.

Son histoire se confond avec celle, difficile et troublée, des finances de la France. Face aux ultras de la Chambre introuvable, il défend le principe du paiement intégral de l'arriéré tant de l'Empire que de la Restauration, paiement qui, dans l'immédiat, accroît les charges, mais, à terme, doit assurer le crédit de l'Etat. Il présente pour 1816 un budget qui équilibre les charges par des compressions de dépenses, des impôts supplémentaires et l'inévitable recours à l'emprunt. Pour consolider le crédit, il propose la création d'une Caisse d'amortissement indépendante, en même temps qu'il crée la Caisse des Dépôts et Consignations.

Usé par l'ampleur de sa tâche et par les résistances des ultras, il n'accepte de rester qu'à l'annonce de la dissolution de la Chambre introuvable à laquelle il prend une part personnelle. Face à une Chambre plus modérée, il peut faire adopter pour 1817 et 1818 des budgets d'assainissement qui reposent encore très largement sur la création de nouvelles rentes. Le caractère critique de la situation de la trésorerie l'amène à emprunter à l'étranger et à engager l'Etat dans une politique de soutien des cours qui alimente la spéculation et lui sera vivement reprochée.

Victime des attaques dirigées contre sa personne, Corvetto prie le roi d'accepter sa démission. Le roi le nomme ministre d'Etat et Grand officier de la Légion d'honneur. Il lui donne une pension viagère et la jouissance du pavillon de la Muette.

Corvetto n'en profite guère. Malade, il se retire à Gêne où il s'éteint le 23 mai 1821, laissant sa femme, sans fortune, aux soins du souverain qu'il a si loyalement servi.

Un buste, qui côtoie celui du baron Louis, dans la Galerie Colbert du ministère des finances perpétue la mémoire de ce juriste avisé, de cet orateur qui disait que « la simplicité est l'éloquence des affaires » et de ce financier dont les détracteurs eux-mêmes s'accordaient à reconnaître l'intégrité.

Jacques Delmas-Marsalet
Maître des requêtes au Conseil d'Etat.

Jean-Guillaume LOCRÉ
1758-1840

Secrétaire Général du Conseil d'Etat

Né à Leipzig le 20 mars 1758 de parents français, venu jeune en France avec sa famille, il y fit ses études et s'orienta vers le droit et la profession d'avocat. En 1787 il fut inscrit au tableau des Avocats du Parlement.

Sous la Révolution il fut d'abord juge de paix de la Section de Bondy, se réfugia pour fuir la Terreur à Joigny, puis fut nommé secrétaire de la commission chargée du classement des lois révolutionnaires, où il se fit apprécier de Cambacérès, qui était membre de cette commission.

En 1795, sous le Directoire, il devint Secrétaire rédacteur du Conseil des Anciens, d'où il passa tout naturellement dans les fonctions de Secrétaire général du Conseil d'Etat, poste qui lui fut attribué par l'arrêté du 4 nivôse an VIII nommant les premiers conseillers d'Etat.

Il conserva cette fonction tout au long du Consulat, de l'Empire, de la Première Restauration et des Cent Jours. Mais il la perdit à la Seconde Restauration avec tous ceux qui avaient signé la déclaration du Conseil d'Etat du 24 mars 1815 contre les Bourbons.

Locré reprit alors sa profession d'avocat, se bornant d'ailleurs à donner des consultations et consacrant l'essentiel de son temps à la publication des ouvrages sur la législation qu'il avait commencés sous l'Empire.

La fin de sa vie fut attristée par des difficultés financières et de malheureux procès avec ses éditeurs. Il mourut presque aveugle, à Mantes, en 1840.

Locré, en tant que Secrétaire général, n'était pas à proprement parler membre du Conseil d'Etat, mais occupait une fonction éminente qui lui faisait un statut à part, lui valait une importante rétribution et le mettait en contact direct avec l'Empereur.

Il avait d'abord la pleine responsabilité des bureaux du Conseil dont il recrutait librement le personnel et gérait les fonds. Mais sa mission essentielle était la rédaction des procès-verbaux des délibérations. Il assistait aux séances, y prenait des notes et mettait en forme le compte rendu analytique des discussions et le texte des projets ou avis retenus. Il le faisait dans un style « mesuré, grave, froid, uniforme », s'efforçant de « faire dire à chacun tout ce qu'il a dit et de suppléer par la précision des phrases et des mots aux développements qu'il retranchait ».

Ces procès-verbaux, à l'exception de ceux concernant la discussion du projet de Code Civil qui furent dès l'an XII publiés à part, périrent malheureusement avec toutes les archives du Conseil d'Etat dans l'incendie de 1871. Mais Locré avait gardé par devers lui une grande partie des notes et documents servant à la rédaction de ces procès-verbaux pour en faire de volumineux ouvrages qu'il publia en son nom et à son propre compte, certains sous l'Empire, la plupart des autres entre 1815 et 1840, laissant en outre certains documents encore inédits à sa mort.

De famille janséniste et de tempérament austère, Locré n'en fut pas moins avide d'argent et son œuvre écrite est avant tout le résultat d'un effort persévérant pour tirer le maximum de profit des éléments que lui fournirent ses fonctions. Son inspiration, quoiqu'il en ait dit, est assurément plus alimentaire que scientifique.

Locré n'en sut pas moins conquérir et conserver l'estime de Napoléon qui rendait encore hommage à ses qualités à la veille de sa mort, ainsi qu'en témoigne le Mémorial de Sainte Hélène.

Il eut aussi l'estime des conseillers d'Etat eux-mêmes, dont il résumait les interventions et qui ne se plaignirent jamais d'être trahis. Tout au contraire Bigot de Prémeneu, Merlin de Douai, Thibaudeau se plurent à affirmer l'exactitude de ses procès-verbaux et le sérieux de son travail.

Locré, qui n'était pas appelé à participer aux délibérations, ne peut donc compter parmi les personnalités de premier plan qui composèrent et illustrèrent le Conseil d'Etat napoléonien. Son œuvre écrite, pour considérable qu'elle soit, ne le met pas non plus au nombre des grands jurisconsultes de son époque. Mais son rôle dans la vie quotidienne du Conseil, les services qu'il a rendus à cette institution et la matière irremplaçable qu'il a fournie par la suite aux historiens du Consulat et de l'Empire sont d'une importance telle que son nom demeure inséparable du Conseil d'Etat impérial.

François Gazier
Conseiller d'Etat.

Philippe-Antoine MERLIN de DOUAI
1754-1838
Conseiller d'Etat

Philippe-Antoine Merlin de Douai est né le 30 octobre 1754, dans une famille de cultivateurs aisés, à Arleux, bourgade des environs de Douai. En 1775, il est avocat au Parlement de Flandre et entre dans l'équipe que réunit l'ancien magistrat Guyot, en vue de publier une vaste encyclopédie du droit français, qui sera le « Répertoire universel et raisonné de jurisprudence ».

En 1789, il est désigné comme représentant du Tiers-Etat aux Etats-Généraux par les électeurs des bailliages de Douai et Orchies.

A la Constituante, plus tard à la Convention, Merlin de Douai ne se met généralement pas en avant dans les combats politiques ; il apparaît surtout comme un des principaux légistes de la France nouvelle.

Secrétaire du Comité féodal créé par la Constituante, il présente un remarquable rapport sur les modalités de l'abolition du régime féodal. A la Convention, il collabore au projet du Code civil et prépare, pratiquement seul, le Code des délits et des peines, dit Code de Brumaire, de caractère moderne et relativement libéral.

Si, jusqu'au 9 Thermidor, il évite de participer aux excès de la Terreur, il vote cependant la mort du Roi et rédige la Loi des Suspects, dont il ne fut aucunement l'initiateur. Après Thermidor, comme président de la Convention, il prend des mesures destinées à « légaliser la Révolution ». Au 13 Vendémiaire, c'est largement grâce à lui que Bonaparte est nommé commandant en second des troupes chargées de défendre la Convention. Nommé « Directeur » après le coup d'Etat du 18 Fructidor an V, il ne brille guère à ce poste élevé. En juin 1799, il démissionne.

Une ancienne notice sur Merlin de Douai s'exprime ainsi : « La belle époque de sa vie commença avec ses fonctions de procureur général à la Cour de Cassation, dont il fut le régulateur pendant 13 ans, et où sa science admirable et sa logique pleine de dextérité le firent surnommer le nouveau Papinien ». Préparateur, par ses nombreuses et solides conclusions, des arrêts de la Cour, Merlin en fut aussi l'exégète dans le Recueil des questions de droit, créé par lui sous le Consulat, et le « Répertoire » de Guyot, qui deviendra « Le Répertoire de Merlin ».

Mais le cursus honorum se poursuit ; le 6 février 1806, Merlin est nommé conseiller d'Etat hors section, tout en demeurant procureur général à la Cour de Cassation. Entré au Conseil après la publication du Code civil, il n'est toutefois pas étranger à cette œuvre collective, puisqu'il a travaillé au projet de Code de la Convention. L'Empereur a dit à son mémorialiste, à Sainte-Hélène : « Si la personne de Merlin ne fut pas présente dans les délibérations qui ont préparé nos codes, spécialement le Code civil, son esprit y était ». Merlin prend part en 1807 à la discussion d'un projet de code de commerce ; en 1808, à celle des projets de code pénal et de code d'instruction criminelle ; de ce dernier, il fut pour une large part l'auteur indirect, nombre des dispositions adoptées étant inspirées du « Code de Brumaire ».

Il participe encore à maintes autres discussions, notamment sur les questions ecclésiastiques. Comme le Conseil d'Etat napoléonien est favorable à l'extension des pouvoirs du gouvernement, le réaliste Merlin travaille dans le même sens ; il se comporte alors en technicien du droit, sa vaste érudition lui permettant de découvrir les précédents susceptibles de justifier des solutions contestables, lorsqu'elles sont souhaitées par le Maître. Napoléon a rendu à Merlin cet hommage : « Au Conseil d'Etat, j'étais très fort, tant qu'on demeurait dans le domaine du code ; mais dès qu'on passait aux régions extérieures, je tombais dans les ténèbres ; et Merlin était alors ma ressource ; je m'en servais comme d'un flambeau. Sans être brillant, il est fort érudit, puis sage, droit et honnête ; un des vétérans de la vieille et bonne cause ».

Lors de la Seconde Restauration, sa double qualité de « régicide » et de rallié à l'Empereur pendant les Cent Jours lui vaut de figurer sur la liste des proscrits. Exilé aux Pays-Bas, il se fixe à Bruxelles en 1819 ; il s'occupe des mises à jour et des rééditions de ses deux grands ouvrages de droit.

En 1830, l'amnistie décrétée par Louis-Philippe le ramène à Paris. Malgré le poids des ans et une vue déclinante, il demeure l'infatigable juriste qui, à l'occasion, donne des consultations. Il se faisait lire chaque jour, dit-on, quelques pages du Digeste et c'est pendant une de ces lectures qu'il mourut le 26 décembre 1838.

Merlin de Douai ne paraît pas avoir brillé par un caractère exceptionnel. Il se plaça toujours dans le parti dominant, écrit J. Bourdon dans son « Napoléon au Conseil d'Etat ». Ce ne fut pas vrai toutefois pour la Restauration, on l'a vu. Il n'est guère d'hommes, a-t-on observé, que les adversaires de la Révolution aient haï davantage, bien qu'il ne semble pas avoir eu le culte de la guillotine.

Les juristes d'aujourd'hui peuvent en tout cas s'associer à l'hommage que ceux de son époque ont rendu à Merlin. Son œuvre fait honneur à la science juridique française. Le « Répertoire » et les « Questions de Droit », occupent deux travées hautes dans la salle annexe de la bibliothèque du Conseil d'Etat. Les qualités qui les désignaient à l'attention des contemporains, — clarté du style, rigueur du raisonnement, étendue des connaissances et des références — leur valent encore aujourd'hui d'être consultés.

André Piérard
Conseiller d'Etat.

Louis-Mathieu MOLE
1781-1855
Conseiller d'Etat

« Semblait destiné par son nom à la magistrature mais a désiré la section de l'Intérieur pour s'ouvrir la carrière administrative. Montre un aplomb et une sagacité qui permettent d'espérer que, quand il aura pris quelques connaissances positives d'administrateur, il pourra être employé très utilement » : telle était l'appréciation portée par ses supérieurs sur Molé, quelques mois après qu'il eût été nommé auditeur au Conseil d'Etat en février 1806. L'événement devait confirmer ce jugement : sept mois après son entrée au Conseil, Molé était maître des requêtes, trois ans après conseiller d'Etat, directeur des Ponts-et-Chaussées, sept ans après, à moins de 35 ans, Grand Juge, Ministre de la Justice.

Né à Paris le 2 janvier 1781, Louis-Mathieu Molé était issu d'une grande famille de robe originaire de Troyes.

Dès sa première jeunesse, Louis-Mathieu, selon ses propres termes, a « épuisé les leçons du malheur ». Il n'a pas huit ans lorsqu'éclate la Révolution française. Il prend le chemin de l'exil avec sa famille. Celle-ci rentre à Paris en 1792, au moment des plus grands dangers ; le père est arrêté et guillotiné en 1794; le jeune Louis-Mathieu est emprisonné à la Conciergerie avec sa mère et ses sœurs. Ils seront rendus à la liberté après le 9 thermidor et assignés à résidence dans leur propriété de Méry, vivant de maigres ressources. Molé suit un moment les cours libres de l'Ecole polytechnique, mais il tire l'essentiel de sa formation intellectuelle de la lecture, s'intéressant surtout à la philosophie et aux sciences morales.

Il se marie à 17 ans — mariage qui ne devait pas combler une vie affective particulièrement riche et remplie. Il fréquente quelques salons, où il se lie avec Fontanes, Chateaubriand et Joubert. C'était alors, selon celui-ci, un jeune homme « d'une gravité consulaire et d'une figure romaine » ; les malheurs de sa jeunesse avaient laissé sur son beau visage un voile de mélancolie distinguée, dont le charme déjà romantique ne laissait pas indifférent.

En 1805, il publie des Essais de morale et de politique, apologie d'un gouvernement monarchique tempéré par des corps intermédiaires. Ils retiennent l'attention de Napoléon, soucieux au demeurant de rallier à son régime les noms historiques de la France. Par une circonstance heureuse, Molé sollicite de l'Empereur un poste au Conseil d'Etat.

Nommé auditeur en février 1806, il est affecté à la section de l'Intérieur, présidée par Regnault de Saint-Jean-d'Angély.

Celui-ci, qui ne l'aime guère, ne lui confie pas des affaires qui auraient pu le mettre en valeur. Toutefois, « en distraction sans doute », selon Molé, il le charge d'un volumineux dossier relatif à la situation de propriétaires des départements d'Alsace, menacés de perdre leurs immeubles hypothéqués au profit de créanciers juifs et lui demande d'entreprendre des recherches sur l'état des Juifs « depuis la chute de Jérusalem jusqu'à ce jour, dans le monde et plus particulièrement en Europe et en France ». Molé se passionne pour cette affaire et remet à son président un travail exhaustif reflétant des vues quelque peu antisémites et tendant à l'adoption de mesures dérogatoires au droit commun en faveur des propriétaires. Après la lecture du rapport présenté par un conseiller d'Etat qui, comme tous ses collègues, était d'un avis opposé à celui de Molé, Napoléon, qui présidait, invite ce dernier à faire connaître ses propres propositions, auxquelles il se rallie.

Quatre mois après son accès à l'auditorat, Molé est nommé maître des requêtes et affecté à la commission du contentieux, qui vient d'être créée.

L'année suivante, il est nommé préfet de la Côte-d'Or puis, en 1809, conseiller d'Etat; il reçoit le titre de comte et prend la direction générale des Ponts-et-Chaussées.

Le 20 novembre 1813, Molé est nommé Grand Juge, ministre de la Justice. C'est à cette époque qu'il a le plus souvent l'occasion de rencontrer Napoléon. Fin courtisan, d'une intelligence rapide et pénétrante, Molé savait à merveille écouter l'Empereur. Selon le duc de Broglie, « il entrait à ravir dans la pensée qu'on lui exprimait, l'achevait au besoin. Ses grands yeux pénétrants la saisissaient au passage. Sa figure noble et fine la reflétait dans ses moindres nuances ».

En 1814, alors que les défections se multiplient, Molé demeure à son poste ; il accompagne l'Impératrice et le conseil de régence à Blois et ne rentre à Paris qu'après que l'Empereur l'eût délié de son serment.

Sous la Première Restauration, il partage l'ostracisme qui frappe beaucoup de ceux qui avaient occupé de hautes fonctions sous l'Empire. Pendant les Cent jours, il refuse un portefeuille ministériel, mais accepte de reprendre la direction des Ponts-et-Chaussées pour ne pas paraître abandonner l'homme qu'il avait servi aux heures de prospérité.

En fait, il travaille au retour du Roi, convaincu que le rétablissement de la légitimité peut seul empêcher le démembrement de la France. Il envisage un moment de paraître à la Chambre haute, à laquelle il avait été nommé trois mois auparavant par Napoléon, pour y proposer la déchéance de l'Empereur.

Ainsi réhabilité, il va gravir les échelons d'une seconde carrière qui le conduira à partager les responsabilités du pouvoir au service de la branche aînée, puis de la branche cadette.

Après la révolution de 1848, il s'oppose à la fois aux républicains et aux partisans de Louis-Napoléon, proteste contre le coup d'Etat du 2 décembre, puis se retire dans son château de Champlâtreux où il meurt le 23 novembre 1855.

Molé a été souvent taxé d'indifférence hautaine, de scepticisme et d'opportunisme. Aristocrate d'esprit et de manières, il exerçait par la clarté de son esprit, le charme de sa conversation, la sagesse de ses opinions, sa gravité mêlée de finesse et de douceur — qui cachait une disposition passionnée — un pouvoir de séduisante persuasion.

« Ma nature est flexible mais non mobile », révèle-t-il dans ses mémoires. Sa vie publique comme sa vie privée illustrent cette confession.

Lucien Paoli
Maître des requêtes au Conseil d'Etat.

Etienne-Denis PASQUIER
1767-1862
Conseiller d'Etat

Issu d'une ancienne famille de robe, Etienne Denis Pasquier, après avoir fait son droit — « sans grande application », nous dit-il — fut reçu conseiller au Parlement de Paris à vingt ans, en 1787. Bien qu'il ait servi l'Empire et la Monarchie de juillet, son cœur restera toujours attaché aux Bourbons et à l'Ancien Régime : « Rien n'a égalé la splendeur de la vie à Paris de 1783 à 1789, écrit-il dans ses Mémoires... Je reste convaincu que la France sans la Révolution serait encore plus riche et plus forte qu'elle ne l'est aujourd'hui ». Son père fut guillotiné sous la Terreur ; lui-même eut la chance d'échapper à l'arrestation jusqu'au 8 thermidor et ne resta en prison que quelques semaines.

Il passa les premières années du Consulat et de l'Empire dans l'oisiveté ; mais celle-ci, alors qu'il approchait de la quarantaine, lui pesait de plus en plus. Malgré la répulsion que lui inspira l'exécution du duc d'Enghien, il ne pouvait manquer d'être attiré, en homme d'ordre et en futur homme d'Etat, par le grand effort de construction et de réconciliation nationale de Napoléon qui cherchait de son côté à s'attacher des hommes de valeur provenant notamment des anciens Parlements. C'est ainsi qu'Etienne Pasquier fut nommé maître des requêtes au Conseil d'Etat en juin 1806. De ces fonctions qu'il n'exerça à titre principal que pendant quatre ans, il paraît avoir gardé un bon souvenir : ses « Mémoires », où il trace des portraits incisifs de ses principaux collègues, portent un jugement très élogieux sur la valeur générale des membres du Conseil d'Etat impérial et surtout sur la qualité des débats d'où les « vaines paroles » étaient absentes. Il appartint quelque temps au Comité du contentieux, dont il vante la « rigoureuse équité ».

Mais il s'estimait digne d'une plus haute destinée. Faisant allusion aux avancements rapides de ses collègues Molé et Portalis, il écrit : « Tandis que ces hautes faveurs se distribuaient à mes côtés, je restais toujours attaché au Comité du contentieux ». Il ne dut pas attendre très longtemps : promu conseiller d'Etat le 8 février 1810, il était nommé le 14 octobre suivant Préfet de Police. Poste qu'il accepta, nous dit-il, avec hésitation, sur l'assurance qu'il exercerait une « magistrature », la haute et basse police politique restant du ressort exclusif du Ministre de la Police. Il se consacra donc essentiellement à l'administration de Paris. Son activité fut très grande, et généralement louée par les contemporains. S'il n'a su ni prévoir, ni déjouer la conspiration de Malet, en 1812, c'est, selon lui, parce que la surveillance des milieux militaires lui était interdite. L'Empereur, qui destitua le préfet de la Seine Frochot, ne lui en tint d'ailleurs pas rigueur.

Pasquier était encore en place en 1814 et eut alors à présenter, avec le Conseil municipal, la soumission de Paris au Tsar Alexandre. Voyant celui-ci décidé à éliminer Napoléon, il se résolut à « user de tous les moyens qui étaient en son pouvoir pour faciliter la restauration des Bourbons ». Il participa aux efforts déployés pour « rallier le Conseil d'Etat » auquel il restait très attaché. Il obtint en mai 1814 la direction générale des Ponts et Chaussées.

Soit fidélité à la cause royale, soit prévision de l'avenir, Pasquier se tint à l'écart pendant les Cent Jours. Il en fut récompensé en entrant dans le Cabinet constitué par Talleyrand, en qualité de Garde des Sceaux et de ministre de l'Intérieur par intérim.

Ici finit sa carrière administrative et commence une longue et brillante carrière politique qui le vit plusieurs fois ministre à la Justice et aux Affaires Etrangères. Modéré par excellence, il fut violemment combattu tant par les libéraux que par les ultras, avec lesquels il ne s'entendit jamais. Comme Etienne Pasquier, son ancêtre du XVIe siècle, il se méfiait profondément des « congrégations », et tout spécialement des jésuites. Tenu à l'écart par Charles X, il fut appelé par Louis Philippe à la présidence de la Chambre des pairs, qu'il assura jusqu'en 1848, couvert de plus en plus d'honneurs, chancelier en 1837, membre de l'Académie française en 1842, duc en 1844. Il mourut à 95 ans, en 1862.

Au début de cette seconde carrière, il prépara l'ordonnance du 23 août 1815 qui, rapportant celle de 1814, réorganisa le Conseil d'Etat en le rapprochant beaucoup plus du Conseil d'Etat napoléonien que des anciens Conseils du Roi, que le chancelier Dambray avait cherché à faire revivre sous la 1e Restauration.

Très critiqué par de nombreux contemporains (sous la Restauration, certains l'avaient baptisé « l'inévitable », parce que son nom était évoqué lors de chaque remaniement ministériel), le chancelier Pasquier a été bien dépeint par Guizot : « On dit que M. Pasquier n'a point d'opinion; on se trompe, il en a une : c'est qu'il faut se méfier de toutes les opinions, passer entre elles, glaner quelque chose sur chacune... » Il a certes servi trois régimes successifs, mais il semble l'avoir fait loyalement, en demeurant fidèle, à travers eux, à sa conception de la chose publique. Viscéralement attaché à l'ordre et ennemi de tous les excès, il fut un homme de gouvernement plus qu'un homme de parti. C'était en tous cas un excellent administrateur et un remarquable « debater »; il avait sans doute le sens de ses intérêts personnels, mais aussi et surtout le sens de l'Etat.

Michel Rougevin-Baville
Maître des requêtes au Conseil d'Etat.

Jean-Etienne-Marie PORTALIS
1746-1807
Conseiller d'Etat

Jean-Etienne-Marie Portalis naquit à Beausset dans le Var le 1er avril 1746. Son père était professeur de droit canon à l'Université d'Aix-en-Provence, sa mère appartenait à une très ancienne famille bourgeoise de la Cordière, bourg voisin de Beausset. Aîné de 11 enfants, Jean-Etienne-Marie Portalis fut élevé dans sa prime jeunesse par ses grands-parents maternels. Il fit ensuite de solides études au Collège de l'Oratoire de Toulon, puis au Collège de l'Oratoire de Marseille où il fut remarqué de ses maîtres pour ses travaux en philosophie et son aptitude à la dialectique. Il fut, dès 1765, un brillant étudiant en droit à Aix-en-Provence où il eut comme condisciple Mirabeau. Il entra ensuite au cabinet de maître de Colonia, avocat en renom et professeur à la faculté de droit. Très vite le jeune avocat sut intéresser, éclairer et séduire ses auditeurs grâce à une éloquence qui le rendit célèbre. Il entra dans la vie publique en 1778, date à laquelle il fut nommé assesseur d'Aix, poste qui était en réalité celui d'un procureur général des Etats de Provence. Il s'illustra aussitôt dans ses nouvelles fonctions dans lesquelles, si l'on en croit un de ses concitoyens, « il allia le génie de l'administration et le cœur du patriote avec le talent de l'orateur et le savoir du jurisconsulte ». En 1782 Portalis, l'exercice des fonctions publiques terminé, reprit ses travaux d'avocat.

A la suite de l'intervention des édits de 1788, qui avaient mis les Parlements en vacance illimitée, il écrivit une « Lettre au Garde des Sceaux » dans laquelle il se dressa en champion de la liberté politique. Lors de la Terreur, Portalis fut arrêté. Sauvé de la guillotine par la Révolution thermidorienne, il ne sortit de prison qu'en janvier 1795. Elu au Corps législatif à la fois par Paris et par le département du Var, il devint président du Conseil des Anciens et chef du parti constitutionnel. Victime des mesures prises le 18 fructidor an V par le Directoire contre l'opposition royaliste et constitutionnelle il put échapper à l'arrestation, mais dut s'exiler en Suisse, puis en Allemagne.

Autorisé à rentrer en France par le Premier Consul le 27 décembre 1799, Portalis fut nommé aussitôt commissaire du gouvernement près le Conseil des prises, puis désigné, le 12 août 1800, comme membre de la Commission de rédaction du Code Civil en compagnie de Tronchet, Bigot de Préameneu et Maleville. La même année, Portalis fut nommé conseiller d'Etat. Chargé en 1801 de toutes les affaires concernant les cultes, puis ministre des cultes, il put, au prix d'un labeur acharné, mener de front la discussion devant le Conseil d'Etat du projet de Code Civil, la préparation des exposés des motifs des titres de ce Code qu'il présenta au Corps législatif et la préparation du Concordat. Lors du sacre de Napoléon et de la réception du Pape, il exerça également, par intérim, les fonctions de ministre de l'Intérieur. Epuisé par ces activités multiples, qu'il sut toutes mener à bonne fin, il tomba malade et la faiblesse croissante de sa vue l'obligea d'interrompre ses travaux en 1805. Il reçut le grand cordon de la Légion d'Honneur le 1er février 1805 et fut désigné, en 1806, pour faire partie de l'Académie Française. Devenu aveugle, il continua cependant à participer aux séances de la section de Législation à laquelle il appartenait depuis son entrée au Conseil d'Etat. Il mourut le 25 août 1807 à l'âge de 61 ans après une courte maladie.

Madame Lydie Adolphe dans l'ouvrage qu'elle a consacré à « Portalis et son temps » note : « Portalis avait répondu toute sa vie à l'appel des circonstances et quand on avait eu besoin de lui, on l'avait trouvé, improvisé devant son poste, prêt, capable et ferme. Parvenu enfin auprès de la puissance, il voulut sanctionner d'un monument uniforme la régénération civile de la France et, dans le même temps, réconcilier la Révolution avec le Ciel. Il s'en est allé au terme de sa tâche ».

Le buste de Portalis se trouve dans la bibliothèque du Conseil d'Etat.

Son fils Joseph-Marie Portalis fut également conseiller d'Etat, mais il n'eut pas avec l'Empereur Napoléon 1er les relations confiantes qu'avait eues son père. Accusé d'avoir eu connaissance par un de ses cousins, l'Abbé d'Astros, d'une lettre contenant des instructions jugées contraires aux termes du Concordat, adressée par le Pape Grégoire VII au Cardinal Maury, archevêque de Paris, et de n'en avoir pas porté les termes à la connaissance de l'Empereur, il fut, en plein Conseil, apostrophé par celui-ci, en ces termes, le 4 janvier 1811 : « Sortez, Monsieur, sortez de mon Conseil et que je ne vous voie devant mes yeux ». Il dut se retirer à Aix-en-Provence où il résida trois ans avant d'être nommé, la colère de l'Empereur enfin apaisée, à la première présidence de la Cour impériale d'Angers.

Henri Gibert
Maître des requêtes au Conseil d'Etat.

Michel-Louis REGNAUD DE SAINT-JEAN-D'ANGÉLY 1760-1819

Conseiller d'Etat
Président de la Section de l'Intérieur

Le bailli Etienne-Claude Regnaud se rendait « aux Pyrénées » en 1756 quand un accident de voiture le contraignit à s'arrêter à Saint-Jean-d'Angély. Il y prit femme, ce qui explique pourquoi Michel-Louis-Etienne qui fut baptisé le 3 novembre 1760 commença ses études en Saintonge, comment il en devint le député pour le Tiers Etat aux Etats Généraux ; fait comte en 1808, il fut autorisé à faire suivre son nom de celui de la ville qu'il avait brillamment représentée.

D'une robustesse peu commune, doué d'une éloquence facile, d'un organe sonore et d'une excellente instruction, Michel Regnaud ne manquait ni d'habileté ni de courage. Devant l'Assemblée nationale, il fut l'un des rares à tenir tête à Mirabeau et à risposter aux apostrophes souvent blessantes du tribun.

Sa réputation d'administrateur se fit jour quand, délégué de la Constituante dans les départements frontières, il reçut le serment des troupes et prit les dispositions nécessaires à « la sauvegarde de l'ordre public et à la sûreté de l'Etat ».

Bon journaliste, Regnaud donnait dans le même temps des articles appréciés dans plusieurs journaux. Fidèle aux principes constitutionnels et monarchiques, il fut mis hors la loi après le 10 août 1792 et se cacha jusqu'à la chute de Robespierre. Il épousa alors une jeune aristocrate « d'une éclatante beauté », Laure de Boneuil.

Les relations de Regnaud avec Bonaparte commencent lorsque, grâce à ses hautes relations, il est nommé administrateur des hôpitaux de l'armée d'Italie, dont le jeune général vient de prendre le commandement. Regnaud suit son chef en Egypte. Au retour, il se voit confier l'administration de l'île de Malte — « organiser le pillage », diront ses détracteurs — sous les ordres du gouverneur, le général Vaubois.

Agent zélé du coup d'état de Brumaire, chargé de rédiger les affiches qui doivent préparer les esprits des Parisiens au changement de régime, Regnaud figure au nombre des vingt-neuf premiers conseillers d'Etat nommés par l'arrêté consulaire du 5 nivôse an VIII et prend place parmi les personnalités les plus marquantes de ce grand corps.

Possédant une merveilleuse faculté de compréhension et d'assimilation, il est connu pour la promptitude de sa rédaction, « qu'il s'agît de traduire la pensée d'autrui ou la sienne propre ». Sa prodigieuse puissance de travail le fait accéder au premier rang dans l'esprit de Napoléon.

Affecté à la section de l'intérieur, Regnaud en reçoit la présidence en fructidor an X, succédant à Roederer devenu lui-même sénateur. Il la conservera jusqu'à la fin de l'Empire.

Regnaud assumait, dit-on, la plus grande part des travaux de la section, se chargeant des matières les plus ardues, les budgets communaux ou les projets d'intérêt local. Il concourut à la rédaction du Code Napoléon et à celle du Code de commerce. C'est à son instigation que la section proposa d'exprimer en un seul texte la compétence et les attributions du Conseil et de les élargir notablement. Cette initiative n'eut malheureusement pas de suite, le décret du 11 juin 1806 se bornant à maintenir en bloc les fonctions du Conseil, en précisant simplement ses attributions contentieuses et sa compétence en matière de haute police administrative.

Membre de l'Académie Française en 1803, Procureur général près la Haute Cour Impériale en 1804, ministre d'Etat en 1807, membre de la noblesse d'Empire en 1808, secrétaire de l'Etat civil de la famille impériale en 1810, grand aigle de la Légion d'Honneur, le comte Regnaud de Saint-Jean-d'Angély assuma les plus hautes missions et souvent les plus ingrates. C'est lui qui fut chargé d'annoncer au Sénat la dissolution du mariage avec Joséphine, la création des sénatoreries, et aussi, hélas ! les énormes levées d'hommes, le rétablissement de la traite des noirs, la contrainte par corps imposée aux commerçants endettés.

En dépit de son zèle empressé, le ministère de l'Intérieur, auquel il aspirait, lui demeura fermé. « Quel dommage, aurait dit Napoléon au comte Molé, que Regnaud aime tant l'argent et les plaisirs qu'il procure ! Ce serait un ministre de l'Intérieur, et jamais je n'ai pu en trouver un... Regnaud est trop corrompu, et surtout en a trop la réputation... ».

Après Waterloo, Regnaud persuada Napoléon d'abdiquer en faveur de son fils, et, le 22 juin 1815, il se chargea d'annoncer à la Chambre la résolution de l'Empereur. Ce fut là son dernier discours.

Les quelques années qui lui restaient à vivre furent des années d'exil. D'abord autorisé par l'ordonnance du 24 juillet 1815 à se retirer dans sa maison du Val près de Poissy, il fut obligé de quitter la France six mois après. Ayant gagné l'Amérique, il y fut bien reçu par Joseph Bonaparte. Mais l'éloignement de sa patrie l'accablait. Des crises de délire de plus en plus fréquentes l'épuisaient. Revenu en Europe, installé à Liège, il attendait désespérément la permission de rentrer en France. Quand, enfin, elle lui fut accordée, il se mit en route sans délai, mais c'était pour, à peine arrivé à Paris, s'effondrer entre les bras des siens (11 mars 1819).

Son épouse fit graver sur sa tombe au Père-Lachaise ces vers de son beau-frère Arnaud :

Français, de son dernier soupir
Il a salué la patrie ;
Un même jour a vu finir
Ses maux, son exil et sa vie.

Pierre Voizard
Conseiller d'Etat honoraire.

Pierre-Louis ROEDERER
1754-1835

Conseiller d'Etat
Président de la Section de l'Intérieur

Pierre-Louis Roederer naît le 15 février 1754 à Metz où son père est premier substitut du procureur général au Parlement ; il apprend le droit à Strasbourg et s'enthousiasme pour les idées nouvelles. Jusqu'à la fin de sa vie, il se flattera d'être « soldat du parti philosophique ». Sa passion pour l'économie politique naissante lui vaudra d'ailleurs l'amitié des physiocrates et de Dupont de Nemours.

Il épouse mademoiselle de Guaita, s'installe à Metz où il achète en 1780 une charge de conseiller au Parlement.

Sa campagne en faveur de l'abolition des douanes intérieures (« reculement des barrières ») attire l'attention et lui ouvre les portes de l'Académie de Metz. Sa brochure « de la Députation aux Etats Généraux » (1788) le fait connaître. Il fréquentera Malesherbes et bientôt Sieyès, Mirabeau et Talleyrand. Il avait rêvé d'être maître des requêtes pour viser quelque intendance. Il sera député de Metz à la Constituante (26 octobre 1789).

Voici venu pour lui le moment de faire appliquer ses idées et ses principes dont lui-même reconnaîtra plus tard le caractère trop absolu. Partisan irréductible du système électif pour le recrutement des fonctionnaires d'autorité, il est plus réaliste en matière financière et fiscale.

Rédacteur des projets de loi concernant la contribution foncière, la patente, le « timbre », il prend en outre une part active à la réforme de la justice, à la création du jury, mais aussi à la suppression du clergé régulier et des corporations.

Après la séparation de la Constituante, les électeurs de la Seine élisent Roederer aux fonctions de procureur général syndic de leur département (11 novembre 1791). Fidèle à ses principes, le nouvel élu parisien ne tolère pas que la rue dicte sa volonté à l'Assemblée Législative ; il le dit et déplut.

Le 9 août 1792 au soir, à la demande du ministre de la Justice, il assure aux Tuileries la sauvegarde du roi, qu'il remettra à l'aube à l'Assemblée Législative. La chute du trône contraint Roederer à la clandestinité et Lebrun, le futur consul, le cache au Palais-Royal. De sa retraite il parvient à faire publier quelques articles dans le *Journal de Paris,* où il conseillera la mansuétude lors du procès de Louis XVI.

Sous la Terreur, il se retire au Pecq et traduit le « De Cive » d'Hobbes. Il reparaît après le 9 thermidor, devient professeur d'économie politique aux écoles centrales, puis membre de l'Institut.

Sur ces entrefaites, Roederer, qui ne manque pas de moyens financiers, achète le *Journal de Paris* ainsi qu'une imprimerie. Il écrit d'une plume aussi libre que le permettent les circonstances des articles où il souhaite le triomphe d'une Révolution revue et corrigée. En août 1795, il réclame « un gouvernement énergique, républicain sans populacité (sic) ... qui ramène tous les royalistes de bonne foi, ceux qui ne veulent que la sécurité des personnes et des propriétés ».

Il stigmatise la jeunesse muscadine, frôle la déportation de fructidor et ne doit son salut qu'à Talleyrand.

Roederer participe à la préparation du coup d'Etat qui mettra fin au Directoire et qu'il qualifie de « généreuse et patriotique conspiration ». C'est lui qui est l'auteur de « l'Adresse aux Parisiens » imprimée par son fils et placardée le matin du 18 Brumaire.

Bonaparte pénètre le secret désir de Roederer d'être nommé troisième Consul et tranche brutalement : « Citoyen Roederer, vous avez des ennemis » — « Je les ai mérités et m'en félicite » répond l'interpellé qui conseille de choisir Lebrun. Admis dans l'intimité du Premier Consul, le journaliste qu'est Roederer ne peut s'empêcher de noter les propos entendus et de les rendre avec un accent de vérité.

Le 25 décembre 1799, il est nommé Président de la section de l'Intérieur du Conseil d'Etat.

Au cours de sa présidence, cette section se penche notamment sur l'administration départementale, le statut des colonies, les répercussions législatives de l'attentat de la rue Saint-Nicaise, la loi sur l'Instruction publique, l'institution de la Légion d'Honneur.

Pendant la même période, Roederer est l'un des trois représentants français chargés de négocier le traité de paix avec les Etats-Unis d'Amérique, qui sera signé à Mortefontaine chez Joseph Bonaparte le 3 octobre 1800.

Favorable à l'amnistie générale en Vendée, il demeure hostile à l'Eglise. C'est un adversaire du Concordat.

Le Premier Consul lui confie en 1802 la « Direction de l'Esprit », dont relèvent l'instruction publique et les théâtres. C'était oublier le caractère altier et tranchant d'un conseiller d'Etat qui comptait déjà à son passif, sous un régime autoritaire, un excès d'esprit d'initiative. Le nouveau directeur ne tarde pas à indisposer trop de monde.

Au Premier Consul qui lui fait grief d'être un idéologue, il reproche d'être idéophobe. La mesure est comble. Bonaparte qui, au fond, estimait Roederer sans l'aimer, châtie la témérité du conseiller d'Etat en l'envoyant « ad Patres », c'est-à-dire au Sénat (14 septembre 1802).

Le 1er avril 1806, ce dernier le délègue à Naples pour féliciter Joseph de son accession au trône. Roederer y devient ministre des Finances. Napoléon le crée comte de l'Empire en 1809 et lui confie en 1810 l'administration du grand duché de Berg. Pendant les Cent jours une pairie récompense sa fidélité.

Le retour des Bourbons le prive de tous ses emplois. Il se retire alors dans son ancienne sénatorerie de Caen en son château de Bois-Roussel (Orne). Il y vit partagé entre les joies de la nature et celles de l'esprit. Il écrit. Son « Mémoire pour servir à l'histoire de la Société polie en France » recevra les éloges de Sainte-Beuve. Il y décrit avec finesse et non sans paradoxe le rôle de la femme dans l'évolution des mœurs du règne de Louis XII à celui de Louis XIV.

La monarchie de Juillet le rend à la Chambre des Pairs et à l'Institut. Louis -Philippe choisit son gendre, le Général Gourgaud, comme aide de camp. Le vieux constituant se jette dans la mêlée et tire le canon avec son « Adresse d'un constitutionnel aux constitutionnels », dans laquelle il prône un gouvernement fort et rejette le parlementarisme relâché.

Il meurt subitement à Bois-Roussel à 81 ans le 17 décembre 1835, laissant le souvenir d'un homme dont la sagesse avait fini par l'emporter sur les amertumes de l'ambition déçue.

Colette Même
Maître des requêtes au Conseil d'Etat.

CHAPITRE III

LA PREMIÈRE RESTAURATION (1814 - 1815)

CHAPITRE III

LA PREMIÈRE RESTAURATION (1814 - 1815)

Le Conseil d'Etat en question — Adversaires et attaques — Un pamphlet de L.A. Pichon — L'hostilité de Talleyrand — Les hésitations du pouvoir — Article premier d'un projet d'édit : « Le Conseil d'Etat est supprimé » — Un questionnaire confidentiel — Un rapport au Roi de Henrion de Pansey, favorable au maintien du Conseil — Le Conseil maintenu et réorganisé — Ordonnance du 29 juin 1814 sur le Conseil — Ordonnance du 5 juillet 1814 nommant les membres du Conseil — La séance d'installation du 3 août 1814 — Le Conseil de la première Restauration jugé par le Chancelier Pasquier.

Ni les actes d'obédience individuels de membres du Conseil d'Etat impérial, ni l'adresse collective de ralliement de celui-ci aux Bourbons, ni les paroles aimables du Comte d'Artois et du Duc de Berry à des délégations de conseillers et de maîtres des requêtes, ni l'attribution à certains de ceux-ci de postes politiques et administratifs importants ne réglaient l'avenir du Conseil lui-même. La Charte était muette à son sujet. « Le Conseil d'Etat provisoire » créé le 16 avril 1814 et qui ne devait avoir qu'une existence éphémère ne perpétuait ni ne remplaçait le Conseil d'Etat de l'An VIII ; il n'avait aucun rapport avec celui-ci et consistait en la réunion autour du Roi de quelques ministres et personnalités de confiance (1).

C'est une ordonnance du 29 juin 1814 qui, après, semble-t-il, quelques hésitations du Roi et malgré les attaques violentes ou feutrées dont le Conseil d'Etat impérial fut l'objet, établit un nouveau Conseil d'Etat.

Celui-ci était à la fois très différent et très proche du Conseil d'Etat impérial. Il en était très différent par sa place dans l'appareil de l'Etat et par sa structure. Il n'était plus un corps autonome, tenant son existence

---

(1) Le « Conseil d'Etat provisoire » comprenait les membres suivants, nommés par le Comte d'Artois, lieutenant général du royaume : le prince de Bénévent, le duc de Conigliano, maréchal de France, le duc de Reggio, maréchal de France, le duc de Dalberg, le comte de Jaucourt, sénateur, le général comte Beurnonville, sénateur, l'Abbé de Montesquiou, le général Dessoles; le baron de Vitrolles faisait fonctions de secrétaire du Conseil.

(*Moniteur, 17 avril 1814*)

de la constitution, mais l'un des organes de conseil que le Roi avait, par ordonnance, créés auprès de lui. Il pouvait être réuni en assemblée générale, mais ses formations essentielles étaient les cinq comités dont chacun était rattaché à un ministère dans les locaux duquel il siégeait sous la présidence du ministre intéressé. Le Conseil restait cependant proche de son prédécesseur par son personnel et par une bonne partie de ses attributions. Il fut constitué pour moitié d'anciens membres du Conseil d'Etat impérial. La Charte avait laissé subsister les lois existantes qui ne lui étaient pas contraires ; le nouveau Conseil d'Etat demeurait ainsi investi de nombreuses compétences administratives qui avaient été conférées au précédent par des textes particuliers : il restait notamment compétent pour autoriser des poursuites contre les fonctionnaires et statuer sur les appels comme d'abus.

Les nominations de conseillers furent faites le 5 juillet 1814. L'assemblée générale, où serment fut prêté au roi — seule assemblée générale tenue au cours de la première Restauration — eut lieu le 3 août 1814. L'activité administrative au sein des comités paraît avoir été assez réduite. Le comité du contentieux régla cependant une cinquantaine d'affaires de ventes de biens nationaux. Sous les Cent jours, Napoléon ordonna par décret la révision des décisions rendues dans ces affaires. Le comité chargé de cette révision conclut qu'elles l'avaient été selon une juste application des textes en vigueur : « ce résultat qui satisfait autant qu'il étonne au premier aspect est dû sans doute à la présence et au concours de plusieurs membres de l'ancien Conseil de Votre Majesté, lesquels ont maintenu la jurisprudence suivie sous votre règne... » (1)

LE CONSEIL D'ÉTAT EN QUESTION

Adversaires et attaques.

A peine l'Empire tombé, L.-A. Pichon, ancien chargé d'affaires et consul général aux Etats-Unis, ancien conseiller d'Etat et intendant général du Trésor en Westphalie, publiait un violent pamphlet contre l'Empire où le Conseil d'Etat n'était pas épargné :

> « L'instrument le plus actif, le plus efficace de la tyrannie du gouvernement de Napoléon a été le Conseil d'Etat. Ce corps, destiné, dans l'intention des inventeurs, à détruire la représentation nationale et à restreindre et la considération et l'autorité des corps judiciaires, a parfaitement répondu à l'attente qu'on s'en était formée...

---

(1) Arch. nat. — AF IV 859/7 — Plaq. 6960 — Pièces annexées au D. 31.3 1815 concernant la commission du contentieux. Ce jugement contredit quelque peu le jugement sévère porté par le Chancelier Pasquier sur le Conseil d'Etat de la première Restauration (cf. ci-après, p. 219).

Ce corps, au reste, est une des créations anomales de la Révolution qui a le plus favorisé le despotisme, en faisant jouer aux regards de la nation une ombre, un fantôme de discussion et de contre-poids dans le gouvernement. Mais quelle autorité avait-il pour balancer, je ne dis pas les volontés de l'Empereur, mais celles des ministres ? Il n'en avait aucune. Il semblait, au premier abord, avoir au moins été créé dans ce dernier but. Mais les ministres ont bientôt trouvé le moyen de prévenir Napoléon contre le danger de ce contrôle de pure discussion. Rien n'était plus illusoire que ce contrôle et rien n'est plus insultant que la manière dont l'exercice lui en était interdit. Les ministres obtenaient le plus souvent, pour leurs projets favoris, qu'ils ne lui fussent pas renvoyés. On n'a qu'à voir au bulletin les décrets qui n'ont pas le protocole de la présentation au Conseil, sans parler de ceux qui n'ont jamais été promulgués. Souvent les décrets étaient lus et la séance était levée avant qu'il fût permis d'en délibérer, ou bien on était informé par le président que le décret qui venait d'être lu était une mesure politique que l'Empereur n'entendait pas soumettre à la discussion. C'est ainsi que s'interprètent les mots « le Conseil d'Etat entendu »...

Un simple conseiller d'Etat aurait-il osé attaquer sérieusement un projet ministériel ? Il n'aurait pas osé le faire. Les discussions n'étaient donc et ne pouvaient être que des ergotages insignifiants. D'ailleurs, la distribution des affaires par section, imaginée sous le prétexte de diviser et de faciliter le travail, était une manière de neutraliser le Conseil lui-même et de le réduire à la plus complète nullité. Un parti une fois arrêté dans une section, la discussion au Conseil n'était et ne pouvait être que de forme. Comment en aurait-il pu être autrement ? Jamais, avant d'aller au Conseil, on n'était prévenu de l'ordre du jour. Il était par conséquent impossible d'être préparé sur rien. La communication des pièces, si nécessaire pour asseoir un jugement sur les affaires, qui n'était déjà que très imparfaite pour la section, était nulle pour le Conseil général. Il en résultait que les questions de finance même n'étaient discutées que pour la forme. Pas un budget annuel, ni un compte administratif des ministres n'a été approfondi ni pu l'être et d'ailleurs cette nature d'affaires était réservée à des commissions spéciales, espèces d'instruments dont la création avait été suggérée comme moyen d'empêcher que le Conseil ne s'immisçât dans les affaires administratives. Les ministres, aussi jaloux de leur vizirat que Napoléon de son despotisme, étaient parvenus à faire comprendre que le Conseil ne pouvait, sans le plus grand danger, être initié à la conduite de l'administration, et, sous ce prétexte, ils empêchaient qu'on ne lui renvoyât autre chose que des projets de décret sur les matières qui leur semblaient demander qu'on en rendît. C'est ainsi que tant de décrets ou de décisions d'une tyrannie révoltante ont été rendus...

Si jamais il y eut une organisation destructive à la fois de la véritable autorité du prince et de la juste et nécessaire influence de la nation sur ses affaires, c'est celle du Conseil d'Etat, considéré comme participant à l'administration et à la législation. L'opinion publique était pour lui comme non existante; il ne pouvait ni ne voulait la connaître, et cette opinion n'avait aucun moyen de prévenir de mauvaises lois ni de les faire redresser...

Dans la partie judiciaire de ses attributions, le Conseil d'Etat n'a pas eu des résultats moins funestes. On l'a investi de bonne heure de ce qui s'est appelé depuis la Révolution juridiction administrative, espèce d'attribution monstrueuse qui porte, comme une foule de nos créations modernes, un caractère vague dans sa définition qui en fait le vice essentiel. Cette espèce de juridiction est bien le fruit de la distribution vicieuse des pouvoirs du gouvernement que nous devons à l'Assemblée constituante. Mais ce n'est qu'après elle, sous le Directoire, et lorsque le mépris qu'on commença d'afficher pour l'autorité judiciaire et dans lequel on la plongea, s'annonça sans réserve, qu'elle prit quelque forme. Tant qu'elle fut réservée au Corps législatif, elle s'exerça avec peu d'inconvénients, à cause de la publicité du débat. Mais c'est avec le gouvernement consulaire qu'elle est effectivement née, et, sous le gouvernement impérial, elle a fait les progrès les plus alarmants dans toute la France. Cette juridiction est confiée aux préfectures, et le Conseil d'Etat l'exerce par appel sur leurs jugemens et en première instance contre les décisions des ministres. On est encore à savoir, au Conseil même, ce que c'est que cette juridiction, qui depuis a été appelée le contentieux administratif. Jamais l'axiome de droit « omnis définitio periculosa » n'a été plus vrai que dans cette machine, dont l'action dépend de la question de savoir ce qui est ou n'est pas de justice administrative. L'idée seule de réunir ces deux mots dans le sens technique, c'est-à-dire pour signifier une attribution judiciaire, n'a pu naître que dans des esprits où toutes les notions étaient bouleversées, et si Dumoulin, ou Daguesseau, ou Montesquieu lui-même, quoiqu'un excès de philosophie spéculative lui fasse perdre de son aplomb comme jurisconsulte, revenaient parmi nous, il leur faudrait du temps pour comprendre que les idées et les établissements de droit ont été subvertis en France au point que cette phraséologie a pu être proposée et adoptée par des magistrats ou des avocats de nos anciens parlements...

Ne cessons de le répéter : il n'y a aucune liberté publique, aucune constitution de gouvernement possibles, si le Conseil d'Etat est maintenu ».

(L.A. Pichon, De l'état de la France sous la domination de Napoléon Bonaparte, Paris, J.G. Dentu, 1814).

Plus dangereuse sans doute pour le Conseil d'Etat que ces attaques passionnées était l'hostilité d'un homme comme Talleyrand, évoquée par Vitrolles dans ses Mémoires :

« Pendant la courte durée de son gouvernement provisoire, les séances de ce Conseil avaient été suspendues et son existence mise en doute. On avait voulu tellement l'annuler que les expéditions de ses actes, nécessaires aux affaires particulières, avaient été remises à la secrétairerie d'Etat. Je jugeais autrement cette institution, composée des hommes les plus capables et les plus exercés à la conduite des affaires... Ses membres se rattachaient franchement à nous comme tout le monde et leurs principes les disposaient à soutenir l'autorité...

Mais M. de Talleyrand s'y entêtait. Suivant lui, toutes les attributions importantes, celles du grand Conseil de l'ancien temps ,pouvaient être remises à la Cour de cassation, et pour le reste, elles étaient entièrement inutiles.

Voyez, me disait-il un jour, vous n'avez qu'une chose à faire pour bien servir le Roi, c'est une ordonnance. Article unique : Considérant qu'il n'y a plus de biens nationaux, le Conseil d'Etat est et demeure supprimé. Après cela vous ferez tout ce que vous voudrez; vous rétablirez même les jésuites, si cela vous plaît.

Je ne me contentai pas de ces bluettes de bel esprit; je soutins l'existence du Conseil d'Etat qui était menacé, en le faisant admettre en corps aux présentations, aux solennités publiques ».

(Vitrolles, Mémoires et relations politiques, Paris, 1883-1884, t. II, p. 97).

Dans le même temps, diverses initiatives pouvaient laisser présager la «liquidation» du Conseil d'Etat :

Lettre de Locré, secrétaire général du Conseil d'Etat, au baron de Vitrolles au sujet du mobilier du Conseil.

27 avril 1814.

« Monsieur le Baron,

Monseigneur le Chancelier me demande les meubles qui étaient à l'usage du précédent Conseil d'Etat. Il a chargé M. Besnard, architecte de la Chancellerie, d'en vérifier l'état à l'effet d'en déterminer la destination ultérieure. M. Besnard me prie de l'accréditer auprès de vous afin qu'il puisse faire cette vérification. Ce sera lui qui aura l'honneur de vous remettre cette lettre.

J'ai l'honneur d'être, avec une très haute considération et un inviolable attachement,

Monsieur le Baron,

Votre très humble et très obéissant serviteur,
Signé : Baron Locré

à M. le Baron de Vitrolles. »

(Arch. nat. AF V 3).

Lettre de Locré, secrétaire général du Conseil d'Etat au Gouverneur des Tuileries au sujet des archives du Conseil.

Paris, le 6 mai 1814.

« Monsieur le Marquis,

Les papiers que vous désiriez que je fasse enlever des bureaux du Conseil d'Etat sont principalement des archives, dépôt très précieux qui se compose de 56 mille dossiers, ce qui est le résultat de plus de 14 années de travail. Ces papiers appartiennent maintenant au Roi et il est de mon devoir de lui conserver cette collection. Je serai donc obligé de vous demander la permission de ne la faire transporter qu'avec ordre et d'attendre qu'il y ait un local préparé pour la recevoir. Au surplus, M. le Baron de Vitrolles à qui j'ai communiqué la lettre que vous m'avez fait l'honneur de m'écrire s'est chargé d'y répondre avec plus de détail.

J'ai l'honneur d'être avec une très haute considération, Monsieur le Marquis,

Votre très humble et très obéissant serviteur,
Baron Locré

à Monsieur le Marquis de Champcenet, Gouverneur des Tuileries. »

(Arch. nat. AF V 3).

Les hésitations du pouvoir.

Le 14 juin 1814, Vitrolles répondait à une demande de place au Conseil d'Etat que le Roi n'avait « encore pris aucune détermination relative à l'organisation du Conseil d'Etat » (1). Ces hésitations sont bien visibles dans les trois documents d'archives ci-dessous : un projet d'édit

(1) *Arch. nat. AF V* 2.*

royal demeuré sans suite, un questionnaire confidentiel établi sans doute par la secrétairerie d'Etat, un rapport au Roi de Henrion de Pansey, alors commissaire provisoire au Département de la justice.

UN PROJET D'ÉDIT.

D'après une note placée sous son titre, ce projet n'était « qu'un simple texte de discussion », mais ce qu'il mettait en discussion était l'existence même du Conseil, et non pas seulement son organisation.

Article 1er. Le Conseil d'Etat est supprimé.

Art. 2. Indépendamment du Conseil des affaires étrangères, sur lequel il sera statué par un règlement particulier, il y aura :

Un conseil de législation, de justice et des parties (1),

Un conseil des dépêches ou d'administration,

Un conseil du commerce,

Un conseil des finances.

Art. 3. Chaque conseil, dans l'étendue de l'attribution du département ministériel auquel il correspond, délibèrera :

sur les propositions que le Roi jugerait à propos de faire, conformément à l'article 5 de la charte constitutionnelle (2),

sur la sanction à donner par le Roi aux actes.

....

(*Arch. nat. BB*[30] *725*).

UN QUESTIONNAIRE CONFIDENTIEL.

Pas plus que celles du document précédent, on ne connaît la date et l'origine exactes de ce questionnaire. Sans doute fut-il établi à la secrétairerie d'Etat. Il porte à l'évidence, ne serait-ce que par les termes employés, la marque des principes et des institutions de l'Ancien Régime.

Résumé, en forme de questions, du 4e Mémoire

Première série : *Division du Conseil du Roi en plusieurs branches.*

Première question. Le conseil du Roi sera-t-il divisé en plusieurs conseils pour l'ordre du travail et l'expédition des affaires ?

2e question. Y aura-t-il un Conseil d'Etat où l'on discutera, comme les déclarations de guerre, les traités de paix, d'alliance, de neutralité, de commerce et généralement toutes les affaires qui touchent aux grands intérêts de la France ?

3e question. Y aura-t-il un Conseil du Cabinet ou Privé, où le Roi délibèrera avec ses ministres soit sur les améliorations ou les réformes à faire dans l'ensemble ou dans quelque branche de l'administration publique, soit sur les affaires sur lesquelles il lui plairait d'avoir particulièrement leur avis ?

---

(1) On pourrait ne former que deux conseils, l'un de législation, de justice et des parties, l'autre d'administration, mais il faudrait arriver à couper ce dernier en trois bureaux, ce qui ramènerait le système de la division sectionnaire qui est bien le plus mauvais de tous les systèmes (note figurant au bas du projet d'édit).

(2) Il s'agit du projet de charte préparé par le Sénat.

4e question. Y aura-t-il des Comités d'administration où le Roi s'occupera avec le secrétaire d'Etat d'une partie et les directeurs généraux, soit d'une branche d'administration, soit d'un objet particulier ?

5e question. Y aura-t-il un Conseil Royal de législation pour préparer les projets relatifs aux lois civiles, criminelles, commerciales ou concernant les matières ecclésiastiques ?

6e question. Ce Conseil sera-t-il chargé de la vérification des bulles ?

7e question. Y aura-t-il un Conseil des parties pour statuer sur le contentieux de l'administration ?

8e question. Le contentieux de tous les départements y sera-t-il porté ?

9e question. Y aura-t-il un Conseil royal des finances et un Conseil royal de l'intérieur pour délibérer sur les projets de loi et de règlement et pour expédier les affaires d'intérêt local ou particulier, chacun dans l'étendue des attributions du département auquel il appartient ?

10e question. Y aura-t-il un Conseil royal du commerce ?

IIe série. *Composition des divers conseils.*

11e question. Le Conseil d'Etat sera-t-il composé de membres permanents ou des princes, ministres, secrétaires d'Etat et ministres d'Etat qu'il plaira à Sa Majesté d'y faire convoquer pour chaque séance ?

12e question. Les ministres, secrétaires d'Etat et les ministres d'Etat auront-ils entrée, séance et voix délibérative dans tous les conseils royaux ?

13e question. Y aura-t-il des conseillers d'Etat et des maîtres des requêtes ?

14e question. Combien de conseillers d'Etat et de maîtres des requêtes attachera-t-on à chaque conseil royal ?

15e question. Les mêmes conseillers d'Etat et maîtres des requêtes feront-ils le service dans plusieurs conseils ?

16e question. Les directeurs généraux auront-ils, comme autrefois les intendants de commerce et des finances, entrée et séance au conseil auquel se rattache la partie d'administration dont ils sont chargés, pour faire le rapport des affaires de leurs départements respectifs ?

17e question. Admettra-t-on, comme autrefois, des négociants dans le Conseil du commerce, en supprimant le conseil qui était établi près le ministre de l'Intérieur ?

IIIe Série. *Présidence des Conseils.*

18e question. Chaque conseil royal, en l'absence du Roi et de Monseigneur le Chancelier, sera-t-il présidé par M. le Secrétaire d'Etat du département ?

19e question. Y aura-t-il un vice-président en titre, ou M. le Secrétaire d'Etat, quand il ne pourra pas présider, se fera-t-il remplacer par un conseiller d'Etat qu'il commettra pour la séance seulement ?

IVe Série. *Ordre du travail.*

20e question. Ne portera-t-on aux divers conseils que les affaires qui y auront été renvoyées par le Roi, ou les affaires y seront-elles portées directement par le ministre, sauf au ministre à prendre préalablement les ordres du Roi, quand il le jugera convenable.

21e question. Les rapports seront-ils fait par les maîtres des requêtes, hors le cas où les ministres jugeraient à propos d'en charger un conseiller d'Etat ?

22e question. Les rapports seront-ils toujours suivis d'un projet ?

23e question. Le Président pourra-t-il renvoyer une affaire ou un projet à l'examen d'une commission temporaire qui cesserait de plein droit d'exister aussitôt qu'elle aura fait son rapport ?

Ve Série. *Résultats des délibérations.*

24e question. Le résultat de toutes les délibérations des conseils sera-t-il indistinctement donné à l'approbation du Roi ?

25e question. Dans le cas où la précédente question serait résolue négativement, le Conseil prononcera-t-il définitivement au nom et sous l'autorité du Roi sur les affaires contentieuses et sur les affaires d'intérêt local ou individuel dont il sera formé un tableau, et ne présentera-t-on au Roi que les projets de loi, de règlement et autres actes d'intérêt général, ainsi que les affaires réservées par le tableau ci-dessus ?

(Arch. nat. AF V 3).

UN RAPPORT DU MINISTÈRE DE LA JUSTICE.

Ce rapport, établi probablement en mai 1814 sous la direction de Henrion de Pansey, alors commissaire provisoire au département de la justice, procède d'une inspiration différente. Il exprime sans doute le point de vue des milieux de la haute administration, soucieux avant tout de continuité et d'efficacité :

« On est fort éloigné de prétendre ici que le Conseil d'Etat doive être reconstitué sous la même forme. Il est reconnu que cette forme renfermait des vices nombreux, qu'on avait porté jusqu'à l'excès la manie d'appeler les affaires à Paris, que le Conseil était devenu trop souvent une sorte de gêne pour l'exercice des fonctions ministérielles et que cet inconvénient serait bien plus fâcheux aujourd'hui sous un régime qui établit d'une manière réelle la responsabilité des ministres.

On se bornera à indiquer trois points de vue principaux sous lesquels l'intervention d'un Conseil peut désormais continuer à être nécessaire.

Paragraphe premier

De la révision des lois et des règlements administratifs, de la nécessité d'un Conseil d'Etat pour la préparer

On doit sans doute supposer en principe que les lois et les règlemens qui se trouvaient en vigueur au 1er avril dernier continuent encore et continueront d'être en vigueur jusqu'à leur expresse abolition. Toute supposition contraire serait inadmissible sans jeter la confusion non seulement dans le régime de l'Etat, mais encore dans les affaires privées. Ce serait laisser l'administration sans guides. Ce serait un interrègne de lois.

D'un autre côté, il est une foule de dispositions des lois et des règlements qu'on ne peut laisser subsister sans de graves inconvénients, non seulement parce qu'elles sont incompatibles avec la forme du régime actuel, mais aussi et surtout parce qu'elles sont incompatibles avec son esprit, avec les droits de la justice, avec les véritables intérêts du Royaume.

Les codes eux-mêmes ont besoin de réformes dans quelques unes de leurs parties.

Mais se bornera-t-on à révoquer ou modifier ces dispositions d'une manière partielle et successive, à mesure que le besoin s'en fera sentir ? Alors on s'expose d'abord à un grave inconvénient, celui d'augmenter la confusion qui existe déjà dans notre législation, en multipliant le nombre excessif de ses éléments; on s'expose aussi à un inconvénient plus sérieux encore; c'est que telle mesure législative ou réglementaire qu'on croirait annulée a souvent son principe caché dans une loi antérieure, son développement ou ses conséquences dans une postérieure et se lie de diverses manières à diverses parties du système. Il faut donc reprendre sous œuvre, en quelque sorte, l'ouvrage tout entier par un travail méthodique.

Ceci pourrait conduire à un mode de travail qui, en fournissant les moyens de réformer sagement les vices de la législation existante, ferait disparaître le plus grand de tous, je veux dire, la complication des dispositions qui la composent.

Il n'est presque pas une matière sur laquelle il n'ait paru depuis 25 ans une foule de lois, décrets, arrêtés, etc. qui, sous des noms divers, se répètent, se modifient, se contredisent. Des hommes très exercés peuvent seuls se tirer de ce labyrinthe qui est inextricable pour le commun des administrateurs.

Si on se borne à réformer par des règlements nouveaux, le mal se trouvera encore accru. Mais on pourrait, en rassemblant et mettant en ordre tous ces documents, en recomposer pour chaque partie un seul code ou un seul règlement dans lequel on ferait entrer toutes les dispositions bonnes à conserver, en retranchant celles qui sont inutiles ou nuisibles, et modifiant celles qui ont besoin de changement, et distribuant le tout d'une manière méthodique.

Je prendrai, pour exemple, l'administration des communes; elle a été le sujet de plus de 300 lois, décrets ou décisions, qui aujourd'hui doivent toutes être consultées.

J'ai essayé sur cette branche, comme sur quelques autres, le travail dont on vient de parler et j'ai trouvé qu'un seul règlement de 300 articles pouvait remplacer toute cette collection.

De cette manière, on rendrait inutile l'étude et le dépouillement de tout ce qui a été fait depuis 25 ans, on rendrait la connaissance des lois facile et simple pour les administrateurs et les sujets de S.M.; on éviterait en même temps de donner à la législation nouvelle un caractère de distinction, d'innovation trop sensible.

Toutefois ce travail, qui exigera beaucoup d'application et de patience, peut-il être bien fait autrement que par une réunion de magistrats délibérants ? Partout où il ne s'agit que d'exécuter, un conseil embarrasse et retarde; mais là où il faut poser des règles, la discussion devient nécessaire; il y a plus, et il sera indispensable d'y appeler des hommes qui soient familiarisés avec le détail des lois existantes, qui en connaissent l'enchaînement et les rapports, qui, ayant pu en connaître aussi les motifs en assistant aux délibérations, ayant pu voir dans la pratique les essais et les résultats, puissent rendre compte enfin de la jurisprudence qui s'est formée sur leur application. C'est de l'assemblage de ces nombreux éléments qu'on pourra former facilement un ouvrage réellement utile et solide.

En ce moment, le travail sera considérable et il est de quelque urgence; à l'avenir, on peut espérer une juste sobriété de lois qui est toujours le caractère d'un gouvernement sage et dont nous nous sommes si fort écartés, mais il y aura cependant besoin d'y ajouter de temps en temps d'après les leçons de l'expérience et alors encore les lumières provenant des traditions antérieures seront indispensables pour conserver l'harmonie.

Paragraphe 2

Du contentieux en matière d'administration

Le contentieux sur lequel statuait jusqu'à ce moment le Conseil d'Etat n'avait point de rapport avec le recours en cassation qui était porté à la cour suprême chargée de ce ministère.

Deux éléments essentiels constituaient la juridiction du Conseil.

Le premier se composait du recours contre les décisions des conseils de préfecture, en ce qui concerne le contentieux administratif proprement dit. Ici, le Conseil d'Etat remplissait, par rapport aux conseils de préfecture, les fonctions de tribunal d'appel. Aussi longtemps que toutes les questions relatives aux domaines, aux contributions, à la grande voirie, etc. composeront un ressort à part, et il y a bien des motifs pour maintenir une partie de ces attributions, il est impossible de déférer à la Cour de cassation la révision des décisions rendues.

On se pourvoyait aussi au Conseil contre les décisions des ministres en matière contentieuse et même contre les décrets impériaux, lorsqu'on prétendait y voir une lésion pour les intérêts d'un tiers.

Tous ces pourvois avaient lieu directement au Conseil par la commission du contentieux et le ministère d'un avocat au Conseil.

Le second élément se composait des affaires portées par les ministres eux-mêmes, qui par leur nature présentaient l'opposition de droits, d'intérêts ou de prétentions diverses, telles que les concessions de mines, les établissements de moulins, usines, les dessèchements, les canaux, partages de biens communaux, liquidations diverses, etc. Ce genre d'affaires sous l'ancien régime de la monarchie était aussi délibéré dans le Conseil du Roi.

La nécessité d'un conseil, sous ce double rapport, est trop évidente pour avoir besoin d'être démontrée. Elle a été d'ailleurs parfaitement mise à jour par M. Hochet, secrétaire de la commission du contentieux, dans un mémoire imprimé dernièrement (1).

Paragraphe 3

De quelques matières administratives qui exigent une délibération

On déférait autrefois au conseil du Roi l'homologation d'un grand nombre de transactions qui intéressaient les établissements de main morte, telles qu'aliénations, acquisitions, emprunts, transactions sur procès; ces établissements étant considérés comme nécessairement mineurs par toutes les lois, le Conseil du Roi remplissait en quelque sorte les fonctions de la tutelle.

Sans doute, on a porté beaucoup trop loin dans le régime récent cette sorte d'attributions et on a chargé le Conseil d'Etat d'une multitude d'affaires qui eussent été plus convenablement traitées sur les lieux. Cependant, il en est un certain nombre qui, concernant de grandes communautés ou se compliquant de divers intérêts, demandent un examen approfondi et une discussion contradictoire.

On ne craindra pas de dire que le Conseil, organisé d'une manière convenable, loin d'être à l'avenir une institution de censure pour les ministres de S.M. et de faire naître une opposition nuisible au service, serait au contraire un auxiliaire utile et même indispensable pour ces ministres. Il les garantirait des nombreux inconvénients de l'influence des bureaux, inconvénients d'autant plus graves que leur source est plus obscure. L'expérience a prouvé que les ministres ne peuvent examiner et revoir par eux-mêmes ces volumineuses affaires, qu'ils sont entièrement à la

(1) Hochet (Claude) : Du Conseil d'Etat tel qu'il existait sous Napoléon Bonaparte, de la Commission du contentieux, du Conseil d'Etat tel qui doit être sous le gouvernement du Roi.

(*Arch. nat. BB*[30] *725*).

discrétion du commis qui, dans son rapport, commente les faits, présente l'extrait des pièces et propose sans que la partie intéressée soit entendue; souvent, c'est un commis très subalterne et une recommandation presqu'inconnue qui décide du sort de l'affaire. L'expérience a montré aussi que dans les affaires compliquées il est rare que les bureaux fassent une instruction régulière et complète par l'intérêt commun qu'ont les employés à s'éviter la fatigue.

Les mêmes considérations s'appliquent à l'établissement même et aux privilèges de certaines communautés de main morte, aux délimitations de territoire qui donnent lieu aux contestations entre les communes, les cantons, les départements, aux alignements des villes, à certains projets de constructions publiques, à divers intérêts des établissements de bienfaisance ou municipaux, toutes choses qui exigent une discussion contradictoire, et à l'égard desquelles il est nécessaire d'étabiir pour ces discussions une jurisprudence fixe et raisonnée.

Conclusion

Il est un grand nombre de cas dans lesquels il peut paraître utile de faire traiter séparément par divers conseils distincts les matières d'un ordre différent.

Cependant, il importe de remarquer qu'il en est un grand nombre aussi dans lesquelles la réunion d'hommes attachés ordinairement à des branches diverses devient très utile.

Ainsi, dans les matières de finance, il est plusieurs intérêts du commerce, de l'industrie, de la propriété qui se trouveraient facilement compromis, si la discussion était exclusivement livrée à des financiers de profession.

Et réciproquement, il est des mesures proposées dans l'intérêt du commerce et de l'industrie où les intérêts des finances de l'Etat pourraient exiger le concours des hommes qui en manient les ressorts.

De même encore, on ne peut abandonner exclusivement à des jurisconsultes les matières contentieuses, ni même la révision des codes judiciaires; et l'expérience de l'administration est nécessaire pour éclairer certains rapports que les jurisconsultes trop souvent n'apprécieraient que d'une manière imparfaite.

Enfin, il est des questions qui, par leur généralité, embrassent tous les intérêts de l'Etat et qui exigent ainsi le concours de toutes les lumières et (il faut bien le remarquer) surtout des lumières pratiques plus nécessaires que jamais sous un gouvernement dont la sagesse s'appuyera surtout à l'expérience ».

(Arch. nat. BB^{30} 725).

LA RÉORGANISATION DU CONSEIL D'ÉTAT

Elle fut l'œuvre de deux ordonnances : l'ordonnance du 29 juin 1814 sur le Conseil du Roi, l'ordonnance du 5 juillet 1814 nommant les conseillers d'Etat et maîtres des requêtes qui, selon l'article premier de l'ordonnance précédente, composaient, avec les princes de la famille royale, le chancelier de France, les ministres secrétaires d'Etat et les ministres d'Etat, le Conseil du Roi.

L'ordonnance du 29 juin 1814.

Ce texte réalisa sans doute un compromis entre partisans et adversaires du maintien du Conseil d'Etat. Il distinguait au sein du Conseil du Roi le Conseil d'en haut ou des ministres et le Conseil privé ou des parties, composé des ministres secrétaires d'Etat et de tous les conseillers d'Etat et maîtres des requêtes ordinaires, « qui prendra le titre de Conseil d'Etat ». Il créait d'autre part cinq comités : de législation, contentieux, de l'intérieur, des finances, du commerce. Placés auprès du chancelier et des ministres secrétaires d'Etat et présidés par ceux-ci ou leurs délégués, ces comités étaient en fait les successeurs des sections du Conseil d'Etat impérial ; formés de conseillers et de maîtres des requêtes, ils se trouvaient dans la mouvance du Conseil, dont ils étaient pour certaines affaires ou catégories d'affaires (arrêts contentieux, projets de loi, etc.) les organes d'instruction. Mais le Roi pouvait appeler des conseillers d'Etat à des séances du Conseil d'en haut et il pouvait évoquer devant ce Conseil des affaires de législation, d'administration et même de contentieux, qui étaient normalement de la compétence du Conseil d'Etat. Celui-ci subsistait bien mais ne possédait plus qu'une semi-autonomie au sein du Conseil du Roi.

« Notre intention étant de compléter incessamment l'organisation de notre Conseil, nous nous sommes fait représenter les règlements faits par les rois nos prédécesseurs sur cette matière, et nous avons reconnu qu'il serait difficile d'arriver à un meilleur système; que néanmoins il y aurait de l'avantage à le simplifier, et qu'on ne peut se dispenser de le mettre en harmonie avec les changements survenus dans la forme du Gouvernement et dans les habitudes de nos peuples;

A ces causes,

Nous avons ordonné et ordonnons ce qui suit :

Titre premier. *Des personnes qui composent notre Conseil.*

Art. premier. Notre Conseil sera composé :
Des princes de notre famille,
Du chancelier de France,
Des ministres secrétaires d'Etat,
Des ministres d'Etat,
De conseillers d'Etat,
De maîtres des requêtes,

2. Le nombre des conseillers d'Etat en service ordinaire est, quant à présent, limité à vingt-cinq, sans compter ceux en service extraordinaire et les conseillers d'Etat honoraires.

Nous nous réservons aussi de créer des conseillers d'Etat d'église et d'épée.

3. Le nombre des maîtres des requêtes ordinaires n'excèdera pas, quant à présent, cinquante. Il y aura, en outre, des maîtres des requêtes surnuméraires et des honoraires.

4. Les conseillers d'Etat ordinaires et les maîtres des requêtes, lorsqu'ils

font des rapports, auront seuls voix délibérative dans les conseils auxquels ils seront attachés.

Les maîtres des requêtes feront l'instruction et les rapports, à moins que, par des considérations particulières, le chancelier ou le secrétaire d'Etat de la partie ne juge à propos d'en charger des conseillers d'Etat.

Les uns et les autres pourront faire le service dans plusieurs conseils et comités.

Titre II. *Du service dans notre Conseil.*

5. Pour l'ordre du service, les membres de notre Conseil seront classés et distribués ainsi qu'il suit :

Le Conseil d'en-haut ou des ministres, actuellement existant;

Le Conseil privé ou des parties, qui prendra le titre de Conseil d'Etat.

Il y aura en outre :

1) Un comité de législation,
2) Un comité contentieux,
3) Un comité de l'intérieur,
4) Un comité des finances,
5) Un comité du commerce.

Ces comités seront placés auprès du chancelier et des ministres secrétaires d'Etat des départements auxquels ils se rattachent.

6. Le Conseil d'en-haut ou des ministres sera composé des princes de notre famille, de notre chancelier, et de ceux de nos ministres secrétaires d'Etat, de nos ministres d'Etat et des conseillers d'Etat qu'il nous plaira de faire appeler pour chaque séance.

7. Le Conseil d'en-haut ou des ministres délibèrera, en notre présence, sur les matières de haute administration, sur la législation administrative, sur tout ce qui tient à la police générale, à la sûreté du trône et du royaume, et au maintien de l'autorité royale.

Nous pourrons y évoquer les affaires du contentieux de l'administration qui se lieraient à des vues d'intérêt général.

Les projets de loi, et généralement toutes les affaires qui devront être soumises à notre approbation et qui ne l'auraient pas reçue dans le Conseil d'Etat, nous seront présentés dans ce Conseil, ou soumis directement, suivant que nous le jugerons convenable.

8. Le Conseil d'Etat sera composé de nos ministres secrétaires d'Etat, de tous les conseillers d'Etat et maîtres des requêtes ordinaires.

Il examinera les projets de lois et règlemens qui auront été préparés dans les divers comités.

Chacun des ministres y rapportera ou y fera rapporter par un conseiller d'Etat ou un maître des requêtes qu'il aura choisi, les projets de règlements et de jugements qui auront été convenus au comité contentieux et autres comités, pour y être définitivement arrêtés.

Il vérifiera et enregistrera les bulles et actes du Saint-Siège, ainsi que les actes des autres communions et cultes.

Il connaîtra des appels comme d'abus.

Quand nous ne jugerons pas à propos de faire délibérer ce Conseil en notre présence, il sera présidé par notre Chancelier, et, en son absence, par celui de nos ministres que nous aurons nommé.

Ce conseil aura un secrétaire, qui tiendra registre des délibérations, gardera les papiers et minutes, suivra la correspondance, en délivrera tous extraits, copies ou expéditions.

9. Le comité contentieux connaîtra de tout le contentieux de l'administration de tous les départements, des mises en jugement des administrateurs et préposés, des conflits.

Ses avis seront rédigés en forme d'arrêts ou de jugements, qui ne seront définitivement arrêtés qu'après avoir été rapportés et délibérés dans notre Conseil d'Etat, ou après avoir reçu notre sanction directe.

Il sera tenu registre des délibérations de ce comité, qui aura, en conséquence, un secrétaire-greffier qui gardera les papiers et minutes et recevra directement des diverses administrations ou des parties les affaires qui seront de la compétence du comité.

Il sera composé de six conseillers d'Etat et de douze maîtres des requêtes ordinaires.

Il sera présidé par notre chancelier, et, en son absence, par un conseiller d'Etat vice-président : il pourra être divisé en deux bureaux.

10. Le comité de législation préparera tous les projets de lois et de règlements sur toutes matières civiles, criminelles et ecclésiastiques, lesquels projets devront ensuite être délibérés en Conseil d'Etat avant de nous être définitivement soumis.

Ce comité sera composé de six conseillers d'Etat et de douze maîtres des requêtes; il sera présidé par notre chancelier, ou ,en son absence, par un ministre d'Etat que nous aurons nommé. Notre chancelier pourra le diviser en deux bureaux.

Il aura un commis-greffier.

11. Les comités des finances, de l'intérieur et du commerce, d'après les ordres et sous la présidence des ministres secrétaires d'Etat auxquels ils sont respectivement attachés, prépareront les projets de lois, de règlement et tous autres relatifs aux matières comprises dans leurs attributions.

Ils proposeront, en forme d'arrêts, des jugements sur les affaires d'intérêt local ou individuel de leurs départements respectifs, autres que les affaires contentieuses; lesquels arrêts ne seront définitifs qu'après nous avoir été soumis en Conseil d'Etat, ou dans un travail particulier, par le ministre de la partie.

12. Le comité des finances sera composé de cinq conseillers d'Etat et de dix maîtres des requêtes; le comité de l'intérieur, de cinq conseillers d'Etat et de dix maîtres des requêtes; le comité du commerce et des manufactures, de quatre conseillers d'Etat et de six maîtres des requêtes.

Des marchands, négociants, manufacturiers des principales villes de commerce, pourront y être appelés par le ministre de cette partie : et, dans ce cas, ils y auront séance et voix consultative.

Dans les affaires qui exigeraient la réunion de plusieurs comités, elle pourra être ordonnée par le chancelier, sur la demande des ministres.

13. Les directeurs généraux des diverses administrations que nous nommerons conseillers d'Etat en service extraordinaire pourront, sur la demande de chaque ministre, assister en plus, et avec voix délibérative, aux divers conseils et comités attachés au département duquel ils dépendent; ils pourront même y présenter des rapports et projets de règlements.

S'ils venaient à quitter les directions générales dont ils sont chargés, ils deviendraient de droit conseillers d'Etat ordinaires, prendraient leur rang au Conseil du jour de leur nomination comme conseillers d'Etat, et jouiraient des honneurs et traitements attachés à ce titre.

14. Le chancelier de France pourra également nous présenter, pour être attachés aux différents conseils et bureaux, jusqu'à concurrence de six des

conseillers d'Etat, et de douze des maîtres des requêtes, auxquels nous aurons conféré le titre d'honoraires et de surnuméraires.

Titre III. *Traitements.*

15. Les conseillers d'Etat et maîtres des requêtes en service ordinaire nommés par nous reçoivent seuls des traitements fixes.

Les conseillers d'Etat du dernier Conseil qui avaient été nommés conseillers d'Etat à vie conserveront cependant, avec le titre de conseiller d'Etat honoraire une pension de retraite égale au tiers de celui-ci, qui sera ci-après fixé pour nos conseillers d'Etat ordinaires.

16. Le traitement fixe des conseillers d'Etat est provisoirement fixé à douze mille francs.

Celui attaché à chacun des comités dont ils peuvent être membres est de quatre mille francs; ce traitement seul pourra être accordé à ceux des conseillers d'Etat honoraires qui seraient appelés aux conseils et comités.

17. Le traitement fixe des maîtres des requêtes ordinaires sera de quatre mille francs, et, en outre, de deux mille francs par chaque conseil ou comité où ils exerceront leurs fonctions; lequel traitement de deux mille francs pourra aussi être attribué aux maîtres des requêtes honoraires ou surnuméraires qui seront attachés auxdits conseils et comités.

18. Le traitement du secrétaire du Conseil d'Etat est de quinze mille francs; du secrétaire-greffier du comité contentieux, de dix mille francs; des commis-greffiers des autres comités, de cinq mille francs.

19. Les attributions de chaque conseil et comité seront fixés par un règlement particulier, ainsi que le mode d'y procéder à la distribution, au rapport et à la décision des affaires.

20. Jusqu'à ce qu'il en ait été autrement ordonné, on se conformera aux règlements et usages qui étaient observés au dernier comité contentieux.

21. Il y aura, auprès de nos conseils, des avocats sous le titre d'avocats aux conseils du Roi, qui seront chargés de l'instruction et de la défense dans les affaires portées en ces conseils, qui en seront susceptibles. Leur nombre sera ultérieurement déterminé. »

(*Duvergier, t. XIX, pp. 93 sq*).

L'ordonnance de nomination du 5 juillet 1814.

Cette ordonnance réalisait aussi un compromis. Sur les 30 conseillers qu'elle nommait, près de la moitié avaient appartenu, selon les termes mêmes de l'ordonnance « au dernier Conseil d'Etat ». A côté d'eux prenaient place des magistrats et fonctionnaires de l'Ancien Régime, maîtres des requêtes de l'Hôtel, conseillers au parlement, etc.

LOUIS, par la Grâce de Dieu
Roi de France et de Navarre
à tous ceux qui ces présentes verront, salut.
Sur le rapport de notre aimé et féal chevalier
Chancelier de France, le sieur Dambray
Nous avons nommé et nommons :

1. — Conseillers d'Etat ordinaires

Les sieurs :

Beugnot, directeur de la police générale.
Bérenger, directeur général des contributions.
Henrion de Pansey, président en la Cour de cassation et conseiller au dernier Conseil d'Etat.
De la Malle, conseiller de l'Université et au dernier Conseil d'Etat.
Faure, conseiller au dernier Conseil d'Etat.
Begouen, conseiller au dernier Conseil d'Etat.
Corvetto, conseiller au dernier Conseil d'Etat, en obtenant nos lettres de naturalisation.
Français (de Nantes), conseiller au dernier Conseil d'Etat.
Pelet (de la Lozère), conseiller au dernier Conseil d'Etat.
Gérando (de), conseiller au dernier Conseil d'Etat.
Colonia (de), ancien maître des requêtes de l'Hôtel.
La Bourdonnaye de Blossac (de), ex-intendant de Soissons.
Balainvilliers (de), ancien intendant de Languedoc.
Lambert l'aîné, ancien maître des requêtes de l'Hôtel.
Laporte-Lalanne (de), ancien maître des requêtes de l'Hôtel .
Dupont (de Nemours), secrétaire du Gouvernement provisoire.
Anglès, commissaire du Gouvernement provisoire à la police générale.
Doutremont, ancien conseiller au parlement de Paris.
Dupont, conseiller au parlement de Paris, président à la cour d'Orléans.
Malcors (de), ancien conseiller au parlement de Toulouse.
Cuvier, maître des requêtes au dernier Conseil d'Etat.
Jourdan (des Bouches du Rhône), ex-préfet à Luxembourg .
Chabrol, ex-intendant général en Illyrie.
Bourblanc (de), ancien avocat général au parlement de Rennes.
Fumeron de Verrières, ancien maître des requêtes de l'Hôtel.

2. — Conseillers d'Etat en service extraordinaire

....

3. — Conseillers d'Etat honoraires

....

Conserveront le titre d'honoraires jusqu'à ce que nous les appellions en service ordinaire, ceux qui restent de nos conseillers d'Etat du dernier Conseil existant en 1789.

Nous avons nommé et nommons :

1. — Maîtres des requêtes ordinaires

....

2. — Maîtres des requêtes surnuméraires

....

3. — Maîtres des requêtes honoraires

....

Conserveront le titre de maîtres des requêtes honoraires tous ceux des anciens maîtres des requêtes de notre hôtel que nous n'avons pas rappelés en service ordinaire ou nommés conseillers d'Etat honoraires.

Il en sera de même des maîtres des requêtes du dernier Conseil ».

(*Duvergier, t. XIX, pp. 137 sq*).

La séance d'installation du 3 août 1814.

Cette séance présidée par le Roi et au cours de laquelle fut reçu le serment des conseillers et maîtres des requêtes, eut lieu au palais des Tuileries, dans la salle près de la chapelle, où se tenaient sous l'Empire les réunions du Conseil. Il est à noter qu'aucun prince de la famille royale n'assistait à cette séance.

Le Moniteur en donne la relation suivante :

« MM. les conseillers d'Etat ordinaires, en service extraordinaire, et honoraires, et MM. les maîtres des requêtes ordinaires, surnuméraires, et honoraires, nommés par l'ordonnance du 5 juillet dernier, d'après les lettres de convocation que le secrétaire général du Conseil d'Etat leur avait adressées par ordre de M. le chancelier de France, se sont réunis à une heure après-midi au palais des Tuileries, dans la salle près la chapelle.

A une heure et demie, M. le chancelier est entré et s'est placé à un bureau posé diagonalement à droite et en avant du trône du Roi.

Un moment après, M. le prince de Bénévent, ministre et secrétaire d'Etat des affaires étrangères; M. l'abbé de Montesquiou, ministre et secrétaire d'Etat de l'intérieur; M. le lieutenant-général comte Dupont, ministre et secrétaire d'Etat de la guerre; M. le maréchal Moncey, duc de Conegliano; M. le maréchal Oudinot, duc de Reggio; M. Ferrand, M. le lieutenant-général comte de Beurnonville, M. le lieutenant-général comte Dessoles, ministres d'Etat, sont entrés et se sont placés suivant le rang qu'ils ont entr'eux aux deux bureaux disposés de chaque côté, dans la longueur de la salle et le plus près de l'estrade du trône.

MM. les conseillers d'Etat se sont placés au bureau ensuite; MM. les maîtres des requêtes, sur des sièges derrière les bureaux.

Le secrétaire général du Conseil d'Etat a occupé un bureau placé à gauche en arrière entre celui qu'auraient occupés les princes de la famille royale et celui des ministres.

Un huissier du cabinet a annoncé en ces termes l'arrivée de S.M. : « Le Roi, Messieurs ! ». Aussitôt MM. les ministres et les membres du Conseil se sont levés.

M. le chancelier a quité sa place et est allé recevoir le Roi au-delà de la porte d'entrée de la salle du Conseil.

S. M. est entrée précédée de Monsieur, frère du Roi, et suivie de son capitaine des gardes, de son premier gentilhomme de la chambre, du grand-maître et du maître de sa garde-robe, du grand-maître des cérémonies de France et du major des gardes-du-corps de S. M.

Le Roi s'est assis sur son trône, placé au fond de la salle.

Monsieur a occupé un bureau placé à la droite de l'estrade. Le bureau placé à gauche de l'estrade est resté vacant, aucun autre prince de la famille royale n'assistant à la séance.

Derrière le trône se sont placés sur une banquette le capitaine des gardes-du-corps de S.M., a sa droite le premier gentilhomme de la chambre, à sa gauche le grand-maître et le maître de la garde-robe.

A droite du premier gentilhomme de la chambre, sur un tabouret, le grand-maître des cérémonies.

Derrière le capitaine des gardes, le major des gardes-du-corps du Roi.

Le Roi, assis et couvert, a prononcé le discours qui suit :

« Messieurs, j'ai voulu réunir tous les membres de mon Conseil pour recevoir moi-même leur serment et donner plus de solennité à la cérémonie religieuse qui vous attache à mon service et à celui de l'Etat.

Redoublez donc de zèle, Messieurs, joignez vos efforts aux miens, je compte sur vos lumières et sur votre expérience pour m'aider à rendre mes peuples heureux.

Mon chancelier va vous faire plus particulièrement connaître mes intentions ».

M. le chancelier a pris, un genou en terre ,les ordres de S. M. et après s'être relevé a, au nom du Roi, ordonné de s'asseoir; puis s'adressant au Conseil, a dit :

« Messieurs, il est digne d'un monarque qui veut que la justice préside à toutes ses décisions de s'environner de conseils sages et vertueux. Il a beau réunir aux lumières les plus étendues la science si rare de faire un bon usage des connaissances acquises par le travail et la méditation, si un génie supérieur suffit pour ordonner de grandes choses, il est impossible de suffire aux détails sans conseils.

Il faut que des hommes éclairés, et surtout des hommes vertueux, disent et préparent toutes les matières, recueillent toutes les plaintes, examinent toutes les réclamations, soumettent à l'autorité et lui proposent des avis parmi lesquels elle puisse choisir avec sûreté.

La fortune des Etats, la gloire des souverains, le bonheur des peuples dépendent souvent de la sagesse des conseils. Vous êtes appelés, Messieurs, à faire aimer et respecter l'autorité du Roi, sans jamais chercher à l'étendre, à conserver sa puissance, sans travailler à l'accroître. Le Roi veut que votre expérience et vos lumières ajoutent à la force comme à la sécurité de ses ministres, en les garantissant des surprises qu'on pourrait faire à leur religion, en les éclairant sur les erreurs involontaires qui pourraient leur échapper; en préparant les lois et les règlements dont l'exécution leur est confiée. Le but de votre institution n'est pas, et votre nom l'indique assez, de former un conseil qui prononce, mais un conseil qui dirige; vous n'êtes pas appelés à administrer, mais à éclairer l'administration. Les assemblées générales du Conseil seront par là même assez rares, et c'est dans les comités particuliers qu'on éprouvera surtout votre salutaire influence.

Celui de législation préparera les diverses lois civiles et criminelles dont S. M. jugera à propos de lui confier la rédaction; il examinera les bulles et les actes du Saint Siège et les actes des autres communions qui doivent être soumis à l'approbation du Roi.

Le comité contentieux connaîtra des affaires qui étaient portées à la commission qu'il remplace, des conflits entre les autorités administratives et judiciaires, des pourvois contre les décisions des conseils de préfecture et autres administrations, dans les cas déterminés par la loi.

Les actes interprétatifs et explicatifs des lois et des règlements seront préparés par le comité que la matière concerne; chaque ministre y renverra les affaires qu'il trouvera utile de lui soumettre.

Les avis de ces derniers comités seront rédigés en forme de lois ou d'arrêtés, mais n'en recevront le caractère que de l'approbation que Sa Majesté leur aura donnée sur la proposition des différents ministres, qui, jusqu'à ce qu'il en soit autrement ordonné, pourront seuls les rendre exécutoires par leur signature.

Telle sera la marche provisoire des différents comités, en attendant que le travail y soit déterminé par un règlement général. C'est à ces comités que les membres du Conseil vont être distribués. Que l'amour du bien y soit leur premier guide; qu'il y marche constamment avant l'amitié, la haine, l'intérêt personnel. N'y proposez jamais au Roi, Messieurs, que ce qui vous paraîtra juste; que le désir même de lui plaire fasse place à celui de le servir; ne lui conseillez que ce qui peut le conduire à la seule gloire qu'il ambitionne, à celle de rendre ses peuples heureux. Donnez, enfin, par vos vertus privées, par la sagesse de votre conduite, par la modération de vos principes, une haute opinion de la capacité de vos conseils. Vous offrirez ainsi au meilleur comme au plus juste des rois la plus forte preuve de votre attachement et de votre fidélité; et vous verrez se fortifier chaque jour vos droits à l'estime publique, qui se mesure moins sur l'éclat que sur l'utilité des travaux ».

Ce discours terminé, M. le chancelier a repris les ordres du Roi et a lu la formule du serment dont la teneur suit :

« Vous jurez devant Dieu de bien et fidèlement servir le Roi en l'état et charge de conseillers d'Etat et maîtres des requêtes; garder ses édits et ordonnances et les règlements de son Conseil; tenir secrètes et ne révéler à personne les délibérations d'icelui et les affaires qui vous seront communiquées concernant son service; avertir Sa Majesté de tout ce que vous connaîtrez importer son honneur, sa personne et son service, et faire tout ce qu'un homme de bien, aimant son Roi, doit faire pour la décharge de sa conscience et le bien des affaires de Sa Majesté ».

Tous les membres du Conseil ont répondu : « Je le jure ».

M. le chancelier a fait ensuite la lecture de la liste portant distribution en comités de MM. les conseillers d'Etat et maîtres des requêtes. Cette liste est ainsi conçue : ...

M. le chancelier a ajouté que les lieux, les jours et les heures de la réunion de chaque comité seront indiqués par des ordres ultérieurs ».

(Le Moniteur, 4 août 1814).

LE CONSEIL D'ÉTAT DE LA PREMIÈRE RESTAURATION JUGÉ PAR LE CHANCELIER PASQUIER

Installé le 3 août 1814, dissous en fait par le retour de l'Empereur le 20 mars 1815, le Conseil d'Etat de la première Restauration siégea peu de temps et ne fut saisi que d'un petit nombre d'affaires. Assez, cependant, aux dires du chancelier Pasquier, pour qu'il ait pu révéler les vices de son organisation et l'incapacité de beaucoup de ses membres. Jugement peut-être sévère, mais digne d'attention car il émane d'un homme qui avait été conseiller au parlement de Paris avant 1789, et avait siégé au Conseil d'Etat impérial :

« Les choses étaient plus accentuées encore au ministère de la justice. Le chancelier, M. Dambray, y avait apporté, de la meilleure foi du monde, et même avec une sorte de naïveté, toutes les opinions de l'ancien régime. Il fallait se hâter d'y retourner, parce qu'à ses yeux c'était le seul ordre naturel et logique. Cette conviction perçait dans toutes ses actions comme dans toutes ses paroles. Telle fut évidemment l'idée qui présida à l'organisation qu'il fit donner au Conseil d'Etat et à la manière dont il le composa. De toutes les opérations de l'époque il n'y en eut pas de plus mal combinées...

Le préambule de l'ordonnance qui réorganisait le Conseil d'Etat était court, mais fort remarquable. Il y était dit que le Roi, s'étant fait représenter les règlements adoptés par ses prédécesseurs pour l'organisation de leur Conseil, avait reconnu qu'il serait difficile d'arriver à un meilleur système; que néanmoins, reconnaissant aussi qu'il y avait, sous quelques rapports, de l'avantage à simplifier ce système, on ne pouvait se dispenser de le mettre en harmonie avec les changements survenus dans la forme du gouvernement et dans les habitudes des peuples; il avait ordonné et ordonnait ce qui suivait, etc.

On ne pouvait partir d'une base plus malheureusement choisie, l'ancien Conseil d'Etat des rois de France n'ayant rien de commun sur des points de la plus haute importance avec celui qu'il s'agissait d'organiser, puisque l'existence des chambres législatives lui retirait la plus importante de ses prérogatives, celle d'être le seul corps dans lequel le Roi fit délibérer ,avant de les publier, ses édits, ses déclarations et enfin tous ses actes législatifs. Ensuite, cet ancien Conseil remplissait en même temps, sous le titre de Conseil des parties, les fonctions de Cour de cassation pour tous les recours adressés au Roi contre les arrêts des cours souveraines. Ces recours, comme on sait, étaient le sujet de contestations perpétuelles entre les parlements et le gouvernement royal. Or, cette partie de la juridiction, si faiblement organisée alors, avait été depuis, grâce à l'institution de la Cour de cassation, parfaitement réglée. Le chancelier affectait de l'ignorer. Partant des anciennes maximes, il considérait le droit de cassation comme inhérent en quelque sorte à la personne même du souverain et ne pensait pas qu'il pût être légalement exercé autrement que par un corps que le prince était toujours censé présider. Il nourrissait la secrète volonté de rétablir à cet égard l'ancien ordre de choses. Aussi eut-il soin de qualifier le Conseil d'Etat de « Conseil privé » ou « des parties ».

Il hasarda un peu plus tard une tentative qui ne laissa aucun doute sur ses intentions. Il n'avait pas mieux compris l'institution du comité du contentieux, qu'il conserva cependant. La juridiction du Conseil sur le contentieux de l'administration étant fort étendue et s'exerçant le plus souvent à une grande distance des justiciables, il avait été nécessaire de leur offrir la garantie de la discussion la plus sérieuse, la plus approfondie. Le comité du contentieux n'avait donc été jusqu'alors chargé que de l'examen préalable de certaines affaires dont le rapport était fait ensuite par un de ses membres au Conseil d'Etat réuni. C'était, dans le corps même, une sorte de recours contre l'avis du comité. Ce recours fut supprimé de fait, la délibération du Conseil d'Etat pouvant, fut-il dit, être suppléée par la sanction directe du Roi, dont on ne manqua pas d'user en toutes occasions, et le comité, présidé par le chancelier, se trouva ainsi avoir dans ses attributions la décision aussi bien que l'examen préalable. Il en fut de même pour presque toutes les affaires traitées dans les autres comités, et qui étaient, à peu de chose près, les mêmes que celles attribuées au Conseil d'Etat impérial. La réunion générale du Conseil devint dès lors si parfaitement inutile que hors la séance d'installation, qui fut présidée par le Roi dans la salle accoutumée aux Tuileries ,je ne crois pas que cette réunion ait eu lieu une seule fois tant qu'a duré le ministère de M. Dambray.

Le personnel choisi pour faire partie du nouveau Conseil d'Etat répondait au système qui avait présidé à sa formation. Le nombre des conseillers en service ordinaire se trouvait réduit à vingt-cinq. Cela pouvait suffire, surtout avec l'aide des conseillers d'Etat en service extraordinaire, parmi lesquels se trouvaient tous les directeurs généraux qui, au nombre de sept, avaient séance et voix délibératives. Mais il aurait fallu que les élus eussent été réellement capables d'affaires. Or, on en avait, sur les vingt-cinq, tiré onze ou douze du Conseil d'Etat de 1789 et de la magistrature existant avant la Révolution. Plusieurs d'entre ceux-là avaient joui sans doute d'une honorable réputation et s'étaient même alors montrés gens de talent; mais leur long éloignement des affaires, et, pour le plus grand nombre, leur âge avancé, les rendaient incapables d'un travail auquel ils n'auraient pu se livrer avec succès qu'à l'aide d'une étude approfondie des lois rendues et des règlements promulgués depuis vingt-cinq ans. Leur principal devoir les appelait à appliquer des lois et des règlements dont ils n'avaient pas la moindre notion. Ils auraient été on ne saurait mieux placés parmi les conseillers d'Etat honoraires; mais on voulait leur assurer des traitements que ce titre ne leur aurait pas donnés, et d'ailleurs, parmi les honoraires, dont le nombre ne s'élevait qu'à vingt-quatre, il y en avait déjà quinze de même origine et en même situation. On voit combien l'élimination avait été considérable parmi les membres du Conseil d'Etat impérial. Il ne faut pas perdre de vue que ce corps avait la réputation de compter parmi ses membres les plus grandes capacités du pays. A la vérité, on ne peut disconvenir que parmi ces capacités il n'y en eût plusieurs dont le gouvernement royal ne pouvait accepter les services. Les auditeurs furent supprimés. Cette suppression n'était pas bien conçue : elle ôtait au gouvernement l'avantage d'avoir à sa disposition un nombre assez considérable de places peu rétribuées, avec lesquelles on pouvait satisfaire beaucoup de familles en donnant une carrière à leurs enfants; mais le titre d'auditeur était une conception impériale, on fut bien aise de s'en débarrasser...

Ce fut pendant la durée de la session législative que le Conseil d'Etat entra en fonction, trahissant son embarras et son manque d'expérience. On était accoutumé à une prompte expédition des affaires; on fut désagréablement affecté par les lenteurs qu'il fallut désormais subir. Comme directeur général des ponts et chaussées, je me trouvai attaché au comité dans lequel les inconvénients étaient le plus sensibles; c'était celui de l'intérieur; M. Royer-Collard et M. Becquey en faisaient partie : ce fut là que notre liaison commença à devenir assez intime. Ils étaient beaucoup moins assidus que moi, le travail des administrations qui leur étaient confiées et où ils étaient fort novices leur laisant peu de loisir. M. l'abbé de Montesquiou avait commis la faute de donner la présidence de ce comité à M. de Balainvilliers, intendant de la province du Languedoc avant la Révolution. Il s'était fait depuis, grâce à la protection de M. de Calonne, dont il avait épousé la nièce, attacher au conseil de M. le comte d'Artois; il en était le chef pendant l'émigration; jamais sinécure ne fut plus complète. Cependant, à sa rentrée en France, Monsieur tenait beaucoup à ce que M. de Balainvilliers occupât un poste important. Le voilà donc président du comité où aboutissaient le plus d'affaires et où la connaissance précise des lois et des règlements en vigueur depuis vingt-cinq ans était le plus nécessaire. Il n'en avait pas la première notion, et son insuffisance était encore rendue plus frappante par des prétentions que rien ne justifiait ».

(*Chancelier Pasquier, Mémoires, 7e édit., Paris, 1914, t. III, pp. 11-sq*).

CHAPITRE IV

LES CENT JOURS
(20 mars - 28 juin 1815)

CHAPITRE IV

LES CENT JOURS

Réorganisation du Conseil d'Etat impérial — Refus de Allent, Portal et Pasquier d'y siéger — Benjamin Constant au Conseil d'Etat — Extraits de ses journaux intimes — Prestation du serment — Adresse du Conseil d'Etat à l'Empereur — Le rôle de Thibaudeau — Texte de l'Adresse — Sa présentation à l'Empereur.

Une des premières préoccupations de Napoléon à son retour à Paris fut de procéder à la reconstitution du Conseil d'Etat.

Un décret du 24 mars 1815 réorganisa le service du Conseil et arrêta la liste de ses membres. Les deux tiers des conseillers d'Etat ainsi nommés — certains contre leur gré — appartenaient au Conseil d'Etat de l'Empire. Beaucoup d'entre eux s'étaient pourtant, entre temps, ralliés à la Monarchie. Furent toutefois rayés de la liste, pour certains de la main même de l'Empereur, des personnalités qui s'étaient trop nettement compromises pendant la Première Restauration.

Les 24 maîtres des requêtes nommés étaient tous déjà maîtres des requêtes sous l'Empire.

Un décret du 3 avril 1815 répartit entre les sections 44 auditeurs pris, eux aussi, parmi les anciens auditeurs.

La liste arrêtée le 24 mars 1815 fut complétée au cours des semaines suivantes par la nomination de quelques membres nouveaux, notamment par celle, le 20 avril, de Benjamin Constant, affecté comme conseiller d'Etat à la section de l'intérieur.

Le 14 avril 1815, les membres du Conseil d'Etat prêtèrent, entre les mains de Cambacérès, le serment prévu par le décret du 8 avril, jurant « obéissance aux Constitutions de l'Empire et fidélité à l'Empereur ».

Le Conseil d'Etat des Cent jours fut régi par les règles en vigueur avant la chute de l'Empire. Un décret du 31 mars 1815, cependant, modifia les règles de fonctionnement de la commission du contentieux, composée désormais du ministre de la justice, de trois conseillers d'Etat, de quatre maîtres des requêtes et de six auditeurs.

La situation financière imposa la réduction des traitements et la fixation du budget du Conseil à un niveau nettement plus faible qu'en 1813 (1 100 000 F contre 1 820 000 F).

Le Conseil ainsi reformé tint sa première séance le 24 mars, sous la présidence de Defermon. Une commission de neuf conseillers fut chargée de préparer un projet de délibération sur « le caractère illégitime » de la Royauté restaurée. Ce projet, rédigé pour l'essentiel par Thibaudeau, fut adopté le 25 mars et prit la forme d'une adresse présentée officiellement le 26 mars à l'Empereur qui y répondit brièvement. Ce texte, que certains conseillers, tel Molé, refusèrent de signer, exaltait la souveraineté populaire « seule source légitime du pouvoir » et proclamait l'illégalité de tous les actes accomplis par Louis XVIII au cours de la Première Restauration.

Le 28 mars, le Conseil tint sa première séance normale sous la présidence de l'Empereur. Séance brève et sans grand intérêt, si l'on en croit le témoignage de Miot.

Pendant les Cent jours, le Conseil d'Etat fut saisi, comme auparavant, d'affaires contentieuses et administratives. La commission du contentieux examina quarante-cinq affaires et le Conseil délibéra sur de nombreuses affaires administratives, notamment d'ordre local.

Parmi les travaux des commissions spéciales, il faut signaler ceux relatifs aux collèges électoraux (rapport du 20 avril 1815) et à la liberté de la presse (avis du 28 avril 1815).

Le rôle du Conseil d'Etat dans la préparation de l'Acte additionnel aux Constitutions de l'Empire — qui réduisait ses attributions, notamment dans l'élaboration des projets de loi — fut modeste, malgré la présence en son sein de Benjamin Constant, son principal auteur.

Treize conseillers d'Etat siégèrent à partir du mois de juin dans les chambres nouvellement instituées, quatre comme repréesntants et neuf en qualité de pairs.

Pendant cette période, de nombreux membres du Conseil furent chargés de difficiles missions extraordinaires en province ou occupèrent — notamment des auditeurs — des fonctions de préfet, sous-préfet ou lieutenant de police. Ce fut une commission composée de quatre présidents de section — Defermon, Regnaud de Saint Jean d'Angely, Boulay de la Meurthe et Andréossy — qui rédigea le rapport sur la déclaration des gouvernements alliés du 13 mars 1815.

Le Conseil d'Etat paraît être demeuré à l'écart des événements qui suivirent la défaite de Waterloo le 18 juin. Il exerça ses tâches habituelles jusqu'au 7 juillet 1815.

NOMINATIONS ET CAS DE CONSCIENCE

Les ralliements aux Bourbons avaient été trop nombreux en 1814 pour que Napoléon, revenant de l'île d'Elbe, ait pu en tenir rigueur à tous les anciens membres de son Conseil d'Etat. Il fit donc appel pour le reformer à des hommes qui avaient servi la première Restauration ; beaucoup acceptèrent. Ainsi Gérando, dont Boulatignier, au lendemain de sa mort, en 1842, rappelait les variations politiques :

« En 1814, M. de Gérando, quoiqu'il eût été particulièrement honoré de l'estime et de la confiance de Napoléon, qui l'avait fait baron de l'Empire, avec une dotation de 25 000 F de rentes, et officier de la Légion d'honneur, fut maintenu, avec quelques-uns de ses collègues du Conseil d'Etat impérial, sur la liste du service ordinaire du nouveau Conseil. Il crut faire une chose utile au pays en restant dans ce corps, qui exerce une si grande influence sur la marche de tous nos services publics, afin de pouvoir opposer les leçons de la sagesse et de l'expérience à l'emportement des passions politiques.

Dans les Cent jours, Napoléon, qui avait conservé à M. de Gérando son titre de conseiller d'Etat, l'envoya en qualité de commissaire extraordinaire dans la Moselle, pour y organiser la défense du territoire national ».

(Boulatignier, Notice nécrologique du baron de Gérando, Revue étrangère et française de législation, de jurisprudence et d'économie politique, t. X, janv. 1842).

L'Empereur essuya cependant quelques refus, que le chancelier Pasquier évoque dans ses Mémoires :

« La composition du Conseil d'Etat n'avait point été pour Napoléon sans épines et sans dégoût; il avait essuyé des refus qui avaient dû lui être sensibles. J'en puis citer deux, celui de M. Allent et celui de M. Portal. Je n'ai point de détails sur ce qui se passa relativement à M. Allent, mais voici ce dont je suis sûr quant à M. Portal. Instruit par M. Regnaud qu'il était nommé conseiller d'Etat (il n'était en 1814 que maître des requêtes), il lui répondit qu'il ne se croyait pas libre d'accepter cette fonction, qu'il le priait de vouloir bien faire agréer son refus à l'Empereur. M. Regnaud s'étant acquitté de la commission, invitation fut faite à M. Portal, par le chambellan de service, de se rendre aux Tuileries. Il est introduit dans le cabinet de Napoléon. « Que signifie ce refus, monsieur Portal ? Est-ce que vous me déclarez la guerre ? » Ces paroles furent prononcées d'un ton grave et sévère. « Lorsque, l'année dernière à Bordeaux, j'exerçais des fonctions que vous m'aviez confiées, Sire, j'ai refusé tout ce qui m'a été offert de la part du duc d'Angoulême, parce que je vous avais prêté serment. Depuis, lorsque votre abdication a été prononcée, le Roi m'a nommé maître des requêtes, et je lui ait prêté serment. Il n'a point abdiqué et je tiens à son égard une conduite semblable à celle que j'aie tenue avec Votre Majesté. » Après un moment de silence : « Et que comptez-vous faire ? — Me retirer, Sire, à la campagne. — On vous donnera un passeport. » Là finit la conversation. »

. . . .

Je n'ai pas un instant regretté d'avoir suivi le parti que me dictaient la raison et la délicatesse. Si la moindre hésitation avait pu subsister dans mon esprit, j'en aurais été complètement délivré par la lecture de la déclaration du Conseil d'Etat, telle que le Moniteur nous la donna dans son numéro du 27. C'était certainement la pièce la plus amère, la plus offensante et en même temps la plus habile, la plus forte en déductions qu'il fût possible de rédiger contre la maison de Bourbon. On exigea de tous les membres du Conseil de la signer individuellement; elle fut même portée à cet effet au domicile de ceux qui n'avaient pas assisté à la délibération. Le 23, M. Réal vint chez moi; j'étais sorti; il avait dit son intention de revenir, parce qu'il était urgent qu'il me vît; il était allé jusqu'à la place Vendôme, où demeurait M. Decazes. J'ai su depuis qu'il remplissait dans ce moment auprès de celui-ci une mission semblable à celle dont il allait s'acquitter auprès de moi. Il vint, un quart d'heure après, me signifier un ordre d'exil. Je pouvais aller partout où je voudrais, pourvu que ce fût à quarante lieues de Paris. Il mit beaucoup d'égards et d'obligeance dans cette démarche, dont il me parut sincèrement peiné. Je lui demandai s'il me fallait partir sur-le-champ, s'il ne me serait pas permis de demeurer à Paris encore quelques jours pour chercher un appartement où se pût établir Mme Pasquier en mon absence. Il me répondit que, pour ce qui le concernait, il me laissait toutes les facilités que je pouvais désirer, mais qu'il fallait voir M. Fouché, qui me délivrerait mon passeport et qui seul pouvait m'accorder un délai.

Mes anciens camarades du Conseil d'Etat n'hésitèrent pas à me témoigner leur sympathie. Le lendemain, l'Empereur ayant reçu les hommages de ce corps, M. Regnaud, qui avait porté la parole, lui dit, au nom de tout le Conseil, avant de se retirer, qu'on avait appris avec une vive affliction l'acte de rigueur qui venait d'être exercé à l'égard de M. Pasquier, d'un ancien collègue auquel tous ceux qui avaient travaillé avec lui portaient estime et attachement. L'Empereur, sans trop manifester d'humeur, répondit qu'il y avait des exemples qu'on était obligé de faire; que ma défection avait été une des plus promptes, une de celles qui avaient eu le plus d'éclat. De cette réponse, mes amis conclurent que la colère de Napoléon n'était pas grande contre moi, que si je voulais faire quelque démarche et lui redemander de l'emploi, il était à peu près certain que je ne serai pas refusé. M. Molé surtout appuya beaucoup sur ce point et me proposa de se charger, soit de remettre une lettre, soit de faire une demande en mon nom; il me pressa longtemps, employa à me convaincre toute l'adresse de son esprit, mais je persistai dans mon refus.

M. de La Valette, que je vis après et qui me connaissait mieux, ne me conseilla pas d'accepter mon exil sans réclamation. « Il ne faut pas, me dit-il, avoir l'air, en vous laissant traiter en coupable, de reconnaître que vous l'êtes en effet. Cela pourrait plus tard avoir de graves conséquences; à votre place, j'écrirais à l'Empereur et je me plaindrais avec fermeté d'un acte qui vous atteint fort injustement et qui a l'air de vous choisir entre tant d'autres pour vous infliger une peine que vous n'avez pas plus méritée que tous ceux qui ont obéi, comme vous, à la force des circonstances. » Je lui dis que j'y réfléchirais, puis j'allai chez M. Fouché. »

(Chancelier Pasquier. Mémoires 7e édit., Paris 1914, t. III, pp. 168-69).

BENJAMIN CONSTANT AU CONSEIL D'ÉTAT

Il y eut aussi quelques nouveaux venus. Le plus brillant fut Benjamin Constant, rallié inattendu, inspirateur de l'Acte additionnel aux constitutions de l'Empire, nommé conseiller le 20 avril. De ce premier et bref contact avec le Conseil qui devait se renouveler pour lui, de manière tout aussi fugitive, quinze ans plus tard, au lendemain de la Révolution de 1830, il a laissé la trace dans les notes de son journal intime :

« *Avril 1815.*

14. Entrevue avec l'Empereur. Longue conversation. C'est un homme étonnant. Demain, je lui porte un projet de constitution. Arriverai-je enfin ?...

19. Longue entrevue (1). Beaucoup de mes idées constitutionnelles adoptées. Conversation sur d'autres sujets. Il est clair que ma conversation lui plaît. Annonce de ma nomination au Conseil d'Etat. Lu mon roman. Fou rire. Dîné chez Juliette. Soirée chez Fouché. Si ma nomination a lieu, je me lance tout à fait, sans abjurer aucun principe.

20. Séance avec Maret et Regnaud. Ma nomination signée. Le saut est fait. J'y suis tout entier. Lettre de Mme de Stael. Elle voudrait que je ne fisse rien pour ma fortune et que je lui donnasse le peu que j'ai. Jolie combinaison ! Ni l'un, ni l'autre. Vu Juliette un instant. Il faut renoncer au jeu et à l'amour. La chose est décidée. Profitons-en.

21. Séance avec les présidents de section. Les affaires m'amusent beaucoup. Je les discute bien. Séance avec Regnaud, Maret et Merlin chez l'Empereur jusqu'à 7 heures. Soirée chez Juliette. Il faudra pourtant sacrifier cet amour et voir mon parti.

22. Séance au Conseil d'Etat. Si on ne change rien à la constitution, elle sera bonne, mais... Vu Juliette. Elle a de l'affection pour moi, je le crois, malgré elle. Séance chez l'Empereur. Rédaction définitive. On y a bien gâté quelque chose et le public y trouvera à redire. N'importe. Le sort en est jeté et le mien aussi.

25. Prêté serment. Séance au Conseil d'Etat. Dîné chez Joseph. L'avenir s'obscurcit. Mais au moins, je suis nettement dans un parti. Visite à Crawford. Il y a un mois que je suis parti de chez lui pour quitter la France. Visite à Juliette. J'y ai laissé sans peine M. de Forbin. J'ai bien autre chose en tête.

Mai 1815.

2. Conseil d'Etat. Je crois que j'ai fait une sottise. Le vin est tiré. Dîné chez le duc de Vicence.

12. Un peu travaillé. Conseil. Dîné chez de Gérando.

16. Beaucoup travaillé. Conseil. Soirée chez Mme de Bassano.

26. Conseil. Je traite trop légèrement les affaires particulières. »

(Benjamin Constant, Œuvres, Bibliothèque de la Pléiade, pp. 779 à 783).

L'ADRESSE DU CONSEIL A L'EMPEREUR

Le premier — et aussi le plus important — des actes du Conseil d'Etat impérial reconstitué fut un acte politique. Dès le 25 mars, avant

(1) Avec l'Empereur.

même la prestation des serments, il adoptait une adresse à l'Empereur, qui fut présentée à celui-ci le lendemain, en même temps que les adresses d'autres corps. Cette adresse apparaît aujourd'hui comme un acte d'allégeance empressée à Napoléon. Les contemporains y virent tout autant le souci de ses rédacteurs d'affirmer leur attachement aux principes de la Révolution et de les rappeler à l'Empereur. Trois conseillers, Molé, Hauterive et Gérando refusèrent de la signer parce qu'ils ne voulaient pas reconnaître la souveraineté du peuple qui y était proclamée.

Thibaudeau, qui joua alors un rôle important, a raconté dans ses Mémoires comment l'Adresse fut rédigée :

« Les adresses recommencèrent. C'était une monnaie usée et sans conséquence. Le Conseil d'Etat se réunit sous la présidence de Defermon. Il dit que l'Empereur ne voulait point une adresse du Conseil, qu'il désirait une délibération dans laquelle on retracerait les événements, on éclairerait la France, et on rassurerait surtout les consciences timorées qui pourraient se croire liées aux Bourbons par des adhésions, par des serments. Après une discussion superficielle, on décida que cette délibération serait rédigée par une commission composée des présidents et d'un membre de chaque section. Elle fut nommée et s'assembla de suite. Elle était composée des présidents Defermon, Regnaud, Boulay, Andréossy, des conseillers d'Etat Jaubert, Berlier, Daru, Las Cases et moi. On arrêta des bases d'après lesquelles chaque membre qui le trouverait bon ferait un projet, et l'on convint qu'on se réunirait le lendemain. Une de ces bases était de faire entendre à l'Empereur qu'il ne devait régner que par les principes et les lois. Puisque le Conseil d'Etat en était là, c'était à plus forte raison l'opinion des citoyens, qui n'étaient pas comme lui en état de bien apprécier ce qu'exigeait la situation très extraordinaire où l'on se trouvait.

Le thème de la délibération étant donné, je ne pouvais pas m'en écarter pour donner libre carrière à mes opinions et à mes vues. Je les avais en vain exposées dans la discussion; elles n'auraient pas été adoptées. D'ailleurs, ce que je voulais, c'était une dictature révolutionnaire, momentanée; Napoléon voulait une restauration impériale. Ne pouvant plus atteindre mon but, j'étais pourtant bien aise de flétrir la restauration royale et je pris la plume. Le 25, à huit heures du matin, la commission s'assembla. Chaque membre, moins Daru, lut son projet. Le mien obtint la préférence. Ceux de Regnaud et de Boulay parurent contenir quelques idées bonnes à employer. On me chargea de la rédaction définitive. A dix heures, je la lus à la commission, qui l'approuva. Le Conseil d'Etat se réunit de suite et l'adopta. La déclaration fut communiquée à l'Empereur, il n'y demanda pas de changement. Avant de la lui présenter, le Conseil s'assembla, le 26, pour la signer. Molé, Hauterive et de Gérando refusèrent leur signature, sous prétexte qu'elle était trop révolutionnaire, que, dans l'intérêt de l'Empereur, ils ne pouvaient pas reconnaître la souveraineté du peuple. On crut qu'à tout événement ils ne voulaient pas se compromettre avec les Bourbons. Loin d'en vouloir à ces trois conseillers, l'Empereur dit aux présidents des sections que dans la délibération on avait posé d'une manière trop large le principe de la souveraineté du peuple. Defermon, l'ayant présentée et lue à l'Empereur, en fut, dans le public, réputé l'auteur. »

(Thibaudeau, Mémoires, Paris, 1913. Plon, pp. 483-484).

Palais d'Orsay, construit entre 1810 et 1840, incendié sous la Commune en 1871. Le Conseil d'Etat y siégea de 1840 à 1870.

Le Moniteur du 27 mars 1815 relata la cérémonie au cours de laquelle fut présentée l'Adresse et publia le texte de celle-ci :

« Paris, le 26 Mars.

Aujourd'hui dimanche 26 mars, Sa Majesté l'Empereur a reçu, avant la messe, au palais des Tuileries, les ministres qui ont été introduits dans le cabinet de Sa Majesté...

Sa Majesté est ensuite passée dans la salle du Trône où elle a reçu, environnée de ses ministres et de ses grands-officiers,
le Conseil d'Etat,
la Cour de cassation,
la Cour des comptes,
la Cour impériale,
le Préfet et le Conseil municipal de Paris.

Ces corps ont été introduits dans la salle du Trône par son Excellence le grand-maître des cérémonies, et présentés par S.A.S. le prince archichancelier de l'Empire.

Le plus ancien président du Conseil d'Etat, les premiers présidents des Cours et le Préfet de la Seine ont prononcé les discours suivants :

Adresse du Conseil d'Etat :

« Sire,

Les membres de votre Conseil d'Etat ont pensé, au moment de leur première réunion, qu'il était de leur devoir de professer solennellement les principes qui dirigent leur opinion et leur conduite. Ils viennent présenter à Votre Majesté la délibération qu'ils ont prise à l'unanimité et vous supplier d'agréer l'assurance de leur dévouement, de leur reconnaissance, de leur respect et de leur amour pour votre personne sacrée. »

Suit le texte de la délibération, extrait du registre des délibérations du Conseil d'Etat, Séance du 25 mars 1815 :

« Le Conseil d'Etat, en reprenant ses fonctions, croit devoir faire connaître les principes qui sont la règle de ses opinions et de sa conduite.

La souveraineté réside dans le peuple, il est la seule source légitime du pouvoir.

En 1789, la nation reconquit ses droits depuis longtemps usurpés ou méconnus.

L'Assemblée Nationale abolit la monarchie féodale, établit une monarchie constitutionnelle et le gouvernement représentatif.

La résistance des Bourbons aux vœux du peuple amena leur chute et leur bannissement du territoire français.

Deux fois, le peuple consacra par ses votes la nouvelle forme de gouvernement établie par ses représentants.

En l'an 8, Bonaparte, déjà couronné par la victoire, se trouva porté au gouvernement par l'assentiment national; une constitution créa la magistrature consulaire.

Le sénatus-consulte du 16 thermidor an 10 nomma Bonaparte consul à vie.

Le sénatus-consulte du 28 floréal an 12 conféra à Napoléon la dignité impériale et la rendit héréditaire dans sa famille.

Ces trois actes solennels furent soumis à l'acceptation du peuple qui les consacra par près de quatre millions de votes.

Ainsi, pendant 22 ans, les Bourbons avaient cessé de régner en France;

ils y étaient oubliés par leurs contemporains, étrangers à nos lois, à nos institutions, à nos mœurs, à notre gloire. La génération actuelle ne les connaissait que par le souvenir de la guerre étrangère qu'ils avaient suscitée contre la patrie et des dissenssions intestines qu'ils y avaient allumées.

En 1814, la France fut envahie par les armées ennemies et la capitale occupée. L'étranger créa un prétendu gouvernement provisoire. Il assembla la minorité des sénateurs et les força, contre leur mission et contre leur volonté, à détruire les constitutions existantes, à renverser le trône impérial et à rappeler la famille des Bourbons.

Le Sénat, qui n'avait été institué que pour conserver les constitutions de l'Empire, reconnut lui-même qu'il n'avait point le pouvoir de les changer. Il décréta que le projet de constitution qu'il avait préparé serait soumis à l'acceptation du peuple et que Louis-Stanislas-Xavier serait proclamé Roi des Français aussitôt qu'il aurait accepté la constitution et juré de l'observer et de la faire observer.

L'abdication de l'Empereur Napoléon ne fut que le résultat de la situation malheureuse où la France et l'Empereur avaient été réduits par les événements de la guerre, par la trahison et par l'occupation de la capitale; l'abdication n'eut pour objet que d'éviter la guerre civile et l'effusion du sang français. Non consacré par le vœu du peuple, cet acte ne pouvait détruire le contrat solennel qui s'était formé entre lui et l'Empereur, et quand Napoléon aurait pu abdiquer personnellement la couronne, il n'aurait pu sacrifier les droits de son fils appelé à régner après lui.

Cependant un Bourbon fut nommé lieutenant-général du royaume et prit les rênes du gouvernement.

Louis-Stanislas-Xavier arriva en France; il fit son entrée dans la capitale; il s'empara du trône, d'après l'ordre établi dans l'ancienne monarchie féodale.

Il n'avait point accepté la constitution décrétée par le Sénat, il n'avait point juré de l'observer et de la faire observer; elle n'avait point été envoyée à l'acceptation du peuple; le peuple, subjugué par la présence des armées étrangères, ne pouvait pas même exprimer librement ni valablement son vœu.

Sous leur protection, après avoir remercié un prince étranger de l'avoir fait remonter sur le trône, Louis-Stanislas-Xavier data le premier acte de son autorité de la 19e année de son règne, déclarant ainsi que les actes émanés de la volonté du peuple n'étaient que le produit d'une longue révolte; il accorda volontairement, et par le libre exercice de son autorité royale, une charte constitutionnelle appelée ordonnance de réformation; et pour toute sanction il la fit lire en présence d'un nouveau corps qu'il venait de créer et d'une réunion de députés qui n'était pas libre, qui ne l'accepta point, dont aucun n'avait caractère pour consentir à ce changement et dont les deux cinquièmes n'avaient même plus le caractère de représentants.

Tous ces actes sont donc illégaux. Faits en présence des armées ennemies et sous la domination étrangère, ils ne sont que l'ouvrage de la violence, ils sont essentiellement nuls et attentatoires à l'honneur, à la liberté et aux droits du peuple.

Les adhésions données par des individus et par des fonctionnaires sans mission n'ont pu ni anéantir, ni suppléer le consentement du peuple exprimé par des votes solennellement provoqués et légalement émis.

Si ces adhésions, ainsi que les serments, avaient jamais pu même être obligatoires pour ceux qui les ont faits, ils auraient cessé de l'être dès que le gouvernement qui les a reçus a cessé d'exister.

La conduite des citoyens qui, sous ce gouvernement, ont servi l'Etat, ne peut être blâmée. Ils sont même dignes d'éloges, ceux qui n'ont profité de leur position que pour défendre les intérêts nationaux et s'opposer à l'esprit de réaction et de contre-révolution qui désolait la France.

Les Bourbons eux-mêmes avaient constamment violé leurs promesses; ils favorisèrent les prétentions de la noblesse fidèle, ils ébranlèrent les ventes des biens nationaux de toutes les origines; ils préparèrent le rétablissement des droits féodaux et des dîmes; ils menacèrent toutes les existences nouvelles; ils déclarèrent la guerre à toutes les opinions libérales; ils attaquèrent toutes les institutions que la France avait acquises au prix de son sang, aimant mieux humilier la nation que de s'unir à sa gloire; ils dépouillèrent la Légion d'honneur de sa dotation et de ses droits politiques; ils en prodiguèrent la décoration pour l'avilir; ils enlevèrent à l'armée, aux braves, leur solde, leurs grades et leurs honneurs, pour les donner à des émigrés, à des chefs de révolte; ils voulurent enfin régner et opprimer le peuple par l'émigration.

Profondément affectée de son humiliation et de ses malheurs, la France appelait de tous ses vœux son Gouvernement national, la dynastie liée à ses nouveaux intérêts, à ses nouvelles institutions.

Lorsque l'Empereur approchait de la capitale, les Bourbons ont en vain voulu réparer, par des lois improvisées et des serments tardifs à leur charte constitutionnelle, les outrages faits à la nation et à l'armée. Le temps des illusions était passé, la confiance était aliénée pour jamais. Aucun bras ne s'est armé pour leur défense, la nation et l'armée ont volé au-devant de leur libérateur.

L'Empereur, en remontant sur le trône où le peuple l'avait élevé, rétablit donc le peuple dans ses droits les plus sacrés. Il ne fait que rappeler à leur exécution les décrets des assemblées représentatives sanctionnés par la nation; il revient régner par le seul principe de légitimité que la France ait reconnu et consacré depuis 25 ans, et auquel toutes les autorités s'étaient liées par des serments dont la volonté du peuple aurait pu seule les dégager.

L'Empereur est appelé à garantir de nouveau par des institutions (et il en a pris l'engagement dans ses proclamations à la nation et à l'armée) tous les principes libéraux, la liberté individuelle et l'égalité des droits, la liberté de la presse et l'abolition de la censure, la liberté des cultes, le vote des contributions et des lois par les représentants de la nation légalement élus, les propriétés nationales de toute origine, l'indépendance et l'inamovibilité des tribunaux, la responsabilité des ministres et de tous les agents du pouvoir.

Pour mieux consacrer les droits et les obligations du peuple et du monarque, les institutions nationales doivent être revues dans une grande assemblée des représentants, déjà annoncée par l'Empereur.

Jusqu'à la réunion de cette grande assemblée représentative, l'Empereur doit exercer et faire exercer, conformément aux constitutions et aux lois existantes, le pouvoir qu'elles lui ont délégué, qui n'a pu lui être enlevé, qu'il n'a pu abdiquer sans l'assentiment de la nation, que le vœu et l'intérêt général du Peuple français lui font un devoir de reprendre.

Signé, le comte Defermon, comte Regnaud de Saint-Jean-d'Angely, comte Boulay, comte Andreossy, comte Daru, etc.

La séance est levée.

Signé, le comte Defermon,

Le secrétaire-général du Conseil d'Etat,

Signé, le baron Locré »

Réponse de Sa Majesté :

« Les princes sont les premiers citoyens de l'Etat. Leur autorité est plus ou moins étendue selon l'intérêt des nations qu'ils gouvernent. La souveraineté elle-même n'est héréditaire, que parce que l'intérêt des peuples l'exige. Hors de ces principes, je ne connais pas de légitimité.

« J'ai renoncé aux idées du grand Empire dont depuis quinze ans je n'avais encore que posé les bases. Désormais le bonheur et la consolidation de l'Empire français seront l'objet de toutes mes pensées ».

(Le Moniteur 27 mars 1815, pp. 347-348).

CHAPITRE V

LA SECONDE RESTAURATION (1815-1830)

INTRODUCTION

Bien que les Cent jours aient été considérés par Louis XVIII comme un simple intermède et que les pouvoirs publics aient repris leur place comme si rien ne s'était passé entre le 20 mars et le 28 juin, le Conseil d'Etat ne fut réinstallé que le 14 novembre 1815.

Une nouvelle organisation lui avait été donnée entre temps par l'ordonnance du 23 août 1815. Cette ordonnance rendait au Conseil une certaine autonomie, mais ne modifiait pas les traits essentiels qui lui avaient été imprimés sous la première Restauration. Il demeurait un conseil privé du Roi et, à ce titre, tout ce qui le concernait — y compris la matière des conflits d'attribution — fut réglé jusqu'en 1830 par voie d'ordonnances royales et non par la loi.

Cette situation « extra-légale » du Conseil fut l'objet de vives critiques au cours de controverses où furent mis en cause, entre 1815 et 1830, son organisation, son rôle et son existence même.

Diminué par rapport à ce qu'il avait été sous l'Empire, il survécut cependant, sans que sa structure et ses attributions fussent trop gravement altérés. Ces quinze années furent pour lui des années de recueillement et d'adaptation : recueillement au lendemain de la chute du régime qui l'avait créé et placé très haut ; adaptation au régime parlementaire naissant. Il dut de survivre à deux causes essentielles : la relative stabilité de son personnel, parmi lequel figurait bon nombre d'anciens membres du Conseil d'Etat impérial ; le maintien de la plupart des attributions qu'exerçait celui-ci.

I
L'ORGANISATION ET LE PERSONNEL DU CONSEIL D'ÉTAT

Le rôle du chancelier Pasquier et l'ordonnance du 23 août 1815 — Description du Conseil d'Etat d'après l'Almanach royal de 1818 — Les problèmes de recrutement et de statut — Relative stabilité du personnel — L'exclusion de Guizot (1820) — Des démissions de caractère politique (1829) — Cormenin propose en 1820 de rétablir l'auditorat — Refus du comte de Serre — L'auditorat rétabli (1824) — Des auditeurs insatisfaits.

L'ordonnance du 23 août 1815 organisant le Conseil d'Etat fut l'œuvre du chancelier Pasquier, alors garde des sceaux. Pasquier avait appartenu au Conseil d'Etat impérial et demeurait attaché à son souvenir. Il voulut rendre au Conseil son autonomie par rapport aux autres organes placés auprès du Souverain. Le Conseil d'Etat de la Deuxième Restauration conserva cependant les caractères essentiels de celui de la Première Restauration : conseil privé du Roi, composé de membres dont la liste était dressée chaque année et qui siégeaient au sein de comités rattachés aux divers ministères.

Les réformes apportées par l'ordonnance du 26 août 1824 (fixation de conditions d'accès aux fonctions de conseillers d'Etat et de maîtres des requêtes, rétablissement des auditeurs), et l'ordonnance du 5 novembre 1828 (extension du rôle de l'assemblée générale) ne modifièrent pas sensiblement cette organisation.

L'ORGANISATION DU CONSEIL D'ÉTAT

L'ordonnance du 23 août 1815 (Extraits).

Louis, etc.

Sur le compte qui nous a été rendu de la nécessité de mettre l'organisation et les attributions de notre Conseil d'Etat en harmonie avec les formes de notre Gouvernement et avec le caractère d'unité et de solidarité que nous avons jugé à propos de donner à notre ministère,

Considérant que notre ordonnance du 29 juin de l'an de grâce 1814 ne saurait, à cet égard, remplir le but que nous nous proposons et qu'il est indispensable d'opérer sans délai les changements nécessaires à cet effet, tant afin de pourvoir à la prompte expédition des affaires contentieuses que notre Conseil d'Etat est appelé à examiner, que pour donner à notre ministère les secours dont il peut avoir besoin pour la préparation des ordonnances et travaux législatifs qui doivent nous être soumis :

A ces causes,
Nous avons ordonné et ordonnons ce qui suit :

Art. 1er. Notre ordonnance du 29 juin 1814 concernant l'organisation du Conseil d'Etat est rapportée.

2. Il sera dressé un tableau général de toutes les personnes à qui il nous aura plu de conserver ou de conférer le titre de conseiller d'Etat ou celui de maître des requêtes.

3. Ce tableau comprendra tant nos conseillers d'Etat et maîtres des requêtes en service actif que nos conseillers d'Etat et maîtres des requêtes honoraires.

4. Nos conseillers d'Etat et maîtres des requêtes en service actif seront distribués en service ordinaire et service extraordinaire.

5. Au 1er janvier de chaque année, notre garde des sceaux soumettra à notre approbation le tableau de ceux de nos conseillers d'Etat et de nos maîtres des requêtes qui devront être mis en service ordinaire.

6. Le nombre des conseillers d'Etat et des maîtres des requêtes mis en service ordinaire ne pourra s'élever, pour les premiers, au-dessus de trente, et pour les seconds, au-dessus de quarante.

7. Nos conseillers d'Etat et nos maîtres des requêtes en service ordinaire seront distribués en cinq comités, savoir :
Le comité de législation,
Le comité du contentieux,
Le comité des finances,
Le comité de l'intérieur et du commerce,
Le comité de la marine et des colonies (1).

(Duvergier, t. XX, pp. 35-sq).

Mieux que le texte intégral de cette ordonnance ou tout commentaire qui pourrait en être donné, la reproduction des pages de l'Almanach royal de 1818 permet de bien voir la place du Conseil au sein des pouvoirs publics ainsi que son organisation interne :

Extrait de l'Almanach royal de 1818.

Chapitre II

CONSEILS DU ROI

CONSEIL DES MINISTRES

Ce conseil se compose des ministres secrétaires d'Etat qui se rassemblent ou devant le Roi ou sous la présidence d'un ministre secrétaire d'Etat nommé à cet effet.

Il délibère sur les matières de haute administration, sur la législation administrative, sur tout ce qui tient à la police générale, à la sûreté du trône et du royaume, et au maintien de l'autorité royale.

---

(1) Le comité de la guerre ne fut reconstitué que le 19 avril 1817.

CONSEIL PRIVE

Le nombre des membres de ce Conseil n'est pas fixé.

Il ne s'assemble que sur convocation spéciale et faite d'après les ordres du Roi par le Président du Conseil des ministres.

Il ne discute que les affaires qui lui sont spécialement soumises.

CONSEILS DE CABINET

Par ordonnance royale du 19 avril 1817, il a été créé des conseils particuliers, dits Conseils de Cabinet.

Ces Conseils sont appelés à discuter, sur toutes les questions de gouvernement, les matières de haute administration ou de législation qui leur sont envoyées par le Roi.

Ils sont présidés par le Roi ou par le Président du Conseil des ministres.

Ils sont composés de tous les ministres secrétaires d'Etat, de quatre ministres d'Etat au plus et de deux conseillers d'Etat désignés par le Roi pour chaque Conseil.

CONSEIL D'ETAT

Ce Conseil se compose de toutes les personnes auxquelles il a plu à S.M. de conserver ou de conférer le titre de conseiller d'Etat ou celui de maître des requêtes, soit en activité, soit honoraire.

Les conseillers d'Etat et maîtres des requêtes sont distribués en service ordinaire et service extraordinaire.

Les membres composant le service ordinaire sont répartis dans les six comités suivants :

Le comité de législation,

Le comité du contentieux,

Le comité de l'intérieur et du commerce,

Le comité des finances,

Le comité de la guerre,

Le comité de la marine et des colonies.

Tout projet de loi ou d'ordonnance portant règlement d'administration publique doit être délibéré au Conseil d'Etat, tous les comités réunis et tous les ministres secrétaires d'Etat ayant été convoqués.

Les avis du comité du contentieux, rédigés en forme d'ordonnances, sont délibérés et arrêtés en Conseil d'Etat, les divers comités réunis.

Les ordonnances délibérées dans le Conseil, sur le rapport du comité du contentieux, sont présentées à la signature du Roi par M. le Garde des sceaux.

Les ministres secrétaires d'Etat, les sous-secrétaires d'Etat et les conseillers d'Etat directeurs généraux d'une administration prennent séance dans cette réunion.

Sur la demande de l'un des ministres secrétaires d'Etat, le Président du Conseil des ministres peut ordonner la réunion complète du Conseil d'Etat, ou celle de deux ou plusieurs comités.

Quand le Roi ne juge pas à propos de présider le Conseil d'Etat réuni, la présidence appartient au Président du Conseil des ministres, et, en son absence, à M. le Garde des sceaux.

Lorsque l'un et l'autre ne peuvent présider, ils sont remplacés par le plus ancien des ministres secrétaires d'Etat présents, et, à défaut de l'un d'eux, par le sous-secrétaire d'Etat au département de la justice.

Les sous-secrétaires d'Etat président les comités attachés aux ministères dont ils font partie, toutes les fois que les ministres ne les président pas eux-mêmes.

Dans le cas d'empêchement du sous-secrétaire d'Etat, le ministre désigne un autre président pris parmi les membres du comité.

Lorsque deux ou plusieurs comités se réunissent, la présidence appartient à M. le Garde des sceaux, et, à son défaut, à celui des ministres secrétaires d'Etat qui a provoqué la réunion, et, à défaut de l'un et de l'autre, par le sous-secrétaire d'Etat au département de la justice.

Les conseillers d'Etat et maîtres des requêtes en service ordinaire prennent rang entr'eux, tant dans les séances générales du Conseil que dans les séances de comité, suivant la date de leur nomination en service ordinaire, à partir de l'ordonnance du 5 juillet 1814. A égalité de date, le plus ancien d'âge à la préséance.

Tout conseiller d'Etat ou maître des requêtes en service ordinaire qui aurait été porté en service extraordinaire, s'il rentre en service ordinaire, reprend son ancien rang.

SERVICE ORDINAIRE

sous-secrétaires d'Etat ayant séance et voix délibérative;
conseillers d'Etat;
maîtres des requêtes.

Comités

Le comité de législation est composé de six conseillers d'Etat et de cinq maîtres des requêtes; celui du contentieux, de sept conseillers et huit maîtres des requêtes; celui de l'intérieur et du commerce, de sept conseillers et six maîtres des requêtes; le comité des finances est composé de cinq conseillers d'Etat et cinq maîtres des requêtes; le comité de la guerre ,de quatre conseillers d'Etat et cinq maîtres des requêtes, et le comité de la marine et des colonies est composé de quatre conseillers d'Etat et de trois maîtres des requêtes.

Le nombre des conseillers d'Etat et des maîtres des requêtes qui composent les divers comités peut être augmenté selon les besoins du service et sur la présentation qui en est faite au Roi par M. le Garde des sceaux; cependant ce nombre ne peut excéder celui des conseillers d'Etat et maîtres des requêtes en service ordinaire.

Comité de législation (1)

Ce comité prépare tous les projets de lois et règlements sur toutes matières civiles, criminelles et ecclésiastiques.

Il connaît aussi des affaires administratives que le ministre, dont il dépend, juge à propos de lui confier; il est présidé par M. le Garde des sceaux, ou, en son absence, par le sous-secrétaire d'Etat au département de la justice.

. . . .

Comité du contentieux (2)

Ce comité connaît de tout le contentieux de l'administration de tous les départements, des mises en jugement des administrateurs et préposés, des conflits de juridiction entre l'autorité judiciaire et l'autorité administrative.

Il exerce en outre les attributions précédemment assignées au Conseil des prises.

---

(1) Ce comité s'assemble à la Chancellerie, place Vendôme.
(2) Ce comité s'assemble à la Chancellerie.

Ses avis, rédigés en forme d'ordonnances, délibérés et arrêtés en Conseil d'Etat, sont présentés à la signature du Roi par M. le Garde des sceaux.

Le secrétaire du Conseil d'Etat tient la plume au Comité du contentieux.

Il est présidé par M. le Garde des sceaux, et, en son absence, par le sous-secrétaire d'Etat au département de la justice.

Vice-président :
M. Ravez, sous-secrétaire d'Etat au département de la justice.

Conseillers d'Etat, MM. :
le baron de Ballainvilliers, rue de l'Université, n° 26,
le chevalier Delamalle, rue Neuve des petits champs, n° 101,
de Blaire, rue de Bourbon, n° 51,
M. le baron Durant de Mareuil, boulevard Poissonnière, n° 23,
M. le vicomte de Tabarie, rue de Verneuil, n° 49,
le baron Favard de Langlade, rue de l'Université, n° 34,
Guizot, rue du Vieux Colombier, n° 26.

Maîtres des requêtes, MM. :
Roux, rue Royale-Saint-Honoré, n° 6,
Bérard, rue du Helder, n° 13,
de Villefosse, rue du Faubourg Montmartre, n° 6,
de Cormenin, rue Saint-Honoré, n° 349,
le chevalier Tarbé de Vaux-Clairs, rue du Hanovre, n° 5,
Mirbel, rue Guénégaud, n° 29,
Patry (Emile), rue des Messageries, n° 6,
le marquis d'Ormesson, rue Hauteville, n° 16.

Secrétaire :
M. Hochet, secrétaire du Conseil.

Comité de l'intérieur et du commerce (1)

Ce comité, présidé par le ministre secrétaire d'Etat ayant le département de l'intérieur, ou, en son absence, par le sous-secrétaire d'Etat au département de l'intérieur, propose les projets de lois, de règlements et tous autres relatifs aux matières comprises dans ses attributions.

Il connaît en outre des affaires administratives que le ministre, dont il dépend, juge à propos de lui confier.

. . . .

Comité des finances (2)

Ce comité, présidé par le ministre secrétaire d'Etat ayant le département des Finances, ou, à son défaut, par le sous-secrétaire d'Etat au département des Finances, prépare les projets de lois, de règlements et tous autres relatifs aux matières comprises dans les attributions de ce ministère.

Il connaît en outre des affaires administratives que le ministre, dont il dépend, juge à propos de lui confier.

Vice-président :
M. le baron de la Bouillerie, sous-secrétaire d'Etat au département des Finances, au Palais des Tuileries.

Conseillers d'Etat, MM. :
de Colonia, rue de l'Abbaye, n° 16,

(1) Ce comité s'assemble à l'hôtel Labriffe, quai Voltaire.
(2) Ce comité s'assemble à l'hôtel du Trésor royal.

Camille Jordan, rue des Saints-Pères, n° 63,
le comte Bérenger, rue Culture Sainte Catherine, n° 32,
le comte Bergon, aux Thermes.

Conseillers d'Etat en service extraordinaire, ayant séance et voix délibérative :

M. de Saint-Cricq, directeur général de l'Administration des Douanes, rue Montmartre, n° 76,
M. Barrairon, directeur général de l'Administration de l'Enregistrement et des Domaines et Forêts, rue de Choiseul, n° 2,
M. Dupleix de Mezy, directeur général de l'Administration des Postes, à l'Administration des Postes,
M. le baron de Barante, directeur général de l'administration des Contributions indirectes, rue Sainte-Avoie, n° 44.

Maîtres des requêtes, MM. :

Lechat, rue de la Chaussée-d'Antin, n° 11,
Le baron Duhamel, rue d'Enfer, n° 14,
Le baron Maurice, rue de Bourbon, n° 55,
Taboureau, quai Voltaire, n° 11,
Le baron Ramond, rue Ne des Mathurins, n° 6,
Feutrier, rue des Petites Ecuries, n° 44,
Bricogne, rue du Faubourg Poissonnière, n° 50,
Delaitre, place Vendôme, n° 12.

Secrétaire :

M. Quenault, rue Guégénaud, n° 27.

Comité de la guerre (1)

Ce comité est présidé par le ministre secrétaire d'Etat ayant le département de la guerre, ou, en son absence, par le sous-secrétaire d'Etat au département de la guerre.

Il connaît de toutes les affaires que le ministre dont il dépend jugera à propos de lui confier.

. . . .

Comité de la marine et des colonies (2)

Ce comité est présidé par le ministre secrétaire d'Etat ayant le département de la marine, ou, à son défaut, par le conseiller d'Etat qu'il croit devoir désigner à cet effet.

Il connaît de toutes les affaires administratives que le ministre dont il dépend juge à propos de lui confier.

. . . .

CONSEILLERS D'ETAT EN SERVICE EXTRAORDINAIRE.

. . . .

CONSEILLERS D'ETAT HONORAIRES.

. . . .

BUREAUX DU CONSEIL D'ETAT.

Secrétariat, Hôtel de la Chancellerie, M. Pierson, Chef.
Comptabilité, Hôtel de la Chancellerie, M. Krauth, Chef.

---

(1) Ce comité s'assemble rue de l'Univrsité n° 61.
(2) Ce comité s'assemble au ministère de la Marine.

Archives, Galerie du Louvre, M. Renouf, Archiviste.
Bibliothèque, Galerie du Louvre, M. Barbier, bibliothécaire.
Huissier près le comité du contentieux, M. Dumont, rue de Gaillon, n° 13.
(Almanach royal de 1818, pp. 98 sq).

LE PERSONNEL DU CONSEIL D'ÉTAT

Conseillers d'Etat en service ordinaire et en service extraordinaire ; maîtres des requêtes en service ordinaire et en service extraordinaire; à partir de 1824, auditeurs qui avaient été supprimés en 1814 : on retrouve sous la Restauration les titres et les fonctions du Conseil d'Etat impérial.

Toutefois, la catégorie des conseillers à vie a disparu et le personnel du Conseil ne bénéficie en droit d'aucune stabilité, puisque chaque année est dressé, aux termes de l'ordonnance du 23 août 1815, « un tableau général de toutes les personnes à qui il nous aura plu de conserver ou de conférer le titre de conseiller d'Etat ou celui de maître des requêtes ». Ce régime fut modifié par l'ordonnance du 26 août 1824, qui posait également quelques conditions à la nomination, jusque là entièrement à la discrétion du Roi, des conseillers d'Etat et des maîtres des requêtes — il fallut désormais une ordonnance spéciale et individuelle pour révoquer un conseiller ou un maître des requêtes.

En fait la stabilité du personnel fut assez grande. Plus de la moitié des 30 postes de conseillers d'Etat et des 40 postes de maîtres des requêtes en service ordinaire furent occupés par des hommes qui firent leur carrière au Conseil sans interruption. La plupart d'entre eux l'avaient commencée sous l'Empire et la poursuivirent sous la Monarchie de Juillet. Un bon quart de ces postes fut attribué à des personnes qui alternèrent entre le service ordinaire et l'administration active (service extraordinaire). Le cinquième restant représente la fraction du personnel soumise à de fréquents bouleversements, mais au total l'arbitraire gouvernemental n'eut qu'une influence assez faible sur la composition du Conseil (1).

Point important : aucune incompatibilité de fait ou de droit n'existait à cette époque entre l'appartenance au Conseil d'Etat et l'appartenance aux assemblées politiques. A certains moments un nombre élevé de membres du Conseil siégeait en même temps à la Chambre des pairs ou à la Chambre des députés. Le crédit du Conseil en profita peut-être, la régularité de ses travaux en souffrit certainement (2).

---

(1) Cf. M. Chabin, Le Conseil d'Etat sous la Restauration, Thèse Ecole des Chartes, 1972.
(2) Cf p. 272. Rapport anonyme du ministère de l'intérieur sur le fonctionnement du Conseil

Problèmes de recrutement et de statut.

La liste des membres composant le Conseil était dresssée chaque année au début du mois de janvier. Jusqu'à l'ordonnance du 26 août 1824, aucune condition n'était exigée pour être nommé conseiller ou maître des requêtes. La compétition était vive pour entrer au Conseil, car les candidatures furent toujours nombreuses pour un nombre de postes limité. Elle ne l'était pas moins au sein du Conseil entre les membres en service ordinaire et les membres en service extraordinaire ; les premiers seuls touchaient en effet un traitement. Il pouvait être tentant pour le Gouvernement de distribuer des satisfactions en opérant des mutations d'un service à l'autre. Il semble qu'il ait préféré à cette « politique » le maintien des situations personnelles et la stabilité du corps. C'est là le sens d'un rapport adressé au Roi à la fin de 1816 par le chancelier de France :

18 décembre 1816

« Sire,

Le Conseil d'Etat organisé en 1814 et dispersé pendant les 3 mois (1), a été rétabli sur d'autres bases par l'ordonnance du 23 août 1815 : il était naturel d'en exclure un certain nombre de membres coupables de grandes faiblesses et d'impardonnables erreurs pendant l'usurpation; plusieurs restés fidèles et purs pendant ces jours d'épreuves ont cependant partagé la même exclusion, et on a compté parmi les remplaçants quelques magistrats qui avaient demandé et obtenu des places de l'usurpateur, quelques-uns même qui avaient siégé dans la chambre des représentants.

Je dois observer cependant que presque tous les membres du nouveau Conseil ont justifié par leur service et leur fidélité la confiance dont Sa Majesté les avait honorés et réparé ainsi des torts que le premier choix du Roi ne permet plus de leur reprocher. Dans l'état actuel tous les comités du Conseil tels qu'ils sont composés suffisent très complètement aux besoins du service qui se fait d'une manière régulière et satisfaisante : je ne vois pas en conséquence ce qu'on pourrait gagner au renouvellement des membres du Conseil. Il y a néanmoins une multitude de demandes; les unes sont formées par des conseillers d'Etat ou maîtres des requêtes qui se trouvaient en service ordinaire en 1814 et qui ont cessé de l'être en 1816; les autres par des conseillers d'Etat et maîtres des requêtes qui, en 1814, étaient, comme ils sont aujourd'hui, en service extraordinaire, qui se plaignent de ce classement comme d'une injustice, et qui demandent qu'elle soit réparée par leur appel au service ordinaire. A côté de ces aspirants, qui appartiennent au Conseil, s'en trouvent beaucoup d'autres qui, jusqu'à présent, lui sont étrangers et qui invoquent différents titres pour y être introduits. Il existe plus de 160 demandes plus ou moins fondées, appuyées de recommandations plus ou moins importantes. Pour satisfaire tant d'ambitions, tant de prétentions diverses, il faudrait augmenter beaucoup le nombre des places, dont la création absolument inutile serait une véritable surcharge pour l'Etat. Il n'entre sûrement pas dans les vues économiques de Sa Majesté de recourir à un pareil moyen. Il n'en resterait donc pas d'autre que d'ôter les places à ceux qui les occupent, pour les remplacer par de nouveaux sujets.

(1) C'est-à-dire pendant les Cent jours.

Il y a bien quelques déplacements qui pourraient se faire sans injustice, peut-être même serait-il convenable que les conseillers d'Etat et maîtres des requêtes en titre se succédassent aux traitements qui ne sont attachés qu'au service ordinaire.

Mais on ne peut se dissimuler que des changements de ce genre, quand ils sont un peu étendus, ne se font jamais qu'aux dépens du service; parce qu'en retirant du service ordinaire des personnes qui s'y trouvent déjà formées par l'habitude des affaires, il faut recommencer pour ainsi dire l'éducation administrative des successeurs qu'on leur donne.

Rien ne presse au moins pour s'occuper de ces divers changements et peut-être vaudrait-il mieux attendre pour s'en occuper que les ministres du Roi puissent lui proposer une organisation définitive de son Conseil, qui lui donnerait une existence plus stable et mieux appropriée aux différents services dont il pourrait être chargé.

Je trouverais d'ailleurs un grand avantage à ne rien changer dès le premier janvier à la composition actuelle du Conseil; parce qu'en ajournant le changement à une époque plus éloignée, on entretient sans les détruire des espérances qu'on ne gagnerait peut-être pas grand chose à satisfaire.

La session actuelle des chambres a déjà signalé et peut signaler encore des talents réels à reconnaître et à récompenser; il me paraît sage d'en réserver les moyens, en différant jusqu'après la clôture des chambres la formation des listes du Conseil pour l'année 1817.

Si Sa Majesté adopte cette opinion, j'aurai l'honneur de lui soumettre un projet d'ordonnance pour maintenir en service ordinaire, jusqu'à ce qu'il en soit autrement ordonné, les conseillers d'Etat et maîtres des requêtes qui s'y trouvent actuellement.

Je prie Votre Majesté de me faire connaître ses intentions.

Le Chancelier de France
DAMBRAY

J'ai fait ce rapport au Roi au Conseil du mercredi 18 décembre 1816. Sa Majesté a décidé qu'il n'y aurait pas de nouvelle nomination au 1er janvier prochain et m'a ordonné de lui soumettre un rapport à cet effet qu'elle approuverait, ne jugeant pas à propos de rendre d'ordonnance ».

(Arch. nat. BB30 725).

C'est peut-être le souci du Gouvernement d'élever un barrage contre de trop nombreuses sollicitations qui explique que l'ordonnance du 26 août 1824 ait fixé en ses articles 9 et 12 des conditions d'accès aux postes de conseiller et de maître des requêtes (1) :

---

(1) Ces dispositions furent abrogées pour les maîtres des requêtes par l'ordonnance du 5 novembre 1828 et pour les conseillers d'Etat par l'ordonnance du 18 septembre 1839. Elles avaient été vivement critiquées par Locré, secrétaire général du Conseil sous l'Empire, dans une brochure publiée en 1831 : « Puisque le Conseil est un des moyens de gouverner et d'exercer la puissance royale, c'est une conséquence nécessaire que le choix de ses membres appartienne sans partage, sans influence étrangère, à celui qui s'en sert pour gouverner; que dans ce choix comme dans celui des ministres, et en général de tous ceux que le prince emploie, rien au dehors ne gêne sa confiance. Mais pour qu'il ait à cet égard la plus entière liberté, il faut que lui-même ne se donne pas d'entrave, en s'imposant l'obligation de ne prendre les membres de son Conseil que dans certaines classes. Il en a été ainsi depuis 1799, époque de la création du Conseil d'Etat jusqu'à l'ordonnance du 26 août 1824, qui, on ne sait pourquoi, s'est avisée d'astreindre le monarque à ne choisir les conseillers et les maîtres des requêtes que parmi ceux qui auraient exercé certaines fonctions. » (*Locré. Quelques vues sur le Conseil d'Etat considéré dans ses rapports avec le système de notre régime constitutionnel. Paris 1831, pp. 72-73*).

Article 9

Nul ne sera nommé conseiller d'Etat s'il n'est ou n'a été revêtu de l'un des titres suivants : pair de France; membre de la chambre des députés des départements; ambassadeur ou ministre plénipotentiaire près des cours étrangères; grand-maître de l'Université royale; archevêque ou évêque; membre de la Cour de cassation; premier président, président ou procureur général de la Cour des comptes; premier président ou procureur général de nos cours royales; officier général ou intendant de nos armées de terre et de mer; directeur général; maître des requêtes; préfet.

Article 12

Nul ne sera nommé maître des requêtes s'il n'a exercé les fonctions énoncées dans l'article 9, ou s'il n'a été pendant cinq ans au moins président, conseiller ou avocat général en nos cours royales; conseiller au conseil royal de l'instruction publique; secrétaire général de l'un des ministères; président ou procureur du roi des tribunaux civils composés de trois chambres; colonel de toutes armes ou sous-intendant militaire de première classe; capitaine de vaisseau ou commissaire général de la marine; administrateur de l'une des régies financières, inspecteur général des ponts et chaussées et des mines; inspecteur général des constructions navales; inspecteur général des finances; consul général; premier secrétaire d'ambassade; maire de l'une de nos bonnes villes; auditeur au Conseil d'Etat.

(Duvergier, t. XXIV, pp. 559-sq).

Le gouvernement conservait, il est vrai, la possibilité de nommer sans limitation de nombre des conseillers et des maîtres des requêtes en service extraordinaire. Nominations sans danger pour les finances publiques, puisqu'ils ne percevaient pas de traitement. Elles auraient pu troubler le bon ordre des travaux du corps. Aussi les membres en service extraordinaire ne pouvaient-ils participer à ces travaux que s'ils avaient été inscrits sur la liste — périodiquement révisée — des conseillers et maîtres des requêtes en service extraordinaire dits « participants ». Pour ceux qui ne figuraient pas sur la liste, le titre de conseiller ou de maître des requêtes avait donc un caractère purement honorifique.

Le titre, malgré la diminution du rôle du corps, garda valeur et prestige sous la Restauration. Parmi les nombreux personnages dont Balzac a peuplé sa Comédie humaine, figurent des membres du Conseil d'Etat. Ceux de la Restauration ne paraissent ni moins importants ni moins satisfaits de leur emploi ou de leur personne que leurs prédécesseurs du régime impérial :

« Le soir j'étais maître des requêtes, raconte Félix de Vandenesse, et j'avais auprès du roi Louis XVIII un emploi secret d'une durée égale à celle de son règne, place de confiance, sans faveur éclatante, mais sans chance de disgrâce, qui me mit au cœur du gouvernement et fut la source de mes prospérités. Madame de Mortsauf avait vu juste, je lui devais donc tout : pouvoir et richesse, le bonheur et la science... »

(Balzac, Le lys dans la vallée, chap. 2).

Moins heureux sera le jeune Oscar Husson qui, dans les « Scènes de la Vie Privée », fait un bien mauvais « début dans la vie » en ridiculisant dans la diligence où celui-ci voyage incognito, les déboires matrimoniaux du comte de Serisy, vice-président du Conseil d'Etat sous Louis XVIII. Son existence en sera brisée ; il ne lui restera plus qu'à tirer un mauvais numéro et à perdre un bras en Algérie.

L'exclusion de Guizot.

Le personnel du Conseil ne pouvait cependant rester, et ne resta pas, à l'abri des remous de la politique, ne serait-ce qu'en raison des liens étroits existant alors entre le monde de la politique et celui de la haute administration. L'exclusion de Guizot en est un bon exemple.

Guizot avait été nommé conseiller d'Etat en 1817. Son activité politique provoqua son exclusion en juillet 1820, en même temps que celles de Royer-Collard, Camille Jordan et Barante.

Cette mesure donna lieu à l'échange des correspondances suivantes entre lui, M. de Serre, garde des sceaux, et le baron Pasquier, ministre des affaires étrangères :

M. de Serre, garde des sceaux, à M. Guizot

Paris, 17 juillet 1820

« J'ai le regret d'avoir à vous annoncer que vous avez cessé de faire partie du Conseil d'Etat. L'hostilité violente dans laquelle, sans l'ombre d'un prétexte, vous vous êtes placé dans ces derniers temps contre le gouvernement du Roi a rendu cette mesure inévitable. Vous jugerez combien elle m'est particulièrement pénible. Mes sentiments pour vous me font vous exprimer le désir que vous vous réserviez pour l'avenir et que vous ne compromettiez point, par de fausses démarches, des talents qui peuvent encore servir utilement le Roi et le pays.

Vous jouissez de six mille francs sur les affaires étrangères; ils vous seront conservés. Croyez que je serai heureux, dans tout ce qui sera compatible avec mon devoir, de vous donner des preuves de mon sincère attachement. »

DE SERRE

M. Guizot à M. de Serre,

Paris, 17 juillet 1820

« J'attendais votre lettre; j'avais dû la prévoir et je l'avais prévue quand j'ai manifesté hautement ma désapprobation des actes et des discours du ministère. Je me félicite de n'avoir rien à changer à ma conduite. Demain comme hier je n'appartiendrai qu'à moi-même, et je m'appartiendrai tout entier.

Je n'ai point et je n'ai jamais eu aucune pension ni traitement d'aucune sorte sur les affaires étrangères; je n'ai donc pas besoin d'en refuser la conservation. Je ne comprends pas d'où peut venir votre erreur. Je vous prie de vouloir bien l'éclaircir pour vous et les autres ministres, car je ne souffrirais pas que personne vînt à la partager.

Agréez, je vous prie, l'assurance de ma respectueuse considération. »

GUIZOT

M. Guizot à M. le baron Pasquier, ministre des affaires étrangères.

Paris, 17 juillet 1820

« Monsieur le baron,

Monsieur le garde des sceaux, en m'annonçant que je viens d'être, ainsi que plusieurs de mes amis, éloigné du Conseil d'Etat, m'écrit :

« Vous jouissez de six mille francs sur les affaires étrangères; ils vous seront conservés. »

J'ai été fort étonné d'une telle erreur. J'en ignore complètement la cause. Je n'ai point et n'ai jamais eu aucune pension ni traitement d'aucune sorte sur les affaires étrangères. Je n'ai donc pas même besoin d'en refuser la conservation. Il vous est aisé, Monsieur le baron, de vérifier ce fait, et je vous prie de vouloir bien le faire pour M. le garde des sceaux et pour vous-même, car je ne souffrirais pas que personne pût avoir le moindre doute à cet égard.

Agréez, etc. »

Le baron Pasquier à M. Guizot

le 18 juillet 1820,

« Je viens, Monsieur, de vérifier la cause de l'erreur contre laquelle vous réclamez, et dans laquelle j'ai moi-même induit M. le garde des sceaux.

Votre nom se trouve, en effet, porté sur les états de dépense de mon ministère pour une somme de six mille francs, et, en me présentant cette dépense, on a eu le tort de me la présenter comme annuelle; dès lors je dus la considérer comme un traitement.

Je viens de vérifier qu'elle n'a pas ce caractère et qu'il ne s'agissait que d'une somme qui vous avait été comptée comme encouragement de l'établissement d'un journal. On supposait que cet encouragement devait être continué; de là le caractère d'annualité donné à la dépense.

Je vais me hâter de détromper M. le garde des sceaux en lui donnant cette véritable explication.

Recevez, Monsieur, l'assurance de ma considération distinguée. »

PASQUIER

(*Mémoires de Guizot, nouvelle édition, Paris, Michel Levy 1872, t. I, pp. 471 sq).*

Démissions.

Les démissions dûes à des causes politiques ne furent pas rares non plus.

Le remaniement ministériel qui, au mois d'août 1829, amena le prince de Polignac aux affaires provoqua la démission de neuf conseillers d'Etat. On lira ci-dessous les lettres de démission de quatre d'entre eux :

— Bertin de Vaux au garde des sceaux, 9 août 1829 :

« Monseigneur,

Le Moniteur de ce jour m'apprend que la politique du gouvernement est changée; comme la mienne est invariable, je vous prie d'agréer ma démission de conseiller d'Etat.

J'ai l'honneur d'être, avec respect, votre obéissant serviteur. »

— Le baron Hély d'Oissel au garde des sceaux, 10 août 1829 :

« Monsieur le comte,

Le renouvellement entier du cabinet, l'influence de la politique étrangère dans ce changement que la situation intérieure du pays ne semblait pas commander, ne me permettent pas de continuer à faire partie du service ordinaire du Conseil d'Etat et de concourir aux travaux que la nouvelle administration peut en attendre.

Je prie votre Excellencee de vouloir bien faire agréer au Roi, avec ma démission des fonctions de conseiller d'Etat en service ordinaire qu'il avait eu la bonté de me confier, l'hommage respectueux de mes regrets. Je crois donner à Sa Majesté une preuve de dévouement et de fidélité en refusant de m'associer à une administration dont je regarde l'avènement au pouvoir comme une source de dangers très graves pour la Couronne et pour le pays.

Je veux croire les nouveaux conseillers de la Couronne animés des intentions les plus pures, et, s'ils apportent aux Chambres de bonnes lois, ils me trouveront toujours disposé à leur accorder mon suffrage; sur les bancs de la Chambre, je ne crois pas qu'un député consciencieux doive adopter un système d'opposition aux personnes; il ne doit sa résistance qu'aux mesures qu'il juge funestes pour la France et pour la dynastie.

Je suis avec respect, M. le comte, de votre Excellence, le très humble et très obéissant serviteur. »

— Le baron Le Pelletier d'Aunay au garde des sceaux, 10 août 1829 :

« Monsieur le comte,

Je prie votre Excellence de mettre sous les yeux du Roi la lettre ci-jointe par laquelle je demande à Sa Majesté de me permettre de me retirer de son Conseil d'Etat.

« Sire,

Il y a neuf mois que la bienveillance de Votre Majesté se porta sur moi. Appelé à son Conseil d'Etat, mon devoir fut de justifier la confiance qu'elle daignait m'accorder en disant au Conseil ce que je croyais être utile au service du Roi, en y professant des principes qui me paraissent être de nature à donner de la force à son gouvernement, en cherchant de bonne foi les moyens de parcourir avec plus de facilité la route que les ministres de Votre Majesté semblaient s'être tracée. Cette route ne devant plus être suivie, je ne serais au Conseil d'Etat qu'un embarras. Mon honneur et ma loyauté me font un devoir de le déclarer au Roi. Je lui demande de me faire la grâce de me permettre de me retirer de son Conseil d'Etat.

Toute ma vie, je me souviendrai avec reconnaissance des Conseils privés qui m'ont permis d'approcher le Roi, d'apprécier sa bonté, et de recueillir les effets de son indulgence.

Je suis avec un profond respect, de Votre Majesté, le très soumis et très fidèle sujet. »

— M. de Salvandy au Roi, 17 août 1829, Condom :

« Sire,

Daignez, à toutes les grâces que Votre Majesté a versées sur moi, en ajouter une nouvelle : celle de me lire jusqu'au bout. Dans ma pensée, quand on a eu l'honneur de traverser l'un des Conseils du Roi, de paraître dans les Chambres et d'y porter la parole en son nom, on a contracté envers Votre Personne sacrée, Sire, et envers Votre Gouvernement des devoirs nouveaux. Je les remplirai tous; je me tairai envers le public, mais que le Roi sache mes sentiments. J'ose croire que son auguste, que son paternel suffrage ne manquera pas.

Sire, j'ai pensé que le ministère qui n'est plus défendait avec trop peu de dignité, de vigueur, de constance, l'ordre et la Royauté. Sous ce rapport, j'ai fait voir mon opinion par mon langage dans la Chambre des pairs, où j'ai eu le bonheur de poser et de soutenir, avec une fermeté qui a été remarquée, les principes conservateurs nécessaires à la France autant et plus qu'au trône.

J'ai pensé, et je crois avoir eu l'honneur de le dire au Roi, qu'il fallait une administration propre à rallier tous les amis de l'ordre légitime, tous ceux qui veulent la Monarchie et la veulent forte et respectée, tous ceux qui veulent que les classes élevées tiennent le timon, tous ceux enfin qui, dans les sociétés humaines, pensent que c'est la tête qui doit tout régir.

Je comprenais la France divisée en deux camps, l'un s'appuyant au trône, l'autre au peuple; le premier mêlé d'aristocratie, le second purement démocratique; celui-ci voulait envahir le pouvoir au nom de la liberté, celui-là sachant qu'il faut la liberté à tous, à quelques-uns le pouvoir.

Sire, je ne crois point le ministère nouveau propre à atteindre ce but. Je crois sa formation destinée à diviser ce qui devait être uni, à rejeter nombre de royalistes dans les rangs qui ne sont pas les leurs; je crois enfin que les difficultés qu'il suscitera retarderont grandement ces jours de force et de sécurité que mes vœux appellent. Je le crois, et puisse-je me tromper ! Mais dès lors, je ne puis le servir, et je demande à Votre Majesté la permission de déposer les fonctions que je tenais de sa bonté. Sire, c'est à vous que je les dois, pardonnez-moi d'avoir voulu ne les remettre qu'à vous.

Cette preuve de ma reconnaissance et de mon respect ne sera pas la dernière que Votre Majesté recevra de moi. Votre Gouvernement ne rencontrera point comme obstacle celui qui se glorifiait naguère d'être un de ses instruments. Je fais un vœu bien sincère, c'est que mes craintes ne soient point justifiées. Mon unique ambition est le bonheur du Roi et la gloire de la France. »

(Arch. nat. BB[17] A 68 doss. 7).

Le rétablissement de l'auditorat.

La Première Restauration avait supprimé les auditeurs qui, à la différence des conseillers et des maîtres des requêtes, n'avaient pas existé sous l'Ancien Régime. Le Chancelier Pasquier, qui regrettait leur disparition, n'était pas parvenu en 1815 à en obtenir le rétablissement.

Dès 1820, Cormenin qui avait appartenu lui aussi au Conseil d'Etat de l'Empire, proposait dans un rapport adressé à M. de Serre, ministre de la justice, de rétablir l'auditorat. Ce projet était inspiré davantage par des considérations politiques que par un souci de bonne administration, comme on peut en juger par des extraits de ce rapport :

I — *Observations générales.*

C'est une vérité généralement sentie que le gouvernement, en France, manque aujourd'hui de force, de sécurité et d'avenir.

Il est nécessaire que le gouvernement soit fort dans l'intérêt du pouvoir, sans quoi les mille bras toujours agissants de la démocratie le renverseraient.

Cette vérité une fois reconnue, il s'agit de rechercher par quels moyens on pourrait ramener tous les fonctionnaires à la même unité d'opinions royalistes constitutionnelles...

(Cormenin expose et élimine divers moyens).

Il vaut mieux que le gouvernement procède avec sagesse, par des voies plus lentes mais plus sûres.

Où sont actuellement en France les ennemis du gouvernement ? Où l'opposition s'est-elle réfugiée, se maintient, se recrute et se nourrit-elle ?

Est-ce parmi le peuple ? Non. Comme on l'a dit ingénieusement, le peuple a donné sa démission...

C'est dans les classes haute et moyenne de la société qu'est l'agitation; elle n'est pas ailleurs. Ces classes renferment un certain nombre de jeunes gens, qui, ne pouvant servir le gouvernement, se tournent contre lui et qui, par désespoir, se font libéraux, ne pouvant être royalistes; se font journalistes ne pouvant être administrateurs. Les routes du commerce sont appauvries et fermées; point de colonies, point de guerre, point de débouchés. Ces jeunes gens sont aigris, inquiets, mécontents. Ils se précipitent dans l'opposition avec la fougue et l'imprévoyance de leur âge. Dès lors patrie, liberté, repos d'autrui, respect des droits acquis, légitimité, gouvernement, tout leur est ennemi parce que tout leur fait obstacle.

Certes, le devoir et le besoin du gouvernement ne sont-ils pas de s'attacher des familles riches et puissantes, d'occuper une jeunesse ardente et inquiète, d'ouvrir un écoulement à ces ambitions turbulentes, de s'appuyer sur ces jeunes gens, d'en grossir ses rangs, d'en faire des administrateurs utiles, modérés, laborieux, de commencer par eux la régénération politique du personnel de l'administration et de ramener enfin à l'unité toutes les opinions, les doctrines et la marche de ses agents ?

Or toute unité part du centre. C'est donc dans le centre même du gouvernement, sous ses yeux, sous sa surveillance immédiate, sous son impulsion directe que cette œuvre de sagesse doit commencer, sauf à l'étendre et à l'améliorer ensuite après en avoir fait l'essai.

Le point le plus central du gouvernement, c'est le Conseil d'Etat, puisque les agents des différents départements ministériels y sont représentés, puisque les différentes matières de l'administration y viennent aboutir.

Il faut donc placer ces jeunes gens auprès du Conseil d'Etat, et lorsque dans le maniement des affaires et la discussion des intérêts généraux ils auront étudié le véritable esprit du gouvernement et reçu l'unité des opinions politiques et des principes d'administration, ils partiront de ce centre, comme autant de rayons, pour aller, sous différents titres, administrer les différentes parties du service. C'est ainsi que, par un renouvellement graduel, ces jeunes candidats administratifs, répandus peu à peu sur toute la face de la France, et remontant ensuite de degrés en degrés jusqu'aux plus hauts emplois de l'Etat, aideraient singulièrement à donner au pouvoir exécutif cette rapidité d'action, ce dévouement éclairé et senti, cette autorité de lumière et d'expérience, cet appui de familles riches et distinguées, cette masse imposante de défenseurs, cette force d'ensemble sans laquelle il est impossible que le gouvernement puisse résister aux coups de chaque jour, de chaque moment, que lui porte une opposition aussi habile qu'audacieuse.

J'ai essayé de prouver l'utilité et la convenance de la nouvelle institution.

Maintenant sur quelles bases reposerait cette nouvelle institution, quels seraient la dénomination, le nombre, l'âge, les fonctions, la destination de ces apprentis-administrateurs, les conditions d'admissibilité et les moyens d'aviser à ne pas surcharger le budget d'une nouvelle dépense ?

Telles sont les questions qu'il me reste à examiner.

II. — *Des référendaires au Conseil d'Etat.*

1) Dénomination :

Nous les nommerions référendaires au Conseil d'Etat. Le nom d'auditeur rappellerait trop peut-être le Conseil impérial, et le ridicule jeté sur quelques jeunes gens admis dans ce corps sans mesure, sans choix, sans examen, et qui, par leur ignorance et la suffisance de leur ton et de leurs manières, ont déconsidéré en France et à l'extérieur le pouvoir qui les employait...

2) Nombre :

Quarante référendaires suffiraient...

Motifs. Le nombre des auditeurs était exorbitant et disproportionné, même avec l'étendue gigantesque de l'Empire.

S'il ne faut pas prodiguer des sinécures, c'est surtout à la jeunesse qui est l'âge du travail et de l'espérance.

Il ne pourrait y avoir que des référendaires titulaires, et non des référendaires honoraires ou extraordinaires.

Motifs. Ces titres trop multipliés de maîtres des requêtes et de conseillers d'Etat en service extraordinaire sont un véritable abus...

3) Age :

Nul ne pourrait être nommé référendaire avant l'âge de 24 ans...

4) Capacité :

On constaterait la capacité des référendaires par la représentation de leur diplôme de licencié en droit. On exigerait qu'ils justifiassent avoir suivi pendant deux années le cours spécial de droit administratif...

Quand au cours de droit administratif, il les initiera, par l'intelligence des termes, la connaissance des lois, les études d'ensemble et les théories des différentes parties du service public, à la pratique et à l'application de ces théories et de ces lois dans les affaires administratives ou contentieuses...

5) Examen d'admission :

Les candidats seraient examinés par un comité qui ferait une enquête sérieuse de leur capacité intellectuelle et morale...

6) Fortune personnelle :

On n'admettrait (généralement et sauf l'exception d'un mérite précoce et extraordinaire) que des jeunes gens qui jouiraient d'un revenu personnel de 3 000 F.

7) Division des référendaires en deux classes : ...

8) Destination des référendaires :

Les auditeurs au Conseil d'Etat encombraient les bureaux et les conseils de toutes les administrations générales; ils avaient rang, direction et voix délibérative avec des hommes vieillis dans l'expérience des affaires : mauvaise combinaison, superfétation inutile. On donne du dégoût aux subalternes, de l'humeur aux chefs; on ne fait qu'embarrasser les rouages.

Les référendaires auraient une autre destination; ils seraient exclusivement attachés au Conseil d'Etat et distribués selon les besoins du service et proportionnellement dans les divers comités. Ils n'y auraient pas voix délibérative; ils seraient chargés, sous la surveillance et la direction du président de chaque comité, de la préparation et du rapport même des affaires les moins importantes.

Ils pourraient également être attachés aux différentes commissions temporaires que les ministres de chaque département nomment pour examiner une question grave, dresser une liquidation, préparer un règlement d'administration publique, etc.

Enfin, ils assisteraient à l'assemblée du Conseil d'Etat.

C'est là qu'ils prendraient une vue générale des affaires. C'est là qu'ils recueilleraient cette unité d'opinions constitutionnelles qui ne devraient former des agents du pouvoir qu'une seule tête avec mille bras.

9) Traitement :

... Chaque référendaire recevrait un traitement annuel de 2 000 F, ainsi que les anciens auditeurs...

Si le gouvernement veut faire régler par une loi l'organisation et les attributions du Conseil d'Etat, l'institution des référendaires peut facilement et heureusement y trouver place. Si le Conseil continue à être organisé et régi par de simples ordonnances, il suffira également d'une ordonnance pour organiser les référendaires. »

(Arch. nat. BB^{30} 257, pièce 61).

Le comte de Serre ne se montra pas favorable à ce projet, dont il présenta la critique suivante au duc de Richelieu :

« Je vous envoie, Monsieur le Duc, quelques notes sur le mémoire de M. de Cormenin et sur les idées qu'il vous a suggérées. Vous verrez que si je ne partage pas son idée, j'entre davantage dans la vôtre...

La création d'un corps de jeunes gens attachés au Conseil d'Etat sous le nom de référendaires ne serait autre chose que le rétablissement des auditeurs au Conseil. Cette dernière dénomination convenait mieux, elle exprimait mieux les devoirs de jeunes débutants dans l'ordre administratif, référendaire est trop synonyme de maître ou rapporteur des requêtes. Mais le nom d'auditeur est décrié. Ne serait-ce pas l'institution elle-même qui serait décriée ? Et ce décri ne proviendrait-il pas d'un vice inhérent à sa nature ?...

Ce vice me paraît être d'initier, au sortir des écoles, des jeunes gens sans expérience des affaires et du monde à la connaissance des affaires générales du royaume, de les incorporer à l'un des grands corps de l'Etat. Cette élévation subite enfle leur jeune présomption; elle concourt avec leur défaut de connaissances pratiques à leur faire commettre des bévues et encourir des ridicules qui rejaillissent sur le corps tout entier et sur le gouvernement lui-même.

Le Conseil d'Etat impérial n'a pu soutenir ses auditeurs, et cependant les circonstances étaient bien autrement favorables à cette institution. Le Conseil d'Etat était la grande roue, la roue constamment agissante du gouvernement impérial. Dans notre monarchie constitutionnelle, l'importance acquise par les chambres a prodigieusement diminué celle du Conseil d'Etat...

Je suis plutôt d'avis d'agir sur les établissements existants que d'en créer de nouveaux. Une jeunesse surabondante se presse à l'entrée de toutes les carrières; que le gouvernement use de son avantage, qu'il choisisse, qu'il prenne en considération les bons sentiments des familles, la bonne conduite des jeunes gens autant que leur capacité.

Que tout accès et tout progrès soient subordonnés aux mêmes conditions, concession de bourses, admission dans les écoles spéciales, dans les surnumériats, avancement, récompenses, faveurs, tout et partout. L'effet sera grand, si ce système est soutenu avec persévérance pendant quelques années. Pour cela il faut durer... »

(Arch. nat. BB^{30} 257, p. 59 et 60).

Quatre années plus tard, l'auditorat fut cependant rétabli et sans difficultés sérieuses, semble-t-il, par l'ordonnance du 26 août 1824. Cette ordonnance disposait que la qualité d'auditeur serait désormais un titre — parmi beaucoup d'autres, il est vrai — pour la nomination à la maîtrise ; elle jetait ainsi les bases de l'organisation d'une véritable carrière au sein du Conseil.

Ordonnance du 26 août 1824 (rétablissement des auditeurs).

Chapitre premier. De la composition du Conseil d'Etat.

Art. 1. Notre Conseil d'Etat se compose de conseillers d'Etat; de maîtres des requêtes; d'auditeurs...

Chapitre III. Des maîtres des requêtes en service ordinaire.

Art. 12. Nul ne sera nommé maître des requêtes s'il n'a exercé les fonctions énoncées dans l'article 9, ou s'il n'a été pendant cinq ans au moins président, conseiller ou avocat général en nos cours royales; maire de l'une de nos bonnes villes, auditeur au Conseil d'Etat.

Art. 13. Nul auditeur ne sera nommé maître des requêtes si, indépendamment des cinq années d'exercice exigées par l'article précédent, il n'est déjà, au moment de sa nomination, auditeur de première classe.

Chapitre IV. Des auditeurs au Conseil d'Etat.

Art. 15. Les auditeurs au Conseil d'Etat sont au nombre de trente. Ce nombre sera complété par cinq promotions égales qui auront lieu successivement d'année en année, à dater de la promulgation de la présente ordonnance.

Art. 16. Les auditeurs au Conseil seront divisés en deux classes. Il y aura douze auditeurs de première classe et dix huit de seconde classe.

Art. 17. Nul ne sera nommé auditeur s'il n'est licencié en droit et s'il ne justifie d'un revenu net de six mille francs.

Art. 18. Nul ne sera nommé auditeur de seconde classe s'il n'est âgé de vingt et un ans accomplis.

Art. 19. Les auditeurs de seconde classe n'assistent qu'aux séances des comités auxquels ils sont attachés.

Art. 20. Nul ne sera nommé auditeur de première classe, s'il n'est âgé de vingt quatre ans, s'il n'a été auditeur de seconde classe pendant deux ans au moins.

Art. 21. Les auditeurs de première classe assisteront aux séances des comités auxquels ils seront attachés.

Ils pourront être admis aux séances du Conseil d'Etat, lorsqu'il délibèrera sur les affaires du petit ordre.

Art. 22. Les auditeurs au Conseil d'Etat ne reçoivent pas de traitement.

Art. 23. Le temps pendant lequel les auditeurs sont attachés au Conseil d'Etat est un temps d'épreuve et de stage.

Ce stage ne pourra, dans aucun cas, se prolonger au-delà de six années.

Il sera pourvu successivement au remplacement des auditeurs qui seront appelés à d'autres fonctions, ou dont le stage sera terminé.

Chapitre VII. De la répartition des conseillers d'Etat, maîtres des requêtes et auditeurs dans les divers comités du Conseil.

Art. 29. Nos conseillers d'Etat et maîtres des requêtes en service ordinaire seront distribués, ainsi que les auditeurs, en cinq comités, savoir : 1) le comité du contentieux; 2) le comité de la guerre; 3) le comité de la marine; 4) le comité de l'intérieur; 5) le comité des finances.

Art. 30. Le comité du contentieux sera composé de douze conseillers d'Etat, dix-huit maîtres des requêtes, cinq auditeurs de première classe et sept de seconde classe.

Ce comité se divisera en deux sections.

Le comité de la guerre sera composé de quatre conseillers d'Etat, quatre maîtres des requêtes, un auditeur de première classe et deux de seconde classe;

Le comité de la marine, de quatre conseillers d'Etat, quatre maîtres des requêtes, un auditeur de première classe et deux de seconde classe;

Le comité de l'intérieur, de six conseillers d'Etat, huit maîtres des requêtes, quatre auditeurs de première classe et cinq de seconde classe;

Le comité des finances, de quatre conseillers d'Etat, six maîtres des requêtes, un auditeur de première classe et deux de seconde classe.

Art. 31. Notre garde des sceaux arrêtera la répartition des conseillers d'Etat, maîtres des requêtes et auditeurs dans chaque comité, selon le besoin du service et d'après les proportions établies par l'article précédent.

(Duvergier, t. XXIV, pp. 559-sq).

Les candidatures à ces nouvelles fonctions furent nombreuses et, selon des témoignages contemporains, de bonne qualité. Mais les auditeurs alors nommés ne furent pas, semble-t-il, satisfaits de leur situation, si l'on en croit le jugement de l'un d'entre eux, Henri Siméon :

« Pendant qu'il est question du personnel du Conseil d'Etat, qu'il nous soit permis de parler d'une institution plus récente qui porterait les fruits les plus heureux si elle avait reçu le complément qui lui manque : nous voulons parler des auditeurs.

L'ordonnance de 1824 qui les a créés n'a pas été conséquente à leur égard, en disant que le temps pendant lequel ils sont attachés au Conseil d'Etat est un temps d'épreuve et de stage, et, quelques articles plus loin, à propos du serment, que les auditeurs jurent de bien et fidèlement servir le Roi, en l'état et emploi d'auditeur. Voilà, si nous ne nous trompons, la qualité des auditeurs bien clairement exprimée; ils ont un état, ils exercent un emploi; or, des fonctionnaires qui sont pourvus d'un emploi peuvent-ils être des stagiaires ? L'on voit qu'on n'a pas d'abord, lors de la création, compris ce que l'on voulait faire des auditeurs; et il n'est pas étonnant qu'on ne sût pas ce qui arriverait après quelques années d'épreuve. Au lieu de ne trouver dans ce corps que des hommes qui n'eussent encore d'autres facultés ouvertes que celle de l'ouïe, les membres du conseil d'Etat, peut-être trop indulgents dans leur approbation, ont pourtant reconnu que ces jeunes néophytes pouvaient être plus utilement employés, pour eux et pour le service public, que dans une attention passive. Aussi tous les présidents des comités se sont empressés de leur confier une partie du travail qui pesait exclusivement sur les maîtres des requêtes, et tout le monde s'en est bien trouvé; les rapporteurs ont été soulagés, et les affaires ont éprouvé moins de retards dans leur expédition.

Il y a mille moyens de rendre la vie à cette institution pour le ministre qui voudra s'en occuper sérieusement, et qui, sans prévention contre elle.

saura peser dans la balance les avantages qu'il voudra donner aux auditeurs avec les services qu'ils rendront.

En s'entourant d'un certain nombre de jeunes hommes dévoués et capables, en leur donnant les moyens et l'occasion de développer toutes les ressources qu'ils peuvent posséder, le gouvernement ne ferait-il pas une chose utile pour lui-même, et n'aurait-il pas trouvé un des moyens d'attirer à lui quelques-uns de ces talents précoces que chaque jour les journaux, les pamphlets et des ouvrages plus sérieux lui signalent comme des adversaires d'autant plus dangereux qu'ils séduisent facilement l'opinion publique par le prestige qui s'attache aux succès de la jeunesse ? Il en résulterait au moins l'avantage d'assurer une génération d'hommes publics, entendant les affaires, et capables de discerner et de repousser toutes ces théories brillantes, mais fausses, par lesquelles on s'efforce chaque jour de remplacer les systèmes pratiques les plus utiles et les mieux affermis.

Il semble qu'on pourrait améliorer la position des auditeurs en leur ouvrant des portes de sortie dans la magistrature, dans l'administration, et dans toutes les branches du service public; en leur accordant un traitement peu élevé à la vérité, mais qui les assimilerait aux autres fonctionnaires publics et aurait pour eux l'avantage de faire dater leurs services de l'époque de leur nomination; et enfin en désignant un certain nombre de places de maîtres des requêtes qui ne pourraient être accordées qu'à eux.

Qui veut la fin, veut les moyens. Ainsi quand on voudra donner au Conseil d'Etat la perfection qu'il est susceptible d'acquérir, on aura fait une chose incomplète, si l'on a laissé dans l'oubli une partie de ses membres; on lui aura ôté son plus puissant moyen de reproduction; on ne lui aura laissé pour se recruter que des éléments étrangers. »

(Du Conseil d'Etat, Paris, Pelicier et Cholet, 1829, Ouvrage attribué à Henri Siméon, auditeur).

II
LA VIE QUOTIDIENNE DU CONSEIL D'ÉTAT

Les sièges des Comités — L'installation au Louvre — Décor et mobilier des salles du Louvre — Impressions de séance d'un nouveau conseiller d'Etat — Un « train de vie » modeste — Equipages et préséances.

On a réuni ici sur l'installation du Conseil, son « train de vie », ses soucis budgétaires, l'atmosphère des séances, des textes d'origines diverses qui permettent de se représenter de façon vivante ce qu'était sa vie quotidienne.

DES TUILERIES AU LOUVRE

Installé depuis 1799 aux Tuileries, le Conseil d'Etat émigra en 1814 à la Chancellerie, place Vendôme. Transfert partiel, limité au secrétariat général, aux comités de législation et du contentieux et à l'assemblée générale. Les autres comités s'assemblèrent au siège des ministères auxquels ils étaient rattachés :

— le comité de l'intérieur, 101 rue de Grenelle;

— le comité du commerce et des manufactures, à l'hôtel de Labriffe, 3 quai Voltaire;

— dans ce même hôtel, de 1817 à 1821, le comité de l'intérieur et du commerce, résultant de la fusion des deux précédents, qui s'installa ensuite au n° 122 — aujourd'hui 116 — de la rue de Grenelle, puis en 1826 au n° 101 et en 1828 au n° 103 de la même rue ;

— le comité des finances, jusqu'en 1816, au siège de la Loterie nationale, rue Neuve des Petits Champs (aujourd'hui n° 46 de la rue des Petits Champs), puis au Trésor royal, installé d'abord à l'hôtel de Lionne (aujourd'hui 44 rue des Petits Champs), puis 48 rue de Rivoli (aujourd'hui n° 238 de la même rue);

— le comité de la guerre, rue Saint-Dominique, puis à partir de 1818 à l'ancien n° 61 de la rue de l'Université ;

— le comité de la marine au ministère de la marine, rue Royale.

Archives et bibliothèque se trouvaient dans le même temps à la galerie du Louvre.

Le 3 septembre 1824, le Moniteur annonce que « le Conseil d'Etat va être transféré au Louvre, qu'on prépare l'ameublement des salles qui lui sont destinées et que cette translation doit avoir lieu au mois d'octobre ». Selon les souvenirs de Frénilly, « ce fut le 28 octobre que le Conseil d'Etat, qui jusqu'alors siégeait à la Chancellerie, prit possession de son nouveau local sur la place du Vieux-Louvre » (1).

---

(1) Frenilly. Souvenirs. Paris, Plon 1908, p. 503

Trois salles situées à droite du Pavillon de l'Horloge lui furent affectées :

— la salle du Conseil, vraisemblablement l'actuelle salle Camondo, réservée aux assemblées générales ;

— deux autres salles réservées à la réunion de plusieurs comités et du comité du contentieux ;

Il disposa, en outre, d'une salle d'attente, d'un cabinet pour le secrétaire général, de quelques bureaux et dépendances.

Ce transfert n'intéressa que l'assemblée générale, le comité du contentieux et le secrétariat général. Les autres comités demeurèrent au siège des ministères.

Les salles affectées au Conseil d'Etat firent l'objet d'aménagements et de décorations décrits dans les devis établis à l'époque.

Les décorations de la salle du contentieux, exécutées par M. Drolling, étaient les suivantes :

« Plafond. — Le triomphe de la Loi. La Loi s'avance au-dessus de la terre qu'elle domine, portée sur un char dont les chevaux guidés par Minerve renversent et foulent aux pieds l'Anarchie. Devant elle vole un Génie qui annonce au monde sa venue et qui tient d'une main une bannière sur laquelle on lit : « Lege Salus ». A côté du char sont placés : à gauche la Paix, à droite l'Egalité légale. Derrière celle-ci vient Mercure, figuré à la fois comme dieu de l'éloquence et du commerce; il est suivi par Cérès, par l'Abondance et par les trois arts monumentaux : la peinture, la sculpture et l'architecture, qui se groupent et se pressent derrière le char de la Loi.

Voussures. — Des Génies caractérisant par des attributs les différentes conditions de la Société, protégées par la Loi, rempliront les voussures ».

(Arch. nat. BB 17, A 49).

Un « état des fournitures » renseigne sur l'ameublement de la salle du Conseil réservée aux assemblées générales :

« Pour les ministres :

7 fauteulis en acajou, forme étrusque, accotoires à chimères, garnis en crin et couverts en maroquin vert avec une dentelle or...

Pour les conseillers d'Etat :

2 tables, le dessus en sapin, emboîtées en chêne, 4 pieds tournés et rougis, les angles arrondis, longueur 11 m, largeur 1,10 m... 400 F.

2 tapis de table de ... 11,50 m de long sur 1,45 m de large, bordés de galon.

40 fauteuils comme les précédents, en bois plus simple et couverts en maroquin vert, détail ci-derrière...

1 écritoire en vermeil... pour le Roi... 1 800 F.

6 écritoires en porcelaine pour les ministres... 42 F.

40 écritoires acajou avec poudreuse et compartiments pour les plumes, pour les conseillers d'Etat... 400 F. »

(Arch. nat. O^3 2052).

L'esprit d'économie prévalut, comme en témoigne cette lettre du 18 juillet 1826 adressée par le baron de la Ferté, chargé de la direction générale du mobilier, au vicomte de la Rochefoucauld, aide de camp du Roi chargé du département des Beaux-Arts :

« Monsieur le Vicomte,

J'ai reçu la lettre que vous m'avez fait l'honneur de m'adresser en date du 7 de ce mois, par laquelle, en me transmettant la demande faite par M. le baron Mounier, tendant à ce que les deux salles des comités du Conseil d'Etat au château du Louvre soient tendues en étoffe de soie, vous m'invitez à examiner cette affaire et à vous donner mon avis à ce sujet.

J'aurai l'honneur de vous faire observer, Monsieur le vicomte, qu'à l'époque de l'établissement du Conseil d'Etat au Louvre, on avait déjà demandé que les panneaux destinés à recevoir des tableaux dans les trois salles principales fussent tendues en étoffe de soie. Monsieur le vicomte de Ville-d'Avray fit alors des réclamations sur l'inutilité de cette dépense, et il fut décidé qu'il n'y aurait que la grande salle d'Assemblée qui serait tendue de cette manière.

Aujourd'hui que l'on renouvelle la demande du même décor pour les deux autres salles où se tiennent les comités, comme j'adopte à cet égard l'opinion de mon prédécesseur, je dois mettre sous vos yeux les raisons qui me paraissent militer contre l'adoption de cette proposition. En effet, Monsieur le vicomte, vous penserez, peut-être, ainsi que moi, 1° que des tentures en soie dans des pièces où il n'existe que des rideaux en toile de coton et des sièges en maroquin, en crin noir et en velours d'Utrecht, ne pourraient produire qu'un effet bizarre et même ridicule; 2° qu'il serait plus convenable et moins dispendieux de couvrir les panneaux d'un papier vert uni avec une bordure d'encadrement; 3° que les deux salles des comités où S. Exc. le Garde des sceaux ne vient jamais ne doivent pas être décorées d'une manière aussi somptueuse que la principale salle d'Assemblée où le Roi a son fauteuil de représentation et peut venir présider les sections réunies; 4° que d'ailleurs des tableaux étant destinés à remplacer bientôt les tentures, on aurait toujours à regretter des dispositions d'ameublement qui ne seraient que provisoires et n'auraient aucun caractère d'urgence et d'utilité.

A ces considérations, Monsieur le vicomte, j'ajouterai que l'établissement du Conseil d'Etat au Louvre est une pure faveur du Roi, et qu'il a déjà coûté assez cher, pour que l'on évite l'occasion de nouvelles dépenses qui ne seraient pas indispensables.

En conséquence, j'attendrai votre décision dans cette affaire, et je ne vous adresserai le devis de la dépense qu'occasionneraient les tentures en soie de ces deux pièces que si vous jugez à propos de les accorder. J'aurai seulement l'honneur de vous faire observer que ce devis qui s'élèverait à 2 117,90 F ne pourrait être imputable que sur un crédit spécial à ajouter aux fonds du budget de 1826, attendu l'insuffisance des crédits alloués pour cet exercice.

J'ai l'honneur d'être, avec la considération la plus distinguée, Monsieur le vicomte,

Votre très humble et très obéissant serviteur,

Le baron de la Ferté »

(Arch. nat. O³ 1922 (II)).

IMPRESSIONS DE SÉANCE DU BARON DE FRENILLY CONSEILLER D'ÉTAT

Nommé conseiller d'Etat en 1824, le baron de Frénilly décrit ainsi dans ses souvenirs ses premières impressions de séance :

« Dans le même mois où l'on créa le ministère des affaires ecclésiastiques, je fus nommé conseiller d'Etat. Mon chemin, certes, avait été rapide et du premier pas je m'asseyais au plus haut degré qu'a rêvé ma jeunesse. Il est vrai que je pouvais dire comme M... en montrant son front chauve à Louis XIV : « Sire, la chose presse ». J'avais 56 ans; ce siège cadrait à mon caractère, à l'ensemble de ma vie et de ma conduite, à ma situation dans le monde, à ma fortune et, enfin, à une considération quelque peu exagérée que le public m'accordait alors. Des articles du Conservateur, deux ou trois bons discours, mon rapport des finances et l'amitié de Villèle firent plus que tout cela. Le monde l'approuva, je crois, je l'approuvai de même et nous eûmes tous deux tort; car, à ma grande surprise et contre mon attente, je ne fus qu'un fort pauvre conseiller d'Etat. Voilà qui est dur; mes amis ne l'ont peut-être pas cru et mes ennemis ne l'ont peut-être pas dit; mais c'est vrai. J'avais pensé que le Conseil d'Etat devait non seulment juger, mais instruire et rapporter les affaires. L'office d'étudier à fond des causes importantes, de les élucider dans le silence du cabinet et d'en présenter à la Cour des rapports sages et lumineux, cet office joint à une étude approfondie de la jurisprudence administrative me convenait tout à fait. J'en aurais peut-être tiré quelque honneur; mais il en était tout autrement. Les affaires s'instruisaient, les rapports se faisaient par des maîtres des requêtes, nos inférieurs en rang, nos supérieurs presque généralement en étude, en pratique, en science, en talent, surtout en facilité acquise de s'énoncer en public. Ils étaient, dans notre auguste assemblée, les maires du Palais, dont les rois pouvaient être des fainéants à leur aise, écouter, dormir et juger, sauf à opiner du bonnet. Je ne dis pas qu'il n'y eût quelques exceptions dans cette assemblée trop nombreuse : Dudon y portait la facilité d'improvisation élégante, ferme, dramatique et préremptoire qu'il avait montrée à la la tribune; de Blaire avait la parole lucide, agréable et facile; Bellanger (1) était un parleur habile, inépuisable et profond; quelques autres parlaient plus ou moins médiocrement, plus ou moins sagement, mais quel que fût, dans le petit nombre qui ouvrait la bouche, le degré du savoir ou du talent, ils ne s'exprimaient que par improvisations et les maîtres des requêtes avaient seuls le privilège de la réflexion, de l'étude et de la plume. Or, j'ai depuis longtemps avoué que l'improvisation publique n'était ni mon goût, ni mon fait. J'en suis passablement capable dans un comité étroit où l'on expose, approfondit et discute intimement, les coudes sur la table; je ne le suis nullement sur une tribune, devant trois cents auditeurs et pas davantage dans un fauteuil, devant une table en rang d'oignons de cinquante conseillers rangés « in fiocchi » sur les quatre côtés d'une immense salle devant le

(1) Il s'agit sans doute du Conseiller Bérenger. Aucun Bellanger ne fut membre du Conseil à cette époque.

Salle de l'Assemblée générale du Conseil d'Etat au Palais d'Orsay.

trône vide et le siège du chancelier, flanqués en serre-file de cinquante maîtres des requêtes et auditeurs dont les deux tiers muets savent mieux qu'eux ce dont ils parlent. Je parlais donc rarement et avec répugnance, d'autant plus que, nouvel arrivé, sans stage ni éducation spéciale, ma conscience et ma gloire étaient d'accord pour se récuser sur la foule des affaires qui nous venaient par appel des préfectures et qui, pour minimes qu'elles étaient, n'en demandaient pas moins la triture et la pratique. Un autre malheur pour moi, c'étaient les heures matinales du Conseil. Elles coïncidaient avec celles de la digestion. J'avais beau m'inonder de café et me bourrer de tabac, la séance était très souvent pour moi une lutte à mort entre mon esprit qui voulait veiller et mes yeux qui prétendaient dormir. Je me dois de dire que l'esprit ne fut, je crois, vaincu que deux ou trois fois, mais bien souvent, ce combat le captivait trop pour qu'il pût entrer avec toutes ses forces dans la discussion. Sans être précisément une bête, je fus donc, je le répète, un fort pauvre conseiller d'Etat. Il ne m'a peut-être manqué pour être un aigle que de boire du vin de Champagne et d'avoir des séances de 1 heure à 4 heures au lieu de 10 heures à 1 heure. L'estomac est tout l'homme ».

(Souvenirs du baron de Frenilly, pair de France, 2e édition, Plon, Paris, 1908, pp. 498 sq).

SOUCIS DOMESTIQUES ET BUDGÉTAIRES

Le « train de vie » du Conseil d'Etat de la Restauration fut très inférieur à celui du Conseil d'Etat impérial. Le traitement des conseillers fut ramené de 25 000 à 16 000 F, celui du secrétaire général de 20 000 à 15 000 F. Le budget du corps qui était de 1 541 000 en 1800 et de 1 820 000 en 1814 se trouvait réduit en 1818 à 888 000 F. Les deux lettres ci-dessous traduisent bien la « gêne » matérielle du corps :

Lettre de M. Hochet, secrétaire général du Conseil d'Etat à Monsieur le Marquis d'Autichamp, gouverneur du Palais du Louvre, le 24 décembre 1824 :

« Monsieur le Marquis,

Le Conseil d'Etat, depuis la Restauration, ne s'étant jamais réuni que le jour, je ne crus pas devoir, quand il fut transporté au Louvre, présenter de demande relative à l'éclairage.

Cependant, depuis quelques jours, M. le Garde des sceaux a fait convoquer à 2 heures, pour la discussion d'une loi importante, les deux sections du comité du contentieux. Ces réunions qu'il préside lui-même se prolongent au-delà de 5 heures et nécessitent l'emploi de la lumière. J'ai suffi à ce besoin, jusques à présent, par un reste de livres de bougies qui avaient été achetées en 1814 pour le service du Conseil d'Etat aux Tuileries et emportées avec les autres effets du Conseil. Mais cette fourniture est bientôt épuisée, et, la délibération des comités devant durer encore quelques jours, je crois devoir, pour n'être pas pris au dépourvu, recourir à votre obligeance pour satisfaire à ce service.

Les convocations ordinaires du Conseil n'ayant jamais lieu que pendant le jour, et celles qui nécessitent l'emploi de la lumière n'étant que rares et accidentelles, je crois pouvoir me borner à une demande de trente livres de bougies par année.

Cette demande me paraît si modique que je suppose qu'elle ne souffrira pas de difficulté et le Conseil d'Etat espère de votre zèle pour le service du Roi que vous voudrez bien la recommander à Monsieur le ministre de la Maison du Roi et en assurer l'effet le plutôt qu'il sera possible ».

(Arch. nat. O³ 136).

Lettre de M. Hochet au ministre de la Maison du Roi[e]*:*

29 mars 1826

« Monseigneur,

Le Roi, en admettant le Conseil d'Etat dans son palais du Louvre, a bien voulu se charger des frais de fourniture et d'entretien du mobilier nécessaire au service du Conseil. Ses ordres à cet égard ont été noblement exécutés.

Par suite de cet arrangement, j'ai mis à la disposition du garde-meuble de la Couronne tout l'ancien mobilier du Conseil, à l'exception du linge, que M. l'Intendant du garde-meuble me déclara devoir être remis à M. l'Administrateur des Maisons royales; mais celui-ci me répondit qu'il ne pouvait le recevoir que d'après un ordre de Votre Excellence.

J'eus, en conséquence, l'honneur de vous écrire, le 25 avril dernier, mais Votre Excellence, dont toute l'attention était absorbée par les dépenses considérables du Sacre, m'écrivit, le 20 mai suivant, qu'elle croyait devoir ajourner toute décision sur cet objet et m'inviter à continuer provisoirement de suivre la marche qui avait été suivie jusqu'à ce jour.

Cette affaire était si minime, que je ne crus pas devoir insister, et j'ai payé jusqu'à présent cette dépense de mes propres deniers.

J'espère, toutefois, Monseigneur, que vous ne me trouverez pas trop importun, si je vous entretiens encore de cet objet, qui mérite à peine d'occuper votre attention. Il s'agit en effet du blanchissage et de l'entretien par semaine de...

— huit serviettes,
— dix torchons.
— six gros tabliers.

C'est une dépense annuelle d'environ cent francs, et si la chose vous paraissait convenable, j'en prendrais volontiers l'abonnement à ce prix.

Je vous prie, en conséquence, Monseigneur, d'ordonner à M. l'Administrateur des Maisons royales de faire recevoir à la lingerie des Tuileries ce qui reste de linge appartenant au Conseil d'Etat et qui consiste en :

— cinquante serviettes,
— cinquante torchons,
— six tabliers, etc.,

d'en faire délivrer, par semaine, le nombre de serviettes, tabliers et torchons ci-dessus indiqués.

Je vous prie, Monseigneur, d'en agréer d'avance tous mes remerciements, ainsi que la nouvelle assurance du très profond respect avec lequel j'ai l'honneur d'être,

Votre très humble et très obéissant serviteur. »

(Arch. nat. O³ 136).

ÉQUIPAGES ET PRÉSÉANCES

L'installation en 1824 du Conseil au Louvre, résidence royale, souleva des questions de protocole, concernant notamment l'entrée et le stationnement dans la cour du Louvre des voitures des membres du Conseil.

Le Roi fut saisi de ce dernier problème par un rapport du ministère de sa Maison, dont il approuva les propositions qui furent traduites en une consigne pour les surveillants, suisses et portiers du Louvre.

Ministère de la Maison du Roi

16 octobre 1824

Division Gouvernement

Sommaire n° 11

Louvre

Voitures du Conseil d'Etat

« Sire,

Le Conseil d'Etat de Votre Majesté devant incessamment s'installer dans le château royal du Louvre et y tenir ses séances, je dois, pour prévenir toute discussion, prendre d'avance les ordres du Roi dans le cas où il arriverait que MM. les conseillers d'Etat et maîtres des requêtes prétendissent pouvoir entrer dans le château du Louvre avec leurs voitures et les faire stationner dans la cour. Je ne connais ni ordonnance ni règlement qui leur donnent cette prérogative, et j'ai pensé que ce serait porter atteinte à celles des personnes qui, par leurs titres, jouissent de cette faveur et y tiennent beaucoup, que de l'accorder à MM. les conseillers d'Etat et maîtres des requêtes qui font partie du Conseil.

En conséquence, j'ai l'honneur de supplier Votre Majesté de daigner décider et approuver qu'à l'exception de la voiture de M. le Garde des sceaux, ministre de la justice, et de celles des ministres de Votre Majesté, si quelques-uns d'entre eux viennent au Conseil, aucune autre de particuliers tenant au service du Conseil d'Etat ne pourra stationner dans la Cour du château du Louvre pendant le temps de ses séances.

Je suis avec respect,
Sire,
de Votre Majesté, le très humble, très soumis et très fidèle sujet.
Approuvé de la main du Roi. Signé : CHARLES. »

(Arch. nat. O³ 136).

Consigne pour les surveillants, suisses et portiers du Louvre

Château du Louvre
Gouvernement

MAISON DU ROI

Consigne pour les surveillants, suisses et portiers du Louvre relative à ce qui devra s'observer pour l'entrée dans le château des voitures de LL.EE.

MM. le Garde des sceaux et ministres du Roi et de MM. les conseillers d'Etat et maîtres des requêtes.

Le suisse de la grille de la rue du Coq et les portiers de la grille du Pont des arts et de celle du Carrousel laisseront entrer dans la cour du Louvre la voiture de S. E. M. le Garde des sceaux et celles des autres ministres du Roi, de MM. les conseillers d'Etat et maîtres des requêtes, quand ils viendront au Conseil, soit qu'ils arrivent par le côté de la rue du Coq, soit par la grille du Carrousel ou celle du Pont des arts. Ils descendront de leurs voitures sous la voûte de la grille du Carrousel à l'escalier dit d'Henri IV ou à la grille du Coq à l'escalier du Gouverneur du château et, dès que MM. les conseillers d'Etat ou maîtres des requêtes seront descendus de leurs voitures, elles tourneront dans la cour et ne pourront y stationner ; elles iront se ranger soit sur la place du Musée, soit le long des planchers qui entourent le Louvre vis-à-vis la Caisse d'amortissement ou l'Hôtel d'Angivilliers, et quand elles devront reprendre leurs maîtres, elles suivront la même marche.

Sont exceptées de cette disposition les voitures de M. le Garde des sceaux, des autres ministres et des conseillers d'Etat Pairs de France, lesquelles pourront stationner dans la cour du Louvre.

Le portier de la grille Royale continuera de la tenir fermée : elle ne doit s'ouvrir que pour le Roi ou les Princes de la famille royale ou par l'ordre exprès du Gouvernement.

Les surveillants auront soin que la présente consigne soit ponctuellement observée; ils seront responsables de son exécution.

Fait et donné au château royal du Louvre le 20e jour d'octobre 1824,

Le Lieutenant-général, Gouverneur du Louvre

(Arch. nat. 0^3 136).

III
BILAN D'ACTIVITÉ ET RÔLE DU CONSEIL D'ÉTAT

Statistique des affaires traitées de 1814 à 1830 — Catégories d'affaires — Nombre très faible des projets de loi — Les affaires administratives particulières demeurent nombreuses — Rares réunions du Conseil en Assemblée générale — Rôle prédominant des comités — L'ordonnance du 5 novembre 1828 accroît le rôle de l'Assemblée générale — Résistances de l'administration — Jugements contradictoires sur le rôle contentieux du Conseil — Faibles progrès de la jurisprudence — Création de l'Ordre des avocats aux Conseils du Roi et à la Cour de Cassation — Le respect des règles de procédure — Macarel et le premier essai de publication régulière des arrêts du Conseil — La règlementation des conflits.

BILAN D'ACTIVITÉ

Nous ne disposons pas, pour dresser ce bilan, d'états ou de statistiques datant de la Restauration. Il en fut établi sans doute alors par le Conseil, mais ils ont dû disparaître dans l'incendie du Palais d'Orsay et la publication d'un Compte général des travaux du Conseil d'Etat et de ses comités présenté au Roi par le garde des sceaux ne commença qu'en 1835. Le premier de ces comptes couvre la période 1830-1834. On y trouve heureusement dans un Tableau préliminaire un relevé des « travaux en masse et par année » depuis 1800. Le Compte nous fournit ainsi pour la Restauration, comme pour le Consulat et le 1er Empire, une statistique des affaires traitées et nous permet d'évaluer l'activité du Conseil et, dans une certaine mesure, de connaître la nature de ces affaires. Dans une certaine mesure seulement, car le Tableau, s'il donne le nombre d'affaires examinées par chaque comité, ne précise pas les matières qu'elles concernent. La ventilation des affaires entre les comités est instructive : elle confirme que les règles et les habitudes de travail du Conseil ne se sont pas modifiées pendant cette période ; les « comités », successeurs des sections de l'Empire, les « comités réunis », le « Conseil d'Etat », c'est-à-dire le Conseil réuni en Assemblée générale sont demeurés les organes d'instruction et de délibération. Une différence toutefois — très importante — par rapport à la période antérieure : de 1814 à 1830, le nombre d'affaires traitées en assemblée générale — pour l'essentiel, les affaires contentieuses — a été très faible ; toujours moins de 700 par an jusqu'en 1828 ; le nombre s'en élève soudain à 2000 en 1829, à la suite de l'entrée en vigueur de l'ordonnance du 5 novembre 1828 imposant l'examen par l'assemblée générale de nouvelles catégories d'affaires.

Le tableau ci-après, dressé d'après le Compte général de 1835, est extrait du traité de droit administratif de Cormenin (5e édition, 1840) :

Travaux du Conseil d'Etat et de ses comités depuis 1814 jusqu'à 1830 (1)

	Nombre des affaires délibérées par les comités spéciaux							par des comités réunis	par le Conseil d'Etat	Récapitulation des affaires délibérées par le Conseil et les Comités
	Nombre des comités	Comité du Contentieux	Comité de Législation	Comité de l'intérieur	Comité des Finances	Comité de la Guerre	Comité de la Marine			
1814	5	193	68	–	527	–	–	–	–	–
1815	5	225	65	–	867	–	–	–	(3) 104	–
1816	5	381	180	(1) 4.051	1.097	(1) 60	(1) 9	(2) 5	424	(5) 5.783
1817	6	323	153	5.380	3.371	1.969	1.983	20	296	13.199
1818	6	352	175	4.844	1.408	1.794	2.428	23	393	11.224
1819	6	397	225	7.013	1.792	4.789	1.094	23	402	15.333
1820	6	370	150	7.606	2.338	2.466	1.692	23	391	14.645
1821	6	329	93	8.480	1.377	2.246	1.198	17	341	13.740
1822	6	423	88	11.113	724	3.306	1.281	28	438	16.963
1823	6	409	92	11.475	1.283	3.442	1.377	28	418	18.106
1824	6	415	309	8.997	1.003	2.979	1.366	21	424	15.090
1825	6	447	292	10.750	1.276	3.247	1.693	22	637	17.727
1826	6	499	177	8.633	1.354	3.370	3.446	12	510	17.491
1827	6	457	224	8.492	1.530	2.688	3.007	33	472	16.431
1828	6	607	194	9.205	1.383	1.715	2.687	15	625	15.806
1829	4	433		10.466	1.029	7.116		21	(4) 2.220	18.271
1830	4	325		9.994	958	3.890		5	1.001	15.172

(1) Ce n'est qu'en 1816 que les comités de l'intérieur, de la guerre et de la marine ont commencé à avoir leurs attributions propres, et notamment le règlement des pensions, qui était fait précédemment dans les bureaux de chaque ministère. Jusque-là ces comités préparaient les affaires, qui étaient ensuite portées au Conseil d'Etat, par lequel elles étaient décidées.

(2) Ce n'est qu'en 1816 que l'on a commencé à soumettre certaines affaires à la délibération de plusieurs comités.

(3) Toutes les affaires portées au Conseil d'Etat ont été préalablement examinées et discutées dans le comité aux attributions duquel elles se rapportent

(4) L'augmentation du nombre des affaires soumises au Conseil d'Etat en 1829 résulte de l'ordonnance du 5 novembre 1828, en exécution de laquelle un grand nombre d'affaires, terminées jusque là au comité de l'intérieur, ont dû être portées en assemblée générale. L'ordonnance du 25 mars 1830 a réduit ce nombre en restituant au comité de l'intérieur le droit de décider certaines affaires trop peu importantes pour être soumises au Conseil entier.

(5) Cette totalisation ne comprend, pour 1814 et 1815, que les affaires délibérées dans le Conseil d'Etat et dans le comité des Finances. Quant aux autres comités, elle ne donne que les affaires portées à l'Assemblée générale du Conseil d'Etat.

A partir de 1816, on s'est borné à additionner les affaires délibérées dans les divers comités, et dont une partie seulement ont été portées devant le Conseil d'Etat en assemblée générale.

Le nombre des affaires examinées en Conseil d'Etat sous la Restauration a été plus élevé que sous l'Empire. Le nombre des affaires contentieuses est passé de 250 à 400 par an en moyenne. Fait plus surprenant, celui des affaires administratives est passé de 7 000/8 000 à 15 000/18 000 par an. Cette augmentation résulte essentiellement de deux causes : à partir de 1816, le Conseil d'Etat a contrôlé la liquidation des pensions civiles et militaires ; d'autre part, les administrations municipales et départementales ont engagé de nombreuses opérations exigeant des impositions extraordinaires et des emprunts sur lesquels le Conseil d'Etat devait se prononcer. Ainsi s'expliquent les statistiques

---

(1) Ce tableau comporte quelques erreurs. Ainsi le comité de la guerre n'a été créé que le 19 avril 1817; celui de législation disparut le 26 août 1824.

impressionnantes du comité de l'intérieur, du comité de la guerre et du comité de la marine pendant cette période.

Beaucoup de ces affaires devaient être de minime importance, sinon de pure forme. Les membres du Conseil n'étaient pas écrasés par l'ouvrage, à en croire les souvenirs de certains d'entre eux :

> « J'ai eu l'honneur, déclarait Sauvaire Barthélémy devant l'Assemblée Nationale en 1849, d'être attaché au Conseil d'Etat sous la Restauration... J'ai été attaché pendant quelque temps au comité de législation où nous avions souvent une séance tous les quinze jours (Rires). Nous n'étions pas foulés par le travail... » (1).
>
> *(Compte rendu des séances de l'Ass. Nat. Séance du 23 janvier 1849, t. VII, p. 401).*

En 1818, Cormenin donnait l'énumération suivante des « principales matières qui sont soumises actuellement au Conseil d'Etat » : « les marchés de fournitures et entreprises de travaux publics ; les conflits ; les matières de biens nationaux et d'émigration, de voirie, de biens communaux; les mises en jugement; les prises; l'interprétation des lois » (2).

Sur ce dernier point une précision est nécessaire. Il fut admis que la Charte avait implicitement supprimé le droit reconnu au chef de l'Etat assisté du Conseil d'Etat par l'arrêté réglementaire du 5 nivôse an VIII d'interpréter la loi « proprio motu ». Le Conseil d'Etat n'intervint donc plus pour l'interprétation des lois qu'en cas de conflit entre la Cour de Cassation et les tribunaux. Il le fit avec prudence, limitant la portée de ses avis à l'espèce en cause. Cette compétence, dérivant de la loi du 16 septembre 1807, lui fut retirée par la loi du 30 juillet 1828.

LE RÔLE DU CONSEIL D'ÉTAT

Malgré le nombre des affaires traitées, le rôle du Conseil fut beaucoup moins important que sous l'Empire. Le chef de l'Etat ne présida jamais ses travaux — abstention qui, en 1827, était ainsi regrettée par un orateur à la Chambre des députés : « Heureux le jour où le monarque viendra au milieu des conseillers courageux et fidèles chercher et trouver la vérité ! ».

Des projets de loi — peu nombreux, il est vrai à cette époque — lui furent rarement soumis. C'est dans des commissions composées d'éléments divers que certains conseillers d'Etat furent appelés à intervenir pour la préparation des lois importantes, comme le code forestier ou la loi sur la pêche fluviale.

---

(1) A une séance ultérieure, le 1er mars 1849, Sauvaire Barthélémy disait encore : « J'ai appartenu au Conseil d'État de 1824 à 1830 et j'ai eu à soupirer longtemps après une affaire (Rumeurs). Si on le conteste, je le prouverai. J'ai été pendant 18 mois à réclamer la faveur d'un rapport sans pouvoir l'obtenir » (Compte-rendu des séances de l'Ass. Nat. Séance du 1er mars 1849, t. VIII p. 319).

(2) Cf. Du Conseil d'Etat envisagé comme conseil et comme juridiction sous la Monarchie constitutionnelle, Paris, Bailleul 1818, p 178.

L'exercice par le Conseil en matière administrative et contentieuse des nombreuses attributions que lui conféraient des textes particuliers lui conserva cependant un rôle important qu'un orateur, M. de La Porte, citant le duc de la Rochefoucauld, définissait ainsi lors d'une séance de la Chambre des députés au début de la IIIe République :

« Les attributions du Conseil d'Etat étaient déjà si étendues en 1828, qu'un député royaliste, qui portait le même nom que M. le duc de la Rochefoucauld, mais qui ne sera certainement pas confondu avec lui pour l'esprit dont il était animé, pouvait dire que toute la fortune privée de la France était entre les mains de ce grand corps, à la fois administratif et judiciaire.

Après avoir parlé des contributions, des bois, des mines, des carrières, des chemins, et de tant d'autres affaires contentieuses, il terminait sa très longue énumération que je ne vous relirai pas, en disant :

« Avez-vous quelque juste plainte à former contre le curé de votre village ? C'est encore le Conseil d'Etat qui est compétent en vertu de la loi du 18 germinal an X ».

(Ch. dép., séance du 12 juillet 1879. Annales Sénat et Ch. dép., tome VIII, Ch. dép., p. 258).

L'une des causes — ou l'un des signes — de la diminution du rôle et de l'influence du Conseil fut l'effacement de l'assemblée générale du corps au profit de ses comités installés au siège des ministères et présidés — en principe du moins — par les ministres (1).

Méchin le déplorait en ces termes devant la Chambre en 1827 :

« Aujourd'hui, les ministres se bornent à consulter les comités attachés à leurs départements respectifs, et les ordonnances qui résultent de ces délibérations portent la formule usurpée : le Conseil d'Etat entendu. Ce mode de procéder est vicieux, déraisonnable; il dénature le Conseil d'Etat, le rabaisse et le fait déchoir et dévier de sa destination ».

(Arch. Parl. Seconde Restauration, Ch. dép., 15 mai 1827, p. 38).

Un autre contemporain le constatait également, sur un ton plus ironique :

« Chaque ministère emporte avec soi une section du Conseil d'Etat; cette section se compose d'une demi-douzaine de conseillers, de deux ou trois maîtres des requêtes rapporteurs et d'un vice-président. Ce comité s'assemble une ou deux fois par semaine : il est purement consultatif. Par exemple, un directeur ou un chef de division font au ministre un rapport. Son Excellence ne le comprend pas; dans ces cas fréquents, elle met en marge ces mots : « renvoyé au comité du Conseil d'Etat », et elle passe à d'autres soins. Le rapport est adressé par le secrétaire général au conseiller d'Etat vice-président de la section; celui-ci désigne un maître des requêtes rapporteur qui doit instruire l'affaire et la présenter à la prochaine réunion du comité. Le maître des requêtes qui, après avoir lu, ne sait pas toujours bien nettement ce dont il s'agit, va faire son éducation dans le bureau

(1) L'assemblée générale avait cependant une attribution importante : elle délibérait sur les affaires contentieuses, sur le rapport du comité du contentieux.

même où le rapport a été fabriqué. Là, il cherche à s'entendre avec le rédacteur; l'un et l'autre y mettent beaucoup de bonne volonté. Le maître des requêtes prend des notes, rédige un rapport sur le rapport et en donne lecture aux six conseillers d'Etat assemblés. Chaque conseiller émet un avis différent, d'où l'on se flatte que jaillira la lumière. Un secrétaire du comité cherche à faire sortir de ces opinions diverses une sorte d'unité d'opinion sur le fond et prépare un avis qui est adressé au ministre. Son Excellence renvoie cet avis, qu'elle n'a pas toujours le temps de lire, au même bureau qui avait lancé le premier rapport, et il arrive souvent que ce bureau persiste dans ses conclusions. Mais ce dénouement n'offense nullement la section, qui, comme je vous l'ai dit, est purement consultative. Elle a donné son avis; elle est là pour l'émettre, et des suites elle s'en lave les mains. En cela, les bureaux sont à l'égard du Conseil d'Etat comme ces Léandre de comédie qui cherchent, auprès d'un oncle, des avis sur le mariage qu'ils ont envie d'accomplir. « Je ne vous le conseille pas », répond l'oncle consulté. Léandre prend femme le lendemain ».

(G. Ymbert, Mœurs administratives, Paris, 1825, t. I, p. 65).

Aussi les partisans d'un renouveau du Conseil demandaient-ils l'extension du rôle de l'assemblée générale, comme le faisait dès 1817 le chancelier Pasquier dans un rapport au Roi :

« Sire,

La nécessité de fortifier le gouvernement et d'assurer à l'autorité de puissants moyens d'action est une conséquence de la nature de nos institutions actuelles; ces institutions donnent à l'opposition une grande liberté, et l'état présent de la France lui procure une force contre laquelle il est indispensable de se prémunir... Le gouvernement a besoin, pour soutenir cette lutte, d'étendre son influence et d'être investi d'une considération qui le mette en état de prendre tous ses avantages. Il nous a paru que cette considération et cette influence dépendent surtout de l'organisation forte et imposante des Conseils de Votre Majesté...

Dans l'état actuel des choses, le Conseil privé et le Conseil d'Etat ne procurent qu'incomplètement au gouvernement de Votre Majesté ces précieux avantages...

Les mêmes motifs nous ont conduits à penser que dans les Conseils de cabinet pourraient être pareillement appelés deux conseillers d'Etat choisis de même par Votre Majesté à chaque convocation d'un conseil de ce genre. La perspective d'être appelés à un Conseil de cabinet passerait ainsi dans le Conseil d'Etat et y produirait le même résultat que parmi les membres du Conseil privé; c'est-à-dire qu'elle lierait plus intimement et plus fortement le Conseil d'Etat au système et aux principes du gouvernement de Votre Majesté...

C'est par des considérations analogues que je propose à Votre Majesté d'ordonner que les projets de lois qui devront être présentés aux Chambres, et qui, aux termes de l'ordonnance du 23 août 1815, n'étaient discutés que dans les comités particuliers du Conseil d'Etat, le seront à l'avenir, ainsi que les grandes ordonnances portant règlement en matière d'administration publique, dans le Conseil d'Etat, tous les comités réunis.

Votre Majesté sait mieux que personne que les hommes ne s'intéressent vivement qu'aux travaux auxquels ils ont coopéré, et que si l'on veut les obliger à ne rien négliger pour les faire réussir, il faut les amener à y voir leur ouvrage et leur propre affaire. C'est beaucoup de s'assurer que dès qu'un projet de loi sera présenté, dès qu'une ordonnance importante sera publiée, soixante hommes au moins, tous considérables par leur existence ou par leurs lumières, emploieront toute leur influence pour les soutenir, les faire comprendre, approuver, et au besoin les défendre. Tous les gouvernements d'Europe sentent aujourd'hui combien il y a d'avantages pour le trône à s'entourer de ces conseils qui, réunissant dans leur sein les hommes les plus capables d'un pays, sont si propres à commander ou au moins à diriger cette force de l'opinion publique qui joue un rôle si important dans le monde politique. Partout on voit s'établir et s'organiser des Conseils d'Etat à l'instar de celui de Votre Majesté... ».

(Rapport au Roi du garde des sceaux Pasquier, avril 1817, Arch. nat. BB 30, 729).

L'ordonnance du 5 novembre 1828 exauça en partie ces vœux. Elle prescrivit que de nombreuses affaires, jusque là réglées en comité de l'intérieur, seraient portées en assemblée générale. Cette mesure ne fut sans doute pas appréciée des administrations, comme en témoigne un rapport anonyme rédigé au ministère de l'intérieur en 1828 :

« D'après un relevé des affaires du comité de l'intérieur, qui devraient être portées au Conseil d'Etat, les sections réunies, suivant le classement arrêté par Son Excellence avec MM. les conseillers d'Etat Cuvier et de Balzac, leur nombre s'élève à 600, pour les dix premiers mois de cette année, environ 800 par an, pour le seul ministère de l'intérieur, et non compris les ministères du commerce, des cultes et de l'instruction publique; la moitié au moins se compose d'affaires des Ponts et Chaussées, qui sont souvent d'une instruction assez difficile et appuyées de plans dont l'exact examen est à peu près impossible dans une assemblée nombreuse et consommerait beaucoup de temps.

Le Conseil prend deux vacances dans l'année, une de 15 jours, à Pâques, et l'autre d'un mois à cinq semaines, au mois de septembre. Ainsi, dans sa plus grande activité, il ne tient pas plus de 4 séances par mois, 48 par an. Ainsi il faudrait qu'à chaque séance, il fût expédié 17 affaires, ce qui ne peut pas être. Ce qui se termine au comité en une demi-heure en exigera fréquemment 4 et 5 dans une assemblée nombreuse et peu familière avec la nature d'affaire qu'on lui soumettra. La même difficulté se présente, même dans le cas où il y aurait huit réunions du Conseil dans le mois, au lieu de quatre; jamais on ne pourra y délibérer sur huit rapports du comité. D'ailleurs, il faut remarquer, que, dans la session des chambres, six mois de l'année, les travaux du Conseil éprouveront nécessairement du ralentissement, plusieurs conseillers d'Etat, rapporteurs des affaires, étant obligés de se rendre aux Chambres, en qualité de députés, de pairs et de commissaires du Roi, et M. le Garde des sceaux étant dans la même obligation.

De là résultera un retard fâcheux dans l'expédition des affaires. Les intéressés, qui ont lieu d'être satisfaits des formes rapides adoptées au comité de l'intérieur, auront à se plaindre des délais qu'ils éprouveront à raison de la nouvelle délibération au grand Conseil. C'est surtout pour les affaires de Ponts et Chaussées que ces délais seront presque interminables; leur instruction est déjà très longue, elle excite depuis longtemps de vives réclamations, et on semblera avoir cherché un nouveau mode de la prolonger.

On croit donc qu'il serait bon, en se tenant strictement à la lettre de l'art. 14 de l'ordonnance du 5 novembre dernier, de ne transmettre au grand Conseil que les projets de lois et les règlements d'administration publique; et par règlements d'administration publique, il faudrait entendre seulement ceux qui s'étendent dans tout le Royaume, comme le règlement sur les voitures publiques, sur la longueur des moyeux, etc. Les concessions de mines ne devraient pas même y être portées. Ces affaires sont généralement d'une nature assez délicate; elles intéressent fréquemment des particuliers riches et même des personnages influents. Il peut arriver que le Conseil ne partage pas sur ces concessions l'opinion du comité, qui, on peut l'affirmer à l'avance, sera presque toujours la meilleure. Que fera le Ministre ? Suivra-t-il l'avis du comité, adoptera-t-il celui du Conseil ? On voit dans quel embarras cette délibération contradictoire le jette; s'il repousse l'avis du Conseil comme le moins bon, ceux qui y avaient gagné leur procès ne manqueront pas de faire retentir les journaux de leurs réclamations. Ils ne connaîtront pas la décision du Conseil, dira-t-on; mais un secret ne peut se garder dans une assemblée de près de cent personnes, et on en a eu plus d'un exemple. Souvent même le ministre ne pourra rien contre l'indiscrétion, ainsi qu'on l'a déjà vu.

Cependant, toutes ces affaires se traitaient au Conseil de l'Empereur. Cela est vrai. Mais le mouvement industriel était alors presque nul; peu d'établissements d'usines, de fabriques, presque point de concessions de mines, point de chemins de fer, de ponts suspendus, etc. Il y avait deux et trois séances par semaine, qui commençaient à midi et se prolongeaient jusqu'à six ou sept heures. Il était présidé par un grand dignitaire, dont c'était presque l'unique fonction, et non par un ministre déjà fort occupé des travaux de son ministère, et obligé, pendant une moitié de l'année, à assister aux débats des Chambres.

Les hommes du temps se rappellent d'ailleurs qu'il était question, en 1812, de changer le mode de porter au Conseil toutes les affaires ».

(Arch. nat. F^{1a} 270).

LE CONTENTIEUX

En l'absence d'une étude complète sur l'œuvre juridictionnelle du Conseil d'Etat de la Restauration, il est difficile d'apprécier le développement, pendant cette période, du contentieux administratif.

Edouard Laferrière, se référant à l'opinion de Cormenin (1), juge sévèrement l'action du Conseil dans ce domaine :

« Il n'est pas étonnant que le Conseil d'Etat, mis aux prises avec une situation difficile, ait été peu porté à étendre le domaine du contentieux

(1) Cormenin critiquait notamment (« Du Conseil d'Etat envisagé comme conseil et comme juridiction » chapitre III) la règle selon laquelle les affaires contentieuses étaient jugées par l'assemblée générale : « La réunion des comités de l'intérieur, des finances, de la marine, de la guerre et de la législation en assemblée générale pour juger les affaires préparées par le comité du contentieux n'offre pas aux citoyens assez de garanties de la bonté des jugements... Est-il régulier que les ministres aient séance et voix délibérative dans le Conseil où le citoyen vient attaquer leurs décisions qui blessent ses droits ? ».

administratif et se soit même montré disposé à le restreindre. La jurisprudence de cette époque révèle beaucoup de timidité. Les efforts faits par les avocats des parties pour appeler le contrôle du Conseil sur les décisions administratives ayant le caractère d'actes de puissance publique, loin d'être encouragés, sont réprimés par cette jurisprudence. C'est à elle qu'on doit les seules applications qui aient jamais été faites de l'article 49 du décret du 22 juillet 1806, qui menace d'amende et de suspension les avocats qui introduisent des pourvois téméraires, « notamment s'ils présentent comme contentieuses des affaires qui ne le sont pas ». Plusieurs arrêts de 1822 et de 1825 condamnent à l'amende des avocats qui avaient formé des recours pour excès de pouvoir contre des décisions considérées comme des actes de pure administration, non susceptibles de recours contentieux ».

(Traité de la Juridiction administrative, t. I, p. 197).

Ecrivant en 1828, le duc de Broglie — qui songeait surtout, il est vrai, à la délimitation des compétences entre les deux ordres de juridiction — se montrait plus indulgent pour l'œuvre du Conseil, auquel il n'était cependant guère favorable à cette époque :

« Ajoutez que, depuis quatorze ans, la jurisprudence du Conseil est devenue chaque jour plus libérale; qu'elle a tendu, avec une persévérance constante, à faire disparaître tout ce que les lois en vigueur, et les précédents régulièrement établis permettaient de faire disparaître d'anomalies, d'usurpations, d'empiètements; qu'elle a introduit une foule de règles restrictives, une foule de maximes sages; en un mot, qu'elle a réduit son domaine autant qu'elle a pu le réduire.

Tant s'en faut toutefois qu'elle ait réussi à souhait; les traces de l'envahissement primitif se rencontrent encore à chaque pas; et dans le nombre des règles qu'elle a posées, il n'en est aucune qui ne souffre de nombreuses et fâcheuses exceptions.

Tel est donc aujourd'hui l'état des choses ».

(Des Tribunaux administratifs ou l'introduction à l'étude de la jurisprudence administrative, Revue française, 1828, pp. 113-114) (1).

S'il ne semble pas que le contentieux administratif ait fait de 1815 à 1830 des progrès décisifs, voire même notables, en ce qui concerne les actes susceptibles d'être attaqués, les voies de recours, l'étendue du contrôle du juge, le bilan est loin cependant d'être négatif. C'est au cours de cette période qu'apparaissent, se consolident ou se perfectionnent les organes et les instruments indispensables aux progrès ultérieurs : Ordre des avocats aux Conseils ; règles de procédure ; premier recueil des arrêts du contentieux. C'est alors également que la matière des conflits d'attribution fait l'objet d'une réglementation destinée à prévenir des empiètements abusifs sur la compétence judiciaire.

L'Ordre des avocats aux conseils.

Un décret du 8 juillet 1806 avait institué un Barreau distinct auprès du Conseil d'Etat ; d'emblée, la moitié des vingt-deux charges nouvelles

(1) Cet article paru sans nom d'auteur a toujours été depuis sa publication attribué au duc de Broglie.

furent attribuées à des avocats à la Cour de cassation. La Restauration resserra le lien ainsi créé par l'Empire entre les deux Ordres. L'Ordonnance du 10 juillet 1814 porta de 22 à 60 le nombre des avocats au Conseil du Roi, en faisant entrer dans cette compagnie 37 avocats à la Cour de cassation. Enfin, l'ordonnance du 10 septembre 1817 fusionna les deux Ordres en une seule compagnie de 60 membres. Cette ordonnance mérite d'être reproduite ici : elle est demeurée depuis plus de cent cinquante ans, à peu près sans modifications, la charte d'un Ordre qui a été associé étroitement depuis ses origines à l'œuvre et à la vie du Conseil d'Etat (1) :

L'ordonnance du 10 septembre 1817 créant l'ordre des avocats aux conseils du Roi et à la Cour de cassation

LOUIS, par la grâce de Dieu, Roi de France et de Navarre,
A tous ceux qui ces présentes verront, SALUT

Vu l'article 2 de notre Ordonnance du 10 juillet 1814, qui fixe à soixante le nombre des avocats en nos Conseils,

Vu notre Ordonnance du 13 novembre 1816, portant que le titre d'Avocat en cassation et d'Avocat au Conseil, qui se trouvent réunis sur une même tête, ne seront pas séparés,

Sur le Rapport qui nous a été fait par notre Garde des sceaux, Ministre secrétaire d'Etat de la Justice,

Nous avons reconnu que postérieurement à notre ordonnance du 13 novembre 1816, qui avait pour objet de préparer la réunion du Collège des avocats à la Cour de cassation avec l'Ordre des avocats en nos Conseils, plusieurs avocats pourvus d'un seul de ces deux titres y ont réuni l'autre sur leur tête; que quelques-uns de ces titres se sont éteints par décès, par démission, ou par l'acceptation de la part de ceux qui en étaient pourvus de fonctions incompatibles; que la Chambre et le Banc syndical des deux compagnies ont pris de gré à gré des arrangements qui permettent d'opérer la réunion définitive des deux collèges sans excéder le nombre fixé par notre ordonnance du 10 juillet 1814; qu'ainsi rien ne s'oppose à l'exécution de cette mesure nécessaire à l'amélioration et au maintien de leur discipline et réclamée depuis longtemps par l'intérêt public.

A ces causes

Nous avons ordonné et ordonnons ce qui suit :

Art. 1er. — L'Ordre des Avocats en nos Conseils et le Collège des Avocats à la Cour de cassation, sont réunis sous la dénomination d'Ordre des Avocats aux Conseils du Roi et à la Cour de cassation.

Art. 2. — Ces fonctions seront désormais indivisibles.

Art. 3. — Le nombre des titulaires est irrévocablement maintenu à soixante, conformément à notre ordonnance du 10 juillet 1814.

Art. 4. — Par la suite de cette réunion, sont avocats en nos Conseils et à la Cour de cassation, les SS...

(1) Cf. ci-après, Annexe n° VI, l'Ordre des avocats aux Conseils.

Art. 5. — Pour déterminer le rang que les titulaires ci-dessus nommés doivent conserver entre eux, il sera dressé par le conseil de discipline de l'Ordre un tableau où ils seront inscrits à la date la plus ancienne de leur réception dans l'un des deux collèges réunis.

Art. 6. — Ceux qui n'ont point encore fourni le cautionnement exigé par les lois pour exercer près la Cour de cassation seront tenus de le payer en quatre termes égaux de trois mois en trois mois, à partir de la date de la présente ordonnance.

Art. 7. — Il y a pour la discipline intérieure de l'Ordre des Avocats aux Conseils et à la Cour de cassation, un conseil de discipline composé d'un président et de neuf membres. Deux de ces membres auront la qaulité de syndics, un troisième celle de secrétaire-trésorier.

Art. 8. — Le président est nommé par notre Garde des sceaux, sur la présentation de trois candidats élus à la majorité absolue des voix, par l'assemblée générale de l'Ordre.

Les neuf autres membres seront nommés directement par l'assemblée générale à la majorité absolue des suffrages.

Le Conseil choisit parmi ses membres les deux syndics et le secrétaire-trésorier.

Art. 9. — Les fonctions du président et des membres du conseil durent trois ans; en conséquence, le tiers des membres du conseil est renouvelé chaque année. Les deux premiers renouvellements annuels des membres qui seront élus cette année auront lieu par la voie du sort; aucun des membres sortants ne peut être réélu qu'après une année d'intervalle.

Cette dernière disposition n'est point applicable, pour les premières nominations à faire, aux membres du Banc syndical des avocats en cassation et de la Chambre de discipline des avocats aux conseils, actuellement en exercice.

Art. 10. — Les nominations sont faites chaque année dans la dernière semaine du mois d'août. L'assemblée générale de l'Ordre se réunit au Palais de Justice.

Art. 11. — Le président du conseil de discipline est le chef de l'Ordre, il préside l'assemblée générale; les syndics remplissent les fonctions de scrutateurs, et le trésorier celles de secrétaire. Le président est remplacé, en cas d'empêchement, par le premier ou par le second syndic, et ceux-ci par les plus âgés des membres du Conseil; les fonctions de secrétaire, en l'absence du titulaire, sont remplies par le plus jeune des membres du Conseil.

Art. 12. — L'assemblée générale ne peut voter si elle n'est pas composée au moins de la moitié plus un des membres de l'Ordre.

Le Conseil peut valablement délibérer quand les membres présents sont au nombre de six.

En cas de partage d'opinion dans le Conseil, la voix du président est prépondérante.

Art. 13. — Le Conseil prononce définitivement lorsqu'il s'agit de police et de discipline intérieure; il émet seulement un avis dans tous les autres cas; cet avis est soumis à l'homologation de notre Garde des sceaux, quand les faits ont rapport aux fonctions d'avocat aux Conseils, et à l'homologation de la Cour, lorsqu'il s'agit de faits relatifs aux fonctions des avocats près la Cour de cassation. Ces décisions ne sont pas susceptibles d'appel.

Art. 14. — Les règlements et ordonnances actuellement existant et concernant l'Ordre des avocats et les fonctions des conseils de discipline, seront observés par l'Odre des avocats en nos Conseils et à la Cour de cassation, en tout ce qui n'est pas contraire à la présente ordonnance, jusqu'à la publication d'un nouveau règlement général.

Art. 15. — Les avocats en nos Conseils et à la Cour de cassation, qui seront nommés par la suite, nous prêteront serment entre les mains de notre Garde des sceaux, ministre de la justice.

Art. 16. — Notre Garde des sceaux, ministre et secrétaire d'Etat au département de la justice, est chargé de l'exécution de la présente ordonnance.

(Duvergier, t. XXI, pp. 216, sq).

Les règles de procédure.

Le décret du 22 juillet 1806 contenant règlement des affaires contentieuses portées au Conseil d'Etat ne fut pas modifié pendant la Restauration. Les réformes importantes en la matière — caractère contradictoire de la procédure, publicité des audiences — n'interviendront qu'au début de la Monarchie de Juillet. Mais, de 1815 à 1830, le Conseil d'Etat, ou plus exactement le comité du contentieux, tint la main avec une rigueur, semble-t-il croissante, au respect des règles de procédure. La discipline ainsi imposée à la fois aux requérants, à leurs avocats et au juge contribua sans doute à rendre plus précis et plus efficace le contrôle exercé par celui-ci. Les documents ci-dessous appartenant aux archives du Conseil de l'Ordre des avocats au Conseil fournissent un bon exemple de l'action menée en ce sens par le Conseil d'Etat et par cet Ordre :

Lettre du secrétaire du Conseil de l'Ordre des avocats aux membres de celui-ci :

Paris, ce 26 avril 1828

« Monsieur et très honoré confrère,

En exécution de l'arrêté pris par le Conseil dans la séance de ce jour, je m'empresse de vous transmettre copie :

1) de la lettre écrite, le 21 de ce mois, au président de notre Ordre, par Monseigneur le Garde des sceaux,

2) Un avis du comité du contentieux, relatif aux pourvois formés par requête sommaire.

Le Conseil vous invite expressément à vouloir bien vous conformer aux dispositions contenues dans l'avis du comité.

J'ai l'honneur d'être avec un sincère attachement,

Monsieur et très honoré confrère,

Votre dévoué confrère
J.H.F. Rochelle
Secrétaire du Conseil »

Lettre de Monseigneur le Garde des sceaux, à M. Gérardin, président de l'Ordre des avocats aux Conseils.

Paris 21 avril 1828

« Monsieur, j'ai l'honneur de vous adresser un avis du comité du contentieux que j'ai approuvé, relatif à l'introduction des requêtes sommaires.

Je vous prie d'en donner connaissance à MM. les avocats aux Conseils et de les inviter à s'y conformer.

Agréez, Monsieur, l'assurance de ma considération distinguée.

Le Garde des Sceaux, Ministre de la Justice
Signé : H. de SERRE »

Extrait du registre des délibérations du comité du contentieux.

Le comité du contentieux,

Vu l'article premier du règlement du 22 juillet 1806 concu en ces termes : « le recours des parties au Conseil d'Etat en matière contentieuse sera formé par requête signée d'un avocat aux Conseils; elle contiendra l'exposé sommaire des faits et des moyens, les conclusions, les noms et demeures des parties, l'énonciation des pièces dont on entend se servir et qui y seront jointes ».

Considérant que dans un grand nombre d'instances, par un abus qui s'accroît tous les jours, la requête introductive, au lieu d'un exposé sommaire des faits et moyens, appuyé des pièces ainsi que le prescrit l'art. premier du règlement ci-dessus visé, ne contient plus, sous la dénomination de requête sommaire, qu'une formule de pourvoi, dans laquelle les conclusions se réduisent à demander l'annulation de la décision attaquée, sans que cette demande soit justifiée par aucun exposé des faits et moyens, ni par aucune production de pièces à l'appui; que quelquefois même la décision attaquée n'est pas jointe, ou ne l'est pas telle qu'elle a été notifiée;

Que la requête sommaire, ainsi réduite en formule, n'a pour but que d'interrompre la prescription et ne fait qu'exprimer dans le délai du règlement l'intention où est le requérant de se pourvoir;

Que le pourvoi, dans les formes prescrites par l'art. premier du règlement, n'est réellement fait ou complété souvent qu'après de longs délais et par une seconde requête annoncée et produite sous la dénomination de requête ampliative;

Que, lorsque les requêtes introductives sont tellement sommaires et destituées de pièces justificatives, il est impossible au comité de vérifier si le pourvoi est admissible, s'il doit être communiqué et à qui il doit l'être, ou s'il se trouve dans un des cas de rejet immédiat;

Que les délais accordés pour la production de la requête ampliative sont une extension des délais accordés par le règlement pour l'introduction et la communication des pourvois, qu'il en résulte une véritable infraction du règlement, qui tend à effacer les sages limites où il a circonscrit l'action contentieuse dans l'intérêt de l'Etat et des familles;

Est d'avis :

1) que dans le cas où le requérant, par des causes indépendantes de sa volonté, ne pourrait présenter à l'appui de sa requête introductive ni la décision attaquée, ni les pièces justificatives de l'instance, ni un exposé sommaire des faits et moyens qui en dérivent, il doit justifier de cet empêchement et demander un délai fixe pour la production de sa requête ampliative, et que cette justification et cette demande doivent être faites et vérifiées dans chaque espèce;

2) que si, au contraire, la requête introductive se borne à manifester l'intention d'un pourvoi, sans y joindre ni la décision attaquée, ni pièces à l'appui, et sans y exposer ni faits ni moyens, il y a lieu alors pour le maître des requêtes rapporteur d'examiner si la requête doit ou non être rejetée faute de justification du pourvoi;

3) que néanmoins, il n'y a lieu à faire application des règles ci-dessus mentionnées qu'après les avoir rappelées à l'Ordre des avocats aux Conseils, en la personne de son président, avec invitation de s'y conformer à l'avenir;

4) que le présent avis soit soumis à l'approbation de Mgr. le Garde des sceaux.

vice-président du comité du contentieux
Le conseiller d'Etat,
Signé : Alexandre ALLENT

La publication des arrêts du Conseil.

Les premiers efforts de publication spécifique des ordonnances royales en matière contentieuse furent l'œuvre de Macarel, avocat au Conseil de 1822 à 1827, puis membre du Conseil d'Etat après 1830 et de Jean-Baptiste Sirey, avocat au Conseil de 1800 à 1836. Macarel publia en 1818, sous le titre « Eléments de jurisprudence administrative », un tableau méthodique des décisions du Conseil d'Etat en matière contentieuse ; Sirey publia la même année un recueil de ces décisions en quatre volumes. Mais, comme l'a exposé Macarel, alors avocat à la Cour royale, dans un article à la « Bibliothèque des Jurisconsultes » de 1819 que l'on trouvera reproduit en partie ci-après, ces premières publications avaient l'inconvénient de n'être point périodiques. Et l'auteur insistait sur l'opportunité de la création d'un bulletin officiel administratif, faisant pendant à celui qiu existait déjà pour les arrêts de la Cour de cassation :

« En matière administrative, la législation est un amas de lois confuses et indigestes, d'arrêtés du gouvernement, de décrets et d'ordonnances, dont les dispositions sont plus souvent contradictoires, dont l'application est singulièrement ardue et dont la force obligatoire n'est quelquefois ni légalement consentie, ni clairement déterminée.

La jurisprudence vaut mieux que la législation, quoiqu'elle participe du même vice, puisqu'elle est née de son application. Mais cette jurisprudence est encore généralement inconnue aux citoyens, soit parce que les audiences du Conseil sont secrètes, soit parce qu'aucun recueil officiel ou même public n'en contenait les actes, à l'exception de quelques décrets ou ordonnances jetés de loin en loin dans le chaos du Bulletin des Lois.

Elle était également inconnue aux préfets, aux conseils de préfecture, aux administrations générales et aux ministres, parce qu'il ne leur est transmis d'autres ordonnances que celles qui confirment ou annulent leurs décisions, sur l'appel des parties. Ils ignoraient, par conséquent, le système et l'ensemble des décrets ou ordonnances qui forment et complètent la jurisprudence de chaque matière; et, dans cette ignorance, ils rendaient une foule de décisions involontairement erronées, qui entraînaient beaucoup de frais pour les parties, de complications inutiles dans les opérations administratives, et des lenteurs, quelquefois irréparables et toujours fâcheuses, dans la distribution de la justice.

Les graves inconvénients que nous venons de signaler faisaient sentir avec force la double nécessité de bien ordonner la jurisprudence administrative et de la faire connaître.

Ce que l'administration publique n'avait pas encore eu la pensée ou le temps de faire, les efforts particuliers l'ont en partie tenté.

(Macarel cite ici le recueil de Sirey et ses propres « Eléments de justice administrative »).

Le succès de ces deux ouvrages a prouvé combien le public a besoin de documents sur cette importante matière.

Ne pourrait-on pas améliorer cette utile ébauche ?

Nous pensons que cet objet pourrait être parfaitement rempli par la rédaction d'un « Bulletin administratif officiel ».

L'avantage de ce bulletin ne saurait être contesté. Toute la magistrature sait quels services a rendus celui que les lois des 28 vendémiaire an V et 22 ventôse an VII ont établi pour l'insertion officielle des arrêts de la Cour de Cassation.

On n'insérerait, dans ce bulletin, qu'un choix d'ordonnances d'un intérêt général et qui introduiraient une nouvelle jurisprudence ou consacreraient, avec plus de force et de netteté, les règles de l'ancienne.

Il est permis de croire que l'un des principaux avantages de ce bulletin serait de diminuer les procès, en découvrant aux parties la limite de leurs droits et traçant la marche qu'elles doivent suivre selon les différents cas, en éclairant les conseils de préfecture sur la nature de leurs attributions et sur les règles de la compétence et du fond, qu'ils doivent appliquer selon les différentes matières.

Il aurait aussi pour but et pour effet d'améliorer la jurisprudence, en répandant, au sein même du Conseil d'Etat, la connaissance exacte des règles qu'il applique. Car il ne faut pas se dissimuler que les comités de la marine, des finances, de l'intérieur et de la guerre, qui se réunissent à celui du contentieux pour délibérer sur les projets d'ordonnance que seul il a préparés, n'ont pas toujours et ne peuvent avoir une connaissance très sûre et très fidèle des règles de cette législation toute spéciale et de cette jurisprudence toute secrète qui gouvernent le comité du contentieux. Sans doute, il y a plusieurs membres du Conseil dont l'esprit étendu et flexible se plie à l'aride investigation des matières contentieuses, ou qui en ont appris les règles en maniant avec succès, pendant un grand nombre d'années, les emplois les plus élevés et les plus différents de l'administration publique. Mais cette aptitude, qui sera toujours très rare, n'empêche pas qu'en thèse générale il semble difficile que les membres du Conseil puissent s'initier à la connaissance des matières contentieuses sur la lecture rapide des ordonnances proposées par le comité du contentieux. Le bulletin aurait donc, pour les membres du Conseil, le précieux avantage de suppléer aux brièvetés et à l'insuffisance de la délibération, et de rendre la connaissance des règles du contentieux plus intelligible et plus générale, et leur application plus exacte.

Nous savons que le projet de la rédaction d'un semblable bulletin a été présenté à son Excellence le ministre de la justice, qui sans doute appréciera, dans sa sagesse, ce que les vues de son auteur peuvent avoir de faux ou de vrai, de convenable ou d'intempestif.

Les ministres d'un gouvernement constitutionnel, qui ne peuvent et ne doivent fonder leurs décisions que sur les dispositions précises des lois ou sur les principes de l'exacte justice, n'ont presque jamais d'intérêt à cacher des décisions dans l'ombre, comme les ministres des gouvernements absolus. Quelquefois sans doute des motifs de politique ou de convenance peuvent commander le secret; mais ces rares exceptions confirment la règle.

Nous croyons qu'en thèse générale, cette publication raisonnée et officielle des ordonnances royales en matière contentieuse serait avantageuse à tous; qu'elle apprendrait aux citoyens leurs droits et leurs devoirs en cette partie, et qu'elle éclairerait la marche générale de l'administration.

Ne justifierait-elle pas aussi le gouvernement des reproches de faveur et d'arbitraire, que la malveillance adresse parfois à ses jugements ?

N'améliorerait-elle pas la distribution de la justice administrative ?

Ne lui donnerait-elle pas enfin un peu de cette précieuse publicité qui est, avec l'indépendance de ses juges, le seul avantage que la justice civile ait sur elle ?

Nous nous sommes peut-être un peu trop étendus sur cet objet : mais l'importance de la matière nous a paru telle, que nous n'avons pas cru devoir lui donner de moindres développements... »

(Macarel, Revue critique de législation et de jurisprudence Thémis, Bibliothèque des Jurisconsultes, Année 1819, t. I)

Le souhait de Macarel et ses sages représentations ne furent point entendus par le ministre de la justice, peut-être moins soucieux que lui des principes devant régir « un gouvernement constitutionnel ». Et une fois de plus « ce que l'administration publique » n'avait pas voulu faire, « les efforts particuliers l'ont tenté » : trois ans après la parution de son article, en 1821, Macarel entreprit lui-même la publication périodique du recueil des arrêts du Conseil d'Etat, qui devait devenir l'instrument de travail de tant de juristes et faire connaître les conclusions des grands commissaires du gouvernement. Macarel étant devenu avocat aux Conseils en 1822, son entreprise fut poursuivie jusqu'en 1947 par ses successeurs en charge : Deloche, Beaucousin, Lebon — dont la pratique attacha le nom à ce recueil — Halays-Dabot, Panhard père, Panhard fils et Chalvon-Demersay.

La réglementation des conflits.

L'abus des conflits fut sous la Restauration l'un des principaux griefs de l'opinion libérale contre le Conseil d'Etat qui en était le juge. Le nombre des conflits qui n'avait pas excédé quarante en moyenne dans les premières années de la Restauration, dépassa la centaine pour l'année 1827 et les premiers mois de l'année 1828.

En janvier 1828 fut constituée une commission présidée par Henrion de Pansey, formée de membres du Conseil d'Etat et de hauts magistrats ; Cormenin fut désigné comme rapporteur.

Cormenin présenta à la première séance de cette commission, le 2 février, un rapport dont sont extraits les passages suivants :

« M. le rapporteur rappelle d'abord la législation relative aux conflits. Il cite le texte des lois et arrêtés des 24 août, 11 septembre, 14 octobre 1790, 16 et 21 fructidor, an III, 5 nivôse an VIII, 13 brumaire an X.

M. le rapporteur fait ensuite connaître à la commission l'état de la jurisprudence en matière de conflit, sous le Directoire, sous le Consulat, l'Empire et la Restauration.

Cette première partie de son rapport terminée, M. le vicomte de Cormenin recherche quelle est la cause de la réprobation des conflits.

Il la trouve dans les considérations suivantes :

1) Le Gouvernement revendique par la voie du conflit une foule immense de questions contentieuses de toute nature qui constituent de véritables procès, et il devient ensuite juge et partie dans sa propre cause. L'organisation actuelle du Conseil d'Etat n'offre pas assez de garanties.

2) Les attributions de l'autorité administrative ne sont ni classées ni définies. Elles dérivent de lois, de règlements extérieurs ou intérieurs, de décisions ministérielles, d'arrêtés locaux, d'actes informes de toute espèce, tantôt promulgués, tantôt inédits, dont ni les administrateurs, ni les juges, ne connaissent bien précisément ni la nature, ni l'autorité, ni les effets, ni les limites, et qui servent néanmoins de prétexte au conflit.

3) Quelquefois des préfets qui ignorent le droit civil et le droit administratif laissent surprendre par leur bureaux ou rédiger par un commis des arrêtés de revendication qui sont ou prématurés, ou tardifs, ou sans objet, qui coupent imprudemment la marche de la justice, et qui heurtent les tribunaux par la rudesse de leurs injonctions.

4) Le Conseil d'Etat a, par application des textes du Code Civil et des maximes des jurisconsultes, décidé, sous le prétexte de leur liaison avec des questions accessoires de contributions, de véritables questions de titres, de droit, de capacité, dont les tribunaux seuls devaient préalablement connaître; et ces interprétations administratives ont été d'autant plus mal accueillies qu'elles ont presque toujours repoussé l'électeur et qu'elles paraissent ainsi données dans le seul intérêt du pouvoir et en opposition avec l'esprit doux et libéral de la Charte.

5) Le conflit renouvelle des contestations terminées par des jugements et arrêtés qui ont acquis la force de la chose jugée.

6) En se proclamant directeur de l'intelligence et propriétaire de la conscience de tous les agents révocables, le Gouvernement a détourné lui-même la confiance que les citoyens pouvaient placer dans la distribution de la justice administrative et il a rendu le conflit odieux.

Il est donc évident, ajoute M. le rapporteur, que les conflits s'étendent sur un trop grand nombre de matières, qu'ils ne sont pas assez limités dans leur exercice, et qu'ils sont trop imparfaits à la fois et trop lents dans leur instruction...

Ne faut-il pas en corriger l'abus ? Telle est la question que M. le rapporteur s'adresse, et pour l'examiner complètement, il la partage dans les trois grandes divisions suivantes :

1) Comment le conflit doit-il être élevé, et dans quel délai doit-il être instruit et jugé ?

2) Quelles matières pourraient être soustraites à son action ?

3) Peut-il être élevé sur tous jugements et en tout état de cause ?...

M. de Cormenin termine son rapport par indiquer des moyens auxiliaires qui pourraient, selon lui, concourir à l'amélioration de la législation des conflits.

Ces moyens sont :

1) Etablir pour les candidats de l'administration préfectorale des degrés d'avancement et des conditions d'aptitude, comme il en existe pour les candidats de toutes les autres branches du service public, et soumettre les préfets, sous-préfets, les conseillers de préfecture et les procureurs du roi, à la justification d'un diplôme de licencié en droit, et d'une année du cours de droit administratif.

Si les préfets étaient licenciés en droit, ils n'élèveraient pas par ignorance le conflit sur des assignations et des jugements qui n'ont pour objet que des questions purement judiciaires.

Si les procureurs du Roi connaissaient mieux le droit administratif, ils seraient plus attentifs, soit à requérir le renvoi devant l'autorité administrative des questions qui lui appartiennent, soit à avertir à temps le préfet.

Il ne suffit pas, en effet, d'avoir de bonnes lois, il faut de bons agents pour les appliquer.

2) Restaurer dans les écoles la chaire de droit administratif.

3) Développer dans deux instructions travaillées et qui serviraient de guide aux préfets et aux officiers du Ministère public les principes que la commission adoptera.

Après la lecture de son rapport, M. le vicomte de Cormenin fait connaître à la commission le projet d'ordonnance suivant... »

(Arch. nat. BB¹⁷ A 59).

Le projet élaboré par la commission devint l'ordonnance du 1er juin 1828 qui tenta de remédier aux abus dénoncés en soumettant à des règles de fond et de forme beaucoup plus strictes l'élévation du conflit par l'autorité administrative. Mais il ne semble pas que les recommandations du rapport de Cormenin sur l'enseignement du droit administratif aient été suivies d'effets.

IV

LES CONTROVERSES SUR LE CONSEIL D'ÉTAT DE 1815 A 1830

L'arrêt de la Cour royale de Nancy du 2 février 1828 — Les discussions à la Chambre en 1828 — Attaques des députés Devaux et Dupin aîné contre le Conseil défendu par Portalis, garde des sceaux, et Hély d'Oissel — La « constitutionnalité » et la « légalité » du Conseil d'Etat — Son utilité généralement admise comme organe de législation et d'administration — Son rôle juridictionnel sévèrement contesté — Projet de loi présenté en 1830 par une commission de conseillers d'Etat.

« Depuis quelque temps on attaque l'existence du Conseil d'Etat. Mais comme il est permis d'attaquer le Conseil, il est sans doute aussi permis de le défendre », écrivait en 1818 Cormenin (1) et il continuait en énumérant les principales objections dirigées contre lui : « On soutient : que le Conseil d'Etat est une institution contraire à la Charte ; qu'il est dangereux dans un gouvernement représentatif ; qu'il n'est pas utile au Ministère ; qu'il est trop nombreux ; qu'il est trop payé ».

Il résumait bien ainsi les principaux éléments d'une controverse qui commença dès le début de la Restauration, qui n'avait pas pris fin lorsqu'éclata la Révolution de juillet et qui tint alors une grande place au Parlement, dans la presse et dans la doctrine.

Controverse qui ne fut pas purement théorique. Dans la session de 1829, au cours de la discussion du budget, la proposition fut faite de rejeter les crédits demandés pour le Conseil d'Etat ; ils ne furent votés après deux jours de débats que sur l'engagement pris par le Gouvernement de présenter un projet de loi organisant le Conseil d'Etat.

Les tribunaux y furent également mêlés. Plusieurs cours royales — dont les arrêts furent d'ailleurs cassés — dénièrent tout pouvoir contentieux au Conseil d'Etat, jugé par elles dépourvu d'existence légale. La plus notable des décisions en ce sens fut rendue par la Cour royale de Nancy le 2 février 1828. Le tribunal correctionnel de Nancy s'était

---

(1) « Du Conseil d'Etat envisagé comme conseil et comme juridiction », Paris 1818. Sur les controverses concernant le Conseil d'Etat, cf. notamment : L.A. Macarel, Des tribunaux administratifs, Paris, Au bureau du recueil des arrêts du Conseil d'Etat, 28, rue des Grands Augustins, 1828, notamment pp. 325 à 525.
Archives parlementaires — Seconde Restauration.
Chambre des Députés
27.5.1819 pp. 616 à 625
15.5.1827 pp. 36 à 40
8.4.1828 pp. 221 à 247
10.4.1828 pp. 258 à 265
26.6.1828 pp. 365 à 372

déclaré incompétent pour statuer sur des poursuites dirigées contre un curé en raison de propos diffamatoires tenus en chaire, au motif que ces poursuites devaient être autorisées par le Conseil d'Etat en vertu des articles organiques (Loi 18 germinal an X). Sur appel, la Cour royale se reconnut compétente et cassa le jugement en motivant ainsi :

> « Considérant que le Conseil d'Etat avait, sous le gouvernement intermédiaire (1), des attributions légales qu'il n'a pas conservées sous la Charte; qu'aujourd'hui ses membres sont révocables à volonté et qu'aucune loi ne leur donne le droit de participer au pouvoir judiciaire et par conséquent de prononcer sur une contestation entre particuliers... » (2).

Aucun aspect du problème ne fut laissé dans l'ombre au cours de cette controverse. Le Conseil d'Etat a-t-il ou non une existence constitutionnelle, ou du moins légale ? Faut-il ou non le supprimer ? S'il est maintenu, doit-on lui conserver ses attributions juridictionnelles ? Si celles-ci lui sont retirées, à quel organe doit-on les transférer, tribunaux judiciaires, Conseil des ministres, Conseil des parties, Haut Tribunal administratif à créer ? L'inamovibilité doit-elle être conférée aux membres du Conseil, ou du moins à ceux qui composent le comité du contentieux ? Toutes ces questions furent longuement discutées au cours de débats qui après 150 ans n'ont pas perdu leur intérêt.

Les propositions faites en réponse à ces questions furent variées : suppression du Conseil ; création en son sein de deux sections distinctes, dont celle chargée de juger aurait été formée de conseillers inamovibles ; transfert de ses compétences juridictionnelles à d'autres organes.

Les adversaires les plus ardents du Conseil appartenaient à l'extrême droite et à la gauche, mais une large fraction de l'opinion libérale modérée lui était peu favorable.

Les gouvernements qui se succédèrent sous Louis XVIII et sous Charles X défendirent tous le Conseil et il est piquant de noter que des hommes politiques adversaires du Conseil lorsqu'ils se trouvaient dans l'opposition — tels Villèle ou Corbières — se prononcèrent en sa faveur lorsqu'ils furent parvenus au pouvoir.

L'EXISTENCE CONSTITUTIONNELLE ET LÉGALE DU CONSEIL D'ÉTAT

Dans le rapport présenté à la Chambre le 26 juin 1828, au nom de la commission nommée pour l'examen d'une proposition tendant à régler les attributions du Conseil d'Etat, M. Hély d'Oissel résumait ainsi les arguments de ceux qui en niaient l'existence constitutionnelle et légale :

---

(1) C. à d. sous l'Empire.

(2) Recueil des arrrêts de la Cour de Cassation. Première partie — Année 1828, p. 196.

« Sur quoi donc se fonde-t-on pour nier la légalité du Conseil d'Etat ? On prétend qu'il ne doit sa création qu'à l'acte constitutionnel du 22 frimaire an VIII, que nous venons de citer, et que cet acte ayant été annulé par la publication de la Charte, le Conseil sur lequel la Charte garde le silence n'a pu recevoir une existence légale de l'ordonnance du 29 juin 1814, ou des ordonnances des 23 août et 19 septembre 1815 et du 19 avril 1817. »

(Arch. parl. Ch. Dép. 26-6-1828, p. 367).

Certains partisans de cette thèse la soutenaient avec une vigueur qui confinait à la violence. Ainsi M. Devaux, député du Cher, au cours de la séance de la Chambre du 9 avril 1828 :

« Messieurs, je vais vous dire un mot sur un sujet qui épuiserait des volumes. Le Conseil d'Etat trouble l'ordre constitutionnel, par cela même qu'il n'y est pas inscrit. Il existe sous deux rapports : comme conseil et comme juridiction; comme conseil, il a perdu son titre primordial de Conseil d'Etat, puisqu'il ne délibère plus sous la direction du chef de l'Etat.

Il n'est pas élevé à la dignité d'une institution, car il n'est plus rattaché au corps de la nation, comme, à sa naissance consulaire, par la nécessité de sortir du sein des notabilités nationales.

Il est descendu à la qualité de simple créature du pouvoir ministériel, qui en exclut ou y introduit qui lui plaît; il n'a pas d'attributions nécessaires dans les travaux préparatoires de la législation, car on voit souvent des commissions législatives heureusement choisies hors de son sein. C'est un instrument pour usurper sur la puissance législative par ses avis interprétatifs et par ses résolutions sur des matières législatives. Il n'a plus rien, comme conseil, de ce qui le rendait utile à l'Empire; mais il a bien conservé tout ce qui peut être préjudiciable à la monarchie constitutionnelle. Aussi a-t-il bien retenu cette dotation consulaire de l'article 75, asile fameux d'impunité pour tous les abus de pouvoir, véritable contre-lettre impériale des garanties écrites dans la Charte de la Restauration.

Comme juridiction, les attributions du Conseil d'Etat, disséminées dans une immense quantité de lois, de décrets, de sénatus-consultes, d'ordonnances, de règlements, d'avis, de décisions, édits et inédits, sont un problème dont l'exacte solution est impossible. Sa juridiction élastique s'étend ou se resserre au gré du pouvoir exécutif qui le fait mouvoir, et la raison du conflit est toujours là, soit pour dépouiller la justice régulière de ses attributions, soit même pour exproprier les citoyens de l'autorité de la chose jugée. Comme conseil et comme juridiction, il viole également les principes constitutionnels.

Les arrêts du Conseil sont présumés émaner du prince qui les signe, et le prince ne doit pas juger. Les arrêts du Conseil sont rendus par un tribunal amovible dans son ensemble et dans chacun de ses membres, et la Charte réprouve littéralement les commissions temporaires et révocables.

Le Conseil d'Etat exerce cette puissance perturbatrice de l'ordre légal, sans responsabilité collective, puisqu'il ne forme pas un corps constitué, une personne morale douée de vie et de mouvement par la loi distributive des pouvoirs publics; sans responsabilité individuelle, car il opère dans le secret, qui s'étend jusqu'au nom de ceux qui concourent à ses délibérations.

L'ordre légal est promis à la France, et l'ordre légal exige que la sagesse du législateur trace d'une main ferme la limite des pouvoirs. L'ordre légal doit imiter, autant que la faiblesse de l'intelligence humaine le permet, cette harmonie des corps célestes irrévocablement enchaînés dans leur orbite.

La proposition de fixer les attributions du Conseil d'Etat tient donc au fondement de l'ordre constitutionnel; les esprits peuvent varier sur le système de ses attributions, mais il me paraît impossible de différer de sentiment sur la nécessité de purger notre ordre légal de cette grande anomalie du Conseil d'Etat ».

(Arch. parl., Ch. dép. 9.4.1828, pp. 244-245).

A la séance du lendemain, M. Dupin aîné reprenait le même thème en des termes analogues :

« Le Conseil d'Etat de l'an VIII a été une espèce de divan impérial; dans les mains de son chef, il est devenu un instrument actif d'usurpation de tous les pouvoirs, de destruction de toutes nos libertés. C'était le noyau de ce vaste système de centralisation qui a tout absorbé et que nous sommes encore réduits à déplorer.

Si vous voulez en avoir une juste idée, rappelez-vous ce que vous a dit M. le Garde des sceaux lui-même tout récemment, dans votre séance du 25 mars, en vous présentant le projet de loi sur l'interprétation des lois après le double recours en cassation :

« Conformément à la loi politique de cette époque, un Conseil d'Etat placé auprès du gouvernement faisait partie intégrante de son organisation constitutionnelle et même du pouvoir législatif, car son intervention était indispensable dans la préparation des projets de loi, et ses membres pouvaient seuls les porter et les défendre lorsqu'ils étaient proposés à l'acceptation du Corps législatif. Les règlements d'administration publique étaient délibérés dans ce Conseil... Il existait une étroite liaison entre les dispositions de la loi du 16 septembre 1807 (sur l'interprétation des lois) et cette institution politique ».

Or, tout cela, je le dis avec une conviction entière, tout cela est devenu incompatible avec le gouvernement représentatif et constitutionnel fondé par la Charte de 1814 ».

(Arch. parl., Ch. Dép. séance 10.4.1828, pp. 258-259).

Au cours des débats de cette session, le comte Portalis, garde des sceaux, reprenant les arguments habituels des gouvernements de l'époque — souvent présentés devant la Chambre par Cuvier — défendait la thèse inverse :

« Messieurs, je crois devoir prendre la parole dans cette discussion, et parce que je suis appelé par mes fonctions à la présidence du Conseil d'Etat, et parce que j'ai été membre de ce Conseil pendant plus de douze ans, je soumettrai à la Chambre quelques observations générales sur la nature de l'institution et sur son existence : c'est, je crois, le meilleur moyen de répondre aux vives attaques dont elle vient d'être l'objet.

Le Conseil d'Etat, a-t-on dit, n'est point dans la Charte; il trouble l'ordre constitutionnel; comme conseil, il a perdu son titre primordial de Conseil d'Etat, puisqu'il ne délibère plus sous la direction du chef de l'Etat; comme juridiction, les attributions du Conseil, disséminées dans une immense quantité de lois, de décrets, de sénatus-consultes, etc. sont un problème dont l'exacte solution est impossible.

Si je laissais de telles assertions sans réponse, j'accepterais la responsabilité d'avoir concouru pendant une longue suite d'années à des actes illégaux et arbitraires; je l'accepterais pour mes savants et honorables collègues; or, c'est ce qui est impossible.

Le Conseil d'Etat, auquel je me glorifie d'appartenir, est constitué et reconnu par la loi, comme il a l'honneur d'être investi de la confiance du roi, et, quelles que puissent être son organisation, sa forme et les limites de sa compétence, une institution analogue est inhérente à la forme du gouvernement que nous devons à la bonté de nos rois.

Par sa nature elle est essentiellement monarchique. On ne saurait concevoir la royauté sans conseils. Avant que d'ordonner, il faut que le monarque s'informe, il faut que sa religion s'éclaire encore avant qu'il manifeste sa volonté et qu'elle soit réduite en acte.

Elle est essentiellement constitutionnelle, car dans cet heureux système de gouvernement, tout est conseil, tout est délibération, et l'unité elle-même prend quelque chose de multiple et de composé.

Mais le Conseil d'Etat n'est pas seulement dans la nature de nos institutions, il est encore écrit dans des lois positives. Il ne faut pas s'arrêter exclusivement à la constitution de l'an VIII, que l'on ne cite jamais que pour prouver qu'elle a été abrogée par la Charte; il faut encore rappeler le décret du mois de juin 1806 sur le Conseil d'Etat, qui a force de loi. Or il est de principe dans nos tribunaux que les décrets ont force de loi, lorsqu'ils ont statué sur des matières législatives, et le double vice de leur origine est couvert par la nécessité.

Notre droit public n'admet point l'abrogation tacite des dispositions législatives. Parmi nous une loi vit et doit être exécutée tant qu'une autre loi n'en a point autrement disposé; l'intérêt de l'Etat le commande. Où en serions-nous si nous répudions avec imprudence et légèreté la législation antérieure à la Restauration ? La société désarmée se verrait livrée sans défense aux désordres, aux abus, aux délits de toute nature; il faut subir comme une nécessité le joug de ces actes; n'invoque-t-on pas tous les jours devant les tribunaux les décrets de la Convention, les actes de l'Assemblée constituante ? Et peu importe qu'ils s'appellent décrets ou lois, il n'y a personne qui ne sache que tous les pouvoirs étaient tellement confondus que souvent ces assemblées s'immiscèrent non seulement dans les actes de l'administration, mais encore dans les jugements : c'est ainsi que plus tard le chef du gouvernement usurpa dans ses décrets la puissance législative.

Il ne faut donc pas examiner si la juridiction administrative a été constituée par un acte intitulé loi ou décret; elle l'a été par une loi puisque les dispositions qui la concernent étaient législatives, et cette loi est encore vivante.

On a souvent invoqué dans cette enceinte l'ordre légal. Eh bien ! Messieurs, sur ce point, il faut s'entendre; nous devons tous vouloir, nous voulons tous l'ordre légal, sans doute; mais cette volonté est incompatible avec le droit qu'on s'arroge assez souvent d'interroger les lois, de les condamner et de choisir entre elles celles qui conviennent pour en composer un ordre légal d'où l'on repousse celles que l'on n'approuve pas. C'est l'exécution pleine et entière des lois existantes et non abrogées qui constitue l'ordre légal. Quant à moi, c'est celui que je concourrai à maintenir de tout mon pouvoir. S'il y a des lois parmi celles qui nous régissent qui soient peu en harmonie avec la Charte, que le législateur les abroge, il le peut; mais tant qu'elles existent, elles entrent dans l'ordre légal : elles commandent l'obéissance et le respect.

Au reste, l'existence du Conseil d'Etat a été reconnue depuis la promulgation de la Charte; les lois des 5 décembre 1814, 5 février 1817, 2 mai 1827 et tant d'autres le considèrent comme investi d'une partie essentielle de la juridiction administrative. »

(Arch. parl. Ch. dép. 9.4.1828, pp. 245-246).

DU CONSEIL D'ÉTAT COMME ORGANE DE LÉGISLATION ET D'ADMINISTRATION

C'est en cette qualité que le rôle du Conseil fut le moins contesté. M. Hély d'Oissel dans son rapport précité estimait cependant nécessaire de réfuter les objections qui pouvaient être faites sur ce point :

« On peut objecter que, si le secours de nombreux employés est indispensable aux ministres et ne peut leur être refusé sans injustice, il n'en est pas ainsi de l'assistance d'un Conseil d'Etat, qui semble en quelque sorte faire double emploi avec les bureaux, et qui est exposé par là à perdre beaucoup de la considération dont il a besoin et qui doit s'attacher à la position élevée qu'il occupe.

Il a paru à votre commission que tous les bons esprits devaient s'accorder à reconnaître qu'il n'y a pas, qu'il ne saurait y avoir dans les bureaux où se fait le premier examen des affaires cette discussion, cette délibération qui permettent d'envisager une question sous toutes ses faces, et desquelles on voit souvent jaillir des vérités inaperçues jusque-là.

Les rapports, les projets de décisions ou d'ordonnances sont habituellement préparés et rédigés par un seul employé, revus presque toujours très rapidement par un chef à qui le mouvement et la multiplicité des affaires ne permettent pas de consacrer beaucoup de temps à chacune, et mis sous les yeux du ministre, auquel il est bien moins permis encore d'en faire l'objet d'une longue et sérieuse méditation et qui peut avoir ainsi sa réputation et parfois son honneur incessamment compromis.

Loin de nous la pensée de chercher à jeter quelque défaveur sur la classe éclairée, laborieuse, estimable à tant d'égards, des employés des administrations; mais cependant qui peut répondre que tel homme, s'occupant isolément d'une affaire, n'aura pas ouvert un faux avis, par irréflexion, par précipitation, par défaut de jugement, par ignorance peut-être ? Qui peut répondre que tel autre, ébranlé par l'appât de promesses séduisantes, par les sollicitations, par les tentations dont l'intrigue ne cesse d'obséder les bureaux, n'aura pas fait taire un moment la voix de sa conscience et négligé de faire ressortir les considérations qui auraient commandé une décision opposée à celle qu'il propose ?

Aucun de ces dangers n'est à redouter, si, avant de prendre une détermination, le ministre a la faculté de soumettre la décision qui lui est proposée à l'examen et au contrôle du comité spécialement attaché à son département.

Les comités du Conseil d'Etat sont presque toujours composés de dix à douze membres, choisis, en général, parmi les personnes exercées aux affaires, et auxquelles leur éducation, leur fortune, la considération dont elles jouissent dans la société imposent le besoin de se montrer dignes de cette considération, et permettent l'indépendance. Après une discussion approfondie dans le sein d'un comité ainsi composé, peut-on raisonnablement admettre qu'une négligence des autorités inférieures ne sera pas relevée ? Qu'une erreur ou une infidélité dans le travail préparatoire des bureaux ne sera pas aperçue et signalée ?

Si quelque doute pouvait subsister à cet égard, il suffirait peut-être, pour le dissiper, de considérer combien sont rares les pourvois contre les décisions ministérielles ou contre les ordonnances rendues sur l'avis d'un comité.

Il y a donc, il le faut avouer, dans l'existence du Conseil d'Etat et dans son intervention pour préparer les décisions de l'autorité supérieure, garantie réelle et incontestable pour l'administration à la fois et pour les citoyens contre les erreurs ou les injustices que pourrait entraîner l'adoption sans contrôle des déterminations préparées dans les bureaux ».

(Arch. parl., Ch. dép. 26.6.1825, pp. 367-368).

A ces considérations, Cormenin en ajoutait une autre tirée de la nécessité de la coordination ministérielle :

« Les bureaux peuvent bien, dans chaque ministère, rassembler les détails et préparer la matière des ordonnances, mais il faut qu'elles soient délibérées dans le Conseil. Il est rare en effet qu'une ordonnance ne touche, par son exécution, à une foule d'intérêts divers et ne corresponde par quelque point à chaque ministère. Chaque ministère a donc intérêt à surveiller la rédaction des ordonnances mêmes qui, en apparence et par leur titre et leur objet principal, paraissent lui être le plus étrangères. La délibération du Conseil garantit chaque ministre des surprises de ses collègues et de ses propres erreurs. Elle rectifie ses fausses vues; elle développe sous toutes ses faces les inconvénients de l'exécution, elle a singulièrement cet effet que l'ordonnance devient alors l'œuvre non d'un seul ministre, mais du ministère tout entier... ».

(Du Conseil d'Etat envisagé comme conseil et comme juridiction, Paris, 1818, p. 58).

DU CONSEIL D'ÉTAT COMME JUGE

Les préventions contre la justice administrative étaient assez générales et souvent très vives. Elles s'expliquaient en grande partie par le caractère non public de la procédure, l'abus des conflits et la timidité d'une jurisprudence qui faisait encore ses premiers pas. Les voici exprimées de façon extrême par Dupin aîné :

« Au Conseil d'Etat tout est précaire : la procédure elle-même, les formes, les délais, les nullités, les déchéances, les amendes; tout cela devrait être réglé par des lois fixes, et tout cela cependant ne repose que sur des ordonnances muables à volonté.

Aussi, Messieurs, veuillez m'en croire, et peut-être le savez-vous par vous-mêmes, rien n'égale le désespoir des plaideurs quand on leur annonce qu'ils seront jugés par le Conseil d'Etat. Sans doute, leurs préventions sont exagérées, et je m'empresse d'exprimer ici ma propre opinion : il y a dans le Conseil d'Etat bon nombre d'hommes respectables et instruits, éloquents même. Les affaires y sont généralement examinées avec soin; discutées, je pense, avec liberté; jugées avec conscience. Mais je parle du fait, de l'opinion communément répandue, elle est défavorable à la juridiction administrative : on ne se croit en sûreté que devant les tribunaux. Eh ! comment en serait-il autrement, lorsque le jugement des affaires administratives est soustrait au grand jour de la publicité. Là point d'audience : la partie ne voit point son juge sur le tribunal; le juge n'entend point la partie : trop heureux s'il a daigné lire son mémoire; tout se passe à huis-clos, dans un palais où le même factionnaire dira au défendeur : « On n'entre pas », si c'est un pauvre hère, et, au même instant, présentera les armes au demandeur, s'il est de la qualité de ceux qui ont leurs entrées à la Cour.

Messieurs, cette défiance du public à l'égard de la juridiction administrative est le fait le plus constant; et comme c'est en même temps le plus grave, il importe d'y remédier le plus tôt qu'on pourra ».

(Arch. parl., Ch. dép., 10.4.1828, p. 261).

Les remèdes proposés furent variés, sans compter le transfert de tout le contentieux administratif aux tribunaux judiciaires.

Cormenin, partisan comme Macarel du maintien d'une justice administrative autonome, souhaitait la voir confiée à un Haut Tribunal administratif, complètement distinct du Conseil d'Etat :

« Quelles sont les meilleures garanties que le Gouvernement puisse donner à l'Etat et aux citoyens pour la distribution de la justice administrative ?

Il me semble, si je ne me trompe, qu'on les trouverait réunies dans l'accomplissement des conditions suivantes :

1) que la juridiction administrative supérieure fût ôtée au Conseil d'Etat;

2) qu'elle fût remise à un Tribunal indépendant;

3) que les juges de ce Tribunal fussent inamovibles;

4) que les arrêts rendus au nom du Roi, comme ceux des tribunaux ordinaires, fussent définitifs et exécutoires par eux-mêmes, sans avoir besoin de la sanction royale;

5) qu'un commissaire du Roi y fût spécialement chargé de la défense des intérêts de l'Etat;

6) qu'il fût toujours présidé par le ministre de la justice;

7) qu'on laissât à ce Tribunal la procédure et à peu près les attributions du comité du contentieux;

8) que, dans la composition de ses membres, on fit une attention particulière à l'étendue, au genre et à la variété des connaissances nécessaires pour bien traiter de matières si diverses et si importantes;

9) que les comités du Conseil, établis près de chaque ministre, fussent exclusivement chargés d'y préparer l'instruction des affaires contentieuses sous la forme d'avis remis è l'approbation facultative du ministre;

10) que pour compléter le système, on améliorât l'organisation des tribunaux administratifs inférieurs;

11) qu'on réformât la législation administrative ».

(Du Conseil d'Etat envisagé comme conseil et comme juridiction, Paris, 1818, pp. 132-134).

Hély d'Oissel au nom de la commission dont il était rapporteur se prononça à la Chambre des députés lors du débat du 26 juin 1828 pour le maintien au Conseil d'Etat de l'essentiel de ses attributions contentieuses :

« Tout le monde est d'accord sur le point qu'il convient de laisser aux tribunaux la connaissance de toutes les contestations d'intérêt purement privé, ou dans lesquelles, si le gouvernement se trouve intéressé, il n'intervient, si l'on peut s'exprimer ainsi, que comme personne privée; mais on reconnaît aussi que la séparation établie par la loi du 24 août 1790 entre le pouvoir judiciaire et le pouvoir administratif est utile et doit être soigneusement maintenue. Il ne faut pas que les jugements des tribunaux, que les arrêts des cours puissent mettre obstacle à ce que le pouvoir administratif prenne les mesures, ordonne les dispositions, publie les règlements que l'intérêt de la société réclame.

L'autorité judiciaire ne doit prononcer en général que sur un fait certain, que sur l'application d'un texte précis de la loi, elle ne peut pas suppléer au silence de la loi; elle ne dispose pas pour l'avenir; elle ne doit jamais prononcer par voie de règlement.

L'administration, au contraire, dispose pour l'avenir; elle prononce par voie de règlement; elle n'applique pas toujours un texte précis de loi; les cas où il lui est permis d'employer, dans l'intérêt de tous, une sorte d'arbitraire, j'ai presque dit d'arbitraire, sont de son domaine, et ils sont nombreux. Il faut bien qu'on puisse se pourvoir contre une décision de l'administration locale, qui, mal à propos, inutilement, froisserait des intérêts privés; et, pour cela, le Conseil d'Etat est nécessaire. Sans lui, il n'y aurait de recours qu'auprès des ministres, et l'on serait à la discrétion des bureaux, qui offrent bien moins de motifs de sécurité.

Dans l'intervalle qui s'est écoulé depuis la suppression du Conseil, au commencement de la Révoultion, jusqu'à sa réorganisation par l'acte constitutionnel du 13 décembre 1799 (22 frimaire an VIII), les ministres prononçaient sur l'appel des décisions rendues en matière contentieuse par les administrations départementales. Cet ordre de choses avait excité de vives et justes plaintes; la création du Conseil d'Etat parut alors une véritable et salutaire garantie contre l'arbitraire des administrations locales et contre la toute-puissance des ministres; et ce corps, dans les premiers temps de son existence, eut à prononcer sur un nombre prodigieux de réclamations, qui arrivaient de toutes parts contre des décisions rendues à des époques déjà fort éloignées...

Nous ferons remarquer seulement que l'on ne pourrait le supprimer sans établir un autre moyen de recours contre les décisions rendues par les conseils de préfecture en matière contentieuse administrative. Ces conseils prononcent dans beaucoup de cas sur les intérêts des citoyens, et ils ne sont ni assez nombreux, ni placés assez haut pour qu'on puisse les laisser prononcer en dernier ressort; d'ailleurs, il n'y aurait dans ce système qu'un seul degré de juridiction, sans aucun moyen d'obtenir le redressement d'une décision injuste ou la réparation d'une erreur.

Pour remédier à cet inconvénient, voudrait-on porter aux cours royales l'appel des décisions des conseils de préfecture ? On conçoit aisément que le résultat infaillible d'une telle détermination serait de mettre bientôt l'administration à la discrétion du pouvoir judiciaire ».

(Arch. parl., Ch. députés, 26.6.1828, p. 367).

A ceux qui soutenaient que l'inamovibilité du juge administratif était une condition essentielle de la qualité de la justice rendue par lui, Hély d'Oissel répondait :

« On se plaint de ce que, si l'on admet que le Conseil d'Etat soit nécessaire et que son institution n'ait rien de contraire aux lois, les membres de ce corps, étant révocables à volonté, ne présentent pas aux parties, sur les intérêts desquelles ils sont appelés à émettre un avis, les garanties d'indépendance que l'on rencontre dans les magistrats appartenant à l'ordre judiciaire; de ce que la Charte porte que toute justice émane du roi et s'administre en son nom, par des juges qu'il nomme, qu'il institue et qui sont inamovibles, on voudrait induire que les membres du Conseil d'Etat sont des juges, et que, comme tels, ils doivent être pareillement inamovibles...

Les partisans de cette opinion perdent nécessairement de vue que le Conseil d'Etat n'est point un pouvoir politique dans l'ordre constitutionnel, qu'il n'est point un tribunal, qu'il ne rend pas de jugements, qu'il n'émet que des avis; que ces avis ne prennent un corps, ne deviennent une décision obligatoire pour les intéressés, qu'après qu'un ministre a proposé au roi de signer une ordonnance que ce même ministre contresigne ensuite pour y attacher sa propre responsabilité.

Que deviendrait cette responsabilité des ministres, s'il existait un pouvoir placé au-dessus d'eux, pouvant réformer leurs décisions et ne pouvant être réformé lui-même ?

Que deviendrait le pouvoir royal, si des conseillers inamovibles avaient le droit d'annuler ou de modifier à leur gré les arrêtés des préfets et des conseils de préfecture, les décisions ministérielles et les ordonnances royales ?

Que deviendrait enfin la société elle-même, si ce pouvoir irrévocable prenait une mauvaise direction, s'il adoptait un système vicieux d'administration contre lequel la couronne et le pays seraient également désarmés ? Tandis que la Chambre des députés même est révocable à la volonté du roi, puisque cette volonté peut la dissoudre ».

(Arch. parl., Ch. dép., 26.6.1828, p. 368).

Néanmoins il crut nécessaire de jeter un peu de lest :

« Votre commission estime qu'il est nécessaire qeu les membres du Conseil d'Etat, faisant partie de l'administration, soient révocables, comme le sont tous les fonctionnaires de l'ordre administratif et comme le sont les ministres eux-mêmes; mais elle pense aussi qu'en raison même de ce que les membres de ce Conseil ne sont pas inamovibles, et de ce que ce n'est pas réellement et exclusivement de lui qu'émanent les décisions ministérielles ou les ordonnances royales, il est convenable de renvoyer autant que possible à l'autorité judiciaire, et de remettre sous l'empire du droit commun toutes les questions de propriété ainsi que celles qui ont trait à des intérêts privés, toutes les fois que la solution de ces questions n'affecte pas la liberté d'action que le gouvernement doit conserver dans l'intérêt de la société...

Votre commission, Messieurs, n'a pas prétendu vous indiquer toutes les réformes qui pourraient être faites en cette matière; elle a cru devoir se borner à passer rapidement en revue, parmi les attributions de l'administration, quelques-unes de celles qui ont excité le plus de plaintes ,et qui lui paraissent devoir être plus particulièrement signalées à la sollicitude du gouvernement. Elle m'a chargé d'appeler spécialement votre attention sur les questions suivantes :... ».

(Arch. parl., Ch. dép., 26.6.1828, p. 369).

Suit une liste, fort intéressante, des matières où le Conseil était alors appelé à se prononcer comme juge puis une discussion, dans chaque cas, du bien fondé de son intervention : conflits d'attribution, garantie des fonctionnaires (art. 75 de la constitution de l'an VIII), appels comme d'abus, enregistrement des actes de la Cour de Rome, vente des biens nationaux, litiges en matière de travaux publics, baux administratifs, prises maritimes. Hély d'Oissel garde pour la fin — en y insistant tout spécialement — ce qu'on n'appelait pas encore le recours pour excès de pouvoir, mais qui le préfigurait déjà :

« Enfin, avant de terminer, votre commission a cru devoir s'expliquer sur l'attribution donnée au Conseil d'Etat de prononcer sur l'appel des décisions ministérielles et des ordonnances du roi, rendues sur l'avis du comité particulier attaché à chaque ministère, attribution contre laquelle on s'est élevé avec beaucoup de force et qui a été l'un des principaux motifs de récrimination contre cette institution ».

(Arch. parl., Ch dép., 26.6.1828, p. 372).

Et cette attribution, il la défend vigoureusement, insistant sur son utilité, même en régime de justice retenue :

« Personne ne sera d'avis, sans doute, qu'il ne puisse ni ne doive y avoir aucun recours contre les décisions ministérielles ou les ordonnances de première instance, si on peut les appeler ainsi. Cependant, on ne peut porter cet appel à une autorité judiciaire, quelque haut qu'on la suppose placée : on lui confèrerait à la fois l'administration et le gouvernement; elle aurait incontestablement ce même pouvoir redoutable dont il nous paraîtrait dangereux de saisir un Conseil d'Etat inamovible.

Porterait-on cet appel aux Chambres ? Mais il est facile d'apercevoir que les Chambres se trouveraient dès lors munies d'un pouvoir administratif qui exigerait leur permanence, et qui d'ailleurs ne leur est point conféré par la Charte; il y aurait dans ce système une véritable et inconstitutionnelle usurpation de la prérogative royale et du gouvernement tout entier.

Il est donc indispensable d'avoir la faculté d'appeler du ministre ou du roi mal informé au roi mieux informé...

Mais, dira-t-on, ce Conseil inspirerait peut-être quelque confiance s'il jugeait; comme il ne juge pas, il ne fait qu'émettre un avis, et cet avis, le ministre est libre de le repousser ou de l'adopter, il ne le soumet au roi que si cela lui convient.

On ne peut le nier, Messieurs, mais il vous paraîtra juste, sans doute, que les choses se passent ainsi; car le ministre qui doit contre-signer l'ordonnance qui consacre un avis du Conseil en assume et en doit supporter seul la responsabilité. D'ailleurs, il est permis de croire qu'un ministre hésitera beaucoup avant de se déterminer à refuser de se conformer à l'avis d'un corps nombreux composé d'hommes qui sont censés réunir l'expérience aux lumières.

Le dernier ministère, qu'on n'accusera probablement pas d'avoir en ce genre poussé trop loin le respect des bienséances, n'a osé que deux fois suspendre l'approbation d'un avis émis par le Conseil comités réunis; encore a-t-il fini par les soumettre à la sanction royale ».

(Arch. parl., Ch. dép., 26.6.1828, p. 373).

Au nom de la commission, il conclut au maintien de l'institution, tout en proposant de restituer à l'autorité judiciaire le règlement des contestations élevées à l'occasion des ventes des domaines nationaux, des baux, contrats et marchés passés par l'administration, des liquidations des sommes dûes par elle aux entrepreneurs et fournisseurs ainsi que la connaissance des appels comme d'abus.

Plus audacieuses furent les propositions de réforme présentées le 25 janvier 1830 par une commission que le nouveau garde des sceaux, Courvoisier, avait formée en 1829, conformément à la proposition du duc de La Rochefoucauld, votée par la Chambre l'année précédente. Cette commission comprenait six conseillers d'Etat en service ordinaire : Allent, Béranger, Cuvier, l'abbé de Lachapelle, Maillard et Villot de Fréville et trois conseillers en service extraordinaire : Becquey, Mounier et Tarbé de Vaux-Clairs. Cormenin, maître des requêtes, était rapporteur. Le projet de loi élaboré par la commission modifiait peu la structure et les attributions du Conseil en matière administrative. Il innovait par contre de façon audacieuse en ce qui concerne sa fonction juridictionnelle : elle devait être remplie par quatorze conseillers nommés à vie par le Roi; la procédure devenait contradictoire, les audiences publiques; un ministère public, exercé par un commissaire du Roi, était organisé; enfin et surtout la justice déléguée était substituée à la justice retenue. C'était la mise en œuvre des idées de Cormenin (1).

La Révolution de 1830 empêcha la discussion du projet. Certaines de ses dispositions furent reprises par les ordonnances de 1831 relatives à la procédure contentieuse devant le Conseil d'Etat.

(1) Cf. Chabin. Le Conseil d'Etat sous la Restauration. Th. Ecole des Chartes 1972.

BIOGRAPHIES

Pierre-Alexandre-Joseph ALLENT
1772-1837

Conseiller d'Etat
Vice-président du Comité du contentieux

Un buste dans la bibliothèque du Conseil d'Etat, un monument dans la salle d'honneur de la mairie de Saint-Omer, sa ville natale, une place de cette ville et une rue de Paris auxquelles son nom a été donné, perpétuent aujourd'hui la mémoire d'Alexandre Allent, qui vécut de 1772 à 1837 et qui, sauf une courte interruption de quelques mois en 1814, fut, de 1810 à sa mort, membre du Conseil d'Etat.

Issu d'une famille de commerçants — son père siégea pendant 12 ans au tribunal de commerce de Saint-Omer — Allent avait 17 ans et venait d'achever ses études secondaires, lorsque la Révolution éclata. Pendant 2 ans il sert dans la garde nationale, puis s'engage en 1792 comme canonier dans un régiment d'artillerie. Versé dans le Génie, il devient rapidement officier, lieutenant en 1794, capitaine en 1795 et chef de bataillon en 1800. Nommé secrétaire du comité des fortifications, il est remarqué par Napoléon 1er, qui, après avoir voulu l'élever au grade de colonel, se ravise et dit : « Je veux lui ouvrir une nouvelle carrière, je le nomme maître des requêtes au Conseil d'Etat ».

Cette nouvelle carrière n'allait pas être exclusive. Allent continua de siéger dans les organismes militaires, il fut promu général du Génie et prépara en 1814 les plans de la défense de Paris. Rallié aux Bourbons, il fut sous-secrétaire d'Etat à la guerre en 1817, siégea à la Chambre comme député du Pas-de-Calais de 1829 à 1830 et fut nommé Pair de France en 1832. Mais c'est le Conseil d'Etat, auquel il appartint pendant près de 27 ans, qui absorba la majeure partie de son activité. Nommé conseiller en 1814, il fut vice-président du comité de la guerre à deux reprises et présida le contentieux de 1819 à sa mort. Il le fit avec une science et une autorité qui fondèrent sa réputation. En 1872 un membre de l'Assemblée Nationale déclarait, au soutien d'un amendement tendant à admettre les officiers supérieurs à côté des officiers généraux aux fonctions de conseiller d'Etat : « La commission propose de déclarer que les officiers généraux de terre ou de mer pourront être nommés conseilers. Je demande que la disposition soit étendue aux officiers supérieurs, et je me bornerai à vous rappeler que sous la Restauration, un lieutenant-colonel du Génie, M. Allent, a été une des lumières du Conseil d'Etat ». Cormenin, dans son livre « Les Orateurs », décrit ainsi le rôle d'Allent au Conseil d'Etat : « Sans la chute de l'Empire, M. Allent serait monté rapidement aux suprêmes honneurs de l'armée. La paix et la Restauration le clouèrent sur les bancs du Conseil d'Etat... M. Allent était propre à tout... Il était l'âme et le flambeau de toutes les commissions. La soudaineté et l'à-propos de ses expédients étaient proverbiaux au Conseil, et, lorsqu'il opinait, l'assemblée d'ordinaire passait à son avis. Miné par un mal douloureux, et quoiqu'il n'entendit souvent que le commencement ou la fin d'un rapport, sa pénétration était si vive et sa science si vaste, qu'à la seule lecture des pièces il comprenait l'affaire et rédigeait l'arrêt sur l'heure avec autant de précision que de netteté. C'étaient de vrais tours de force qui jetaient dans l'admiration tous ceux qui l'entendaient ».

Louis Fougère
Conseiller d'Etat.

Jean-Léopold-Nicolas-Frédéric dit Georges CUVIER
1769-1832

Conseiller d'Etat

La postérité a surtout retenu de Cuvier le souvenir du fondateur de l'anatomie comparée et de la paléontologie moderne ; il était pourtant administrateur de formation et il devint, par un goût très vif des affaires publiques, un grand serviteur des nombreux régimes sous lesquels il s'illustra.

Georges Cuvier naquit le 23 août 1769 à Montbéliard d'une famille modeste de religion protestante. Après avoir envisagé de se consacrer au ministère pastoral, il entreprit des études administratives à l'Académie Caroline de Stuttgart. Son goût pour les sciences naturelles n'y fut pas contrarié, puisque les jeunes gens qui se destinaient au service des princes devaient alors y étudier, outre le droit et l'économie, la géographie, la géométrie, la chimie, la zoologie et la botanique !

Ce furent pourtant les sciences qui l'amenèrent à Paris. D'abord chargé d'un cours à l'Ecole centrale du Panthéon, il succède en 1799 à Daubenton au Collège de France et devient en 1802 professeur titulaire au Muséum. Il était entré en 1796 à l'Institut dans la classe des sciences, alors présidée par Bonaparte.

Désigné en 1802 pour l'une des six inspections générales de l'Instruction publique, Cuvier s'intéresse dès lors à l'enseignement, sans négliger sa chaire ni les séances de l'Institut dont il devient en 1803 le secrétaire perpétuel. Pendant les dix années qui suivent, Cuvier rapporte de ses tournées dans une France bientôt élargie jusqu'à l'Elbe et de ses enquêtes dans les pays alliés une moisson de notes dont il tire des rapports très appréciés sur la réorganisation du système d'enseignement.

C'est au cours d'un de ces voyages qu'il apprend en 1813, à Rome, qu'il entre au Conseil d'Etat comme maître des requêtes en service extraordinaire.

Rallié à Louis XVIII qui fait de lui un conseiller d'Etat, Cuvier est pendant les Cent jours temporairement écarté du Conseil où il retrouve sa place après la Seconde Restauration. Ce régime le comblera d'honneurs et de hautes fonctions : Louis XVIII le nomme baron, Charles X grand officier de la Légion d'honneur ; Louis-Philippe l'élèvera à la dignité de Pair de France.

Son intérêt pour l'enseignement ne se dément pas. Sa contribution à la réforme entreprise sous l'Empire et poursuivie par la Monarchie lui vaut les fonctions de chancelier de l'Université et de président du Conseil royal de l'Université. Préoccupé d'améliorer la formation des jeunes gens qui se destinent aux fonctions administratives, il conçoit le projet d'une école supérieure d'administration, mais doit se contenter d'introduire le droit administratif dans les facultés. Porte-parole des protestants dans leur résistance à la mainmise du clergé catholique sur l'enseignement, il est chargé d'exercer les fonctions de Grand-Maître des facultés de théologie protestante puis, en 1827, nommé directeur des cultes dissidents au ministère de l'intérieur.

Cuvier n'était pas moins actif au Conseil d'Etat. Membre, depuis son entrée, du comité de l'intérieur, il en devint le vice-président en 1819, la présidence étant exercée par le ministre. Le Conseil était alors en butte aux critiques des ultras comme des libéraux. Cuvier s'employa à le défendre avec énergie et habileté et consacra de nombreux mémoires à l'amélioration de son fonctionnement. Répondant le 27 mai 1819 à Manuel qui demandait à la Chambre de voter la suppression des crédits destinés au Conseil d'Etat, il exposa brillament que le Conseil était à la fois l'expression et la garantie de la séparation des pouvoirs et fit valoir son rôle de défenseur des droits des citoyens face à l'administration.

Cet homme qui étonna ses contemporains par la diversité de ses talents, l'étendue de ses compétences et l'infatigable ardeur qu'il déployait dans toutes ses activités ne fut pas à l'abri de toute critique. On lui reprochait un goût accusé des honneurs, oubliant peut-être que, né sans fortune, il ne devait sa subsistance qu'à ses fonctions. S'il servit avec un zèle égal de nombreux régimes, il faut sans doute y voir moins du cynisme qu'une certaine indifférence aux changements politiques à laquelle le disposaient peut-être l'étude des lois de la nature et la permanence qu'il croyait découvrir dans l'organisation des êtres vivants.

Au demeurant il restait attaché à des conceptions libérales et savait, à l'occasion, les défendre avec fermeté. C'est ainsi qu'en 1815 il combattit de toute son énergie le projet de création des Cours prévôtales; sous Charles X, il se montra vivement hostile à l'institution de la censure et refusa avec éclat la fonction de censeur.

Il mourut le 13 mai 1832. Sur son lit de mort, il demanda qu'on lui lût le dernier débat du Parlement anglais sur la réforme parlementaire.

Cette passion pour la vie publique, on ne saurait mieux la décrire que Cormenin l'a fait dans son Livre des Orateurs : « Cuvier aimait les affaires pour les affaires, et, s'il n'eût pas été naturaliste, il eût été procureur. Toujours le premier aux plaids, il feuilletait les dossiers avec une espèce de passion. On le voyait plus assidu aux audiences judiciaires du Conseil d'Etat qu'aux séances de l'Institut. Son esprit s'élevait aux découvertes les plus sublimes de la science et s'abaissait sans peine aux formules banales et stéréotypées d'une acceptation de legs ou d'une autorisation de moulins et d'usines. Vaste à la fois et délié, cet homme, qui rattachait entre eux les fils rompus des anciens âges, qui descendait dans les profondeurs de la terre et recomposait par l'effort créateur de son génie les générations éteintes des grands animaux antédiluviens, s'enfonçait, avec la même pénétration, dans les circonvolutions étroites et captieuses d'une procédure; admirable dans le petit et dans le grand, dans l'exposition administrative des intérêts positifs et vivaces et dans l'anatomie de la nature morte, recherchant partout la raison des choses avec la patience de l'observation et les lumières de l'analyse ».

Michèle Nauwelaers
Auditeur au Conseil d'Etat.

Joseph-Marie de GERANDO
1772-1842

Conseiller d'Etat

Né à Lyon le 29 février 1772, le jeune Gérando entra dans les ordres. Il s'apprêtait à franchir les portes de la maison oratorienne de Saint-Magloire à Paris, lorsque les évènements donnent un autre cours à sa destinée : à dix neuf ans, il prend part au grand débat provoqué par la constitution civile du clergé pour réclamer une entière liberté de conscience. Mais le temps des libelles passe vite et, lorsque la ville de Lyon se soulève contre les excès de Paris, Gérando s'enrôle à vingt-et-un ans dans la milice de son quartier, parcourt la province pour conduire des vivres dans les murailles de la ville et porter au loin les raisons de l'insurrection. Un de ces détachements rencontre les troupes de la Convention. Fait prisonnier et condamné à mort, Gérando s'évade et se réfugie dans l'anonymat d'un bataillon de volontaires. Mais il y est bientôt découvert, s'échappe, passe en Suisse et de là en Italie.

L'amnistie accordée aux Lyonnais lui permet de rentrer en France. Après le 18 fructidor an V, il prend du service dans l'armée. Alors qu'il est simple soldat en garnison à Colmar, le programme d'un concours ouvert par l'Institut tombe entre ses mains. Il s'agissait de déterminer l'influence des signes sur le langage. Notre jeune militaire traite à la hâte ce sujet et prouve que « penser est à l'âme ce qu'agir est au corps ». Les disciples de Condillac couronnèrent le mémoire de son contradicteur et comprirent vite qu'il pouvait servir la patrie plus utilement que dans les camps. Le ministre de la Guerre ne voyant pas d'avantage majeur à ce que l'armée garde un philosophe, Gérando est nommé membre du bureau consultatif des arts et manufactures, puis secrétaire général du ministère de l'intérieur en l'an XII.

On pourrait le croire établi dans sa tâche. Sous le régime impérial, où les assemblées n'étaient plus rien, l'administration était tout et les plus arides travaux pouvaient conduire aux plus hautes destinées. Gérando dresse des projets, rédige des rapports, instruit des affaires avec la fougue qu'il avait montré jadis pour défendre Lyon et hier pour devenir philosophe. Son ministre lui confie la préparation du tableau général de la situation de l'Empire. Entendu par le Conseil d'Etat, lu au Corps législatif, inséré dans *le Moniteur,* cet exposé était une sorte de compte annuel rendu par l'Empereur à la France. C'est dire avec quel soin Napoléon en suivait la préparation. Aussi, un jour de 1808, Gérando se trouve-t-il face à l'Empereur siègeant en Conseil d'Etat. L'examen est minutieux, les questions rapides, nombreuses et précises. Gérando défend si bien son œuvre que, quelques jours plus tard, l'Empereur lui fait parvenir son brevet de maître des requêtes.

Ainsi distingué, le voilà courant l'Europe, organisant des cités, administrant des provinces, disant le droit à l'Italie. Conseiller d'Etat en 1810, il est de nouveau envoyé en mission : il s'agit cette fois d'administrer la Catalogne. On sait que la tâche était ingrate et on ne fera pas reproche au civil qu'était Gérando d'avoir échoué où les militaires ne réussirent pas. Il revient donc à Paris et y assiste à la chute de l'Empire. Le nouveau régime ne crut pas devoir se priver des lumières d'un fonctionnaire, qui avait su servir sans servilité. Peut-être aussi le gouvernement de Louis XVIII a-t-il le souvenir de la belle attitude du jeune royaliste lyonnais. Toujours est-il qu'il maintient au Conseil d'Etat le baron de l'Empire, l'officier de la Légion d'honneur. Au retour de l'île d'Elbe, l'Empereur le nomme commissaire impérial dans les départements de l'Est, où l'on requiert des administrateurs vigoureux. La Seconde Restauration en témoigne à Gérando quelque mécontentement. Cependant aucun régime ne pouvait se passer — semble-t-il — de cet homme et à la satisfaction générale il retrouve bientôt ses fonctions au Conseil.

Le retour à la paix a provoqué beaucoup de détresses et brisé beaucoup de caractères. Celui de Gérando était tel qu'il sut être au premier plan dans les temps de calme comme il avait su s'élever seul aux plus hautes dignités dans la tourmente impériale. Mais il révèle alors des qualités nouvelles et multiples, ou plutôt il utilise une très grande puissance de travail à des objets nouveaux.

Le Conseil d'Etat de la Restauration n'a plus l'éclat du Conseil d'Etat Impérial. Ce n'est pas dire que Gérando y néglige ses fonctions. Il est même l'un des grands connaisseurs du droit administratif du début du siècle et il le résume de manière claire et pragmatique dans ses « Institutes de droit administratif français ». C'est d'ailleurs à lui que le ministre confie en 1818 le premier cours de droit administratif à la faculté de droit.

Mais ceci ne suffit pas à Gérando dont l'esprit est constamment en éveil. Dans la liste de ses ouvrages, on trouve un étonnant éclectisme. Surtout il consacre une bonne partie de son temps et de sa fortune à soulager les misères du peuple. Tout a droit à son attention, pourvu qu'il y ait du bien à faire, instruction primaire, établissements de bienfaisance, hygiène publique, hospices, écoles des aveugles et des sourds-muets. Il est possédé d'un véritable amour de l'humanité. Il va visiter les pauvres chez eux. Chaque semaine il leur donne un jour : « les pauvres remplissaient sa maison et sa rue et il distribuait avec le pain qui soutient le corps les bonnes paroles qui relèvent l'âme ». Il tente de mobiliser les bonnes volontés, il crée des institutions, les administre, en assume presque seul toute la responsabilité.

Accomplissant toutes ses obligations, il se montre également assidu au Conseil d'Etat, à la Chambre des pairs, à laquelle il appartient depuis 1838, à l'Institut, à la faculté de droit, aux réunions des sociétés charitables, aux visites des hospices.

Le 12 novembre 1842 la mort mit fin à la carrière d'un homme de bien.

Pierre Cabanes
Auditeur au Conseil d'Etat.

Charles-Jean-Firmin MAILLARD
1774-1854

Conseiller d'Etat
Président de la section du contentieux

Charles Maillard, fils d'un receveur général des domaines, naquit à Paris le 2 avril 1774. Après des études au collège d'Harcourt, il fut reçu à l'Ecole des ponts et chaussées. Il la quitta le 30 novembre 1794 pour entrer à l'Ecole centrale des travaux publics, qui devint l'année suivante l'Ecole Polytechnique. Au sortir de celle-ci, il se prépara par des travaux particuliers, sur lesquels nous savons peu de choses, à la carrière administrative dont l'accès lui fut ouvert peu après le 18 brumaire. Le 9 octobre 1802 il était nommé sous-préfet de l'arrondissement de la Haute-Louisiane, mais celle-ci fut cédée aux Etats-Unis, avant même qu'il ait pu s'embarquer pour rejoindre son poste. Un an plus tard, le 17 décembre 1803, il était nommé sous-préfet de Saint-Jean-d'Angély.

Le 12 février 1809, il entra comme auditeur au Conseil d'Etat.

Envoyé aussitôt en mission en Hollande pour y étudier sur place le système des polders et des canaux, il en devint en 1811 le directeur, après avoir été promu maître des requêtes en service extraordinaire. Il fut maintenu dans ces fonctions par la Première Restauration. Nommé préfet de la Côte d'Or durant les Cent jours, il ne rejoignit pas ce poste, et paraît être demeuré les trois années suivantes à l'écart de la vie publique. Il rentra au Conseil d'Etat en novembre 1818 comme maître des requêtes en service extraordinaire. Nommé le 20 janvier 1819 maître des requêtes en service ordinaire et affecté au comité du contentieux, il en fut pendant dix ans, et en qualité de conseiller à partir de 1825, un des membres les plus actifs et les plus écoutés.

Rallié à la Monarchie de juillet qui le fit pair de France, il conserva ses fonctions de conseiller d'Etat et fut nommé en 1833 vice-président du comité de l'intérieur. Maintenu dans ce poste après la révolution de 1848, il fut élu conseiller d'Etat par l'Assemblée constituante, puis réélu par l'Assemblée législative. Il devint en 1849 président de la section du contentieux.

Lors du Coup d'Etat du 2 décembre 1851, il ne signa pas la protestation élevée par dix-huit de ses collègues, et, bien qu'il eût demandé et obtenu le 26 décembre 1851 la liquidation de sa pension de retraite, il reprit du service au Conseil d'Etat comme président de la section du contentieux. Il exercera ces fonctions jusqu'en 1852. Démissionnaire lors de l'affaire de la confiscation des biens de la famille d'Orléans, il fut nommé sénateur le 31 décembre 1852.

Un trait frappe dans cette existence : la longueur et la continuité de l'appartenance de Charles Maillard au Conseil d'Etat. Les changements de régime ont à peine affecté sa carrière ; il a été, avec quelques autres, un de ces hommes qui ont traversé les révolutions et les épurations du siècle dernier et assuré ainsi le maintien et la transmission des traditions administratives et contentieuses du Conseil d'Etat.

Une telle carrière s'accordait avec le caractère de l'homme, finement dépeint dans ces lignes écrites au lendemain de sa mort par E. Reverchon, qui l'avait bien connu au Conseil d'Etat :

« Témoin de toutes nos agitations et de toutes nos vicissitudes, M. Maillard était demeuré étranger aux luttes personnelles des hommes et des partis; il s'était renfermé dans le rôle relativement modeste, et pourtant considérable, qui appartient à l'administration dans notre pays... c'est de là qu'il avait assisté pendant 50 ans au développement des alternatives si brusques que nous avons traversées. Il en avait assurément rapporté une impartialité qui, sans aller jusqu'à l'indifférence, semblait parfois y toucher sur certaines questions de formes politiques. Il n'y avait pas du moins contracté ce scepticisme qui accepte avec la même facilité tous les excès ; il y avait porté et il avait su y conserver un respect profond et surtout sainement compris pour le dogme de l'autorité. Même quand le pouvoir lui paraissait s'égarer, M. Maillard se faisait une loi de ne pas affaiblir, en résistant sans d'impérieux motifs, le principe permanent que représentaient les hommes investis passagèrement de ce pouvoir ».

Le buste de Maillard se trouve dans la bibliothèque du Conseil d'Etat.

Louis Fougère
Conseiller d'Etat.

François-Pierre GONTIER MAINE de BIRAN
1766-1824

Conseiller d'Etat

L'illustre philosophe, dont la pensée exerça une influence profonde sur l'œuvre d'Emile Boutroux et d'Henri Bergson, occupa, au cours de sa vie, les fonctions les plus variées : d'abord engagé, en 1784, dans la compagnie des gardes du corps du roi Louis XVI, il devint, le 14 mai 1795, en pleine réaction thermidorienne, administrateur du département de la Dordogne, qu'il représenta au Conseil des Cinq-cents en 1797. L'Empire fit de lui un conseiller de préfecture, puis, en 1806, un sous-préfet de Bergerac. Elu en 1809 député au Corps législatif, il en devint questeur en 1814. Sa constante opposition à Napoléon lui valut d'être rangé par celui-ci dans la catégorie des idéologues impénitents et lui interdit tout avancement dans le corps préfectoral. Membre, en 1813, de cette commission des cinq qui plaida en vain auprès de l'Empereur pour le rétablissement des libertés publiques, il manqua d'être arrêté pendant les Cent jours. La Seconde Restauration, qu'il accueillit comme une délivrance, lui coûta pourtant, en 1816, son siège de député : modéré avec passion, Maine de Biran ne pouvait que déplaire également aux ultras, qui le traitaient de républicain, et aux libéraux, qui le savaient royaliste convaincu. Louis XVIII le dédommagea de son échec électoral en le nommant conseiller d'Etat le 16 octobre 1816. Jusqu'à sa mort en 1824, il appartint successivement aux comités de l'intérieur, de législation et du contentieux ; mais de nouveau député en 1817, il se consacra dès lors aux travaux de la Chambre, où il lutta contre les doctrines libérales, heurtant ainsi ses anciens amis qui avaient combattu l'Empire avec lui.

Le souvenir s'est conservé de deux de ses rapports au Conseil : l'un, en 1816, sur la direction des travaux de Paris, l'autre, en février 1817, sur les congrégations religieuses. Mais, si le Conseil peut à bon droit s'enorgueillir d'avoir compté Maine de Biran parmi ses membres, c'est surtout en raison de la gloire posthume, qui n'a cessé de grandir, de l'auteur de « l'Essai sur les fondements de la psychologie ». Ses dehors timides, son manque de confiance en ses moyens, sa voix faible cachaient de fermes convictions; il les a définies, le 15 mars 1821, dans cette note de son « Journal intime », la dernière qui présente un caractère politique :

« Il n'y a point d'amour de liberté et d'égalité sans élévation de caractère moral, sans désintéressement de soi-même ».

Roland de Margerie
Conseiller d'Etat honoraire.

Pierre-Paul ROYER-COLLARD
1763-1845

Conseiller d'Etat

Pierre-Paul Royer-Collard est né à Sompuis (Marne) d'une famille de bourgeoisie champenoise ; la formation janséniste qu'elle lui donna l'a profondément marqué. Il fit des études de droit et vint s'installer comme avocat à Paris à la veille de la Révolution. La section de l'Ile-Saint-Louis l'élut comme membre de la Commune de Paris où il siègea en qualité de secrétaire jusqu'au 10 août. Ayant pris parti pour les Girondins, il rentra dans son département de la Marne, qui, en 1797, le députa aux Cinq-cents.

Le discours qu'il fit devant cette assemblée en faveur de la liberté des cultes le fit remarquer du public, mais, en même temps, le désigna aux proscriptions qui suivirent le 18 Fructidor.. Son mandat de député fut révoqué. Cette persécution le fixa dans des opinions monarchistes qu'il n'avait pas. « Ne persécutez jamais un honnête homme pour une opinion qu'il n'a pas », dit-il plus tard, « vous la lui donnerez », maxime dont il devait en d'autres occasions vérifier personnellement l'exactitude. Mis en rapport avec le Prétendant, il forma alors à Paris le Conseil secret de Louis XVIII ; ce conseil devait être dissous en 1799.

En 1811, Royer-Collard, nommé professeur d'histoire de la philosophie française à la Sorbonne, commence sa deuxième carrière. Il est le premier à battre en brèche les philosophes français du XVIIIe siècle au bénéfice d'une philosophie inspirée de la doctrine de l'école écossaise de Thomas Reid qui rendit vigueur à un spiritualisme alors passé de mode.

La Restauration le fait, en 1814, directeur de la Librairie; il fut alors amené à préparer la loi sur la presse, puis la loi sur la réforme de l'Université destinée à donner satisfaction à ceux qui cherchaient à décentraliser l'Université impériale ; cette loi, il devait lui-même veiller à ce qu'elle n'entrât pas en application lorsque, en qualité de président du Conseil royal de l'Instruction publique, il s'avisa qu'elle risquait d'être un instrument de destruction de l'Université.

En 1815, Royer-Collard est nommé conseiller d'Etat et affecté à la section de législation. Presque en même temps, il est réélu député de la Marne, au siège qu'il occupera jusqu'à sa mort. Ses deux carrières ne se distingueront guère l'une de l'autre pendant plusieurs années. Dans le mouvement de réaction qui suivit les Cent-Jours, il participa à la rédaction du rapport sur les cours prévôtales, ce qu'il devait regretter. Il déclara en effet, dans son discours sur l'inamovibilité de la magistrature : « les lois d'exception sont des emprunts usuraires qui ruinent le pouvoir alors même qu'ils semblent l'enrichir ».

A la Chambre, il prit la direction du petit groupe de députés doctrinaires qui tenaient, entre la majorité et l'opposition, ce que l'on appelait « le juste milieu » et qui, assimilant le droit à la justice et à la raison, devaient entrer en lutte contre le gouvernement au moment où furent proposées les mesures de réaction qui suivirent l'assassinat du duc de Berry. Il s'écarta alors plus nettement de la majorité.

En septembre 1819, il démissionna de son poste de président du Conseil de l'Instruction publique; l'année suivante, il informe Richelieu que, malgré sa qualité de conseiller d'Etat, il prendra parti contre le projet de loi électorale et se signale ainsi à la vindicte du pouvoir. En 1820, il est, en même temps que ses amis doctrinaires, révoqué de son poste de conseiller d'Etat. Comme le roi, en reconnaissance des services qui lui avaient été autrefois rendus, lui propose de maintenir son traitement sur sa cassette personnelle, il répond : « en acceptant un traitement secret sur des fonds secrets, j'abaisserais mon caractère de député. Une disgrâce honorable encourue pour le service de Sa Majesté est un attrait de plus pour ma fidélité ».

Le 18 Fructidor l'avait fait royaliste. Sa révocation le fixa dans l'opposition. Il fut toutefois nommé en 1828 président de la Chambre, lorsque le roi tenta un rapprochement avec l'Assemblée. En 1827, il avait été élu à l'Académie Française. Il ne se rallia à la Monarchie de Juillet qu'avec la plus grande réserve.

« Restaurer l'âme dans l'homme et le droit dans le gouvernement, a dit Guizot, telle était sa grande pensée ». Son intégrité, la rigueur de ses raisonnements, l'étendue de ses capacités qui n'allait pas sans une certaine suffisance, et surtout la force persuasive de son éloquence, ont fait l'admiration de ses contemporains.

Royer-Collard a excellé dans les domaines les plus variés. Sans être à proprement parler un philosophe, il a marqué un tournant dans la pensée philosophique française ; sans qu'il ait jamais participé an Gouvernement, son influence n'en n'a pas moins été profonde sur l'évolution de nos institutions parlementaires. Mais ses hautes qualités elles-mêmes le disposaient plus à la critique qu'à l'efficacité politique. Il notait non sans amertume : « On est heureux de trouver en soi-même les opinions qui semblent destinées à prévaloir, je n'ai eu ce bonheur à aucune époque ».

Paul Andral, élu conseiller d'Etat en 1872 et qui fut vice-président du Conseil d'Etat de 1874 à 1879, était le petit-fils de Royer-Collard.

Marc Barbet
Conseiller d'Etat.

CHAPITRE VI

LA MONARCHIE DE JUILLET (1830-1848)

INTRODUCTION

La Révolution de 1830 faillit emporter le Conseil d'Etat. Il fut sauvé par le duc de Broglie qui le présida alors pendant quelques mois. Son existence ne fut plus ensuite remise en question, comme elle l'avait été sous la Restauration. Mais il fut beaucoup question du Conseil pendant toute la Monarchie de juillet. De 1833 à 1845, des projets de loi le réorganisant furent inscrits aux ordres du jour de la plupart des législatures. Les longs débats auxquels ils donnèrent lieu abordèrent la plupart des problèmes qui, depuis son origine, sont au centre de la vie du corps : faut-il l'organiser en une carrière ? Quelle place faire au service extraordinaire ? Quelle doit être la fonction de l'auditorat ? La justice administrative doit-elle être déléguée ? Quelle peut être la contribution du Conseil d'Etat à l'œuvre législative ?

La loi du 21 juillet 1845, qui clôtura enfin ces discussions, donna au Conseil des règles d'organisation et de fonctionnement plus strictes. Les gouvernants ne se décidèrent cependant pas à s'engager dans la voie de réformes profondes : ils conservèrent son caractère facultatif à une collaboration législative qui demeura faible; ils n'osèrent pas franchir le pas de la justice retenue à la justice déléguée. Le Conseil ne retrouvait donc pas cettte intime association aux actes du pouvoir qu'il avait connue sous l'Empire et il ne devenait pas non plus un organe juridictionnel autonome.

Dans son champ d'action limité, il conservait cependant un rôle, une autorité, des traditions et une indépendance qui permettaient à Vivien de tracer de lui, en 1841, dans un article célèbre de la Revue des Deux Mondes, un portrait flatteur.

D'autre part, des ordonnances amorcèrent, dès 1831, dans le domaine du contentieux des transformations qui allaient se révéler décisives. Les débats étaient rendus publics, les avocats y faisaient entendre leurs plaidoiries et les commissaires du gouvernement leurs premières conclusions au service exclusif de la loi, tandis que la jurisprudence, notamment avec la naissance du recours pour excès de pouvoir, allait progresser du même pas que la procédure.

I
LE CONSEIL D'ÉTAT ET LA RÉVOLUTION DE 1830

Menaces sur le Conseil d'Etat — L'hostilité à son égard de Louis-Philippe et de Dupont de l'Eure — Le duc de Broglie nommé président du Conseil d'Etat — Son rapport au Roi en faveur du maintien du Conseil d'Etat— L'ordonnance de réorganisation du 20 août 1830 — Une épuration sévère — Formation d'une commission de réforme.

Le 25 janvier 1830, une commission achevait l'élaboration d'un projet de loi sur le Conseil d'Etat. Celui-ci allait enfin recevoir du législateur un statut qui devait confirmer son existence et ses attributions si vivement contestées depuis quinze ans; c'est alors qu'éclata la Révolution de juillet.

Celle-ci aurait pu être fatale au Conseil, car elle amena au pouvoir deux hommes qui ne l'aimaient pas : sur le trône, Louis-Philippe, qui dans la patiente reconstitution de son patrimoine s'était heurté au Conseil; au ministère de la justice, Dupont de l'Eure qui avait été dans les Chambres de la Restauration l'un de ses plus violents adversaires. Mais le Conseil trouva en Victor de Broglie un habile défenseur qui a rappelé dans ses Mémoires les diverses démarches accomplies par lui pour le sauver.

La première eut pour but de convaincre le Roi, qui l'avait consulté sur la composition de son conseil provisoire, de se défaire de Dupont de l'Eure et de rattacher la présidence du Conseil d'Etat au ministère des cultes et de l'instruction publique dont lui-même allait être chargé :

«... Restaient deux ministères : l'un grand et principal, celui de la justice; l'autre, qui passait pour tout petit, ayant été plusieurs fois éparpillé entre d'autres ministères, celui des cultes et de l'instruction publique.

M. Dupont de l'Eure était commissaire au département de la justice.

C'était un personnage de conséquence, auquel on ne pouvait ni se confier sans réserve, ni toucher sans précaution. Il était depuis plus d'un quart de siècle, pour le parti libéral, une sorte d'idole ou de fétiche. Sa probité, son désintéressement, sa persistance dans les mêmes principes, à travers toutes les vicissitudes de la politique, depuis le conseil des Cinq-Cents sous le Directoire jusqu'au ministère Polignac sous la Restauration, en faisaient un homme hors de pair et hors de page. Mais, outre que son esprit avait toujours été court, étroit et un peu vulgaire, il avait vieilli; il vivait au milieu d'un nuage d'encens que toutes les oppositions successives lui avaient, à leur tour, brûlé sous le nez, et tout à la disposition de la gent tapageuse et criarde des avocats et des légistes, dont chaque clique mettait, à son tour, la main sur lui. Rien ne pouvait donc être plus fâcheux, surtout en temps de révolution, que de voir le ministère qui devait être la pierre de résistance, la maîtresse ancre du navire, tomber dans des mains séniles et débiles et livré à tout venant.

— Si M. Dupont demeure quelques mois où il est, dis-je à mon interlocuteur, attendez-vous à voir ce personnel de la magistrature, qu'on n'a sauvé qu'à grand'peine dans la révision de la Charte, empoisonné de choix détestables, vu le nombre et la diversité des vacances : plus de vigoureuses traditions, plus de temps d'arrêt dans les tribunaux; attendez-vous, en outre, à voir le conseil des ministres percé à jour, et tout ce qui s'y dira ou fera courir les rues et les estaminets de la basoche.

— Que faire donc ?

— S'en défaire, répondis-je, et le plus tôt possible; mais pour cela, il faut guetter le moment. Notre homme a cela de bon, qu'il met son point d'honneur à faire fi du pouvoir et des avantages qui en dépendent, à se poser en Cincinnatus et en Curius; il vous offrira sa démission trois ou quatre fois par semaine; le tout est de bien choisir l'occasion et de lui trouver un bon successeur.

— J'y penserai.

(Le Roi envisage ensuite de remplacer M. Bignon au ministère de l'instruction publique et des cultes).

Je vis qu'il était fort embarrassé de trouver un successeur à M. Bignon, et je lus sur son visage qu'il avait bien envie de me mettre le double fardeau sur les épaules, mais qu'il craignait que l'offre d'une position si chétive en apparence, et si peu attrayante en réalité, ne me parût trop au-dessous des prétentions qu'à tort ou à raison je pouvais former.

Je pouvais, en effet, prétendre à mieux, les circonstances données; mais il avait tort, car ce fut précisément le motif qui agit sur mon esprit.

Le roi lisait sur mon visage comme je lisais sur le sien; nous fûmes donc promptement d'accord; j'y mis néanmoins une condition, c'est qu'au double ministère des cultes et de l'instruction publique serait annexée la présidence du Conseil d'Etat. Je déclarais nettement que je ne pouvais m'en passer dans les difficultés que je prévoyais; je savais, d'ailleurs, que M. Dupont se proposait de le supprimer et de renvoyer aux tribunaux le contentieux de l'administration, proposition funeste dans laquelle il aurait pour lui les gens de loi et le roi lui-même, qui gardait rancune au Conseil d'Etat pour quelques procès qu'il y avait perdus. Ne fût-ce que pour lui épargner cette énorme faute, je faisais bien d'insister.

Tout fut réglé dans la soirée. »

(*Duc de Broglie. Souvenirs Paris 1886. T. III. pp. 417 sq.*).

Quelques jours plus tard, le 20 août 1830, le duc de Broglie, soumettait au Roi un rapport qui, après son approbation, fut publié au *Moniteur* et où, selon ses propres expressions, il établissait « en termes catégoriques la nature du Conseil d'Etat en tant que ressort essentiel à l'établissement monarchique, la nécessité dans les circonstances présentes d'en déclarer le maintien, l'urgence de lui rendre immédiatement vie et action » :

RAPPORT AU ROI

SIRE,

Le Conseil d'Etat, dont Votre Majesté m'a confié la présidence, peut être envisagé sous deux points de vue :

comme conseil du Gouvernement,
comme juridiction.

En tant que conseil du Gouvernement, son existence n'a jamais été attaquée; on en reconnaît l'utilité; mais c'est une grande question de savoir si le Conseil d'Etat doit entrer, comme juridiction, dans notre ordre constitutionnel; supposant cette question résolue par l'affirmative, ce serait une autre question, non moins grave, de savoir comment cette juridiction doit être réglée et quelles garanties elle doit offrir aux citoyens.

J'ai l'honneur de proposer à Votre Majesté de soumettre ces deux questions à l'examen d'une commission spéciale, qui serait chargée de préparer un projet de loi sur ce sujet important.

L'organisation du Conseil d'Etat, comme conseil du Gouvernement, a été réglée par diverses ordonnances, et dernièrement par celle du 5 novembre 1828; cette organisation semble défectueuse à plusieurs égards; la même commission s'occuperait des réformes qu'exigent l'intérêt public et le bien du service.

Mais, en attendant, la reprise immédiate des travaux du Conseil d'Etat est indispensable. D'une part, le cours de la justice ne saurait être interrompu; les dossiers des affaires contentieuses s'accumulent et encombrent les bureaux, les avocats se plaignent, les parties demandent jugement; il n'est pas plus possible de suspendre l'action du comité du contentieux que celle de tout autre tribunal. Le Conseil d'Etat expédie à lui seul plus d'affaires que la Cour de cassation et la Cour royale de Paris prises ensemble. D'autre part, il n'est pas moins urgent que les comités du Conseil d'Etat attachés aux différents ministères soient remis sur-le-champ à la disposition des ministres.

Ces comités économisent par leur travail une division dans chaque ministère; ils préparent les réglements d'administration publique et les ordonnances royales sur les concessions de mines, les tontines, les assurances, les déssèchements de marais, les sociétés anonymes, les legs et donations, les plans d'alignement, les établissements d'usines, chemins, ponts et canaux, les règlements sur les cours d'eau, les budgets des communes, les transactions, les échanges, les autorisations des manufactures insalubres et une foule de matières analogues. Ils prémunissent le Gouvernement, par leur vérification et leur contrôle, contre les erreurs des bureaux et les diverses influences qu'ils pourraient subir; et ils fortifient, en l'éclairant, la responsabilité des ministres qui, désormais, comme la Charte, sera une vérité. Ils révisent la liquidation des pensions, ils résolvent par des avis motivés les difficultés élevées, soit entre les ministres sur des questions mixtes, qui touchent à leurs départements respectifs, soit sur tous les incidents qui, dans un si vaste Empire et avec un si prodigieux mouvement d'affaires, suspendent à chaque instant l'action de l'autorité; ils préparent les décisions des ministres sur les questions litigieuses; ils étudient, discutent et rédigent sur les matières civiles et administratives les projets de loi et règlement que les ministres croient devoir soumettre à leur délibération.

Votre Majesté concevra que toute interruption dans des travaux si multipliés, si importants et si graves, arrêterait subitement dans sa marche l'administration tout entière et porterait aux plus pressants intérêts de la société et des citoyens un dommage irréparable.

En conséquence, j'ai l'honneur de proposer à Votre Majesté,

1) De statuer sans délai sur les changements dans le personnel du Conseil d'Etat que le vœu public et le bien du service rendent indispensables.

2) D'ordonner que le Conseil d'Etat sera réuni sur le champ pour prêter serment et reprendre le cours de ses travaux.

J'ai l'honneur d'être, avec un profond respect,
De Votre Majesté,
Le très humble et très obéissant serviteur et fidèle sujet.

Le pair de France, ministre secrétaire d'Etat au Département de l'instruction publique et des cultes, président du Conseil d'Etat,
Duc de BROGLIE

(Mon. univ., 22 août 1830).

Le même numéro du *Moniteur* publiait une ordonnance qui réorganisait provisoirement le Conseil d'Etat, « épurant » son personnel avec sévérité et excluant les membres du service extraordinaire du jugement des affaires contentieuses :

A Paris, le 20 août 1830

LOUIS-PHILIPPE, Roi des Français, à tous les présens et à venir, Salut.

Considérant qu'un grand nombre d'affaires attribuées par des lois encore en vigueur à la juridiction administrative sont en instance devant le Conseil d'Etat;

Que, jusqu'à ce qu'une loi, qui sera le plus tôt possible présentée aux Chambres, ait définitivement réglé l'organisation et les attributions du Conseil d'Etat, il est urgent de pourvoir à l'expédition de ces affaires; que la suspension des travaux du Conseil laisse les parties en souffrance, compromet de graves intérêts et excite de vives et justes réclamations;

Considérant néanmoins qu'il importe de modifier dès à présent le personnel du Conseil d'Etat, d'une manière conforme à l'intérêt de l'Etat et au besoin du service;

Sur le rapport de notre ministre secrétaire d'Etat au Département de l'instruction publique et des cultes, président du Conseil d'Etat,

Nous avons ordonné et ordonnons ce qui suit :

Art. 1. — La démission de MM. les conseillers d'Etat comte de Tournon et chevalier Delamalle est acceptée.

La démission de MM. le comte de Nugent, le vicomte de Cormenin et le baron Prévost, maîtres des requêtes, est acceptée.

(Les art. 2 et 3 admettent à faire valoir leurs droits à la retraite 13 conseillers d'Etat et 14 maîtres des requêtes. L'art. 3 supprime sur le tableau du service extraordinaire les noms de 24 conseillers et de 12 maîtres des requêtes. L'art. 4 révoque les ordonnances ayant autorisé à assister aux délibérations du Conseil 12 conseillers et 2 maîtres des requêtes. Les art. 5 à 10 nomment des conseillers et des maîtres des requêtes).

Art. 11. — Pour les décisions à rendre sur les affaires contentieuses, seront exclusivement comptées les voix des conseillers d'Etat en service ordinaire et du maître des requêtes rapporteur.

Art. 12. — Notre ministre secrétaire d'Etat au Département de l'instruction publique et des cultes, président du Conseil d'Etat, arrêtera le tableau de répartition des membres du Conseil d'Etat entre les divers comités.

Art. 14. — Les membres du Conseil d'Etat prêteront entre les mains du président du Conseil d'Etat le serment de fidélité au Roi, d'obéissance à la

Auditeur au Conseil-d'Etat.

Par GAVARNI

Gravé par PIAUD

Gravure de Gavarni représentant un auditeur sous la Monarchie de juillet. Les guenilles dont il est vêtu et le cordon de sonnette qu'il tire font sans doute allusion à la situation des auditeurs à cette époque : ils ne percevaient pas de traitement, ne possédaient aucune garantie statutaire et devaient, s'ils n'étaient pas nommés maîtres des requêtes au bout de quelques années, quitter le Conseil sans être assurés d'obtenir un emploi dans l'administration.

Charte constitutionnelle et aux lois du royaume. Ce serment sera prêté à l'ouverture de la première assemblée générale du Conseil d'Etat.

(Mon. univ., 22 août 1830).

Si l'on en croit ses souvenirs, le duc de Broglie aurait souhaité une épuration plus limitée ou plus spontanée :

« Je n'en étais venu là ni d'un seul coup ni sans des luttes très vives.

Tout Conseil d'Etat étant, au vrai, le quartier général du gouvernement dont il fait partie, l'élite de sa milice, le dépositaire de ses traditions, le confident de ses secrets, en un mot l'âme de sa politique, quand ce gouvernement vient à tomber, naturellement son Conseil d'Etat devrait s'empresser de faire maison nette; ce devrait être affaire de principe et de point d'honneur.

Mais il n'en va pas toujours ainsi et les exemples ne sont pas rares de ces serviteurs zélés qui ne répugnent pas trop à faire, tout en grommelant, un nouveau bail avec le nouvel occupant.

Ce fut le cas cette fois.

Sur quarante-cinq conseillers en titre d'office, deux seulement, M. de Tournon et M. Delamalle, donnèrent leur démission. Sur trente-deux maîtres des requêtes, trois seulement, MM. de Nugent, Cormenin et Prévost en firent autant.

Je ne parle point de ceux qui, n'étant pas titulaires, n'avaient entrée au Conseil qu'en raison des fonctions dont ils étaient pourvus.

Or, comme un certain nombre de ces personnages, de bonne volonté, sans être pour cela bénévoles, s'étaient trouvés engagés jusqu'à la garde dans la politique active, plusieurs même compromis dans la préparation des fatales ordonnances, il était clair qu'une élimination devenait indispensable et naturellement tombait à ma charge. Je l'entrepris fort à contre-cœur, dans l'intention bien sincère de la réduire aux strictes limites de la prudence et des convenances, en maintenant sur pied tous les gens de métier, toutes les têtes à perruques, tous les plumitifs dont la profession et la propension est de dépouiller des dossiers et d'entretenir, si j'ose ainsi parler, le pot-au-feu des affaires courantes.

Mais ce fut là ma première bataille. Autant de titulaires maintenus, autant de retranché sur les vacances à pourvoir; les sièges au Conseil d'Etat étant réputés de friands morceaux, chacun de mes confrères au ministère avait sa clientèle de prétendants, chacun desquels avait, pour son compte, des raisons à faire valoir contre l'un ou l'autre de ceux que j'entendais maintenir, raisons sinon plus solides, du moins plus spécieuses que les miennes, l'équité, la modération, le ménagement des droits acquis et des positions faites n'ayant guère beau jeu en révolution.

Je fus donc souvent ou, pour tout dire, habituellement battu sur ce terrain, dans l'intérieur du cabinet, et qui prendra la peine de jeter les yeux sur la liste des conseillers et des maîtres des requêtes évincés, c'est-à-dire, selon la formule d'usage, admis à faire valoir leurs droits à la retraite, ne s'étonnera guère du peu de succès de ma résistance.

J'y perdis plusieurs auxillaires dont le savoir, le bon sens et l'expérience m'auraient été très précieux.

Je pris ma revanche à la formation du nouveau Conseil, il s'entend, à la nouvelle répartition des titulaires maintenus et aux choix des nouveaux appelés et je déclarai formellement à mes collègues, en présence du Roi, que, s'ils entendaient m'imposer leurs créatures et peupler l'administration, au premier chef, de novices ou de braillards, ils n'avaient qu'à chercher un autre que moi pour faire ce métier. Je tins bon quoi qu'il en pût advenir, et le Conseil qui sortit, en définitive, de nos délibérations fut à peu près tel que je le proposai. »

(Duc de Broglie. Souvenirs. Paris 1886. Tome IV. pp. 60-sq).

Le duc de Broglie ne s'en tint pas là. Le jour même où le personnel du Conseil était ainsi renouvelé, il faisait signer par le Roi une ordonnance constituant une commission chargée de préparer un projet de loi sur les réformes à introduire dans l'organisation et les attributions du Conseil :

« Je fis nommer une commission chargée de préparer l'organisation définitive, commission d'élite (MM. Bérenger, d'Argout, Devaux, Vatimesnil, Zangiacomi, Fréville, Macarel, Rémusat), à la tête de laquelle je plaçai M. Benjamin Constant, qui ne daigna pas l'honorer de sa présence.

Je ne l'y regrettai guère; il nous eût été plus nuisible qu'utile. Etranger à l'administration dans son ensemble et dans ses détails, étranger surtout à l'administration française, il nous eût fait perdre un temps précieux dont chaque moment nous était compté; nos séances se seraient passées à lui apprendre ce qu'il ignorait et à réfuter les objections qui lui auraient passé par la tête.

Je présidai moi-même cette commission presque tous les jours durant mon court passage aux affaires. J'y étais de tout cœur; j'avais beaucoup réfléchi et écrit quelque peu sur l'objet de son travail, et je ne désespérais pas absolument d'y laisser quelques traces de mes idées personnelles, à valoir ce que de raison. »

(Duc de Broglie. Souvenir. Paris 1886. T. IV. pp. 65-66).

Ces « idées personnelles » étaient pleines d'ambition pour le Conseil d'Etat. Le duc de Broglie les expose dans ses Souvenirs, avec, semble-t-il, quelque optimisme rétrospectif :

« Après avoir ainsi rétabli le Conseil d'Etat et lui avoir donné, par l'éclat de son personnel, autant de relief que le comportait la difficulté des circonstances, au lieu de le laisser languir dans la position subalterne d'un simple bureau collectif, si j'ose m'exprimer de la sorte, j'en fis un corps, un corps véritable, en donnant à ses membres une véritable tête, en l'associant nécessairement et de plein droit au mouvement général des affaires grandes et petites, en y plaçant l'initiative de ce mouvement incessant et multiple, en le préparant à devenir par le cours et la force même des choses ce qu'est, en Angleterre, le conseil privé, un lien souple et continu entre les pouvoirs publics, l'œil et le bras de l'autorité suprême, un point de ralliement, un élément de conciliation entre les partis qui se succèdent tour à tour...

Mais pour en venir à mes fins en cela, ou du moins pour en frayer la voie, il fallait avant tout déblayer le terrain; il fallait restituer à la justice ordinaire tout ce dont le Conseil d'Etat de l'Empire et celui de la Restauration l'avaient dépouillée, coup sur coup et comme à l'envi, sous le vain prétexte de contentieux administratif; poser à nouveau sur cette matière les vrais principes, tels que je les avais expliqués moi-même quelques années auparavant, et faire pour la première fois de ces principes une application intelligente et sévère; c'était un travail immense et qui touchait à tout. Il me fallait, par là, réduire à son minimum toute occasion de conflits entre l'administration et la justice, et restituer le peu qui en pourrait subsister à l'arbitrage de la Cour de cassation. Il me fallait enfin rayer et biffer de nos institutions cet article 75 de la constitution de l'an VIII qui en est l'opprobre et la dérision, rendre à la justice son cours légitime à l'égard des fonctionnaires publics, affranchir le Conseil d'Etat de la honteuse mission de les protéger contre les conséquences de leurs méfaits, et substituer à ce qu'on nomme la garantie des fonctionnaires publics un système de poursuite régulier, libre et sensé, tel que je l'ai fait prévaloir plus tard dans un projet de loi sur la responsabilité des ministres qui fut trouvé trop libéral pour être adopté.

Pendant deux mois, j'ai présidé moi-même, chaque matin ce comité pendant plusieurs heures, préparant son travail, dirigeant ses discussions, minutant de ma main ses décisions. J'ai sous les yeux, en ce moment, l'énorme cahier des procès-verbaux de ces discussions, l'énorme cahier de ces décisions, rédigées en projet définitif et le projet d'ordonnance en cent articles, ni plus ni moins, qui les coordonne et les résume.

Je tiens, après trente-cinq ans d'étude et d'expérience, ce projet pour à peu près bon dans la diversité et la multiplicité de ses parties ».

(Duc de Broglie. Souvenirs, Paris 1886, t. IV, pp. 96 sq).

Ce projet — qui comportait en réalité 245 articles et dont les auteurs avaient essayé de déterminer avec beaucoup de précision la compétence de la juridiction administrative en énumérant les catégories d'affaires qui en ressortissaient — n'eût pas de suite (1).

Le Gouvernement avait préféré, semble-t-il, s'engager dans une autre voie et fournir des apaisements à l'opinion libérale en donnant des garanties de procédure aux justiciables. Tel fut l'objet des ordonnances du 2 février et du 12 mars 1831 qui établirent la publicité des audiences, donnèrent aux avocats le droit d'ajouter des observations orales à leurs mémoires écrits et instituèrent un ministère public. Si importants qu'ils fussent, ces textes laissaient entière la question du fondement légal et du rôle du Conseil d'Etat — question qui sera à l'ordre du jour des débats parlementaires de 1833 à 1845.

---

(1) Des copies du projet et des procès-verbaux de la commission ont été versées après 1872 aux Archives du Conseil d'Etat par L. Aucoc. Ils n'ont jamais été publiés ni étudiés en détail (*Cf. L. Aucoc. Le Conseil d'Etat avant et depuis 1789, p. 113. note*).

II

LA RÉFORME DU CONSEIL D'ÉTAT DEVANT LES CHAMBRES (1833-1845)

Six projets de lois et douze années de débats — L'existence du Conseil d'Etat n'est plus contestée — Les thèses en présence — Fonctionnarisation du Conseil ? — Le service extraordinaire — L'auditorat — Justice retenue ou justice déléguée — La loi du 21 juillet 1845.

De 1833 jusqu'au vote de la loi du 21 juillet 1845 la réforme du Conseil d'Etat fut constamment à l'étude. Sa constitutionalité et son existence n'étaient plus sérieusement remises en cause, comme elles l'avaient été sous la Restauration. En présentant à la Chambre des pairs, en 1843, le projet de loi le réorganisant, le garde des sceaux pouvait déclarer :

> « Nous vous proposons, Messieurs, de consacrer par votre vote, après la consécration qu'elles ont reçue de l'expérience, les règles actuelles...
>
> Nous ne pensons pas qu'aucune difficulté nous soit désormais opposée en ce qui touche l'intervention du Conseil d'Etat dans les affaires de pure administration et le maintien du contrôle qu'il exerce, à cet égard, sur l'action administrative. Loin de diminuer ou de restreindre ses attributions, soit dans la préparation des ordonnances qui suivent et développent l'œuvre du pouvoir législatif, soit dans les matières de plus en plus nombreuses qui réclament la sollicitude de l'administration, les chambres agrandissent tous les ans ces attributions, en faisant aux ordonnances royales portant règlement d'administration publique et à celles qui doivent être délibérées dans cette forme, une part de plus en plus importante.
>
> Ici, Messieurs, nous rencontrons une nouvelle preuve de ces progrès de la raison publique auxquels nous faisions allusion en commençant cet exposé. Nous n'en sommes plus au temps où l'utilité et la constitutionnalité du Conseil d'Etat soulevaient, même à ce point de vue, d'assez nombreuses objections ».
>
> *(Ch. pairs. Séance du 30 janvier 1843. Mon. univ. 2 février 1843, p. 195).*

Mais deux questions essentielles demeuraient posées au début de la Monarchie de juillet : le remplacement par une loi des ordonnances royales qui régissaient le corps depuis 1814; la détermination de sa compétence et de ses pouvoirs dans le domaine du contentieux administratif. Sauf sur des points relativement secondaires — le service extraordinaire, la place des ministres au Conseil, la présidence de celui-ci, l'auditorat —, la composition et les règles de fonctionnement du Conseil, ainsi que ses attributions en matière législative et administrative n'étaient guère contestées (1).

Il fallut douze ans pour aboutir. Douze ans au cours desquels les projets de loi se succèdent, allant et venant entre les deux chambres. Dans son ouvrage sur le Conseil d'Etat, Léon Aucoc a donné un tableau clair et précis des différentes phases de la longue préparation de la loi du 21 juillet 1845 :

> « Un premier projet de loi fut présenté en 1833 à la Chambre des pairs (séance du 15 mai 1833). Il fut présenté une seconde fois à la même chambre le 11 janvier 1834. Un rapport fut fait sur ce projet par M. le comte Portalis le 25 janvier 1834. Adopté par la Chambre des pairs, il fut porté à la Chambre des Députés (séance du 20 février 1835). M. Lacave-Laplagne déposa, le 11 avril 1835, un rapport qui concluait au rejet. Le projet ne fut pas discuté.
>
> Un autre projet fut présenté à la Chambre des députés le 20 janvier 1836 (Il avait été préparé par une commission spéciale choisie dans le Conseil d'Etat et composée par MM. Girod de l'Ain, Allent, Bérenger, de Gérando, de Freville, Maillard, Vivien, de Chasseloup-Laubat). Il n'aboutit pas.
>
> En 1837, un cinquième projet fut présenté à la Chambre des députés. M. Vatout fit, le 30 juin 1837, au nom de la commission, un rapport qui tendait à donner à la section de justice administrative le pouvoir de statuer souverainement sur les affaires contentieuses.
>
> Après la promulgation de l'ordonnance du 18 septembre 1839 un nouveau projet fut présenté à la Chambre des députés le 1er février 1840. M. Dalloz aîné fit, le 10 juin 1840, un rapport qui reprenait en les accentuant les propositions faites par la commission dont M. Vatout était l'organe en 1837. Le Gouvernement, n'acceptant pas ces idées, retourna en 1843 devant la Chambre des pairs (30 janvier 1843). Son projet de loi fut l'objet d'un rapport favorable de M. Persil (17 mars 1843). Adopté par la Chambre des pairs, il fut soumis à la Chambre des députés le 26 avril 1843. M. Dumon fit, le 6 juillet suivant, un rapport dans lequel les propositions du gouvernement sur la constitution de la juridiction administrative étaient approuvées. La discussion eut lieu à la Chambre des députés du 24 au 28 février 1845 (2). M. de Chasseloup-Laubat avait été substitué comme rapporteur à M. Dumon, devenu ministre. Le projet fut adopté, avec divers amendements, à la majorité de 197 voix contre 170. La Chambre des pairs l'adopta ensuite sur un nouveau rapport de M. Persil, en date du 28 avril 1845 ».
>
> *(L. Aucoc. Le Conseil d'Etat. Paris 1876, p. 118).*

La nécessité, ou du moins l'opportunité, de régler par une loi l'organisation du Conseil ne fut pas sérieusement discutée. L'opinion de Cormenin — qui soutint dans un pamphlet paru en 1844 qu'une loi était superflue, disant dans son langage pittoresque et bizarre : « Malheureusement nous sommes mordus du chien de la légomanie » — paraît être

(1) La question de l'inamovibilité des conseillers d'Etat fut fréquemment discutée dans les chambres comme par la doctrine au cours de cette période. Mais cette question était liée à celle des pouvoirs juridictionnels du Conseil. L'inamovibilité était réclamée par les partisans de la justice déléguée, comme un corollaire de celle-ci.

(2) Auroc commet ici une légère erreur; la discussion se prolongea jusqu'au 1er mars inclus.

demeurée isolée. Le rapporteur du projet de loi de 1843 estimait cependant nécessaire de justifier l'intervention d'un texte législatif pour organiser un corps dont le rôle, même en matière contentieuse, demeurait consultatif :

« Parvenus au terme de cet examen, nous avons dû nous demander si les solutions que nous avons adoptées devaient rester matière d'ordonnance ou si elles pouvaient devenir matière de loi. Nous n'avons pas hésité à penser qu'il était à la fois opportun et utile d'organiser législativement le Conseil d'Etat. Sans doute, s'il n'était qu'un conseil privé d'administration, il serait sans fonctions légales, et son organisation resterait tout entière dans le domaine des ordonnances. Mais le Conseil d'Etat est une institution, s'il n'est pas un pouvoir : sa délibération préalable est réclamée par les lois à titre de garantie dans les matières administratives les plus importantes et dans toutes les matières contentieuses. L'efficacité de cette garantie ne dépend-elle pas de la composition et des formes de procéder du corps à qui elle est demandée ? Peut-on dire qu'il suffit à la loi d'ordonner que le Conseil d'Etat délibérera sur un règlement d'administration publique, qu'il lui importe peu que le service extraordinaire puisse l'emporter en nombre sur le service ordinaire dans cette délibération ? Peut-on dire qu'il suffit à la loi de renvoyer certaines questions à la juridiction contentieuse, et qu'il lui importe peu que le service extraordinaire rentre dans le Conseil, ou que les séances cessent d'être publiques, ou que les défenseurs des parties ne puissent plus être entendus ? Evidemment la loi, qui réclame l'intervention du Conseil d'Etat, a compétence pour régler les formes de cette intervention.

Nous comprenons que l'organisation du Conseil d'Etat ait été retenue longtemps sous la règle mobile des ordonnances, et qu'on ait attendu les résultats de l'expérience avant de donner à cette organisation la stabilité de la loi. Mais l'expérience est faite, et la loi peut intervenir sans danger. Le puissant génie qui réorganisa tout en France a restauré en l'an 8 la juridiction administrative, en l'arrachant aux bureaux ministériels pour la faire siéger dans son Conseil d'Etat La révolution de 1830 a fait presque autant pour elle : elle l'a popularisée en la faisant connaître; la publicité des séances du Conseil d'Etat a dissipé bien des préventions; la distinction du contentieux administratif et du contentieux judiciaire a été mieux comprise, et on a vu que, s'il y avait deux juridictions, il n'y avait qu'une même justice. Le moment est donc venu de donner au Conseil d'Etat la consécration de la loi, et de fonder des garanties qui ont eu le double avantage de fortifier une juridiction et de rassurer ses justiciables ».

(Ch. dép. Séance du 6 juillet 1843. Mon. univ., 7 juillet 1843, p. VIII).

La longue durée de la préparation de la loi eut pour cause essentielle l'opposition de point de vue entre les gouvernements successifs de la Monarchie de juillet et la Chambre des pairs d'une part, la majorité des membres de la Chambre des députés d'autre part sur le problème du contentieux administratif. Les seconds, à l'inverse des premiers, voulaient instituer la justice déléguée, et, avec elle, l'inamovibilité des conseillers d'Etat.

Ils n'y parvinrent pas et, s'ils obtinrent, au terme de la discussion, quelques réformes secondaires — procédure de révocation plus protectrice des conseillers et maîtres des requêtes, règlementation plus rigoureuse du service extraordinaire etc. —, la loi du 21 juillet 1845 fut pour l'essentiel la reproduction de l'ordonnance du 18 septembre 1839 que, de guerre lasse, ne voyant aboutir aucun de ses projets, le gouvernement avait fait signer au Roi pour réorganiser le Conseil. Ni cette ordonnance, ni cette loi ne modifiaient d'ailleurs profondément le Conseil d'Etat tel que l'avait réorganisé la Restauration. Les réformes substantielles de la Monarchie de Juillet furent les réformes de la procédure contentieuse intervenues dès 1831. Celles qui résultèrent de la loi du 21 juillet 1845 ne furent pas à la mesure des longs débats parlementaires qui les avaient préparées.

Ces débats furent généralement d'une bonne et parfois d'une haute tenue. Leur lecture — ils occupent des centaines de colonnes de texte serré au Moniteur — n'en est pas moins assez fastidieuse. De 1833 à 1845, ce sont toujours les mêmes questions qui se trouvent abordées, les mêmes thèses qui s'opposent, les mêmes arguments qui sont invoqués. On en retiendra ici, sans distinguer entre les chambres, les législatures et les sessions, quelques extraits relatifs aux thèmes les plus importants qui furent alors traités : la « fonctionnarisation » du corps, le service extraordinaire, l'auditorat, la justice retenue ou déléguée.

« FONCTIONNARISATION » DU CONSEIL ?

La loi du 21 juillet 1845, reproduisant presque textuellement sur ce point les dispositions de l'ordonnance du 18 septembre 1839, disposa en ses articles 5 et 6 :

> ART. 5. — Les fonctions de conseiller d'Etat et de maître des requêtes en service ordinaire sont incompatibles avec toute autre fonction publique.
>
> ART. 6. — Les conseillers d'Etat et les maîtres des requêtes en service ordinaire ne peuvent être révoqués qu'en vertu d'une ordonnance individuelle délibérée en conseil des ministres et contresignée par le garde des sceaux.

Avec celles de l'art. 8 de la même loi, fixant respectivement à 30, 27 et 21 ans les âges de nomination des conseillers, maîtres des requêtes et auditeurs, ces dispositions sont les seules qui restreignent alors la liberté du gouvernement à l'égard des membres du Conseil et ébauchent pour ceux-ci un premier statut. C'est délibérément que les auteurs de la loi de 1845 ne voulurent pas aller plus loin. En accord avec le gouvernement, ils repoussèrent plusieurs propositions qui tendaient à une certaine fonctionnarisation du corps. Des voix — peu nombreuses et peu écoutées, semble-t-il —, avaient demandé que fussent fixées des règles de nomination (on disait alors des « conditions d'éligibilité ») aux fonctions de conseiller et de maître des requêtes, afin de réserver un certain nombre des postes supérieurs aux maîtres des requêtes et auditeurs. Le garde des secaux s'opposa à l'amendement :

> « L'amendement de M. de Gasparin, déclara-t-il, a pour objet d'indiquer

les catégories dans lesquelles le gouvernement serait exclusivement obligé de choisir les conseillers d'Etat et les maîtres des requêtes. Son but, et ce but est honorable, c'est de ménager, autant que possible, les intérêts du Conseil d'Etat lui-même; de faire ainsi arriver aux postes les plus importants de ce corps des hommes qui, dans le degré hiérarchiquement inférieur, ont rendu des services constatés, et, successivement, de faire arriver les auditeurs au titre de maître des requêtes.

L'honorable M. de Gasparin n'a pu dissimuler la vérité des faits; il savait bien de quelle manière les choix avaient été faits dans le Conseil d'Etat, et certes la statistique à cet égard est la meilleure preuve que tous les droits ont été respectés et que de justes récompenses ont été accordées aux services rendus. En effet, aujourd'hui, sur trente conseillers d'Etat en service ordinaire, seize ont été maîtres des requêtes, et sur trente maîtres des requêtes, vingt-sept ont été auditeurs.

Je ne crois pas qu'il soit possible de demander au gouvernement un plus scrupuleux respect des droits acquis et des services rendus dans le Conseil d'Etat. Est-il donc à craindre qu'il en soit autrement désormais ? N'est-il pas évident qu'un corps aussi important que le Conseil d'Etat, qui connaît et juge si bien le mérite et la capacité de chacun de ses membres, doit nécessairement exercer sur le choix du gouvernement une telle influence, qu'il est impossible que l'homme qui mérite réellement d'obtenir dans cette carrière un poste supérieur ne l'obtienne pas ? C'est là un fait incontestable, démontré par l'expérience, et, dès lors, pourquoi imposer au gouvernement des entraves qiu ne peuvent être que nuisibles au service ? ».

(Ch. dép. Séance du 26 février 1845. Mon. univ., 27 février 1845, pp. 440-441).

Au cours des débats de l'année 1834, le comte Portalis, rapporteur du projet de loi, avait défendu de même la liberté de choix du gouvernement, que l'ordonnance royale du 26 août 1824 avait légèrement restreinte :

« Une ordonnance royale du 26 août avait déterminé de quels titres devaient être revêtus, ou quelles fonctions devaient actuellement exercer ceux qui étaient nommés conseillers d'Etat. Le gouvernement, que l'expérience avait instruit à se défier de lui-même, éleva, contre les sollicitations infatigables de l'intrigue, l'exigence hautaine des partis et les prétentions importunes de certaines positions sociales, le retranchement des catégories. Il s'y réfugia comme dans un abri contre sa propre faiblesse. Mais, dans une monarchie constitutionnelle, rien ne doit gêner la liberté des choix de la Couronne, comme rien ne peut suppléer à la sagesse et à la fermeté qui doivent les dicter. Avec celles-ci toutes les conditions d'admissibilité peuvent devenir inutiles; sans elles toutes sont illusoires.

Le projet de loi n'indique aucune condition d'admissibilité pour les conseillers d'Etat et les maîtres des requêtes.

Votre commission a jugé néanmoins qu'il y avait une condition de capacité en quelque sorte naturelle et civile, dont la loi ne devait jamais se départir : c'est celle de l'âge. Elle vous propose en conséquence de déclarer que nul ne pourra être nommé conseiller d'Etat s'il n'est âgé de trente ans accomplis, maître des requêtes s'il n'est âgé de vingt-cinq ans, et auditeur s'il a moins de vingt et un ans ».

(Ch. pairs. Séance 25 janvier 1834. Mon. univ., 28 janvier 1834, p. 171).

La loi de 1845 interdit le cumul entre les fonctions de conseiller d'Etat et de maître des requêtes et toute autre fonction publique, mais elle laissa subsister la possibilité d'être en même temps membre du Conseil d'Etat — en y siégeant — et membre du Parlement. Tous les gouvernements de la Monarchie de juillet demandèrent le rejet des amendements tendant à l'interdiction de ce cumul :

« A côté de cette première précaution (les conditions d'éligibilité réservant des places de conseillers et de maîtres des requêtes), M. de Gasparin, déclarait le garde des sceaux, à la séance de la Chambre des députés du 26 février 1845, en introduit une autre : il veut exclure du Conseil d'Etat des hommes qui auraient donné à la tribune de l'une ou de l'autre chambre des preuves d'un grand talent et qui n'auraient que la qualité de pair ou de député. Eh bien, cela est-il bon, cela est-il juste, utile ? Je m'élève, Messieurs, contre cette proposition, et je la combats avec d'autant plus de force que l'expérience la repousse également. Je ne citerai pas de noms propres, pour ne pas blesser des hommes présents à cette séance. Mais il en est plusieurs qui ont été membres du Conseil d'Etat, qui en ont fait partie avec éclat, et dont la nomination, loin de donner lieu à aucune plainte, a obtenu l'assentiment général.

Je pense donc que l'amendement doit être écarté par la chambre, et je le repousse formellement ».

(Ch. dép. Séance du 26 février 1845. Mon. univ., 27 février 1845, p. 441).

Le gouvernement en obtint facilement le rejet. Les parlementaires membres du conseil d'Etat furent nombreux de 1830 à 1848 — 83 au total — et sans doute plus nombreux encore ceux qui pouvaient espérer une nomination au Conseil (1). M. Desmousseaux de Givré devait exprimer l'opinion de beaucoup de ses collègues lorsqu'il demandait en ces termes le maintien du statu quo :

« La conclusion logique de ce que vient de dire l'honorable rapporteur serait qu'aucun des membres de cette chambre ne pourrait appartenir au Conseil d'Etat (bruit et mouvements divers), et, en privant par d'autres exclusions un des plus grands corps de l'Etat, non seulement de lumières précieuses, mais d'illustrations véritables, de rabaisser une institution politique à l'état d'une juridiction spéciale et bornée ».

(Ch. dép. Séance 25 février 1845. Mon. univ., 26 février 1845, p. 430).

Le statu quo fut maintenu jusqu'à la chute du régime de juillet, malgré les critiques et les avertissements qu'au cours de ses dernières années firent entendre des hommes comme Thiers et Alexis de Tocqueville. Le premier s'exprimait ainsi à la séance de la Chambre des députés du 17 mars 1846 :

« ... Entre les électeurs qui sont convaincus que le règne des opinions doit faire place au règne des intérêts, qui trouvent bon qu'un fonctionnaire

(1) Cf F. Julien Laferrière — Les députes fonctionnaires sous la Monarchie de juillet. Paris, P.U.F. 1970.

cherche une garantie de solidité pour sa place et de rapidité pour son avancement, entre ces électeurs et le fonctionnaire, la convenance est parfaite, et c'est ce qui nous amène et nous amènera tous les jours davantage un nombre plus considérable de députés fonctionnaires dans cette chambre. J'ai parlé des fonctionnaires qui veulent se garantir par la députation, et si je parlais... des députés qui veulent devenir fonctionnaires, ce serait bien autre chose (mouvements).

Allez à la Cour des comptes, allez au Conseil d'Etat, à la Cour de cassation, dans les états-majors de l'armée, et écoutez, toutes les fois qu'il y a une vacance, les référendaires, les maîtres des requêtes dévoués à leurs devoirs, les membres du parquet de la Cour de cassation, les colonels de l'armée, tous, Messieurs, ils sont dans l'anxiété, s'il savent qu'une ambition parlementaire a en vue la place qui leur est due... ».

(Ch. dép. Séance 17 mars 1846. Mon. univ., 18 mars 1846, p. 673).

LE SERVICE EXTRAORDINAIRE

L'utilité du service extraordinaire ne fut pas contestée sous la Monarchie de juillet. Dumon, rapporteur du projet de loi présenté aux chambres en 1843, la rappelait en ces termes :

« Pour l'examen des matières administratives, le projet de loi conserve, avec raison, la réunion et les proportions actuelles du service ordinaire et du service extraordinaire dans les délibérations du Conseil d'Etat. La tendance naturelle de l'administration est de traiter chaque affaire en elle-même, de donner plus de crédit aux faits qu'aux principes, et de mieux aimer une facile solution d'expédient qu'une difficile solution de jurisprudence. La tendance naturelle du Conseil d'Etat est de rapporter chaque affaire à une règle générale, d'y chercher plutôt la question qui en découle que les intérêts qui y sont engagés, et d'assujettir la pratique de l'administration à l'exactitude des théories administratives. Chacune de ces tendances a ses dangers : poussées à leur dernier terme, elles aboutiraient l'une à une administration sans règle, l'autre à une administration sans activité; mais elle se corrigent l'une l'autre en s'unissant. Rapprochez l'administrateur qui agit de l'administrateur qui délibère, l'action devient plus régulière et la délibération plus positive. Leur isolement est stérile, leur association est féconde.

Tel nous paraît être, Messieurs, le véritable esprit de l'institution du service extraordinaire. Elle est le lien de l'administration et du Conseil d'Etat; elle est l'instrument d'une réaction réciproque, qui donne aux faits administratifs une juste influence sur la jurisprudence du Conseil d'Etat, et qui rend à la jurisprudence du Conseil d'Etat une juste influence sur la pratique administrative. Cette communication si désirable ne s'établirait qu'imparfaitement par voie de correspondance ou par voie d'enquête : les informations écrites sont toujours incomplètes; les consultations orales placeraient l'administration dans une situation d'infériorité; cette mission serait éludée ou mal remplie : l'association du Conseil d'Etat et de l'administration ne se réalise entièrement que par la participation, avec les mêmes droits et les mêmes titres, à une délibération commune ».

(Ch. dép. Séance 6 juillet 1843. Mon. univ., 7 juillet 1843, p. VI).

Le gouvernement et les chambres furent aussi d'accord pour réduire le rôle, au sein du Conseil, du service extraordinaire. L'ordonnance du 20 août 1830 avait exclu les membres de celui-ci des délibérations contentieuses, mais ils prenaient part avec voix délibérative aux travaux administratifs et leur influence pouvait être grande, puisque leur nombre n'était pas limité. En 1839, le Garde des sceaux reconnaissait à la tribune de la Chambre des députés que le nombre des membres du service extraordinaire dépassait 200.

Beaucoup d'entre eux ne paraissaient sans doute jamais au Conseil, mais l'existence de ce personnel « annexe, parasite et flottant » (1) prêtait à la critique et pouvait exercer une influence fâcheuse sur les délibérations du Conseil, comme le reconnaissait le rapport au Roi précédant l'ordonnance du 18 septembre 1839 :

> « C'est sur la portion du service extraordinaire, admise à participer aux travaux du Conseil d'Etat, que j'ai porté principalement mon attention, et que le projet soumis à Votre Majesté opère une réforme provoquée par l'opinion, et que l'intérêt du service rend nécessaire et urgente.
>
> En voici les raisons.
>
> Sans doute il importe que les principaux chefs de service des ministères soient appelés aux séances du Conseil d'Etat, pour y représenter le ministre du département auquel ils appartiennent. Ils y apportent des renseignements utiles, des connaissances spéciales, et profitent, à leur tour, des discussions profondes du Conseil. Le service public recueille un grand avantage de cet échange de lumières. Mais il faut pour cela que les fonctionnaires appelés à participer aux travaux du Conseil d'Etat soient capables, en effet, d'éclairer les discussions par la pratique élevée des affaires; et, d'un autre côté, il ne faut pas que ceux qui jouissent de cette participation extraordinaire soient en assez grand nombre pour se rendre maîtres des délibérations et y faire prévaloir leurs opinions sur celles des membres du service ordinaire détachés de tout intérêt ministériel. Le Conseil d'Etat a surtout pour mission de contrôler, de juger l'action des bureaux; et il perdrait ce caractère, il manquerait à cette mission, si les habitudes et les traditions quelquefois exclusives des bureaux parvenaient à le dominer. Or, il pourrait arriver que les membres du service extraordinaire, quoique empêchés par leurs travaux habituels d'assister à toutes les séances, se rencontrassent néanmoins, à un jour donné (et ne fût-ce que par hasard), en assez grand nombre pour maîtriser les délibérations du service ordinaire. Ils pourraient donc emporter un vote contraire aux traditions et à la jurisprudence de la partie du Conseil d'Etat qui doit conserver avec le plus de fermeté et de constance l'intégrité des principes et l'esprit de suite, dont ce grand corps est le gardien, dans l'intérêt de l'unité française. En pareil cas, ce serait l'administration qui se jugerait elle-même. »
>
> *(Duvergier, t. XXXIX, p. 287).*

L'ordonnance de 1839, comme le projet soumis aux chambres en 1845, se bornait à une réforme partielle, quoiqu'importante : le nombre des membres du service extraordinaire n'y était pas limité, mais ils ne

(1) Varagnac. Le Conseil d'Etat Revue des Deux Mondes, t. 112, p. 801.

pouvaient prendre part aux travaux du Conseil que s'ils y avaient été autorisés par ordonnance royale et cette autorisation ne pouvait être accordée qu'à certains hauts fonctionnaires (sous-secrétaires d'Etat, membres des conseils administratifs placés auprès des ministères, chefs préposés à la direction d'une branche de service dans les départements ministériels, préfet de la Seine, préfet de police) et dans la limite des 2/3 du nombre des conseillers d'Etat en service ordinaire, soit de trente. Dans son rapport au Roi précédant l'ordonnance de 1839 le garde des sceaux M. Teste justifiait ainsi le maintien de la possibilité pour le gouvernement de nommer des conseillers et maîtres des requêtes « honorifiques » :

« De graves objections avaient été plus d'une fois élevées contre la concession purement honorifique de titres de conseillers d'Etat et de maîtres des requêtes en service extraordinaire. Je les ai mûrement examinées, et je me suis convaincu qu'elles n'avaient plus rien de sérieux ni de fondé, après que des limites étaient imposées à la faculté de participer aux travaux du Conseil; c'était là le mal, et c'est là que l'ordonnance proposée apporte le remède.

Quant à des nominations purement honorifiques sans participation aux travaux des comités, ce sont des témoignages de satisfaction, des signes d'honneur que le Roi accorde à des fonctionnaires ou à des hommes distingués, même étrangers à l'administration, qui peuvent honorer toujours le titre même qui les honore. Mais, en réalité, ces titulaires, sans rapports avec le Conseil, ne font point partie du cadre des membres actifs ou de ceux qui peuvent être appelés à l'activité. Ils n'appartiennent que nominalement au service extraordinaire lui-même; et on a pensé que, à une époque où les moyens de récompenses deviennent si rares, si peu nombreux dans la main du gouvernement, il était bon de lui en conserver un déjà créé, et qui a toujours une haute valeur. C'est pour un magistrat éloigné du centre un moyen d'influence et d'action. C'est une ressource pour établir une hiérarchie convenable entre certains fonctionnaires, selon les besoins des localités. Cette faculté laissée au gouvernement de conférer des titres, sans conséquence présente ni future sur la composition du Conseil d'Etat, n'atténue en rien le bienfait de l'ordonnance que j'ai l'honneur de soumettre à Votre Majesté, et dont l'avantage réside surtout dans les limites apportées au nombre des membres en service extraordinaire admis à participer aux travaux du Conseil. C'était cette participation qu'il fallait limiter parce qu'on en avait abusé. Le projet actuel n'eût-il que ce résultat, il aurait fait assez pour la dignité du Conseil et pour le bien du service. Les cadres du Conseil d'Etat sont resserrés et fortifiés; c'est la nécessité réelle du moment; c'est le but du projet. L'utilité seule pénètre dans le Conseil d'Etat; la faveur reste en dehors. »

(Duvergier, t. XXXIX, p. 288).

Les Chambres ne furent pas convaincues par ces arguments et adoptèrent en 1845 un texte plus strict :

Art. 9. — Le service extraordinaire se compose :
1) de trente conseillers d'Etat;
2) de trente maîtres des requêtes.

Le titre de conseiller d'Etat ou de maître des requêtes en service extraordinaire ne peut être conféré qu'à des personnes remplissant ou ayant rempli des fonctions publiques.

Art. 10. — Les conseillers d'Etat en service extraordinaire ne peuvent prendre part aux travaux et délibérations du Conseil que lorsqu'ils y sont autorisés.

Chaque année la liste des conseillers d'Etat auxquels cette autorisation est accordée est arrêtée par ordonnance royale.

Le nombre des conseillers d'Etat ainsi autorisés ne peut excéder les deux tiers du nombre des conseillers d'Etat en service ordinaire.

(Duvergier, t. XXXXV, p. 289).

M. de Chasseloup-Laubat, rapporteur du projet devant la Chambre des Députés, avait justifié ainsi cette réduction :

« Quant au surplus du service extraordinaire, c'est-à-dire aux membres de ce service non autorisés, on est toujours resté sous l'empire des anciennes ordonnances, c'est-à-dire que le nombre des personnes auxquelles le titre de membre du Conseil d'Etat en service extraordinaire peut être accordé, est illimité. La commission a cru qu'il était nécessaire de sortir de cet état de choses; elle a pensé que dans l'état actuel de notre société, on ne devait pas pouvoir accorder un titre qui suppose une fonction, sans que la fonction fût exercée par celui qui possède le titre; dès lors, nous avons demandé qu'on réduisît le nombre des conseillers d'Etat et des maîtres des requêtes à trente. C'est précisément, selon nous, ce qui est utile, ce qui est nécessaire pour les besoins du service. »

(Ch. dép. Séance 26 février 1845. Mon. univ., 27 février 1845, p. 444).

L'AUDITORAT

En 1834 comme en 1843 et en 1845, les discussions relatives à l'auditorat ont porté principalement sur la carrière des auditeurs, leur nombre, les conditions d'accès à cette fonction. Mais, derrière ces questions, c'est la nature même de la fonction qui était en cause : il faut rendre compte du débat sur ce point avant d'évoquer les discussions à propos de ce que l'on pourrait appeler, avant la lettre, le statut des auditeurs.

L'auditorat : simple stage ou premier grade d'une carrière ?

Deux thèses se sont affrontées sur ce point. Pour le gouvernement, qui s'en tient à la définition de l'ordonnance de 1824, l'auditorat est un stage, une période probatoire. Ce n'est ni, comme sous l'Empire, une école d'administration qui prépare à toutes sortes d'emplois publics, ni le premier grade de la carrière des membres du Conseil. Dans l'esprit

« censitaire » de la Monarchie de juillet, les hommes appelés à exercer des responsabilités ne sont pas essentiellement désignés par un arrêt du Prince, mais par leur situation sociale, c'est-à-dire surtout par leur fortune. A ces élites naturelles, ou du moins à une partie d'entre elles, le gouvernement offre l'avantage de s'initier aux « affaires » : tel est le rôle de l'auditorat. Dans cette conception, le gouvernement n'a pas à prendre d'engagement sur la carrière future des auditeurs; il s'interdit de conférer à l'auditorat une sorte de monopole pour le recrutement des emplois publics; il n'est pas question non plus qu'il rénumère les auditeurs.

Un propos du comte Portalis, rapporteur devant la Chambre des pairs du projet de 1834, montre à quel point l'on s'est éloigné de la conception napoléonienne, selon laquelle de nombreux emplois publics devaient être réservés aux auditeurs :

> « La commission est demeurée convaincue des inconvénients d'un trop grand nombre d'auditeurs au Conseil d'Etat. Elle a été singulièrement frappée des différentes considérations qui lui ont été présentées sur l'inconvénient de l'emploi de ces auditeurs de différentes manières dans diverses branches des services publics. Elle a pensé que, dans la situation actuelle du royaume, et d'après les lois récentes qui ont changé la position de l'administration, qui ont introduit le système électif dans l'ordre administratif, il y avait quelques inconvénients à montrer en perspective aux départements des hommes qui, étrangers au produit de l'élection, étrangers aux notabilités locales qui doivent présenter la véritable candidature au choix du Roi, allaient en quelque sorte envahir les fonctions qui pouvaient devenir l'objet des ambitions légitimes des hommes appelés par le choix du peuple dans les conseils municipaux et dans les conseils généraux, ou des hommes qui, par leur fortune, leur capacité, leur considération locale, peuvent, le plus naturellement et le plus utilement pour le service du Roi et du pays, être appelés dans l'administration. »
>
> *(Ch. pairs. Séance 30 janvier 1834. Mon. univ., 31 janvier 1834, p. 192).*

La thèse du stage ou noviciat était soutenue par les gardes des sceaux de 1843 et de 1845 pour justifier qu'aucune garantie de carrière ou même d'emploi n'était prévue en faveur des auditeurs. Certains parlementaires la combattaient, parce qu'ils étaient soucieux de voir former un auditorat moins nombreux, mais dont les membres auraient bénéficié de mesures statutaires protectrices et de débouchés. Ainsi, en 1843, le comte Pelet de la Lozère déclare à la Chambre des pairs :

> « C'est une carrière que l'on constitue et non pas un stage. Car, qu'est-ce qu'un stage ? C'est le temps employé par de jeunes licenciés en droit à devenir avocat. Mais, après leur stage, ils sont assurés d'être avocats, d'être inscrits sur le tableau. Tandis qu'au bout de votre stage qu'est-ce qu'on promet aux auditeurs ? Rien. Ils ne sont plus même aptes à être auditeurs comme ils l'étaient. Car, assurément, vous n'admettrez pas qu'un auditeur renvoyé puisse être nommé de nouveau après une année d'intervalle ? »
>
> *(Ch. pairs. Séance 7 avril 1843. Mon. univ. 8 avril 1843, p. 706).*

Le comte d'Argout, au cours de la même séance, exprime avec plus de force la même idée :

« C'est avec raison que dans toutes les carrières on a établi des espèces de noviciat qui permettent de franchir en peu de temps ces premiers degrés; cette combinaison est dans l'intérêt du pays et non pas dans l'intérêt de ceux qui en profitent; c'est par elle qu'on arrive de bonne heure, à l'âge où l'on est dans la force de l'intelligence, aux premiers emplois du pays.

C'est ainsi que pour l'armée de terre vous avez l'école de Saint-Cyr; pour l'armée navale, vous avez l'école de Brest; pour les ponts et chaussées, les mines, l'artillerie, le génie, vous avez l'Ecole polytechnique.

Eh bien, tous ces noviciats ont une condition, une condition indispensable, c'est que quand on a subi heureusement les épreuves, quand on s'est distingué dans le noviciat, il y a quelque chose au bout, il y a un placement assuré; si ce n'est pour tous, car il faut écarter une partie de ceux qui n'ont pas suffisamment réussi; mais ceux qui ont traversé heureusement toutes les difficultés, qui sont sortis triomphalement de toutes les épreuves, doivent avoir la garantie d'un placement.

Eh bien, par une anomalie bien singulière, par une contradiction étrange, il se trouverait que pour la carrière administrative, peut-être la plus difficile de toutes (dans mon opinion elle est bien plus difficile que les carrières qui exigent certaines connaissances scientifiques spéciales), on procèderait précisément par une voie inverse; c'est-à-dire qu'on aurait à la vérité un temps d'épreuve que l'on qualifierait de noviciat, mais qu'au bout de ce temps de noviciat les candidats ne seraient assurés de rien et qu'ils pourraient être renvoyés, quelle que fût d'ailleurs leur capacité. »

(Ch. pairs. Séance 7 avril 1843. Mon. univ., 8 avril 1843, p. 707).

De façon plus concrète, un ancien auditeur devenu député, Hallez-Claparède, expose, en 1845, à ses collègues que la notion de stage ne correspond pas à la réalité :

« On ne connait pas, on n'apprécie pas assez les services rendus par les auditeurs. On ne sait pas que, sur les 20 000 affaires annuellement examinées et résolues par le Conseil d'Etat, 15 000 à peu près, c'est-à-dire les trois quarts, sont rapportées par les auditeurs. On les représente d'ordinaire comme des jeunes gens sortant à peine des écoles. Cependant quarante ont passé l'âge de trente ans; quelques uns ont appartenu à l'Ecole polytechnique; un plus grand nombre a obtenu le grade de docteur en droit.

Par l'habitude et l'expérience qu'ils ont acquises, ils se sont rendus si utiles, les anciens surtout, je dirai même nécessaires, au comité du contentieux particulièrement, que si la mesure que je combats était adoptée et appliquée, je n'hésite pas à dire que le service souffrirait, et qu'il y aurait perturbation dans le comité. (1)

En dehors du Conseil, les auditeurs sont employés utilement, soit dans les commissions permanentes, telles que celles des chemins de fer qui font des enquêtes difficiles sur tous les points de la France, soit dans des commissions temporaires d'archives et de statistique et d'autres commissions

---

(1) Un député contesta au cours du débat l'importance des travaux des auditeurs, faisant observer que la plupart des affaires traitées par eux étaient des affaires de liquidations et d'impositions sans grande importance.

temporaires incessamment créées, soit pour opérer certaines liquidations, soit pous l'examen et la préparation de projets de loi qui vous sont soumis...

On dit que l'auditorat est un stage qui ne peut se prolonger indéfiniment; mais il ne dépend pas des auditeurs d'abréger ce stage : c'est au Gouvernement à créer des positions à ceux qui les ont méritées par de bons offices.

On parlait, il y a quelques jours, lors de la discussion sur l'avancement des fonctionnaires, lors de la discussion de la proposition de M. de Gasparin, de l'utilité d'une grande école administrative pour le pays, de l'avantage d'échanger la théorie et la pratique, ainsi que le disait très justement M. le ministre de l'Intérieur : la théorie, par trop abstraite et spéculative, et la pratique, trop restreinte et trop routinière.

L'institution des auditeurs est la base et le fondement de cette grande école administrative » (1).

(Ch. dép. Séance 26 février 1845. Mon. univ. 27 février 1845, p. 438).

Les parlementaires hostiles à la thèse du gouvernement ne manquèrent pas de faire observer en outre que les auditeurs étaient membres du Conseil, et qu'ils avaient voix délibérative dans les comités sur les affaires qu'ils rapportaient.

Pour savoir quelle est la thèse qui finalement l'a emporté dans la loi du 19 juillet 1845, il faut quitter le terrain des principes et en venir aux divers aspects du statut des auditeurs.

Discussions sur un statut de l'auditorat.

La question la plus discutée fut celle de savoir si les auditeurs devaient bénéficier d'un minimum de « garantie d'emploi ». L'ordonnance du 18 septembre 1839 avait institué un système de « prétérition annuelle » pour tous les auditeurs ayant moins de trois ans d'ancienneté : un tableau des auditeurs était dressé chaque année; ceux qui n'y étaient pas inscrits cessaient de faire partie du Conseil. Après trois années de services, les auditeurs ne pouvaient être relevés de leurs fonctions que par une ordonnance spéciale. D'autre part, les auditeurs qui, au bout de six ans, n'avaient pas été nommés dans un emploi public, devaient

---

(1) L'activité des auditeurs faisait l'objet d'une surveillance constante, comme le prouvent les rapports semestriels sur leurs travaux établis par le vice-président du Conseil d'Etat à l'intention du Garde des Sceaux. On lit par exemple dans le rapport du 1er semestre 1840 :

« M. de la Chauvinière est assurément fort capable, et plus assidu que ne semblerait le permettre la place qu'il occupe à la Chambre des Pairs; mais cette place est-elle compatible avec l'auditorat ? »

« Les fréquents rapports de MM. Reverchon et Dubois au Conseil attestent leur capacité et leur instruction distinguée. »

« M. de Bussière est très capable, très instruit, il rapporte parfaitement; il est plus que temps de le placer; il serait propre à un emploi de maître des requêtes ou à une grande sous-préfecture, ou même à une petite préfecture. »

« M. de Castellane depuis longtemps, et notamment depuis son mariage, ne paraît guère au Conseil. »

« M. Leroux est faible. Fait-il sérieusement la carrière de l'auditorat ? »

(*Arch. nat., BB 30 729*).

quitter le Conseil. Cette disposition rigoureuse ne joua qu'une seule fois, en 1842. Le comte Pelet de la Lozère l'expliquait ainsi, lors des débats parlementaires de 1843 :

> « La nature de notre Gouvernement l'expose à beaucoup de sollicitations. Il faut pouvoir y satisfaire. Plus le nombre des fonctionnaires est grand et plus on a de moyens de suffire à ces exigences. On a donc créé un très grand nombre d'auditeurs, et il est arrivé un jour que, par l'excès des nominations, il est devenu impossible d'en faire d'autres, et à une situation extrême, un remède extrême a été apporté : ç'a été l'ordonnance de 1839, rendue sous le ministère de l'honorable M. Teste, qui a dit qu'après six ans d'exercice tous les auditeurs sortiraient de plein droit. Par là on se procurait le moyen de faire des nominations nouvelles. Quel a été le motif de cette ordonnance ? C'est qu'il y avait d'autres personnes qui frappaient à la porte et qu'on voulait placer; ceux qui avaient été placés six ans auparavant l'avaient été par d'autres influences, par des prédécesseurs; chez nous, comme on sait, les influences ne durent pas six ans, les ministères non plus. »
>
> *(Ch. pairs. Séance 7 avril 1843. Mon. univ. 8 avril 1843, pp. 705-706).*

A l'issue du débat les pairs avaient voté un texte qui ne maintenait le « couperet » des 6 ans que pour les auditeurs n'ayant pu accéder au terme de cette période à la première classe.

La question fut reprise sous ses deux aspects (« prétérition annuelle » pour les plus récents auditeurs et règle des 6 ans pour les autres) dans le débat qui précéda le vote de la loi de 1845. En dépit des efforts de certains pour obtenir plus de garanties en faveur des auditeurs, le texte de 1839 fut maintenu, sous une seule réserve : l'exigence d'une révocation expresse et individuelle, non seulement pour les auditeurs de 2e classe ayant plus de 3 ans d'ancienneté, mais pour tous les auditeurs de la première classe, à laquelle on pouvait accéder après 2 ans d'ancienneté seulement.

Le nombre des auditeurs avait été fixé par l'ordonnance de 1824 à 30. Il était en fait de 79 à la veille de l'ordonnance de 1839 qui ne fit que régulariser cette situation en retenant le chiffre de quatre-vingt.

Lors de la discussion du projet de 1834 à la Chambre des pairs, Mounier avait présenté d'intéressantes observations en réponse au duc Decazes, qui souhaitait que l'on n'établît aucune limite au pouvoir de nomination du gouvernement. Rappelant l'expérience napoléonienne, Mounier déclarait :

> « On avait étendu le nombre des auditeurs jusqu'à plus de quatre cents; ce n'étaient plus des auditeurs au Conseil d'Etat, ils formaient une espèce d'agglomération, une espèce de corps dans lequel se faisait le recrutement de toutes les carrières administratives.
>
> Leur institution a tellement changé de caractère qu'elle a été plus nuisible qu'utile.
>
> D'un côté le trop grand nombre de jeunes gens a produit une légèreté dans les choix, dont chacun de vous pourrait se rappeler des exemples assez singuliers.

D'un autre côté, il en est résulté une sorte de découragement dans la plupart des carrières. Ces jeunes gens, appelés à titre d'auditeurs, qui étaient naturellement groupés autour d'une administration supérieure, étaient continuellement occupés à solliciter de l'avancement; et beaucoup d'employés qui étaient plus âgés, ne pouvaient recevoir le titre d'auditeurs, parce qu'il y aurait eu une sorte de ridicule à leur donner ce titre, quoique nous ayons vu un auditeur de troisième classe, lorsque son fils était auditeur de première classe. (On rit).

Ce titre était donné à une infinité de jeunes gens qui voulaient parvenir à des emplois supérieurs, et qui, n'y arrivant point, tombaient dans un découragement assez naturel. Je craindrais que l'extension illimité dont on parle en ce moment, surtout si on l'appliquait à un service dans les départements, ne produisît une partie de ces inconvénients. »

(Ch. pairs. Séance 29 janvier 1834 Mon. univ. 30 janvier 1834, p. 189).

En 1843, les parlementaires avaient accepté — certains à contre-cœur — que le nombre des auditeurs fût fixé à quatre-vingts, comme dans l'ordonnance de 1839. Le projet de 1845 réduisait ce nombre à quarante-huit. Cette disposition fut adoptée sans difficulté.

L'accès à l'auditorat n'était subordonné depuis son rétablissement, en 1824, qu'à la possession d'une licence. Le projet présenté en 1834 n'exigeait pas davantage. Celui de 1843 alla plus loin : les candidats à l'auditorat devaient être docteurs en droit. Exigence approuvée par le rapporteur de la loi devant la Chambre des pairs :

« Un seul examen, toujours un peu superficiel, quoiqu'on fît, n'aurait pas établi la capacité du candidat : le résultat dépend trop souvent du hasard et du bonheur qu'il pourrait avoir d'être interrogé sur des matières plus familières ou plus présentes. Le doctorat suppose plus d'instruction. Il exige une année de plus d'étude, c'est le principal, durant laquelle l'élève approfondit des matières dont il n'avait appris que les éléments pour parvenir à la licence. Rien n'empêchera d'y joindre des cours de droit administratif qui disposeront mieux encore l'auditeur à la carrière qu'il veut s'ouvrir. Le doctorat pouvait n'être recherché autrefois que pour arriver aux emplois universitaires. Les développements que prennent les hautes études judiciaires en font actuellement le complément d'une bonne instruction, et quand pour être auditeur au Conseil d'Etat, il faudra, comme vous l'avez déjà exigé pour les fonctions de juge auditeur, justifier d'un diplôme de docteur en droit, tout porte à croire que ce grade sera plus recherché. Aussi votre commission donne-t-elle son plein assentiment à cette innovation. »

(Ch. pairs. Séance 17 mars 1843, Mon. univ. 18 mars 1843, p. 472).

Le Gouvernement reprend cette proposition en 1845. Cette fois, elle est combattue. Devant la chambre des députés, M. Corne déclare :

« Sans doute le diplôme de docteur en droit atteste une chose, une très bonne chose en soi; il atteste le goût, l'habitude du travail; il atteste d'ailleurs de hautes connaissances en droit, de l'érudition proprement dite. Mais pour le jeune homme qui entre dans une carrière déterminée, ce n'est pas tout que d'avoir le goût du travail, d'avoir même accompli des travaux sérieux, acquis une certaine somme de science; encore faut-il que cette science soit directement applicable à la carrière à laquelle il se voue. Eh bien, je vous le demande, messieurs, vous savez tous le programme des études nécessaires pour devenir docteur en droit. Quel rapport y a-t-il entre les plus ingénieuses subtilités du droit romain, les hautes théories du droit, la métaphysique de la science du jurisconsulte, toutes choses qui se rattachent à la science du docteur en droit, et les fonctions d'auditeur au Conseil d'Etat ?...

Eh bien, moi, je soutiens que dans la pratique, dans l'exercice des fonctions de conseiller d'Etat, la science économique, la science du droit administratif, les sciences exactes sont vingt fois plus utiles et se représenteront d'une application bien plus fréquente et bien plus fructueuse que la haute science et toute la métaphysique du droit que peut faire supposer le diplôme de docteur en droit. »

(Ch. Dép. Séance 26 février 1845. Mon. univ. 27 février 1845, p. 44).

A cours du débat, Berryer fit adopter un amendement qui rétablissait le texte de 1839 en mettant sur le même plan la licence ès sciences et la licence en droit. Un autre parlementaire fit réintroduire le principe d'un examen. Une ordonnance du 30 novembre 1845 (1), prise pour l'application de la loi du 21 juillet de la même année, se borna à ce sujet à prévoir que « les aspirants au titre d'auditeur, qui auront été agréés par notre Garde des Sceaux, se présenteront devant une commission composée de membres du Conseil d'Etat et seront interrogés sur les matières dont la connaissance est attribuée à notre Conseil d'Etat. »

Dans le même esprit, Vivien déclarait :

« Je suis tout à fait de l'avis de l'honorable M. Berryer et je ne prends la parole que pour dire que le Conseil d'Etat possède en ce moment dans les rangs des auditeurs des jeunes gens qui ont passé les examens de l'Ecole polytechnique, qui rendent les plus grands services et qui sont chargés de certains rapports qui ne pourraient pas être donnés à d'autres. »

(Ch. Dép. Séance 26 février 1845. Mon. univ. 27 février 1845, p. 443).

Finalement, la loi de 1845 n'a pas donné une conclusion franche au débat sur la nature des fonctions des auditeurs. Le gouvernement n'a pratiquement pas cédé sur les garanties. Mais les débats parlementaires montrent que les esprits étaient préparés à une évolution tendant à « fonctionnariser » davantage l'auditorat, à l'intégrer statutairement, et non plus seulement du point de vue fonctionnel, au Conseil d'Etat.

JUSTICE RETENUE OU JUSTICE DÉLÉGUÉE ?

C'est l'existence même d'une justice administrative qui avait été sous la Restauration l'objet principal des débats parlementaires et des controverses doctrinales sur le Conseil d'Etat. Après 1830, le principe

(1) Duvergier, t. XXXXV, p. 616.

en est admis à peu près par tous; les discussions vont porter désormais pour l'essentiel sur son organisation. L'accord est unanime pour consacrer par la loi les améliorations procédurales apportées par l'ordonnance du 20 août 1831, renforcer l'indépendance des organes d'instruction et de jugement et instituer un recours en révision. Une longue controverse opposera par contre, de 1833 à 1845, partisans de la justice déléguée et partisans de la justice retenue. Tous les projets de loi présentés par les gouvernements successifs de la Monarchie de juillet maintiennent cette dernière. A deux reprises — et ce sera la cause principale de leur ajournement — la commission compétente de la chambre des députés se prononcera en faveur de la justice déléguée. C'est en 1845 seulement que le Gouvernement fera, à une faible majorité, prévaloir son opinion.

Les débats de ces douze années furent longs, subtils et parfois laborieux. Ils n'eurent même pas l'intérêt d'une véritable nouveauté, car les Chambres de la Restauration avaient déjà discuté des diverses formules possibles : maintien du statu quo, création en dehors du Conseil d'Etat d'un tribunal administratif supérieur jugeant souverainement, formation au sein du Conseil d'un organe juridictionnel complètement indépendant du pouvoir exécutif.

Après un siècle de fonctionnement à peu près sans heurts de la justice déléguée, la controverse qui passionna les parlementaires de la Monarchie de juillet a perdu aujourd'hui tout intérêt pratique, sinon doctrinal. La lecture des débats de l'époque n'est cependant pas sans profit. On est surpris d'y voir des hommes, dont la plupart étaient des libéraux sincères, manifester des craintes très vives devant la justice déléguée. La substitution de celle-ci à la justice retenue n'aurait pas seulement, à leur yeux, porté atteinte au principe de la séparation des pouvoirs, elle aurait été une grave menace pour les intérêts supérieurs de l'Etat. Lors des débats de 1845, le garde des sceaux exprimait ainsi cette appréhension :

> « Il n'y aurait pas de plus grand désordre, de plus grande oppression, il n'y aurait pas de confiscation plus complète, je ne dis pas du droit de l'administration, mais des droits des chambres, de l'autorité législative (que l'institution de la justice déléguée); car l'indépendance de l'administration, ce n'est pas dans son intérêt qu'elle est établie; cette prérogative appartient à la société toute entière, elle vous appartient : c'est la garantie de vos droits, c'est le mode d'exercice de notre responsabilité. Oui, je dis qu'il n'y aurait pas de plus grande oppression de la liberté et de l'indépendance de l'administration que la création quelconque d'un pouvoir judiciaire indépendant, statuant sur des matières administratives.
>
> Ici, je prie la Chambre de me permettre de ne pas professer moi-même cette doctrine, mais d'en chercher le développement dans les paroles que je cite avec d'autant plus de confiance et de respect qu'elles appartiennent non à un administrateur, mais à un magistrat, à un magistrat qui porte, à la tête de la première cour du royaume, un nom illustre avant lui, et plus illustre encore depuis lui. (mouvement)...
>
> Voici les paroles que je voulais citer :
>
> « Donner de telles attributions, disait M. Portalis, à un tribunal..., ce

serait élever au-dessus de l'administration un pouvoir qui ne peut être indépendant d'elle, sans qu'elle soit dépendante de lui. Unique dans le royaume, ce tribunal contrôlera l'universalité des actes administratifs. S'il demeure étranger au système et à la marche du Gouvernement, il pourra déshonorer des agents de l'administration qui n'auront point perdu la confiance du Roi et de son conseil... Si, au contraire, ce tribunal pouvait être initié à la marche et au système de l'administration, il tendrait incessamment à la dominer, puisque, seul perpétuel au milieu d'une région où tout est mobile, ses membres... verraient se succéder autour d'eux, avec plus ou moins de rapidité, les ministres et les ministères. Ce serait introduire dans l'Etat une troisième chambre dont les sessions seraient permanentes..., dont les membres..., ayant la tradition de toutes les administrations, surveillant l'exécution de toutes les lois, tiendraient de leur position une force et de leur connaissance des faits un avantage contre lesquels aucune institution ne pourrait lutter. »

Messieurs, ces craintes exprimées par le grand jurisconsulte dont je viens de citer les paroles, n'ont été étrangères à aucune de vos commissions. Jamais personne que je sache, si ce n'est peut-être l'honorable préopinant qui n'a pas formulé de système, n'a imaginé de donner au Conseil d'Etat une juridiction propre, sans réserve et sans garantie pour l'intérêt public; jamais on n'a imaginé de créer un tribunal administratif souverain, indépendant, ne relevant de personne, rendant des décisions inattaquables, quels qu'en fussent les résultats et la portée; non, les diverses commissions dont on vous a cité le travail ont toujours été effrayées des dangers qui frappaient M. le comte Portalis, et à peine avaient-elles créé la juridiction propre, qu'elles cherchaient comment, dans des circonstances déterminées, elles pourraient remédier aux inconvénients de cette juridiction...

Je sais bien que ce danger a frappé tous les bons esprits, tous les esprits sérieux qui se sont occupés de la question. Ils ont vu que, créer un tribunal ayant une juridiction absolue, c'était créer en matière administrative ce qu'on n'a pas osé faire en matière judiciaire. C'était soumettre l'Etat à des empiètements, à des usurpations auxquels les intérêts privés ne sont pas soumis. On a cherché des remèdes; voyons ce qu'ils sont; je crois qu'il est établi dès à présent, du consentement même de nos honorables contradicteurs, que la juridiction absolue, sans restriction, sans garantie, serait un véritable danger public que personne ne voudrait instituer dans le pays. »

(Ch. dép. Séance 27 février 1845. Mon. univ. 1er mars 1845, p. 465).

En maintenant la justice retenue, ses partisans étaient convaincus qu'ils ne compromettaient pas les droits des administrés : le refus du chef de l'Etat de signer un projet de décision contentieuse du Conseil était et devait, dans leur esprit, demeurer tout à fait exceptionnel; en cas de refus — innovation de la loi de 1845 — l'ordonnance non conforme à l'avis du Conseil d'Etat ne pouvait être rendue que de l'avis du conseil des ministres et devait être motivée et insérée au *Moniteur* et au *Bulletins des Lois*. Vivien, au cours du débat, tint à préciser, en citant les propos d'un membre du gouvernement et du rapporteur du projet, que l'usage par le Chef de l'Etat de sa prérogative ne pourrait être justifié que par des nécessités de salut public :

« On vous a dit quels étaient les motifs de ce droit exceptionnel et extraordinaire qu'on entendait réserver. Depuis quarante-quatre ans, on ne s'en est jamais servi, aucune occasion ne s'est présentée où le Gouvernement ait eu à modifier les délibérations du Conseil d'Etat; mais on prévoit la possibilité de ce que M. le ministre des travaux publics appelait tout-à-l'heure une usurpation condamnable, une erreur monstrueuse, des cas exceptionnels, énormes. Ce sont les expressions de M. le ministre des travaux publics. Dans le rapport que l'honorable M. Laplagne a fait, il indiquait des circonstances analogues qui étaient de véritables énormités; et, si je me rappelle bien les termes de ce rapport, M. Laplagne disait que le droit réservé au Gouvernement ne devait s'exercer que pour le salut de l'Etat, et quand la société serait en péril. »

(Ch. dép. Séance 27 février 1845. Mon. univ., 1er mars 1845, p. 468).

Les défenseurs de la justice retenue allaient plus loin; ils étaient persuadés qu'elle garantissait mieux que tout autre système les droits des administrés, parce qu'elle seule pouvait être acceptée et respectée par l'administration :

« Un conseil, tout-à-fait étranger au maniement des affaires, qui n'a ni engagement ni parti pris sur les questions qu'il doit résoudre, qui peut rechercher la vérité sans avoir à payer d'aucun sacrifice d'opinion ou d'amour-propre la satisfaction de la découvrir et de la proclamer, ce conseil est admirablement placé pour préparer les décisions de la juridiction administrative. Et non seulement l'administration peut les accepter sans hésitation; elle peut y concourir sans inquiétude. Elle comparaîtrait avec défiance devant un tribunal souverain qui serait son supérieur et qui pourrait devenir son maître; elle fermerait tout accès à une investigation trop pénétrante, qui, en ne recherchant que la justice, pourrait cependant arriver à la domination. Mais elle se confie à un conseil de même nature qu'elle et à qui l'usurpation est impossible : aussi, par une conciliation dont nous avons le spectacle depuis plus de quarante ans, le Gouvernement, dans l'exercice de sa juridiction administrative, accepte sans réserve l'influence du Conseil d'Etat, et le Conseil d'Etat n'a pas fait une seule entreprise sur l'indépendance de l'administration. »

(Rapport à la chambre sur le projet de loi de 1843. Séance 6 juillet 1843. Mon. univ. 7 juillet 1843, p. VII).

ANNEXE : LOI DU 21 JUILLET 1845
sur le Conseil d'Etat (extraits)

TITRE 1er — DE LA COMPOSITION DU CONSEIL D'ÉTAT.

Art. Premier. — Le Conseil d'Etat est composé :
1) des ministres secrétaires d'Etat;
2) de conseillers d'Etat;
3) de maîtres des requêtes;
4) d'auditeurs.

2 — Le garde des sceaux, ministre secrétaire d'Etat de la justice, est président du Conseil d'Etat.

Un vice-président est nommé par le roi.

Il préside le Conseil d'Etat en l'absence du garde des sceaux et des ministres. Il préside également les différents comités, lorsqu'il le juge convenable.

Un secrétaire général, ayant titre et rang de maître des requêtes, est attaché au Conseil.

3 — Les membres du Conseil d'Etat sont en service ordinaire ou en service extraordinaire.

§ 1er. *Service ordinaire*

4 — Le service ordinaire se compose :

1) de trente conseillers d'Etat, y compris le vice-président du Conseil d'Etat et les vice-présidents de comité;

2) de trente maîtres des requêtes;

3) de quarante-huit auditeurs.

5 — Les fonctions de conseiller d'Etat et de maître des requêtes en service ordinaire sont incompatibles avec toute autre fonction publique.

6 — Les conseillers d'Etat et les maîtres des requêtes en service ordinaire ne peuvent être révoqués qu'en vertu d'une ordonnance individuelle délibérée en conseil des ministres et contresignée par le garde des sceaux.

7 — Les auditeurs au Conseil d'Etat sont divisés en deux classes.

La première ne peut en comprendre plus de vingt-quatre.

Nul ne peut être nommé auditeur de première classe, s'il n'a été, pendant deux ans au moins, auditeur de seconde classe.

Le tableau des auditeurs de seconde classe est arrêté, par ordonnance royale, au commencement de chaque année. Ceux qui ne sont pas compris sur ce tableau cessent de faire partie du Conseil d'Etat.

Toutefois les auditeurs de première classe et les auditeurs de deuxième classe ayant plus de trois ans d'exercice ne peuvent être exclus du tableau qu'en vertu d'une ordonnance spéciale.

Tout auditeur, après six ans d'exercice, cesse de faire partie du Conseil d'Etat.

8 — Nul ne peut être nommé conseiller d'Etat, s'il n'est âgé de trente ans accomplis; maître des requêtes, s'il n'est âgé de vingt-sept ans; auditeur, s'il n'est âgé de vingt et un ans, licencié en droit ou licencié ès-sciences, et s'il n'a, en outre, été jugé admissible par une commission spéciale.

La composition de cette commission et les conditions de l'examen seront déterminées par un règlement d'administration publique.

Nul auditeur ne peut être nommé maître des requêtes, s'il n'a, pendant deux ans au moins, fait partie de la première classe.

§ II. — *Service extraordinaire*

9 — Le service extraordinaire se compose :

1) de trente conseillers d'Etat;

2) de trente maîtres des requêtes.

Le titre de conseiller d'Etat ou de maître des requêtes en service extraordinaire ne peut être conféré qu'à des personnes remplissant ou ayant rempli des fonctions publiques.

10 — Les conseillers d'Etat en service extraordinaire ne peuvent prendre part aux travaux et délibérations du Conseil que lorsqu'ils y sont autorisés.

Chaque année la liste des conseillers d'Etat auxquels cette autorisation est accordée est arrêtée par ordonnance royale.

Le nombre des conseillers d'Etat ainsi autorisés ne peut excéder les deux tiers du nombre des conseillers d'Etat en service ordinaire.

TITRE II — DES FONCTIONS DU CONSEIL D'ÉTAT.

12 — Le Conseil d'Etat peut être appelé à donner son avis sur les projets de loi ou d'ordonnance, et, en général, sur toutes les questions qui lui sont soumises par les ministres.

Il est nécessairement appelé à donner son avis sur toutes les ordonnances portant règlement d'administration publique, ou qui doivent être rendues dans la forme de ces règlements.

Il propose les ordonnances qui statuent sur les affaires administratives ou contentieuses dont l'examen lui est déféré par des dispositions législatives ou règlementaires.

TITRE III — DES FORMES DE PROCÉDER.

§ 1er — *Matières administratives*

13 — Pour l'examen des affaires non contentieuses, le Conseil d'Etat est divisé en comités correspondant aux divers départements ministériels.

Cette division est opérée par une ordonnance royale.

Les ministres secrétaires d'Etat président les comités correspondant à leur ministère. Dans chaque comité, un vice-président est nommé par le roi.

Une ordonnance royale délibérée en Conseil d'Etat détermine, parmi les projets d'ordonnance qui doivent être délibérés dans la forme des règlements d'administration publique, quels sont ceux qui ne seront soumis qu'à l'examen des comités et qui peuvent ne pas être portés à l'Assemblée générale du Conseil d'Etat.

14 — Les délibérations du Conseil d'Etat sont prises en assemblée générale et à la majorité des voix.

L'assemblée générale est composée des ministres secrétaires d'Etat, des conseillers d'Etat en service ordinaire, et des conseillers d'Etat en service extraordinaire autorisés à participer aux travaux et délibérations du Conseil.

Elle est présidée, en l'absence du garde des sceaux, par l'un des ministres présents à la séance, et à défaut, par le vice-président du Conseil d'Etat.

§ II — *Matières administratives contentieuses*

18 — Indépendamment des comités établis en exécution de l'art. 13, un comité spécial est chargé de diriger l'instruction écrite et de préparer le rapport de toutes les affaires contentieuses.

Ce comité est présidé par le vice-président du Conseil d'Etat.

Il est composé de cinq conseillers d'Etat en service ordinaire, y compris le vice-président, et du nombre de maîtres des requêtes en service ordinaire et d'auditeurs déterminé par l'ordonnance royale rendue en exécution de l'art. 13 ci-dessus.

Les questions posées par le rapport seront communiquées aux avocats des parties avant la séance publique indiquée par l'art. 21 ci-après.

20 — Trois maîtres des requêtes en service ordinaire, désignés chaque année par le garde des sceaux, remplissent les fonctions de commissaires du roi.

Ils assistent aux séances du comité du contentieux.

21 — Le rapport des affaires contentieuses est fait au Conseil d'Etat en séance publique.

Les conseillers d'Etat et les maîtres des requêtes en service ordinaire ont seuls le droit d'y siéger; les auditeurs y assistent.

La séance est présidée par le garde des sceaux, et, en son absence, par le vice-président du Conseil d'Etat.

Après le rapport les avocats des parties sont admis à présenter des observations orales; le commissaire du roi donne ses conclusions dans chaque affaire.

22 — Les membres du Conseil ne peuvent participer aux délibérations relatives aux recours dirigés contre la décision d'un ministre, lorsque cette décision a été préparée par une délibération de comité à laquelle ils ont pris part.

24 — La délibération n'est pas publique.

L'avis du Conseil d'Etat est transcrit sur le procès-verbal des délibérations, lequel fait mention des membres présents et ayant délibéré.

L'ordonnance qui intervient est contresignée par le garde des sceaux.

Si l'ordonnance n'est pas conforme à l'avis du Conseil d'Etat, elle ne peut être rendue que de l'avis du conseil des ministres; elle est motivée et doit être insérée au Moniteur et au Bulletin des lois.

Dans tous les cas, elle est lue en séance publique.

25 — Le procès-verbal des séances du Conseil d'Etat mentionne l'accomplissement des dispositions des art. 19, 20, 21, 22, 23, 24 de la présente loi.

Dans le cas où ces dispositions n'ont pas été observées, l'ordonnance du roi peut être l'objet d'un recours en révision, lequel est introduit dans les formes de l'art. 33 du décret du 22 juillet 1806.

(Duvergier, t. XXXXV, p. 342).

III

L'ACTIVITÉ ET LES TRAVAUX DU CONSEIL D'ÉTAT

Le compte général des travaux du Conseil — Tableau statistique des affaires traitées — Faible nombre des projets de loi — Variété et importance des affaires administratives — Le contentieux — Les réformes procédurales de 1831 — La première audience publique (26 mars 1831) — La création du ministère public — Son caractère ambigu initial — L'accroissement du nombre des affaires contentieuses — L'évolution libérale de la jurisprudence — L'apparition du contentieux de l'excès de pouvoir — Le rôle du Conseil d'Etat dans la naissance de la science administrative.

C'est sous la Monarchie de juillet que fut créé un outil statistique remarquable : le compte général des travaux du Conseil d'Etat.

Le premier compte général publié en 1835 couvre la période 1830-1834 et contient un tableau rétrospectif général de l'activité du Conseil d'Etat et de ses sections et comités depuis 1800. Il est précédé d'un rapport au Roi du garde des sceaux Persil, qui débute ainsi :

« Sire,

J'ai l'honneur de mettre sous les yeux de Votre Majesté le compte des travaux du Conseil d'Etat pendant les cinq années qui se sont écoulées du 1er janvier 1830 au 31 décembre 1834...

Il m'a paru que les travaux du Conseil d'Etat analysés dans une série de tableaux statistiques compléteraient utilement le compte général de la justice en France, en ajoutant aux résultats publiés sur les tribunaux criminels et civils ceux de la haute juridiction administrative, qui prépare la décision des questions nombreuses où l'intérêt public se trouve en lutte avec des intérêts privés...

L'utilité du Conseil d'Etat, généralement reconnue aujourd'hui, a été contestée à d'autres époques. On n'a pas toujours apprécié sainement son caractère et les services qu'il rend aux citoyens. On n'a pas aperçu qu'en même temps qu'il éclaire la haute administration, il offre aux particuliers la garantie tutélaire d'un examen attentif de tous leurs droits et d'une protection constante contre les surprises ou la négligence.

Des réclamations vives se sont élevées contre quelques-unes de ses attributions, sans que l'on se fît une idée exacte des considérations diverses qui les lui ont fait conférer, et de la part relative qu'elles occupent dans l'ensemble de ses travaux.

Il m'a paru qu'en cette occasion, comme en toute autre, la publicité était le moyen d'éclairer l'opinion, et que le Conseil d'Etat ne pouvait être mieux défendu contre des attaques imprudentes et irréfléchies que par la simple exposition de ses travaux. J'ai cru que cette publication serait surtout utile au moment où la Chambre des députés est saisie d'un projet de loi concernant l'organisation de ce corps.

Ces considérations m'ont déterminé à former une commission que j'ai chargée de faire le relevé statistique des travaux du Conseil d'Etat et de ses comités dans la forme et d'après le plan des comptes de la justice criminelle et de la justice civile ».

(Compte général des travaux du Conseil d'Etat et de ses comités pendant les années 1830, 1831, 1832, 1833 et 1834. Paris, Imprimerie Royale, mars 1835, pp. III sq).

Le 10 février 1840 et le 23 février 1845, deux nouveaux comptes généraux furent présentés au Roi. Ils avaient été établis comme le premier par une commission présidée par Vivien et comprenant le secrétaire général du Conseil et plusieurs auditeurs. La période du 1er janvier 1845 à la Révolution de 1848, en revanche, ne put donner lieu à relevés statistiques, mais la pratique survécut à la Monarchie de Juillet, puisqu'on trouve des notes sommaires pour la Seconde République, des relevés très substantiels pour le Second Empire et les débuts de la Troisième République.

On ne peut manquer d'être frappé par la qualité du travail d'analyse statistique que révèlent ces comptes généraux. S'il ne saurait être question d'en épuiser ici toute la substance, il faut au moins indiquer qu'ils sont une mine d'informations sur l'histoire administrative française et le développement du droit administratif.

TABLEAU STATISTIQUE DES TRAVAUX DU CONSEIL D'ÉTAT ET DE SES COMITÉS DE 1831 A 1844

Années	Nombre des comités	Nombre des affaires délibérées par les comités spéciaux									Récapitulation des affaires délibérées par le Conseil et les Comités
		Comité du Contentieux	Comité de Législation	Comité de l'Intérieur		Comité des Finances	Comité de la Guerre et de la Marine	par des comités réunis	par le Conseil d'Etat		
				Intérieur	Commerce						
1831	4	313		9.284		1.699	7.778	2	1.015		1.9076
1832	4	409		9.325		2.447	7.948	8	987		20.138
1833	4	535		11.704		1.572	6.174	3	1.165		19.986
1834	4	740		11.832		1.659	6.596	1	1.577		20.828
1835	4	786		11.937	1.015	1.502	5.878	2	1.582		21.120
1836	4	860		11.566	1.226	2.532	5.180	6	1.627		22.370
1837	4	730		9.694	1.143	2.326	4.915	1	1.646		18.809
1838	5	971		7.025	1.156	2.673	5.313	2	1.932		17.144
1839	5	711		7.841	1.023	2.072	5.337	4	1.719		16.985
1840	6	598	1.654	5.936	1.151	1.459	4.645	1	2.076		17.520
1841	6	599	1.522	6.025	1.247	2.006	4.866	3	2.073		18.331
1842	6	657	1.505	6.481	1.557	2.132	4.518	4	2.355		19.209
1843	6	726	1.580	6.688	1.232	2.105	5.000	6	2.328		19.665
1844	6	1.069	1.783	7.104	1.169	1.513	4.970	2	2.759		20.369

Observations

— L'ordonnance du 5 novembre 1828 avait réuni le comité de législation, correspondant au ministère de la justice, et le comité du contentieux. Cette réunion a subsisté jusqu'au 18 septembre 1839. A cette époque, le comité de législation et de justice administrative a été divisé. Le comité du contentieux a repris son ancien nom.

— Toutes les affaires portées au Conseil d'Etat ont été préalablement examinées et discutées dans le comité aux attributions duquel elles se rapportent.

— la récapitulation comprend les affaires délibérées dans les divers comités, et dont une partie seulement a été portée devant le Conseil d'Etat en assemblée générale.

Bien que le comité du commerce, de l'agriculture et des travaux publics n'ait été créé que par une ordonnance du 5 février 1838, le compte rendu des travaux du Conseil d'Etat publié en 1840 avait séparé, dès 1835, les affaires attribuées à ce comité de celles qui restaient dans les attributions du comité de l'intérieur.

(*Extrait du compte général des travaux du Conseil d'Etat et de ses comités pendant les années 1840, 1841, 1842, 1843, 1844. Paris. Imprimerie Royale, février 1845*).

L'analyse de ces données numériques, éclairée des commentaires des comptes généraux et des appréciations d'hommes politiques et d'administrateurs contemporains, sera faite en distinguant l'activité législative, l'activité administrative et l'activité contentieuse du Conseil d'Etat.

LES TRAVAUX LÉGISLATIFS

On pourrait croire, si on se bornait à lire les statistiques, que, pendant cette période, le gouvernement fit souvent appel pour la préparation ou l'examen des projets de loi au concours — toujours facultatif pour lui — du Conseil d'Etat : celui-ci en examina plus de 230 de 1830 à 1835, plus de 460 de 1840 à 1845.

Ces chiffres ne doivent pas faire illusion. La quasi-totalité de ces projets, étudiés par le comité de l'intérieur, étaient des projets de loi d'intérêt particulier concernant pour la plupart des départements et des communes (rectifications de limites territoriales, autorisations d'emprunts ou d'impositions extraordinaires). « L'usage louable » de les soumettre au Conseil était d'ailleurs récent au dire de Vivien qui écrivait en 1841 :

« Depuis quelques années, un usage louable a été adopté : tous les projets de loi d'intérêt local lui sont soumis. Son contrôle y est fort utile. Ces lois sont surtout des actes d'administration, et les Chambres, qui les votent en masse, ne leur accordent qu'une attention très secondaire. C'est au Conseil d'Etat qu'il appartient de les examiner, d'étudier l'état financier des communes ou des départements, de créer des règles pour les impôts, les emprunts, etc. et d'empêcher le désordre de se jeter dans les affaires.

Il s'est acquitté de ce devoir avec conscience et fermeté et, l'année dernière, préoccupé à juste titre des embarras que signalaient des budgets communaux et départementaux, il a refusé d'approuver plusieurs propositions d'emprunts ou de contributions extraordinaires. Mais ce refus contrariait certaines personnes; elles ont insisté pour que l'avis du Conseil d'Etat ne fût pas suivi, et le ministre a cédé; résolution régulière en droit, mais fort regrettable car elle avait pour résultat de décourager le Conseil d'Etat, de consacrer des actes de mauvaise administration, et enfin, au point de vue ministériel, d'enlever au gouvernement le droit et la facilité d'opposer, en pareil cas, à la tyrannie de certaines obsessions la délibération du premier corps administratif du royaume ».

(Vivien. Le Conseil d'Etat. Revue des Deux Mondes, 1841, p. 184).

Il n'en était pas de même des lois d'intérêt général. Un très petit nombre fut soumis au Conseil. Le garde des sceaux M. Persil, signataire du compte général de 1835, le reconnaissait implicitement :

« Ces commissions du Conseil d'Etat sont indépendantes des commissions mixtes permanentes ou temporaires dans lesquelles un ou plusieurs conseillers d'Etat sont ordinairement appelés pour y apporter les traditions du Conseil et les résultats d'expériences que leur ont donnés l'étude et la pratique de la législation et de l'administration : telles sont, parmi les institutions permanentes, la commission mixte des travaux publics, le comité consultatif des gardes nationales, etc. Relativement aux commissions temporaires, il faudrait citer toutes celles qui ont préparé presque toutes les grandes lois rendues depuis 1830. Ces travaux particuliers ne pouvaient trouver place dans la statistique des travaux du Conseil; mais ils me paraissaient au moins dignes d'être signalés à Votre Majesté. »

(Compte général des travaux du Conseil d'Etat... de 1830 à 1834. Paris, Imprimerie royale, p. XV.)

Six ans plus tard, la situation n'avait pas changé :

« Les lois les plus importantes, écrivait encore Vivien en 1841, celles sur lesquelles le Conseil d'Etat aurait été le plus compétent, ont été présentées aux Chambres sans avoir passé à son examen. Croirait-on, par exemple, que son avis n'a jamais été pris sur les projets qui réglaient le régime des communes et des départemens ? Sans doute, il est des lois qui, par leur nature, doivent lui demeurer étrangères; de ce nombre sont les lois de finances et celles qui se lient à la politique; mais, pour les autres, son examen ne serait jamais stérile. Or, depuis dix ans, quand un si grand nombre ont été présentées et votées, les documents officiels constatent qu'il en a discuté une en 1832, trois en 1834, deux en 1836, et une en 1838 : encore ne sont-ce pas les plus importantes, et plusieurs des projets sur lesquels il a délibéré n'ont-ils pas eu de suite ».

(Vivien. Le Conseil d'Etat. Revue des Deux Mondes, 1841, p. 181).

Certains, au sein des Chambres, s'en plaignaient dès 1835 :

« Peut-être, disait, en 1835, M. Lacave-Laplagne, au nom de la commission chargée par la Chambre d'examiner un projet de loi sur le Conseil d'Etat, aurait-on évité les imperfections qu'ont présentées quelquefois, dans leur rédaction, les projets de loi soumis à vos délibérations, si on s'était aidé plus souvent des lumières et de l'expérience d'un corps qui a rendu autrefois, sous ce rapport, de si éclatants services ».

(Ch. dép. Séance 11 avril 1835. Mon. univ., 12 avril 1835, p. 818).

C'est sans doute pour donner satisfaction à ces demandes que l'ordonnance du 18 septembre 1839 recréa au sein du Conseil un comité de législation dont le rapport au Roi précédant l'ordonnance précisait ainsi la raison d'être et les attributions :

> « Le Conseil d'Etat comptait au nombre de ses comités, jusqu'en 1824, un comité de législation, dont le titre indiquait assez la destination.
>
> En 1824, ce comité fut réuni à celui du contentieux, désigné aujourd'hui sous le nom de comité de justice administrative. C'est une confusion que repoussent les attributions distinctes de ces deux comités. Je propose donc à Votre Majesté de rétablir le comité de législation et en même temps de reconstituer le comité du contentieux.
>
> L'utilité d'un comité de législation se démontre par l'énumération seule des travaux qui doivent lui être confiés.
>
> Il aura d'abord à délibérer sur les projets de lois ou d'ordonnances d'intérêt général que lui renverront les ministres des affaires étrangères et de la justice et des cultes, aux départements desquels il est spécialement attaché, et à réviser, conformément à l'article 3 du règlement du 20 juin 1817, la liquidation des pensions de ces deux départements; il aura aussi à préparer les projets de loi qui lui seront confiés par les autres ministres. Sa permanence, ses études suivies, l'habitude d'une critique législative exercée tour à tour sur des projets de toute nature, lui permettront de leur apporter des améliorations qui peuvent échapper quelquefois à des commissions spéciales, assemblées pour une question isolée et composées de membres qui ne font pas de la rédaction des lois leur étude habituelle. C'est déjà une attribution importante.
>
> Le comité de législation continuera aussi l'œuvre de la commission instituée en 1824 pour la révision et la concordance des lois et ordonnances antérieures à la Charte. Cette commission, à laquelle on doit déjà plusieurs codifications utiles, s'est séparée en 1831. L'œuvre qu'elle avait entreprise devient plus opportune que jamais. Il faut l'accomplir. Plus en effet se développent, chez nous, les mœurs constitutionnelles, plus il importe de faire disparaître de nos répertoires des dispositions souvent contradictoires entre elles, à raison de leurs dates diverses, et quelquefois contraires aux principes de notre gouvernement. Il ne faut pas se fier seulement à la désuétude. Il faut coordonner tous les articles des lois antérieures que le régime actuel peut avouer; il faut éliminer ceux que repoussent nos mœurs. Le comité de législation, digne héritier de la savante commission de 1824, est naturellement appelé à préparer ce travail important que les Chambres sanctionneront à leur tour ».
>
> *(Duvergier, t. XXXIX, p. 288).*

L'activité de ce comité, qui fut maintenu après le vote de la loi du 21 juillet 1845, parait avoir été très réduite en matière législative. Il fut surtout occupé de l'instruction des affaires de prises maritimes et d'appels comme d'abus, de la préparation des ordonnances relatives à la mise en jugement des fonctionnaires, des affaires de naturalisation, de changement de noms, des vérifications de bulles, des autorisations de plaider. Vivien pouvait écrire dans son rapport à l'Assemblée nationale sur la loi organique du Conseil d'Etat de la IIe République :

> « Le dernier Conseil d'Etat n'était jamais consulté sur les projets d'initiative parlementaire, il ne l'était que très rarement sur ceux du Gouverne-

ment, si rarement qu'on peut dire que cette partie de ses attributions était en quelque sorte tombée en désuétude ».

(Rapport annexé à la séance du 10 janvier 1849. C.r. des séances de l'Ass. nat., t. VII, p. 146).

LES TRAVAUX ADMINISTRATIFS

Ils occupaient la part la plus importante de l'activité du Conseil et leur volume est demeuré à peu près stable pendant toute cette période, environ 19 000 affaires par an. Il est intéressant d'aller un peu plus avant dans le détail des statistiques en examinant les travaux des comités autres que le comité de législation et le comité du contentieux.

En ce qui concerne le comité des travaux publics, de l'agriculture et du commerce créé par l'ordonnance du 5 février 1838 à partir du comité de l'intérieur (mais dès 1835 les affaires attribuées en 1838 à ce comité étaient distinguées des autres affaires traitées par le comité de l'intérieur), les deux premiers comptes généraux sont très révélateurs de la nature et de l'importance des problèmes de développement économique qui se posaient à la France entre 1835 et 1845 :

Nature des affaires	
Canaux et rivières	3 319
Ponts, routes, chemins de fer	2 746
Mines, établissements métallurgiques	917
Marais, digues, tourbières	225
Etablissements insalubres	1 425
Sociétés anonymes	491
Caisses d'Epargne	395
Banques	25
Foires	1 526
Pensions	706
Matières diverses ou non susceptibles d'être classées	132
Projets de lois	10
Total des affaires soumises au comité du 1er janvier 1835 au 31 décembre 1844	11 917

Dans son article déjà cité de la *Revue des Deux Mondes* Vivien développa des considérations intéressantes sur l'esprit dans lequel le comité exerçait ses attributions dans les affaires économiques dont il avait à connaître :

« Cet ensemble d'affaires résume toute l'intervention de l'Etat dans les intérêts commerciaux. La loi, sans se départir des principes de libre concurrence qu'elle a consacrés et que l'on prétend remplacer aujourd'hui par je ne sais quelles organisations nouvelles, a voulu que le gouvernement intervînt dans la création des établissements insalubres et incommodes pour concilier les nécessités de l'industrie avec les droits de la propriété, dans la formation des sociétés anonymes pour préserver le public contre les pièges de spéculateurs dispensés de tout recours personnel, dans celle des caisses d'épargne pour protéger par de sages précautions les économies du père de famille laborieux, dans l'établissement des banques pour veiller au maintien du crédit, et dans celui des foires pour que les moyens de vente demeurent en rapport avec les demandes des consommateurs. Le comité veille sur ces intérêts variés. Il discute les statuts des entreprises, examine la situation des établissements, consulte les besoins du public, pose les règles que doit suivre l'administration, et lui imprime une direction également éloignée des imprudences de l'innovation et des timidités de la routine.

Le même comité correspond au ministère des travaux publics. L'exécution des travaux est placée sous la haute direction du conseil technique et savant des ponts et chaussées, et le comité n'en connaît point. Mais son examen prépare les décisions à rendre sur l'ouverture des canaux, le curage des rivières, les règlements et prises d'eau, la construction de ponts, le classement, la direction et l'alignement des routes, les tarifs de péage, les concessions de mines et de dessèchements, l'établissement des usines métallurgiques, l'entretien des marais, digues et tourbières.

Des intérêts privés très considérables sont engagés dans toutes ces décisions; elles touchent au régime de la propriété, à la jouissance des choses du domaine public; elles ne peuvent être instruites avec trop de soin, discutées avec trop de circonspection. Le comité apporte au ministre le tribut de son expérience et de ses méditations ».

(Vivien. Le Conseil d'Etat. Revue des Deux Mondes, 1841, p. 174).

Le Comité de l'Intérieur, après avoir traité 48 000 affaires de 1835 à 1840, dont 29 500 projets d'ordonnances concernant les communes, n'en examina plus que 32 000 pendant les cinq années suivantes. Le rétablissement du comité de Législation par l'ordonnance du 18 septembre 1839, auquel revinrent les affaires de cultes, d'une part, la loi du 18 juillet 1837 déconcentrant la tutelle sur les communes d'autre part, furent cause de cette diminution. A cela, il faut ajouter que l'enseignement était placé sous la direction du Conseil de l'Instruction publique, qui remplissait à son égard l'office d'un comité permanent; le comité de l'Intérieur ne délibéra donc à cet égard que sur des questions d'acceptation de dons et legs et sur quelques actes portant aliénation ou transaction.

Le tableau ci-après résume les types d'affaires dont a eu à connaître le comité de 1835 à 1839 :

Objet des affaires		Total des Projets de loi	Total des Projets d'ordonnance	Total des Avis	Total général
Administration départementale et communale	Départements	76	303	25	404
	Arrondissements	22	»	3	25
	Cantons	32	»	11	43
	Communes	65	29,590	982	30,637
Etablissements publics de bienfaisance	Bureaux de bienfaisance	»	3,313	71	3,384
	Hospices	»	3,848	103	3,951
	Monts de piété	»	27	13	40
Etablissements universitaires		»	151	12	163
Etablissements divers et sociétés savantes et d'utilité publique		»	35	11	46
Pensions		»	1,461	99	1,560
Cultes	Diocèses, évêchés, chapitres	»	75	8	83
	Séminaires, écoles secondaires	»	395	22	417
	Paroisses et cures ...	»	6,182	171	6,353
	Congrégations religieuses	»	724	55	779
	Consistoires	»	132	12	144
Questions générales ou non susceptibles d'être classées		3	18	13	34
Total		198	46,254	1,611	48,063
			48,063		

Quant au comité des finances d'une part, au comité de la guerre et de la marine d'autre part, ils furent presqu'exclusivement réduits à d'ingrates liquidations de pensions et demeurèrent étrangers aux affaires de leurs ministères. Vivien, dans l'article précité, s'insurge contre cette situation :

« Pour qui sait le nombre et l'importance des affaires du département des finances, il est évident qu'on évite à dessein de consulter le comité. Cependant chacune des régies financières a besoin en mille occasions d'avis et de directions. Celle des contributions directes, pour n'en citer qu'une, n'aurait-elle pas tout à gagner à s'appuyer sur l'avis d'un comité du Conseil d'Etat dans les mesures relatives à l'assiette et à la perception de l'impôt ? Je suis convaincu, par exemple, que toutes les complications produites par la question des recensements eussent été prévenues si, avant de supprimer l'intervention municipale telle qu'elle avait été admise en 1832 et d'établir les formes moins favorables aux intérêts privés, on eût pris l'avis du comité des finances et, au besoin, celui du Conseil d'Etat. S'il eût conseillé le nouveau mode qui a été adopté, la responsabilité du ministre s'en serait trouvée d'autant allégée...

Le département de la guerre... a soumis (au comité de la guerre et de la marine) 4 projets de loi, 2 en 1830, 1 en 1831, 1 en 1832, aucun depuis cette période, et 4 projets d'ordonnance, dont en 1830, 3 en 1831, et 1 en 1835.

Le département de la marine... a déféré (au même comité) un seul projet de loi en 1830 et 4 projets d'ordonnance, 1 en 1830, 1 en 1838 et 2 en 1839 : il est clair encore qu'on n'entend point se servir du comité, et cependant que d'intérêts de tous genres pourraient être réglés par lui ! Sous l'Empire, le comité de la guerre du Conseil d'Etat était appelé à délibérer sur les plus importantes questions d'organisation militaire; il a laissé de fort beaux travaux qui sont encore consultés avec fruit.

Ne peut-il plus rendre de pareils services ? Au ministère de la marine, il serait d'un grand secours pour les affaires coloniales, qui offrent de si graves difficultés au moment où s'agite la question de l'émancipation des esclaves, et où les pouvoirs des conseils coloniaux ont reçu une grande extension. Déjà, en 1835, le Roi a décidé que tous les décrets des gouverneurs des colonies passeraient au comité, qui par suite en a examiné 15 en 1835, 30 en 1836, 19 en 1837, 68 en 1838 et 60 en 1839. Cette sage mesure pourrait être étendue. Toutes les ordonnances qui règlent le régime des colonies devraient être délibérées, non seulement par le comité, mais par le Conseil d'Etat tout entier : quand on soumet à son examen l'établissement d'une usine incommode ou dangereuse, l'approbation d'un legs, l'alignement d'une route, on peut bien prendre son avis sur des mesures qui touchent à la condition et en certains points à l'existence de nos établissement d'outre-mer ».

(Vivien. Le Conseil d'Etat. Revue des Deux Mondes, 1841, pp. 185-186).

En définitive, à cette époque, sur les neuf ministères existants, quatre, l'Intérieur, la Justice, l'Agriculture et le Commerce, les Travaux Publics utilisaient plus fréquemment et plus largement le Conseil d'Etat que les autres départements ministériels, Affaires Etrangères, Instruction Publique, Finances, Guerre et Marine. Les quatre derniers avaient parfois recours au Conseil, mais tous, de l'avis de Vivien, le faisaient trop peu souvent et comme à regret :

« Ainsi les ministres ont à leur disposition le Conseil d'Etat et ses comités, et ils ne savent pas se servir d'un si bon instrument. On institue des comités consultatifs, on organise des conseils intérieurs dans les administrations, on s'évertue à créer des moyens d'information et d'étude, quand on a sous la main le plus éclairé, le plus disponible et le plus sûr des conseils.

Je ne crois pas, comme quelques personnes le supposent, que les ministres cèdent à de vieux ressentiments contre le Conseil d'Etat, qui les domina sous l'Empire, ni que, mobiles et éphémères, ils conçoivent de l'ombrage contre un corps qui dure quand ils ne font que passer, qui n'a point de faveurs d'un jour à distribuer, ni de caprices parlementaires à ménager; j'attribue plutôt cet éloignement aux bureaux, qui n'aiment point le Conseil d'Etat parce qu'ils les gêne souvent, et qui profitent de l'inexpérience des ministres dont ils ont l'oreille pour leur faire partager des préventions intéressées ».

(Vivien. Le Conseil d'Etat. Revue des Deux Mondes, 1841, p. 187).

Certes, tous les règlements d'administration publique sont délibérés en Conseil d'Etat, mais, note encore Vivien :

« Le plus souvent, ils ne lui sont déférés qu'au moment même où leur promulgation ne peut plus être retardée, et le Conseil d'Etat est condamné à les discuter en courant. Le gouvernement ne cache pas assez qu'il cède à une nécessité légale et qu'il veut seulement accomplir une formalité. Les limites étroites du crédit du Conseil d'Etat permettent à peine des dépenses d'impression les plus indispensables; presque toujours on se borne à distribuer, deux ou trois jours d'avance, le texte du projet à délibérer; des documents fort précieux, des rapports administratifs, des exposés de motifs qui éclaireraient la discussion, qui, distribués aux membres du Conseil, leur donneraient le moyen de se livrer personnellement à des études préparatoires, restent entre les mains du rapporteur et servent à peine à la délibération ».

(Vivien. Le Conseil d'Etat. Revue des Deux Mondes, 1841, p. 185).

LES TRAVAUX CONTENTIEUX

Quatre traits distinguent l'activité contentieuse du Conseil d'Etat pendant la Monarchie de juillet : elle s'exerce publiquement grâce aux réformes procédurales intervenues en 1831; le nombre des affaires traitées s'accroît; leur nature se modifie; la jurisprudence évolue dans un sens libéral.

Les réformes procédurales.

La publicité des audiences.

La publicité des audiences fut instituée par l'ordonnance royale du 2 février 1831 qui disposa :

Article 1. L'examen préalable des affaires contentieuses, actuellement attribuées à notre Conseil d'Etat, continuera d'être fait par le comité de justice administrative.

2. Le rapport en sera fait en assemblée générale de notre Conseil d'Etat, et en séance publique, par l'un des conseillers ou par l'un des maîtres des requêtes et des auditeurs attachés à ce comité. Le rapporteur résumera les faits, les moyens et les conclusions des parties, et soumettra le projet d'ordonnance proposé par le comité.

3. Immédiatement après le rapport, les avocats des parties pourront présenter des observations orales, après quoi l'affaire sera mise en délibéré.

4. La décision sera prononcée à une autre assemblée générale et en séance publique.

5. Ceux des conseillers d'Etat qui n'auront point assisté au rapport et observations ci-dessus énoncés ne pourront concourir au délibéré. En conséquence, il sera tenu un registre de présence.

(Duvergier, t. XXXI, p. 19).

La disposition de l'article 2 de ce texte prévoyant la lecture du projet d'ordonnance avant l'intervention des avocats fit l'objet de vives critiques.

Aussi fut-elle modifiée dès le 12 mars suivant par une nouvelle ordonnance qui supprima cette lecture, établit quelques garanties supplémentaires et créa auprès du Conseil d'Etat délibérant au contentieux un « ministère public », qui préfigurait l'actuel commissariat du gouvernement :

Louis-Philippe, etc.

sur le rapport de notre ministre secrétaire d'Etat au Département de l'instruction publique et des cultes, président du Conseil d'Etat;

vu notre ordonnance du 2 février dernier qui prescrit la publicité des séances du Conseil d'Etat, lorsqu'il procède au jugement des affaires contentieuses;

vu les observations adressées à notre ministre président du Conseil d'Etat, par le conseil de l'Ordre des avocats au Conseil, sur la disposition de l'article 2 de l'ordonnance du 2 février, qui veut que le comité de justice administrative fasse lire le projet de l'ordonnance à la séance publique;

considérant les inconvénients qu'il y aurait à ce que le comité de justice administrative arrêtât et lût un projet d'ordonnance avant que la défense ait été complétée par les observations verbales des avocats;

considérant qu'au moment où les parties obtiennent les avantages de la publicité et de la discussion orale, il est convenable que l'administration et l'ordre public trouvent des moyens de défense analogues à ceux qui leur sont assurés devant les tribunaux ordinaires;

Article 1. La disposition de l'article 2 de notre ordonnance du 2 février dernier, qui prescrit la lecture en séance publique du projet d'ordonnance proposé sur chaque affaire par le comité de justice administrative, est rapportée.

2. Au commencement de chaque trimestre, notre ministre président du Conseil d'Etat désignera trois maîtres des requêtes qui exerceront les fonctions du ministère public. Dans chaque affaire, l'un d'eux devra être entendu; il prendra, à cet effet, communication du dossier.

3. Lorsqu'il y aura recours en notre Conseil d'Etat contre une décision de l'un de nos ministres, rendue après délibération du comité attaché à son département, les membres de ce comité ne pourront participer au jugement de l'affaire.

4. Aucun des membres de notre Conseil d'Etat en service extraordinaire ne siégera aux séances publiques du Conseil et ne participera au jugement des affaires contentieuses.

(Duvergier, t. XXXI, p. 58).

La première séance publique fut tenue le 26 mars 1831, sous la présidence de M. Barthe, garde des sceaux. Elle revêtit une certaine solennité. La Gazette des tribunaux en rendit compte :

« A dix heures, MM. les avocats de la Cour de cassation occupaient, la plupart en costume, la place destinée au barreau. A dix heures et demie, un huissier a annoncé M. le garde des sceaux, président du Conseil d'Etat et MM. les conseillers.

M. le garde des sceaux, en habit brodé de ministre, et MM. les conseillers et maîtres des requêtes, quelques-uns portant le costume adopté par les conseillers d'Etat sous l'Empire, l'habit bleu de roi foncé avec broderies de soie bleu clair, l'épée au côté et le chapeau à plumes noires, mais le plus grand nombre en simple frac noir, prennent séance.

Le ministre annonce que l'audience est ouverte et ordonne l'ouverture des portes au public.

Dès que le public est introduit, M. le garde des sceaux prononce le discours suivant :

« Messieurs, de toutes les garanties dont la justice puisse être environnée, la publicité des débats contradictoires est la plus efficace. Si le pays a besoin de la vertu des magistrats, la vertu des magistrats se trouve fortifiée par cette conscience du pays qui a connu tous les éléments d'un litige, et qui acquiert ainsi le droit de prononcer sur la sentence elle-même.

L'étude à laquelle vous vous livrez des affaires contentieuses soumises à votre examen ou plutôt à votre décision (car votre opinion, il faut le dire, est toujours acceptée par la responsabilité du ministre), les lumières et la science que vous apportez dans ces examens, l'indépendance réelle de vos opinions ne suffisaient pas peut-être pour investir la justice administrative de cette force morale qui lui est nécessaire; cette force, la publicité seule pouvait la lui donner.

Le gouvernement devait donc se montrer jaloux de satisfaire à un vœu dont l'accomplissement, loin d'être redouté par vos consciences, aura pour résultat nécessaire d'ajouter à l'autorité du Conseil d'Etat.

Une défense libre et publique nous éclairera par l'exercice de ses privilèges sacrés; un barreau pénétré de ses devoirs autant que de ses droits nous apportera le tribut de ses études et de ses expériences. Il sait que les développements oratoires sont peu propres à la nature des affaires soumises à notre juridiction. Mais après un rapport préparé avec une consciencieuse maturité, des observations précises sur les circonstances qui auraient pu n'être pas appréciées viendront donner une vie nouvelle à ce que l'instruction écrite aura déjà recommandé à notre attention.

Aucun élément ne manquera donc à vos délibérations; les garanties nouvelles, réalisées par l'ordre des choses dans lequel nous allons entrer, seront un titre de plus pour le souverain, que la France a choisi, à la reconnaissance publique. Il a voulu que le pays pénétrât dans son Conseil pour y acquérir par lui-même la conviction qu'ici comme dans les tribunaux ordinaires l'inviolabilité des droits privés n'est jamais méconnue.

Le moment où les portes du Conseil d'Etat s'ouvrent pour le public va dissiper d'injustes préventions; la publicité appellera sur vos travaux l'estime et la considération qu'ils ont toujours méritées. »

(Gaz. trib., 28 mars 1831).

Après ce discours fut appelée la première cause, qui était un conflit. Me Scribe, avocat des défendeurs, tint à commencer sa plaidoirie en soulignant l'importance d'une séance où pour la première fois la justice administrative était rendue publiquement :

« M. le garde des sceaux et Messieurs, depuis longtemps les vœux du pays appelaient sur votre haute juridiction le bienfait de la publicité, et ces vœux, nous n'en doutons pas, vous les partagiez.

Il devait vous tarder qu'admis à vos séances, témoins du soin scrupuleux avec lequel vous recherchiez la vérité, d'autres que nous apprissent qu'ici comme devant les tribunaux, les droits de tous étaient pesés dans une même balance, que l'impartialité la plus rigoureuse, l'examen le plus consciencieux présidait à ces huis clos, dont on n'avait tant et diversement parlé, que parce qu'on ne les connaissait pas.

Cette publicité, Messieurs, le Roi en a doté le Conseil d'Etat, et grâces lui soient rendues, honneur au ministre qui a pris l'initiative de cette grande et généreuse innovation ! Nous ne croyons pas que beaucoup de vos justiciables se soient inquiétés de savoir si la loi seule aurait pu faire ce qu'a fait l'ordonnance; mais ce que nous savons, c'est que tous ont accepté le bienfait avec reconnaissance, convaincus que le principe de la publicité est à jamais acquis, confiants dans l'engagement pris devant les chambres par un ministre dont la loyauté ne sera contestée par personne, et ne voyant enfin dans l'avenir que les améliorations progressives que doit amener la mesure si sage qui appelle aujourd'hui le public dans cette enceinte.

Quant à nous, Messieurs, ce n'est pas sans quelque émotion que nous voyons s'ouvrir devant nous cette arène nouvelle, où, en présence de tant d'illustrations diverses, nous sommes appelés à préparer vos augustes décisions sur des matières graves, ardues, et qui exigent, vous le savez, des connaissances si variées, si spéciales.

« Votre bienveillance, vos encouragements nous seront bien nécessaires : permettez-moi de les réclamer pour l'Ordre que j'ai l'honneur de présider. »

(Gaz. trib., 28 mars 1831).

Il n'est pas sûr que tous les membres du Conseil d'Etat aient accueilli la publicité des séances avec la satisfaction dont parlait Me Scribe. Evoquant dans la notice nécrologique du président Maillard les réformes de 1831, Reverchon, qui connaissait bien le proche passé du Conseil, exprimait une opinion différente :

« Ce n'est pas que cette innovation (la publicité) n'ait rencontré bien des contradicteurs dans un pays comme le nôtre, souvent aussi rebelle aux réformes qu'accessible aux révolutions. Elle a soulevé bien des objections, même de la part des hommes éminents qui composaient le Conseil d'Etat, et qui s'élevaient avec force contre ce qu'ils appelaient l'invasion des idées judiciaires dans l'administration. Heureusement ces objections, ces alarmes, n'ont pas prévalu; l'expérience les a hautement démenties. La publicité a été utile aux parties sans doute; elle a été mille fois plus utile à l'administration, à la juridiction administrative elle-même ».

(Notice de M. Maillard par E. Reverchon. Paris 1855, p. 24).

Le ministère public.

L'expression choisie pour désigner le nouvel organe, comme les considérants de l'ordonnance du 12 mars 1831 (1) ne laissent guère de doute sur les intentions de ceux qui instituèrent un « ministère public » auprès du Conseil d'Etat. Ce ministère devait être dans leur pensée l'avocat du gouvernement et des administrations.

L'ordonnance du 12 mars ne précisait pas cependant le rôle du ministère public. Son article 2 disait seulement : « Au commencement de chaque trimestre, notre ministre, président du Conseil d'Etat, désignera trois maîtres des requêtes qui exerceront les fonctions du ministère public. Dans chaque affaire, l'un d'eux devra être entendu; il prendra, à cet effet, communication du dossier ». Le premier commentateur, qui fut Duvergier, écrivit : « Rien ne détermine les fonctions et les devoirs de ce ministère public. On appliquera sans doute les dispositions organiques du ministère public devant les tribunaux ordinaires ».

Il n'en fut rien. Ce ministère public naissait dans l'équivoque. Il devait y demeurer au moins pendant toute la Monarchie de juillet (2).

Les maîtres des requêtes désignés pour exercer le ministère public furent en effet très généralement considérés à l'époque comme des porte-parole du Gouvernement :

> « L'institution du ministère public, écrivait Cormenin en 1840, est très secourable pour l'Etat, dont les commissaires sont spécialement chargés de faire ressortir et de soutenir l'intérêt.
>
> Les commissaires sont pris parmi les maîtres des requêtes, d'après l'axiome : omnes sumus procuratores Caesaris. Leur office est de veiller à la défense des intérêts de l'Etat, à l'unité de la jurisprudence, à l'observation du règlement du Conseil et à la garde des formes disciplinaires.
>
> Nous avions proposé cette institution dans les derniers temps de la Restauration.
>
> Rien ne nuit plus à la prompte et solide distribution de la justice que le renouvellement des commissaires du roi, après un office de trois mois. C'est au moment même où ils commencent à savoir et à faire leur métier qu'on les change; cela est peu judicieux.
>
> C'est un autre inconvénient de les prendre parmi les maîtres des requêtes rapporteurs; car lorsqu'ils sont nommés commissaires du roi pour trois mois ils sont obligés de remettre au greffe les affaires dont le rapport leur était confié, et il faut qu'on en désigne d'autres pour recommencer l'étude et faire le rapport des mêmes affaires. »
>
> *(Cormenin. Droit administratif 1840 p. 59).*

(1) « ... au moment où les parties obtiennent les avantages de la publicité et de la discussion orale, il est convenable que l'administration et l'ordre public trouvent des moyens de défense analogues à ceux qui leur sont assurés devant les tribunaux ordinaires ».

(2) Cf. T. Sauvel, Les origines des commissaires du Gouvernement auprès du Conseil d'Etat statuant au contentieux. (R.D.P., 1949, pp. 5-sq.).

Les soussignés, Membres du Conseil d'État, élus par les assemblées Constituante et Législative, s'étant rendus, nonobstant le décret en date du 2 décembre, au lieu de leurs séances et l'ayant trouvé entouré par la force armée qui leur en a interdit l'accès, protestent contre l'acte qui a prononcé la dissolution du Conseil d'État et déclarent n'avoir cessé de remplir leurs fonctions qu'empêchés par la force.

Bethmont — Vivien — Bureaux de Pusy

[illegible] — Stourm — Fréd. Cuvier

J. Boulatignier — Horace Say

Alph. de Rainneville — Carteret

[illegible] — Gaulthier de Rumilly

Bouchené-Lefer — Édouard Charton — Ferdinand de Jouvencel

[illegible] — [illegible]

Texte de la protestation de 18 membres du Conseil d'Etat contre le coup d'Etat du 2 décembre 1851. Ce document a été donné au Conseil par M. Guillaume de Tarde, maître des requêtes honoraire.

On trouve la même opinion exprimée par de nombreux parlementaires pendant toute la Monarchie de juillet :

> « La constitution intérieure du Conseil d'Etat rend inutile la création d'un ministère public chargé de représenter spécialement le gouvernement; aussi ne serait-il pas exact d'assimiler les commissaires du roi aux membres du ministère public devant les tribunaux; mais, dès l'instant où les débats oraux et publics ont été introduits devant le Conseil d'Etat, il a fallu donner aux diverses administrations un organe qui pût, à l'audience même, et avec la même publicité que les plaidoires des parties intéressées, apprécier et discuter ces plaidoiries elles-mêmes. L'expérience faite à cet égard, depuis l'ordonnance royale du 12 mars 1831, a produit les meilleurs résultats ».
>
> *(Rapport Persil à la Chambre des députés. Séance 20 janvier 1836. Mon. univ., 21 janvier 1836).*

Crémieux lui-même, avocat aux conseils, déclarait : « Qu'est-ce donc que le ministère public ? C'est le contradicteur naturel des intérêts de la partie privée » (1).

Quatre ans plus tard, le même point de vue prévalait encore, puisque Gaslonde pouvait, sans être contredit, demander en 1849 à l'Assemblée constituante de rejeter l'institution d'un commissaire général de la République auprès du Conseil d'Etat en invoquant l'existence du ministère public créé en 1831 :

> « Qu'est-ce que votre commissaire général de la République ? Je dis que c'est un rouage inutile, puisque vous avez des maîtres des requêtes qui servent de commissaires du gouvernement; je dis que le gouvernement peut soumettre des observations, qu'il peut se faire entendre par des commissaires et qu'il sera mieux représenté par ses commissaires, parce qu'ils les aura complètement sous sa dépendance et qu'il les inspirera de son esprit. »
>
> *(Ass. nat. Séance 24 janvier 1849. C.r. séances de l'Ass. nat., t. VII, p. 423).*

Mais dans le même temps les maîtres des requêtes désignés pour faire fonction du ministère public se comportaient tout autrement. Non seulement ils n'exerçaient pas les attributions habituelles du Parquet : mise en mouvement de l'action publique, recours en révision ou en interprétation, mais encore — fait essentiel — ils présentaient leurs observations en toute indépendance et concluaient aussi bien au rejet des prétentions de l'administration que de celles des parties privées.

Et il en fut ainsi, semble-t-il, dès l'origine de l'institution. C'est le 9 janvier 1832 que fut rendue la première décision dans une affaire où ait conclu un maître des requêtes faisant fonction du ministère public (Truelle-Mullet c. Petit-Durieu. Recueil des arrêts du Conseil, année 1832 pp. 1-sq) (2). Moins de trois mois plus tard, le 24 mars 1832, était

(1) Ch. dep. Séance 28 février 1845. Mon. un. 1er mars 1845, p. 482.

(2) C'est du moins la première décision figurant au recueil des arrêts qui porte à côté du nom du rapporteur celui du « Maître des requêtes-f.f.m.p. ». Ce maître des requêtes était Marchand. Les deux autres maîtres des requêtes désignés avec lui pour former le ministère public furent Chasseloup-Laubat et Germain.

rendue une décision qui, conformément aux conclusions du commissaire du gouvernement, rejetait les prétentions du ministres des finances (D'Annebault et consorts c. Administration des domaines. Recueil des arrêts du Conseil, année 1832 pp. 97-sq). L'organe du ministère public méritait déjà le titre de commissaire de la loi par lequel certains, peu après, souhaitaient le voir désigner (1).

L'accroissement du nombre des affaires.

Le nombre des affaires contentieuses jugées par le Conseil d'Etat de 1830 à 1848 s'éleva à 12 288, soit 682 en moyenne par an, au lieu de 404 sous la Restauration et de 214 sous l'Empire. La progression fut continue pendant toute cette période : 1721 affaires de 1830 à 1834, 3255 de 1835 à 1839, 3863 de 1840 à 1844, 3449 de 1845 à 1848 (4 ans).

Cet accroissement eut pour première cause l'intervention de nombreuses lois, notamment en matière d'administration locale, qui soulevèrent de nouvelles questions contentieuses.

Il résulta en second lieu de la grande impulsion alors donnée aux travaux publics qui entraîna une augmentation des affaires de marchés et de dommages liées à ces travaux. Il est enfin vraisemblable que les garanties accordées aux plaideurs par les réformes de 1831 encouragèrent ceux-ci à s'adresser plus souvent au Conseil d'Etat.

La nature des affaires.

Les domaines d'intervention du Conseil d'Etat statuant au contentieux se modifient également. Cormenin le notait avec surprise, lorsqu'il rentra au Conseil en 1848 après une longue absence; il ne reconnaissait plus, disait-il, le droit administratif :

> « Dans ma jeunesse... nous ne nous occupions que des émigrés, des biens nationaux, des domaines engagés, de la dette publique et des déchéances à opposer aux créanciers de l'Etat; aujourd'hui l'on ne parle plus que de travaux publics, de chemins de fer, de chemins vicinaux, de cours d'eau, de contributions directes et d'élections. »
>
> *(Cité par Léon Aucoc. Une page de l'histoire du droit administratif in Revue critique de législation et de jurisprudence, 1895, p. 304).*

Le tableau par catégories des affaires contentieuses des années 1838 et 1839 confirme cette appréciation :

(1) L'expression « Commissaire du Roi » figure pour la première fois dans un arrêt du 7 janvier 1842 (Recueil des arrêts 1842, p. II). A partir de cette date, elle remplace l'expression « faisant fonction du ministère public ».

NATURE DES AFFAIRES CONTENTIEUSES	1838	1839
Affaires d'Alger	1	2
Armée. — Grades	3	3
Ateliers insalubres	13	5
Bacs, ponts à péage	6	»
Bois de l'Etat	»	»
Communes. — Biens	14	20
Communes. — Dettes, impositions extraordinaires	23	11
Comptabilité de l'Etat et des communes	9	2
Contributions directes. — Foncière, portes et fenêtres	62	46
Contributions directes. — Personnelle et mobilière	47	28
Contributions directes. — Patentes	110	107
Contributions directes. — Rétribution universitaire	3	3
Contributions indirectes. — Octrois	9	6
Créances sur les Etats-Unis	9	3
Cours d'eau non navigables	11	16
Destitutions	3	1
Dettes de l'Etat	42	16
Domaines de l'Etat	8	5
Domaines engagés	4	1
Domaines nationaux	5	9
Dotations	»	»
Douanes	1	1
Elections aux conseils de département et d'arrondissement	5	3
Elections municipales	104	11
Emigrés. — Indemnité	3	10
Emigrés. — Remise de biens	4	3
Expropriation pour cause d'utilité publique	2	4
Fournitures	13	11
Garde nationale	»	»
Halles et marchés	»	»
Marais. — Desséchements	7	»
Mines	2	3
Noms. — Additions, changements	1	1
Pensions	51	54
Places de guerre. — Servitudes	5	2
Soldes militaires	6	1
Théâtres	»	»
Travaux publics. — Dommages, indemnité	10	9
Travaux publics. — Marchés	29	17
Voirie (grande). — Cours d'eau	22	16
Voirie (grande). — Routes	44	50
Voirie (grande) urbaine	19	9
Voirie (petite)	21	14
Affaires non classées	17	8
TOTAUX	751	511

(Extrait du compte général 1835-1840, Imprimerie royale).

L'évolution libérale de la jurisprudence.

L'évolution de la jurisprudence pendant cette période eut, semble-t-il, un caractère libéral. C'était l'opinion de Crémieux, avocat aux conseils, qui déclarait à la Chambre en 1845 :

« Avant tout laissez-moi vous dire que j'ai eu l'honneur de plaider pendant six ans devant le Conseil d'Etat, et que personne plus que moi ne rend hommage à tout ce qu'il y a de lumière et d'indépendance dans le corps qui est appelé à prononcer sur les contestations qui s'élèvent entre les citoyens et les ministres ou avec l'Etat.

Il a pu m'arriver quelquefois, pendant que j'étais avocat devant le Conseil d'Etat, de trouver que les décisions étaient peut-être trop favorables à la cause du Gouvernement, mais ce n'est pas un reproche que je lui adresserai aujourd'hui; je dis bien nettement que la juridiction du Conseil d'Etat est excellente, elle rend des services essentiels au pays, et je me fais un devoir de déclarer que pendant les six années que j'ai eu l'honneur de parler devant elle, j'ai vu constamment des hommes éclairés et éminents, mais encore des hommes consciencieux ».

(Ch. dép., Séance 25 février 1845. Mon. univ. 26 février 1845, p. 428).

Opinion largement corroborée par les chiffres respectifs des infirmations et des confirmations pour la période 1835-1845 :

Actes attaqués	Infirmations	Confirmations
Arrêtés de conseils de préfecture	2 527	2 265
Arrêtés de préfets	81	148
Décisions ministérielles	282	704
Ordonnances royales	37	155
Conseils privés des colonies	3	9
Décisions diverses	28	61
	2 958	3 352

Il n'est pas facile de déterminer comment s'est faite de 1830 à 1848 l'évolution libérale de la justice administrative. Sans doute a-t-elle consisté davantage en un changement d'esprit et d'attitude du juge que dans l'adoption par celui-ci de solutions novatrices. On ne relève pas alors en effet de transformations majeures de la jurisprudence, comme le seront plus tard la création de nouveaux cas d'ouverture des recours, l'abandon de la théorie du ministre-juge ou l'admission des pourvois contre les règlements d'administration publique. A l'exception toutefois d'une innovation, mais qui se révèlera bien vite capitale : la naissance du recours général en annulation pour incompétence ou excès de pouvoir fondé sur la loi des 7 et 14 octobre 1790 (1).

(1) L. Aucoc. Le Conseil d'Etat et les recours pour excès de pouvoir — Revue des Deux Mondes, 1873, pp. 5-sq — P. Sandevoir. Etudes sur le recours de pleine juridiction. Th. Lille. 1964, notamment pp. 267 sq.

Le visa de ce texte apparaît pour la première fois en 1832 dans les arrêts du Conseil (1) : elle n'en disparaîtra plus. C'est beaucoup plus qu'une innovation formelle. Avec ce texte, le Conseil donne une assise légale à ce qui va être sa plus importante construction jurisprudentielle : la création du recours général en annulation pour excès de pouvoir.

Il est nécessaire pour saisir le sens et la portée de cette création, d'avoir bien à l'esprit que la notion de contentieux administratif avait été jusqu'alors inséparable de celle de droit lésé. Il n'y avait contentieux et il ne pouvait y avoir de décision rendue au contentieux que lorsque l'action administrative avait porté atteinte aux droits des administrés.

En dehors de là, c'était le domaine de l'administration pure, où il n'y avait place — à moins d'une disposition expresse de loi ou de règlement en sens contraire — que pour des actes discrétionnaires, dont le retrait ou la modification ne pouvaient s'opérer que par voie gracieuse. Cette idée était si profondément ancrée dans les esprits que, cinquante ans plus tard, L. Aucoc enseignait encore dans son cours à l'école des Ponts et Chaussées : « Nous arrivons maintenant à la théorie des recours pour excès de pouvoir. La juridiction administrative suprême, le Conseil d'Etat, exerce une autorité spéciale que l'on a parfois confondue avec le contentieux administratif proprement dit » (2).

Cette « autorité spéciale », il restait en 1830 (3) à en définir le fondement et la nature. Certains textes l'avaient attribuée au Conseil d'Etat dans des cas particuliers, ainsi la loi du 16 septembre 1807 relative à la Cour des Comptes. Mais, en l'absence de texte propre à l'affaire portée devant lui, le Conseil d'Etat pouvait-il l'exercer sur les actes des divers corps administratifs entachés d'incompétence ou d'un vice analogue ? A cette question, le Conseil donna une réponse affirmative en déclarant que le § 3 de la loi des 7-14 octobre 1790 (4) attribuait au Roi chef de l'Administration générale, la connaissance des réclamations d'incompétence à l'égard des corps administratifs.

Encore fallait-il déterminer qui pouvait former ces réclamations, quels étaient ces corps administratifs, comment les réclamations seraient instruites et jugées, ce qu'il fallait entendre par incompétence. Une série d'arrêts rendus pendant la Monarchie de juillet tranchèrent ces questions dans le sens le plus libéral. Il fut jugé :

— que les réclamations pouvaient être formées par les administrés comme par les administrations;

(1) Arrêts : 24 mars 1832, Veuve Bouillet, Recueil 1832, p. 91 — 15 juillet 1832, Préfet de la Seine (3 décisions). Recueil, p. 382. Préfet du Calvados. Recueil, p. 388 — 20 juillet 1832, Ministre Intérieur. Recueil, p. 402 — 24 août 1832, Thevenard. Recueil, p. 513.

(2) L. Aucoc. Conférences sur l'administration et le droit administratif. Paris, 1878, t. I, p. 458.

(3) Aucoc dans son article précité de la Revue des Deux Mondes signale deux décisions rendues sous la Restauration qui auraient été l'amorce de la nouvelle jurisprudence.

(4) « Les réclamations d'incompétence à l'égard des corps administratifs ne sont en aucun cas du ressort des tribunaux judiciaires; ... elles seront portées au Roi, chef de l'administration générale... ».

— que l'expression « corps administratifs » désignait tous les organes de l'administration, juridictions, organes collégiaux, autorités administratives (1);
— que les réclamations devaient être jugées par le Roi sur avis du Conseil d'Etat agissant en la forme contentieuse;
— que le terme « incompétence » devait être entendu dans un sens large et couvrir notamment la violation des formes.

Cette jurisprudence était encore en voie de formation que le gouvernement la cautionnait en inscrivant, parmi les attributions du Conseil d'Etat, dans les projets de loi alors soumis aux Chambres, la connaissance « des recours dirigés pour incompétence ou excès de pouvoir contre les décisions des autorités administratives ».

NAISSANCE DE LA SCIENCE ADMINISTRATIVE

La revue des activités du Conseil d'Etat sous la Monarchie de juillet ne serait pas complète, si l'on omettait d'évoquer le rôle joué par plusieurs de ses membres dans la naissance de la science administrative (2). Celle-ci n'était pas constituée au début du XIXe siècle. Par leurs écrits et par leurs enseignements, des hommes comme Macarel, Vivien, Cormenin, Boulatignier, de Gerando en jetèrent les fondements. Faisant rapport en 1846 à l'Académie des Sciences Morales et Politiques sur le « Cours de droit administratif » de Macarel récemment paru, A. de Tocqueville déclarait :

> « Parmi les hommes qui depuis trente ans ont entrepris de montrer à la France d'après quelles règles on l'administre, trois ont particulièrement attiré l'attention publique. Le premier appartenait à cette académie où sa mort récente a laissé de profonds regrets : je n'ai pas besoin de nommer M. de Gerando; le second est M. de Cormenin et le troisième M. Macarel, dont le dernier ouvrage nous occupe en ce moment ».
>
> *(Mon. univ. 15 mai 1846, p. 1381).*

Cette science nouvelle devait trouver sa place entre le pur empirisme des administrateurs et les sèches analyses des juristes. Vivien définissait bien son objet lorsqu'il écrivait :

> « La science et le droit, dans leurs rapports avec l'administration, ont des caractères distincts et ne doivent pas être confondus. La science ne reste pas étrangère au droit, ni le droit à la science, mais chacun des deux occupe

---

(1) La jurisprudence, comme la doctrine, ne distinguait pas ou distinguait mal à l'époque le recours en cassation (contre les décisions juridictionnelles) et les recours pour excès de pouvoir (contre les décisions des autorités administratives).

(2) Comme par le passé, les membres du Conseil se virent confier pendant cette période des missions à l'extérieur du corps, mais, à en juger par les comptes des travaux, elles semblent avoir été en nombre et d'une importance relativement limitées.

une région à part. Le droit prend sa source dans l'application : il a son code, sa jurisprudence, ses formules. La science interroge les phénomènes sociaux plus que les lois écrites, elle est plus générale dans ses vues, plus libre dans ses décisions ; l'horizon qu'elle embrasse du regard est plus étendu ; elle signale les vices de l'administration et conseille les réformes que l'intérêt public réclame et que la prudence autorise ; elle s'appuie sur toutes les autres sciences qui ont pour objet les destinées de l'homme... ».

(Vivien, Etudes administratives. Paris Guillaumin 1845, préface pp. VI-VII).

L'un de principaux soucis de Vivien et de ses collègues était de créer un enseignement des sciences administratives, qui n'existait alors ni dans l'université, ni en dehors de celle-ci. Macarel adressait le 18 juin 1837 au ministre de l'Instruction Publique un projet d'ordonnance ainsi conçu :

PROJET D'ORDONNANCE

Art. 1. — Une chaire d'administration générale est créée dans le but ci-après désigné.

Art. 2. — Cet enseignement est destiné à tous les employés surnuméraires (1) ou autres de nos divers départements ministériels qui seront nominativement désignés par nos ministres.

Les auditeurs en notre Conseil d'Etat pourront y assister, avec l'autorisation de notre garde des sceaux, président du Conseil d'Etat.

Il n'est pas suprenant que ce soit Boulatignier qui ait rapporté en termes favorables devant l'Assemblée constituante de 1849 le projet de loi sur l'Ecole d'administration :

« La pensée d'une Ecole d'Administration est fondée sur l'opinion qu'il y a un fond commun de notions nécessaires à tous ceux qui se destinent aux fonctions administratives, quelle que soit leur vocation spéciale pour telle branche de service public. Ces notions générales sont très nombreuses et éparses et ne font l'objet d'un enseignement dans aucun établissement public et, à raison soit de la multiplicité, soit de la nature des objets qu'il embrasserait, cet enseignement ne paraît pas pouvoir se rattacher convenablement aux facultés de droit ; sous certains rapports, il s'éloignerait trop du but de leur institution ».

(C.r. séances de l'Ass. nat. Addition à la séance, 3 avril 1849, t. IX, p. 101).

(1) Les surnuméraires étaient généralement des jeunes gens pourvus de diplômes universitaires qui, comme les auditeurs au Conseil d'Etat, étaient attachés aux divers ministères.

IV

PAGES VARIÉES

Les résidences du Conseil d'Etat de 1830 à 1848 — L'hôtel Molé — Le Palais d'Orsay — Sa construction, la séance d'installation (14 mai 1840) — Un conflit de préséance entre le Conseil d'Etat et la Cour de Cassation — Candidatures et recommandations — Mort, en service, de l'auditeur Armand de Vareilles lors des émeutes de 1834 — Les membres du Conseil et le service de la garde nationale — Un pamphlet de Cormenin : Appel aux Révérends pères du Conseil d'Etat séant en conseil œcuménique — Un éloge du Conseil d'Etat par Vivien.

Les textes d'origine et de nature très diverses placés sous ce titre ont été réunis pour donner du Conseil d'Etat de la Monarchie de juillet une image plus vivante que celle qui peut se dégager de l'analyse des débats parlementaires ou de la revue des travaux du corps.

Ils situent le cadre, dépeignent certains acteurs, narrent quelques incidents de la vie et de l'activité quotidienne du Conseil. On y trouve souvent de minces détails, qui portent parfois la marque des petitesses humaines.

Par contraste, prend plus de valeur encore l'éloge du corps lui-même, contenu dans la page reproduite à la fin du chapitre où Vivien en des termes d'une qualité sans doute inégalée décrit l'esprit et le rôle du Conseil.

LES RÉSIDENCES DU CONSEIL D'ÉTAT SOUS LA MONARCHIE DE JUILLET : DE L'HOTEL MOLÉ AU PALAIS D'ORSAY

L'Hôtel Molé (1832-1840).

C'est au printemps de 1832 que le Conseil d'Etat, jusque-là logé au Louvre, s'installe à l'hôtel Molé, sa nouvelle résidence, située 58 rue Saint-Dominique, où il devait demeurer jusqu'en 1840 (1); le 27 avril 1832, le public est informé que « la première séance pour le jugement des affaires contentieuses doit avoir lieu le samedi suivant et que les bureaux du Conseil ne pourront être ouverts que le 2 mai, à cause du déménagement ».

---

(1) Actuellement 246, Bd. Saint-Germain, siège du ministère de l'Equipement.

L'hôtel Molé, ou de Roquelaure, commencé en 1722 par l'architecte Lassurance, auquel succéda Leroux, pour le duc de Roquelaure, était entré en 1738 dans la famille du président à mortier Molé, gendre du financier Samuel Bernard, décapité en 1794. Confisqué à la Révolution, il appartint en 1808 à Cambacérès et, en 1816, à la duchesse douairière d'Orléans. L'Etat en prit possession en 1825.

Le transfert du Conseil à l'hôtel Molé ne fut pas total : le comité de l'intérieur continua à siéger au 103 rue de Grenelle, dépendance de l'hôtel Rothelin; les comités de la guerre et de la marine au ministère de la marine, puis au dépôt de la guerre, 61 rue de l'Université; le comité des finances au ministère des finances, 48 rue de Rivoli. Faute de place, sans doute, ces derniers comités tardèrent en 1840 à rejoindre le Palais d'Orsay, retard qui inspira au chroniqueur de la Gazette des tribunaux, lors de la prise de possession de ce palais, la remarque suivante :

« Le comité des finances et celui de la guerre et de la marine continuent à siéger provisoirement près des ministères auxquels ils sont attachés..., mais nous pensons que leur translation au palais du quai d'Orsay peut n'être pas sans influence sur les habitudes et la tendance de leurs avis. »

(Gaz. trib., 17 mai 1840. Justice administrative. Conseil d'Etat note 2).

En attendant la somptueuse résidence du Quai d'Orsay, les membres du Conseil semblent avoir été satisfaits de l'hôtel Molé. « Il est reconnu que cet hôtel satisfait complètement à sa nouvelle destination » (1).

Il faut souligner que, pour la première fois dans son histoire, le Conseil d'Etat disposait seul de l'ensemble d'un édifice (2).

Le secrétaire général put même se loger, en 1832, dans un petit hôtel (actuellement au n° 248 du boulevard Saint-Germain) joint, sous l'Empire, à l'hôtel Molé.

Cette installation s'était faite contre le gré du ministre des finances qui écrivait à son collègue de la justice le 2 juin 1832 :

« Monsieur et cher collègue,

J'ai reçu la lettre que vous m'avez fait l'honneur de m'écrire le 22 mai dernier, relativement à la question de savoir s'il est indispensable que le petit hôtel Molé soit, comme le grand hôtel, affecté au service du Conseil d'Etat.

Vous m'annoncez que, d'après une nouvelle décision royale, les archives de l'ancien Conseil d'Etat doivent être transportées à l'hôtel Molé où il a été reconnu qu'il se trouvait assez de place pour les y contenir et que, par suite de cette mesure, toute la partie disponible du grand hôtel Molé sera occupée.

Vous ajoutez qu'il a paru convenable d'établir dans le petit hôtel Molé le secrétaire général du Conseil d'Etat pour qu'il soit toujours à portée de

(1) Lettre du ministre des finances au ministre de la justice. Arch. nat. BB 17 A 80.
(2) Cf. Tony Sauvel, « Du Palais de la Cité au Palais royal » dans Livre jubilaire du Conseil d'Etat. Paris Sirey, 1952, p. 31.

répondre aux demandes qui lui sont adressées par divers ministères, qu'enfin déjà sur votre demande le Roi a bien voulu faire toutes les dépenses nécessaires pour cet établissement.

Il est regrettable, Monsieur et cher collègue, que ces dispositions n'aient point été concertées à l'avance avec le département spécialement chargé de l'administration des domaines de l'Etat.

Le projet primitif d'affecter les deux hôtels Molé au service du Conseil d'Etat n'a pu être conçu que dans la pensée que le grand hôtel serait insuffisant. Mais aujourd'hui qu'il est reconnu que cet hôtel satisfait complètement à sa nouvelle destination et que même les archives de l'ancien Conseil d'Etat pourront y être placées, la seule raison de convenance qui pourrait faire affecter le petit hôtel au logement du secrétaire général ne paraît pas suffisante pour priver l'Etat d'une ressource qui d'après les documents que j'ai sous les yeux peut s'élever par la vente aux enchères à quatre vingt dix ou cent mille francs.

Il est à remarquer d'ailleurs que les greffiers en chef des cours et tribunaux ne sont pas logés aux frais de l'Etat, bien que leur surveillance s'étende sur des dépôts importants et la conservation de valeurs souvent considérables.

Enfin n'ayant à répondre que pendant les heures de travail aux demandes qui doivent lui être adressées à raison de ses fonctions, il ne semble pas indispensable que ce secrétaire général ait un logement aux frais de l'Etat, dans un hôtel contigu à celui où sont placés les bureaux du Conseil d'Etat.

Je persiste donc à penser, Monsieur et cher collègue, que le petit hôtel Molé peut et doit être aliéné au profit de l'Etat et je vous serai obligé de me faire connaître si en définitive vous vous rangez à cette opinion. »

(Arch. nat. BB 17 A 80).

Cette protestation demeura vaine. Le ministre de la justice et le Conseil d'Etat avaient pris les devants : les travaux étaient déjà exécutés. On lit en marge de la lettre précédente l'annotation anonyme suivante : « Il est convenable que le secrétaire général soit logé au Conseil d'Etat. Des travaux ont été faits dans cette pensée, considération secondaire, mais l'intérêt du service exige la présence du secétaire général ».

Cette faveur lui sera refusée au Palais d'Orsay, la chambre ayant rejeté le crédit demandé à cet effet (1).

Le Palais d'Orsay (1840-1871).

Ce bâtiment, très vite appelé palais et dont le rez-de-chaussée fut affecté en 1838 au Conseil d'Etat, tirait son nom du quai sur lequel il s'élevait; face à la Seine et au jardin des Tuileries et presque à la hauteur du palais du même nom, il jouissait d'un emplacement privilégié.

Napoléon Ier, qui en avait fait entreprendre la construction en 1810, le destinait au ministère des affaires étrangères :

« C'était la promesse d'un monument durable de la grande imagination et de la munificence impériales. Napoléon voulait que cet édifice, bâti en face

(1) Cf. Ch. dép. Séance du 23 avril 1841 dans Journal des débats politiques et littéraires, 24 avril 1841 et Dupin. Mémoires, t. IV, p. 140.

de son palais, sur la rive gauche de la Seine, surpassât en étendue, en richesse, en beauté, tous les autres ministères de la capitale : il le destinait à son département des relations extérieures, et déjà il voyait en espérance, de son balcon des Tuileries, tous les ambassadeurs de l'Europe, de l'univers, se succéder à la file sous les portiques pour rendre hommage à l'Alexandre moderne, dans la personne de son ministre... »

(Le Palais du quai d'Orsay et le Conseil d'Etat. Illustration. 19 janvier 1850).

Les travaux étaient alors conduits par l'architecte Bonnard, auquel succéda son élève Laconnée, en 1833, lorsque le chantier fut repris. Le palais pratiquement terminé en 1840 avait coûté plus de 12 millions.

« Les ministres des affaires étrangères qui avaient tour à tour passé au pouvoir avaient tous rêvé l'honneur d'inaugurer le somptueux monument : tous étaient venus presser les travaux et demander aux architectes de changer la distribution intérieure et d'ajouter au luxe, chacun suivant son goût, sa fortune ou les désirs de sa famille; aucun d'eux ne recueillit le fruit de ses conseils. L'édifice achevé, la perplexité fut grande sur la destination qu'il fallait lui donner. On avait médité d'y placer la Cour de Cassation, la Cour des Comptes, puis la Chambre des députés, puis l'exposition des produits de l'industrie, l'Institut, l'académie de médecine, les sociétés savantes, les ponts et chaussées, l'école des mines, la galerie de minérologie et autres établissements ou administrations ».

(Le Palais du quai d'Orsay et le Conseil d'Etat. Illustration. 19 janvier 1850).

Il fut finalement affecté en partie au Conseil d'Etat, que la Cour des Comptes viendra rejoindre en 1842 au premier étage.

La séance d'inauguration le 14 mai 1840 revêtit une grande solennité. *La Gazette des tribunaux* du 17 mai en fait le récit :

« ... La séance a été ouverte sous la présidence de M. le garde des sceaux. A gauche de M. Vivien, et au bureau de la présidence, se trouvait M. le président du conseil des ministres; à gauche de M. Thiers et un peu au-dessous se trouvaient M. l'amiral Roussin en costume d'amiral, M. Pelet de La Lozère et M. de Cubières; à droite de M. Vivien étaient assis MM. Rémusat, Cousin et Gouin. Tous les ministres et tous les membres du Conseil en costume (on dit même qu'à l'avenir les séances générales auront toujours lieu en costume)... »

(Gaz. trib., 17 mai 1840).

Le discours de M. Vivien, garde des sceaux, mérite d'être largement cité, parce qu'il attribuait une valeur symbolique à la nouvelle installation du Conseil :

« Depuis son rétablissement, le Conseil d'Etat a occupé le palais des Tuileries et celui du Louvre, puis transitoirement l'hôtel Molé, il vient de prendre possession du palais du quai d'Orsay.

Ces changements successifs expliquent assez bien les changements survenus dans ses attributions.

Sous l'Empire, le Conseil d'Etat était le conseil du Souverain; il n'était compris dans les attributions d'aucun ministre, il faisait partie intégrante du gouvernement personnel de l'Empereur et était placé aux Tuileries, à la porte même de son cabinet.

La Restauration admet le principe de la responsabilité ministérielle et les ministres forment le conseil du gouvernement; alors le Conseil d'Etat quitte le palais des Tuileries et est installé au Louvre, dépendant du Palais du Roi.

La Révolution de juillet admet, dans toute son étendue et toute sa pureté, le principe de la responsabilité ministérielle, le Conseil d'Etat n'est plus que le conseil des ministres responsables, il sort du palais du Roi pour prendre rang parmi les corps dotés et entretenus par l'Etat.

C'est en effet l'Etat qui a élevé et décoré ce palais, dont le Conseil prend aujourd'hui possession. Tout y a été disposé pour qu'il répondît à sa haute destination. Tous les services, ou du moins à peu près tous, y trouveront leurs nécessités convenablement satisfaites. Sous peu de jours un règlement approuvé par le Roi interviendra pour régler l'ordre intérieur et les travaux du Conseil.

La législature ne tardera pas sans doute à consacrer définitivement une institution dont l'utilité et les services ne sont mis en doute par personne, et qui, dans la transformation que les vicissitudes politiques lui ont fait subir, n'a rien perdu de son importance. Une haute position appartient au Conseil d'Etat dans les institutions actuelles; il saura l'occuper, le ministère en a pour garant le zèle de ses membres et leur dévouement bien connu à leurs devoirs ».

(Gaz. trib., 17 mai 1840).

Située entre le quai et les rues de Poitiers, de Lille et de Bellechasse, la construction formait un grand quadrilatère et encadrait une cour carrée de ses quatre corps à deux étages (1); son allure était majestueuse :

«Le rez-de-chaussée est d'ordre classique avec des colonnes engagées. L'ordre ionique règne au premier étage; un attique genre renaissance forme le deuxième étage. La façade principale se trouve sur la rue de Lille. Deux avant-corps forment une faible saillie sur le centre de la façade et donnent un aspect plus imposant et plus de largeur à l'entrée du palais. Dans toute la longueur de cette façade, en retrait, 19 arcades à jour forment un portique qui précède la grande cour d'honneur. Le rez-de-chaussée est élevé d'environ deux mètres... On y accède par des perrons qui se trouvent dans le corps de logis à droite et à gauche de la cour d'honneur. Sur cette façade les arcades du premier étage sont à jour comme celles du rez-de-chaussée et forment ainsi une loggia d'un assez monumental aspect.

La façade sur le quai d'Orsay est en avancée de plusieurs mètres sur les massifs de construction, et est entourée d'un espèce de préau, garni de grilles. Elle comprend un rez-de-chaussée et, au premier étage, 19 arcades vitrées.

---

(1) Le guide Joanne « Paris illustré en 1870 » contient une longue description du palais d'Orsay qui s'achève ainsi : « On peut visiter le palais du quai d'Orsay tous les jours de 9 h du matin à midi. Il suffit de s'adresser au concierge (pourboire) », (pp. 496-499).

Le deuxième étage est pourvu de croisées carrées pratiquées dans l'attique. Les deux avant-corps sont ornés de pilastres au lieu de colonnes engagées, comme cela existe sur la façade principale.

Les façades sur les rues de Bellechasse et de Poitiers sont peu en harmonie avec celles-ci et ne présentent point de décoration.

Le palais a trois cours : la cour d'honneur et deux autres qui servent de dépendance ».

(Marius Vachon « Le palais du Conseil d'Etat et de la Cour des comptes », 1879).

Tout le rez-de-chaussée du palais et une partie de l'entresol — soit environ 7 000 m^2 — furent affectés au Conseil. Celui-ci disposait de nombreuses et vastes salles, dont les plus importantes étaient la salle d'introduction dite des Pas perdus, la grande salle du Conseil où se tenaient les assemblées générales et la salle du contentieux.

La grande salle est ainsi décrite par le chroniqueur de la Gazette des Tribunaux :

« Cette salle, sise au rez-de-chaussée, qui tient le milieu de l'édifice, est éclairée sur le quai d'Orsay; sa forme, d'un carré long, offre une distribution vaste, commode aux divers membres du Conseil d'Etat appelés à y siéger. Au milieu de la salle, faisant face au quai, se trouve la statue de Louis-Philippe; le roi est représenté le bras droit étendu, dans sa main gauche il tient un livre où on lit : « En présence de Dieu, je jure d'observer fidèlement la charte constitutionnelle ». Au pied de la statue est placé le fauteuil royal; au-dessous, et en avant, le bureau de présidence, disposé à recevoir deux sièges, celui du garde des sceaux, président, et celui du vice-président; au-dessous du bureau de la présidence est la place du rapporteur, à droite celle de M. le secrétaire-général.

En face du bureau du président, et enclavant dans un demi-cercle la place du rapporteur et du secrétaire général, sont rangés sur deux rangs, devant des tables circulaires, les sièges de MM. les conseillers d'Etat présidents des comités ou des simples conseillers; derrière les sièges des conseillers, et en retour jusqu'au bureau de la présidence, en forme de quadrilatère, se trouvent placés les sièges de MM. les maîtres des requêtes.

A droite et à gauche de la salle, en dehors du cercle des membres actifs des séances, se trouve en amphithéâtre la place de MM. les auditeurs ».

(Gaz. trib. 17 mai 1840).

Correspondant à la grande salle du Conseil, mais du côté de la cour, était située la salle des séances publiques du contentieux « d'un style plus sévère que celle des séances administratives ».

L'aspect de cette salle était sans doute à l'image de l'ensemble de l'édifice. Si les occupants de celui-ci s'y sentaient à l'aise, leur présence intermittente ne parvenait pas à animer les couloirs et les salles de délibération. La description faite par *L'Illustration* au début de 1850 vaut certainement pour la période antérieure :

« Ses hôtes actuels (du Palais d'Orsay) ne demandent point à en sortir. Ils ne s'y trouvent que trop à l'aise. Chacun d'eux s'est fait une large part dans les bâtiments, et il reste encore un vide immense autour d'eux. La Cour des comptes a voulu avoir une entrée particulière; elle s'est emparée d'une porte sur la rue de Lille et s'est séparée de la cour et de tout le rez-de-chaussée par une grille. Il n'était pas besoin de ce surcroît de précaution pour que les deux graves compagnies vécussent en bonne intelligence. On ne saurait imaginer de voisines plus honnêtes et plus paisibles : elles ne se rencontrent, ne se parlent, ne se voient jamais. A vrai dire, rien n'est triste comme le palais; transformé en cloître, il serait plus divertissant : on y entendrait du moins des cloches et des chants. Mais, jour et nuit, au dedans, au dehors, tout est immobilité et silence. Seulement, à diverses heures du jour, on voit entrer et sortir quelques groupes d'hommes, vêtus de noir, avec des dossiers sous le bras. La cour intérieure humide, nue, aride, sans verdure, sans arbre, sans fontaine, sans statue, glace le regard : à peine de loin en loin, par les temps de pluie, l'équipage (chose rare) ou le fiacre d'un conseiller vient-il tracer sur le sol deux molles ornières. Vers le soir tout l'édifice est désert : le greffier de la Cour des comptes et les concierges exceptés, personne ne l'habite.

Une visite au rez-de-chaussée du palais est du reste le plus facile et le plus sûr moyen de se rendre compte de l'organisation et des travaux du Conseil d'Etat.

De quelque côté que l'on entre, on est introduit dans de vastes antichambres au milieu desquelles sont d'immenses tables couvertes de paletots soigneusement pliés en quatre et surmontés de chapeaux. Vous pouvez déjà juger par un coup d'œil rapide sur ces vestiaires du nombre des membres qui sont en délibération et par suite de la nature de leurs travaux. Est-ce un jour d'assemblée générale ? Les tables sont toutes noires. Si le nombre des paletots et des chapeaux est inférieur aux deux tiers environ du chiffre total, soyez assuré que ce jour-là il n'y a réunion que d'une ou deux des trois sections entre lesquelles se subdivise le conseil : section de législation, section d'administration, section du contentieux. Il se peut enfin qu'au moment de votre visite il n'y ait d'autres séances que celles des comités de la section d'administration ou des commissions de la section de législation; alors, les salles ornées et peintes sont vides : vous aurez toute liberté et tout loisir. »

(L'Illustration, 19 janvier 1850, p. 39).

CONFLIT DE PRÉSÉANCE ENTRE LE CONSEIL D'ÉTAT ET LA COUR DE CASSATION

Dans les notes annexées à ses mémoires, Dupin relève à la date du 16 mars parmi les « faits particuliers extra-parlementaires appartenant à l'année 1847 » l'incident suivant :

« 16 mars. — Obsèques de M. Martin du Nord; incident d'étiquette. Le Conseil d'Etat ayant voulu marcher avant la Cour de cassation, la Cour le laisse passer et se contente de laisser un long espace entre les deux Corps pour marquer sa protestation. S'il ne se fût pas agi des obsèques d'un garde des sceaux, elle se fût retirée; elle voulut l'accompagner du moins jusqu'à l'église de la Madeleine; mais elle n'alla pas jusqu'au cimetière. »

(Dupin, Mémoires, tome IV, p. 534).

L'incident avait fait grand bruit. Le journal *La Presse* en rendait compte quelques jours après en faisant suivre cette information de larges extraits d'un article paru la veille dans *la Gazette des Tribunaux :*

« Un incident assez grave qui s'est élevé à l'occasion des obsèques de M. Martin (du Nord) était aujourd'hui au Palais l'objet de toutes les conversations.

Voici ce qui s'est passé :

La députation de la Cour de cassation désignée pour assister aux funérailles de M. Martin (du Nord) avait à sa tête M. le président Laplagne-Barris, remplaçant M. le premier président Portalis, absent de Paris, et M. le président Teste, malade. Près de M. le Président Laplagne-Barris marchait M. le procureur-général Dupin. Il paraît que dans les salons de la chancellerie, et avant que le cortège se mît en marche, M. le président Laplagne-Barris et M. le procureur général déclarèrent que la Cour de cassation devait marcher en tête du corps de la magistrature et qu'elle ne devait pas être précédée par le Conseil d'Etat.

A la suite d'une conversation engagée à ce sujet et à laquelle aurait pris part M. Girod (de l'Ain), vice-président du Conseil d'Etat, M. le président de la Cour de cassation aurait déclaré qu'il ne s'agissait pas pour la Cour de cassation d'une puérile question de préséance, mais d'une question vraiment constitutionnelle, de la question de savoir si la première Cour du royaume, le premier corps de la magistrature inamovible, ne devait pas l'emporter sur un corps plutôt politique et administratif que judiciaire.

Pour éviter un conflit imminent, on aurait, dit-on, tenté de placer le Conseil d'Etat, ainsi qu'on l'avait fait aux funérailles de Casimir Périer, à la suite du Conseil des ministres, et, par conséquent, dans une catégorie autre que celle de la magistrature. Mais il aurait alors précédé la maison du Roi; et, si les renseigements qui nous sont parvenus sont exacts, les personnages qui représentaient hier la maison du Roi auraient déclaré qu'ils ne croyaient pas pouvoir se laisser devancer par le Conseil d'Etat.

On aurait alors proposé de faire marcher la Cour de cassation à côté du Conseil d'Etat : « A droite ou à gauche ? » aurait demandé M. Laplagne-Barris. Cette interrogation, qui reproduisait la question débattue toute entière, n'ayant pas reçu de solution, la députation de la Cour de cassation, qui aurait pu se conformer à la circulaire du ministre de la justice du 14 août 1828, qui prescrit à tout corps de magistrature auquel son rang de préséance est contesté dans une cérémonie publique, de se retirer immédiatement, décida que, par égard pour la mémoire du défunt et pour la famille qui l'avait appelée, elle se rendrait à l'église, mais qu'elle ne suivrait pas le convoi jusqu'au cimetière.

Au moment où le cortège se mit en marche, les maîtres des cérémonies appelèrent à haute voix : les membres du Conseil d'Etat et de la Cour de cassation. Sur-le-champ la députation du Conseil d'Etat s'avança et, d'après l'ordre dans lequel elle avait été appelée, précéda la Cour de cassation. Les maîtres des cérémonies engagèrent les huissiers qui accompagnaient la Cour à suivre le Conseil d'Etat. Mais sur l'ordre des magistrats de la Cour, les huissiers ne quittèrent pas leur place et ce ne fut qu'après que les derniers membres du Conseil d'Etat furent éloignés d'une centaine de pas, que la députation de la Cour de cassation se mit en marche suivie de tous les corps de la magistrature, et laissant toujours, comme le public qui encombrait les rues et les boulevards a pu le remarquer, durant le trajet de la chancellerie à l'église de la Madeleine, la même distance entre elle et le Conseil d'Etat.

Dans l'église, le Conseil d'Etat prit place à la droite du catafalque, et, lorsque les maîtres des cérémonies indiquèrent à la députation de la Cour de cassation la place qui lui était réservée à la gauche, M. le président Laplagne-Barris demanda si c'était bien là la place qu'on assignait à la Cour de cassation. Sur la réponse affirmative du maître des cérémonies, M. le président et M. le procureur-général renouvelèrent les protestations qu'ils avaient déjà faites à l'hôtel de la chancellerie; mais, cédant à l'inspiration des sentiments qui l'avaient portée à se rendre à l'église, la députation de la Cour de cassation se plaça, pour assister au service funèbre, sur les sièges qui lui étaient assignés.

Les prières et les cérémonies religieuses terminées, on vit les membres de la Cour de cassation se former en cercle, et la députation, persistant dans la résolution arrêtée à la chancellerie, ne reprit pas place dans le cortège, quitta l'église de la Madeleine, et revint au Palais de justice.

La Cour des comptes qui, d'après la loi du 16 septembre 1807, prend rang immédiatement après la Cour de cassation, avait assisté à ces débats sans y prendre part; mais il paraît qu'elle avait annoncé qu'elle se conformerait à ce que la Cour de cassation, dans l'intérêt de sa dignité, jugerait convenable de faire. Aussi la députation de la Cour des comptes s'est-elle retirée de l'église en même temps que celle de la Cour de cassation...

Il paraît, au reste, que le conflit élevé entre le Conseil d'Etat et la Cour de cassation n'a jamais cessé d'exister, et que l'un et l'autre de ces deux corps ont toujours persisté à maintenir leurs privilèges. Jusqu'ici la solution a toujours été éludée, et c'est pour cela que lors des réceptions officielles soit au 1er janvier, soit le jour de la fête du Roi, le Conseil d'Etat est reçu la veille au soir, et la Cour de cassation le jour même de la solennité ».

(Gaz. trib., 20 mars 1847, p. 514).

L'incident fût jugé assez grave par *la Gazette* pour qu'elle y consacrât un nouvel article dans son numéro du 24 mars où la question de préséance est traitée au fond :

« Nous avons déjà dit qu'il n'était pas dans notre intention d'attacher à une question d'étiquette plus d'importance qu'elle n'en mérite, et nous ne nous arrêterions pas à discuter cet incident s'il n'y avait pas autre chose à régler, en tout ceci, qu'un programme de cérémonies officicielles; mais sous ces mots un peu surannés et en apparence puérils de droite et de gauche et de préséance, il y a, comme on a eu raison de le dire, une question constitutionnelle, une question de séparation des pouvoirs. En effet, le Conseil d'Etat revendique une place dans la hiérarchie judiciaire : il veut se placer le premier, tout au moins sur le même rang que la cour suprême. C'est là ce qui donne une importance réelle à ce conflit.

(Suit une longue discussion des textes et des principes applicables).

« Il est donc évident que le Conseil d'Etat ne participe en rien du pouvoir judiciaire tel qu'il est attribué aux corps de judicature. Est-il bien qu'il en soit ainsi ? C'est là une question qui a été, on peut se le rappeler, vivement débattue, et, à côté du système actuel de la loi, il s'en est présenté un qui proposait d'instituer un contentieux judiciaire sur des bases analogues à celles des tribunaux ordinaires. Mais la loi a prononcé et il ne peut s'élever aucun doute sur la nature du corps qu'elle a voulu constituer comme auxiliaire et conseil du pouvoir exécutif.

La loi d'institution du Conseil d'Etat lui marque donc elle-même sa place dans la classification constitutionnelle. Il n'a aucun droit pour marcher à la tête d'un pouvoir dont il ne fait pas partie; il n'est ni législatif, ni judiciaire, il est administratif; il ne fait qu'un seul et même corps avec les ministres; sa place est avec eux, car eux seuls impriment à ses actes la vie constitutionnelle.

Maintenant, quel rang convient-il d'assigner aux pouvoirs de l'Etat ainsi définis ? Qui marchera après le pouvoir législatif ? Sera-ce le pouvoir judiciaire ? Sera-ce le pouvoir administratif ? Cela nous paraît d'un intérêt secondaire. Ce que nous tenions à constater, c'est que le pouvoir judiciaire fait bien de maintenir sa place complètement distincte, et que la Cour de cassation seule est au sommet de sa hiérarchie ».

(Gaz. trib., 24 mars 1847).

CANDIDATURES ET RECOMMANDATIONS

Les cartons des Archives nationales contiennent de très nombreuses lettres de candidatures et de recommandations pour des postes au Conseil d'Etat — comme d'ailleurs pour beaucoup d'autres emplois publics. On ne doit pas s'en étonner. L'auditorat ne se recrutait pas alors au concours; les postes de maître des requêtes et de conseiller n'étaient pas réservés aux auditeurs et maîtres des requêtes et l'attribution n'en était subordonnée qu'à des conditions d'âge peu strictes; enfin, le nombre des conseillers et des maîtres des requêtes en service extraordinaire n'était pas limité, il y en eut plus de deux cents à certains moments de la Monarchie de Juillet. L'envoi d'une lettre de candidature au ministre, appuyée si possible de recommandations, constituait alors une procédure normale d'accès à un corps comme le Conseil d'Etat.

Ces letres ne sont pas toutes du même ton et du même style. Elles vont de la supplique obséquieuse à la revendication pure et simple d'une place que l'on estime due. Mais les « pétitionnaires » invoquent presque toujours, quoique dans un ordre variable, les mêmes titres : leurs origines familiales, leurs connaissances juridiques et administratives, leur attachement et, le cas échéant, les services rendus au régime en place, enfin l'indépendance que leur assure un patrimoine important. On en jugera d'après quelques échantillons de ces correspondances.

D'un jeune avocat fortuné à la cour royale de Paris :

Le 11 avril 1831

« Monsieur le Ministre,

J'apprends que vous devez bientôt vous occuper de compléter l'organisation du Conseil d'Etat, où plusieurs places sont vacantes, notamment dans la classe des auditeurs; aspirant depuis longtemps à l'honneur d'en faire partie, je viens vous prier de vouloir bien me mettre au nombre de ceux que vous devez présenter au choix de Sa Majesté.

Je sais que le gouvernement ne veut y appeler que des hommes dont les principes politiques joints à des connaissances spéciales puissent lui offrir les garanties qu'il est en droit d'exiger.

Je crois, sous ce double rapport, avoir quelque droit à votre confiance.

Avocat à la cour royale de Paris, âgé de 25 ans, j'ai fait de la législation l'objet constant de mes études, qui, de tout temps, ont été dirigées vers la carrière administrative.

Les personnes recommandables sous les auspices desquelles je me présente connaissent mes principes et peuvent en répondre.

Mon père, qui a été attaché pendant 25 ans à l'administration des hospices de Paris, et qui a rempli pendant plusieurs années et jusqu'à sa mort, de la manière la plus honorable, les fonctions d'ordonnateur général des hôpitaux de Paris, a laissé des souvenirs bien chers à tous les anciens administrateurs de cette ville. Possesseur d'une fortune patrimoniale pour laquelle je paye plus de 4 000 F de contributions foncières, je m'honore d'une très noble indépendance.

La place d'auditeur au Conseil d'Etat que je demande aujourd'hui comblerait tous mes vœux, puisqu'elle m'associerait aux travaux d'hommes d'Etat qui, sous votre direction, Monsieur le Ministre, sont appelés à développer les pensées généreuses d'un gouvernement dont la France attend tout son bonheur.

Je suis avec respect, Monsieur le Ministre, votre très humble et très obéissant serviteur. »

Collinet

Cette lettre était accompagnée de quatre attestations :

« J'ai l'honneur de recommander la demande ci-jointe à M. le Garde des Sceaux de la manière la plus particulière. Monsieur Collinet me paraît digne de la faveur qu'il sollicite, et je serais charmé qu'il pût l'obtenir ».

B. (illisible)
député

« En appuyant de mon faible crédit la demande de M. Collinet, j'aurais l'honneur d'ajouter à M. le Garde des Sceaux que M. Collinet est petit-fils de M. (illisible), ancien notaire à Paris, ancien administrateur des hospices et membre du Corps Législatif, sous l'Empire; que M... dans les différentes fonctions qu'il a remplies, a laissé une des plus belles réputations de probité, de désintéressement et de capacité ».

(illisible)
député

« Je me réunis avec le plus vif intérêt aux honorables attestations ci-dessus pour appuyer la demande de M. Collinet, jeune homme tout à fait recommandable et dont les souvenirs de famille sont une belle garantie de sa conduite future ».

de Schonen
député

« Je connais personnellement M. Collinet; son instruction, ses bons sentiments, sa fortune me paraissent des garanties certaines qu'il remplira dignement l'honorable emploi qu'il sollicite. Je le recommande donc à la bienveillance et à tout l'intérêt de M. le Garde des Sceaux ».

Ganneron
député

(Arch. nat. BB. 17A 76).

D'un préfet exigeant, cette autre lettre :

Préfecture de l'Aisne
Cabinet

Lundi 2 mai 1831

« Monsieur le Garde des Sceaux,

Vous m'avez fait l'honneur de m'annoncer par votre lettre du 15 du mois dernier qu'il n'y avait pas de place vacante de conseiller d'Etat en service ordinaire, et que vous éprouviez des regrets de ne pouvoir m'obtenir du Roi cette récompense de mes services.

Cette demande de ma part n'ayant pas été accueillie, je dois espérer, du moins, que le titre de conseiller d'Etat en service extraordinaire ne me sera pas refusé.

Je n'irai pas, à cette occasion, vous reparler ni de mes services, ni de ceux que je peux avoir rendus depuis la Révolution de juillet; ils ne sont ignorés ni de vous ni de vos collègues. Mais j'ajouterai seulement qu'envers moi cela devient l'accomplissement d'une promesse ainsi que le constate la copie, d'autre part, de la lettre que m'a écrite le 30 janvier dernier M. le comte de Montalivet, alors ministre de l'Intérieur.

Je dois, au surplus, m'en reposer avec une pleine et entière confiance sur la justice du Gouvernement et sur les dispositions, à mon égard, de la plupart des membres qui le composent. Je crois à leur bienveillance et mes titres leur sont connus.

Veuillez agréer, Monsieur le Garde des Sceaux, l'assurance de ma haute considération.

Le Maître des Requêtes, Préfet de l'Aisne. »

(Arch. nat. BB 17A W 76).

Il est difficile de déterminer la part faite à ces différents titres par les nominations du Gouvernement. La respectabilité du candidat — ou du moins les apparences extérieures de celle-ci — semble, en tout cas, avoir joué un rôle important en la matière, et cette condition était assez strictement entendue et observée puisqu'on l'opposa à la candidature du Docteur Veron :

« Sous le ministère de 1840, raconte celui-ci dans ses souvenirs, M. Thiers, président du conseil et qui était mon obligé, m'offrit plusieurs positions; je parlai d'une place de maître des requêtes. — « Vous, maître des requêtes ! ce serait impossible, dit M. Thiers, les mœurs sévères du Conseil d'Etat ne comprendraient pas qu'on fit maître des requêtes un ancien directeur de l'Opéra ». Et M. Thiers me cita entre autres le nom d'un conseiller d'Etat dont le savoir et la vertu commandaient la plus grande réserve et le plus profond respect. Je me contentai de sourire et je laissai à M. Thiers ses illusions.

Cet ancien conseiller d'Etat si vertueux, dont je tairai le nom, avait été comme moi un des habitués les plus assidus du numéro 129; j'eus même, dans une séance de jeu, « maille à partir » avec lui. Vingt francs sont placés par moi sur le rouge; je gagne; je suis payé; je veux prendre mes quarante francs; ils avaient disparu. La taille finie, un joueur m'adresse la parole : « Tenez, Monsieur, me dit-il, voici les 40 francs que vous avez réclamés, je les avais pris par erreur ». Ce joueur distrait c'était le vertueux conseiller d'Etat de M. Thiers. »

(Dr. Veron, Mémoires d'un bourgeois de Paris, Paris, 1856, t. I, p. 27).

MORT D'UN AUDITEUR

La mort de l'auditeur Armand de Vareilles, décédé des suites d'un coup de feu reçu en service au cours des émeutes parisiennes de 1834, est sans doute un fait unique dans l'histoire du Conseil d'Etat. Attaché au cabinet du ministre de l'intérieur, Adolphe Thiers, il fut blessé auprès de celui-ci dans la nuit du 13 au 14 avril lors de l'attaque d'une barricade du quartier Saint Merri par les troupes que commandait le général Bugeaud. Il fut ramené à son domicile, 29 rue du Vieux Colombier, où la balle fut extraite par le docteur Récamier. C'est là qu'il mourut, vraisemblablement de gangrène, deux mois plus tard. Le Roi fit offrir à sa famille une somme de 10 000 francs pour couvrir les frais de dernière maladie et d'obsèques.

« On a rendu aujourd'hui, écrivait le Moniteur du 9 juin 1834, les derniers devoirs à M. le Comte de Vareilles, auditeur au Conseil d'Etat, qui, après deux mois de souffrances aiguës, vient de succomber aux suites de la blessure qu'il avait reçue lorsqu'il accompagnait M. le ministre de l'intérieur, dans la déplorable nuit du 13 au 14 avril dernier. Un concours nombreux des personnes les plus honorables assistaient à son convoi et à la cérémonie funèbre qui a eu lieu dans l'église Saint-Sulpice. On y remarquait M. le ministre de l'intérieur, M. le préfet de la Seine, l'un des officiers d'ordonnance de S.A.R., le duc d'Orléans et une partie des membres du Conseil d'Etat.

En sortant de l'église, le convoi s'est dirigé vers le cimetière du Père Lachaise, où M. de Vareilles sera enseveli dans un terrain offert par la Ville de Paris. Après que les honneurs militaires eurent été rendus sur la tombe de M. de Vareilles, qui venait d'être nommé chevalier de la Légion d'honneur, M. le préfet de la Seine a prononcé un discours plein d'âme; et, en adressant de touchants adieux à ce jeune homme, frappé d'un coup mortel, à 23 ans, quand son esprit distingué, son courage et sa position lui assuraient une belle carrière, M. de Rambuteau a fait, d'une voix émue, des vœux ardents pour que cette victime si regrettable de nos troubles civils fût la dernière, et que désormais, chaque citoyen sachant respecter les lois, le sang français ne coulât plus que pour la défense du pays.

Ces vœux, prononcés sur cette tombe ouverte, ont été vivement partagés par toutes les personnes qui l'entouraient. Ils auront de l'écho dans le cœur de tout bon Français. »

(Mon. univ., 9 juin 1834).

Le discours de M. de Rambuteau fut reproduit dans le *Moniteur universel* du lendemain :

« Messieurs,

C'est toujours un pénible devoir qui nous réunit dans cette enceinte; mais il devient plus douloureux, alors que l'objet de nos regrets, frappé au printemps de sa vie, est tombé victime de nos tristes désordres. M. de Vareilles, auditeur au Conseil d'Etat, a été atteint d'une balle le 13 avril;

il a succombé le 6 juin et vient occuper une place auprès des victimes qui ont scellé de leur sang généreux la défense de nos lois et de nos institutions. Sa mort est un nouvel exemple de ce courage civil qui anime tous ses jeunes collègues, dont les efforts et les travaux justifieront, à son exemple, la confiance du Gouvernement, et mériteront l'estime de leurs concitoyens.

Il y a peu de jours, M. de Vareilles avait reçu ce signe de l'honneur qui établit une noble fraternité entre tous les services et toutes les gloires qui honorent la patrie. Puisse cette jeune victime être la dernière ! Puisse cette tombe, qui va se fermer sur un jeune homme si plein d'avenir, d'espérances, n'avoir pas de compagnes ! Puissent les partis abjurer leurs sanglantes divisions ! Puissent-ils comprendre enfin qu'au milieu d'un peuple généreux, où le courage est le patrimoine de chacun des citoyens, nul ne peut imposer par la force ses convictions; que, depuis quarante ans, nous n'avons pas cessé de marcher dans la voie du progrès; que la liberté est désormais garantie à tous; que le droit d'examen et de discussion donne à chacun le moyen d'obtenir les améliorations qu'il croit désirables ! Espérons donc que, désormais, le sang français ne coulera plus par des mains françaises, et qu'il sera réservé pour défendre l'indépendance et la gloire de notre belle patrie ».

(Mon. univ., 10 juin 1834).

A. de Vareilles était âgé de 23 ans. Il avait été reçu au concours de l'Ecole Polytechnique. « Malheureusement, lit-on dans la biographie de sa mère, sa santé ne lui permit pas de poursuivre cette carrière qu'il avait tant ambitionnée et, cédant aux vœux de sa famille et de ses amis, il renonça aux avantages brillants qu'elle lui offrait, pour entrer au ministère. Il fut bientôt nommé auditeur au Conseil d'Etat et s'y distingua par des qualités éminentes » (1).

LE CONSEIL D'ÉTAT ET LA GARDE NATIONALE

La lettre reproduite ci-après de Jérôme Pichon, auditeur au Conseil d'Etat, au garde des sceaux aurait un intérêt mineur, si l'on n'y trouvait que l'expression du manque d'entrain de cet auditeur pour servir dans la Garde nationale. Mais il y est traité d'une question juridique intéressante : les membres du Conseil d'Etat ont-ils la qualité de « magistrat » et peuvent-ils se prévaloir des dispositions de l'article 27 de la loi du 22 mars 1831 exemptant les magistrats du service de la Garde nationale ?

« Monsieur le garde des Sceaux,

Votre Excellence m'a autorisé ce soir à lui présenter une note sur ma position vis-à-vis du jury de révision de la 2e légion de la Garde nationale. Voici les faits : je tâcherai d'être le plus bref possible.

M. Perignon et moi avons comparu devant le jury de révision vendredi 12 de ce mois, à l'effet de nous faire exempter du service ordinaire de la Garde nationale en vertu de l'art. 27 de la loi de 1831 sur la Garde nationale.

(1) Vie de Madame de Vareilles par la Comtesse d'Hust, Paris, 1864, p. 29-sq.

M. Perignon s'est borné à rappeler les antécédents du jury et a demandé à être exempté du service ordinaire, comme MM. Montant, Decourt, et Baudon l'avaient été, le premier par le jury de la 2e légion, les trois derniers par le jury de la première.

M. Delangle, l'un des meilleurs avocats de Paris, qui remplissait les fonctions de capitaine rapporteur, a conclu à ce que la requête de M. Perignon fût admise.

A la majorité de 7 voix contre 5, le jury a maintenu M. Perignon sur l'état de service ordinaire, attendu « que les maîtres des requêtes n'étaient pas dans les mêmes conditions que les conseillers d'Etat ».

Ayant été appelé à mon tour, j'ai démontré au jury que le Conseil d'Etat réunissait tous les caractères d'un corps judiciaire; que l'art. 27 de la loi de 1831, portant que les membres des cours et tribunaux étaient exempts du service ordinaire de la Garde nationale, ou ne pouvait distinguer entre les membres de ces corps; que les maîtres des requêtes et auditeurs étaient membres du Conseil d'Etat au même titre et aussi bien que les conseillers d'Etat, et devaient se trouver dans la même position qu'eux. M. le président m'ayant objecté que les membres du Conseil n'étaient pas inamovibles et n'avaient pas le droit de requérir la force armée, j'ai répondu que les juges de paix étaient, comme nous, amovibles, et que les membres des tribunaux de commerce n'avaient pas non plus le droit de requérir la force armée. Enfin, j'ai objecté que je pouvais, si je voulais, me borner au rôle de défendeur; que l'art. 121 du code pénal me couvrait de l'inviolabilité et que je ne pouvais être ni poursuivi, ni incarcéré sans l'autorisation du Conseil d'Etat.

M. Delangle, capitaine rapporteur, a dit au juge qu'il avait mal jugé, qu'il ne devait pas se trouver lié par la décision qu'il avait prise à l'égard de M. Pérignon; qu'il était très certain que les membres du Conseil, conseillers, maîtres des requêtes et auditeurs devaient être exemptés du service ordinaire de la Garde nationale, puisque leur temps, comme celui des juges, était consacré au service public. Il a parlé pendant une demi-heure, dans le même sens, adjurant les membres du jury de revenir sur leur décision.

A la majorité de 7 voix contre 5, le jury de révision m'a maintenu sur les états de service, « attendu que le Conseil d'Etat dans son organisation actuelle ne réunit pas les caractères qui constituent les corps judiciaires, c'est-à-dire l'inamovibilité et le droit de requérir la force publique ».

C'est contre ce jugement que je viens demander à Votre Excellence l'autorisation de me pourvoir en Conseil d'Etat.

Veuillez remarquer, Monsieur le garde des sceaux, 1) qu'il atteint par les termes les conseillers d'Etat aussi bien que les auditeurs et maîtres de requêtes; 2) qu'il confond les garanties données aux justiciables (l'inamovibilité des juges) et les moyens d'exécution de la justice (droit de requérir la force armée) avec les éléments qui constituent les corps judiciaires; 3) qu'il est contradictoire à celui rendu une heure avant contre M. Pérignon, et dans lequel on distinguait entre les maîtres des requêtes et conseillers; 4) qu'il a été rendu contre les conclusions, et malgré les efforts les plus prononcés de M. le capitaine rapporteur qui se trouvait être ce jour un des jurisconsultes les plus éclairés du barreau de Paris et qui n'a pas craint de dire au jury qu'il avait mal jugé.

Si Votre Excellence m'y autorise, je me pourvoirai immédiatement contre ce mauvais jugement.

Mais si elle pensait que ce pourvoi peut offrir quelque inconvénient, je ferais, quoiqu'il m'en coûte, le sacrifice de mon droit au profond respect que j'ai pour Votre Excellence et à l'obéissance que je lui dois.

Je suis avec les sentiments...

16 juin au soir » Jérôme PICHON
auditeur au Conseil d'Etat

(Arch. nat. BB 17A 114).

APPEL AUX RÉVÉRENDS PÈRES DU CONSEIL D'ÉTAT SÉANT EN CONCILE ŒCUMÉNIQUE A L'HOTEL MOLÉ

Cet « appel » leur fut adressé en la forme d'un court pamphlet rédigé en 1839 par Timon — pseudonyme de Cormenin — pour « la défense de l'évêque de Clermont traduit pour cause d'abus devant les révérends pères du Conseil d'Etat séant en concile œcuménique à l'hôtel Molé » (1). Cormenin se souciait sans doute fort peu du sort de l'évêque de Clermont, mais il lui plaisait d'exercer son esprit caustique aux dépens des membres du Conseil d'Etat — en majorité ni pratiquants ni croyants à l'époque — qui devaient trancher en matière de discipline religieuse, sinon de foi, en mettant dans la bouche de l'évêque de Clermont les propos suivants :

« Avant-propos :

« Qui eût dit que, huit ans après la Révolution de juillet, le Conseil d'Etat se remettrait à juger des cas d'abus en matière spirituelle ? Tant que le clergé n'a refusé les prières de la sépulture qu'à des restes de paysans ou de bourgeois, on n'a pas cru qu'il valût la peine de s'en occuper. Mais aujourd'hui qu'il s'agit du cadavre d'un noble Pair, le gouvernement prend feu. Comme c'est populaire ! Si le prêtre passe sur votre terrain, vous le laissez faire. S'il reste sur le sien, vous allez l'attaquer. Comme c'est habile ! Des thèses d'obsèques religieuses et de sacrements ! Un débat entre des clercs et des laïques sur la question de savoir si M. de Montlosier est mort ou n'est pas mort en état de grâce ! Une pénalité sans aucune sanction ! Une sentence d'abus, brusquée, impétueuse, menée en sursaut, sans préparatoires amples et suffisants et sans contradiction orale ! Des incompétences de personnes et de matières à remuer à la pelletée ! Le Conseil d'Etat transformé en officialité métropolitaine ! C'est vraiment à n'y pas croire... »

« Mes Révérends Pères,

Je vous demande un million de pardons si j'entre un peu trop brusquement en matière; mais il m'avait été dit, voyez comme on est méchant ! qu'il y avait parmi vous des gens qui ne croyaient pas à ce que nous croyons, d'autres qui croyaient à tout, et d'autres, en plus grand nombre, qui ne croyaient à rien du tout; que vous étiez tout-à-fait hors d'état de distinguer la grâce efficace de la grâce concomitante; que vous aviez pour la plupart

(1) Le clergé avait refusé les derniers sacrements au comte de Montlosier qui avait publié divers ouvrages contre les Jésuites et le « parti prêtre ». L'évêque de Clermont-Ferrant avait couvert son clergé. Un appel comme d'abus fut formé contre lui.

fait votre cours de théologie au balcon de l'Opéra, et que si vous n'étiez pas très forts sur les mystères de la Sainte-Eucharistie, vous saviez au juste, en revanche, de combien de doigts il faudrait raccourcir les jupes des danseuses. J'allais d'après cela, vous comprenez-bien, vous décliner mon exception d'incompétence, ratione per sonarum; mais l'on m'avait trompé, et ce n'est pas une illusion. Je vois son Eminence Monseigneur le ministre des cultes qui s'asseoit dans son fauteuil pontifical; les conseillers d'Etat lui servent de grands-vicaires; les maîtres des requêtes portent l'étole des diacres, et les auditeurs, enfants de chœur, font fumer l'encens dans leurs cassolettes devant le trône de Monseigneur. J'assiste à un véritable Concile, à un concile œcuménique, et je vous tiens, vénérables et saints docteurs, pour ce que vous êtes...

Notre rite disciplinaire, mes Révérends Pères, n'est pas, comme vos ordonnances royales, contre griffé tantôt par M. Persil, tantôt par M. Barthe, tantôt par je ne sais quel autre porteur de bonnet carré. Il est respectable par l'antiquité de sa source. Il est fort par l'unité de son commandement. Ce qui est vrai à Rome est vrai pour nous par toute la terre, vrai à Macao comme à Dublin, au Kamschatka comme à Cadix. Citoyens, nous ne sommes que de notre patrie. Chrétiens, nous sommes de l'univers. Nous ne reconnaissons et nous ne pouvons reconnaître, en matière spirituelle, pour souverain que le Pape, à moins que Louis-Philippe ne se proclame le chef de l'église gallicane, et alors il n'y aurait plus de question, car nous aurions cessé d'être prêtres.

Vous êtes puissants, tout-puissants dans l'ordre de la temporalité. Vous pouvez faire d'un royaume une république, et d'une république un royaume. Vous avez pu substituer des lys à vos abeilles, et des coqs à vos aiglons. Vous avez pu changer vos faisceaux, vos chartes et vos rois, mais vous ne pouvez changer un iota à notre rituel.

Si vous n'avez rien à y voir, qu'avez-vous de plus à voir à notre doctrine ? Etes-vous quelque peu clercs ? Avez-vous pris vos degrés en Sorbonne, et quel était le sujet de votre thèse ? Lisez-vous familièrement Saint-Augustin et la Somme de Saint Thomas ? Quel bref avez-vous reçu du pape ? Dans quelle église avez-vous prêché ? Observez-vous les jeûnes, vigiles, et les Quatre-temps ? Vous plongez-vous, les jours d'opéra, dans les piscines de la pénitence ? Allez-vous à votre paroisse ouïr la messe, vêpres et complies, aussi dévotement que vous allez faire votre cour au château ? Vous levez-vous dès la pointe du jour pour chanter laudes et matines ? Où mettez-vous le signet dans votre bréviaire ? Etes-vous en état de grâce pour juger si les autres y sont ou n'y sont pas ? Qui êtes-vous en un mot, et d'où venez-vous ? Vous n'êtes compétents que si vous avez appris la doctrine, et où avez-vous appris la doctrine ? Etranges juges auxquels il ne manque, pour confesser, prêcher et juger ceux qui confessent et qui prêchent, que la foi, la science, les pouvoirs, et le grade !

D'où vient donc aussi que vous avez laissé passer huit ans ans sans fulminer de sentences d'abus, quoiqu'il y ait eu maints refus de sépulture ? Ne vous scandalisez-vous d'aujourd'hui, que parce que M. de Montlosier était pair de France et que vous l'êtes ? Vengeriez-vous ici une querelle de corps ? Je ne sache pas pourtant que la religion soit faite uniquement pour la commodité des hommes parlementaires. Tous les chrétiens, mes Révérends Pères, même les pairs de France, sont égaux devant Dieu et devant ses prêtres, et nous devons être miséricordieux et tolérants plutôt pour les ignorants, les humbles et les petits, que pour les rois de l'intelligence, et les grands de la terre...

Vous, ministère, vous êtes ici le Conseil d'Etat, et vous, Conseil d'Etat vous êtes ici le ministère. Vous ne faites, en plusieurs personnes, qu'une seule et même personne. Vous êtes à la fois mes accusateurs et mes juges. Voilà votre justice, elle vaut votre liberté !

Je suis condamné, je le sais, condamné par préméditation, condamné au pas de course et à la volée de la procédure, condamné pour n'avoir pas voulu commettre un double sacrilège, condamné spirituellement par des juges que je n'aurais pas crus si spirituels. Je suis chrétien, et je me résigne. Mais, ô Monseigneur le ministre des cultes, vénérable et saint pontife qui présidez à ce Concile, et vous, conseillers d'Etat, ses dignes acolytes, ô maîtres de la science, ô docteurs en droit administratif et en droit canon, ô directeurs des âmes, ô flambeaux éclatants de la chrétienté, ô vengeurs de la foi, ô derniers pères de l'Eglise, je vous en supplie, je vous en conjure, daignez ne prononcer votre sentence contre moi que lorsque chacun de vous se sera mis en état de pouvoir réciter couramment le Pater noster; ce sera du moins, de cette affaire, quelque chose qui restera. »

(Défense de l'Evêque de Clermont... par Timon, Paris 1839, passim).

UN ÉLOGE DU CONSEIL D'ÉTAT

Vivien, auteur de ce texte paru dans la *Revue des Deux Mondes* de 1841, connaissait bien le Conseil d'Etat, dont il fut membre à plusieurs reprises et qu'il présida en sa qualité de garde des sceaux. L'éloge qu'il en fait s'adresse d'abord au Conseil de la Monarchie de juillet, mais trace de celui-ci un portrait où peut se reconnaître le Conseil des autres périodes :

« Quelques esprits prévenus considèrent encore le Conseil d'Etat comme un complaisant du pouvoir, souple, commode, subissant toute volonté et approuvant toute chose, si le gouvernement l'ordonne. On cite le Conseil d'Etat de l'Empire, et, parce que l'Empire était absolu et s'appuyait sur le Conseil d'Etat, on le croit complice nécessaire du pouvoir absolu. Sous la Restauration, un député a pu dire, sans trop surprendre la chambre, que les conseillers d'Etat étaient les oppresseurs du peuple. On est aujourd'hui revenu de ces opinions extrêmes, et, dans un temps où nulle tyrannie n'est possible, on consent à reconnaître que le Conseil d'Etat n'est pas absolument un Conseil des Dix ni une chambre étoilée, mais on lui refuse encore l'indépendance et l'amour des libertés publiques. Rien n'est plus injuste. Sous l'Empire même, la discussion ne cessa jamais d'être libre dans le Conseil d'Etat, et l'opinion du chef de l'Etat était loin d'y faire loi. Sous la Restauration, les acquéreurs de biens nationaux y ont trouvé défense, secours et protection utile. A toutes les époques, quoi qu'on en puisse dire, il a fait son devoir sans faiblesse. Je ne sais ce qu'il serait, appelé à un rôle politique, mais il n'en doit point jouer, et, pour la discussion et le règlement des questions administratives, on ne trouverait pas ailleurs plus de fermeté ni de véritable indépendance. Je ne dis point qu'il soit un instrument d'opposition. Cela n'est point et ne doit pas être; mais j'affirme, pour avoir pris part à ses travaux pendant près de dix années, qu'il n'attache aucun prix à plaire au pouvoir, qu'il n'est esclave que de ses propres principes, que, s'il n'est point opposant, il est essentiellement critique, et je n'en voudrais pour preuve que l'opinion des bureaux eux-mêmes qui redoutent son contrôle et s'appliquent souvent à l'éviter. Je ne prétends pas non plus que le Conseil d'Etat soit un corps libéral, comme l'entendent certaines personnes. J'avouerai, si l'on veut, que, depuis vingt-cinq ans, il a renfermé bon nombre d'hommes qui, après avoir traversé plusieurs révolutions, avaient conservé quelque fatigue de ces agitations, et ne demandaient qu'à se reposer dans le calme d'institutions libres, mais surtout fortes et obéies. Mais à toutes les époques, sous l'Empire, sous la Restauration, depuis 1830, a dominé dans son sein le culte des principes de notre révolution, de l'unité, de la grandeur du pays, de l'égalité devant la loi, et de ces règles éternelles de la dignité et de la liberté humaines, que cinquante années de luttes ont pour jamais fondées en France.

On accuse aussi le Conseil d'Etat dans sa juridiction, non de complaisance pour le gouvernement, mais d'un trop grand souci pour les intérêts de l'Etat, et surtout pour ceux du fisc. J'avoue que je ne saurais traiter sérieusement ce reproche. Ne pourrait-il pas être pris pour un éloge ? En tout cas, c'est moins au Conseil d'Etat qu'il s'adresse, qu'aux lois qui touchent à la fortune publique, à celles notamment qui prononcent des déchéances; elles sont inexorables. Les corps chargés de leur application subissent la solidarité de leurs rigueurs. Le Conseil d'Etat n'a jamais sanctionné une prétention de l'Etat, ni du fisc, la croyant injuste; mais aussi aucune considération privée ne lui fait rejeter une prétention qu'il croit juste. Je sais que beaucoup de plaideurs condamnés se plaignent; aucun tribunal n'échappe à cet inconvénient. Je sais aussi qu'à plusieurs reprises des commissions de la chambre des députés ont critiqué des décisions par lesquelles il avait condamné le Trésor.

Tel est donc le Conseil d'Etat. Il pourrait être supprimé sans violation de la charte; mais sa suppression compromettrait plusieurs des droits qu'elle consacre. Dans ses attributions administratives, qui le constituent spécialement, il n'est pas un pouvoir public, mais il vient en aide à tous. Il n'est qu'un simple conseil, mais le gouvernement s'empresse, en adoptant ses avis, d'alléger la responsabilité de l'action par celle de la délibération; les chambres s'en remettent à lui pour préparer, pour achever leurs œuvres, la couronne pour éclairer sa marche; tous cherchent dans son sein les lumières que promettent la science des lois et l'habitude des affaires, l'influence morale que donne une indépendance vraie et sans ostentation, la sûreté de décision qui suit l'impartialité d'examen; cette puissance, si j'osais le dire, est plus grande que celle qu'il tiendrait de la loi, car il la doit à l'utilité prouvée de son concours, à son caractère propre, et à son mérite constaté. »

(Vivien. Le Conseil d'Etat. Revue des Deux Mondes. 1841, pp. 177-178).

BIOGRAPHIES

Achille, Léonce, Victor, duc de BROGLIE
1785 - 1870
Auditeur au Conseil d'Etat (1809-1814)
Président du Conseil d'Etat (1830)

Né à Paris le 28 novembre 1785, il avait huit ans lorsque ses parents furent emprisonnés sous la Terreur, et son père, membre de la Convention, guillotiné. Il vécut quelque temps abandonné de tous, en Franche-Comté. Après le 9 thermidor, sa mère revint de Suisse et se remaria, en 1795, à M. d'Argenson.

Victor de Broglie reçut les leçons d'un précepteur, suivit de 1800 à 1803 les cours de l'Ecole Centrale des Quatre Nations et de l'Ecole des Mines et commença à voyager et à écrire. Réformé de la conscription à cause de sa myopie, il sollicita une place au Conseil d'Etat et, sur la recommandation de son oncle, Mgr Maurice de Broglie, aumônier de l'Empereur, Napoléon le nomma, en 1809, auditeur au Conseil d'Etat, attaché à la section de la Guerre.

Il assiste alors à quelques séances du Conseil d'Etat, qu'il raconte dans ses souvenirs. Sa qualité d'auditeur lui vaut, entre 1809 et 1814, d'occuper des postes variés : intendant du Comitat de Raab-Eisenbourg (Hongrie), secrétaire du Maréchal Marmont à Trieste, intendant d'un régiment croate en Illyrie, secrétaire du maréchal Bessière, puis du général Dorsenne en Espagne, attaché à l'ambassade de l'abbé de Pradt à Varsovie, puis à celle de M. de Narbonne, à Vienne, enfin à la délégation au Congrès de Prague. Entre temps, il avait passé un an à la section chargée des Ponts et Chaussées au Conseil.

Lors de la Restauration, l'ordonnance du 4 juin le nomme pair à vie. Pendant les Cent Jours, il fut candidat malheureux à la Chambre dans l'Eure, puis nommé par l'Empereur conseiller général; il n'en reçut pas moins de Louis XVIII confirmation de la pairie à titre héréditaire le 19 août 1815. Son premier vote à la Chambre des pairs fut contre la mort dans le procès du maréchal Ney.

Il épousa en 1816 Albertine de Staël, fille de Madame de Staël.

Nommé duc pair héréditaire le 31 août 1817, il joua un rôle politique important comme l'un des fondateurs du parti des doctrinaires. Il fut membre de la société « Aide-toi, le Ciel t'aidera », ainsi que des « Amis de la Presse ». Il refusa de participer au ministère Decazes en novembre

1819, combattit dans l'opposition les ministères réactionnaires et prépara l'avènement du régime parlementaire. Ses principales interventions portèrent sur les projets de lois relatifs à la presse, au mode des élections, au sacrilège, au milliard des émigrés, à la traite des noirs et à l'abolition de l'esclavage.

En 1829, il publia, dans la Revue Française, un important article intitulé « De la juridiction administrative », dans lequel il propose que les compétences des juridictions de cet ordre soient limitées en étendue, mais renforcées, idée qu'il aura l'occasion de mettre en pratique quelques mois plus tard.

Depuis longtemps en rapport avec le duc d'Orléans, le duc de Broglie fut appelé par lui dès son accession au Trône. Commissaire provisoire au ministère des Travaux Publics et de l'Intérieur le 30 juillet 1830, il était nommé le 11 août ministre de l'Instruction Publique et des Cultes et président du Conseil d'Etat.

Au lendemain de la Révolution de 1830, le Conseil d'Etat se trouve menacé. Le garde des sceaux dans le ministère du 11 août, Dupont de l'Eure, prépare sa suppression, mais le duc de Broglie s'attache au contraire à le protéger. Il limite l'épuration à l'inévitable, crée une section nouvelle absorbant le contentieux, dénommée Comité de Législation, et préside lui-même la commission de réforme qui prépare un projet de loi en 245 articles.

Partisan de la résistance alors que les désordres se multipliaient, le duc de Broglie démissionna le 2 novembre et retourna à la Chambre des pairs défendre l'ordre compromis. Il rentra au ministère dans le Cabinet Soult (11 octobre 1832 - 13 avril 1834) comme ministre des Affaires Etrangères et se fit le champion des nations opprimées : règlement de la question de Belgique en 1832, règlement de l'affaire de Grèce en 1833, aide à la Reine Isabelle d'Espagne contre les Carlistes en 1833. Il tomba sur la question de l'indemnité réclamée par les Etats-Unis à la suite du blocus continental.

Bien que Louis-Philippe n'eût guère de sympathie pour cet homme trop raide devant ses volontés, il dut le rappeler pour « ne pas tomber dans le radicalisme ». Président du Conseil et ministre des Affaires étrangères du 12 mars 1835 au 6 février 1836, il régla la question de l'indemnité aux Etats-Unis, conclut un traité avec l'Angleterre sur la répression de la traite des noirs, et, après l'attentat de Fieschi où il était aux côtés du Roi, fit voter les lois de sûreté de septembre 1835. Aux Assises de la Seine, le 2 octobre 1835, il porta plainte en diffamation en tant que chef du gouvernement contre la Nouvelle Minerve. Il tomba le 6 février 1836 sur la question de la conversion des rentes.

Son rôle gouvernemental s'arrête alors, mais il reste le chef du parti de la Résistance qui voulait la liberté dans l'ordre.

En 1846, il préside la commission instituée au ministère de la Marine pour résoudre la question de l'esclavage dans les colonies et se rend en Angleterre pour régler le droit de visite.

En 1846, il présida la Chambre des pairs, avant d'être envoyé comme ambassadeur à Londres de mai 1847 à février 1848. A la Révolution de 1848, il ne fut pas compris dans la proscription qui frappa les ministres. Elu député de l'Eure en mai 1849, il fit partie de la commission de révision de la loi électorale en 1850, et, le 17 avril 1851, de la commission dite des mesures à prendre.

Au coup d'Etat du 2 décembre 1851, il fut arrêté, enfermé à la caserne du Quai d'Orsay, puis remis en liberté à cause de sa santé. Il démissionna de ses mandats de député de l'Eure, de président du Conseil général et de maire de Broglie. Il se consacra alors à l'étude des questions philosophiques et religieuses. Il fut élu en 1855 à l'Académie Française, puis à l'Académie des Sciences Morales et Politiques. Il écrivit en 1861 ses « Vues sur le gouvernement de la France », qui furent saisies par Persigny et intenta à ce sujet un procès au Préfet de Police. Il mourut subitement à Paris le 26 janvier 1870, âgé de 85 ans.

Doué d'une intelligence supérieure et d'un véritable talent oratoire, il avait l'habitude du travail, le goût de l'étude suivie, le souci de la dignité. Dépourvu d'ambition personnelle et cependant attiré vers les affaires publiques, il fut un philosophe politique plus qu'un homme d'Etat. Les jugements des contemporains sont concordants à cet égard :

« Sa droiture, son désintéressement, sa sincérité, imposaient le respect autant à ses adversaires qu'à ses amis... Il laissait à ceux qui le connaissaient peu l'impression d'un homme orgueilleux et hautain... Son ironie, qui dans l'intimité n'était qu'un aimable enjouement, devenait revêche et cinglante dans les assemblées politiques » (C. Witmeur).

« Il vivait dans le monde des idées et négligeait le commerce des hommes » (Montalivet).

« La fine causticité qui a fait la fortune politique de M. de Broglie dans l'opposition a causé sa ruine chaque fois qu'il était au pouvoir ». (Loeve Veimars)

« C'est un esprit véritablement législatif » (Sainte Beuve).

Gabriel de Broglie
Maître des Requêtes
au Conseil d'Etat

Amédée GIROD de L'AIN
1781-1847

Vice-président du Conseil d'Etat
1839-1847

Amédée Girod de l'Ain est né à Gex le 18 octobre 1781. Il était le fils de Jean-Louis Girod dit de l'Ain qui mourut en 1839, à l'âge de 86 ans, avec le titre de Maître des Comptes honoraire.

Amédée Girod de l'Ain n'allait survivre à son père que huit ans. Mais, dans la limite de cette longévité plus modeste, il suivit une carrière judiciaire, administrative et politique qui traversa, sans autre dommage qu'une interruption de quatre années, les épreuves de la première Restauration, des Cent-Jours, de la deuxième Restauration et des Journées de 1830, pour aboutir enfin au sommet des emplois et des charges.

Dès l'âge de 17 ans, Girod de l'Ain entre au barreau. En 1806, il devient magistrat. En 1809, il est substitut du procureur général près la Cour d'appel de Lyon et, en 1810, auditeur au Conseil d'Etat en service extraordinaire. En 1811, il devient avocat général près la Cour impériale de la Seine et, en 1814, il est maintenu dans ses fonctions par Louis XVIII. En 1815, un décret impérial le nomme président du tribunal de 1re instance de la Seine et l'arrondissement de Gex l'élit à la Chambre des représentants. A la deuxième Restauration, Girod de l'Ain, révoqué, retourne au barreau.

Réintégré dans la magistrature en 1819 comme conseiller à la Cour royale de Paris, il est élu en 1827, par le département de l'Indre, à la Chambre des représentants. Pendant la session de 1829, il est nommé vice-président. Réélu en 1830, il est nommé préfet de police le 1er août de la même année. Il est nommé le 20 août conseiller d'Etat en service extraordinaire puis, le 7 novembre, en service ordinaire.

Le 1er août 1831, il devient vice-président du Comité de législation et de justice administrative, en même temps que président de la Chambre des députés. Le 30 avril 1832, il est ministre secrétaire d'Etat au département de la Justice et des Cultes. Le 11 octobre 1832, il démissionne et devient pair de France en même temps qu'il redevient président du comité de législation et de justice administrative. Du 31 mars au 12 mai 1839, il est garde des sceaux, ministre de la justice et des cultes.

Enfin Girod de l'Ain est nommé, le 12 mai 1839, président du Contentieux du Conseil d'Etat puis, le 11 octobre 1839, vice-président du Conseil d'Etat. Il meurt le 27 décembre 1847, âgé seulement de 66 ans.

A travers l'Empire et deux monarchies, Girod de l'Ain n'avait pas cessé de faire preuve d'une grande capacité d'adaptation tant à la diversité des régimes qu'à celle des fonctions : ne le voit-on pas successivement attaché à l'Empire, acclimaté à la Restauration, dévoué à la Maison d'Orléans ? Une de ses biographies n'impute qu'à un bonheur exceptionnel cette « ascension surprenante » d'un homme qui « monte toujours comme par enchantement », sans qu'il ait laissé un livre ni prononcé « même un discours dont on ait gardé la mémoire ». Il aurait eu seulement, « à défaut de talents supérieurs, de la tenue, des dehors et l'esprit de conduite ».

C'est là le ton d'un détracteur. La fortune de Girod de l'Ain ne peut pas avoir été le fruit seulement de l'habileté et de l'entregent. Si favorablement qu'ait pu en définitive tourner chaque circonstance, il serait incroyable que Girod de l'Ain n'eût pas possédé les qualités adéquates à ces postes éminents où l'événement, après qu'il en eut déjà subi l'épreuve, s'obstinait chaque fois à le remettre.

Le Conseil d'Etat avait grand besoin de compter parmi ses membres un homme riche d'une telle expérience des affaires publiques. Si le Conseil d'Etat avait été sous l'Empire « le siège du Gouvernement, la seule parole de la France, le flambeau des lois et l'âme de l'Empereur », il avait été ensuite gravement décrié. D'après le Répertoire de Législation Dalloz (1851) « On déniait sa légalité constitutionnelle; on contestait l'utilité de son action administrative ou judiciaire. On mettait en doute son indépendance ». L'intervention de diverses dispositions réglementaires « n'avait pu satisfaire les esprits, qui, depuis longtemps, réclamaient, pour le jugement des affaires contentieuses, les garanties de justice déléguée, de publicité, de discussion orale, d'inamovibilité même... »,

Girod de l'Ain contribua à l'examen des projets qui se succédèrent à partir de 1833 et qui tendaient « à donner à cette institution, à laquelle se rattachent les intérêts les plus élevés de l'administration publique, la consécration d'une loi et à mettre désormais son organisation et ses attributions à l'abri du régime si mobile des ordonnances ». Sur un projet de loi présenté à la Chambre des pairs en 1834, une discussion eut lieu dont il est dit qu'elle fut « éclairée des plus hautes lumières du Conseil d'Etat (MM. le Comte Molé, Girod (de l'Ain), le baron de Préville, etc.) ». La portée de l'éloge est égale à sa concision.

Si Girod de l'Ain sut saisir des occasions, il sut aussi, en bien des moments, faire acte de courage et se porter en avant. Revenu au barreau après sa révocation en 1815, il procura asile au Général Drouot, le défendit devant le conseil de guerre et obtint son acquittement. Mais Girod de l'Ain avait prononcé dans sa plaidoierie des paroles si chaleureuses que le procureur général le dénonça au conseil de discipline de son ordre.

Lors de la dissolution de la Chambre des représentants, Girod de l'Ain avait été au nombre des signataires de la protestation rédigée chez le Général La Fayette. En 1830, il vota l'adresse des 221. Dans les journées des 27 et 28 juillet, retenu au Palais de Justice par ses fonctions de Président de la Cour d'Assises, il y prit « toutes les mesures que lui suggéraient ses devoirs de citoyen» et s'empressa, dès qu'il fut possible, de se réunir à ses collègues de l'opposition. Le 29, il se rendit à l'Hôtel de Ville, où il partagea les travaux et les dangers de la commission municipale. Nommé préfet de police le 1er août, il réorganisa cette administration, prit des mesures d'ordre et de sûreté, assura l'approvisionnement de Paris et dissipa les rassemblements des ouvriers.

La notice nécrologique du *Moniteur Universel* nous apprend que la vie privée de Girod de l'Ain « fut toujours simple et grave comme sa vie publique », et qu'il est au nombre de « ces chefs de corps dont on s'est accoutumé pendant de longues années à vénérer les exemples. »

Le défunt avait voulu qu'aucune députation ne fût convoquée à ses obsèques. Il semble qu'aucun discours n'ait été prononcé. L'Annuaire

Historique ne mentionne pas Girod de l'Ain parmi les « principaux personnages morts en 1847 ». Il est vrai qu'une notice avertit que « l'abondance inusitée des matières, l'importance toute spéciale de l'histoire de France pendant cette année (1848), nous ont fait un devoir de donner à cette partie de l'Annuaire des proportions très restreintes ».

Les circonstances historiques, autant que les dernières volontés de Girod de l'Ain, nous ont privé des documents qui auraient fourni les éléments d'un portrait de l'homme.

Alfred POTIER
Conseiller d'Etat honoraire

Louis Antoine MACAREL
1790-1851

Conseiller d'Etat
Président de la section d'administration

Louis Antoine Macarel naquit à Orléans le 20 janvier 1790. Son père était magistrat. Après de bonnes études classiques au lycée d'Orléans comme « boursier du gouvernement », Macarel partit en 1808 faire son droit à Turin, chef-lieu du département du Pô. Napoléon favorisait alors les échanges universitaires entre jeunes italiens et jeunes français. En 1812, il est avocat stagiaire à Paris. A la mort de son père, il entre dans l'administration, devient chef de cabinet du préfet de l'Eure, puis du préfet des Basses-Pyrénées. Les événements de 1814 mettent fin prématurément à cette carrière.

Par relations, Macarel obtient un emploi de commis, puis de contrôleur à l'administration générale des postes. En 1816, il épouse la fille d'un avocat aux Conseils du Roi et à la Cour de Cassation et, collaborant avec son beau-père, entreprend une étude systématique des arrêts du Conseil. En 1818, il publie ses « Eléments de jurisprudence administrative ». En 1820, il est chargé de seconder Gerando dans la chaire de droit administratif qui vient d'être créée à Paris. En 1821, il fonde le Recueil des décisions du Conseil d'Etat. En 1822, il devient avocat aux Conseils et abandonne ses fonctions administratives. Alors s'ouvre une période de dix années d'intense activité. Il publie un manuel des ateliers dangereux, incommodes et insalubres et, surtout, un traité des tribunaux administratifs, où, prenant parti dans la querelle qui agite alors les esprits, il défend, sur le terrain juridique, l'existence d'une véritable juridiction administrative.

En 1828, Macarel accepte d'assurer seul la formation administrative de jeunes égyptiens envoyés en France pour y étudier nos institutions. En trente-quatre mois, Macarel, pour les préparer à l'exercice des hauts emplois qui les attend dans leur pays, leur distribue un enseignement original qui s'étend du droit des gens à l'administration, en passant par l'économie politique et la statistique générale. Non content d'innover un enseignement théorique de l'administration, il illustre son cours par la visite de la majeure partie des établissements publics de Paris, complément nécessaire, écrira-t-il, de toute « éducation politique et administrative qui serait largement conçue et fermement exécutée ». De cette expérience Macarel allait tirer les leçons dans l'appendice à ses « Eléments de droit politique... » publiés en 1833. Cet appendice s'intitule : « Sur la nécessité de créer une faculté des sciences politiques et administratives ou, du moins, une école spéciale à Paris ». Macarel y livre le fruit de sa double expérience d'administrateur rebuté par la disparité de textes fragmentaires et souvent touffus, et de théoricien de l'administration. Administrer ne saurait, selon lui, se réduire à un art, fait d'empirisme, qui ne s'acquerrait que par l'exercice : l'administration doit être enseignée. Les connaissances sociales requises d'un administrateur sont très différentes des matières enseignées dans les facultés de droit. Le droit administratif lui-même doit être beaucoup plus conçu comme une branche de la science administrative que comme un complément des études juridiques. Idées singulièrement neuves qui font de Macarel un des fondateurs de la science administrative en France.

La notoriété que lui avaient value ses travaux devait tout naturellement conduire Macarel au Conseil d'Etat. Au lendemain de la révolution de Juillet, il est nommé maître des requêtes, puis conseiller d'Etat et mène de front le service de l'Etat et ses enseignements à la faculté de droit. En 1837 il accepte les fonctions de directeur de l'administration centrale et communale au Ministère de l'Intérieur. C'est sous sa direction que sont élaborées et votées les grandes lois du 18 juillet 1837 sur l'administration communale et du 10 mai 1838 sur l'administration départementale.

En 1838, il publiait, en collaboration avec un de ses disciples, Boulatignier, un premier ouvrage de législation financière; et, en 1840, il inaugurait à la faculté de droit un cours d'administration générale, avant de reprendre, en 1842, à la mort de Gérando, le cours de droit administratif.

Elu en 1848 conseiller d'Etat, Macarel devient président de la section d'administration et membre du Tribunal des Conflits. Il est naturellement appelé à la sous-commission chargée d'étudier l'organisation et le fonctionnement de l'Ecole d'Administration qu'Hyppolite Carnot, ministre de l'Instruction publique du Gouvernement provisoire, a créée au lendemain de la révolution de février.

En 1849, la législation nouvelle des cumuls devait l'obliger à renoncer à regret à ses fonctions à la faculté de droit. Mais, dès cette époque, sa santé fortement ébranlée ne lui permettait plus de suivre assidûment les travaux du Conseil. Il mourut le 24 avril 1851.

Telles furent la vie et l'œuvre de Macarel pour qui Maurice Hauriou avait une vive admiration. Il fut le premier en France, au siècle dernier, à professer l'administration et à souhaiter la création d'une école spéciale à Paris pour former les administrateurs de l'Etat. On souhaiterait qu'aujourd'hui les élèves de l'Ecole Nationale d'Administration se souviennent de lui, ne fût-ce que pour réparer l'injustice faite à celui qui n'a pu laisser son nom au Recueil des décisions du Conseil d'Etat qu'il avait fondé.

Jacques THERY
Maître des requêtes au Conseil d'Etat

Ludovic VITET
1802-1873
Conseiller d'Etat

Petiti-fils d'un médecin qui fut maire de Lyon sous la Révolution, siégea à la Convention, ne vota pas la mort du Roi et appartint ensuite au Conseil des Cinq-Cents, mais ne voulut jamais servir Napoléon, Ludovic Vitet naquit à Paris le 18 octobre 1802.

De tempérament libéral, il passa par l'Ecole Normale, puis quitta rapidement l'enseignement pour collaborer au « Globe » et se consacrer à la littérature. Il n'en fit pas moins une carrière administrative extrêmement variée : inspecteur des monuments historiques en 1830, maître des requêtes au Conseil d'Etat en 1831, secrétaire général du ministère du commerce de 1834 à 1836, conseiller d'Etat, puis vice-président du comité des finances de 1836 à 1848. Simultanément député de la Seine Inférieure, Vitet, de convictions orléanistes, donna sa démission du Conseil après la chute de Louis-Philippe. Il devait siéger à l'Assemblée législative de 1849 à 1851; son refus d'accepter l'Empire l'écarta du Parlement; mais il y rentra en 1871, et devint vice-président de l'Assemblée nationale. Rallié à la République conservatrice, il mourut le 5 juin 1873.

La réputation littéraire de Vitet, à laquelle il dut d'appartenir à l'Académie française et à celle des Inscriptions, repose essentiellement sur les scènes historiques qu'il publia entre 1826 et 1829 et réunit ensuite sous ce titre : « La Ligue ». Pour la vivacité des dialogues, pour la connaissance profonde de notre histoire au temps des guerres de religion qu'il révèle, cet ouvrage mériterait d'être tiré de l'oubli; Arthur de Gobineau, qui l'admirait, y songea sans doute quand il donna la même forme à l'un de ses livres les plus importants « La Renaissance ».

A première vue, l'on pourrait penser que tant d'activités diverses ne laissèrent guère de temps à Vitet pour remplir ses fonctions au Conseil d'Etat. Il n'en est rien. Les archives de ce corps possèdent, en effet, le manuscrit relié du rapport qu'il présenta le 20 mai 1843 à la Chambre des députés au nom de la commission chargée d'examiner le projet de loi sur la contribution des patentes. Que ce document se trouve conservé au Conseil d'Etat suffit à prouver qu'il y fut préparé, sans doute au sein du comité des finances. Ce texte, qui ne compte pas moins de 92 pages d'une petite écriture minutieuse et serrée, montre, par

NAPOLÉON III.

Lith. Godard, Q. des Augustins, 55, Paris

CONSEIL D'ÉTAT

Vice Président — Conseiller — Maître des Requêtes

1853

Costume des membres du Conseil d'Etat sous le Second Empire *(Recueil de gravures de mode publié chez Martinet-Hautecœur).*

l'abondance des corrections et des surcharges, le soin qu'apporta son auteur à l'établir; il offre aussi cet intérêt d'illustrer l'étroite collaboration instituée sous la monarchie de juillet, entre le parlement et le Conseil d'Etat à travers ceux qui appartenaient à la fois aux deux assemblées; et son existence suffit à justifier cette brève évocation de Ludovic Vitet, dont le buste, sculpté par Etex en 1843, orne encore aujourd'hui la salle de la section des finances.

Roland de MARGERIE
Conseiller d'Etat honoraire

Alexandre-François VIVIEN
1799-1854
Conseiller d'Etat

Vivien naît à Paris le 3 juillet 1799 dans une famille de juristes. Il y étudie le droit, obtient une licence et commence à Amiens une très classique carrière d'avocat. Très vite la province n'offre plus un cadre suffisant à ce jeune talent et le voilà de retour à Paris. Il plaide et s'y fait remarquer, d'abord par son grand'oncle Dupont de l'Eure qui, devenu Garde des Sceaux, l'appelle à l'âge de trente et un ans aux fonctions de procureur général près la Cour royale d'Amiens. Le choix n'est pas mauvais et Vivien concourt sans mollesse à la répression des troubles locaux. Le 21 février 1831, il est nommé Préfet de Police. Son succès n'est pas total; une méchante affaire d'enrôlement d'ouvriers en chômage pour assommer les jeunes libéraux, dite « affaire du 14 juillet », est dénoncée par *Le National.* Vivien abandonne ses fonctions le 17 septembre 1831 pour être nommé conseiller d'Etat en service ordinaire. Est-ce déjà une sorte de retraite ? Non. La démission du député de Saint-Quentin lui fournit l'occasion de se présenter devant les électeurs : ralliera-t-il le parti de la Résistance et Guizot ou le parti du mouvement et Odilon Barrot ? Habilement, il réserve son choix, se déclare « Indépendant » et est élu le 14 février 1833 dans une circonscription qui se montrera fidèle chaque fois qu'il fera appel à ses suffrages. A la Chambre, son nom se trouve mêlé à tous les remaniements ministériels alors envisagés, sans que cela étonne ou indigne qui que ce soit. Il apparaît bientôt comme un lieutenant de Thiers et c'est naturellement que, le 1er mars 1840, il entre, en qualité de Garde des Sceaux, dans le cabinet que celui-ci constitue. Il le quitte rapidement avec lui le 29 octobre 1840, siège dans l'opposition, abandonne le Conseil d'Etat et retrouve sa robe d'avocat. Sur la demande expresse du Garde des Sceaux, il accepte cependant, le 25 décembre 1843, de reprendre au Conseil la vice-présidence du comité de législation. Il mène alors, bientôt affaibli par les premières atteintes de la maladie, une double carrière de parlementaire et de conseiller d'Etat, interrompue quelques mois par un second passage aux affaires, en qualité de ministre des travaux publics dans le cabinet

Cavaignac. Devenu président du comité de législation au lendemain des journées de février, il siégea dans le Conseil d'Etat de la Deuxième République et en fut le vice-président de 1849 à 1851.

L'homme malade, qui prend ensuite courageusement ses distances avec le Prince-Président, a donc eu sans éclats une très belle carrière.

Mais ce n'est pas cette carrière, avec les contradictions qu'elle comporte, qui révèle la personnalité de Vivien. C'est un autre homme qui apparaît à la fois étonnamment moderne et parfaitement constant, dans ses prises de position. Tocqueville, qui ne l'aimait pas et qui a souvent travaillé avec lui, a parfaitement dégagé ce qui fait l'essentiel de cette personnalité : « il aimait les institutions ». Vivien les aimait, parce qu'il a toujours cru que la loi, les organes qu'elle crée, les procédures qu'elle met en place étaient le seul moyen d'assurer le progrès de la société. Il a toujours vu en elles l'instrument privilégié de la liberté. Toute sa vie, quelles que soient les fonctions exercées, a été consacrée à l'étude minutieuse des institutions. Dans ces conditions, il est tout à fait symbolique que son dernier discours public, prononcé le 21 mai 1853 à l'Institut, ait eu pour sujet la statistique de la justice civile, commerciale et administrative dans les Etats sardes en 1849 et en 1850.

Il ne voue pas aux institutions une passion de théoricien. Il ne propose aucun système nouveau; il est sur ce plan éclipsé par des hommes comme Macarel et Cormenin. Par contre, il dépasse tous ses contemporains parce qu'il a été le premier à jeter les bases d'une science administrative. De ce point de vue, rien n'a échappé à son analyse. Dans tous ses emplois, il a montré une volonté constante de connaître et un désir constant de réformer, d'améliorer ce qui existe. Le chroniqueur du Journal de Saint-Quentin ne se trompe pas lorqu'il affirme que ses savants travaux méritent d'être consultés. On ne veut pas dire qu'aujourd'hui le lecteur trouvera dans les Etudes Administratives (1845), qui sont son principal ouvrage, une description actuelle de la Préfecture de Police ou du statut de la fonction publique. On pense seulement que Vivien a mis sur pied et a le premier appliqué dans cet ouvrage une méthode d'études du phénomène administratif qui est toujours utilisable. Un des premiers il a compris l'importance du « pouvoir administratif »; un des premiers, il a mis en garde contre ses excès; un des premiers, il a prouvé qu'il était nécessaire de l'étudier pour le maîtriser.

Les exemples abondent d'aperçus originaux prouvant l'excellence de la méthode. On en retiendra deux. Député, il a été le rapporteur du projet de loi sur l'organisation communale (Loi du 18 juillet 1837). On ne peut qu'être étonné de l'extrême actualité des remarques qu'il fit alors. Tous les débats d'aujourd'hui, Vivien les engage. Le premier, il remarque que l'uniformité du statut communal appliqué à des collectivités de tailles très diverses ne peut pas donner de bons résultats; le premier, il parle d'un « pouvoir municipal »; le premier, il appelle de ses vœux une structure supérieure à celle du département. De la même façon, s'agissant du Conseil d'Etat, il avance dans ses Etudes administratives quelques principes que la jurisprudence ultérieure se borna à développer.

Quand on lit : « les lois administratives sont entièrement distinctes des lois civiles, ces différences rendent les tribunaux de l'ordre judiciaire peu propres au jugement des affaires administratives. Si le contentieux administratif était déféré à l'autorité judiciaire, les limites qui le séparent de l'administration pure seraient exposées à de fréquentes violations », on ne peut pas ne pas penser à un certain arrêt qui sera rendu près de trente ans après et qui reste l'une des bases du contentieux administratif.

Vivien fut bien un homme dont le Conseil d'Etat peut se flatter qu'il ait été porté à sa vice-présidence le 28 février 1849.

Pierre CABANES
Maître des requêtes au Conseil d'Etat

CHAPITRE VII

DE LA RÉVOLUTION DE 1848 AU COUP D'ÉTAT DU 2 DÉCEMBRE 1851

INTRODUCTION

La Révolution de février 1848 n'a pas ébranlé le Conseil d'Etat. Le gouvernement provisoire ne modifie ni ses attributions ni son organisation, sauf sur un point : le service extraordinaire, objet sous la Monarchie de juillet de vives critiques de l'opposition, est supprimé par un décret du 18 avril 1848. Il touche à peine à son personnel qui s'est aussitôt et presque tout entier rallié au nouveau régime. Les évictions sont donc rares, tout comme les promotions dont bénéficient à l'intérieur du corps certains de ses membres qui, tel Boulatignier, se rangeaient, avant la Révolution de 1848, dans l'opposition. La nomination de Cormenin à la vice-présidence n'a pas une signification politique très marquée : le poste se trouvait vacant depuis la mort, en décembre 1847, de son dernier titulaire, Girod de l'Ain. Léger signe cependant que l'esprit du jour s'insinue jusque dans le Conseil d'Etat : le nouveau vice-président invite les auditeurs à choisir celui d'entre eux qui sera proposé au ministre de la justice pour occuper un poste de maître des requêtes alors à pourvoir.

C'est cependant la IIe République qui va faire subir au Conseil d'Etat la mutation la plus profonde peut-être qu'il ait connue au cours de son histoire. Elle le transforme pour une courte période en un organe politique. Les constituants de 1848, effrayés d'avoir placé en face l'un de l'autre un Président de la République et une chambre unique issus tous deux du suffrage universel, cherchent à rétablir l'équilibre de l'édifice constitutionnel en instituant auprès de ces deux pouvoirs, et même entre eux, un Conseil d'Etat dont les membres seront élus par l'Assemblée législative et qui jouera désormais, en sus de ses fonctions administratives et contentieuses traditionnelles, un rôle politique : il participera à l'élaboration des lois, au contrôle des collectivités locales, à l'exercice du droit de grâce, à la surveillance de la haute fonction publique.

Cette mutation fut accidentelle. Personne, au cours des années précédentes, n'y avait, semble-t-il, songé. Que l'on fût partisan de l'extension ou de la réduction des pouvoirs du Conseil, son rôle n'avait jamais été envisagé autrement que comme celui d'un haut conseil administratif.

La mutation ne se fit ni sans réserve, ni sans réticence. Des membres ou anciens membres de l'Ordre des avocats au Conseil, des juristes, certains hommes politiques même exprimèrent leur crainte pour l'avenir d'un corps si profondément transformé et qui, au moment où il allait revêtir un caractère politique, se voyait confier de surcroît la justice déléguée en matière administrative.

Ce Conseil n'eut qu'une brève existence. A peine plus de deux années s'écoulèrent entre sa formation au printemps de 1849 et sa dissolution lors du coup d'Etat du 2 décembre 1851. Il eût fallu plus longtemps pour mettre à l'épreuve le nouvel organisme. L'exercice de ses nouvelles attributions de caractère politique — qui le fit entrer en conflit avec le Prince Président — tînt moins de place dans ses activités que l'exécution de ses tâches administratives et contentieuses traditionnelles. C'est pourquoi la continuité de l'histoire du Conseil d'Etat ne parait pas à l'observatieur d'aujourd'hui avoir été rompue par cette expérience insolite. Un autre facteur contribua d'ailleurs à son maintien : l'Assemblée constituante, puis l'Assemblée législative eurent la sagesse — comme le pouvoir exécutif pour la nomination des maîtres des requêtes — de désigner comme conseillers des hommes dont la majorité étaient avant tout des juristes et des administrateurs.

1

LE CONSEIL D'ÉTAT ET LA RÉVOLUTION DE 1848

L'adhésion du Conseil d'Etat au nouveau régime — La suppression du service extraordinaire — Cormenin, vice-président — Allocution de Cormenin et de Crémieux, garde des sceaux — Un rapport de Cormenin sur la réforme du Conseil — Les auditeurs invités à proposer l'un d'eux pour un poste de maître des requêtes.

La Révolution de 1848 ne porta d'atteinte sérieuse ni aux structures, ni à la composition du Conseil d'Etat. Quelques modifications cependant : le nombre des conseillers d'Etat en service ordinaire fut ramené de 30 à 25 par le décret du 12 mars 1848; six conseillers, dont quatre étaient députés et un pair de France, furent éliminés; Boulatignier, maître des requêtes, fut promu conseiller; le service extraordinaire, objet de nombreuses critiques sous la Monarchie de juillet, fut supprimé par le décret du 18 avril :

Le Gouvernement provisoire :

Considérant que le service extraordinaire du Conseil d'Etat ne constitue aujourd'hui qu'une superfétation de titres, sans fonctions réelles, aussi contraire aux principes républicains qu'au bien des affaires...

Décrète;

Art. 1 — Le service extraordinaire du Conseil d'Etat est supprimé.

Art. 2 — Les chefs de service, désignés par les ministres de chaque département, seront appelés à prendre part aux travaux des comités et de l'assemblée générale du Conseil d'Etat, quand leur concours sera jugé nécessaire.

(Duvergier, t. XLVIII, p. 148).

Aussi bien, la plupart des membres du corps s'étaient-ils ralliés au Gouvernement provisoire. Cormenin, placé le 28 février à la tête du Conseil au poste de vice-président vacant depuis le décès, en décembre 1847, de Girod de l'Ain, s'employa, bien qu'il eût été un vigoureux opposant au régime précédent, à défendre le corps dont il avait été membre à la fin de l'Empire, et où il rentrait après une interruption de 18 ans. A la surprise d'ailleurs de ses nouveaux collègues, si l'on en croit ces propos de M. Reverchon, maître des requêtes :

« Au moment de la Révolution de février, le Conseil d'Etat venait de perdre l'homme éminent qui le présidait depuis 1839 avec cette double supériorité de l'intelligence et du caractère qu'il est bien rare de réunir. L'un des premiers actes du Gouvernement provisoire fut d'appeler à ces fonctions un homme dont les antécédents auraient pu ne pas garantir entièrement la modération. Mais, heureusement infidèle à cette origine révolutionnaire, le nouveau président du Conseil d'Etat comprit sur le champ que son premier devoir était de défendre le Conseil d'Etat, c'est-à-dire de combattre, d'empêcher, de diminuer du moins la réaction contre des velleités de destitution, assurément plus naturelles ou plus excusables alors que dans d'autres occasions, de ceux des membres du Conseil d'Etat que leur participation personnelle à la politique du dernier ministère de la Monarchie de juillet ne condamnait pas sans retour aux yeux du gouvernement nouveau, et il parvint, sinon à les sauver tous, du moins à sauver plusieurs de ceux qui furent un instant menacés. C'est là un souvenir qui peut en atténuer d'autres et la justice commande, aujourd'hui surtout, d'en tenir compte. »

(E. Reverchon, Notice sur M. Maillard, Paris 1855, pp. 20-21).

Ce fut Cormenin qui, à la tête du Conseil d'Etat, vint exprimer à Crémieux, garde des sceaux (1), l'adhésion du corps au nouveau régime :

« Citoyen,

Les membres du Conseil d'Etat viennent vous présenter leurs félicitations. Ils ont hâte, comme tous les bons citoyens, de se serrer autour de vous et de prêter au courageux Gouvernement de la République la force et l'ensemble de leur concours.

L'unité est l'âme de la nation françaice; elle fait sa grandeur, sa puissance et sa gloire; la centralisation est le lien et le Conseil d'Etat est le représentant des affaires administratives, par excellence de la centralisation et de l'unité.

Si, plus tard, nous n'avons qu'une seule assemblée nationale pour représenter la majesté une et indivisible du peuple français, le Conseil d'Etat pourra rendre au Gouvernement et au pays de plus grands services encore qu'aujourd'hui.

Son zèle ne faillira pas à ses devoirs, ni son dévouement à cette grande et sublime révolution qui palpitait déjà si profondément dans le cœur du peuple, avant d'être arrosée de son généreux sang et d'être portée par ses bras héroïques sur le pavoi de sa souveraineté. »

M. Crémieux répondit en ces termes :

« Citoyens du Conseil d'Etat, le gouvernement provisoire reçoit et agrée l'assurance de votre concours et l'expression de votre dévouement à la République. Oui, dans ce beau et grand pays, l'unité fait la force, et la centralisation donne à toutes les parties de l'administration publique une vigueur dont les résultats sont immenses. Le Conseil d'Etat, pouvoir supérieur et central, avait, dans son origine, de vastes et constitutionnelles attributions. Sa mission politique s'est bien restreinte, sa mission administrative s'est bien accrue. Sans doute, il peut devenir, dans la constitution que nous donnera bientôt l'Assemblée nationale, un rouage important de notre gouvernement républicain, surtout si, comme c'est notre pensée, l'Assemblée nationale

(1) Crémieux était avocat aux conseils et député sous la Monarchie de juillet. Il avait défendu le Conseil devant la Chambre tout en réclamant la substitution de la justice déléguée à la justice retenue.

décrète, pour représenter la nation, une chambre unique, expression du suffrage de tous les citoyens. Ah ! cette fois, ce ne sera pas une représentation mutilée, produit d'un nombre à peu près imperceptible d'hommes privilégiés, qui, pour la plupart, se partageaient entre eux tous les avantages de ce qu'on était convenu d'appeler le gouvernement représentatif; ce sera bien, citoyens, le gouvernement du peuple par le peuple, ou, ce qui est la même chose, par ceux qu'il aura lui-même élus dans la plénitude de son droit de souveraineté.

Citoyens, vous apportez, nous n'en doutons pas, une franche et loyale adhésion à la République (Oui ! Oui !). La royauté, tant de fois détrônée dans un demi-siècle, est enfin tombée moins sous la colère que sous le mépris du peuple. La corruption l'a tuée plus encore que le manque de foi. Oui, c'est d'en haut que partait cette lèpre dont ils ont voulu couvrir la France, notre France si noble, si loyale, si pure. (Une longue acclamation interrompt le ministre). Ils ont tenté de nous dégrader aux yeux du monde, nous, le peuple chevaleresque, les fils de cette terre de l'honneur et de tous les sentiments élevés. Le mépris s'est levé; le peuple s'est montré dans sa magnifique allure et la Royauté a définitivement disparu du sol qu'elle avait souillé. Oh, dites, vous, messieurs, qui avez approché de plus près la région du pouvoir, dites s'il n'est pas vrai que le peuple n'était compté pour rien dans ces royales demeures ? Quel souci prenait-on de ses intérêts, de ses souffrances, de ses misères, que relèvent tant de vertus ? (nouvelles acclamations).

Plus de royauté donc. Et quelle est celle à laquelle on voudrait encore se rattacher ? Toutes n'ont-elles pas fait leur temps ? Est-ce l'antique royauté française que l'on regretterait ? Le dernier roi de la troisième race avait été emporté dans la tempête soulevée par tant d'iniquités depuis longtemps amassées et sous tant de règnes. Est-ce la royauté de la gloire ? Elle ne sut pas se garder du despotisme. Est-ce la royauté restaurée ? Vous la rappelez-vous, citoyens, recommençant le passé avec une assurance inouïe, qu'un souffle du peuple fit évanouir. Restait une royauté née d'une révolution; la nation confiante l'avait acceptée. Quelle épreuve nous était réservée pour la dernière ! Citoyens, toutes les royautés sont finies sur notre sol libre.

Il nous reste la République ! Le peuple l'a conquise, et nous, ses premiers élus, ses premiers représentants, nous l'avons proclamée. La République, c'est-à-dire la patrie, la France, tous les citoyens, la nation, le peuple; car la République, c'est l'universalité des citoyens, unis pour le triomphe de la patrie. Citoyens, aimons-la tous cette république dont le nom retentit si doucement, si délicieusement à nos oreilles; aimons-la tous avec la même ardeur, car il ne saurait y avoir de nuances dans l'amour de la République. Dans la monarchie, on comprend les nuances, on aime un roi plus ou moins, on ne l'aime pas du tout, on l'aime sous des conditions; un roi ne représente pas la patrie. Mais la République, c'est-à-dire la patrie, comment quelqu'un de nous pourrait il l'aimer moins ou l'aimer plus ? Il faut lui donner notre dévouement, nos fortunes, notre vie. Elle a les mêmes droits sur tous, et le bonheur de se dévouer pour elle constitue la première vertu du citoyen : le patriotisme.

Citoyens, vive la République !

(Le cri de Vive la République . éclate de toutes parts, et les citoyens membres du Conseil d'Etat se retirent visiblement émus des paroles qu'ils viennent d'entendre) ».

(Arch. nat. BB 30 728).

C'est également Cormenin qui, dans un rapport au ministre de la justice, proposa au Gouvernement provisoire les mesures — suppression du service extraordinaire, réduction des effectifs — prises par celui-ci dès le début du mois de mars :

« Monsieur le Ministre,

J'ai examiné la situation du Conseil d'Etat :

— 1 —

Le service ordinaire des conseillers d'Etat peut, à l'aide de rouages moins compliqués, être réduit sans inconvénient pour les affaires et avec économie pour le Trésor, de trente à vingt cinq conseillers, y compris les présidents de section.

En conséquence, cinq emplois de conseillers d'Etat étant devenus vacants, je propose de ne pas pourvoir à leur remplacement.

— 2 —

Les maîtres des requêtes, tant comme rapporteurs que comme commissaires du gouvernement, sont de véritables ouvriers du Conseil d'Etat.

Je propose de maintenir le nombre actuel. Il n'est pas trop élevé pour l'expédition urgente des affaires qui se sont multipliées jusqu'à l'encombrement.

— 3 —

Le service extraordinaire, que le Conseil d'Etat ne connaissait pas dans sa belle et grande organisation de l'an huit, n'est aujourd'hui qu'une superfétation de titres et le plus souvent qu'une absence de personnes.

Je propose de le supprimer.

Néanmoins, comme il est bon de joindre la pratique des affaires à la théorie et d'unir par un lien plus étroit et plus indivisible les bureaux, le Conseil et les ministres, je demande que quinze chefs de service désignés par le ministre de la justice, sur la proposition des ministres des autres départements, soient spécialement autorisés, sans autre qualification, à participer aux travaux des comités et aux délibérations du Conseil en matière administrative.

— 4 —

Les auditeurs sont trop nombreux.

Je propose :

1) de les réduire successivement de quarante huit à trente;

2) de ne plus en admettre à l'avenir, la réduction une fois faite, qu'en concours public, après des épreuves tant orales qu'écrites, épreuves sérieuses et sincères, j'appuie sur ce mot;

3) d'appeler au bout de quatre ans d'exercice, soit à des emplois de maître des requêtes, soit à des fonctions administratives ou judiciaires, ceux des auditeurs qui, d'après leurs états de service et un examen de capacité, seraient mis par les présidents des sections du Conseil sur une liste de proposition;

4) d'ouvrir l'honorable carrière de l'auditorat aux jeunes gens qui ont plus de talent que de fortune, et, pour consacrer le principe essentiellement républicain de la rétribution suffisante, les présidents de sections réunis désigneraient ceux des auditeurs qui méritent de recevoir un traitement.

Ce traitement serait de deux mille francs, et dix auditeurs en seraient pourvus.

Voici, en dernier lieu, quels seraient les résultats économiques de la réduction et de la répartition que j'indique :

la suppression de cinq emplois de conseillers d'Etat donnerait	75 000 F
et, d'un autre côté, dix auditeurs à 2 000 F coûteraient	20 000 F
Reste	55 000 F
et, pour faire une somme plus ronde, je propose de retrancher dès à présent le 1/5e de mon traitement, trop considérable pour moi	5 000 F
Total de la somme économisée	60 000 F »

(Rapport du président du Conseil d'Etat au ministre de la justice, mars 1848. Arch. nat. BB 30 728).

Cette dernière proposition ne fut pas la seule par laquelle Cormenin manifesta son souci de se mettre au goût du jour. Il invita les auditeurs à présenter l'un d'eux au choix du ministre de la justice pour une place de maître des requêtes alors vacante. Les auditeurs se réunirent à cet effet dans la bibliothèque du Conseil et dressèrent de leur réunion le procès-verbal suivant :

« Conseil d'Etat — Paris le 16 mars 1848

Conformément à l'invitation de M. le président du Conseil d'Etat, les auditeurs de première et de deuxième classe, portés sur le tableau de l'annuaire de l'année 1848, se sont réunis, le jeudi 16 mars 1848, à 4 heures, pour présenter au choix de M. le ministre de la justice un candidat pour une place de maître des requêtes en service ordinaire.

Les auditeurs présents ont constitué un bureau ainsi formé :

Président : M. Nabon de Vaux, doyen d'âge;

Secrétaires : MM. Delacour et Martin du Nord, comme étant les plus jeunes auditeurs présents.

Le bureau constate la présence de trente votants. Après en avoir délibéré, la réunion décide qu'il sera procédé immédiatement, au scrution secret et à la majorité absolue des voix.

Voici le résultat de la première épreuve :

Nombre des votants : 30.
Majorité absolue : 16.

Les voix se sont réparties de la manière suivante :

MM.	Pascalis	11
	Aubernon	9
	Talhouet	3
	Baudon	2
	Lepelletier Saint-Rémy	2
	Nabon de Vaux	1
	Hamon	1
	Magne	1

Aucun des candidats n'ayant obtenu la majorité absolue, il a été procédé à un second tour de scrutin.

Les voix se sont réparties de la manière suivante :

MM.	Pascalis	16
	Aubernon	8
	Talhouet	3
	Montesquiou	1
	Baudon	1
	Magne	1

M. Pascalis ayant obtenu la majorité absolue, M. le président du bureau le proclame comme le candidat désigné par les auditeurs, pour être présenté par M. le président du Conseil d'Etat au choix de M. le ministre de la justice.

Les auditeurs présents à la séance remercient M. le président du Conseil d'Etat des intentions bienveillantes qu'il leur a montrées et se félicitent, en le voyant à la tête du Conseil d'Etat, de se trouver placés sous son patronage aussi éclairé et aussi plein de sollicitude.

Fait à la bibliothèque du Conseil d'Etat, le 16 mars 1848.

Ont signé les membres du bureau :
Le président : Nabon de Vaux.
Les secrétaires : Delacour et Martin du Nord ».

(Arch. nat. BB^{30} 728).

II

LE CONSEIL D'ÉTAT DE LA IIe RÉPUBLIQUE : UN COMPROMIS POLITIQUE ET UNE INNOVATION CONSTITUTIONNELLE

Le projet de constitution fait du Conseil un organe politique et confie à l'assemblée le choix des conseillers — Les raisons de ces innovations — Les débats constitutionnels — Les adversaires du projet — Ils obtiennent que le Conseil ne soit pas dépossédé de ses attributions contentieuses — La loi organique du 9 mars 1849 — Maintien de la maîtrise des requêtes et de l'auditorat — L'assemblée générale conserve un rôle important — Le Conseil reste juge du contentieux administratif — Création du Tribunal des conflits — Un débat animé sur l'institution de la justice déléguée — Dispositions principales de la loi du 3 mars 1849.

Le 19 juin 1848, le citoyen Armand Marrast, au nom de la commission de constitution de l'Assemblée nationale donnait lecture à celle-ci du projet de constitution de la Deuxième République.

Le projet contenait un chapitre IV intitulé « Du Conseil d'Etat » :

Art. 69. — Il y aura un Conseil d'Etat composé de quarante membres au moins.

Le Vice-président de la République est de droit Président du Conseil d'Etat.

Art. 70. — Les membres de ce Conseil sont nommés pour trois ans par l'Assemblée nationale, dans le premier mois de chaque législature, au scrutin secret et à la majorité absolue.

Ils sont indéfiniment rééligibles.

Art. 71. — Ceux des membres du Conseil d'Etat qui auront été choisis dans le sein de l'Assemblée nationale seront immédiatement remplacés comme représentants du peuple.

Art. 72. — Les membres du Conseil d'Etat ne peuvent être révoqués que par l'Assemblée, sur la proposition du Président de la République.

Art. 73. — Le Conseil d'Etat rédige les projets de loi que le Gouvernement propose à l'Assemblée, et les projets d'initiative parlementaire que l'Assemblée renvoie à son examen.

Il fait les règlements d'administration publique sur la délégation spéciale de l'Assemblée nationale.

Il exerce, à l'égard des administrations départementales et municipales, tous les pouvoirs de contrôle et de surveillance qui lui sont déférés par la loi.

Une loi particulière règlera ses autres attributions.

Art. 74. — A l'expiration de leurs fonctions, le Président et le Vice-Président de la République sont de droit membres du Conseil d'Etat.

(Ass. nat., séance 19 juin 1848. C. r. séances Ass. nat., t. II, pp. 40-41).

D'autres articles du projet concernaient le Conseil d'Etat ou ses membres :

Art. 53. — Il (le Président de la République) a le droit de faire grâce; mais il ne peut exercer ce droit que sur la proposition du ministre de la justice, est après avoir pris l'avis du Conseil d'Etat.

Art. 63. — Il (le Président de la République) a le droit de suspendre, pour un terme qui ne pourra excéder trois mois, les maires et autres agents du pouvoir exécutif élus par les citoyens.

Il ne peut les révoquer que de l'avis du Conseil d'Etat.

Art. 80. — Les conseils généraux et les conseils municipaux peuvent être dissous par le Président de la République, de l'avis du Conseil d'Etat.

Art. 91. — Il y a pour toute la France un tribunal administratif supérieur, qui prononcera sur tout le contentieux de l'administration, et dont la composition, les attributions et les formes seront réglées par la loi.

Les membres du tribunal administratif sont nommés par le Président de la République, sur une liste de présentation dressée par le Conseil d'Etat.

Ils ne pourront être révoqués que par le Président de la République, sur l'avis du Conseil d'Etat.

Art. 92. — Les membres de la Cour des comptes seront nommés et révoqués d'après le même mode.

Art. 93. — Les conflits d'attribution entre l'autorité administrative et l'autorité judiciaire seront réglés par un tribunal spécial de juges du tribunal de cassation et de conseillers d'Etat, désignés tous les trois ans en nombre égal par leurs corps respectifs.

Ce tribunal sera présidé par le ministre de la justice.

Art. 102. Dans tous les cas de responsabilité des ministres ou de tous autres agents du gouvernement, l'Assemblée nationale peut, selon les circonstances, renvoyer le fonctionnaire inculpé, soit devant la haute cour de justice, soit devant les tribunaux ordinaires, soit devant le Conseil d'Etat.

Art. 103. — Le Conseil d'Etat ne peut prononcer que la peine de l'interdiction des fonctions publiques pour un temps qui n'excède pas cinq années.

Art. 104. — Tout arrêt du Conseil d'Etat portant cette peine doit être rendu aux deux tiers au moins des suffrages.

Art. 105. — Les débats ont lieu en séance publique.

Art. 106. — L'Assemblée nationale et le Président de la République peuvent, dans tous les cas, déférer l'examen des actes de tout fonctionnaire, autre que le Président de la République, au Conseil d'Etat, dont le rapport est rendu public.

Art. 138. — Toutes les autorités actuellement en exercice continueront de rester en fonctions jusqu'à la publication des lois organiques qui les concernent.

(Ass. nat., séance 19 juin 1848, C. r., séances Ass. nat., t. II, pp. 40-41).

Election des conseillers par l'Assemblée, participation obligatoire et étendue à la fonction législative, rédaction des règlements d'administration publique, concours à l'exercice du pouvoir exécutif dans des domaines importants (droit de grâce, tutelle des collectivités locales etc.), pouvoir disciplinaire sur les ministres et les agents publics : ces dispositions — dont la plupart allaient être adoptées par l'Assemblée — faisaient du Conseil d'Etat — auquel étaient retirés le jugement des conflits, confié à un Tribunal des conflits et la connaissance du contentieux administratif attribué à un Tribunal administratif supérieur — un corps plus politique qu'administratif et qui n'avait pas, à première vue, grande ressemblance avec ses devanciers de l'Empire, de la Restauration et de la Monarchie de juillet.

La création de ce nouveau Conseil permettait de réaliser un compromis entre partisans d'une assemblée unique et partisans de deux chambres, qui s'affrontèrent au sein de la commission, puis à l'Assemblée. Personne, semble-t-il, n'avait songé auparavant à un Conseil de ce type. Vivien — qui fut membre de la commission de constitution et en soutint fermement le projet devant l'Assemblée — avait écrit en 1841 (1) que le Conseil d'Etat ne devait jouer aucun rôle politique. Cette opinion devait être également celle des autres juristes de la commission, Cormenin, Tocqueville, Dupin, Odilon Barrot, Dufaure; il est vraisemblable qu'ils n'acceptèrent un Conseil d'Etat « politique » que pour assurer un certain équilibre à l'édifice constitutionnel. C'est ce que laisse deviner le rapport précédant le projet de constitution :

« Il est un autre argument contre l'assemblée unique qui a, selon nous, une base plus solide et dont la commission s'était fortement préoccupée : c'est l'entraînement d'une assemblée unique, qui, sous la pression d'un événement extérieur ou d'une émotion née dans son propre sein, peut prendre une résolution irréfléchie, faire une loi imprudente et dont elle serait la première à se repentir. Notre humeur est vive et prompte, le talent d'un orateur peut nous exalter, au seul éclair d'une passion généreuse notre pensée devient flamme. Serait-il sage de compromettre la majesté de la loi par l'emportement ou la précipitation ? Ne faut-il pas que la loi soit toujours entourée de formes solennelles, méditée, mûrie, soumise à plusieurs degrés de discussion ?

Oui sans doute, tout cela est sensé, et la commission croit y avoir répondu par les précautions qu'elle a prises. Elle assure plus de deux degrés à la discussion en exigeant que l'assemblée délibère trois fois, à dix jours d'intervalle, sur les projets qui lui sont soumis. Dans le cas d'urgence même, rien ne peut être résolu à l'heure même, et l'urgence, débattue dans les comités ou dans les bureaux, doit être jugée avant que l'assemblée se prononce au fond.

A côté de l'assemblée unique, la Constitution place un Conseil d'Etat choisi par elle, émanation de sa volonté, délibérant à part, en dehors des mouvements qui peuvent agiter les grandes réunions. C'est là que la loi se prépare, c'est là qu'on renvoie, pour la mûrir, toute proposition d'initiative parlementaire qui paraît trop hâtive au pouvoir législatif. Ce corps, composé d'hommes éminents et placé entre l'assemblée qui fait la loi et le pouvoir qui l'exécute, tenant au premier par sa racine, au second par son contrôle sur l'administration, aura naturellement une autorité qui tempèrera ce que l'assemblée unique pourrait avoir de trop hardi, ce que le gouvernement pourrait avoir d'arbitraire.

Pour conjurer enfin tous les périls de la précipitation, nous avons accordé

---

(1) Vivien, Le Conseil d'Etat, Revue des deux-Mondes, 1841, p. 169 : « étranger à la politique, il conserve une impartialité qui fait sa force ».

au pouvoir exécutif le droit d'appeler l'assemblée à une délibération nouvelle.

Nous avons donc multiplié les garanties, nous avons élevé contre le torrent des digues plus nombreuses et plus résistantes qu'il n'y en eut dans toutes les constitutions passées; et en maintenant l'unité de l'assemblée, l'expression simple et vraie de la souveraineté nationale, nous croyons avoir réduit au néant la seule objection sérieuse qui vint donner quelque raison au système des deux chambres ».

(Ass. nat., séance 30 août 1848. C. r. séances Ass. nat., t. III, p. 599).

Qu'il y eût là une innovation considérable, les constituants de 1848 en eurent pleinement conscience, même si certains, comme Dupin, sans doute pour rallier les opposants, s'efforcèrent de minimiser la portée des dispositions du chapitre IV du projet. Duvergier de Hauranne déclarait à l'Assemblée le 25 septembre 1848 :

« Notre collègue, M. Pierre Leroux, disait, non pas aujourd'hui, mais dernièrement, qu'il n'y avait rien de nouveau dans le projet de constitution. Eh bien, j'en demande pardon à M. Leroux, il n'a pas bien lu la constitution, il y a quelque chose de tout à fait nouveau dans la constitution, c'est le Conseil d'Etat » (rires).

(Ass. nat., séance 25 sept. 1848. C. r. séances Ass. nat., t. IV, p. 272).

Le citoyen Sainte-Beuve était du même avis :

« ... Dans les nombreuses constitutions soit de notre pays, soit des pays étrangers qui ont été si souvent citées à cette tribune dans le cours de la discussion, on n'en trouve pas une seule dans laquelle se rencontre une création analogue, équivalente au Conseil d'Etat que l'on veut, aujourd'hui, introduire comme pouvoir nouveau dans la constitution actuelle ».

(Ass. nat., séance 13 octobre 1848. C. r. séances Ass. nat., t. IV, p. 841).

LES DÉBATS CONSTITUTIONNELS

Il fut beaucoup question du Conseil d'Etat au cours des débats constitutionnels. Les critiques adressées au projet de la commission furent nombreuses et vives et entraînèrent sa modification sur un point essentiel : les articles créant un tribunal administratif supérieur distinct du Conseil d'Etat furent supprimés et le choix de l'organe compétent pour juger le contentieux administratif renvoyé à la loi organique du Conseil d'Etat.

Des orateurs qui intervinrent dans le débat, quelques-uns — une faible minorité — dénoncèrent le danger qu'ils croyaient voir pour le pouvoir exécutif dans le nouvel organe. Ainsi Rouher, à la séance du 27 septembre 1848 :

« (Votre constitution), c'est une déconsidération du pouvoir exécutif. Que voulez-vous qu'en face du monde, en face du pays, en face du suffrage universel qui l'aura constitué, le Président, qui aura vu se briser au milieu des turbulences ou des jalousies d'une assemblée unique la conception de toute sa présidence, que voulez-vous qu'il fasse ensuite ?...

On me dira, on m'a dit : Vous avez le Conseil d'Etat; le Conseil d'Etat est un frein, il remplace la seconde chambre au point de vue politique, il atténue les absorptions tentées par le pouvoir législatif, il maintient dans sa sphère et dans sa force le pouvoir exécutif.

J'en demande pardon à la commission : ou je me trompe fort, ou le Conseil d'Etat est un danger de plus, est un instrument dangereux de plus entre les mains d'une assemblée unique.

Pour bien me faire comprendre, j'ai besoin de résumer en quelques mots l'origine et les pouvoirs du Conseil d'Etat, tels que les détermine la commission.

Il est une émanation de l'Assemblée, il est élu par elle, il est renouvelé partiellement par elle; ses pouvoirs sont administratifs et judiciaires; il surveille et contrôle toutes les administrations publiques; il resserre, dans une liste de candidatures, le pouvoir exécutif pour la formation de la Cour des comptes, pour la formation du tribunal administratif; il a son avis sur la révocation des agents du pouvoir exécutif; il n'est pas jusqu'au droit de grâce qui ne soit placé sous le contrôle et sous la surveillance du Conseil d'Etat. Le pouvoir judiciaire a le droit de juger disciplinairement tous les fonctionnaires publics; il a le droit de juger les ministres eux-mêmes sur le renvoi que prononce l'Assemblée.

Au point de vue de son origine, au point de vue de ses pouvoirs, il viole un des principes de notre constitution, il est trop grand pour son origine.

Eh quoi ! vous créeriez, dans le mécanisme d'une constitution républicaine, un pouvoir aussi multiple, aussi vaste, sans qu'il prît ses racines dans la souveraineté populaire elle-même, sans qu'il empruntât au suffrage universel sa force, son inititative et ses droits ! Je crois qu'à ce point de vue, vous avez trop donné au Conseil d'Etat; avec des attributions aussi larges, ce pouvoir doit être une émanation directe du peuple, et non une émanation au cinquantième degré de l'Assemblée nationale.

Je ne le connais pas seulement au point de vue de son origine, je poursuis ma préoccupation, et je reviens au point de vue de la force ou de la faiblesse qu'il imprime au pouvoir exécutif. Eh bien, émanation de l'Assemblée, il vivra de ses inspirations, il se pénètrera du lieu où il est né, des tendances, de la volonté de l'Assemblée même qui l'aura constitué.

Sous l'empire de cette situation, et lorsque les rapports entre le pouvoir exécutif et le pouvoir législatif seront tendus, forcés, irritants, contiendront en eux-mêmes une de ces causes de révolution ou de cataclysme, le Conseil d'Etat remontera à sa source, il se dévouera à l'Assemblée, et alors il pèsera sur tous les rouages de l'administration, il comprimera le pouvoir exécutif dans tous ses rapports avec lui, dans la formation du tribunal administratif, dans la formation de la Cour des comptes et dans le mode de fonctionnement de tous les agents qu'il contrôle et qu'il surveille.

Ce n'est pas tout, messieurs; j'ai parlé d'une situation tendue, mais il est le pouvoir judiciaire, il est votre œuvre, il est l'émanation, le fruit d'une majorité sage ou ardente, d'une majorité impartiale ou partiale; et on prétend que les majorités sont souvent partiales. Or ne peut-il pas arriver que, lassée des obstacles, des résistances, cette assemblée unique, qui, comme le disait M. Duvergier de Hauranne, aura pour but opiniâtre l'extension de ses limites et de ses pouvoirs, ne pouvant pas atteindre directement le président lui-même, essaie de l'atteindre dans ses ministres ? Or, pour cela, que ferait-elle ?

Elle les renverra disciplinairement devant le Conseil d'Etat aujourd'hui, et nommera les juges demain. Comme si le danger n'était pas assez grand à ce premier point de vue, la commission de constitution n'a pas fixé le maximum du nombre des conseillers d'Etat, de telle sorte que je ne sais si une fournée ne serait pas possible pour déterminer la majorité. Vous avez donc un pouvoir judiciaire, esclave de l'Assemblée, constitué par l'Assemblée elle-même, et devant lequel l'Assemblée peut, à tout instant, à toute heure, renvoyer les ministres qui lui paraissent susceptibles d'être accusés, et les exposer à la privation des fonctions publiques pendant cinq années entières, c'est-à-dire à une peine qui détruit l'avenir de tout homme politique. L'Assemblée le peut aujourd'hui, et demain elle peut nommer les juges en tel nombre qu'il lui conviendra; car, si le minimum est fixé, le maximum, je le répète, est inconnu.

Votre Conseil d'Etat ! mais c'est donc un ouvrage avancé sur le pouvoir exécutif, c'est donc une redoute établie sur le terrain même de ce pouvoir ! Au lieu d'une séparation de pouvoirs, vous avez établi un trait d'union entre les pouvoirs, et un moyen d'absorption par le pouvoir législatif du pouvoir exécutif. Il pourra résister, il pourra faire appel au pays, comme on le disait autrefois; mais alors vous retombez dans les révolutions, et je trouve que notre histoire est assez parsemée de ces tristes souvenirs pour ne pas les mettre en germe dans notre constitution. »

(Ass. nat. séance 27 sept. 1848, C.r. séances Ass. nat., t. IV, p. 305).

La plupart reprochèrent au contraire à la commission d'avoir constitué un organe trop faible pour remplir le rôle de « frein », de « modérateur » qui lui était assigné. Stourm, favorable à la création d'un Conseil d'Etat corps politique, soulignait ainsi les insuffisances de celui que l'on voulait instituer :

« ... Qu'a voulu la commission de constitution ? Si nous consultons l'exposé des motifs, la commission de constitution a eu la pensée de faire du Conseil d'Etat un corps politique.

Si nous consultons au contraire les articles du projet, il semblerait que cette pensée ne s'est pas réalisée, que la commission a hésité devant son œuvre, et qu'elle n'a plus fait du Conseil d'Etat qu'un corps simplement administratif...

L'art. 68 dit : « Il y aura un Conseil d'Etat composé de quarante membres au moins. » Le nombre n'est donc pas fixe, il est variable et mobile comme les lois futures qui le détermineront. C'est l'Assemblée législative qui fera cette détermination ou ces déterminations successives. De sorte que c'est l'Assemblée près de laquelle le Conseil d'Etat est placé, sinon comme un pouvoir modérateur, au moins comme un pouvoir auxillaire et de tempérament, qui règlera comment ce tempérament doit être exercé, suivant son bon plaisir, suivant la nécessité du moment. Ce personnel du Conseil d'Etat est placé ainsi dans la dépendance de l'Assemblée, qui pourra, sous le coup de l'irritation du moment, modifier la majorité du Conseil d'Etat, et faire ce qu'on appelle, en termes consacrés, des fournées de conseillers d'Etat.

Croyez-vous qu'un corps ainsi laissé à l'arbitraire de l'Assemblée, c'est-à-dire à l'arbitraire de la loi essentiellement mobile, soit un corps véritablement politique, qui ait des attributions et des droits indépendants ?

Non, sans doute, le Conseil d'Etat placé près de l'Assemblée comme un tempérament, c'est l'Assemblée elle-même qui règlera comment ce tempérament devra être exercé; car le jour où elle craindra que l'esprit du Conseil d'Etat ne soit pas conforme à ses résolutions, elle pourra changer cet esprit et modifier la majorité en introduisant dans son sein un nombre de membres plus ou moins considérable.

Il y a plus : un article postérieur du projet dit que l'Assemblée, à l'ouverture de chaque législature, nomme les membres du Conseil d'Etat. Vous croyez sans doute que l'Assemblée, lorsqu'elle aura fait ces nominations, aura épuisé son droit ? Il n'en est rien. A toutes les époques de son existence, à tous les moments, l'Assemblée pourra faire intervenir une loi qui augmentera le nombre des membres du Conseil d'Etat, et cette loi intervenant, l'Assemblée reprendra le droit de faire de nouvelles nominations.

Mais continuons. L'article 72 s'exprime ainsi : « Le Conseil d'Etat est consulté sur les projets de lois du Gouvernement, qui, d'après la loi, devront être soumis à son examen préalable. » Le Conseil d'Etat est consulté, voilà le droit politique : l'obligation de consulter le Conseil d'Etat est écrite dans la constitution; mais cette obligation de consulter le Conseil d'Etat est-elle écrite de manière à donner des attributions fixes, déterminées au Conseil d'Etat ? Non. « Le Conseil d'Etat est consulté sur les projets de lois qui, d'après la loi, seront renvoyés à son examen », renvoyés à son examen par une loi essentiellement mobile, par une loi transitoire ! Vous semblez donc donner au Conseil d'Etat un droit, et, à l'instant même, vous le lui retirez, vous dites que le Conseil d'Etat sera consulté, mais consulté sur les projets qui lui seront renvoyés par la loi ? C'est un cercle essentiellement variable, un cercle que les assemblées futures peuvent rétrécir ou agrandir à volonté, qu'elles peuvent même rétrécir de telle manière que cela équivaudra à une véritable annulation du droit. Un pouvoir qui n'a pas des attributions fixes, constitutionnellement écrites dans la loi, un pouvoir qui est soumis aux caprices, aux volontés des assemblées délibérantes, n'est véritablement pas un pouvoir, il n'existera comme pouvoir politique qu'autant qu'il aura des attributions et des droits qui ne pourront pas être révoqués par les assemblées futures : si c'est un rouage politique, on doit écrire dans la loi politique ses attributions; si c'est un pouvoir constitutionnel, la constitution doit fixer ses conditions d'existence.

Si la constitution établit le Conseil d'Etat, ses attributions doivent être écrites dans la constitution; en un mot, si le Conseil d'Etat est un pouvoir politique, il ne doit pas agir sous le bon plaisir de l'Assemblée, il doit agir sous l'autorité même de la constitution.

Plus loin, on ajoute dans ce même article 72 que le Conseil d'Etat sera consulté sur les projets d'initiative parlementaire qui lui seront renvoyés par l'Assemblée.

Ici le droit est encore moins sérieusement établi. Dans le premier cas, il fallait une loi qui eût au moins une certaine durée, un certain caractère de permanence; mais, pour le cas où il s'agit des projets d'initiative parlementaire, ce n'est plus la loi qui détermine les attributions du Conseil d'Etat; c'est l'Assemblée qui prononce sur chaque cas particulier, toutes les fois qu'un projet est soumis par un de ses membres, si ce projet devra être ou non renvoyé au Conseil d'Etat.

Il est évident que le Conseil d'Etat n'a ici aucune attribution et que la constitution ne lui donne aucune espèce de droit, car ce droit pourra lui être retiré dans toutes les occasions, suivant la volonté de l'Assemblée. On croit avoir donné au Conseil d'Etat un caractère supérieur à celui du Conseil d'Etat tel que nous l'avons connu jusqu'à présent. Il me semble qu'on se trompe étrangement et que, loin d'avoir augmenté sa valeur, on l'a sensiblement diminuée.

Il est inférieur au Conseil d'Etat, ou il sera inférieur au Conseil d'Etat actuel et surtout au Conseil d'Etat de l'Empire. Vous ne lui donnez plus ni les appels comme d'abus, ni l'interprétation des lois, ni le droit de mettre en accusation les fonctionnaires, ni les conflits d'attributions; vous lui retirez même le contentieux. Vous avez sans doute raison, dès que vous faites du Conseil d'Etat un pouvoir politique; mais si vous voulez faire du Conseil d'Etat un pouvoir politique, faites-en un pouvoir sérieux, un pouvoir que la constitution définisse, dont les droits soient réglés par la constitution elle-même ».

(*Ass. nat. séance 13 octobre 1848, C.r. séances Ass. nat., t. IV, pp. 842-843*).

La critique prenait un ton plus virulent chez ceux qui, comme Barthe, Sainte-Beuve, Crémieux, regrettaient la disparition du Conseil d'Etat corps administratif. Ils ne se bornaient pas à relever l'insuffisance des pouvoirs de la nouvelle institution, ils prédisaient sa politisation par les choix de l'Assemblée, son incapacité à maintenir un corps de doctrine du fait du renouvellement fréquent de ses membres. Crémieux, après avoir tracé un tableau brillant de l'œuvre du Conseil dans le passé, peignait l'avenir de couleurs tout autres :

« Messieurs, la question des attributions du Conseil d'Etat mérite votre attention, non pas seulement à cause de l'institution que la commission vous propose, mais surtout à cause de l'institution qui existe aujourd'hui et sur laquelle j'appelle votre bienveillance, qui sera en même temps votre justice. Il serait fâcheux, citoyens, que l'on partageât dans cette enceinte des préjugés très-vifs qui ont été répandus contre le Conseil d'Etat tel qu'il existe, et je viens tout exprès appeler aujourd'hui l'attention de l'Assemblée sur l'institution actuelle, pour que l'Assemblée sache bien ce qui restera de cette institution en présence de ce qu'on lui propose, et par conséquent pour qu'elle décide si la proposition actuelle doit être accueillie en présence de ce qui existe...

D'abord, que veut-on faire du Conseil d'Etat ? J'avoue qu'après avoir lu le projet de constitution, je vois qu'on veut en faire tout et qu'on n'en fait rien (Oui ! oui ! — C'est vrai). Je suis dans un embarras étrange; je demande au juste ce qu'a voulu la commission de constitution en donnant ainsi des attributions nouvelles au Conseil d'Etat, en le faisant un établissement tout à fait nouveau. Je sais bien que l'embarras que j'éprouve à définir ce qu'a voulu la commission, elle l'a éprouvé elle-même...

Je le répète, votre Conseil d'Etat ne signifierait rien si vous n'avez pas le projet de substituer le Conseil d'Etat à une seconde chambre qui n'existe plus.

Or, en vérité, c'est lui préparer le plus triste et plus déplorable de tous les rôles. C'est frapper au cœur une institution qui mérite tout votre intérêt, et qui s'en est rendue digne évidemment...

Je suis loin d'avoir tout dit (Parlez ! parlez !); seulement la mine serait inépuisable; souvenez-vous de ceci : c'est qu'au moment où vous allez porter sur le Conseil d'Etat la main qui va le détruire ou l'édifier, vous ferez un des plus grands actes qui puissent être soumis à votre appréciation. Le Conseil d'Etat a fait longtemps partie de la législature du pays. Il était considéré même comme passant avant le Corps législatif. Aujourd'hui que vous avez à le mettre dans des limites convenables, que vous avez à faire bien moins un corps politique qu'un corps savant dans les lois et l'administration, aidant l'Assemblée dans la confection des lois comme le gouvernement dans les actes administratifs, et soutenant les citoyens dans les luttes avec le gouvernement; aujourd'hui, je vous le demande, citoyens, réfléchissez bien et ne prononcez qu'après avoir étudié cette question importante. Souvenez-vous qu'elle se rattache par tous les points à ce qu'il y a de plus solennel dans la constitution qui vous est soumise. (Marques nombreuses d'approbation) ».

(Ass. nat. Séance 13 octobre 1848, C.r. séances Ass. nat., t. IV, pp. 849-851).

Ces attaques n'entamèrent pas pour l'essentiel le projet de constitution qui avait, en ce qui concerne le Conseil d'Etat, la force des compromis nécessaires. Elles entraînèrent cependant deux modifications importantes : l'Assemblée se vit retirer le droit de citer les ministres, en cas de mise en jeu de leur responsabilité, devant le Conseil d'Etat; l'idée de créer un tribunal administratif supérieur fût abandonnée et la solution du problème du contentieux administratif renvoyée à la loi organique. C'est sur ce dernier point que les critiques adressées au projet avaient été les plus nombreuses et les plus vives. Barthe déclarait à la séance du 13 octobre 1848 :

« ... Depuis que le Conseil d'Etat a été fondé, on a reconnu, malgré toutes les objections élevées contre sa juridiction, que, dans l'intérêt de l'administration, pour maintenir l'harmonie dans les principes qui doivent la guider, il importait que les décisions relatives au contentieux fussent rendues par des hommes qui étaient attachés directement à l'administration. Ce n'est pas sans quelque crainte que je vois enlever au Conseil d'Etat la connaissance du contentieux. Le Conseil d'Etat devrait être composé d'hommes qui ont acquis une grande expérience, qui sont devenus de véritables spécialistes en passant par les fonctions administratives supérieures... »

(Ass. nat. séance 13 octobre 1848. C.r. séances Ass. nat., t. IV p. 845).

Crémieux concluait le même jour son intervention dans le même sens :

« ... Veuillez m'entendre sur ce point : le Conseil d'Etat juge le contentieux de l'administration, il le juge en dernier ressort. Qu'est-ce qu'on vient vous proposer ? De mettre à côté du Conseil d'Etat un tribunal supérieur qui ne sera pas le Conseil d'Etat, et qui jugera le contentieux administratif. J'avais donc raison de dire tout à l'heure que nous ne savons plus quelles sont les attributions de votre Conseil d'Etat; car voilà une de ses attributions les plus importantes actuellement qu'on lui enlève aujourd'hui, et qu'on lui enlève en mettent à côté de lui un autre corps qui vient les prendre pour lui-même. Il n'est donc pas le tribunal administratif; vous lui enlevez le contentieux de l'administration, et quand vous lui enlevez le contentieux de l'administration, non-seulement vous êtes injustes envers le Conseil d'Etat actuel, mais en plaçant une seconde juridiction à côté de la juridiction qui existe, vous jetez le trouble dans ce qui a existé jusque aujourd'hui (Mouvements en sens divers. — Longue interruption). »

(Ass. nat. séance 13 octobre 1848. C.r. séances Ass. nat., t. IV, p. 850).

Le lendemain Crémieux, Creton et Combarel de Leyval proposaient l'amendement suivant :

« Il (le Conseil d'Etat) prononce, en dernier ressort, comme tribunal administratif supérieur, sur tout le contentieux de l'administration ».

Vivien demanda — et obtint — le rejet de l'amendement, mais en des termes qui n'engageaient pas l'avenir :

« La commission avait proposé, par les articles 87, 88 et 89, d'organiser des tribunaux administratifs chargés du contentieux de l'administration. Des observations très graves nous ont été faites; la commission ne renonce pas aux idées qu'elle avait exprimées, mais elle reconnaît que les idées doivent être plutôt la matière de lois à intervenir que le sujet d'un article de la constitution. Elle demande à la fois à l'Assemblée de ne pas adopter les amendements qui lui ont été proposés, et de retirer de la constitution les articles 87, 88 et 89. De sorte que la loi à intervenir règlera le mode de décision du contentieux administratif, et que toutes les contestations auxquelles ces questions peuvent donner lieu seront reportées à la discussion de cette loi. »

(Ass. nat. séance 14 octobre 1848. C.r. séances Ass. nat., t. IV, p. 869).

LA LOI ORGANIQUE DU 9 MARS 1849

L'article 115 de la constitution du 4 novembre 1848 disposait :

« Après le vote de la Constitution il sera procédé par l'Assemblée nationale constituante, à la rédaction des lois organiques dont l'énumération sera déterminée par une loi spéciale ».

La loi du 9 décembre 1848 comprit au nombre de ces lois organiques la loi sur le Conseil d'Etat. Elle fut préparée par une commission de quinze membres, dont Vivien était le rapporteur. Le projet, déposé devant l'Assemblée le 1er janvier 1849, y fit l'objet de trois délibérations successives : les 15 janvier (première délibération), 23, 24, 25, 26 et 27 janvier (2e délibération), les 1er, 2 et 3 mars 1849 (3e délibération). Il fut voté par 524 voix contre 219 le 3 mars 1849.

Entre temps, en application d'une décision prise par elle le 28 octobre 1848, l'Assemblée avait élu dans ses bureaux le 9 décembre suivant trente de ses membres qui devaient former « la commission faisant fonction provisoire du Conseil d'Etat », c'est-à-dire chargée d'exercer, à côté de l'ancien Conseil d'Etat qui demeurait en fonction jusqu'à l'installation de son successeur, les pouvoirs nouveaux que la Constitution conférait à ce dernier (droit de grâce, révocation des maires, dissolution des conseils généraux et municipaux, pouvoir disciplinaire à l'égard des agents publics etc.).

L'Assemblée nationale n'avait pas suivi ceux de ses membres qui désiraient que la constitution se borne à poser le principe de l'existence d'un Conseil d'Etat et renvoie tout le reste à la loi organique. La Constitution fixa l'essentiel. Plusieurs questions demeuraient cependant ouvertes : l'étendue et les modalités d'exercice de la fonction législative du Conseil, l'organisation du corps, le contentieux administratif. Vivien commenta les solutions proposées sur ces divers points par la commission dans un long et remarquable rapport qu'il concluait ainsi :

> « Pour constituer le Conseil d'Etat de la République, nous nous sommes inspirés de l'esprit de la Constitution, nous avons interrogé le passé et demandé à l'expérience tout ce qui était compatible avec nos institutions nouvelles ».
>
> *(Rapport Vivien, Ass. nat., C.r. séances Ass. nat. Annexe séance 10 janvier 1849, t. VII, p. 154).*

Les débats qui suivirent révélèrent chez de nombreux députés le même souci de maintenir dans le nouveau corps une bonne part des principes d'organisation et de fonctionnement — et avec eux, de l'esprit — du précédent Conseil d'Etat. D'autre part l'examen du problème du contentieux administratif donna lieu à une ample débat qui mit en pleine lumière les appréhensions de beaucoup devant la substitution de la justice déléguée à la justice retenue.

Les traditions maintenues.

Certains députés auraient voulu que le nouveau Conseil ressemblât en tout à l'ancien dans son organisation, sinon dans ses attributions. Tel Béchard, avocat aux Conseils, qui réclamait « le maintien du double principe de l'unité d'organisation du Conseil d'Etat et de sa subordination au pouvoir exécutif », tout en critiquant le projet de la Commission :

> « Ce n'est pas seulement dans les attributions souveraines de la section du contentieux que je trouve le vice le plus essentiel de la loi; il réside, à mon avis, dans l'organisation du personnel des sections et de l'assemblée générale. Ainsi quarante-huit conseillers sont créés par le projet, tandis que le Conseil d'Etat de l'Empire n'avait que vingt-sept membres. On institue un commissaire général de la République qu'on nous présente comme l'organe du Conseil d'Etat devant l'Assemblée et l'organe de l'Assemblée devant le Conseil d'Etat et qui ne sera, en réalité, que le rival du garde des sceaux et peut-être celui du vice-président de la République sur lequel il aura l'avantage de pouvoir être à la fois membre de l'Assemblée nationale et membre du Conseil d'Etat.

Les maîtres des requêtes sont nommés, à la vérité, par le Président de la République et peuvent être révoqués par lui, mais sur une liste ou de l'avis des présidents de section.

Ils ont voix consultative seulement dans les affaires où ils font le rapport.

Les auditeurs, ce n'est plus le Gouvernement qui les nomme; ils sont nommés au concours et présentés aux candidatures par les présidents de section; ils ne sont pas chargés des rapports et ils n'ont jamais voix consultative.

Les présidents de section, qui exercent une infuence si décisive sur les délibérations, sont nommés sans aucune intervention du chef de l'Etat. Le président de la République n'a pas même le pouvoir de désigner des conseillers d'Etat et des maîtres des requêtes pour défendre devant l'Assemblée les projets de loi qu'il lui présente... »

(Ass. nat. séance 23 janvier 1849. C.r. séances Ass. nat., t. VII, p. 389).

Critiques auxquelles il était aisé de répondre que la plupart de ces nouveautés étaient imposées par la Constitution elle-même et que la commission avait conservé de l'organisation de l'ancien Conseil tout ce qui pouvait l'être.

Et tout d'abord la structure hiérarchique du corps avec les maîtres des requêtes et auditeurs, qualifiés dans le rapport de Vivien de « fonctionnaires attachés au Conseil d'Etat ». La commission, puis l'Assemblée les conservèrent malgré les objections de certains et tinrent à leur attribuer voix consultative dans les délibérations :

« Qu'avons nous trouvé dans la constitution, interrogeait M. de Parieu, membre de la commission ? Nous y avons trouvé que les membres du Conseil d'Etat sont nommés par l'Assemblée nationale. Il y a, messieurs, quelque chose de précis, de positif dans ce texte, et je puis même dire que les scrupules d'un ou deux membres de la commission allaient jusqu'à se demander si, en présence de ce texte formel, les membres attachés au Conseil d'Etat, tels que les maîtres des requêtes et auditeurs, qui ne sont pas nommés par l'Assemblée nationale, pourraient être maintenus dans notre projet. A cet égard, nous n'avons pas été arrêtés par l'objection, nous avons tranché la question en ce sens qu'ils pouvaient y être rattachés, mais sans en faire essentiellement partie ».

(Ass. nat. séance 25 janvier 1849. C.r. séances Ass. nat., t. VII, p. 435).

La Constitution ne permettait pas de maintenir le service extraordinaire. Un substitut partiel lui fut trouvé dans la faculté reconnue par l'article 52 au Conseil d'Etat et à ses sections de législation et d'administration :

« d'appeler à assister à leurs délibérations et à y prendre part avec voix consultative les membres de l'Institut et d'autres corps savants, les magistrats, les administrateurs et tous autres citoyens qui leur paraîtraient pouvoir éclairer les délibérations par leurs connaissances spéciales ».

Le nouveau Conseil avait été divisé en trois sections : une section de législation, une section d'administration, une section du contentieux. De nombreux députés ayant exprimé leur crainte de voir rompre, si cette division avait un caractère trop strict, l'unité assurée traditionnellement au Conseil par l'assemblée générale du corps et les roulements entre sections, Vivien leur rappela que le texte renvoyait ou permettait le renvoi par le règlement intérieur à l'assemblée générale des questions importantes, et que d'autre part les membres d'une section n'étaient pas attachés à celle-ci à demeure.

La tradition du Conseil d'Etat ne provenait pas seulement de certaines règles d'organisation et de fonctionnement. Elle était faite aussi d'un esprit, d'un style de travail et d'un mode d'activité de ses membres, dont Boulatignier tint à rappeler l'importance en relevant un propos de Vivien qui avait déclaré :

« Ainsi avec les réunions des comités, avec les réunions des assemblées générales, les membres du Conseil d'Etat ne se réunissent pas seulement deux ou trois fois par semaine; ils devront se réunir, et je désire qu'il en soit ainsi, ils devront se réunir, comme l'Assemblée nationale, tous les jours de la semaine ».

(Ass. nat. séance 1er mars 1849 C.r. séances Ass. nat., t. VIII, p. 320).

Boulatignier lui répliqua :

« Messieurs, je demande à l'Assemblée la permission de rétablir en quelque sorte les fonctions des conseillers d'Etat sur leur véritable terrain. Pour mon compte, je dédaigne un peu les calculs de dossiers qu'on est venu débattre à cette tribune, et j'ajoute qu'on a eu soin de prendre pour ces calculs le Conseil d'Etat en 1848, c'est-à-dire dans une situation où ce conseil, par suite de l'interruption générale du mouvement administratif, a vu diminuer considérablement l'activité de ses travaux...

Qu'est-ce donc, messieurs, que les fonctions d'un conseiller d'Etat ? Et avant tout quelle est la nature des travaux du Conseil d'Etat lui-même ? Est-ce que, par hasard, les membres du Conseil d'Etat se rendent au lieu des séances pour s'y distribuer les dossiers enregistrés au secrétariat général et procéder à leur examen ?

Non, messieurs; lorsque les membres du Conseil d'Etat viennent à ce Conseil, ils s'y trouvent en présence de rapporteurs qui tous ont examiné en particulier les affaires dont le rapport leur a été confié, et qui même ont préparé un projet de décision pour le soumettre à la délibération des conseillers d'Etat. Quelle est alors l'œuvre de ces conseillers, s'ils sont dignes de ce nom ? Il faut qu'après chacun des rapports qui leur sont soumis sur des affaires dont ils ignorent souvent le titre et presque toujours la véritable portée, ils soient en état de donner immédiatement une solution.

Or un conseiller d'Etat peut-il satisfaire à cette condition, s'il consume son temps dans l'examen des dossiers ? Non, messieurs; on aurait ainsi des hommes qui ne sauraient que quelques affaires et qui ne seraient pas au niveau de leurs fonctions. Cette opinion n'est pas suspecte dans ma bouche : j'ai l'avantage de l'avoir professée alors que je n'avais pas l'honneur d'être conseiller d'Etat et où je ne pouvais paraître intéressé à m'exonérer d'une partie des rapports, en les rejetant sur les conseillers d'Etat. Lorsque j'étais simple maître des requêtes, j'ai dit et imprimé que les conseillers d'Etat ne devaient pas être habituellement chargés des rapports, qu'ils ne devaient l'être qu'accidentellement. Il faut, en effet, je le répète, que les conseillers d'Etat puissent dans leur cabinet, en dehors des séances du Conseil, se tenir au courant des travaux de l'Assemblée nationale d'abord, puis des écrits des publicistes et des économistes, et enfin des travaux judiciaires, et notamment de la jurisprudence de la Cour de cassation. Ce n'est pas tout : il faut encore qu'il suivent le mouvement sans cesse progressif des services publics qui se développent et se transforment avec la civilisation; c'est à ces conditions qu'ils peuvent être en état, non pas d'examiner tel dossier, mais de donner, séance tenante, une solution immédiate quelquefois sur près de cent affaires dans une seule séance. Voilà quelle est l'œuvre ordinaire d'un conseiller d'Etat...

Je voudrais indiquer encore un autre point très important.

La politique, dans ce pays, tient de bien près à l'administration; et la bonne administration, je le déclare très humblement, est, à mon sens, de la très bonne politique. (C'est vrai !).

Eh bien, si cela est vrai, ne pensez-vous pas que le Gouvernement ferait un emploi utile des conseillers d'Etat, s'il les envoyait, de temps en temps, sur différents points du royaume. (Rires — Quelques voix : De la République !)

— Le citoyen Boulatignier : Oui, de la République. La bienveillance de l'Assemblée me trouble plus qu'elle ne m'inspire; et voilà pourquoi il m'arrive quelquefois de prononcer à cette tribune des mots que je ne voudrais pas employer.

Je dis donc, messieurs, qu'il me paraît que le Gouvernement ferait un judicieux emploi des membres du Conseil d'Etat, s'il les employait à des inspections administratives. Ces missions aussi ont, non-seulement au point de vue de la bonne administration de nos départements, mais au point de vue du Gouvernement lui-même, un avantage éminemment politique que je désire vous signaler.

Le Conseil d'Etat, tel que la constitution l'a fait, effraye beaucoup de personnes qui craignent un antagonisme entre ce Conseil et le pouvoir exécutif proprement dit. Il y aurait, selon moi, un excellent moyen de prévenir cet antagonisme honorablement pour tout le monde. Ce serait de mêler les conseillers sur les lieux mêmes au mouvement de l'action administrative. Je ne crains pas de le dire, les hommes qui auraient vu sur tout le territoire de la République les diverses administrations aux prises avec les difficultés de la pratique, rapporteraient au sein du Conseil d'Etat quelque chose de moins absolu dans l'esprit et seraient plus disposés à condescendre aux nécessités de l'administration active, à approprier leurs décisions à ces nécessités.

Je me résume et je dis : indépendamment de la suppression du service extraordinaire, indépendamment de la réduction du personnel des maîtres des requêtes, indépendamment de la réduction plus considérable encore du personnel des auditeurs, indépendamment des attributions nouvelles que vous avez données au Conseil d'Etat, ne perdez pas de vue ceci : si vous voulez avoir des conseillers d'Etat qui, sans être précisément des hommes politiques, soient des administrateurs éclairés, d'un esprit élevé, familiers avec les matières de gouvernement, des hommes dignes de diriger les services administratifs d'un grand pays comme la France, il ne faut pas en faire, passez-moi le mot, des paperassiers, des hommes qui consument leur vie dans l'étude des dossiers; à mon sens, ce serait méconnaître complètement l'importance des fonctions des conseillers d'Etat ».

(Ass. nat. séance 1er mars 1849. C.r. séances Ass. nat., t. VIII, pp. 320-sq).

Le contentieux administratif et les périls de la justice déléguée.

Ni le maintien au Conseil d'Etat du jugement du contentieux administratif, ni la substitution de la justice déléguée à la justice retenue ne soulevèrent de sérieuses oppositions au sein de l'Assemblée. Les discours de Raudot et de Béchard réclamant le premier la suppression du contentieux administratif, le second le maintien de la justice retenue n'y trouvèrent guère d'écho. Parieu exprimait l'opinion de la grande majorité de l'Assemblée lorsque, après avoir indiqué les raisons du maintien d'une justice administrative et de l'attribution de celle-ci en dernier ressort au Conseil d'Etat lui-même et non pas à un Tribunal administratif supérieur distinct, comme le prévoyait le projet initial de constitution, il justifiait ainsi l'abandon de la justice retenue :

« Maintenant, cette juridiction administrative devait-elle être ce qu'elle a été jusqu'à présent, ou bien devait-elle être une juridiction propre ?

Ici de courtes explications sont peut-être nécessaires pour que la question soit parfaitement claire.

Jusqu'à présent, le Conseil d'Etat est une sorte de juridiction du contentieux administratif, mais une juridiction imparfaite et à laquelle on refusait le titre de juridiction propre. En définitive, ce sont à peu près des jugements que le Conseil d'Etat porte sur ce qu'on appelle le contentieux administratif; mais, dans la rigueur du droit, ce ne sont que des avis soumis aux ministres, et dont le ministre compétent, ou, d'après la loi de 1845, le conseil des ministres peut, absolument parlant, s'écarter; de sorte que le Conseil d'Etat n'est, en quelque façon que l'auxiliaire et l'instrument du pouvoir ministériel; il ne statue pas comme juge, mais comme conseil; il donne un simple préjugé qui doit être homologué par le ministre.

Voilà la position actuelle, et je n'ai pas besoin de vous dire qu'une situation semblable, qui consacre en quelque sorte la justice en fait et l'arbitraire en droit, qu'une situation semblable a été depuis longtemps l'objet de vives réclamations.

En effet, ou l'on reconnaît un droit à proclamer en matière de contentieux administratif, ou l'on n'en reconnaît pas Si le contentieux administratif embrasse l'ensemble des réclamations formulées par les citoyens à l'égard de l'action de l'administration, lorsque l'administration se trouve en présence d'une loi ou d'un contrat, alors évidemment il y a en cette matière des droits à appliquer et à dégager. S'il s'agit d'un contrat, il faut bien confirmer la volonté sacrée des parties, même lorsque l'Etat est une partie contractante, et, s'il s'agit d'une loi invoquée, c'est encore un droit qu'il faut dégager, qu'il faut faire triompher.

Eh bien, les principes les plus élémentaires de la justice, ce sentiment qui est au fond de chacun de nous disent que tout droit doit avoir une sanction positive, précise.

Dans l'état actuel des choses, avec une juridiction que le Conseil d'Etat n'exerce que par voie de conseil, où est la garantie ? Est-elle dans une décision émanant de la conscience d'un juge ? Non, car le ministre peut en droit modifier l'avis émis par le Conseil d'Etat, et il y en a eu un petit nombre d'exemples qui sont restés peu avantageusement dans le souvenir des hommes qui veulent avant tout la justice !... Où est donc la sanction ?

Elle est dans la responsabilité ministérielle, elle n'est pas ailleurs. Eh bien, est-ce que c'est là une sanction sérieuse ?

Est-ce que vous voulez laisser le pouvoir ministériel arbitre souverain de ces six cents affaires administratives qui se déroulent tous les ans devant le Conseil d'Etat ? Est-ce que vous voulez que la sanction ministérielle soit la seule garantie dans ces matières si nombreuses et si multipliées, dans lesquelles il est vrai de dire que l'intervention, l'examen ministériel ne peuvent avoir lieu d'une manière efficace. On l'a dit avec raison, la sanction ministérielle est ici un vain mot, c'est une garantie illusoire; car jamais vous n'admettriez qu'on pût saisir une assemblée, un pouvoir législatif, par voie d'interpellations ou autrement, d'une réclamation contre un ministre qui aurait mal jugé une question de grande ou de petite voirie, une question de pension, etc. Cela est impossible. La sanction ministérielle n'est donc pas une sanction sérieuse en ces matières, parce que personne ne peut songer à l'invoquer. Il doit, par conséquent, y avoir un jugement véritable, il doit y avoir une juridiction propre; sinon les droits des citoyens ne seront pas complètement garantis et la sanction des droits sera à découvert. C'est pour ces raisons que nous avons jugé convenable que le Conseil d'Etat qui déjà, en fait, est le juge à peu près souverain de ces contestations si nombreuses, ait aussi la souveraineté de jugement et de droit. Nous avons voulu faire cesser cette espèce de divorce entre le fait et le droit, et nous avons cru pouvoir le faire sans danger. »

(Ass. nat. séance 23 janvier 1844. C.r. séances Ass. nat., t. VII, p. 393).

La conviction ainsi exprimée par M. de Parieu que la justice déléguée pouvait être établie sans danger n'était pas partagée par tous. Bien au contraire, au moment où ils allaient la substituer à la justice retenue, beaucoup des membres de l'Assemblée qui, sous la Monarchie de juillet, avaient réclamé, dans les rangs de l'opposition libérale, l'abandon de cette prérogative de l'exécutif, se sentaient comme saisis d'effroi devant une réforme qui leur apparaissait soudain chargée de périls. N'allait-on pas dresser en face du gouvernement responsable un juge plus puissant que lui, qui pourrait entreprendre sur le domaine de « l'administration pure », c'est-à-dire souvent de la politique. O. Barrot, ministre de la justice, monta plusieurs fois à la tribune pour mettre l'Assemblée en garde :

« Je ne me suis point élevé contre cette disposition (1); elle est conforme à une opinion que j'ai essayé de faire prévaloir dans les autres chambres.

Oui, là où il y a contentieux sur un droit écrit dans la loi, il n'y a pas d'appréciation arbitraire; il y a jugement, et c'est un tribunal qui prononce sur le droit.

Mais prenez garde ! de ce que vous n'avez pas réservé à l'administration le droit de donner ou de refuser sa sanction au jugement du tribunal administratif, que peut-il résulter ? C'est que toute l'administration, dans ce qu'elle a de plus essentiellement administratif, pour ce qui engage le plus profondément la responsabilité de l'administration, peut se trouver compromise par un jugement du contentieux; c'est qu'il peut dépendre d'un tribunal administratif, en qualifiant de contentieux ce qui serait purement adminis-

(1) La disposition instituant la justice déléguée.

tratif, de mettre la main sur l'administration, sans qu'il y ait aucun recours possible.

C'est cette situation qui est grave. Quand il ne s'agit que d'un débat entre la compétence judiciaire et la compétence administrative, sur une question quelquefois d'un intérêt purement privé... eh bien, quelles sont les garanties que vous donnez dans ce cas-là ? Elles sont graves. Vous avez constitué une commission des conflits, dans laquelle sont représentés également et la plus haute juridiction appartenant à l'ordre judiciaire et le Conseil d'Etat, le tout présidé par le ministre de la justice, qui peut faire pencher la balance selon l'appréciation du droit. C'est là une belle institution, qui est aussi une garantie pour ces grandes questions de la distribution des pouvoirs et des compétences.

Mais quand la question ne s'engage plus entre l'autorité judiciaire et l'autorité administrative, mais qu'elle s'engage entre le contentieux administratif et l'administration pure, il s'agit de savoir si, pour tel acte qui engage sa responsabilité, le gouvernement conservera la liberté même qui est toujours la condition de la responsabilité.

Il n'y a pas de responsabilité possible là où il n'y a pas la liberté. Eh bien, voilà un comité du contentieux indépendant du pouvoir, qui a le dernier mot, le dernier mot en matière de jugement administratif, et qui fait rentrer dans son droit de décision souveraine des actes de pure administration, c'est-à-dire que vous transportez ainsi à un tribunal administratif indépendant du pouvoir, quoi ? tout le gouvernement du pays, le droit de mettre la main sur tous les actes de l'administration. Sous l'ancienne législation, le danger disparaissait; soit ! car c'était au pouvoir lui-même qu'appartenait le dernier mot dans ces matières; c'était lui qui pouvait revendiquer un acte de pure administration qui se serait égaré dans une instruction et dans un jugement au contentieux. Ici il n'y a aucun moyen de revendiquer un pareil acte qui s'égarerait au contentieux, de le revendiquer en vertu de son droit, de le revendiquer au moins devant un tribunal supérieur dans lequel il trouverait des garanties; c'est la subordination la plus complète des droits du pouvoir exécutif et de l'administration pure au contentieux administratif.

Je supplie l'Assemblée de vouloir bien prendre en considération les questions qui, comme celle-ci, engagent à un très haut degré la distinction entre les pouvoirs. Je le répète, le pouvoir exécutif, dans tout ce qui est de pure administration, doit être libre, car il est toujours responsable. Si des actes de pure administration peuvent, sans garantie, être ainsi attribués à la décision souveraine et immodifiable d'une portion du Conseil d'Etat, toute garantie disparaît, et la distinction entre les pouvoirs établis est absolument détruite (1) »

(Ass. nat. séance 26 janvier 1849. C.r. séances Ass. nat., pp. 474-475).

La Commission avait été consciente de ce danger et elle avait cherché à y parer d'une double manière : en plaçant auprès du Conseil d'Etat, sous le nom de Commissaire général de la République, un ministère public nommé par le Gouvernement; en permettant à celui-ci de déférer au Conseil d'Etat en assemblée générale les décisions de la

(1) Les craintes de O. Barrot étaient dues en partie au fait que la justice, en même temps qu'elle était déléguée, était confiée à un corps élu par l'Assemblée et qui ne dépendait pas de l'éxécutif.

section du contentieux contenant excès de pouvoir ou violation de la loi et de revendiquer devant la même assemblée les affaires portées devant cette section qui n'appartiendraient pas au contentieux administratif.

Vivien dans son rapport commentait ainsi l'institution du Commissaire général de la République :

> « Les conseillers d'Etat sont l'intelligence, la pensée, la volonté du corps qu'ils composent. Ils délibèrent et prennent des résolutions, ils sont le Conseil d'Etat même. Auprès d'eux doivent se trouver d'autres fonctionnaires chargés soit d'établir des rapports entre eux et le pouvoir exécutif, soit de les seconder dans leur travaux.
>
> Un magistrat, choisi par le Président de la République, répondra au premier de ces besoins, avec le titre de commissaire général. Il aura pour auxiliaires trois maîtres des requêtes et trois auditeurs. Requérir au nom de l'Etat dans les affaires contentieuses, présenter des observations dans toutes les autres, correspondre avec les fonctionnaires et magistrats sur tous les objets soumis au Conseil d'Etat, veiller à l'observation des formes, au respect de la loi, représenter le pouvoir exécutif dont il est la seule expression dans une compagnie que l'Assemblée nationale élit, telles sont ses fonctions, et il suffit de les retracer pour en faire comprendre toute l'importance.
>
> Au Commissaire général de la République est accordée une prérogative spéciale. Il peut faire partie de l'Assemblée nationale. Quand il réunira ce double caractère, il sera au besoin dans le sein de l'Assemblée l'organe du Conseil d'Etat, dans le sein du Conseil d'Etat l'organe de l'Assemblée. Tenant au pouvoir exécutif par son origine, au pouvoir législatif par son titre parlementaire, au Conseil d'Etat par ses fonctions, il sera comme l'anneau destiné à les rapprocher et à les unir. »
>
> *(Rapport Vivien, Ass. nat. C.r. séances Ass. nat. Annexe séances 10 janvier 1849, p. 149).*

L'institution de ce commissaire général fut fraîchement accueillie par l'Assemblée; plusieurs orateurs en dénoncèrent l'inutilité : les ministres ne sont-ils pas les organes naturels du Gouvernement devant le Conseil d'Etat où ils ont entrée ? — et le caractère ambigu : membre de l'Assemblée nationale, ce commissaire général ne risque-t-il pas d'être un personnage politique, et même un homme de parti ?

La Commission n'insista pas et le Commissaire général fut supprimé.

Elle défendit avec plus de vigueur la disposition de son projet prévoyant que le Gouvernement pourrait déférer à l'assemblée générale du Conseil d'Etat les décisions de la section du contentieux contenant excès de pouvoir ou violation de la loi et revendiquer devant elle les affaires qui n'appartiendraient pas au contentieux administratif. L'assemblée générale parut à beaucoup un censeur suspect. La Commission, dont le Gouvernement appuya les vues, proposa de faire du conseil des ministres le juge des conflits qui pourraient s'élever entre le pouvoir exécutif et la section du contentieux au sujet des affaires que le premier estimerait ne pas appartenir au contentieux administratif. Au terme d'un long débat, l'Assemblée rejeta ces propositions et décida que le Tribunal des Conflits serait juge dans tous les cas de ces difficultés.

Cour des

Ruines du Palais d'Orsay incendié par la Commune de Paris en 1871.

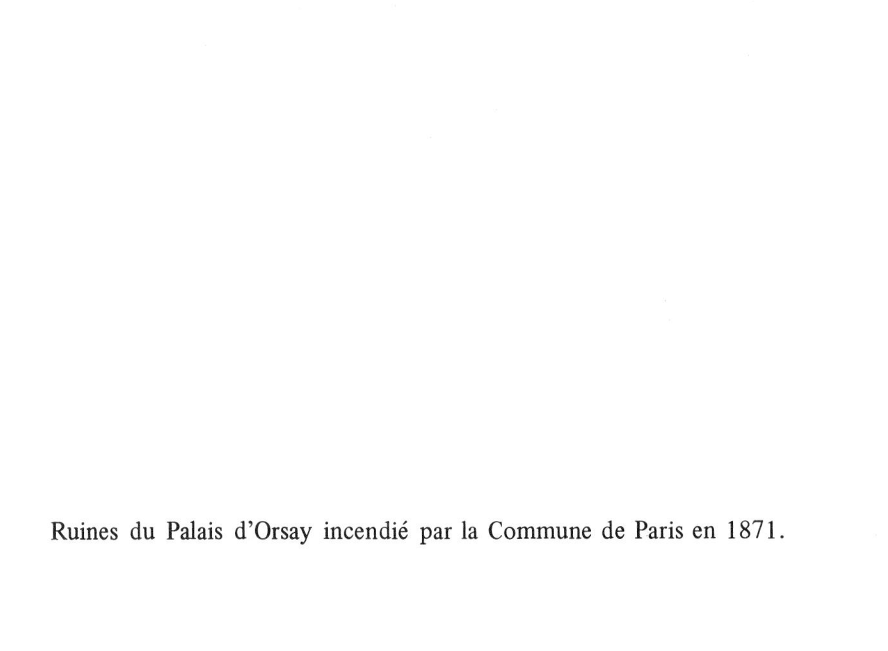

ANNEXE. — LOI DU 3 MARS 1849
(dispositions principales)

TITRE 1er
FONCTIONS DU CONSEIL D'ETAT

Art. 1er. Le Conseil d'Etat est consulté sur tous les projets de loi du gouvernement.

Néanmoins, le gouvernement pourra se dispenser de consulter le Conseil d'Etat sur les projets de loi suivants :

1°) Les projets de loi portant fixation du budget des recettes et des dépenses de chaque exercice;

2°) Les projets de loi de crédits supplémentaires, complémentaires et extraordinaires;

3°) Les projets de loi portant règlement définitif du budget de chaque exercice;

4°) Les projets de loi portant fixation du contingent annuel de l'armée et appel des classes;

5°) Les projets de loi portant ratification de traités et conventions diplomatiques;

6°) Les projets de loi d'urgence.

L'Assemblée nationale renverra à l'examen du Conseil d'Etat les projets qui ne rentreraient point dans les catégories précédentes, et dont elle aurait été saisie par le gouvernement sans que le Conseil d'Etat eût été consulté.

2. Le Conseil d'Etat donne son avis sur les projets de loi émanant, soit de l'initiative parlementaire, soit du gouvernement, que l'Assemblée nationale juge à propos de lui renvoyer.

3. Le Conseil d'Etat prépare et rédige des projets de loi sur les matières pour lesquelles le gouvernement réclame son initiative.

Il donne son avis sur les projets d'initiative parlementaire, à l'égard desquels il est consulté par le gouvernement.

4. Le Conseil d'Etat fait, sur le renvoi de l'Assemblée nationale, les règlements d'administration publique à l'égard desquels il a reçu la délégation spéciale énoncée en l'art. 75 de la Constitution.

Seront seules considérées comme contenant cette délégation, les lois portant expressément que le Conseil d'Etat fera un règlement d'administration publique pour en assurer l'exécution.

Il prépare, sur le renvoi du gouvernement, tous les autres règlements d'administration publique.

5. Le Conseil d'Etat résout, sur la demande des ministres, les difficultés qui s'élèvent entre eux :

1°) Relativement aux attributions qu'ils tiennent respectivement des lois.

2°) Relativement à l'application des lois.

Il donne son avis sur toutes les questions qui lui sont soumises par le président de la République et par les ministres.

Il exerce, à l'égard des administrations publiques, les pouvoirs de contrôle et de surveillance qui lui sont conférés par les lois.

6. Le Conseil d'Etat statue en dernier ressort sur le contentieux administratif.

7. Il donne son avis dans les cas déterminés par les art. 55, 65 et 80 de la Constitution.

8. Il apprécie, conformément à l'art. 99 de la Constitution, les actes des fonctionnaires dont l'examen lui est déféré.

9. Il exerce, en outre, jusqu'à ce qu'il en soit autrement ordonné, les diverses attributions qui appartenaient au Conseil d'Etat en vertu des lois antérieures.

TITRE II
COMPOSITION DU CONSEIL D'ETAT

10. Le Conseil d'Etat se compose,

1°) Du vice-président de la République, président;

2°) De quarante conseillers d'Etat.

11. Avant de procéder à l'élection des membres du Conseil d'Etat, dans le cas de l'art. 72 de la Constitution, l'Assemblée nationale charge une commission, formée de deux membres élus par chaque bureau, de lui proposer une liste de candidatures.

Cette liste contient un nombre de candidats égal à celui des conseillers d'Etat à élire, avec moitié en sus; elle est dressée par ordre alphabétique.

12. L'élection ne peut avoir lieu que trois jours au moins après la distribution et la publication de la liste.

Le choix de l'Assemblée peut porter sur des candidats qui ne sont point proposés par la commission.

13. Lors de la première formation du Conseil d'Etat et des renouvellements qui auront lieu ultérieurement en exécution de l'art. 72 de la Constitution, la moitié au plus des conseillers d'Etat pourront être élus parmi les membres de l'Assemblée nationale qui fera l'élection.

14. En cas de vacance, par décès ou démission d'un conseiller d'Etat, ou par toute autre cause, l'Assemblée nationale procède, dans le mois, à l'élection d'un nouveau membre.

15. Les fonctions dans le Conseil d'Etat sont incompatibles avec tout autre emploi salarié.

TITRE III
DES FONCTIONNAIRES ATTACHES AU CONSEIL D'ETAT

16. Il y a auprès du Conseil d'Etat :

Vingt-quatre maîtres des requêtes;

Vingt-quatre auditeurs;

Un secrétaire général;

Un secrétaire du contentieux.

§ 1er. *Des maîtres des requêtes*

17. Les maîtres des requêtes sont nommés par le président de la République, sur une liste de présentation, double en nombre, dressée par le président et les présidents de section.

Ils doivent être âgés de vingt-cinq ans au moins.

18. Ils peuvent être révoqués par le président de la République, sur la proposition du président du Conseil d'Etat et des présidents de section, par lesquels ils sont préalablement entendus.

19. Les maîtres des requêtes sont chargés, concurremment avec les conseillers d'Etat, du rapport des affaires; ils ont voix consultative.

§ 2. *Des auditeurs*

20. Les auditeurs sont nommés au concours, dans les formes et suivant les conditions qui seront déterminées par un règlement d'administration publique que le Conseil d'Etat sera chargé de faire.

Ils doivent être âgés, au moment de leur nomination, de vingt et un ans au moins et de vingt-cinq ans au plus.

21. Les auditeurs sont chargés d'assister les conseillers d'Etat et les maîtres des requêtes rapporteurs dans la préparation et l'instruction des affaires.

Le règlement prévu dans l'article précédent déterminera les affaires dont le rapport ne pourra pas être confié aux auditeurs.

Ils ont voix consultative dans les affaires dont le rapport leur est confié.

Ils pourront être révoqués dans la forme établie par l'art. 18 pour la révocation des maîtres des requêtes.

22. Les auditeurs reçoivent un traitement de l'Etat; ils sont nommés pour quatre ans. A l'expiration de ce terme, ils cessent de plein droit leurs fonctions.

23. Le quart des emplois de maître des requêtes qui viennent à vaquer est réservé aux anciens auditeurs ayant cinq ans de services dans l'administration active, et le quart des emplois de sous-préfet aux auditeurs attachés depuis deux ans au moins au Conseil d'Etat.

Les auditeurs nommés aux fonctions de sous-préfet, qui ne les accepteraient point, seront considérés comme démissionnaires et immédiatement remplacés.

TITRE IV

DES FORMES DE PROCEDER

26. Le Conseil d'Etat se divise en trois sections :
1°) Section de législation;
2°) Section d'administration;
3°) Section du contentieux administratif.

27. Les conseillers d'Etat de chaque section élisent au scrutin secret et à la majorité absolue le président de la section.

Le président de la section de législation remplit les fonctions de vice-président du Conseil d'Etat, et remplace le président en cas d'absence ou d'empêchement.

§ 1er. *Section de législation*

29. La section de législation est chargée de l'examen, de la préparation et de la délibération des matières énoncées dans les art. 1, 2, 3, 4, 7 et 8 de la présente loi.

31. Sur la demande des commissions et comités de l'Assemblée nationale, elle désigne des conseillers d'Etat ou des maîtres des requêtes pour exposer l'avis du Conseil d'Etat dans les comités ou commissions de l'Assemblée nationale.

§ 2. *Section d'administration*

34. Pour l'examen des affaires énoncées en l'art. 4 de la présente loi, la section d'administration est divisée en comités correspondant aux divers départements ministériels, et composés de trois membres au moins.

§ 3. *Section du contentieux administratif*

36. La section du contentieux est chargée du jugement des affaires contentieuses.

Elle est composée de neuf membres.

Un maître des requêtes, désigné par le président de la République, remplit auprès de la section du contentieux les fonctions du ministère public.

§ 4. *Assemblées générales du Conseil d'Etat*

45. Le Conseil d'Etat délibère en assemblée générale :

1°) Sur tous les projets de loi et sur les projets de règlement d'administration publique;

2°) Sur les projets de décret que le règlement du Conseil d'Etat aura déférés à l'examen de l'assemblée générale, et sur ceux qui lui seront renvoyés par les diverses sections.

46. Le ministre de la justice défère à l'assemblée générale du Conseil d'Etat toutes décisions de la section du contentieux contenant excès de pouvoir ou violation de la loi. La décision est annulée dans l'intérêt de la loi.

47. Le ministre de la justice a également le droit de revendiquer devant le tribunal spécial des conflits, organisé par l'art. 89 de la Constitution, les affaires portées devant la section du contentieux, et qui n'appartiendraient pas au contentieux administratif.

TITRE V

DISPOSITIONS GENERALES

51. Les ministres ont entrée dans le sein du Conseil d'Etat et des sections de législation et d'administration. Ils sont entendus toutes les fois qu'ils le demandent.

52. Le Conseil d'Etat et les sections de législation et d'administration peuvent appeler à assister à leurs délibérations et à y prendre part avec voix consultative les membres de l'Institut et d'autres corps savants, les magistrats, les administrateurs et tous autres citoyens qui leur paraîtraient pouvoir éclairer les délibérations par leurs connaissances spéciales.

53. Le Conseil d'Etat et les sections ont le droit de convoquer dans leur sein, sur la désignation des ministres, les chefs de service des administrations publiques et tous autres fonctionnaires, pour en obtenir des explications sur les affaires en délibération.

(Duvergier, t. XLIX, p. 50).

III
LA FORMATION DU CONSEIL D'ÉTAT DE LA DEUXIÈME RÉPUBLIQUE

L'élection par l'Assemblée nationale des 40 conseillers d'Etat (avril 1849) — Le rôle des facteurs politiques dans cette élection — Des choix équilibrés — Vingt conseillers soumis à réélection par l'Assemblée législative (juin-juillet 1849) — Le nouvel auditorat — Discussions sur son statut — Recrutement par concours et octroi d'un traitement — Le premier concours (juin 1849).

L'ÉLECTION DES CONSEILLERS

Le 18 avril 1849, le président de l'Assemblée nationale proclamait les résultats des opérations au cours desquelles celle-ci avait élu les quarante conseillers d'Etat :

> « M. le Président déclare que le Conseil d'Etat est constitué.
> La liste des membres qui le composent sera insérée au procès-verbal des séances de l'Assemblée nationale et publiée tant au Moniteur qu'au Bulletin des lois.
> La même liste sera transmise par un message à M. le Président de la République avec invitation de faire procéder dans le plus bref délai possible à l'installation du Conseil d'Etat qui vient d'être nommé.
> Semblable communication sera faite à M. le Vice-président de la République, président du Conseil d'Etat (1) ».
>
> *(Ass. nat. séance 18 avril 1849. C.r. séances Ass. nat., t. X, pp. 37-38).*

Cette élection, faite sur les propositions d'une commission de l'Assemblée qui avait présenté à celle-ci une liste de 60 noms qui ne la liait pas, exigea six scrutins. Ils eurent lieu du 11 au 18 avril et désignèrent respectivement 20, 6, 4, 4, 2, 3 et 1 conseillers d'Etat. L'ensemble de l'opération fut animé. Les candidatures étaient nombreuses et beaucoup de candidats les firent connaître en adressant aux membres de l'Assemblée de véritables professions de foi, où ils soulignaient leurs titres et mérites.

Ainsi Ambert, ancien préfet du Rhône :

> Paris 10 mars 1849
>
> « Citoyens Représentants,
>
> Vous êtes appelés à constituer le nouveau Conseil d'Etat.
> Permettez-moi de me présenter comme candidat à vos suffrages et de

---

(1) Le vice-président de la République était Boulay de la Meurthe.

vous soumettre les titres, modestes sans doute, que je crois pouvoir invoquer.

Nommé préfet du Rhône après les événements de juin, et lorsque d'autres avaient refusé l'honneur qui m'était fait, je n'ai pas craint d'accepter cette mission difficile et périlleuse peut-être.

J'ai réalisé des mesures graves sans trouble et sans commotion : le désarmement de la Garde nationale, la dissolution des ateliers nationaux, la dissolution de la Garde mobile, le rétablissement du péage sur les ponts, mais le mérite de ces résultats appartient au bon sens des populations autant sans doute qu'à moi-même.

Par une administration impartiale, ferme et modérée, je crois avoir progressivement ramené l'ordre, la confiance, le travail, et je crois pouvoir invoquer, à ce sujet, le témoignage des autorités, du Conseil général, de tous les citoyens sans distinction. J'invoque également, sans crainte, l'opinion des ministres.

Je dois ajouter que, depuis vingt ans, je me consacre aux études administratives et judiciaires.

Je serai fier, Citoyens Représentants, des suffrages que vous aurez bien voulu m'accorder et j'ai la conscience que je trouverai toujours dans mon dévouement à la chose publique les forces nécessaires à l'accomplissement de mes devoirs.

Respect et fraternité
Ambert,
Ancien Préfet du Rhône »

(Arch. nat., BB[30] 736).

Gatine, avocat au Conseil d'Etat et à la Cour de cassation, insistait davantage sur ses convictions libérales :

AUX CITOYENS REPRESENTANTS

« L'Assemblée nationale va faire une élection.

Les candidats doivent se montrer à découvert devant les hauts électeurs du Conseil d'Etat, sans craindre les apparences d'une publicité de mauvais aloi.

La Commission m'a reconnu admissible en m'inscrivant sur sa liste.

Depuis dix-huit ans j'exerce les fonctions d'avocat au Conseil d'Etat et à la Cour de cassation.

Par élection de mes confrères, j'ai été appelé au Conseil de l'Ordre.

Devant le Conseil d'Etat, j'ai défendu la liberté religieuse dans les appels comme d'abus.

Devant la Cour de cassation, j'ai défendu la liberté de la presse, la liberté de l'homme dans les causes coloniales. Ces dernières ont eu pour résultat l'affranchissement anticipé de nombreux esclaves, avant l'émancipation générale.

Lorsque la Révolution de février éclata, j'avais vieilli dans l'étude et dans l'application des lois politiques et administratives, civiles et criminelles...

C'est à la fois comme ancien avocat au Conseil d'Etat et comme ancien gouverneur de la plus importante de nos colonies par la population et les exportations, que je mets au service de mon pays des études et des travaux de vingt ans, une expérience administrative acquise au milieu même de la transformation des colonies et dans l'exercice antérieur de fonctions latérales à celles que l'Assemblée va confier à ses élus, enfin les principes et les engagements de toute une vie sans reproche, sans solidarité d'aucun passé, si ce n'est de celui des hommes qui ont toujours voulu le progrès et la probité politiques, avec le perfectionnement libéral de nos institutions.

Ad. Gatine,
Avocat au Conseil d'Etat et à la Cour de Cassation
(depuis dix-huit ans),
ancien membre du Conseil de l'Ordre,
ancien commissaire général de la République à la Guadeloupe
et dépendances ».

(Arch. nat., BB[30] 736).

Les partis s'intéressent vivement à l'élection qui a un caractère politique certain. Leurs préoccupations apparaissent dans la presse de l'époque. A la veille du scrutin, *Le Constitutionnel* exprimait sa crainte de voir entrer au Conseil des républicains avancés et des socialistes :

« Si... une coterie hostile au pouvoir issu de l'élection du 10 décembre (1), s'emparait du Conseil d'Etat pour y établir un foyer d'opposition sournoise et malveillante, si les légitimes intérêts de l'Administration se trouvaient sacrifiés à l'influence de cette coterie, il est évident que le Conseil d'Etat pourrait devenir un obstacle au jeu régulier de la constitution, une pierre d'achoppement pour la nouvelle législature, une difficulté de plus au milieu des embarras de la situation.

Or, nous l'avouons, la liste des candidats formée par la commission n'est pas de nature à dissiper toutes nos craintes...

Dans la liste de cette commission, nous trouvons des choix qui ne sauraient être ratifiés par l'Assemblée nationale. Le principal titre de l'Assemblée nationale à la reconnaissance du pays, c'est l'énergie de sa résistance à l'anarchie et aux idées subversives de la société; comment peut-on sérieusement lui proposer d'ouvrir le Conseil d'Etat à des hommes politiques dont le nom ne saurait s'associer aux idées d'ordre ou qui se glorifient d'appartenir à une des sectes du socialisme. Nous cherchons vainement les titres qu'a pu faire valoir tel rêveur dangereux, ancien collaborateur dévoué de M. Pierre Leroux, qui a essayé de livrer l'éducation des campagnes à des instituteurs socialistes et qui, renouvelant le système de Pythagore et le culte des Guèbres, croit pour toute religion à la métempsycose et adore le soleil (2) ?

Nous ne pouvons donc qu'engager l'Assemblée à user largement du privilège que lui confère l'article 12. Qu'elle sache choisir en dehors de la liste de la commission des hommes spéciaux, exempts de passions politiques, loyalement résolus à concourir à l'affermissement de l'ordre et au maintien de nos institutions. L'Assemblée peut être convaincue que les anciens conspirateurs font des administrateurs plus que médiocres et des conseillers d'Etat fort dangereux ».

(*Le Constitutionnel, 10 avril 1849*).

La Gazette de France, organe légitimiste, reprochait aux représentants de la droite à l'Assemblée, au soir du premier tour du scrutin,

(1) Election de Louis Napoléon Bonaparte comme président de la République.
(2) Il s'agit de Jean Reynaud, ancien saint-simonien.

de n'avoir pas su monnayer l'élection de dix conseillers d'Etat de leur opinion :

« Le scrutin pour la nomination des conseillers d'Etat, ouvert au commencement de la séance de l'Assemblée nationale, n'était pas encore totalement dépouillé à 6 h 30, ce soir.

Néanmoins, par les résultats connus à cette heure, nous pouvons donner comme certaines les élections de :

(suivent 25 noms)

De ces 25 nominations, il y en a 17 au moins qui appartiennent à l'ancien parti philippiste, les autres appartiennent à l'opinion républicaine.

Nos amis de l'Assemblée ont, cette fois encore, prêté leurs échines, comme le bouc de la fable, pour faire entrer les anciens philippistes en masse dans l'importante place du Conseil d'Etat !

S'ils avaient su s'entendre et montrer un peu de fermeté, ils pourraient certainement faire arriver 10 hommes de la droite au Conseil d'Etat. Ils n'avaient pour cela qu'à déclarer à M. Thiers et à ses amis qu'ils s'abstiendraient de participer au vote, si cette juste concession ne leur était pas faite; mais ils n'en ont rien fait, et ils apprennent aujourd'hui à leurs dépens comment les meneurs de la rue de Poitiers (1) entendent et pratiquent la conciliation.

Si au moins, ils savaient mettre à profit cette leçon !

Le Conseil d'Etat est aujourd'hui une position politique de la plus haute importance. Comment n'a-t-on pas compris que la droite devrait être représentée ? Comment n'a-t-on pas senti qu'au prix même d'une rupture avec la rue de Poitiers, elle devait faire ses conditions avant de donner son vote ?

Comment nos amis de l'Assemblée n'ont-ils pas de réunions particulières pour s'entendre en si graves circonstances ? Le comité de la rue de Poitiers les absorbe-t-il à ce point qu'ils ne pensent même pas à mettre à profit des occasions si opportunes pour fortifier l'action politique de la droite ?

Puissent ces conseils que nous leur donnons, sans aucune amertume, être compris pour le scrutin qui s'ouvrira soit demain, soit après-demain, pour l'élection des 15 conseillers restant encore à nommer.

Nos amis doivent dire très fermement au parti de M. Thiers : nous voulons dix de ces 15 nominations, sinon nous ne participerons pas au vote. Si on refuse, leur devoir est de s'abstenir et de puiser, dans la manière d'agir de l'ancien juste-milieu à leur égard, en cette circonstance, un enseignement utile pour les élections prochaines ».

(*Gazette de France, 11 avril 1849*).

Les résultats des élections durent rassurer les hommes d'ordre et ceux qui avaient vu avec regret le Conseil d'Etat perdre le caractère de corps administratif. Près de la moitié des conseillers élus appartenaient à l'ancien Conseil qui cessa ses fonctions avec l'installation du nouveau corps; parmi eux se trouvaient des juristes et des administrateurs aussi distingués que Vivien, Macarel, Boulatignier, Jouvencel, Maillard, Chasseloup-Laubat. Neuf postes avaient été attribués à de hauts fonctionnaires. Si bien que les éléments politiques, pour la plupart membres de l'As-

(1) Le comité qui groupait les représentants des partis conservateurs et modérés ayant fait alliance au sein de l'Assemblée, avait son siège à Paris rue de Poitiers. On le désignait communément par le nom de cette rue.

semblée, étaient en minorité. L'Assemblée avait fait preuve d'impartialité, comme le rappelait en 1872 Batbie qui défendait alors, il est vrai, un projet de loi prévoyant l'élection des conseillers d'Etat par le pouvoir législatif :

« Si vous jetez les yeux sur la liste des conseillers d'Etat qui furent nommés à cette époque, vous trouverez que l'Assemblée constituante fit ses choix avec une pleine impartialité, sans acception de parti, sans rechercher la date des dévouements, à une époque cependant où l'on distinguait avec trop d'ardeur les républicains de la veille et les républicains du lendemain ».

(Ass. nat. séance 1er mai 1872. C.r. séances Ass. nat., t. XI, p. 162).

Il est moins sûr que ces choix impartiaux aient tous été des choix éclairés, si l'on en croit Reverchon, qui, il est vrai, défendait à la même époque, contre Batbie, le principe de la nomination des conseillers par le pouvoir exécutif :

« ... il n'est personne, parmi les témoins de cette expérience, qui ne sache que, sauf un très petit nombre d'exceptions, les seuls conseillers d'Etat qui aient été alors à la hauteur de leurs fonctions, étaient ceux des membres de l'ancien Conseil que la notoriété de leurs services avait forcément fait conserver ».

(Reverchon, De la réorganisation du Conseil d'Etat. Le Droit, Journal des tribunaux, 13 et 14 novembre 1871).

La moitié des conseillers alors élus furent soumis dès juin 1849 à réélection par l'Assemblée législative qui venait elle-même d'être élue. C'était là la conséquence — peu satisfaisante — de la décision prise après de longs débats par l'Assemblée nationale d'élire elle-même les quarante membres du Conseil tout en respectant les droits de la future Assemblée législative. Avant d'adopter cette décision, elle avait écarté successivement : une première proposition confiant à cette assemblée la constitution initiale du Conseil, une seconde qui faisait nommer d'abord 20 conseillers par elle-même, puis les vingt autres par l'Assemblée législative et enfin une troisième qui reportait à trois ans le premier renouvellement partiel par l'Assemblée législative d'un Conseil entièrement élu à l'origine par l'Assemblée constituante.

L'élection eut lieu du 29 juin au 4 juillet. Les 20 conseillers sortants avaient été tirés au sort.

Cette élection eut un caractère plus politique que la précédente. Des conseillers « républicains » comme Jules Simon et Jean Raynaud ne furent pas réélus. Ces modifications n'altéraient cependant pas de façon profonde la composition du corps, dont les nominations des maîtres des requêtes accentuèrent le caractère professionnel.

Dans une lettre adressée au Prince-Président le 28 décembre 1851, A. Marchand décrivait ainsi la composition et l'état d'esprit du Conseil d'Etat de la IIe République, où, selon lui, les opinions et les affinités politiques ne jouaient pas un rôle essentiel :

> « Les reproches que l'on adresse au Conseil d'Etat ne paraissent fondés qu'en ce qui touche la loi sur la responsabilité des fonctionnaires. Si l'on peut dire qu'en cette occasion il a cédé à la pression de l'Assemblée et s'est fait l'instrument de sa politique, jusque-là et sur tous les autres points la majorité l'avait maintenu dans des voies prudentes et réservées.
>
> Cette majorité était celle des gens d'affaires.
>
> Nommé par l'Assemblée constituante et par l'Assemblée législative, le Conseil d'Etat reflétait nécessairement les partis politiques qui partageaient ces assemblées. Il y avait donc au Conseil comme dans les Chambres des républicains ardents, des républicains modérés, des légitimistes, des adhérents de Juillet et parmi ceux-ci d'anciens conservateurs, des membres de l'opposition et du tiers parti. Mais ces origines diverses, ces opinions si dissemblables ne réglaient pas pour chacun la ligne habituelle de sa conduite, et le Conseil d'Etat, quoique assez profondément divisé, ne se scindait pas en minorité et en majorité selon les seules affinités politiques. Deux tendances fort opposées partageaient le Conseil : les uns, pensant que le Conseil d'Etat était avant tout un corps politique, étaient portés à sacrifier les services administratifs et contentieux au service de la législation; les autres, au contraire, et parmi eux les membres qui avaient appartenu à la majorité de l'ancien Conseil d'Etat, plus frappés des dangers de la loi de 1849 et soucieux d'éviter des conflits imminents eussent souhaité que le Conseil donnât le meilleur de son temps à l'examen des affaires proprement dites.
>
> Les politiques, les gens d'affaires. Voilà quelle était la grande division dans le Conseil ».
>
> (*Arch. C.E.*).

LE NOUVEL AUDITORAT

Les auteurs de la loi organique du 3 mars 1849 avaient maintenu l'auditorat. Ils n'avaient pas voulu en modifier la vocation. L'auditorat devait rester un « noviciat », une « pépinière », mais ils avaient entendu en transformer l'esprit dans un sens démocratique par l'institution du concours et l'allocation d'un traitement et assurer en même temps à ses membres un meilleur déroulement de carrière par la réduction de 48 à 24 de leur effectif et la réservation à leur profit du quart des emplois de maîtres des requêtes et du quart des emplois de sous-préfets.

Ces vues avaient été clairement exprimées dans le rapport présenté par Vivien devant l'Assemblée nationale :

> « Après les maîtres des requêtes, le projet place les auditeurs. Votre commission a vu en eux de laborieux collaborateurs des conseillers d'Etat et des maîtres des requêtes; elle croit qu'ils contribueront efficacement aux travaux préparatoires et à l'expédition des affaires, mais elle les a considérés d'un autre point de vue, plus large et, si l'on peut dire, plus élevé.

L'auditorat au Conseil d'Etat est moins un service public qu'une préparation aux fonctions de l'Etat, un noviciat, un moyen de former des hommes capables d'occuper plus tard, avec toutes les garanties de l'expérience et de la science, des emplois administratifs et spécialement ceux de maître des requêtes, de sous-préfet et de préfet.

Dans le Conseil d'Etat, les auditeurs recueillent à la fois les préceptes et les exemples, les doctrines et les applications; ils s'y trouvent en contact habituel avec les esprits les plus éminents; ils assistent à des délibérations qui les initient à tous les détails des affaires; ils apprennent, ce qui est l'honneur et la vertu du Conseil d'Etat, à les traiter dans leurs seuls rapports avec l'intérêt de l'Etat, en dehors de toute préoccupation de personnes et de partis, dans une région où ne pénètrent ni les intrigues ni les passions. Le Conseil d'Etat est la meilleure école de l'administration : des fonctionnaires qui y entraient après avoir occupé des emplois importants ont souvent trouvé beaucoup à y apprendre, et ceux qui en sont sortis pour prendre place dans les services actifs ont toujours été distingués parmi leurs nouveaux collègues.

C'est cette pépinière que votre commission conserve, mais elle veut lui faire porter des fruits, et, tout en adoptant l'institution, elle la modifie en des points essentiels. Désormais, les auditeurs seront nommés au concours : les influences de famille, de fortune, de situation politique ne seront plus des titres d'admission. Le mérite seul, le mérite constaté, éprouvé au grand jour, ouvrira la carrière aux aspirants. La durée de l'auditorat est réduite à quatre années : un certain nombre d'emplois de maître des requêtes et de sous-préfets sont réservés aux auditeurs, et, en raison de la réduction de leur nombre, tous ceux qui le mériteront seront assurés d'obtenir un poste convenable, même avant l'expiration des quatre années. De même que le concours doit leur ouvrir les portes du Conseil d'Etat, ils ne seront promus à d'autres fonctions que d'après les listes de présentation des présidents de section, juges compétents du talent et des services de chacun. Ainsi, l'aptitude et la capacité seront, pour les emplois ultérieurs comme pour l'admission, la seule règle des nominations, et l'institution à laquelle on a pu reprocher, dans une certaine mesure, de favoriser le népotisme, devient essentiellement démocratique ».

(Rapport Vivien, Ass. nat. C.r. séances Ass. nat. Annexe séance 10.1.1849, t. VII, p. 150).

Au cours de la discussion qui suivit, ces propositions furent critiquées sur plusieurs points.

Certains contestèrent la valeur du concours auquel ils préféraient un système de nomination sur titres. Ainsi Sauvaire-Barthélémy :

« L'amendement que l'honorable M. Béchard et moi avons l'honneur de vous proposer diffère de l'article de la commission, et cependant nous tendons au but qu'elle veut atteindre.

Nous voulons trouver dans les auditeurs au Conseil d'Etat des hommes laborieux, instruits, et offrant toutes garanties. Que demande la commission ? La commission croit obtenir ces garanties par un concours pour lequel elle n'exige pas même le grade de licencié en droit. Le concours offre, sans doute, des avantages, mais il présente bien des inconvénients. On sait de quelles sollicitations sont entourés les juges appelés à se prononcer sur tant de mérites divers.

En adoptant une règle inflexible et commune, une règle qui ne laisse, quant à l'appréciation du mérite, aucun doute, aucune incertitude, une règle qui assure que le jeune sujet qui se présente a fait ses preuves d'honneur, nous arrivons à donner au Gouvernement, à donner au Conseil d'Etat les garanties les plus essentielles. La bonne conduite et le goût du travail sont, en effet, une qualité beaucoup plus précieuse pour l'administrateur que le petit avantage qui peut être obtenu d'une parole plus facile et plus brillante dans un concours qui a lieu dès la fin des études. Notre amendement n'est autre chose que la reproduction d'un article qui avait été adopté dans un des projets de loi précédemment discutés sur le Conseil d'Etat; nous exigeons que nul ne puisse être auditeur au Conseil s'il n'est docteur en droit. Pour être docteur en droit, il faut avoir longtemps travaillé (rumeurs), longtemps et utilement travaillé. Cette persistance dans des études graves et difficiles promet, pour l'avenir, des labeurs utiles et continus. Personne n'ignore combien les connaissances demandées des docteurs en droit peuvent être utiles aux hommes qui se destinent aux fonctions à la fois législatives, judiciaires et administratives du Conseil d'Etat. Le docteur en droit connaît à fond la législation du pays, non seulement la législation civile, mais aussi le droit public et administratif; lorsqu'il arrive à l'auditorat, il n'y a plus que la pratique à obtenir ».

(Ass. nat., séance 25 janvier 1849. C. r. séances Ass. nat., t. VII, p. 435).

La question du traitement des auditeurs donna lieu à d'âpres débats. Depuis 1824, année où l'auditorat avait été rétabli, ses membres ne recevaient pas de traitement. Le projet de loi proposait de leur en allouer un de 2 000 F par an. Aux yeux de Sauvaire-Barthélémy, cette innovation était dangereuse pour les finances publiques et sans effet du point de vue de la démocratie :

« Je ne comprendrais pas, en effet, que ce fût dans un moment... (Ah ! ah !) si critique que l'on consentit à augmenter les charges publiques (murmures).

Vos murmures ne m'empêcheront pas de dire la vérité au pays. (Très bien ! Parlez !) Auriez-vous oublié les paroles prononcées par l'honorable M. Goudchaux peu de temps avant sa sortie du ministère ? « Le trésor public, disait-il dépense chaque jour un million de plus qu'il ne reçoit » (Approbation sur quelques bancs).

Dans cette situation, est-il conforme à la bonne démocratie, entendez-vous... (Exclamations à gauche. — Approbations sur quelques bancs) de venir payer, avec les deniers de tous, des jeunes gens que vous admettez à une école la plus haut placée de toutes, à l'école des hommes politiques, à l'école des hommes d'Etat, mais qui, après tout, viennent compléter une instruction dont ils espèrent tirer un avantage personnel. On aboutit, vous le voyez, au système de gratuité générale, en matière d'instruction, que quelques personnes voudraient imposer au pays. Eh bien, je le déclare, ce système ne me paraît pas du tout démocratique, en ce sens qu'il favorise le petit nombre au détriment de tous.

Dans l'ordre d'idées où vous voulez nous placer, messieurs, la gratuité ne devrait être admise nulle part; non seulement au stage au Conseil d'Etat, mais encore à celui qui a lieu dans les ministères...

Le surnumémariat gratuit est une chose bonne, une chose utile...

Je vous le déclare en descendant de cette tribune, comme je vous l'ai déclaré en y montant, est-ce entendre les intérêts de la démocratie que de vouloir tout faire payer, même ce qu'il n'est pas nécessaire de payer ? (Très bien !). Un mot encore : il existe un nombre infini de demandes pour les places d'auditeurs; pour un des élus qui aura besoin des 2 000 F que la commission accorde aux auditeurs, vous en aurez vingt qui n'en auront aucun besoin, et le peuple payera (C'est vrai ! — Très bien !) ».

(Ass. nat., séance 25 janvier 1849. C. r. séances Ass. nat., t. VII, p. 437).

Toute différente était l'opinion du citoyen Charlemagne :

« ... On vous demande que les fonctions d'auditeur ne soient pas rétribuées, c'est-à-dire qu'on les met uniquement à la portée d'un petit nombre de familles opulentes (Oui ! oui ! Très bien !)...

Pour arriver au Conseil d'Etat, il faut qu'un jeune homme parcoure le cercle des études classiques; il ne peut pas espérer de les avoir terminées avant dix-huit ans. Il faut avoir le diplôme de docteur en droit; c'est encore quatre ans.

Ce n'est pas tout. Il faut se préparer au concours exigé, concours que vous venez d'adopter. Il faut naturellement attendre des vacances. Et enfin il faudra, avant d'arriver à une sous-préfecture, faire un stage, un temps d'épreuve de cinq ans. Je parle de l'amendement de M. Sauvaire-Barthélémy.

Vous voyez donc qu'il est impossible qu'un jeune homme arrive à une place de sous-préfet avant l'âge de vingt-neuf ou trente ans.

Eh bien, je vous le demande, combien y a-t-il en France dans l'état de médiocrité de nos fortunes, de pères de famille assez riches, assez opulents pour faire de pareils sacrifices pour leurs enfants, jusqu'à ce que ceux-ci aient atteint l'âge de vingt-neuf ou trente ans, époque à laquelle ils commenceront à entrer dans des fonctions rétribuées ?

Je dis qu'il n'y en a qu'un très petit nombre; qu'il n'y a que les familles vraiment opulentes qui puissent faire parcourir à leurs enfants le temps d'études, d'épreuves, nécessaire pour arriver au Conseil d'Etat, et rester ensuite pendant cinq ans dans la capitale, auprès du Conseil d'Etat, avec les dépenses accessoires qu'exige une pareille position, en attendant qu'ils puissent arriver à une fonction honorablement rétribuée (Très bien !)...

Eh bien, en présence d'un pareil système, que devient donc le principe que vous avez inscrit dans la Constitution de 1848, principe qui prononce l'admissibilité de tous les citoyens français aux fonctions civiles et militaires ? ».

(Ass. nat., séance 25 janvier 1849. C. r. séances Ass. nat., t. VII, p. 438).

L'amendement qui tendait à ce que les auditeurs ne reçoivent pas de traitement fut repoussé.

Le concours du nouvel auditorat fut organisé par un règlement d'administration publique du 9 mai 1849.

L'article I de ce règlement dispose :

Nul ne pourra se faire inscrire en vue du concours :

1) s'il n'est Français jouissant de ses droits; 2) si, au jour fixé pour l'ouverture du concours, il doit avoir moins de vingt et un ans ou plus de vingt-cinq ans (*sic*); 3) s'il ne produit soit un diplôme de licencié en droit,

ès sciences ou ès lettres, obtenu dans une des facultés de la République, soit un diplôme de l'école des chartes, soit un certificat attestant qu'il a satisfait aux examens de sortie de l'école polytechnique, de l'école nationale des mines, de l'école forestière, ou de l'école d'administration (1), soit un brevet d'officier dans les armées de terre et de mer.

Le jury est composé de 7 membres (5 conseillers et 2 maîtres des requêtes).

Les épreuves du concours portent, selon l'art. 11 :

1) Sur les principes du droit politique et constitutionnel français;

2) Sur l'organisation administrative et judiciaire de la France, et sur l'histoire de ses institutions administratives depuis 1789;

3) Sur le droit administratif;

4) Sur les éléments de l'économie politique et de la statistique de la France.

Sont prévues une épreuve préparatoire et des épreuves définitives.

Art. 13. — L'épreuve préparatoire consistera en une composition par écrit sur un sujet relatif à la législation administrative...

Art. 15. — Le temps accordé pour la composition sera de six heures.

Art. 18. — Les épreuves définitives consisteront en une épreuve par écrit et une épreuve orale.

Art. 19. — Pour l'épreuve par écrit, les concurrents feront une composition sur un sujet tiré au sort par le président du concours, ainsi qu'il a été dit en l'article 14. Ce sujet, commun à tous les candidats, pourra porter sur les diverses matières énoncées en l'article 11 du présent règlement.

Art. 20. — Les candidats devront déposer au secrétariat leur composition imprimée le cinquième jour après la remise du sujet.

Le dépôt sera de deux exemplaires pour chaque membre du jury, d'un exemplaire pour chaque concurrent, et de dix exemplaires destinés au Conseil d'Etat...

Art. 22. — L'épreuve orale durera une demi-heure. Elle consistera, 1) en une exposition de principe faite par chaque candidat sur une matière tirée au sort; 2) en un examen.

L'exposition ne durera pas plus d'un quart d'heure.

L'examen portera, soit sur le sujet de l'exposition faite par le candidat, soit sur une composition imprimée, ou sur toute autre matière indiquée en l'article 11 ci-dessus.

(Duvergier, t. XLIX, p. 160).

Le concours était imposé même aux auditeurs en exercice au moment de la promulgation de la loi du 3 mars 1849, mais ceux-ci étaient dispensés de l'obligation de présenter des pièces justificatives — c'est-à-dire, en fait, de produire un diplôme — et n'étaient pas soumis à l'épreuve préparatoire.

Le premier concours fut ouvert le 25 juin 1849 pour le recrutement des 24 auditeurs prévus par la loi. 71 candidats se présentèrent, dont

(1) Il s'agit de l'éphémère Ecole Nationale d'Administration, créée en avril 1848, sur le modèle de l'Ecole polytechnique, et supprimée le 9 août 1849, après quelques mois de fonctionnement.

11 anciens auditeurs (un seul de ces derniers ne fut pas reçu). Ils eurent à composer sur le sujet suivant : « On demande de faire connaître :

1) Quelles sont les diverses fonctions dont le Maire est investi ?

2) Quelles sont celles de ses fonctions qu'il exerce comme administrateur ?

3) Comment il agit en qualité d'administrateur ?

4) Quels actes il peut faire en cette qualité ?

5) Quelles sont les voies de recours contre ses actes ? »

Les résultats ayant été satisfaisants, le jury, présidé par Boulatignier, décida de pourvoir tous les postes (1).

Plusieurs des reçus portent des noms célèbres (Ségur, Montesquiou-Fezensac, Mouton-Duvernet). Un ancien membre du Conseil, écrivant à l'un de ses amis qui y était resté, paraît s'en inquiéter : « Le concours a-t-il été réussi ? Ces jeunes gens paraissent-ils bien ? J'ai été surpris de la quantité de jeunes gens de famille qui ont été nommés; du reste, s'ils l'ont été justement, je ne m'en plains pas. Cela aidera le principe à s'enraciner, tout en donnant de l'émulation aux autres » (2).

Le deuxième concours, commencé au Conseil le 10 Novembre 1851, fut interrompu par le coup d'Etat du 2 décembre.

---

(1) Cf. procès-verbal du concours pour l'auditorat 1849 - Archives du Conseil d'Etat.
(2) *Jean Reynaud, Correspondance familière, Paris 1886.*

IV

TRAVAUX ET RÔLE DU CONSEIL D'ÉTAT SOUS LA IIe RÉPUBLIQUE

Statistiques des affaires traitées — Des projets de loi peu nombreux, mais importants — Echange de lettres entre le président du Conseil d'Etat et le garde des sceaux sur le rôle législatif du Conseil — Le Conseil mêlé au conflit politique entre le Président de la République et l'Assemblée.

Au mois de mai 1850, le Conseil d'Etat publia une note sommaire sur les travaux de son assemblée générale, de ses sections, comités et commissions depuis le 18 avril 1849, date de l'installation du nouveau Conseil, jusqu'au 18 avril 1850; au mois de juin 1851, un relevé analogue couvrit la période s'étendant du 18 avril 1850 au 18 avril 1851. Du 18 avril 1851 jusqu'à la dissolution du Conseil par suite du coup d'Etat du 2 décembre, une lacune s'est produite dans les relevés statistiques.

Travaux du Conseil d'Etat et de ses sections commissions et comités du 18 avril 1849 au 18 avril 1851

	Lois d'intérêt général	Lois d'intérêt local	Règlements d'administration publique	Questions générales	Recours en grâce	Révocations de maires et adjoints	Dissolutions de conseils municipaux	Mises en jugement	Affaires administratives	Affaires contentieuses
Section de législation	86	»	18	13	3 137	960	308	272	»	»
Commission des recours en grâce.	»	»	»	8	15 940	»	»	»	»	»
Section d'administration	1	»	5	»	»	»	»	»	2 895	»
Comités de la section d'administration	»	230	»	»	»	»	»	»	29 800	»
Commissions spéciales	»	»	3	»	»	»	»	»	»	»
Assemblée générale	58	230	21	3	914	69	90	126	851	»
Section du contentieux	»	»	»	«	»	»	»	»	»	1 619
Totaux	145	460	47	24	19 991	1 029	398	398	33 546	1 619

Ces chiffres très élevés — 28 437 affaires pour la période 1849-1850 et 27 869 pour la période 1850-1851 — ne doivent pas faire illusion. Les affaires de grâce et les liquidations de pension y entraient respectivement pour 8 432 (1849/1850) et 8 978 (1850/1851), 8 371 (1849/1850) et 8 556 (1850/1851). Les affaires contentieuses demeuraient relativement peu nombreuses : 911 en 1849/1850, 708 en 1850/1851.

Dès son installation et pendant sa brève existence — deux ans et demi — le Conseil d'Etat exerça toutes les attributions que la constitution lui avait conférées. Elles l'occupèrent très inégalement. Il ne fut saisi que d'une seule affaire en vertu de l'art. 99 de la Constitution qui permettait à l'Assemblée Nationale et au Président de la République de déférer au Conseil d'Etat, dont le rapport était rendu public, l'examen des actes de tout fonctionnaire, mais l'affaire était importante : elle concernait M. de Lesseps envoyé en mission auprès de la République romaine et auquel le Gouvernement reprochait d'avoir outrepassé ses instructions (1). Les affaires administratives, qui comprenaient désormais les révocations de maires et les dissolutions d'assemblées locales, occupèrent plus de place dans ses statistiques que les projets et propositions de loi. On doit citer parmi ceux-ci des textes importants dont l'étude fait honneur au Conseil, ainsi le projet de loi sur l'administration intérieure divisé en quatre livres (communes, cantons, départements, conseils de préfecture), les projets de loi sur l'instruction publique (2), le contrat d'apprentissage, l'admission et l'avancement dans les fonctions publiques, l'assistance judiciaire, les monts de piété, l'assistance publique etc.

Il est malaisé d'apprécier le rôle joué et la place tenue alors par le Conseil. Vivien porte sur son action un jugement flatteur :

> « Dans ses fonctions, le Conseil d'Etat se montra pénétré d'un grand esprit de modération et de prudence, interprète fidèle de la constitution, dégagé de tout esprit de parti; ses travaux législatifs furent nombreux et approfondis; les projets les plus importants sortirent de ses délibérations, remarquables par la solidité, la science pratique et par une rédaction claire, correcte et méthodique. Dans ses attributions politiques, il maintint avec un zèle égal les droits du pouvoir exécutif et ceux des conseils et des agents électifs sur lesquels il fut appelé à prononcer. Enfin, comme conseil administratif, il ne modifia la jurisprudence de ses prédécesseurs que quand les nouvelles institutions lui en imposaient la loi. Il avait ainsi acquis une place très élevée dans la confiance de l'Assemblée et dans l'opinion publique ».
>
> *(Vivien, Etudes administratives, Paris 1859, vol. I, p. 99).*

Mais il ne faut pas oublier que Vivien avait été le rapporteur de la loi organique du Conseil d'Etat et qu'il était membre de celui-ci.

---

(1) Le rapport du Conseil d'Etat, rédigé par Vivien, fut publié au Moniteur universel du 22 août 1849. Il s'agissait du futur créateur du canal de Suez.

(2) Les archives de l'Assemblée nationale conservent le procès-verbal des délibérations du Conseil, sur le projet de loi relatif à l'instruction publique. Le Moniteur des 26 et 27 décembre 1849 publia le texte du projet de loi tel qu'il avait été adopté par le Conseil. Cf. H. Michel. La loi Falloux (Paris 1906) dont un chapitre est consacré au rôle du Conseil dans la préparation de cette loi.

Son opinion n'était pas partagée par tous, comme le prouvent certains jugements sévères émis à l'époque ou plus tard. Ainsi celui de Rivet qui déclarait devant l'Assemblée nationale de 1871 :

« ... Quant à moi, messieurs, j'ai vu le Conseil d'Etat corps purement administratif. J'ai eu l'honneur d'y siéger sous la monarchie constitutionnelle, ainsi que plusieurs membres de cette assemblée, qui pourront vous dire quel était l'esprit qui animait ce Conseil. Il provenait de plusieurs régimes. Il y avait des membres éminents qui avaient appartenu à l'Empire, il y en avait d'autres qui étaient le produit de l'initiative prise par la Restauration pour faire, dans les grandes administrations, des essais conformes au régime de liberté.

Un membre à gauche. Cela a bien réussi ! (Rumeurs à droite)

Quelques voix. N'interrompez pas !

M. Audren de Kerdrel. Cela n'a pas si mal réussi. Faites-en autant ! (Rumeurs à gauche).

M. Rivet. Il y avait d'autres membres, enfin, qui, sous la monarchie constitutionnelle, s'étaient associés à toutes les luttes qu'elle avait eu à soutenir. Eh bien, messieurs, je ne crains pas d'affirmer qu'il n'y avait dans ce Conseil qu'un seul esprit, celui de la conservation de toutes les traditions administratives. On ne se demandait pas vis-à-vis de quel ministère on était placé, on ne songeait pas à capter les faveurs de celui-ci ou de celui-là par des complaisances ou par des avis, on n'avait qu'un seul but : maintenir les conditions pratiques du gouvernement.

Le Conseil d'Etat, corps purement administratif, rendait alors tous les services qu'il pouvait rendre à une monarchie placée dans les conditions du gouvernement parlementaire, c'est-à-dire avec la garantie de la responsabilité ministérielle.

J'ai vu ensuite en 1848 — et je m'honore du choix que l'Assemblée de cette époque a bien voulu faire de moi pour m'associer aux travaux du Conseil d'Etat — j'ai vu celui-ci devenir un corps politique; eh bien, je le déclare, cet essai a été impuissant. Il a été impuissant, parce que le Conseil d'Etat, organisé comme il l'était — et aujourd'hui on vous propose quelque chose d'analogue — n'avait ni l'autorité qui résulte de la faculté de prendre l'initiative, ni le caractère particulier que peut donner un suffrage autre que celui émané d'une Assemblée.

Le Conseil d'Etat institué comme corps politique n'a pas évidemment tenu toutes les promesses qu'on avait pu attendre de son organisation ».

(Ass. nat. séance 29 avril 1872 C.r. séances Ass. nat., t. XI, p. 108).

Une correspondance échangée au mois d'août 1849 entre le président du Conseil d'Etat et le ministre de la justice vient confirmer ce jugement. Quelques mois à peine après l'installation du Conseil, son président se plaint que le Conseil, pour diverses raisons ou sous divers prétextes — urgence prétendue, caractère organique des textes — ne soit pas consulté sur des projets de loi qui, selon la constitution, devraient être soumis à son examen :

« La Constitution de 1848, en n'admettant qu'une seule chambre, a établi deux garanties contre la précipitation qui pourrait altérer ou corrompre l'œuvre législative.

Elle a exigé que les lois fussent soumises à trois délibérations.

Elle a voulu que le Conseil d'Etat fût appelé préalablement à les discuter... Les attributions du Conseil d'Etat paraissent pourtant avoir été contestées et niées dans ces derniers temps par ceux surtout qui devraient les défendre. Plusieurs lois ont été présentées sans avoir passé à son examen. Chaque jour des commissions sont formées, non pour préparer et faciliter son travail, ce qui serait fort utile, mais dans le but évident de se substituer à lui et de prendre sa place, ce qui est contraire à la constitution.

Pour se justifier de ne l'avoir pas consulté, on a invoqué deux raisons principales.

On a dit, en premier lieu, que les lois présentées étaient des lois organiques; qu'à ce titre l'assemblée législative avait le droit de les discuter comme la Constituante et que d'ailleurs ces lois étaient prescrites par la constitution et devaient nécessairement être faites. Ces objections ne résistent pas au plus léger examen. La Constituante, si elle avait discuté les lois organiques en 1848, se serait passée du Conseil d'Etat, par le motif tout simple qu'il n'était pas encore formé; il n'y a pas un acte émané d'elle, pas un mot prononcé devant elle, d'où l'on puisse induire qu'elle entendait que les lois organiques se feraient sans le concours du Conseil d'Etat.

On a dit qu'une des lois présentées sans que le Conseil d'Etat ait été consulté contenait une transaction entre des opinions très opposées, et qu'il importait que l'assemblée nationale en fût seule juge. Pourquoi ne pas la soumettre aussi au Conseil d'Etat ? La constitution et la loi organique n'admettent pas cette exception. D'où vient cette défiance du Conseil d'Etat ? Si la transaction lui paraît mauvaise, n'est-il pas utile qu'il le dise et expose ses objections. Si elle lui paraît bonne, le gouvernement aurait tout à gagner à pouvoir s'appuyer sur l'avis de ce grand corps. Le Conseil d'Etat a été précisément institué pour éclairer de son opinion les questions qui partagent ainsi les esprits.

On s'est servi d'un autre moyen pour dessaisir le Conseil d'Etat. On a invoqué l'urgence. C'est un précédent bien dangereux. Qui ne sait que l'allégation de l'urgence a toujours été le procédé, à l'aide duquel on a fait passer violemment, sous le régime d'une assemblée unique, les plus mauvaises lois ? A cet égard encore, c'est au parti de l'ordre qu'il convient de protester. Avec l'urgence, toutes les garanties disparaissaient, les citoyens sont livrés aux emportements, aux surprises d'une délibération précipitée, et les mesures les plus irréfléchies, les plus arbitraires, les plus révolutionnaires, disons le mot, obtiennent brusquement l'autorité de la loi. Quand le gouvernement allègue l'urgence, il est fatalement conduit à demander qu'il n'y ait qu'une délibération au lieu de trois, car l'urgence existe ou elle n'existe pas. Si elle existe pour se passer du Conseil d'Etat, elle doit exister aussi pour n'avoir qu'une délibération, et il serait trop évident qu'on viole la constitution et la loi qui exigent l'intervention du Conseil d'Etat, s'il arrivait qu'on invoquât l'urgence quand il s'agit de consulter ce corps, et qu'on la niât quand il s'agit de procéder à trois délibérations. S'il est vrai qu'en alléguant l'urgence, on est ainsi condamné à renoncer aux trois délibérations, qui ne voit les dangers d'un système, au moyen duquel disparaissent à la fois toutes les précautions prises par la constitution contre les entraînements d'une assemblée unique ?

Le prétexte de l'urgence est d'ailleurs contredit par ce qui fait la présentation des lois auxquelles il est fait allusion. On dit qu'elles doivent être votées sans délai et on les soumet à des commissions qui les retiennent pendant des mois entiers, peut-être, pour le dire en passant, parce que l'examen préparatoire du Conseil d'Etat n'en a pas simplifié la discussion.

Il y a mieux ! L'Assemblée se proroge et ces lois se trouvent en quelque sorte abandonnées pendant la prorogation, quand le Conseil d'Etat pourrait si utilement s'en occuper.

Toutes les raisons invoquées pour éviter de consulter le Conseil d'Etat sont donc dénuées de fondement. En est-il d'autres, non avouées, qui puissent expliquer le soin que l'on semble prendre de l'effacer ?

Doute-t-on de sa pensée politique, de ses lumières, de son zèle ? Il faut examiner ces divers points pour envisager la question sous toutes ses faces.

Le Conseil d'Etat a été composé par l'Assemblée constituante avec une grande impartialité, tellement qu'on peut affirmer que sa majorité, après sa première formation, n'aurait pas toujours été en harmonie avec celle de l'assemblée. Son personnel a été encore modifié par l'Assemblée législative. Il est en accord complet avec cette dernière assemblée. Ce n'est pas à dire qu'on trouvât en lui un instrument servile et dépendant. Mais on est assuré qu'il ne voudrait pas créer d'embarras au gouvernement, surtout dans les circonstances critiques où nous nous trouvons, et s'il était en désaccord avec lui sur quelque point, on peut compter que ce désaccord ne se produirait jamais avec éclat; qu'il revêtirait toujours les formes les plus bienveillantes et ne pourrait être motivé que par des considérations assez graves, pour que le gouvernement dût les prendre en sérieuse considération et eût peut-être à se féliciter qu'elles lui fussent présentées. Le Conseil d'Etat n'est point un organe d'opposition et de résistance, mais un conseiller impartial, bienveillant, exposant avec indépendance ses opinions et cherchant à appuyer le gouvernement, même quand il ne partage pas toutes ses pensées. Il ne peut jamais être un obstacle, il sera souvent un auxilliaire utile.

Quant à ses lumières, elles ne sont pas contestées. On peut seulement trouver qu'il ne renferme pas dans son sein assez d'hommes spéciaux pour embrasser tous les détails des innombrables questions qui peuvent lui être soumises. Mais la loi a prévu cette lacune et donne les moyens de la faire disparaître. Le Conseil d'Etat peut appeler à ses délibérations toutes les personnes qu'il juge capables de les éclairer. Le gouvernement peut y envoyer des commissaires. On a déjà eu occasion de reconnaître l'utilité de ces dispositions...

Les observations qui précèdent ne sont dictées par aucune préoccupation personnelle. Si les membres du Conseil d'Etat ne considéraient que leurs convenances privées, ils n'auraient pas à se plaindre de voir diminuer leurs travaux et par conséquent leur responsabilité. Le seul prix qu'ils retirent de services sans publicité est le sentiment de l'utilité que ces services peuvent avoir pour l'Etat, et si l'on n'avait pas la conscience des grands intérêts publics qui se lient à cette question, on se serait gardé de toute réflexion. »

(Note du président du Conseil d'Etat (*Boulay de la Meurthe*) *pour le ministre de la Justice, sans date, mais probablement août 1849, Arch. nat. BB*^{30} *728).*

La réponse du garde des sceaux à cette note fut empreinte d'un certain embarras, d'où l'on peut inférer que les plaintes du président du Conseil d'Etat n'étaient pas sans fondement :

« Monsieur le Président,

J'ai communiqué au Conseil des ministres la note que vous m'avez fait l'honneur de m'adresser.

Le Conseil ne saurait reconnaître les causes que vous attribuez à l'envoi direct qu'il a cru devoir faire de certaines lois à l'Assemblée nationale. Bien loin d'éprouver aucun sentiment de défiance pour le Conseil d'Etat, il proteste de son respect pour les hautes attributions de ce corps et de sa parfaite estime pour ses membres. Il sait quels services cette institution est appelée à rendre au pays et ceux qu'elle lui a déjà rendus.

Si quelques projets de loi ont été portés directement à l'Assemblée, il ne faut pas en rechercher les causes ailleurs que dans le caractère organique de ces lois.

Quand aux motifs d'urgence présentés par le Ministère pour certains de ces projets, ces motifs ont été adoptés par le Conseil (des ministres) après mûre délibération et ils ont reçu la sanction des votes de l'Assemblée. La distribution des travaux législatifs et la mesure de prorogation venant ajouter à ces motifs une nouvelle force, vous sentirez que toute discussion sur ce point entre le Conseil d'Etat et le Ministère ne pourrait que blesser de hautes convenances. La formation de commissions chargées d'éclairer la pensée première des projets de loi ne saurait non plus être considérée par le Conseil d'Etat comme une entreprise sur ses attributions constitutionnelles; avant même de soumettre leurs projets à ce corps, les ministres ont le besoin de les mûrir dans l'intérêt même de leur propre responsabilité...

Agréez ...

Le Ministre de la justice
Président du Conseil

Après ces explications, il me reste, M. le Président, à vous assurer au nom du Conseil qu'il n'est aucun de ses membres qui ne reconnaisse la haute importance des attributions constitutionnelles du Conseil d'Etat. Le Gouvernement, bien loin de rechercher des prétextes pour éluder, sera empressé de faire appel à son zèle et à ses lumières, même dans les cas où la constitution ne lui en ferait pas un devoir mais où les intérêts du pays exigent le concours d'hommes éclairés et expérimentés. Je persiste plus que jamais dans le sentiment des grands services que le Conseil d'Etat est appelé à rendre et a déjà rendus à la France. »

(Arch. nat. BB[30] *728).*

Le nouveau Conseil court alors un second danger, celui d'être engagé dans les conflits qui pouvaient naître entre l'exécutif et le législatif. Certaines demandes d'avis et certains projets de loi l'y exposèrent. Ce fut le cas de la consultation du Conseil par le Gouvernement en 1849 sur le régime de l'état de siège; *le Constitutionnel* estima nécessaire de publier la mise au point suivante, sans doute officieuse :

« Le Conseil d'Etat a récemment été appelé par le Gouvernement à donner son avis sur les conséquences politiques, administratives et judiciaires de la mise en état de siège, sous l'empire de la législation de 1791 et de 1811 qui nous régit, jusqu'à ce que ces conséquences aient été réglées par une loi nouvelle, conformément à une des prescriptions de la Constitution.

Le Conseil d'Etat a répondu à cet appel, comme il convenait à un corps qui connaît l'étendue de ses attributions et qui, jaloux de les voir respecter, s'abstient soigneusement d'empiéter sur celles des autres pouvoirs de l'Etat. Ainsi, il va sans dire qu'il n'a eu garde d'apprécier au point de vue de l'opportunité la mesure politique sur laquelle l'Assemblée législative s'était prononcée, et qu'il s'est également abstenu de se prononcer sur les nécessités d'une durée déterminée.

Sa réponse s'est renfermée dans les termes mêmes de la demande qui lui était adressée par le Gouvernement. Ce n'est donc pas sans étonnement que les membres du Conseil d'Etat ont vu, contrairement aux usages, leurs délibérations livrées à la publicité, en des termes qui trahissent une ignorance complète de ce qui s'est passé.

Oui, il est vrai que le plus ancien des membres introduits au Conseil d'Etat par l'Assemblée constituante, M. Pons (de l'Hérault) a lu une protestation contre la mesure de l'état de siège; mais il faut ajouter que, loin de produire au sein du Conseil la sensation, dont a parlé hier un journal, cette inexplicable excentricité y a excité des sentiments que, par respect pour l'âge de son auteur, nous nous abstiendrons de traduire plus explicitement ».

(Le Constitutionnel, 25 juin 1849).

Ce fut également le cas deux ans plus tard avec le projet de loi, dit des questeurs, relatif à la disposition des forces armées par le président de l'Assemblée législative. Projet qui opposait le président de la République et l'Assemblée. La majorité du Conseil prit parti pour cette dernière, comme le rappelait en 1873 Jean Boulay de la Meurthe dans un écrit consacré à son père, le président du Conseil d'Etat de la IIe République :

« Le Conseil d'Etat avait alors une grande importance; il réunissait des pouvoirs législatifs et politiques à des attributions administratives et judiciaires; mais, comme il émanait de l'Assemblée, il en subissait l'influence, il était divisé en autant de partis et il reproduisait les mêmes passions. La majorité de ses membres s'était d'abord montrée favorable au Prince Président; mais lorsque le désaccord se mit entre le Prince et l'Assemblée, une semblable mésintelligence se fit sentir dans le Conseil. Elle se manifesta surtout dans la discussion d'un projet de loi sur la responsabilité des dépositaires de l'autorité publique. M. Vivien était président et M. Rivet était rapporteur de la commission chargée de rédiger ce projet, qui se rattachait implicitement à la proposition des questeurs. On sait que les questeurs prétendaient donner au président de l'Assemblée le droit de requérir directement la force armée et toutes les autorités militaires et civiles dont il jugerait le concours nécessaire, en leur enjoignant d'y obtempérer sans délai.

Le projet de loi obtint dans le Conseil d'Etat une grande majorité, malgré les objections qu'il rencontra de la part de quelques-uns de ses membres qui en comprenaient l'extrême gravité. Le 17 novembre 1851, il fut renvoyé directement à l'Assemblée au lieu d'être adressé au Gouvernement. Les adversaires du Prince Président se proposaient de demander sa mise en accusation, de le suspendre de ses fonctions et de le faire détenir à Vincennes jusqu'à la sentence à intervenir.

Ce fut pour déjouer ces desseins et pour empêcher la démagogie de livrer la France à de nouveaux troubles, que le 2 décembre suivant, le Prince prononça par décret la dissolution de l'Assemblée et du Conseil d'Etat, et qu'il fit en même temps appel à la nation... »

(J. Boulay de la Meurthe, Henry-Georges Boulay de la Meurthe, Paris 1873, pp 64-65).

V

LE COUP D'ÉTAT DU 2 DÉCEMBRE 1851 ET LA FIN DU CONSEIL D'ÉTAT DE LA DEUXIÈME RÉPUBLIQUE

Dissolution du Conseil d'Etat — Le Palais d'Orsay évacué par la troupe — Protestation de 19 conseillers contre le coup d'Etat — Protestation personnelle de Pons de l'Hérault — Hésitants et ralliés — Le décret du 2 décembre annonce que la future constitution créera un Conseil d'Etat — Un candidat admissible au concours de l'auditorat de décembre 1851 s'inquiète de son avenir.

Le décret du coup d'Etat, affiché sur les murs de Paris au matin du 2 décembre 1851, comportait en son article 5 la disposition suivante : « Le Conseil d'Etat est dissous ». Le Palais d'Orsay où siégeait alors le Conseil fut cerné par la troupe et les conseillers d'Etat qui s'y trouvaient réunis sommés de le quitter. Corps politique, le Conseil se trouvait nécessairement atteint par le coup d'Etat qui violait la Constitution.

Le jour même ou le lendemain, 3 décembre, le ministre de l'intérieur adressait au commissaire de police du quartier l'ordre suivant :

« Cabinet du
Ministre de l'Intérieur

Paris, le 1851

envoyer au Conseil d'Etat un officier de paix qui ordonne au concierge de fermer toutes les grilles et de ne laisser accès à personne.

Le Ministre de l'Intérieur
A. de Morny »

(Arch. nat. F^7 3008^1).

Sous la même cote est conservée aux Archives nationales le compte rendu d'exécution de cet ordre :

4 décembre 1851

« Ainsi qu'il est prescrit par la note ci-jointe nous venons d'ordonner à l'agent surveillant général du Conseil d'Etat de fermer toutes les grilles. Il nous a assuré et nous l'avons vérifié nous-mêmes que les salles de séances du Conseil sont fermées à clef depuis hier et interdites à tout accès. Mais, une quinzaine d'employés étant occupés dans les bureaux administratifs, les grilles ne peuvent être complètement interdites. M. Prosper Hochet, secrétaire général, nous a dit s'être entendu à cet effet avec M. le vice-Président de la République. Si M. le Ministre y voyait le moindre inconvénient, on renverrait immédiatement ces employés pour tenir les grilles complètement closes.

Nous ferons remarquer que ces bureaux administratifs sont complètement distincts des salles de séances.

L'officier de Paix
Weidenbach (signé) »

Les membres du Conseil que le coup d'Etat avait surpris au Palais d'Orsay rédigèrent sur place un projet de protestation qui fut, semble-t-il, arrêté et signé, après qu'ils eurent quitté le palais, au domicile de l'un d'eux, le conseiller Bethmont :

PROTESTATION DU CONSEIL D'ETAT

« Les soussignés, membres du Conseil d'Etat, élus par les Assemblées constituante et législative, réunis, nonobstant le décret du 2 décembre, au lieu de leurs séances, et l'ayant trouvé entouré de la force armée qui leur en a interdit l'accès, protestent contre l'acte qui a prononcé la dissolution du Conseil d'Etat, et déclarent n'avoir cessé leurs fonctions qu'empêchés par la force ».

(Signé) Bethmont, Vivien, Bureaux de Puzy, Stourm, Ed. Charton, Cuvier, de Renneville, Horace Say, Boulatignier, Gauthier de Rumilly, de Jouvencel, Dunoyer, Carteret, de Fresne, Bouchené-Lefer, Rivet, Boudet, Cormenin, Pons (de l'Hérault)

(Archives du Conseil d'Etat auxquelles cette pièce a été donnée par M. Guillaume de Tarde, maître des requêtes honoraire).

L'un des signataires de ce texte, Pons de l'Hérault, avait au Conseil d'Etat même, rédigé et signé une protestation personnelle :

« Je soussigné, conseiller d'Etat, nommé d'abord par le gouvernement provisoire de la République et ensuite élu par l'Assemblée nationale, averti que le Président de la République Louis Napoléon Bonaparte, violant la loi fondamentale de l'Etat à laquelle il avait solennellement juré fidélité, a par la force dissous l'Assemblée nationale et le Conseil d'Etat, je me suis rendu à mon poste pour y faire la protestation suivante. Je proteste contre la violation de la constitution, contre la dissolution de l'Assemblée nationale, contre la dissolution du Conseil d'Etat, contre l'érection de tout pouvoir illégal. »

fait au Conseil d'Etat le 2 décembre 1851
le conseiller d'Etat dans l'exercice de ses fonctions
de droit et de devoir
Pons de l'Hérault

(Mémoire de Pons de l'Hérault aux Puissances alliées, Paris 1899).

Victor Hugo a donné de la rédaction de la protestation collective du Conseil un récit qui fut écrit sous le Second Empire et qui est certainement marqué par ses passions politiques du moment :

« Madame Charrasin venait de me quitter quand Théodore Bac arriva. Il nous apportait la protestation du Conseil d'Etat...

Disons comment s'est passée l'aventure du Conseil d'Etat.

Louis Bonaparte avait fait expulser l'Assemblée par l'armée, la Haute Cour par la police; il fit expulser le Conseil d'Etat par le portier.

Le 2 décembre au matin, à l'heure même où les représentants de la droite allaient de chez M. Daru à la mairie du dixième arrondissement, les conseillers d'Etat se rendaient à l'hôtel du quai d'Orsay. Ils entrèrent un à un.

Le quai était couvert de soldats. Un régiment y bivouaquait, avec les fusils en faisceaux.

Les conseillers d'Etat furent bientôt une trentaine. Ils se mirent à délibérer. Un projet de protestation fut rédigé. Au moment où on allait le signer, le portier, pâle, entra. Il balbutiait. Il déclara qu'il exécutait des ordres et il leur enjoignit de sortir.

Sur ce, quelques conseillers d'Etat déclarèrent que, si indignés qu'ils fussent, ils ne mettraient pas leur signature à côté des signatures républicaines.

Manière d'obéir au portier.

M. Bethmont, l'un des présidents du Conseil d'Etat, offrit sa maison. Il demeurait rue Saint-Romain. Les membres républicains y allèrent et signèrent, sans discussion, la protestation qu'on vient de lire.

Quelques membres, qui demeuraient dans les quartiers éloignés, n'avaient pu venir au rendez-vous. Le plus jeune des conseillers d'Etat, homme d'un ferme cœur et d'un noble esprit, M. Edouard Charton, se chargea de porter la protestation aux collègues absents.

Il le fit, non sans danger, à pied, n'ayant pu trouver de voiture, arrêté par les soldats, menacé d'être fouillé, ce qui eût été périlleux. Il parvint cependant chez quelques-uns des conseillers d'Etat.

Plusieurs signèrent, Pons (de l'Hérault) résolument, Cormenin avec une sorte de fièvre, Boudet après hésitation. M. Boudet tremblait, sa famille avait peur, on entendait par la fenêtre ouverte des décharges d'artillerie. Charton, vaillant et calme, lui dit : Vos amis Vivien, Rivet et Stourm ont signé. Boudet signa.

Plusieurs refusèrent, alléguant, l'un son grand âge, l'autre le « res angusta domi », un autre, la « peur de faire les affaires des rouges ». « Dites la peur tout court », répliqua Charton.

Le lendemain 3, MM. Vivien et Bethmont portèrent la protestation à Boulay (de la Meurthe), vice-président de la République et président du Conseil d'Etat, qui les reçut en robe de chambre, et leur cria : « Allez-vous-en.. Perdez-vous, soit, mais sans moi. »

Le matin du 4, M. de Cormenin biffa sa signature, donnant cette raison inouïe et authentique : « Le mot « ancien » conseiller d'Etat ne fait pas bon effet sur un livre. Je crains de nuire à mon éditeur. »

Encore un détail caractéristique. M. Béhic, le matin du 2, était arrivé, pendant qu'on rédigeait la protestation. Il avait entr'ouvert la porte. Près de la porte se tenait M. Gauthier de Rumilly, un des membres les plus justement respectés du Conseil d'Etat. M. Béhic avait demandé à M. Gauthier de Rumilly : « Que fait-on ? C'est un crime. Que faisons-nous ? » — M. Gauthier de Rumilly avait répondu : « Une protestation. » — Sur ce mot, M. Béhic avait refermé la porte et avait disparu.

Il reparut plus tard, sous l'Empire, ministre. »

(Victor Hugo, Histoire d'un crime).

Quoiqu'il en soit, cette protestation ne portait que dix-neuf signatures. Il est possible que dans la confusion du moment les membres du Conseil réunis le 2 décembre au palais d'Orsay n'aient pu toucher tous leurs collègues. Mais il est certain que plus d'un membre du Conseil acceptait sans regret et par suite refusait de condamner un coup d'Etat qui apaisait les inquiétudes des hommes d'ordre et qui allait être approuvé quelques jours plus tard par une majorité écrasante dans le pays.

Le décret du 2 décembre, s'il avait dissous le Conseil, n'avait d'ailleurs pas condamné l'institution dans son principe. L'appel au peuple de la même date fixait ainsi les bases de la future Constitution qu'annonçait le Président de la République :

« Persuadé que l'instabilité du pouvoir, que la prépondérance d'une seule assemblée sont des causes permanentes de troubles et de discordes, je soumets à vos suffrages les bases fondamentales suivantes d'une constitution que les assemblées développeront plus tard :

1) Un chef responsable nommé pour dix ans;
2) Des ministres dépendants du pouvoir exécutif seul;
3) Un Conseil d'Etat formé des hommes les plus distingués, préparant les lois et en soutenant la discussion devant le Corps législatif;
4) Un Corps législatif... »

(Duvergier, t. LI, p. 475).

Le coup d'Etat n'était pas une révolution. Telle était bien la conviction d'un jeune avocat stagiaire, ancien élève de l'Ecole d'administration, E. Fontaine, qui venait d'être admissible au dernier concours de l'auditorat et qui de province écrivait à un ami parisien, auditeur au Conseil :

Fresney le 23 décembre 1851

« Mon cher Tranchant

Je suis peut-être un peu indiscret, en abusant de ma qualité d'ancien camarade, pour vous demander un petit service. Mais, outre que vous êtes placé mieux que personne pour me renseigner sur ce que je désire savoir, j'ai cru pouvoir faire fond sur votre obligeance. Voici en peu de mots ce dont il s'agit. Huit ou dix jours après les événements de Décembre, j'ai quitté Paris, pour me rendre dans ma famille, à cinquante lieues de la capitale. Retiré dans une petite ville de la Sarthe, je n'ai de nouvelles que par les journaux. J'ai appris ainsi que les fonctionnaires attachés à l'ancien Conseil d'Etat étaient appelés à exercer les mêmes fonctions auprès de la Commission consultative. De cette sorte, les maîtres des requêtes et auditeurs ont heureusement conservé leur position un instant compromise. Pour moi, je n'ai perdu, par la dissolution de l'ancien Conseil d'Etat, que de simples espérances. C'est vous dire que je suis du nombre des vingt-deux candidats déclarés admissibles au concours pour l'auditorat.

J'arrive maintenant aux points sur lesquels je désirerais avoir une réponse de vous. Vous devez voir assez fréquemment M. Boulatignier. Il s'est toujours montré bienveillant pour les jeunes gens qui ont été ses disciples et qui ont fait des efforts pour aborder la carrière administrative par la voie du concours. S'il ne vous déplaisait pas de questionner M. Boulatignier sur certaines choses qui m'intéressent vivement, je vous prierais de savoir de lui :

1) s'il pense que les 22 candidats admissibles seront signalés à l'attention du gouvernement; en d'autres termes, si l'on pourvoira, d'une manière ou d'une autre, au sort de ces jeunes gens, sans qu'il soit besoin de sollicitations spéciales;

2) dans le cas où, comme c'est probable, l'examen qu'ils ont subi ne leur conférait aucun droit, au moins s'en pourraient-ils prévaloir comme d'une recommandation pour solliciter les faveurs ministérielles ?

3) M. Boulatignier pense-t-il que dans le futur Conseil d'Etat l'institution des auditeurs soit maintenue et cette place accessible par la voie du concours ?

Voilà les trois principales questions sur lesquelles je désirerais avoir l'avis de M. Boulatignier, si c'est possible, et, en tous cas, le vôtre. Je serais heureux, en outre, d'avoir votre opinion personnelle sur les facilités que les circonstances présentes pourraient offrir aux licenciés en droit pour entrer dans l'administration; sur l'époque probable de la réorganisation du Conseil d'Etat; sur la possibilité de concours prochains; en un mot, sur les chances qui se présenteraient pour moi de recommencer une tentative demeurée sans résultat.

Peut-être ma présence à Paris serait-elle utile, pour me préparer à toute éventualité ? Veuillez me dire ce que vous en pensez. Je m'en rapporte, du reste, complètement à vous pour m'édifier sur toutes ces choses. Vous comprenez combien je serais fâché de m'endormir ici, dans le cas où quelques démarches, un peu d'activité et de travail à Paris, pourraient m'ouvrir l'accès d'une belle carrière et décider de mon avenir.

Recevez, mon cher Tranchant, et mes excuses pour la peine que je pourrai vous occasionner et mes remerciements pour le service que j'attends de vous.

Je vous serre cordialement la main,

Votre ancien camarade
E. Fontaine
avocat stagiaire »

(Lettre d'E. Fontaine, ancien étudiant de l'Ecole d'Administration de 1848-49 à Charles Tranchant, président de l'association des anciens élèves de l'Ecole (et conseiller d'Etat de la troisième République), 23 décembre 1851, Arch. nat. Papiers Tranchant 4 AS 4).

BIOGRAPHIES

Sébastien Joseph BOULATIGNIER
1805-1895
Conseiller d'Etat
Président de la section du contentieux

La vie de Boulatignier couvre la quasi intégralité du XIXe siècle. Il est le prototype de ces hommes dont parle Beau de Loménie qui ont dû s'adapter à tous les régimes que connut la France en ce siècle troublé. Et, sans vouloir peser leurs intentions, l'historien peut aisément imaginer les scrupules et les troubles de leur conscience.

Il était, dit-on, fils d'un cafetier de Valognes (Manche) et naquit dans cette ville le 11 janvier 1805. On n'oubliera pas que Tocqueville fut député de la Manche avant et après 1848 et que Valognes fut le « centre naturel de (son) influence ». Après de « brillantes études », Boulatignier vint faire son droit à Paris en 1824. Tocqueville (né également en 1805) fut lui aussi étudiant à la Faculté de Droit à la même époque. Il est possible que ces deux normands se soient connus et aient suivi ensemble les leçons de Delvincourt, de Blondeau et de Berriat Saint Prix. Tout en étudiant le droit, Boulatignier suivait les cours de Villemain à la Sorbonne et, comme plus tard Léon Blum, écrivit des articles de critique dramatique.

Son droit terminé, Boulatignier collabora avec Macarel, alors avocat aux Conseils, et connut Gérando. Il dit avoir eu moins de rapports avec Cornemin alors voué « exclusivement à l'ardente polémique des pamphlets politiques ». Dès cette époque, Boulatignier est un juriste et seulement un juriste. Il fait déjà partie de cette cohorte de spécialistes qui ont fondé le droit administratif en France et que l'histoire avait injustement oubliés. Grâce à Macarel, il devient rédacteur à l'*Ecole des communes,* l'assiste dans les cours qu'il organise pour les jeunes fonctionnaires égyptiens envoyés par le Khedive en 1828, et rédige avec lui le grand ouvrage intitulé « De la fortune publique en France et de son administration », dont seuls les trois premiers volumes furent publiés.

C'est toujours la fortune de Macarel qu'il suit après la Révolution de juillet. Lorsque celui-ci est nommé, en 1837, directeur de l'administration des communes et des départements au ministère de l'Intérieur par M. de Montalivet, il fait nommer Boulatignier chef de bureau. Celui-ci allait donc compléter sa science juridique par une expérience administrative et l'aboutissement normal de cette période devait être sa nomination comme maître des requêtes en 1839. Entré au Conseil d'Etat à trente quatre ans, il allait y rester jusqu'à son départ pour la retraite à soixante-cinq ans.

En 1840, il fut nommé commissaire du gouvernement à une époque où il s'agissait de créer le « style » de cette fonction. Dès cette époque, sa voie est tracée. Il achève, en outre, avec Alfred Blanche, les « Institutes de droit administratif » de Gérando, mort en 1841, et rédige, avec le même collaborateur, un « dictionnaire général de l'administration ».

Après la Révolution de 1848, il est élu — comme Tocqueville — député de la Manche. Il avait été nommé conseiller d'Etat et fut ensuite élu conseiller d'Etat selon la règle posée par la loi du 3 mars 1849. Son nom était le troisième après ceux de Vivien et Macarel.

En même temps, il suppléait Cormenin à la jeune Ecole d'Administration pour y enseigner le droit administratif. Député, conseiller d'Etat, professeur, Boulatignier est, à cette époque, dans la période la plus exaltante de sa carrière. Ses rapports à l'Assemblée nationale et au Conseil d'Etat sont le témoignage de sa science et de son esprit libéral. On voudrait citer, par exemple, le rapport sur le livre quatrième de la loi sur l'administration intérieure « Des conseils de Préfecture » (avril 1851), qui annonce des réformes qui ne seront réalisées qu'en 1926 et 1953 ! Dès 1837 il avait publié une étude sur l'origine, les progrès et l'enseignement du droit administratif en France. Devenu membre du nouveau Tribunal des Conflits, il publie un traité des conflits d'attributions, dont il donnera une nouvelle édition en 1883, à soixante dix-huit ans.

Comme tant d'autres à l'époque, il visite l'Angleterre. Il est chargé de mission auprès de Pie IX pour l'engager à rentrer à Rome. Peut-être allait-il s'orienter vers une carrière d'homme politique, mais, comme pour bien d'autres, le coup d'Etat allait couper court aux espoirs qu'il avait peut-être formés. Il signe la protestation, que d'aucuns qualifient de « discrète », du Conseil d'Etat après le 2 décembre. Mais il est maintenu dans la haute Assemblée en 1852 et ce ralliement allait l'inciter à traduire exclusivement dans le contentieux ses aspirations libérales.

Membre de la section du contentieux pendant tout le Second Empire, il fut, avec Léon Aucoc, son disciple et son ami, l'artisan de cette jurisprudence libérale dont Aucoc devait dire qu'elle fut la « soupape de sûreté » de l'Empire autoritaire. Le décret de 1864 dispensant les recours pour excès de pouvoir du ministère d'avocat, la réforme des Conseils de préfecture en 1865, la jurisprudence sur le détournement de pouvoir sont son œuvre. Il ne souhaitait pourtant pas perdre le contact avec l'administration active; il fut chargé de mission pour la réorganisation de l'administration en 1853 et nommé membre du Conseil municipal de Paris.

En mars 1870, il fut nommé président de la section du contentieux. C'était l'aboutissement d'une belle carrière toute entière vouée à la défense du droit administratif. Il ne put jouir longtemps de cette consécration car il ne retrouva aucune fonction après la Révolution du 4 septembre ni dans le nouveau Conseil d'Etat de 1872. Mais on imagine que sa longue retraite de vingt-cinq années fut paisible et heureuse. Il mourut au château de Pise, près de Lons le Saulnier, le 15 mars 1895.

Comment beaucoup de membres du Conseil d'Etat, à l'époque et aujourd'hui, il aimait l'enseignement, car c'était sans doute, pour lui, le moyen de défendre et de répandre les idées qu'il avait consacrées comme juge. Disciple de Macarel, maître d'Aucoc, il a assuré la continuité d'une tradition et doit compter au nombre des grands fondateurs du droit administratif français.

Roland Drago
Professeur à l'Université de droit, d'économie et de sciences sociales de Paris

Louis Marie DELAHAYE de CORMENIN
1788-1868

Vice-Président du Conseil d'Etat
(février - juin 1848)

Louis Marie Delahaye de Cormenin a fait partie du Conseil d'Etat pendant quatre périodes de sa vie :

— du 19 janvier 1810, date à laquelle il est nommé auditeur (à la suite, paraît-il, d'une ode en l'honneur de Napoléon qui le signale à l'attention de l'Empereur avec l'appréciation suivante « âgé de 22 ans, fils d'un ancien maître des comptes, neveu de l'évêque de Carcassonne et de l'ancien intendant de la liste civile. Il a fait avec distinction ses études et son droit à Paris, possède plusieurs langues et aura de son père un revenu convenable »), à août 1830, où il démissionne de son poste de maître des requêtes pour se consacrer uniquement à une activité d'homme politique, dans une opposition violente à la Monarchie de juillet;

— du 28 février 1848, date à laquelle les nouveaux dirigeants, reconnaissant ses mérites de juriste pamphlétaire, le nomment conseiller d'Etat, puis vice-président du Conseil d'Etat le 29 février 1848, au 24 juin 1848 où *le Moniteur* fait état de sa démission motivée par ses prises de position antérieures très fermes sur le non cumul des fonctions; il venait en effet, le 17 mai précédent, après avoir été élu député dans la Seine, d'être nommé président de la commission chargée par l'Assemblée de préparer un projet de constitution;

— du 18 avril 1849, date à laquelle il est choisi parmi les 40 conseillers d'Etat nommés par l'Assemblée et élu président de la section du contentieux (fonction qu'il n'assurera en fait que jusqu'en juin 1849) au 2 décembre 1851, date de dissolution du Conseil d'Etat;

— enfin du 31 juillet 1852, date où, s'étant rallié à l'Empire, il est à nouveau nommé conseiller d'Etat, à sa mort en 1868.

En fait, les périodes de gloire de Cormenin au Conseil d'Etat ont été, à des titres différents, les deux premiers séjours qu'il y fit.

Après avoir été de 1810 à 1815 envoyé comme sous-préfet à Villeneuve d'Agen, à Tarragone, Château-Thierry, puis nommé commissaire pour le recrutement et les subsistances dans le sud-ouest, il est en 1815 affecté comme maître des requêtes au comité du contentieux. Il y passe quinze ans, pendant lesquels il fait preuve d'une remarquable fécondité intellectuelle et asseoit sa réputation de fondateur du droit administratif, en publiant de nombreux ouvrages, articles et commentaires de jurisprudence. Son titre de gloire le plus durable sur le plan juridique est d'être à l'origine directe de l'ordonnance du 1er juin 1828 sur les conflits. Son rapport devant la commission nommée en janvier 1828 sous le gouvernement Martignac est un modèle du genre. Il força la conviction. L'ordonnance du 1er juin 1828 est toujours en vigueur.

Le second passage de Cormenin au Conseil d'Etat de février à juin 1848 en qualité de vice-président de l'institution est la période la plus brillante de sa vie. Le gouvernement provisoire fait appel à Isambert, conseiller à la Cour de cassation, et à lui pour élaborer un projet de loi électorale. Cormenin fait adopter le suffrage universel et direct sans aucune condition de cens et l'indemnité législative. Tocqueville raconte dans ses souvenirs : « Au moment des élections générales je le rencontrai, et il me dit avec une certaine complaisance : « A-t-on jamais vu dans le monde rien de semblable à ce qui se voit aujourd'hui ? Où est le pays où l'on a jamais été jusqu'à faire voter les domestiques, les pauvres, les soldats ? Avouez que cela n'avait jamais été imaginé jusqu'ici ! ». Et il ajouta en se frottant les mains : « Il sera bien curieux de voir ce que tout cela va produire ». Il en parlait comme d'une expérience de chimie ».

Le 9 avril 1848, *le Moniteur* annonce que Cormenin est désigné pour la chaire de droit administratif du Collège de France, créée quelques jours auparavant. Triomphalement élu président de la commission désignée par l'Assemblée pour préparer la Constitution, il donnera une impulsion fondamentale au projet, avant de se démettre officiellement de ses fonctions de vice-président du Conseil d'Etat.

Cormenin présente certes des traits évidents de vanité et un manque de fermeté du jugement et du caractère. A chaque changement de régime politique on le sent disposé à se laisser porter par l'événement sans le dominer. Même en 1848, alors qu'il est le grand légiste de la seconde République naissante, il est parfois prêt à céder à un caprice de son humeur. Mais, on ne peut manquer d'être frappé, notamment devant la liste de ses publications, par son esprit inventif et ardent qui s'est appliqué à des problèmes très variés, tels que la supression de la pairie, le suffrage universel, l'instruction gratuite et obligatoire, la liberté de la presse, l'indépendance du clergé, le désarmement.

Cormenin a été un beau type d'apprenti sorcier.

Marie-Aimée Latournerie
Maître des requêtes
au Conseil d'Etat

CHAPITRE VIII

LA RÉPUBLIQUE DÉCENNALE ET LE SECOND EMPIRE (1852-1870)

INTRODUCTION

Certains pensèrent, au lendemain du coup d'état du 2 décembre 1851, que le Prince Président, encore sous l'impression de ses mauvais rapports avec le Conseil d'Etat de la IIe République, ne reconstituerait pas le corps qu'il venait de dissoudre. Prévision qui s'avéra très vite mal fondée; le Conseil d'Etat fut un des organes essentiels créés par la constitution du 14 janvier 1852.

Comme on pouvait s'y attendre, il fut reformé à l'image du Conseil d'Etat napoléonien. Même organisation, sous la présidence du chef de l'Etat dont on put croire alors qu'il exercerait cette fonction de manière effective, comme son oncle l'avait fait. Mêmes attributions étendues : le Conseil n'est pas seulement un donneur d'avis en matière législative; ses membres portent la parole au nom du Gouvernement devant le Corps législatif et tout amendement parlementaire aux projets de loi doit lui être renvoyé pour examen et ne peut être adopté par la Chambre qu'avec son accord. Dès 1853, l'auditorat sera réorganisé sur ses anciennes bases et, avec un effectif de 80 membres, paraît appelé à redevenir la grande école pratique d'administration conçue par Napoléon au début du siècle.

Le corps fait grande figure pendant tout le Second Empire. Les plus brillantes personnalités du régime — Baroche, Rouher — sont placés à sa tête. Son président reçoit, en 1853, rang et appellation de ministre. Les hommes auxquels l'Empereur fait appel pour garnir ses rangs sont en majorité des hommes de grande valeur. Par les travaux de ses sections et de son assemblée générale comme par les missions confiées à l'extérieur à beaucoup de ses membres, il est associé intimement à l'action gouvernementale.

L'impression s'impose cependant qu'au cours de ces dix-huit années le Conseil n'a pas tenu toutes les promesses placées en lui ni joué entièrement le rôle qui lui avait été assigné. L'Empereur présida rarement ses séances et fut surtout sensible, semble-t-il, aux conseils et aux inspirations trouvées auprès de familiers ou de très grands fonctionnaires comme Haussmann. Les départements ministériels, plus importants et plus puissants qu'ils n'avaient été sous le Premier Empire, défendirent leurs prérogatives et limitèrent l'influence de leur rival. Le Corps législatif ne se résigna pas de bonne grâce à son rôle de second plan.

Il est pourtant un domaine où l'action du Conseil se développa de façon continue et fructueuse : le contentieux. Le rétablissement, en 1852, de la justice retenue après le bref intermède sous la IIe République de la justice déléguée, n'empêcha pas le Conseil de conserver son indépendance de juge et, avec l'approbation certaine de l'Empereur, de faire avancer la jurisprudence. Quelques progrès décisifs furent accomplis pendant cette période : libéralisation de la procédure, apparition de nouveaux cas d'ouverture du recours pour excès de pouvoir, recul de l'acte discrétionnaire.

Ainsi se maintint au sein du Conseil une tradition libérale qu'incarnaient particulièrement des hommes ralliés à l'Empire, mais dont l'esprit, sinon le cœur restait attaché aux traditions de la monarchie parlementaire. Ces hommes, plus conservateurs sans doute sur le plan social que ne l'était l'Empereur, ne cessèrent de marquer discrètement leur réserve à l'égard des aspects autoritaires du régime. Peut-être est-ce l'existence de cette opposition larvée qui conduisit Napoléon III à prendre ses distances vis-à-vis du Conseil. Il est piquant, en tout cas, de constater que l'avènement, en 1869, de l'Empire libéral, qui correspondait sans doute à leurs aspirations, entraîna un amoindrissement au profit de la Chambre des prérogatives et du rôle du corps auquel ils appartenaient.

I
L'ORGANISATION DU NOUVEAU CONSEIL

Création d'une commission consultative (2 décembre 1851) et, au sein de celle-ci, d'une section d'administration (15 décembre 1851) chargées de certaines fonctions du Conseil d'Etat dissous — La constitution du 14 janvier 1852 forme un nouveau Conseil d'Etat, organisé par le décret organique du 25 janvier 1852 — Retour au Conseil d'Etat napoléonien — Nomination des nouveaux conseillers — Réticences et refus — Deux lettres de Cornudet — Installation et prestation de serment.

Le 2 décembre 1851, le jour même où il suspendait la constitution du 4 novembre 1848 et proposait au peuple les bases fondamentales d'une nouvelle constitution — parmi lesquelles figurait un Conseil d'Etat — le Prince Président créait par décret une commission consultative qui devait remplir certaines fonctions de l'ancien Conseil :

Le Président de la République, voulant, jusqu'à la réorganisation du Corps législatif et du Conseil d'Etat, s'entourer d'hommes qui jouissent à juste titre de l'estime et de la confiance du pays, a formé une commission consultative de :

(suit une liste de 80 noms qui fut complétée le 3 décembre par 39 nouvelles nominations (1)).

Signé : Louis Napoléon Bonaparte.

(Duvergier, t. LI, p. 478).

Les attributions de cette commission furent fixées par un décret du 11 décembre :

Art. 1er. — La commission consultative, instituée par le décret du 2 décembre courant, est chargée du recensement général des votes exprimés par le peuple français dans les scrutins des 20 et 21 décembre prochains...

Art. 2. — La commission consultative est appelée à donner son avis sur les projets de décrets en matière législative qui lui seront soumis par le Président de la République.

Art. 3. — Elle remplira, en outre, les fonctions déférées au Conseil d'Etat par l'art. 12 de la loi du 21 juillet 1845, sauf les matières du contentieux administratif au jugement desquelles il sera pourvu par un décret ultérieur.

Art. 4. — La commission sera présidée par le Président de la République et, en son absence, par M. Baroche, nommé vice-président.

(1) La composition définitive de la commission, dont l'effectif était porté à 178 membres, fut fixée par un décret du 13 décembre. Ce décret nommait en même temps secrétaire général de la commission M. Prosper Hochet, secrétaire général de l'ancien Conseil d'Etat.

ART. 5. — Un décret du pouvoir exécutif divisera la commission consultative en sections pour l'examen des affaires qui lui seront soumises.

ART. 6. — Les maîtres des requêtes et auditeurs attachés à l'ancien Conseil d'Etat pourront être appelés à remplir, auprès de la commission consultative, les fonctions qu'ils exerçaient auprès du Conseil.

(Duvergier, t. LI, p. 495).

Un décret du 15 décembre forma, sous la présidence de Baroche, au sein de la commission consultative, une section dite d'administration, de 28 membres, chargée de remplir les fonctions déférées à la commission par l'article 3 du décret précité du 11 décembre, c'est-à-dire celles prévues à l'article 12 de la loi du 21 juillet 1845 sur le Conseil d'Etat. Un décret du 16 décembre détermina les affaires qui seraient portées à la section d'administration elle-même et celles qui seraient soumises à la délibération de ses comités.

La création de cette section d'administration — qui n'eut d'ailleurs pas le temps de fonctionner — annonçait la reconstitution du Conseil d'Etat. Certains devaient craindre cependant que le Président de la République ou son entourage ne tienne rigueur à l'institution même du Conseil de l'attitude adoptée par beaucoup de ses membres à la veille et lors du deux décembre. Les archives du Conseil d'Etat conservent l'original d'une note rédigée le 26 décembre 1851 à l'intention du Prince Président par Armand Marchand, conseiller d'Etat sous la Monarchie de juillet et la IIe République. Dans cette note, Marchand, tout en critiquant la loi organique du Conseil d'Etat du 3 mars 1849, présente une défense de l'institution et de ses membres. Ce document porte l'annotation suivante :

« Cette note a été remise au Prince Président de la République le 26 décembre. Il m'avait fait demander une note sur le Conseil d'Etat et sur son personnel, sur les modifications à apporter à sa constitution.

Cette note a été confiée par moi à la personne qui avait servi entre nous d'intermédiaire; il y avait alors dans l'esprit des personnes qui étaient aux affaires de grandes préventions contre le Conseil d'Etat tout entier, contre l'institution et contre les personnes. J'avais espéré par cette note affaiblir ces préventions, sinon en triompher tout à fait ».

(*Arch. C. E.*).

Les craintes d'A. Marchand n'étaient pas sérieusement fondées. Moins d'un mois plus tard était promulguée la Constitution du 14 janvier 1852 qui recréait le Conseil d'Etat et lui assurait une place éminente, confirmée par le décret organique du 25 janvier 1852.

AUDITEUR AU CONSEIL DES TAS (D'ÉTAT)

Dépôt central de l'Imagerie populaire,
65, Rue Galande, 65

Propriété de l'Éditeur.

(Déposé.)
PARIS. — IMP. J. MORONVAL.

Dessin de l'"Imagerie populaire" d'une série publiée peu après la Commune pour tourner en dérision ses membres et ses partisans. On est surpris d'y voir figurer un auditeur, aucun membre du Conseil d'Etat du Second Empire n'ayant, semble-t-il, participé à la Commune. Il s'agit sans doute d'une confusion entre l'auditeur Emile Flourens – qui fut député et ministre sous la IIIe République – et son frère Gustave, membre de la Commune, tué le 2 avril 1871 au cours d'un combat contre les Versaillais.

LA CONSTITUTION DU 14 JANVIER 1852

Préambule (extrait) :

Plus un homme est haut placé, plus il est indépendant, plus la confiance que le peuple a mise en lui est grande, plus il a besoin de conseils éclairés, consciencieux. De là la création d'un Conseil d'Etat, désormais véritable conseil du gouvernement, premier rouage de notre organisation nouvelle, réunion d'hommes pratiques élaborant les projets de loi dans des commissions spéciales, les discutant à huis clos, sans ostentation oratoire, en assemblée générale, et les présentant ensuite à l'acceptation du Corps législatif.

La Chambre n'étant plus en présence des ministres, et les projets de loi étant soutenus par les orateurs du Conseil d'Etat, le temps ne se perd pas en vaines interpellations, en accusations frivoles, en luttes passionnées, dont l'unique but était de renverser les ministres pour les remplacer.

Texte de la Constitution (extraits) :

TITRE II

FORMES DU GOUVERNEMENT DE LA RÉPUBLIQUE

ART. 3. — Le Président de la République gouverne au moyen des ministres, du Conseil d'Etat, du Sénat et du Corps législatif.

TITRE III

DU PRÉSIDENT DE LA RÉPUBLIQUE

ART. 14. — Les ministres, les membres du Sénat, du Corps législatif et du Conseil d'Etat, les officiers de terre et de mer, les magistrats et les fonctionnaires publics prêtent le serment ainsi conçu :

« *Je jure obéissance à la Constitution et fidélité au Président* ».

TITRE V

DU CORPS LÉGISLATIF

ART. 40. — Tout amendement adopté par la commission du Corps législatif chargée d'examiner un projet de loi sera renvoyé, sans discussion, au Conseil d'Etat par le Président du Corps législatif.

Si l'amendement n'est pas adopté par le Conseil d'Etat, il ne pourra pas être soumis à la délibération du Corps législatif.

TITRE VI

DU CONSEIL D'ÉTAT

ART. 47. — Le nombre des conseillers d'Etat en service ordinaire est de quarante à cinquante.

ART. 48. — Les conseillers d'Etat sont nommés par le Président de la République et révocables par lui.

ART. 49. — Le Conseil d'Etat est présidé par le Président de la République, et, en son absence, par la personne qu'il désigne comme vice-président du Conseil d'Etat.

ART. 50. — Le Conseil d'Etat est chargé, sous la direction du Président de la République, de rédiger les projets de loi et les règlements d'administration publique, et de résoudre les difficultés qui s'élèvent en matière d'administration.

ART. 51. — Il soutient, au nom du gouvernement, la discussion des projets de loi devant le Sénat et le Corps législatif.

Les conseillers d'Etat chargés de porter la parole au nom du gouvernement sont désignés par le Président de la République.

ART. 52. — Le traitement de chaque conseiller d'Etat est de vingt-cinq mille francs.

ART. 53. — Les ministres ont rang, séance et voix délibérative au Conseil d'Etat.

(Duvergier, t. LII, pp. 17-sq.).

DÉCRET ORGANIQUE DU 25 JANVIER 1852

TITRE PREMIER

FORMATION ET COMPOSITION DU CONSEIL D'ÉTAT

ART. 1er. — Le Conseil d'Etat, sous la direction du Président de la République, rédige les projets de loi et en soutient la discussion devant le Corps législatif.

Il propose les décrets qui statuent : 1° sur les affaires administratives dont l'examen lui est déféré par des dispositions législatives ou réglementaires; 2° sur le contentieux administratif; 3° sur les conflits d'attributions entre l'autorité administrative et l'autorité judiciaire. Il est nécessairement appelé à donner son avis sur tous les décrets portant règlement d'administration publique ou qui doivent être rendus dans la forme de ces règlements.

Il connaît des affaires de haute police administrative à l'égard des fonctionnaires dont les actes sont déférés à sa connaissance par le Président de la République.

Enfin, il donne son avis sur toutes les questions qui lui sont soumises par le Président de la République ou par les ministres.

ART. 2. — Le Conseil d'Etat est composé :

1° D'un vice-président du Conseil d'Etat, nommé par le Président de la République;

2° De quarante à cinquante conseillers d'Etat en service ordinaire;

3° De conseillers d'Etat en service ordinaire hors sections, dont le nombre ne pourra excéder celui de quinze;

4° De conseillers d'Etat en service extraordinaire dont le nombre ne pourra s'élever au delà de vingt;

5° De quarante maîtres des requêtes divisés en deux classes de vingt chacune;

6° De quarante auditeurs divisés en deux classes de vingt chacune.

Un secrétaire général ayant titre et rang de maître des requêtes est attaché au Conseil d'Etat.

ART. 3. — Les ministres ont rang, séance et voix délibérative au Conseil d'Etat.

ART. 4. — Le Président de la République nomme et révoque les membres du Conseil d'Etat.

ART. 5. — Le Conseil d'Etat est présidé par le Président de la République, ou, en son absence, par le vice-président du Conseil d'Etat. Celui-ci préside également, lorsqu'il le juge convenable, les différentes sections administratives et l'assemblée du Conseil d'Etat délibérant au contentieux.

ART. 6. — Les conseillers d'Etat en service ordinaire et les maîtres des requêtes ne peuvent être sénateurs ni députés au Corps législatif; leurs fonctions sont incomptatibles avec toutes autres fonctions publiques salariées. Néanmoins les officiers généraux de l'armée de terre et de mer peuvent être conseillers d'Etat en service ordinaire. Dans ce cas, ils sont, pendant toute la durée de leurs fonctions, considérés comme étant en mission hors cadre et ils conservent leurs droits à l'ancienneté.

ART. 7. — Les conseillers d'Etat en service ordinaire hors section sont choisis parmi les personnes qui remplissent de hautes fonctions publiques. Ils prennent part aux délibérations de l'assemblée générale du Conseil d'Etat et y ont voix délibérative.

ART. 9. — Les conseillers d'Etat en service extraordinaire assistent et ont voix délibérative à celles des assemblées générales du Conseil d'Etat auxquelles ils ont été convoqués par un ordre spécial du Président de la République.

TITRE II

FORMES DE PROCÉDER

§ 1er

ART. 10. — Le Conseil d'Etat est divisé en six sections, savoir :

Section de législation, justice et affaires étrangères;

Section du contentieux;

Section de l'intérieur, de l'instruction publique et des cultes;

Section des travaux publics, de l'agriculture et du commerce;

Section de la guerre et de la marine;

Section des finances.

Cette division pourra être modifiée par un décret du pouvoir exécutif.

ART. 11. — Chaque section est présidée par un conseiller d'Etat en service ordinaire nommé par le Président de la République président de section.

ART. 12. — Les délibérations du Conseil d'Etat sont prises en assemblée générale et à la majorité des voix, sur le rapport fait par les conseillers d'Etat pour les projets de loi et les affaires les plus importantes, et par les maîtres des requêtes pour les autres affaires.

ART. 15. — Le Président de la République désigne trois conseillers d'Etat pour soutenir la discussion de chaque projet de loi présenté au Corps législatif ou au Sénat.

L'un de ces conseillers peut être pris parmi les conseillers en service ordinaire hors sections.

ART. 16. — Seront observées, à l'égard des fonctionnaires publics dont la conduite sera déférée au Conseil d'Etat les dispositions du décret du 11 juin 1806.

§ 2

MATIÈRES CONTENTIEUSES

ART. 17. — La section du contentieux est chargée de diriger l'instruction écrite et de préparer le rapport de toutes les affaires contentieuses, ainsi que des conflits d'attributions entre l'autorité administrative et l'autorité judiciaire.

ART. 18. — Trois maîtres des requêtes sont désignés par le Président de la République pour remplir au contentieux administratif les fonctions de commissaire du gouvernement.

ART. 19. — Le rapport des affaires est fait au nom de la section, en séance publique de l'assemblée du Conseil d'Etat délibérant au contentieux.

Cette assemblée se compose : 1° des membres de la section; 2° de dix conseillers d'Etat désignés par le Président de la République, et pris en nombre égal dans chacune des autres sections. Ils sont, tous les deux ans, renouvelés par moitié.

Cette assemblée est présidée par le président de la section du contentieux.

ART. 21. — Les affaires pour lesquelles il n'y a pas eu constitution d'avocat ne sont portées en séance publique que si ce renvoi est demandé par l'un des conseillers d'Etat de la section ou par le commissaire du gouvernement, auquel elles sont préalablement communiquées, et qui donne ses conclusions.

ART. 24. — La délibération n'est pas publique.

Le projet de décret est transcrit sur le procès-verbal des délibérations, qui fait mention des noms des membres présents ayant délibéré.

L'expédition du projet est signée par le président de la section du contentieux, et remise par le vice-président du Conseil d'Etat au Président de la République.

Le décret qui intervient est contre-signé par le garde des sceaux, ministre de la justice.

Si ce décret n'est pas conforme au projet proposé par le Conseil d'Etat, il est inséré au *Moniteur* et au *Bulletin des lois.*

(*Duvergier, t. LII, pp. 71 sq.*).

Un décret du Président de la République du 30 janvier 1852 (1) fixa le règlement intérieur du Conseil. Un autre décret présidentiel du 22 mars 1852 (2), remplacé le 31 décembre 1852 par un décret impérial de teneur très voisine (3), régla les rapports du Sénat et du Corps législatif avec le Président de la République (puis l'Empereur) et le Conseil d'Etat et fixa les conditions organiques de leurs travaux.

Ces textes créaient un Conseil d'Etat très différent de celui de la Deuxième République : tous ses membres étaient nommés par le chef de l'Etat; le règlement des conflits lui était rendu; la justice retenue était rétablie. Ce n'était cependant pas le retour au régime de la loi du 21 juillet 1845. Le Conseil, avant même le rétablissement de l'Empire, retrouvait, notamment dans le domaine législatif, les attributions du Conseil d'Etat napoléonien. Tous les projets de loi sans exception, y compris les projets de loi budgétaires et financiers, étaient préparés par lui et présentés ensuite au Corps législatif par des orateurs pris dans son sein. Tout amendement parlementaire adopté par une commission du Corps législatif devait lui être soumis et devenait nul et non avenu, s'il n'y donnait pas son accord.

---

(1) Duvergier, t. LII, p. 78.
(2) Duvergier, t. LII, pp. 269-sq.
(3) Duvergier, t. LIII, pp. 10-11.

LES NOMINATIONS

Le Conseil fut formé par un décret du 25 janvier 1852 qui nomma 40 conseillers d'Etat en service ordinaire, 40 maîtres des requêtes, 16 auditeurs de 1re classe et 12 auditeurs de 2e classe. Le même décret nommait Baroche vice-président et désignait les présidents de section : Maillard (section du contentieux), Rouher (section de législation, justice et affaires étrangères), Delangle (section de l'intérieur, de l'instruction publique et des cultes), Parieu (section des finances), Magne (section des travaux publics, de l'agriculture et du commerce), vice-amiral Leblanc (section de la guerre et de la marine).

La formation du Conseil fut difficile. Une première liste avait été établie en conseil des ministres le 21 ou le 22 janvier, mais la publication le 23 janvier des décrets de confiscation des biens de la famille d'Orléans entraîna le retrait de près d'un quart des personnes figurant sur cette liste, notamment du comte Jaubert — auquel était destinée la présidence de la section des travaux publics — qui se considérait « comme étant attaché d'honneur à la maison d'Orléans » :

> « Dans une audience que le prince président m'a donnée à l'Elysée, j'avais eu soin, dit-il, de faire mes réserves, comme étant attaché d'honneur à la maison d'Orléans : à cela le prince président ne répondit que par un sourire gracieux. Sur ce, je repartis, pour le Berry où, tout à coup, j'appris les décrets de spoliation. Malade alors, je chargeai mon fils de tout mettre en œuvre pour faire effacer mon nom de la liste du Conseil d'Etat, sentant bien que, s'il était une fois imprimé, une tache indélébile le flétrirait : la presse étant asservie, je n'aurais pu faire connaître que tardivement au public ma démission et ses motifs. Mon fils ne parvint, qu'avec la plus grande peine et dans la nuit où s'imprimait le numéro du Moniteur, à réussir dans ses instructions. Bref, le coup fut évité et je restai, grâces à Dieu, dans la vie privée ».
>
> (*Gabriel Richou, Notice sur la vie et les travaux de M. Reverchon, Paris 1878, pp. 24-25, note 2*).

Ceux qui acceptèrent ne le firent pas tous sans des hésitations et des scrupules de conscience, comme le prouvent les deux lettres adressées à son père par Léon Cornudet, nommé conseiller d'Etat et qui devait d'ailleurs être révoqué quelques mois plus tard à cause de l'attitude qu'il adopta comme rapporteur dans l'affaire de la confiscation des biens de la famille d'Orléans. Léon Cornudet écrivait à son père le 26 janvier :

> « Mon bien-aimé père, le Moniteur a enfin parlé, je t'envoie un exemplaire. Tu y verras mon nom sur la liste des conseillers d'Etat. Dans un autre temps, avec quelle joie je t'aurais annoncé une telle nouvelle, quel

bonheur j'aurais eu de la pensée qu'une si grande dignité honorait le nom honnête et respectable que tu m'as donné, combien j'aurais béni le bon Dieu de permettre que cette satisfaction te vînt par ton fils ! Mais j'ai l'âme si pleine de douleur de ce qu'on a fait il y a quatre jours (1) que j'ai bien hésité avant d'accepter et je tremble de n'avoir pas bien fait en acceptant. J'ai passé la journée d'hier dans des angoisses indicibles. Un ministre m'a fait appeler pour me demander si j'accepterais. J'ai demandé quelques heures de réflexion. Enfin, avant le dîner, sur le conseil de M. de Montalembert qui a pourtant donné sa démission de la Consulte (Commission consultative) et qui a refusé d'être sénateur, sur le conseil de M. Marchand qui a accepté, j'ai accepté moi-même. Mais plusieurs autres membres de l'ancien Conseil que j'aime, que j'honore, que je respecte, ont refusé : MM. Paravey, Hély-d'Oissel, Chasseloup-Laubat. Je t'écrirai un de ces jours avec détails ma conférence avec le ministre qui m'avait appelé, les motifs de ces messieurs pour refuser, les nôtres pour accepter... ».

(*Source : manuscrit inédit sur Léon Cornudet appartenant à M. et Mme Jacques Le Seigneur, pp. 88-95*).

C'est le 12 février que Léon Cornudet envoyait à son père les détails promis :

« ...Je t'ai promis, mon bon père, de te rendre compte de ma conférence avec le ministre des finances (Monsieur Bineau) quand il m'a fait appeler la veille de ma nomination. Voici ce qui s'est passé; je te le dis pour toi et pour les nôtres; que cela n'aille pas plus loin, tu en sentiras l'importance.

Le ministre me dit que le gouvernement connaissant mes services comme maître des requêtes était disposé à les récompenser en me nommant conseiller d'Etat, mais qu'il avait été chargé de me demander si j'étais disposé à l'accepter.

Je répondis que j'étais profondément reconnaissant d'une telle pensée, mais que je devais au gouvernement et à moi-même de n'accepter qu'en faisant connaître avec sincérité quels étaient mes sentiments sur la politique suivie par le gouvernement; que le 2 décembre m'avait surpris et ému, mais qu'en définitive j'avais bientôt reconnu et que je reconnaissais que le coup d'Etat nous avait sauvés, qu'il y avait absolue nécessité de fortifier le pouvoir en France et que j'étais parfaitement disposé à aider le gouvernement sincèrement et fermement dans la voie où il était entré à cet égard. Mais que je ne pouvais pas dissimuler que l'acte du 22 janvier (1) froissait tous mes sentiments de justice, en même temps qu'il me paraissait directement contraire aux intérêts du Présdent; que si des actes semblables ou analogues, conséquence de celui-là, étaient présentés au Conseil d'Etat, il était de ma loyauté de dire à l'avance que, comme conseiller d'Etat, je ne pourrais pas donner mon adhésion.

J'ajoutais que si après cette déclaration on voulait encore de moi comme conseiller d'Etat, j'étais disposé à accepter, toutefois en me réservant de connaître la détermination de plusieurs anciens membres du Conseil d'Etat qui hésitaient et sans lesquels je ne me sentais pas le courage d'entrer au Conseil. Le ministre me répondit avec beaucoup de bienveillance, d'une part en cherchant à justifier l'acte du 22 janvier par la nécessité de couper court aux prétentions de la famille d'Orléans, d'autre part en m'assurant

---

(1) Allusion à la confiscation des biens de la famille d'Orléans.

qu'aucun acte de ce genre ne pouvait être la suite du premier et présenté au Conseil d'Etat.

Quant à mon acceptation conditionnelle, il me déclara qu'il ne pouvait la recevoir en ces termes et qu'il fallait dire un oui ou un non positif le soir avant huit heures. Comme il ajoutait des paroles bienveillantes et que sa conversation avec moi était celle de M. Bineau, plutôt que celle du ministre, je repris en lui disant : « Puisque M. Bineau a la bonté de me parler officieusement et affectueusement, qu'il me soit permis de demander à M. Bineau et non au ministre, si le gouvernement ne verrait pas de mauvais œil que j'exprimasse le désir de rester maître des requêtes. Dans ce cas, je le demanderais avec empressement et mon acceptation des fonctions de maître des requêtes, je la donnerais immédiatement et sans condition ».

M. Bineau me dit qu'il ne comprenait pas bien quelle différence je faisais au point de vue de la conscience et de la délicatesse entre l'acceptation des fonctions de conseiller d'Etat et de celles de maître des requêtes; mais au surplus il me laissa entendre qu'il n'y avait peut-être pas prudence à demander à rester maître des requêtes quand on m'offrait d'être conseiller d'Etat.

Sur ce, je le quittai en lui promettant une réponse positive pour six heures.

Tu sais maintenant ce qui s'est passé ensuite. MM. de Chasseloup, Paravey, Hély-d'Oissel, Perignon refusèrent et cela m'ébranlait singulièrement.

Marchand qui est plein d'honnêteté, de délicatesse et de bon sens se décida à 5 h 30 à accepter. A 6 heures, sachant la détermination de Marchand, j'allai dire que j'acceptais... »

(*Manuscrit inédit sur Léon Cornudet, op. cit., pp. 83 sq.*).

L'INSTALLATION

Elle eut lieu au Palais d'Orsay le 1er avril suivant. Le récit de la séance a été fait par Regnault, bibliothécaire à l'époque du Conseil d'Etat :

« A une heure, le prince, accompagné de ses ministres, à l'exception des ministres de la guerre et des finances retenus au Sénat par leurs fonctions, se rendit au Palais d'Orsay, où il fut reçu par le vice-président du Conseil d'Etat et les présidents des sections.

Il fut introduit dans la salle des séances et prit place sur une estrade, au fauteuil du président. Les membres du Conseil étaient debout.

Le prince-président prononça le discours suivant :

« Messieurs les membres du Conseil d'Etat,

J'ai regretté, avant que la Constitution ne fût en vigueur, de ne pouvoir venir vous présider, car je regarde comme une de mes premières prérogatives, vous le savez, d'être le président de ce corps d'élite. Heureusement j'ai été remplacé par l'homme d'Etat distingué qui a traversé avec moi des temps bien difficiles, et qui s'est acquis une juste célébrité par le talent et le courage dont il a fait preuve dans la défense des grands principes sur lesquels repose notre société (1).

(1) Il s'agit de Baroche, vice-président du Conseil d'Etat.

Aujourd'hui que la Constitution est en vigueur, j'ai voulu recevoir moi-même votre serment; car tout ce qui peut resserrer les liens qui nous unissent m'est précieux.

Désormais, je me rendrai souvent au milieu de vous, heureux de vous communiquer librement mes idées, de recevoir en échange vos avis et vos conseils; car, ne l'oubliez pas, chacun de vous, par ses attributions, participe du ministre et du législateur et nous sommes tous responsables envers le peuple Français de l'utilité des travaux auxquels nous allons nous livrer ».

Après ce discours, le ministre prit les ordres du président et avertit les membres du Conseil d'Etat qu'ils allaient prêter entre les mains du prince-président le serment prescrit par l'art. 14 de la constitution.

Le ministre donna lecture du serment, en ces termes :

« Je jure obéissance à la Constitution et fidélité au Président de la République ».

Il fit ensuite l'appel nominal. Chacun des membres du Conseil d'Etat, le vice-président excepté, qui avait déjà prêté serment aux Tuileries, leva la main et dit : Je le jure ! ».

(A. Regnault, Histoire du Conseil d'Etat, Paris 1853, 2e édit., pp. 523-524).

Si l'on en croit Migneret, les ministres ou du moins certains d'entre eux auraient préféré une installation et une prestation de serment moins solennelles :

« Dès ce premier moment, deux tendances opposées se manifestèrent dans le gouvernement à l'égard du Conseil d'Etat, et occasionnèrent un tiraillement dont la trace est restée au Moniteur. Désireux de subordonner ce corps, les ministres firent signer au chef de l'Etat un décret portant que le serment du Conseil serait prêté en assemblée générale et entre les mains du vice-président du Conseil. Cette différence entre le Conseil et les deux autres corps, qui prêtaient serment entre les mains du Président de la République, était un symptôme qui fut remarqué; il donna lieu à des observations et empêcha le décret de recevoir son exécution.

La séance du 1er avril fut en effet, contrairement au texte du décret, présidée par le prince président, en costume de conseiller d'Etat, dont le discours insista sur le rôle assigné au Conseil, en vue évidemment de répondre aux susceptibilités soulevées ».

(Migneret (J.B.S.M.), Le Conseil d'Etat du Second Empire, Paris 1872, p. 19).

II
LES MEMBRES DU CONSEIL D'ÉTAT DE 1852 A 1870

Des nominations variées — Diversité des esprits et des tendances — Jugement de Ernest Pinard sur ses collègues en 1864 — Absence d'esprit de parti au sein du Conseil — Influence croissante des « orléanistes » — L'éclat du corps faiblit à la fin du Second Empire — L'auditorat réorganisé en 1853 à l'image de l'auditorat du Premier Empire — Il doit être la pépinière des hauts fonctionnaires — Echec de cette tentative, faute de débouchés suffisants — Enracinement progressif du concours — Souvenirs de deux candidats, Gaston Jollivet et Charles Franquet de Franqueville.

UN CORPS COMPOSITE

Les nominations prononcées par le décret du 25 janvier 1852 ne rompaient pas avec le passé : on retrouvait parmi les conseillers de nombreux membres du Conseil d'Etat de la Monarchie de juillet ou de la Deuxième République; la majorité des maîtres des requêtes et des auditeurs avaient été également choisis parmi ceux-ci. A côté d'eux venaient siéger des hommes nouveaux, dont beaucoup avaient appartenu à l'Assemblée législative. Les nominations ultérieures furent marquées du même éclectisme. De là une diversité des esprits et des tendances qui frappa Ernest Pinard lorsqu'il entra au Conseil en 1864 :

> « Quand M. Baroche, en 1852, avait proposé au Prince président la liste des nouveaux conseillers d'Etat, il s'était inspiré des souvenirs de 1802. Le premier Consul avait dit : « M'a-t-on jamais entendu demander ce qu'on était, ce qu'on avait été, ce qu'on avait dit, fait, écrit... ? Gouverner par un parti, c'est se mettre tôt ou tard, sous sa dépendance. Voilà pourquoi j'ai composé mon Conseil d'Etat de constituants qu'on appelait modérés ou Feuillants comme Defermon, Roederer, Régnier, Regnault, de royalistes comme Devaisnes et Dufresne, enfin de jacobins comme Brune, Réal et Berlier. J'aime les honnêtes gens de tous les partis (1) ».
>
> Pour le Conseil d'Etat du Second Empire, on avait pris : à la droite, Denjoy, député de la dernière Assemblée, Barbaroux, Cornudet, le comte de Chantérac; à la gauche, le vicomte de Cormenin, l'auteur des pamphlets parus sous le pseudonyme de Timon, Boinvilliers, qui dit un jour à l'Empereur, en séance publique, ce mot souligné dans les journaux du temps : « Sire, décidément vous êtes trop libéral, croyez-en un vieux républicain ». Le Play, le fondateur de l'école des réformes sociales, y avait sa place à côté de Boulatignier, l'homme des anciennes traditions administratives.

---

(1) Ernest Pinard reproduit ici sans le dire et de façon incomplète un passage de Mémoires de Thibaudeau cité supra, p. 35.

Lorsque j'entrai au Conseil d'Etat, deux tendances très distinctes se manifestaient; on pouvait dire avec justesse qu'il y avait dans son sein deux écoles.

La première, ayant pour elle la tradition et les exemples du passé, maintenait sur tous les points les droits de l'Etat, avec un penchant marqué à en exagérer l'étendue. Dans le doute, elle décidait pour lui, croyant que là était la garantie et au fond la sagesse. Pour accorder l'autorisation de poursuivre le fonctionnaire protégé par l'article 75 de la constitution de l'an VIII, il fallait qu'elle fût deux fois convaincue. Avant de permettre l'exécution des dispositions testamentaires en faveur des congrégations et des associations ayant une existence légale, jouissant de la personnalité civile, elle se livrait au plus minutieux examen. Souvent elle réduisait les legs, sans avoir toujours des motifs bien péremptoires. Elle estimait volontiers que le testateur, qui avait écarté de proches parents, avait été circonvenu. Elle s'attribuait presque la mission de réparer les erreurs du défunt, de modifier ses dispositions les plus librement consenties. En conférant à ces établissements une vie civile perpétuelle qui les dispense de payer l'impôt successoral, en leur faisant une situation à part et privilégiée, le gouvernement, disait-elle, s'est implicitement réservé le droit de les représenter et de refuser ou d'accepter les dons qui doivent les enrichir.

La seconde école, au contraire, obéissait à un autre esprit, dans la pensée qu'elle rendrait l'Etat plus respecté en limitant davantage son intervention. Elle autorisait plus facilement la poursuite du fonctionnaire, voulant protéger, non la personne, mais l'indépendance de sa fonction. Elle s'inclinait devant la volonté du testateur, ne limitant les legs que lorsque la famille était pauvre, ne les refusant que lorsque leur acceptation créait pour l'association instituée, soit une charge lourde au point de vue de ses intérêts, soit une atteinte morale à sa dignité.

Dans un ordre d'idées analogues, elle pensait que les pouvoirs discrétionnaires accordés par la législation au gouvernement ne se conservent, en toute matière, que si l'on en use sobrement et à bon escient.

Ainsi, le décret du 29 décembre 1852 laissait à l'Etat la faculté d'autoriser l'ouverture des cabarets et le droit d'en prononcer la fermeture dans des conditions déterminées : le décret durera, disait-elle, et sera respecté, si l'administration s'en sert uniquement pour combattre l'ivrognerie, empêcher la vente des boissons falsifiées et sauvegarder la morale publique.

Ainsi, encore, le décret du 17 février 1852 sur la presse donne à l'Etat le droit d'autoriser la fondation des journaux, le droit de les avertir, le droit même de les suspendre dans certains cas : le décret, ajoutait-elle, doit, pour se maintenir, être appliqué avec une main souple et un esprit large : il est une arme délicate qui blessera celui qui en use mal.

Les anciens conseillers d'Etat tenaient, en général, pour la première doctrine. Très instruits, fort au courant des précédents, assez imbus des principes du vieux droit écrit, ils constituaient ce qu'on a appelé quelquefois le parti des romanistes.

Les nouveaux conseillers d'Etat, surtout ceux qui devaient leur nomination à un choix exceptionnel et qui n'étaient point arrivés par la voie hiérarchique, se rattachaient à la seconde doctrine. Notre guide le plus autorisé dans cette voie était un membre du ministère, M. de Forcade la Roquette ».

(Ernest Pinard, Mon journal, Paris 1892, t. I, pp. 81-86).

Quelque fût leur « doctrine », les membres du Conseil avaient en commun, semble-t-il, de redouter l'esprit de parti et de placer le souci de l'administration au-dessus des préoccupations politiques du moment. De nombreux témoignages des membres du Conseil de l'époque concordent sur ce point :

« Bien que tous les conseillers acceptassent sans arrière-pensée le régime impérial, les hommes aveuglément dévoués à la personne du souverain ou convaincus de son infaillibilité, comme les mameluks du Corps législatif, furent toujours en très petit nombre; et si quelques autres inclinaient facilement à l'adhésion, c'était chez eux une affaire de tempérament, d'âge, d'indolence d'esprit ou de parole et non de parti pris. Plusieurs auraient pu être rangés parmi les amis du second degré, comme on disait alors. Beaucoup étaient des hommes de science, étrangers à toute préoccupation comme à toute coterie politique, fait infiniment plus commun qu'on ne le croit à tous les degrés de l'administration qui trouve dans cette catégorie d'excellents serviteurs ».

(Un ancien membre du Conseil d'Etat, Le Conseil d'Etat sous le Second Empire et la Troisième République, Paris 1880, p. 11).

« Le Conseil d'Etat du Second Empire redoute l'esprit de parti, et il se défie des politiciens. Sous le Second Empire, ce n'étaient pas les plus ardents bonapartistes qui y étaient écoutés avec le plus de faveur. Le Conseil réservait sa confiance pour les hommes qui, moins engagés dans les querelles politiques, estimaient que le meilleur moyen de servir un gouvernement, c'est de le faire aimer et donner une satisfaction équitable aux divers intérêts que l'administration a pour mission de concilier ».

(Marbeau. Le grand Orient devant le Conseil d'Etat. Revue des Deux Mondes, 15 mars 1901, pp. 365-366).

Les années passant, un certain esprit d'opposition se développa au sein du corps où l'influence des « orléanistes » ne cessa d'augmenter. Un ancien auditeur évoquait, longtemps après, cette évolution dans une notice sur la vie d'Adolphe Vuitry, qui avait été nommé en 1864 ministre présidant le Conseil d'Etat :

« Le trop docile Conseil de 1852 s'était, au cours des années, sensiblement émancipé et plus d'un lui en faisait grief. Napoléon III, lui-même, s'étonnait parfois de s'être donné, comme il disait, « un Conseil d'Etat si orléaniste ». Il y avait bien, dans cette épigramme, un peu d'exagération. Mais que l'esprit d'opposition eût pénétré dans nos rangs, la chose n'est pas déniable.

Lorsque, entre deux séances, les habits brodés d'or allaient et venaient pendant quelques minutes sous les hautes arcades de la cour du Palais d'Orsay, les conservations qui s'y tenaient ressemblaient à celles du bureau de rédaction d'un journal centre gauche. Et en séance même, les orateurs ne se gênaient plus pour exprimer hardiment leurs opinions, fussent-elles de nature à déplaire en haut lieu ».

(A. de Foville, Notice sur la vie et les travaux de M. Adolphe Vuitry, Paris, Institut de France, 1912, t. XXII, pp. 108-109).

Certains observateurs du moment notaient en même temps une

autre évolution dans la composition du corps, qui, selon eux, perdit de son éclat au cours des dernières années de l'Empire :

« Les hommes de mérite que le Conseil d'Etat renfermait dans son sein n'arrivèrent pas à se produire : quelques recrues brillantes qu'on enleva au Corps législatif, M. Langlais, M. Riché, M. Vernier, ne quittèrent le demi-jour du Palais Bourbon que pour disparaître dans une obscurité profonde. Le sentiment des aptitudes éminentes que réclamaient les fonctions de conseiller d'Etat s'effaça graduellement dans le public et jusque dans le gouvernement ! Le recrutement du Conseil d'Etat s'en ressentit. Qui ne se croyait, qui n'était réputé capable de fonctions devenues si douces et si faciles ? Les ministres s'habituèrent à considérer le Conseil d'Etat comme un asile assuré à leurs secrétaires généraux au cas de disgrâce. Les préfets, les agents diplomatiques, tous les hauts fonctionnaires qui voyaient approcher l'heure de la retraite et qui n'avaient pas de services assez éclatants pour prétendre immédiatement au Sénat envisagèrent le Conseil d'Etat comme une sorte de station intermédiaire, d'où la nécessité de pourvoir quelque secrétaire général déchu les ferait transférer au Luxembourg.

C'est ainsi que ce corps destiné à une activité incessante, dont le rôle était si considérable, et qui devait être une pépinière d'administrateurs et d'hommes d'Etat, arriva à ne se recruter presque que de vieillards et à n'être plus envisagé que comme une retraite ou comme un chemin de traverse pour aller au Sénat ».

(Cucheval-Clarigny, Histoire de la Constitution de 1852, Paris 1869, pp. 28-29).

L'AUDITORAT ET LES AUDITEURS

Un essai manqué de retour au Ier Empire, tel est, en raccourci, le caractère essentiel de l'auditorat sous Napoléon III. Moins apparent, mais plus durable, est l'enracinement progressif de la pratique du concours légué par la IIe République.

Un essai de retour à l'auditorat du 1er Empire.

« Le décret du 25 novembre 1853, écrit le comte Dubois (1), qui régit actuellement l'auditorat, est enfin venu rendre à cette institution l'organisation qui avait fait sa force sous l'Empire ». Et l'auteur souligne qu'en confiant aux auditeurs des attributions administratives — soit en faisant d'eux les intermédiaires entre les ministères et les sections du Conseil, soit en les plaçant auprès des préfets des départements les plus importants — le décret de 1853 puise son inspiration dans l'arrêté du 19 germinal An XI et le décret du 26 novembre 1809.

Ces intentions sont clairement exprimées dans le rapport de présen-

(1) De l'institution des auditeurs du Conseil d'Etat, Paris 1859, p. 27.

tation du décret rédigé pour l'Empereur par Achille Fould, ministre d'Etat :

« L'institution des auditeurs au Conseil d'Etat date de l'an XI; les auditeurs étaient destinés, après un certain nombre d'années de service, à remplir des places dans la carrière administrative et dans la carrière judiciaire.

Cette organisation, développée par divers décrets, a été conservée pendant toute la durée de l'Empire et a produit d'excellents effets. Le résultat qu'on demanderait en vain à une école d'administration, l'institution des auditeurs l'avait donné. Ces jeunes fonctionnaires, attachés à un ministère et à une section du Conseil d'Etat, s'initiaient tout à la fois à la pratique et à la théorie. Dans les bureaux du ministère, ils se trouvaient mêlés aux affaires et à leur direction; au Conseil d'Etat, ils assistaient à des discussions où se débattaient successivement les plus graves questions que peut soulever l'application du droit administratif.

La sagesse de Votre Majesté a compris toute l'utilité de cette institution; aussi est-elle maintenue dans le décret du 25 janvier 1852, qui a organisé le Conseil d'Etat sur les bases de la constitution nouvelle.

Mais ce décret, prenant les choses en l'état où les avaient laissées les derniers gouvernements, n'a pas, comme l'arrêté consulaire de l'An XI, rattaché les auditeurs tout à la fois aux ministères et au Conseil d'Etat.

Une expérience de près de deux années a démontré combien il était nécessaire de revenir à cet égard à l'ancienne organisation. En faisant participer les auditeurs aux travaux actifs du ministère et à ceux du Conseil d'Etat, on rendra plus utile pour eux le noviciat administratif auquel ils sont soumis.

C'est dans le même but que Votre Majesté a pensé qu'il était convenable de rétablir une ancienne disposition d'un décret impérial du 26 décembre 1809.

Dans les départements les plus importants de l'Empire que Votre Majesté désignera, un auditeur sera attaché à la préfecture et mis à la disposition du préfet.

Ce haut fonctionnaire pourra charger l'auditeur de l'intérim des sous-préfectures pendant l'absence ou l'empêchement du titulaire. Il pourra lui confier des missions dans le département et le charger de l'instruction d'affaires contentieuses ou administratives; l'auditeur assistera, d'ailleurs, avec voix consultative aux séances du conseil de Préfecture.

Sans parler des services que les auditeurs placés dans cette condition pourraient rendre à l'administration préfectorale, on ne peut douter qu'après des études ainsi successivement faites dans les bureaux d'une grande préfecture et dans les sections du Conseil, un auditeur ne soit en état de remplir utilement soit des fonctions plus élevées dans le sein même du Conseil, soit un poste dans l'administration active. Ainsi organisé, l'auditorat pourra devenir une grande école d'administration où se recruteront utilement les services pubics ».

(Arch. nat. BB^{30} 736).

Cette ambition explique deux mesures figurant dans le décret de 1853 : l'une qui majore très sensiblement le nombre des auditeurs de 2e classe, porté de 20 (chiffre retenu par le décret organique du 25 janvier 1852) à 60, tandis que les effectifs de la 1re classe restaient fixés à

20; l'autre qui crée un service extraordinaire pour les auditeurs comme pour les maîtres des requêtes. Là encore, les souvenirs du Ier Empire dictent la mesure prise : il s'agit de permettre aux auditeurs nommés secrétaires généraux de préfecture, sous-préfets, attachés de légation, ou à toute autre fonction hors de Paris, de conserver un lien avec le Conseil, qui leur permette, un jour, d'y reprendre leur place.

L'échec.

Quelques années plus tard, il fallut se rendre à l'évidence : les espoirs placés dans l'auditorat, ou du moins dans un auditorat qui eût été la pépinière de tous les services publics, n'ont pas été satisfaits. Le comte Dubois, en conclusion de son étude déjà citée, s'en plaint : n'y a-t-il pas un avantage, écrit-il :

> « à établir, parmi le personnel qui occupe les hauts emplois, l'esprit de corps, l'unité de vues et d'action qui résultent de l'identité d'origine ? Initiés ensemble, dans le sein du Conseil, à l'esprit du gouvernement, à la politique de l'Empereur, les jeunes fonctionnaires issus de l'auditorat ne porteraient-ils pas dans l'administration intérieure, dans les finances, dans la magistrature, dans la diplomatie, cette communauté d'idées, de sentiments, cet esprit même de solidarité, que l'Ecole polytechnique crée parmi ses membres, à la gloire des services qui se recrutent dans son sein ? »

Or, quelle est la réalité ?

> « Depuis 1853, poursuit le même auteur (1), on n'a choisi parmi les auditeurs que onze sous-préfets et un seul receveur particulier... Ce qu'on ne peut nier, c'est que la nomination des auditeurs aux fonctions de sous-préfet ne soit aujourd'hui entravée par l'établissement d'attachés au ministère de l'intérieur et par le système, qui prévaut actuellement, de recruter les conseillers de préfecture parmi les attachés et les sous-préfets parmi les conseillers ».
>
> *(Comte Dubois, De l'institution des auditeurs, Paris 1859, pp. 29-31).*

Cette explication vaut probablement aussi pour les autres fonctions publiques. Elle traduit leur « professionnalisation » croissante, d'où résulte une organisation de plus en plus autonome, et bientôt de plus en plus cloisonnée, des carrières.

Il fallut tirer les conséquences d'un échec qui avait de fâcheuses répercussions sur l'avancement des auditeurs à l'intérieur du Conseil. C'est ce que propose Baroche, président du Conseil d'Etat, dans une note de 1858 :

> « Il faut bien le roconnaître, dit-il, les prévisions du décret de 1853 ne se sont pas réalisées, par des difficultés inhérentes sans doute à la nature des

(1) Qui publie son étude, rappelons-le, en 1859.

choses, mais dont les auditeurs ne sont, en aucune façon, responsables; vingt environ sont en ce moment attachés aux différents départements ministériels et, depuis 1853, seize seulement ont été successivement attachés à des préfectures: deux seulement occupent en ce moment cette position, l'un à la préfecture d'Ille-et-Vilaine, l'autre à celle de la Meurthe. D'un autre côté, aucun service public ne s'est ouvert pour les auditeurs en dehors des sous-préfectures. Dix-sept ont été nommés et sont encore sous-préfets, un autre est secrétaire général de la préfecture de Seine-et-Oise ».

(Lettre de Baroche au ministre d'Etat, 28 juin 1858, Arch. nat. F70 636).

La situation des auditeurs est ainsi faussée par l'insuffisance des débouchés extérieurs dans la perspective desquels avait été fixé leur effectif. Elle l'est aussi par le nombre des nominations de maîtres des requêtes au tour extérieur dans les premières années de l'Empire : ce nombre s'est élevé à 10 entre juillet 1852 et mai 1854. Aussi les nominations d'auditeurs de 2e classe à la 1re classe ont-elles été inférieures en moyenne à trois par an de 1852 à 1860. Le conseiller d'Etat Flandin (1) écrit à ce sujet :

« Les auditeurs de 2e classe ne sont pas seulement chagrins de n'obtenir aucun avancement, ils en sont comme honteux aux yeux de leurs familles et de leurs amis; ils ne savent que répondre à l'éternelle question : quand passerez-vous auditeurs de 1re classe ? et ils aiment mieux supporter de malignes railleries que se plaindre du gouvernement qu'ils servent avec tant d'amour et de dévouement... L'auditorat n'est qu'un brillant cul-de-sac ».

(Lettre de Flandin à Baroche, 26 décembre 1859, Ms. Baroche, Fondation Thiers, 1076).

Plusieurs mesures furent prises pour remédier à cet état de choses :

— un décret du 1er octobre 1860 répartit les auditeurs entre deux classes de 40; il y eut donc 20 nouvelles places d'auditeur de première classe;

— dès 1855, la présidence du Conseil d'Etat réussit à limiter le nombre des nominations de maîtres des requêtes au tour extérieur;

— un décret du 7 septembre 1863 limita la durée de l'auditorat à 5 années au terme desquelles, en principe, l'auditeur devait quitter le corps. Simultanément ce décret réserva aux auditeurs attachés depuis deux ans au moins au Conseil un certain nombre de postes dans l'administration : un quart des emplois de sous-préfet et de secrétaire général, sous-préfet de 3e classe, conseiller de préfecture de 1re classe et conseiller de préfecture de 2e classe faisant fonction de secrétaire général, au fur et à mesure des vacances et, chaque année, six places de substitut de procureur impérial.

Le décret de 1863 ne fut pas appliqué avec rigueur. L'élimination ne frappa chaque année que les plus anciens des auditeurs. Ceux-ci refusèrent souvent les postes qui leur furent offerts dans l'administration préfec-

(1) Le Conseiller avait alors un fils auditeur de deuxième classe...

torale. Un certain nombre reçurent le titre de maître des requêtes en service extraordinaire, distinction honorifique qui leur permit parfois de revenir ultérieurement au Conseil en service ordinaire.

Finalement, un décret du 3 novembre 1869, qui n'eut pas le temps d'être appliqué, ramena de 80 à 48 (dont 16 pour la 2e classe) le nombre des auditeurs : c'était reconnaître que le Conseil d'Etat ne pouvait être la pépinière de tous les services publics comme sous le Ier Empire et qu'il devait principalement recruter pour ses besoins propres.

L'enracinement progressif du concours.

Sous la IIe République, un seul concours avait pu avoir lieu avant le coup d'Etat du 2 décembre; un second fut interrompu par cet événement. En janvier 1852, lors de la réorganisation du Conseil d'Etat, 31 auditeurs furent nommés sans concours. Le décret de 1853 disposa que les auditeurs devaient être recrutés selon une procédure en deux temps: les candidats remplissant les conditions requises (avoir 20 ans et être titulaire d'une licence ou d'un diplôme équivalent) étaient d'abord déclarés « admissibles » par une décision purement discrétionnaire du gouvernement, ils passaient ensuite un examen à la fois écrit et oral, portant sur les matières suivantes : principes du droit constitutionnel et politique français; organisation administrative et judiciaire de la France et histoire des institutions administratives depuis 1789; principes généraux du droit civil français.

Cet examen était passé devant une commission composé de trois membres du Conseil. En principe la liberté de choix de l'Empereur restait entière, une fois le classement établi par cette commission. En fait l'habitude se prit de nommer les candidats dans l'ordre du classement, dans la limite des postes offerts ou devenus vacants en cours d'année.

C'est donc au stade de l'établissement de la liste d'admissibilité que les relations, le nom, la fortune, pouvaient jouer un rôle. Les indications données sur les candidats à ce stade sont révélatrices. La liste soumise à l'approbation de l'Empereur comportait quatre colonnes : nom, date de naissance, titres universitaires, « observations ». C'est dans cette dernière qu'étaient portées les mentions du genre : fils du député X..., du directeur Y..., neveu du général Z..., recommandé par le préfet de ..., etc.

Quant à l'examen, il se mua rapidement en concours en raison du nombre et de la qualité des candidats. Il a laissé dans l'esprit de ceux qui l'ont passé des souvenirs dignes d'être notés.

C'est ainsi que Gaston Jollivet écrit dans ses mémoires :

« A quelque temps de là, mon labadens (1) de Louis le Grand et l'un des plus distingués, Maxime Genteur, fils d'un conseiller d'Etat qui a marqué

(1) Labadens : nom d'un maître de pension dans une comédie de Labiche; par extension, camarade de collège.

au Corps législatif au titre de commissaire du gouvernement, m'aiguilla vers l'auditorat du Conseil d'Etat. Auditeur lui-même, reçu un des premiers au concours qui en ouvre les portes, fils d'un conseiller d'Etat, il avait toute qualité pour me « tuyauter », ainsi qu'il le fit un soir, dans un entr'acte des Variétés :

« J'ai ton affaire. J'ai parlé de toi à Boulatignier, l'homme de France le plus fort en droit administratif. En souvenir de ton père qu'il a connu et par amitié pour mon père à moi comme pour moi, il veut bien te donner des répétitions à l'œil ».

Et, comme sonnent les trois coups derrière la scène :

« Vas-y à cinq heures, me jette-t-il, pressé de regagner sa place, il demeure près de chez toi, rue de Clichy ».

Le lendemain, j'étais à l'heure dite chez Boulatignier, et je le demande.

« Monsieur n' y est pas ».

Le lendemain, le surlendemain, pas de Boulatignier davantage. Qu'est-ce que m'a chanté Genteur ?

Un mois se passe. Je le retrouve et je lui dis ma déconvenue.

Il me dit :

« Je parie que c'est à cinq heures du soir que tu es allé chez Boulatignier.

« Comme tu me l'as dit aux Variétés.

« En oubliant d'ajouter : « C'est à cinq heures du matin qu'il reçoit ».

Le lendemain j'étais chez Boulatignier à la nouvelle heure indiquée, en sortant d'un souper très prolongé. Le savant jurisconsulte me reçut cordialement, ouvrit tout de suite un gros livre et me commenta pour commencer la loi de Pluviôse an VIII qui concerne les chemins vicinaux. Au bout de dix minutes je m'endormis tout doucement. Qu'est-ce que vous voulez ! C'était l'heure où j'avais accoutumé de me mettre au lit. Quand j'ouvris les yeux, je tendis l'oreille. Mon répétiteur à titre gracieux demandait son café au lait à sa bonne. Je partis sur la pointe des pieds que je ne remis jamais dans la maison de la rue de Clichy.

A six mois de là, après avoir pris un préparateur à titre onéreux opérant dans l'après-midi, je me présentai et je fus refusé avant même d'avoir été admis à l'oral. Rarement retoquage aura été plus justifié. Je ne m'étais même pas donné la peine d'apprendre que l'auditorat n'est pas un simple examen comme le baccalauréat, mais bien un concours où il faut trimer dur pour battre des candidats tous laborieux ».

(G. Jollivet, Souvenirs d'un parisien, Paris 1928, pp. 41-43).

A partir de 1860, les candidats ne réussissaient, pour la plupart, qu'à leur deuxième ou troisième (et dernière) tentative. Mais certains furent plus heureux : c'est le cas du comte Charles Franquet de Franqueville :

« Je me préparais à commencer ma troisième année de droit et à suivre régulièrement le cours de droit administratif qui avait, pour moi, un intérêt spécial, puisque je désirais entrer au Conseil d'Etat. Je savais que l'on cachait très soigneusement la date à laquelle les concours devaient avoir lieu, mais je ne m'en inquiétais nullement, supposant que mon père, étant dans la coulisse, serait l'un des premiers informés, lorsque je fus brusquement tiré de ma tranquillité.

Le 24 octobre, je dînais chez ma tante Morisseau, en compagnie de M. Huillier, notaire à Paris : « Savez-vous, me dit, par hasard, cet aimable tabellion, quel jour doivent avoir lieu les examens pour le Conseil d'Etat ? »

— « Mais, lui répondis-je, je ne suppose pas qu'il y ait de concours avant un an ». — « Je suis sûr du contraire, reprit M. Huillier, car mon jeune ami de Guigné, va subir l'examen ». Je fus passablement ému et le lendemain matin je racontai cette conversation à mon père qui me promit d'aller aux informations. Il apprit, en effet, qu'un concours devait avoir lieu prochainement, auquel prendraient part trente candidats dont l'Empereur devait arrêter la liste. La difficulté était donc, tout d'abord, d'être porté sur cette liste.

Mon père se rendit aussitôt chez le ministre d'Etat et il dut lui avouer que je n'étais pas licencié en droit. « Cela ne fait rien, dit M. Achille Fould, car mon neveu est dans le même cas, mais quel âge a-t-il ? » « Il a vingt ans ». « Pas majeur, mais c'est impossible, cela ne s'est jamais fait ! » — Sur ce, mon père va voir le président du Conseil d'Etat et confesse que je suis bien jeune. — « Peu importe, dit M. Baroche, mais je suppose qu'il est licencié en droit ? » — « Pas encore », dit mon père. — « Oh ! mais alors, c'est impossible, il faut absolument avoir ce grade pour être admis à concourir ». Ces préliminaires n'étaient guère encourageants; cependant, le 27 novembre, M. Rouher m'annonça que mon nom avait été porté par l'Empereur sur la liste des jeunes gens admis à concourir.

Dès le lendemain, je me rendis auprès du chef du cabinet du président Baroche, pour avoir quelques renseignements. — « Prenez garde, me dit-il, vous avez des concurrents redoutables, plusieurs sont docteurs en droit; ce n'est plus comme au temps de Napoléon 1er, où, suivant la légende, l'examen consistait à écrire le mot carotte, et où l'on nommait auditeur de 3e classe, ceux qui écrivaient quarante, auditeur de 2e classe, ceux qui mettaient carote et auditeurs de 1re classe, ceux qui savaient à peu près l'orthographe du mot ». Je n'avais devant moi que cinq à six semaines, je ne savais pas un mot de droit administratif, ma tentative était donc bien hasardée, mais je n'hésitai pas à courir la chance...

J'espérais toujours que l'examen serait retardé, mais je reçus avis qu'il était fixé au 13 janvier. La composition écrite eut lieu au Conseil d'Etat, et, quelques jours après, je comparus devant le jury. « Vous êtes bien jeune, Monsieur », me dit, tout d'abord, le président. « C'est un défaut, dont je me corrigerai tous les jours ». — « Soit, Monsieur, parlez-moi des juridictions administratives... ».

L'examen dura environ trois quarts d'heure et je sortis assez plein d'espoir. Le 30 janvier, mon père apprit le résultat; j'étais classé le 12e, mais il était entendu que je ne serai nommé qu'après avoir obtenu mon diplôme de licencié. Pour le moment, il n'y avait que huit places, et les nominations se faisaient au fur et à mesure des vacances. Je me remis donc immédiatement au travail; je passai, en mars, mon premier examen; mon second, fin mai; il ne me restait plus qu'à soutenir ma thèse. En quatre mois, j'avais obtenu le résultat désiré : ma licence et le Conseil d'Etat ».

(Comte de Franqueville, Souvenirs, 1840-1919, Paris 1920, pp. 39-41).

A la fin de l'Empire, un décret de mars 1870, harmonisant le droit avec le fait, rétablit le recrutement par concours tel qu'il avait été institué sous la IIe République.

Les modalités de recrutement des auditeurs ne seraient pas caractérisées de façon complète si nulle mention n'était faite de l'origine sociale de ceux-ci. Il faut indiquer à cet égard que les auditeurs de 2e classe ne recevaient aucun traitement, et que ceux de 1re classe percevaient

2 000 francs par an, moins qu'un expéditionnaire dans un ministère ou un petit employé; qu'un maître des requêtes avait un traitement de 6 000 francs, alors que celui d'un chef de bureau d'administration centrale était de 8 000 francs. Aussi les auditeurs ne sont-ils recrutés que dans les classes riches. La moitié d'entre eux appartenait à l'aristocratie (contre le quart seulement des conseillers d'Etat), l'autre moitié à la haute bourgeoisie. Les familles orléanistes ou légitimistes ont eu d'ailleurs autant de représentants au Conseil que les familles bonapartistes : l'allégeance politique a moins compté que l'appartenance aux classes dirigeantes.

III

SITUATION ET RÔLE DU CONSEIL D'ÉTAT DE 1852 A 1870

Des attributions et des prérogatives étendues — Une mise en route difficile — Le Conseil d'Etat et Napoléon III — L'affaire de la confiscation des biens de la famille d'Orléans — Le récit de Reverchon — Pressions sur le Conseil — Attitude complexe de Napoléon III vis-à-vis du Conseil — Le Corps législatif accepte mal sa position subordonnée — Opinion de Montalembert — Rapports directs et officieux entre ministres et députés — Les ministres acceptent mal le contrôle du Conseil — Leur indépendance — Leur hostilité aux missions d'inspection confiées aux membres du Conseil.

La Constitution du 14 janvier 1852 et le décret organique du 25 janvier 1852 ressuscitaient le Conseil d'Etat napoléonien. Organe de gouvernement du chef de l'Etat qui nommait et révoquait tous ses membres, chargé d'élaborer toutes les lois et de les présenter devant le Corps législatif, maître de faire échec aux amendements proposés par celui-ci, rédacteur des règlements administratifs, juge des conflits d'attribution entre le pouvoir judiciaire et l'autorité administrative ainsi que du contentieux administratif, connaissant des affaires de haute police administrative à l'égard des fonctionnaires dont les actes lui étaient déférés par le Président de la République, le Conseil d'Etat de cette époque apparaissait aux contemporains, lors de sa reconstitution, comme un corps à la fois politique et administratif appelé à tenir les premiers rôles, sinon le premier, dans la vie de l'Etat, et qui, comme l'écrivait Vivien en 1854, « possédait une importance qu'(il) n'avait pas même sous l'Empire » :

> « Dans la Constitution de 1852 comme dans la Constitution de l'an VIII, l'unique force motrice est le chef du pouvoir exécutif; mais le ressort principal du gouvernement est le Conseil d'Etat...
>
> Cette organisation créait aux conseillers d'Etat un rôle délicat, laborieux, mais brillant et bien fait pour tenter les hommes de mérite. Etre tour à tour les censeurs et les défenseurs des propositions ministérielles, être assurés par là d'un grand crédit dans toutes les administrations, être initiés les premiers à toutes les affaires, les étudier et les discuter à fond, et acquérir ainsi une expérience pratique et des connaissances spéciales qui devaient désigner au choix du prince pour les hauts emplois; enfin porter la parole devant le Corps législatif avec tous les avantages que la pratique des assemblées et la connaissance approfondie de la matière devaient donner sur des contradicteurs moins bien préparés, cumuler le renom d'orateur avec l'autorité de l'homme d'affaires, telle était la perspective qui semblait s'ouvrir devant les membres du Conseil d'Etat ».
>
> *(Cucheval-Clarigny, Histoire de la constitution de 1852, Paris, 1869, p. 17).*

A en croire les propos de Rouher devant le Corps législatif en 1866, cette perspective s'était bien ouverte :

« Le Conseil d'Etat, déclarait-il, voit tout, examine tout; il prépare vos travaux, il prépare ceux du gouvernement; il n'est pas une de ses œuvres qui ne porte l'empreinte de ses lumières et de ses laborieuses études; le Conseil d'Etat est à la fois plein de science, d'indépendance et de loyauté (C'est vrai ! C'est vrai ! Très bien !) »

(Discours de Rouher au Corps législatif, 19 mars 1866, Annales du Sénat et du Corps législatif, p. 185).

Mais quelques semaines auparavant, le duc de Persigny, parlant au Sénat, avait tenu sur le Conseil d'Etat des propos moins élogieux et moins confiants :

« Jusqu'ici, de toutes les pièces du nouveau système, c'est le Conseil d'Etat qui a le plus difficilement fonctionné. Malgré les combinaisons diverses dont il a été l'objet, ce corps qui est la cheville ouvrière du système, le point de rencontre où l'autorité et la liberté doivent se donner la main, n'a pas encore réussi à occuper complètement la place qui lui est assignée par la Constitution. Mais comme c'est là la grande innovation du nouveau régime, nous ne devons pas nous en étonner. Chose étrange ! le Conseil d'Etat a peut-être plus souffert dans ses développements des qualités mêmes de ses premiers chefs que de toute autre cause. Hommes dévoués, toujours sur la brèche, se multipliant avec un talent merveilleux, ces chefs éminents rendaient certainement de grands services à l'Etat; mais leur zèle infatigable tendait lui-même à annuler à leur insu le corps qu'ils avaient l'honneur de présider, car ils étouffaient dans son sein l'initiative et l'indépendance nécessaires aux développements du talent et sans lesquelles, d'ailleurs, il est impossible de concevoir un grand corps de l'Etat intermédiaire entre le Gouvernement et les autres corps ».

(Discours du duc de Persigny au Sénat, le 14 février 1866, in Annales du Sénat et du Corps législatif, p. 142).

Peut-être les dernières lignes de ce texte font-elles écho aux craintes que Vivien exprimait dès 1854, lorsqu'il soulignait l'étroite dépendance du Conseil par rapport à l'exécutif :

« Le Conseil d'Etat est, plus encore que sous la Constitution de 1848, un corps politique; mais il n'est appelé, en aucun cas, à limiter les droits du pouvoir exécutif; sa mission est plutôt de les étendre, en lui prêtant son appui, en le couvrant dans des actes que le pouvoir exécutif ne pourrait faire seul ou directement sans engager outre mesure sa responsabilité.

Le Conseil d'Etat dans ce régime imité d'un passé presque oublié est devenu l'auxiliaire, et, sous quelques rapports, l'organe du Président de la République. C'est le Président qui pourvoit seul à sa composition, qui nomme et révoque ses membres. La loi n'admet ni l'inamovibilité après un temps d'exercice, comme sous l'Empire, ni la délibération préalable et l'avis conforme du conseil des ministres, comme sous la Monarchie de juillet; le droit de nomination et de révocation appartient sans condition ni partage au seul Président de la République...

Ce qui vient d'être exposé nous conduit à rechercher s'il est utile à l'administration que le Conseil d'Etat joue un rôle politique. Sans doute, il en devient plus grand, il occupe davantage l'opinion publique; mais on peut dire qu'il perd en indépendance tout ce qu'il gagne en autorité officielle, et l'administration peut y recevoir de fâcheuses atteintes. La meilleure administration est celle qui se tient en dehors de toute préoccupation de partis; qui voit les affaires et non les personnes, le service public et non les dépositaires actuels du pouvoir. On peut théoriquement, dans un même agent, séparer les diverses fonctions qu'il exerce et le supposer dépendant pour la politique, indépendant pour l'administration. L'expérience et la connaissance des hommes contredisent cette distinction, purement spéculative. En administration, les concessions faites à la politique sont toujours dommageables à la chose publique ou contraires, sinon à la lettre, du moins à l'esprit de la loi. Ceux qui tiennent le pouvoir ne sont que trop enclins à cette faiblesse. Les conseils placés à leurs côtés ont pour mission de les en préserver, et le Conseil d'Etat est celui de qui il importe le plus d'obtenir une constante défense de la loi et de la règle contre l'arbitraire et le caprice. Sous ce rapport, c'est du Conseil d'Etat de la monarchie constitutionnelle que l'on pouvait attendre l'appui le plus ferme. Quoique nommés par le roi sur la proposition des ministres, ses membres, plus permanents que les ministres, n'avaient rien à espérer ni à craindre de leur part et par la continuité des services se composaient des doctrines et, si l'on peut ainsi dire, une jurisprudence entièrement indépendantes des opinions du jour et des hommes qui les représentaient accidentellement au pouvoir. Quiconque étudierait avec attention la série des avis donnés par ce Conseil d'Etat y trouverait un attachement aux principes, une fidélité aux règles légales qui ne se démentit jamais ».

(Vivien, Etudes administratives, Paris 1854, 3e édit., t. I, pp. 100 sq).

La situation constitutionnelle et les attributions du Conseil d'Etat créaient entre lui et le chef de l'Etat, le Corps législatif et les ministres des relations complexes qui évoluèrent de 1852 à 1870. Le Conseil fut bien l'organe et l'auxiliaire du chef de l'Etat; il n'en fut pas, sauf en une circonstance, le docile instrument. Il joua un rôle prééminent dans l'œuvre législative; le Corps législatif ne se borna cependant pas à entériner les textes qu'il avait préparés. Il intervint dans tous les domaines de l'action administrative; les ministres ne se laissèrent ni déposséder ni contrôler par lui.

LE CONSEIL D'ÉTAT ET NAPOLÉON III

Dès les premiers mois de sa nouvelle existence, le Conseil d'Etat statuant au contentieux fut saisi d'une affaire politique à laquelle le chef de l'Etat attachait la plus grande importance, la confiscation des biens de la famille d'Orléans. Il en fut saisi indirectement. Les décrets de confiscation du 22 janvier 1852 ne lui furent pas déférés, mais il eut à statuer sur un conflit élevé par le préfet de la Seine. Celui-ci avait décliné la compétence de l'autorité judiciaire pour connaître de l'action des princes d'Orléans contre le service des domaines qui, en exécution de ces décrets, avait pris possession par la force de leurs domaines de Neuilly et de Monceau. Le Prince Président fit peser lourdement son autorité sur le Conseil pour obtenir de celui-ci qu'il valide l'arrêté de conflit. Le commissaire du Gouvernement Reverchon fut contre son gré dessaisi du dossier. Il fut ensuite révoqué en même temps que le rapporteur de l'affaire, le conseiller Cornudet. Le président de la section du contentieux, Maillard, fut invité à donner sa démission et le conseiller Charles Giraud fut appelé à d'autres fonctions (1).

Reverchon a laissé un récit très serein de ces événements dont il fut la victime :

« On devait bien s'attendre et l'on s'attendait à ce que les membres de la famille d'Orléans ne subiraient pas sans résistance le coup qui les frappait. Le 27 mars 1852, un nouveau décret, rendu pour arriver à l'exécution effective du second décret du 22 janvier, ordonna la mise en vente des domaines de Neuilly et de Monceau, compris dans les biens confisqués. Le 12 avril suivant, l'administration des domaines, agissant en vertu de ces dispositions et des ordres spéciaux qu'elle avait reçus, prit possession par la force de ces deux domaines. Dès le lendemain, les princes ainsi dépouillés ont assigné cette administration devant le Tribunal civil de la Seine...

Le 15 avril, M. le préfet de la Seine, agissant en vertu et selon les formes de l'ordonnance du 1er juin 1828 sur les conflits, a décliné la compétence de l'autorité judiciaire. Il se fondait principalement, comme on l'a deviné d'avance, sur un motif trop banal pour n'être pas vrai quelquefois et aussi pour n'être pas souvent inexact ou inexactement invoqué, c'est-à-dire sur le principe constitutionnel qui interdit aux tribunaux de connaître des actes administratifs.

Ce déclinatoire a été, tant bien que mal, soutenu à l'audience du 16 avril par le substitut qui siégeait alors à la première chambre du tribunal; mais il a été combattu dans deux plaidoiries dont le souvenir, même après dix-neuf ans, n'est point effacé : MM. Paillet et Berryer ont rivalisé d'éloquence et d'énergie dans cette cause, qui souleva à bon droit leur conscience et leur indignation.

Le 23 avril, la première chambre du tribunal, sous la présidence de M. Debelleyme, a rendu le jugement suivant :

« Attendu que les membres de la famille d'Orléans possèdent, comme propriétaires, les domaines de Neuilly et de Monceau, soit en vertu de la donation du 7 août 1830, soit en qualité d'héritiers de leur père, et, pour partie, de la princesse Adélaïde, leur tante, soit en vertu d'une jouissance prolongée pendant plus de vingt ans et pouvant fonder la prescription;

« Attendu que leur action a pour objet la propriété de ces deux domaines;

« Attendu que les tribunaux ordinaires sont exclusivement compétents pour statuer sur les questions de propriété, de validité de contrats, de prescription; que ce principe a toujours été appliqué aussi bien à l'égard de l'Etat qu'à l'égard des particuliers; qu'ainsi au tribunal seul il appartient d'apprécier les titres des parties et d'appliquer la loi aux faits qui donnent lieu au procès,

« Se déclare compétent, retient la cause, etc. ».

---

(1) Napoléon III ne poursuivit pas ces « opposants » de sa vindicte. Maillard fut nommé sénateur, Reverchon fut autorisé à acquérir une charge d'avocat aux Conseils et Cornudet, renommé au Conseil, y devint président de section en 1867.

L'administration aurait pu se contenter d'interjeter appel de ce jugement, et l'on comprend que, si elle l'eût fait réformer par cette voie, le succès juridique de sa prétention eût, en apparence, semblé mieux assis. Toutefois, elle paraît avoir fait à la cour d'appel de Paris l'honneur de compter d'avance sur l'avortement certain de cette épreuve; elle préféra donc user du droit qui lui appartenait de saisir immédiatement le Conseil d'Etat, en élevant le conflit d'attributions. C'est ce que fit M. le préfet de la Seine par un arrêté du 28 avril, dont les pièces furent transmises au Conseil d'Etat le 18 mai suivant.

Le jour même, M. Maillard, président de la section du contentieux, désigna come rapporteur M. Cornudet, conseiller d'Etat, et me chargea de remplir dans l'affaire les fonctions du ministère public, c'est-à-dire de donner des conclusions, comme commissaire du gouvernement, à l'audience publique dans laquelle elle serait soumise au Conseil d'Etat. Conformément à l'article 18 du décret organique du 25 janvier 1852, trois maîtres des requêtes étaient investis de ces fonctions devant le Conseil d'Etat délibérant au contentieux; j'étais un de ces trois maîtres des requêtes; les deux autres étaient MM. du Martroy et Maigne.

Le lendemain, 19 mai, M. Baroche, vice-président du Conseil d'Etat, recevait les membres du Conseil dans son hôtel de la rue de Varenne. Je m'y rendis, comme la plupart de mes collègues. M. Baroche me fit l'honneur de me parler, en termes généraux et parfaitement dignes, de la désignation dont je venais d'être l'objet de la part de M. Maillard.

Le 26 mai, à sa réception encore, M. Baroche répéta à plusieurs reprises qu'il désirait qu'on sût bien que le Conseil d'Etat, dans cette affaire, aurait toute sa liberté et qu'aucune atteinte ne serait portée à son indépendance; il ajouta même qu'il priait les personnes présentes de le redire partout en son nom.

Le 29 mai, M. Baroche vint, comme il en avait le droit, présider l'assemblée du Conseil d'Etat au contentieux. Pendant la séance, il me fit appeler et me demanda si l'affaire serait bientôt en état d'être jugée; il ne me fit, du reste, aucune autre question.

Cependant, si l'on ne doutait pas, et si l'on avait, je crois, raison de ne pas douter de la sincérité de ces paroles de M. Baroche, on était moins rassuré dans le Conseil d'Etat sur l'accueil que recevrait ailleurs la conduite de ceux qui les prendraient au sérieux, et j'aime à consigner ici, comme preuve de ces préoccupations, un fait qui n'a pas peu contribué à resserrer mes vieux liens d'affection avec un de mes collègues de ce temps. « Mon cher ami, me dit-il (le 5 juin 1852), vous allez conclure contre le conflit; c'est jouer gros jeu, c'est jouer peut-être votre carrière. Eh ! bien, laissez-moi prendre votre place : vous savez que je ne ferai aucun sacrifice en faisant celui de mon traitement, et je serai heureux de pouvoir soutenir, en vous désintéressant, l'opinion que je partage avec vous sur cette affaire ». Je n'ai pas besoin de dire combien j'ai été touché de la proposition; mais, précisément parce qu'il y avait quelque danger à courir, je ne pouvais ni ne devais accepter; je ne pouvais ni ne devais me relever moi-même du poste qui m'avait été confié.

Ce fut le vendredi 4 juin que M. Cornudet fit son rapport à la section du contentieux, composée de MM. Maillard, président de cette section, Marchand, Boulatignier, Boudet, Bauchart et Cornudet, conseillers d'Etat. Les commissaires du gouvernement, comme les autres maîtres des requêtes et les auditeurs attachés à la section, assistèrent presque tous à cette séance. Il est de mon devoir de n'en point révéler les détails, quelque honorables qu'ils fussent pour certains noms; je dirai seulement que deux opinions se formèrent, et je crains d'autant moins de le dire qu'on le supposerait sans peine, alors même que je ne le dirais pas.

Le lendemain, 5 juin, M. Baroche vint encore présider l'assemblée du Conseil d'Etat au contentieux et me demanda de nouveau si l'affaire du conflit pouvait bientôt être mise au rôle. Cette fois, je lui répondis que je la faisais inscrire à mon prochain service, qui devait avoir lieu le samedi 12 juin. Les avocats en reçurent effectivement l'avis dès le soir même, ainsi que l'exigeait l'article 19 du décret réglementaire du 30 janvier 1852. Le rôle de cette séance fut imprimé, selon l'usage; l'affaire du conflit y était naturellement placée en tête, et quelques autres affaires y figuraient à la suite.

M. Baroche ne m'avait donc, jusqu'à ce jour, fait aucune question sur le sens dans lequel je me proposais de donner mes conclusions, aucune insinuation sur le sens dans lequel il pouvait désirer que je les donnasse. Pourquoi ce silence ? C'est que d'abord je n'avais, quant à ma conviction personnelle, rien à apprendre à notre président, qui la connaissait à merveille : je l'avais dite bien haut à ceux qui m'avaient parlé de l'affaire; j'avais eu, notamment, le tort ou la simplicité de la dire à l'un des conseillers d'Etat qui étaient le plus éloignés de la partager, et je savais qu'il n'avait pas dissimulé à M. Baroche ma manière de voir, sur laquelle je ne lui avais pas demandé le secret. Il eût été naturel, d'ailleurs, que le président du Conseil d'Etat fût charmé de laisser se produire en public une opinion qui aurait attesté cette indépendance et cette liberté dont on vient de voir qu'il s'était porté garant. Je n'émets sur ce dernier point qu'une conjecture, mais elle a paru vraisemblable alors, et l'on a beaucoup dit dans le Conseil d'Etat qu'abandonné à lui-même, M. Baroche ne se serait pas démenti par une intervention si tardive; on a beaucoup dit que c'était le garde des sceaux de cette époque, M. Abbatucci, qui avait fait donner à M. le vice-président du Conseil d'Etat, par le Prince Président de la République, l'ordre d'empêcher à tout prix que le Conseil d'Etat, en annulant le conflit, livrât l'affaire aux libres et publiques discussions des tribunaux.

Quoi qu'il en soit, le lundi 7 juin, cinq jours seulement avant celui qui était fixé pour l'audience publique du Conseil d'Etat, je reçus un billet de la main de M. le vice-président du Conseil d'Etat, qui me priait de passer à son cabinet. Je m'y rendis immédiatement. Il ne m'appartient pas, on le comprendra, de faire le récit détaillé de ce qui s'est passé dans cette entrevue; quoique j'aie écrit ce récit le soir même, il ne présenterait pas aux yeux de tous une suffisante autorité : je me bornerai donc à en esquisser l'objet essentiel. Selon M. Baroche, il y avait dans cette affaire autre chose qu'une question de compétence et de légalité sur laquelle il n'aurait pas personnellement d'objection péremptoire à faire contre le jugement du tribunal : il y avait avant tout une question politique, et c'était à ce point de vue que l'affaire devait être envisagée. Naturellement, nous ne pûmes pas nous entendre sur ce point : je pensais alors, et, grâce à Dieu, j'ai toujours pensé que le droit est le droit, et que le droit domine la politique dans les questions où il est engagé. Je déclarai donc à M. Baroche que je ne conclurais pas à la confirmation du conflit. « Eh bien ! me dit-il, remettez le dossier à M. Maigne, votre collègue, qui est d'un autre avis ». — « Monsieur le président, répondis-je, j'ai été chargé de ce dossier par M. le président Maillard : s'il croit devoir me le reprendre, je n'aurai qu'à me soumettre; mais je ne puis pas m'en dessaisir de mon propre chef ». — « Prenez garde, votre conduite pourrait bien être prise pour un acte d'agression ! ». La menace était claire; elle produisit l'effet qu'elle devait produire, elle affermit ma résolution; je me contentai, en me retirant, de dire que les intentions les plus droites pouvaient être méconnues, et que, si ce malheur devait m'arriver, je saurais m'en consoler.

Le lendemain, 8 juin, M. le président Maillard, sur la demande de M. Baroche, commit M. Maigne pour me remplacer; on eut soin de ne pas s'adresser à mon autre collègue, dont l'opinion, comme je l'ai dit ci-dessus, était conforme à la mienne.

L'affaire fut appelée, non pas le 12, mais le 15 juin. L'assemblée du Conseil d'Etat au contentieux était alors composée : 1) des six conseillers d'Etat formant la section du contentieux et ci-dessus désignés; 2) de MM. le général Allard, Boulay de la Meurthe, Charlemagne, Charles Giraud, Suin, Tourangin, Vaïsse, Villemain, Vuillefroy et Vuitry. A ces seize conseillers d'Etat, il faut ajouter M. Baroche, qui était vice-président. Je n'ai rien à dire ici, soit de l'habile et excellente plaidoirie qui fut prononcée par M. Paul Fabre, dont le concours ne pouvait manquer à une cause si bien faite pour son caractère et son talent, soit des conclusions de M. Maigne. Je ne puis non plus, à mon grand regret, faire connaître les votes des divers membres; il me suffira de dire que huit d'entre eux se prononcèrent contre le conflit, et que les neuf autres l'approuvèrent. J'ai d'ailleurs la certitude absolue que, si le Conseil d'Etat avait été sûr qu'aucune atteinte ne serait portée à son indépendance, presque tous les membres qui ont formé la majorité se seraient réunis aux huit qui ont fait la minorité.

Je ne reproduis pas ici les conclusions que j'avais préparées avant d'être dessaisi du dossier. Je me borne à dire que le second décret du 22 janvier pouvait se prêter à une interprétation qui, au lieu d'y voir une confiscation proprement dite, l'aurait considéré comme ne constituant qu'une revendication provisoire des droits de l'Etat, mais sans préjudice des droits des tiers et de la compétence judiciaire pour y statuer. C'était le système que je comptais soutenir, et qui a été en effet soutenu par une minorité considérable dans le Conseil d'Etat. Il avait, à nos yeux, de nombreux avantages. En premier lieu, il enlevait à un acte du gouvernement le caractère odieux, la tache infamante d'une confiscation. En second lieu, il ne heurtait pas, il acceptait pleinement la jurisprudence dès longtemps établie qui ne reconnaît à aucune juridiction le droit de réformer ou d'annuler les actes politiques émanés du gouvernement, et tant qu'il s'agirait d'apprécier le mérite intrinsèque de ces actes. Enfin, et tout en se restreignant à la simple détermination du sens du décret, il arrivait à en concilier le texte avec les principes élémentaires de la justice et du droit. Peut-être restait-il en deçà de la véritable intention qui avait inspiré l'auteur de la mesure; mais, à nos yeux, il suffisait que les termes employés permissent le doute pour que, dans l'intérêt même du gouvernement, ce doute pût et dût être tranché comme je viens de l'indiquer...

M. Maillard, notre vénérable président, fut invité, le 31 juillet 1852, à donner volontairement sa démission; on ne lui laissa pas ignorer, d'ailleurs, que, s'il ne la donnait pas de lui-même, on le révoquerait, et il nous a, dès le lendemain, affirmé qu'il aurait pris ce dernier parti s'il n'avait cru comprendre que le sacrifice qui lui était demandé sauverait ses collègues menacés.

Le même soir, un décret, inséré au Moniteur du lendemain, destitua purement et simplement M. Cornudet et moi; et, chose étrange ! ce décret fut contre-signé par M. Achille Fould, qui venait d'être nommé ministre d'Etat; il inaugura ainsi son installation à ce ministère, par l'expiation du tort qu'il avait eu de marquer, six mois auparavant, en quittant le ministère des finances, son improbation des décrets du 22 janvier.

Un autre conseiller d'Etat de la minorité, M. Charles Giraud, fut également remplacé en cette qualité et appelé aux fonctions d'inspecteur général de l'Université. Ce n'était pas une destitution; mais, au double point de vue de la situation hiérarchique et du traitement, la disgrâce et la punition demeuraient sensibles.

Enfin, pour achever de caractériser le but et la pensée de ces mesures, M. Maigne, l'un des derniers maîtres des requêtes de sa classe par l'âge et par l'ancienneté, et qui ne s'élevait pas au-dessus de la moyenne par la capacité, fut nommé conseiller d'Etat.

Je ne sais pas si, dans cette circonstance, M. Baroche a pensé, avec l'auteur des Mémoires du comte de Grammont, que rien ne marque plus le dévouement d'un honnête homme que de prendre un peu sur sa probité pour donner aux intérêts (ou à ce que l'on croit être l'intérêt) d'un maître. En réalité, telle n'est pas mon impression : M. Baroche me paraît n'avoir été que l'instrument de déterminations contre lesquelles il a essayé de lutter, ou, si l'on veut, il n'a été que l'exécuteur résigné des basses œuvres d'autrui. Je ne prétends pas qu'une fermeté plus grande, un sentiment plus profond de la considération du Conseil d'Etat et de l'honneur attaché à la présidence de ce corps n'auraient pas pu et dû lui inspirer une résistance plus efficace : mais enfin, il ne faut peut-être pas demander aux temps, aux institutions et aux hommes, ce qu'ils ne sont pas en mesure de donner.

Ainsi que je l'ai déjà indiqué, la presse garda le silence le plus absolu sur tous ces faits, qui, à d'autres époques, auraient provoqué de sa part les plus vives et les plus légitimes réclamations. Il est vrai que, si elle avait pu les discuter, si l'on avait eu à craindre qu'elle ne les discutât, ils ne se seraient pas accomplis ».

(Reverchon, Les décrets du 22 janvier 1852, Paris 1871, chap. VIII, pp. 53-62).

Le gouvernement avait envisagé une épuration plus sévère, mais le Prince-Président ne suivit pas les conseils de rigueur du ministre de la guerre, le maréchal de Saint-Arnaud. Celui-ci avait écrit à son frère, qui était conseiller d'Etat :

« Tes collègues du Conseil d'Etat font des bêtises et des balourdises; ils croient s'immortaliser en se pavanant dans une hostilité stupide, car elle ne repose sur rien. Ce qui est fait est fait, et le devoir des hommes du gouvernement est de soutenir le Gouvernement et non pas de chercher à le miner sourdement. Ce sont des crétins. J'ai demandé hautement l'expulsion du Conseil d'Etat de six membres au moins : Maillard, vieille bête usée, en retraite; Giraud, mauvaise bête, lâche et faux, et Suin appelés à d'autres fonctions, Reverchon, Cornudet, Vuitry, exclus. Je ne regretterais que Vuitry qui est capable, sa conduite m'étonne, elle est sotte. Est-ce que Marchand n'a pas aussi trempé dans la pâte de la brioche ? J'en serais fâché ».

(Quatrelle l'Epine, Le maréchal de Saint-Arnaud, Paris 1929, tome II, p. 195).

Le Prince-Président écarta cette demande d'expulsion en répondant au maréchal :

« J'ai bien été tenté de faire ce que vous me conseillez au sujet du

Conseil d'Etat, mais, après réflexion faite, j'ai pensé qu'il valait mieux attendre ».

(Quatrelles L'Epine, ibidem).

Il n'en jugeait pas moins sévèrement l'opposition de nombreux membres du Conseil dans ces propos tenus par lui à Léon Cornudet qui venait d'être révoqué :

« Je respecte l'indépendance des magistrats; si les magistrats avaient eu à connaître de cette affaire, quelle qu'eût été leur décision, je m'y serais soumis, et j'aurais pensé qu'ils avaient consciencieusement fait leur devoir. Messieurs les conseillers d'Etat ne sont pas des magistrats, ce sont des hommes politiques, et il s'agissait précisément d'empêcher les magistrats de connaître d'une affaire dont ils ne devaient pas connaître. Il était difficile de ne pas voir de l'hostilité dans un acte qui tendait à envoyer cette affaire devant les tribunaux et à remettre en question ce que j'avais souverainement décidé. Car vous savez bien que tout ce qui concerne la fortune des souverains et des familles souveraines ne peut pas être apprécié par les tribunaux et doit être réglé politiquement... Il y a des moments où la politique domine tout ».

(Lettre de Cornudet à Montalembert, novembre 1852, Correspondance Montalembert, Paris 1905, p. 312).

Cette affaire ne fut pas la seule où l'autorité impériale s'exerça sur le Conseil en utilisant, habituellement, l'intermédiaire de Baroche, qui présida le Conseil de 1852 à 1864. En 1858, Bavoux, conseiller d'Etat, s'en plaignit à l'Empereur lors d'un dîner aux Tuileries :

« Tous les jours je me révolte contre cette espèce de pression que, par un très bon sentiment sans doute, mais fautif, on exerce souvent sur nos délibérations. Ainsi, je puis le déclarer sans réticence, car il s'agit d'un homme que personne plus que moi n'apprécie ce qu'il vaut. M. Baroche est un esprit très distingué, très varié, très habile, inspiré par un dévouement très sincère à Votre Majesté... Je ne suis donc pas suspect en combattant une habitude de notre honorable président de faire trop souvent intervenir le nom et la volonté de l'Empereur dans des discussions qui, précisément, ont pour objet de fournir les éléments de décision à Votre Majesté; sans cesse on vient nous dire ouvertement ou tout bas : l'Empereur le veut. Et souvent il arrive qu'après avoir, à son insu, enlevé par cette pression un vote au Conseil d'Etat, Votre Majesté, éclairée par la minorité qui, sans cette pression, eut été majorité, émet une opinion contraire à l'opinion, réellement dénaturée, de la majorité, au grand dommage de notre dignité et de l'intérêt public, qui se trouverait mieux de l'opinion vraie et sincère du Conseil consulté... A tout moment, dans nos délibérations, on fait apparaître Croquemitaine. Croquemitaine, Sire, c'est vous. »

(E. Bavoux. Chislehurst. Tuileries. Souvenirs intimes sur la vie de l'Empereur, Paris 1873, pp. 42-43).

Ces pressions du pouvoir n'étaient cependant pas constantes, ni toujours aussi pesantes, comme Bavoux lui-même, auteur des lignes précédentes, le reconnaissait en écrivant :

« En l'absence du Prince, comme en sa présence, la liberté la plus absolue inspire les discussions que l'impartialité, la bienveillance simple et curieuse de l'auguste président provoque sans cesse à la plus complète franchise. »

(Bavoux, article sur « Le Conseil d'Etat » in La France sous Napoléon III, tome II, p. 514).

L'Empereur pouvait même s'incliner devant la volonté contraire du Conseil clairement manifestée. Ainsi en fut-il pour un projet de loi d'assurance agricole obligatoire, auquel Napoléon III tenait cependant beaucoup :

« L'Empereur, qui avait conservé de ses méditations dans l'exil ou dans les prisons d'Etat certaines utopies socialistes, s'était épris d'un projet d'assurance agricole obligatoire et voulait le formuler en loi. Le Conseil d'Etat, alors préparateur des lois, fut saisi de ce projet et convoqué aux Tuileries sous la présidence du souverain. Malgré la solennité imposante de ces séances qui ressemblaient quelque peu à des lits de justice, malgré la tendresse parternelle et connue de tous que l'Empereur portait au projet de loi, M. Cornudet l'attaqua vivement, en montra les erreurs et les dangers, et s'éleva, pendant près d'une heure, contre les tendances et les idées sociales dont il émanait, avec une telle énergie, que ses amis ne pouvaient se défendre, en l'écoutant, d'une certaine inquiétude. L'Empereur écoutait, lui aussi, dans un profond silence et avec une apparente impassibilité. Quand l'orateur eut achevé son discours, Napoléon III descendit de son fauteuil, traversa lentement l'espace qui le séparait de M. Cornudet, lui tendit la main sans rien dire, puis, reprenant sa place, il prononça ces seuls mots : « Je crois, messieurs, que la cause est entendue, et qu'il ne me reste plus qu'à retirer le projet de loi. »

Le projet fut en effet retiré, et M. Cornudet reçut la croix de la Légion d'honneur. »

(Anatole de Ségur, Le Conseil d'Etat, le Tribunal des conflits et les Conseils académiques, Paris 1881, pp. 20-21).

L'Empereur savait même exprimer son libéralisme avec humour et gaîté, comme le relève encore Bavoux :

« Comme témoignage de la bienveillante gaîté avec laquelle l'Empereur sollicitait la liberté des opinions, quelques journaux ont rapporté que, dans une séance du Conseil d'Etat aux Tuileries, après une discussion où M. Bavoux avait combattu le projet du Gouvernement, quand on en vint au vote, l'Empereur, recueillant les voix par mains levées, dit en riant : « Ah ! Monsieur Bavoux ! parler contre mon projet, c'est bien; mais lever contre lui vos deux mains, c'est trop fort ! » Méprise qui fit rire l'auditoire, parce qu'en effet un des collègues de M. Bavoux, assis à son côté, levait en même temps que lui la main, de façon que l'Empereur fit la plaisanterie de croire que les deux mains étaient au même votant. »

(E. Bavoux, Chislehurst. Tuileries. Souvenirs intimes sur la vie de l'Empereur, Paris 1873, p. 57, note 1).

Un ancien membre du Conseil, auditeur sous l'Empire, a porté sur les rapports à cette époque du Conseil et du chef de l'Etat un jugement qui paraît équitable, et qui vaut sans doute pour d'autres périodes :

> «... Les adversaires de l'Empire ont accusé (le Conseil) en quelques occasions de se soumettre trop docilement aux volontés du maître. Nous aussi, jeunes auditeurs alors, nous lui reprochions de manquer d'énergie dans les questions qui touchaient aux intérêts de la liberté. A la distance que les années ont mise entre ce temps et l'heure actuelle, je crois que ces appréciations manquaient d'équité; ce qu'il eût fallu critiquer, c'était moins l'attitude des hommes que l'intervention du Conseil dans certaines matières.
>
> Un corps, qui n'est mêlé à la conduite des affaires que par le côté spéculatif, hésitera toujours à rejeter des lois que le gouvernement, quel qu'il soit, lui présentera comme indispensables à la sécurité de l'Etat et de son chef, ou seulement comme nécessaires au calme matériel ou moral du pays. La connaissance insuffisante des faits, le sentiment même de son irresponsabilité lui inspireront des scrupules et, sans aucune complaisance servile, il pourra être entraîné à adopter, malgré des répugnances très vives, une loi qu'il regrettera de voter. Et ce n'est pas lorsque le pouvoir est fort que la résistance est la plus difficile. Si le gouvernement est faible et battu en brèche, les questions politiques prennent un caractère aigu. Qu'il cède au courant ou qu'il cherche à le remonter, dans un cas comme dans l'autre, le Conseil d'Etat craindra de l'ébranler, de lui infliger un échec par un vote qui, toujours connu en dépit du secret des délibérations, sera recueilli avidement, soit par des ennemis impatients, soit par des amis mécontents. Oppressives ou libérales, les lois politiques se heurtent à cet écueil. Les évolutions de la tactique gouvernementale en face des variations de l'opinion ou des aspirations des parties ne sauraient trouver ni aide efficace ni contradiction énergique dans le Conseil d'Etat.
>
> De 1852 à 1870, mêlé à l'étude de tous les projets législatifs, quelle qu'en fût la nature, il a pu être parfois dominé, dans une certaine mesure, par les influences ambiantes, selon les phases que traversait l'Empire. Mais on doit reconnaître que les progrès libéraux ont eu leur part dans ces influences pendant les dernières années, et qu'aux heures où le gouvernement demandait des armes à la répression, des voix généreuses s'élevèrent toujours pour la combattre. L'action du Conseil, même dans les circonstances les plus graves, ne se fit sentir que dans un sens modérateur. Pour ne rappeler que l'exemple le plus saillant, le vice-président du Conseil, un président de section et plusieurs conseillers combattirent les mesures de sûreté générale, et, s'ils ne purent faire repousser le projet, ils parvinrent au moins à y introduire des atténuations qui n'étaient pas sans importance (1) »
>
> *(Un ancien membre du Conseil d'Etat, Le Conseil d'Etat sous le Second Empire et la Troisième République, Paris 1880, pp. 11-12).*

(1) Il s'agit de la loi de sûreté générale qui fut adoptée après l'attentat d'Orsini. Les « atténuations » concernèrent notamment l'article 1, où la provocation aux crimes prévues par les articles 86 et 87 du code pénal dut être « publique », et à l'article 7, où les mots « faits graves » furent substitués à ceux « d'indices graves ».

LE CONSEIL D'ÉTAT ET LE CORPS LÉGISLATIF

Les rapports du Conseil d'Etat et du Corps législatif furent profondément modifiés à la fin de l'Empire par le sénatus-consulte du 8 septembre 1869. Ce texte donnait l'initiative des lois, concuremment avec l'Empereur, au Corps législatif et étendait le droit d'amendement de celui-ci. Il réduisait du même coup le rôle du Conseil d'Etat en matière législative. Réduction ressentie comme un grave abaissement par Baroche, président du Conseil d'Etat de 1852 à 1863, qui écrivait peu avant sa mort, en 1870, au moment où le Conseil d'Etat venait momentanément de disparaître avec l'Empire :

« Pauvre Conseil d'Etat !... Quelle belle position il avait prise de 1852 à 1862 ! Quelle belle histoire que la sienne pendant ces dix années et combien je serais toujours fier de voir mon nom associé au sien ! En 1863, quand l'Empire est entré dans cette voie qu'on appelait libérale et qui n'était qu'une déviation de son origine, quand il a successivement oublié les principes sur lesquels il était fondé, le Conseil d'Etat, s'est longtemps maintenu par sa force première. Combien de fois n'ai-je pas prédit à ceux qui, dans son sein, cherchaient imprudemment à grandir le Corps législatif, qu'ils travaillaient contre eux-mêmes et que tout ce que gagnait une assemblée, l'autre la perdait ! Les choses ont été ainsi, d'abord lentement, puis sous M. Chasseloup-Laubat et M. de Parieu, en se précipitant comme vers un abîme. 1869 est venu. La Chambre a tout pris au Conseil d'Etat ».

(Cité dans : Jean Maurain, Baroche, ministre de Napoléon III, Paris 1936, pp. 495-496).

Jusqu'alors, en effet, consulté sur tous les projets de loi qui ne pouvaient émaner que de l'Empereur, maître de rejeter tout amendement proposé par le Corps législatif, le Conseil d'Etat jouait un rôle au moins aussi important que ce dernier. Beaucoup plus important même, aux dires de Victo Hugo :

« Il y a aussi le Conseil d'Etat et le Corps législatif, le Conseil d'Etat joyeux, payé, joufflu, rose, gras, frais, l'œil vif, l'oreille rouge, le verbe haut, l'épée au côté, du ventre, brodé en or; le Corps législatif, pâle, maigre, triste, brodé en argent. Le Conseil d'Etat va, vient, entre, sort, revient, règle, dispose, décide, tranche, ordonne, voit face à face Louis Napoléon. Le Corps législatif marche sur la pointe du pied, roule son chapeau dans ses mains, met le doigt sur sa bouche, sourit humblement, s'assied sur le coin de sa chaise, et ne parle que quand on l'interroge. Ses paroles étant naturellement obscènes, défense aux journaux d'y faire la moindre allusion. Le Corps législatif vote les lois et l'impôt, article 39, et quand, croyant avoir besoin d'un renseignement, d'un détail, d'un chiffre, d'un éclaircissement, il se présente chapeau bas à la porte des ministères pour parler aux ministres, l'huissier l'attend dans l'antichambre et lui donne, en éclatant de rire, une chiquenaude sur le nez. Tels sont les droits du Corps législatif...

Il y a (donc) dans la boutique où se fabriquent les lois et les budgets un maître de la maison, le Conseil d'Etat, et un domestique, le Corps législatif. Aux termes de la « Constitution », qui est-ce qui nomme le maître de la maison ? M. Bonaparte. Qui est-ce qui nomme le domestique ? La nation. C'est bien. »

(Victor Hugo, Napoléon le Petit, chap. III).

Opinion partagée par un membre éminent du Corps législatif, le comte de Montalembert, qui déclarait, le 22 juin 1852, dans la discussion générale du budget, à propos du sort réservé aux amendements parlementaires :

« Figurez-vous le sort d'un pauvre amendement qui arrive au sein du Conseil d'Etat, tout seul, sans avocat, sans parrain, comme une espèce de délinquant muet; à peine arrivé, il est mis sur la sellette, personne ne le défend; il est jugé, condamné et exécuté sans désemparer.

Je n'entrerai pas dans le détail de cette espèce de massacre des innocents dont le récit se trouve à la fin du rapport de M. de Chasseloup-Laubat, dans le procès-verbal des délibérations du Conseil d'Etat. Vous y voyez à peu près un amendement adopté sur dix ou douze, et quels amendements ? Les moins significatifs, par exemple un amendement sur le traitement du ministre de la guerre. Vous seriez peut-être tentés de croire que c'est une réduction de son traitement; non, c'est simplement la division de ce traitement en traitement ordinaire et en frais de représentation. En revanche, on nous a refusé les choses les plus simples; par exemple, une petite économie sur nos propres dépenses, à nous, Corps législatif : nous avions cru qu'il était bon de donner nous-mêmes l'exemple des économies; on nous a refusé ce privilège et ce plaisir. On nous a encore refusé une économie sur le traitement d'un secrétaire du conseil de l'ordre de la Légion d'honneur, fonctionnaire de nouvelle création, qui doit siéger quatre fois par an et qui touche 6 000 F, c'est-à-dire 1 500 F par séance : nous avons trouvé cela trop considérable; on n'a pas fait droit à notre demande... Ne croyez pas, d'ailleurs, Messieurs, que j'aie rêvé pour le Corps législatif une condition tellement puissante et tellement brillante ! Eh mon Dieu ! Je sais très bien, et je le disais tout à l'heure, quel est le sort modeste qui nous est réservé par la Constitution ! Nous ne sommes pas des illustrations; elles sont ou elles seront toutes au Sénat, aux termes de la proclamation du 2 décembre. Nous ne sommes pas des capacités hors ligne; elles sont toutes au Conseil d'Etat, toujours selon la proclamation du 2 décembre. Qui sommes-nous donc ? Mon Dieu ! Nous sommes une poignée d'honnêtes gens qu'on a fait venir du fond de leur province pour prêter leur concours au gouvernement en le contrôlant. Car, assurément, il n'a pas besoin d'un autre concours de notre part que celui-là. C'est en le contrôlant, en l'avertissant, en l'arrêtant, que nous pouvons le seconder et lui prêter un appui sincère et efficace.

Je rêvais donc pour le Corps législatif une existence modeste et utile, comme celle d'un grand conseil général de département, un grand conseil de département sans prétentions oratoires, sans prétentions politiques, qui ne s'occupât pas le moins du monde de faire ou de défaire les ministres. Vous le savez, vous tous qui êtes membres des conseils généraux; jamais vous ne vous êtes occupés de faire ou de défaire votre préfet, n'est-ce pas ? Eh bien ! le nouveau Corps législatif devait être sur ce pied-la, n'avoir rien à voir à la nomination et à la révocation des ministres; mais gérer, ou plutôt contrôler la gestion des intérêts moraux, matériels et financiers surtout, non pas d'un simple département, mais du pays tout entier.

Sommes-nous cela ? Non. Nous sommes une espèce de conseil général; mais un conseil général à la merci du conseil de préfecture que voilà. (L'orateur montre le banc du Conseil d'Etat). »

(Corps législatif, séance du 22 juin 1852; Discours de M. de Montalembert, Paris 1852).

Montalembert ne se bornait pas à déplorer la situation faite au Corps législatif. Dans le même discours il dénonçait les inconvénients que présentait à ses yeux, en matière budgétaire au moins, la procédure organisée par la Constitution du 14 janvier 1852 :

« On choisit pour exécuteur de ce système de proscription contre le droit d'amendement, on choisit le Conseil d'Etat. Il est ici, nous a-t-on dit, pour remplacer les ministres; il doit s'en apercevoir, car il a hérité aujourd'hui de l'habitude qu'avaient les ministres d'entendre des choses peu agréables.

Je ne voulais pas insister sur cette matière, je ne puis pas cependant ne pas apporter mon témoignage comme membre de la commission du budget, et l'ajouter au jugement qui a été tout à l'heure prononcé devant vous.

Je commencerai par dire que rien n'a été plus convenable, rien n'a été plus bienveillant que l'attitude des membres du Conseil d'Etat au sein de la commission du budget. L'harmonie la plus parfaite a régné entre eux et nous quant aux relations personnelles; mais il a été facile, dès l'abord, de s'apercevoir de l'extrême difficulté que présentent, par leur nature même, les relations officielles. En effet, quelles conditions réunit le Conseil d'Etat pour discuter le budget avec nous ? Il ne le prépare pas, il ne le perçoit pas, il ne le dépense pas. Il en est tout autrement des ministres... Je n'attaque pas ici la Constitution qui interdit la présence des ministres dans cette assemblée; je parle des relations que la commission du budget pourrait avoir avec eux. Je dis que les ministres, même quand ils ne sont pas très distingués (et l'on en a vu de fort médiocres, même sous le régime parlementaire), les ministres, assistés de leurs chefs de service, savent tout, sont prêts à répondre à tout. Ils connaissent le fort et le faible de toutes les questions, si nombreuses, que renferme le budget. Il ne saurait en être de même des conseillers d'Etat qui sont étrangers, et à l'emploi, et à la perception, et à la préparation du budget; qui sont obligés, à chaque instant, avant comme après la discussion contradictoire avec nous, d'avoir recours à ces chefs de service et à ces ministres dont la présence est si soigneusement écartée. Comment s'en dédommagent-ils ? Par l'extrême rapidité de la discussion. Nous avons su que la discussion générale du budget n'avait coûté, au Conseil d'Etat, que deux ou trois jours de travail; il en a été de même de nos amendements, si laborieusement préparés pendant un mois de travaux assidus au sein de la commission. »

(Corps législatif, séance du 22 juin 1852, ibidem).

M. de Maupas, sénateur et ministre sous l'Empire, devait reprendre, en la généralisant, la même critique :

« Les ministres n'avaient pas le droit de paraître devant les Chambres. C'étaient les conseillers d'Etat qui devenaient les défenseurs du pouvoir, les avocats de la Couronne, et, quels que fussent le talent incontestable et le dévouement avec lesquels ils s'acquittaient de leur tâche, il manquait à leurs efforts la condition première de leur efficacité : l'autorité morale. Il leur manquait encore d'être initiés à la pensée intime du pouvoir, d'avoir reçu la confidence de la raison vraie des mesures prises, des projets de loi présentés. Leur mission, sans doute, n'était pas de faire de la politique devant les Chambres; mais quelle est la discussion d'une loi qui, par un côté quelconque, ne peut prêter à des allusions, à des empiètements de cette nature ? Les conseillers d'Etat ne savaient rien de la politique du gouvernement; ils étaient donc dans l'impossibilité d'en prendre, à l'occasion, utilement la défense. Le pouvoir était pour ainsi dire livré devant les Chambres, et quelle que fût, à cette époque, la parfaite communauté d'idées qui existât entre le pouvoir exécutif et les Assemblées, ce n'en était pas moins un danger réel. Il eût suffi, dans l'une ou l'autre Chambre, d'une personnalité moins docile qu'on avait pris la coutume de l'être, pour faire sentir au gouvernement l'insuffisance de ses moyens de défense. On l'avait compris si bien et si vite, en haut lieu, qu'on n'avait pas tardé à faire siéger, au conseil des ministres, le président du Conseil d'Etat. Il était ainsi pénétré de la politique du gouvernement et pouvait soutenir utilement, devant les Chambres, la discussion dans toutes les questions importantes.

M. Baroche, chargé de cette mission, s'en acquitta longtemps avec un rare talent et avec un ardent dévouement...

Par le fait, la défense du gouvernement, qui devait être l'attribution d'un corps tout entier, du Conseil d'Etat, ce qui était bien réellement sa mission constitutionnelle, lui était déjà insensiblement retirée, dans son acception importante. Elle était monopolisée aux mains d'un seul homme, plus membre du conseil des Ministres que membre du Conseil d'Etat. C'était encore là une sorte d'infraction à la fidèle exécution de la Constitution de 1852. »

(M. de Maupas, Mémoires sur le Second Empire, Paris 1885, t. II, pp. 94-97).

La suprématie du Conseil sur le Corps législatif céda parfois cependant devant des exigences politiques qui se firent plus pressantes avec l'évolution libérale du régime. Soucieux d'éviter les conflits avec les députés, l'Empereur s'employait à convaincre le Conseil d'adopter le point de vue du Corps législatif. Tel fut le cas pour le projet de loi relatif aux caisses de retraites pour la vieillesse :

« La tactique du gouvernement du Second Empire était, écrit Corentin Guyho, d'étouffer, ou au moins d'amortir tous les bruits venus du côté de la Chambre, surtout d'éviter tout débat irritant en séance publique. Pour atteindre ce but l'Empereur savait faire des concessions. C'est ainsi qu'il prit le parti de retirer le projet de loi en vertu duquel une indemnité de trois cent mille francs était allouée à Madame la Maréchale Ney et qu'au dernier moment il fit accepter par le Conseil d'Etat le projet de la commission relatif aux caisses de retraite pour la vieillesse...

Le second conflit fut apaisé, non par un abandon total, mais par des concessions partielles.

La commision chargée d'examiner le projet sur les caisses de retraite pour la vieillesse avait adopté un certain nombre de changements au texte primitif; ces amendements n'avaient pas été acceptés par le Conseil d'Etat;

la commission annonçait dès lors l'intention, tout en continuant d'adhérer au principe de la loi, de proposer à la Chambre le rejet des articles qu'on ne lui permettait pas d'améliorer. La fermeté exceptionnelle de ces résolutions tenait à la courageuse indépendance du rapporteur, M. Jules Ouvrard...

Sur son initiative, la commission prit une attitude qui était une protestation aussi nette que légitime contre la situation subordonnée faite au Corps législatif vis-à-vis du Conseil d'Etat. Le Gouvernement avait cru répondre suffisamment au vœu exprimé, dès 1852, par certains orateurs de voir faciliter l'exercice du droit d'amendement en inscrivant le nouvel article 54 dans le décret organique définitif sur les rapports des grands pouvoirs de l'Etat. Cet article 54 permettait aux commissions parlementaires de déléguer trois de leurs membres afin de faire connaître au Conseil d'Etat les motifs qui avaient déterminé l'adoption de certains amendements. M. Ouvrard fit comprendre à ses collègues de la commission qu'il n'était pas de la dignité de la Chambre — assemblée directement élue par le peuple souverain — de se déranger pour se rendre devant le Conseil d'Etat, comme le plaideur délègue un avocat pour soutenir sa cause devant le juge. Le droit et la tradition veulent, au contraire, que les commissions législatives mandent devant elles les commissaires du gouvernement pour provoquer et entendre leurs explications. Répondre à une convocation, au lieu de l'adresser soi-même, c'était intervertir les rôles et abdiquer. Le rapporteur aima donc mieux, sans plus attendre, saisir directement la Chambre du conflit.

C'est précisément ce débat qu'on voulait éviter en haut lieu. Le gouvernement commença par ne pas faire imprimer le rapport Ouvrard au Moniteur. Le document ne put donc être publié dans aucun journal.

Puis, au moment où la discussion de la loi vient à l'ordre du jour, on apprend, avec surprise, que le Conseil d'Etat se ravise et qu'il accepte maintenant, avec une parfaite bonne grâce, ces mêmes amendements repoussés jusque-là avec tant de raideur. L'apparence est contradictoire. Mais en revanche le résultat est des plus politiques ! Ainsi, plus de désaccord avoué, plus de conflit officiel; un texte commun au Conseil d'Etat et à la commission. Est-ce la commission qui s'est soumise au Conseil d'Etat, ou le Conseil d'Etat qui s'est rallié à la commission ? Le public n'en saura rien, car le compte rendu paraîtra seulement dans quelques jours et il ne relatera qu'un échange d'observations paisibles sur des points de détail insignifiants. Les articles dont la commission proposait le rejet ne seront pas mentionnés; une seule chose attirera l'attention, c'est que la loi a été votée à la presque unanimité.

A la Chambre, l'impression était différente. On était très frappé d'un fait nouveau : Ces messieurs du Conseil d'Etat avaient mis les pouces ! comme disait un chambellan-député, qui oubliait un moment son rôle aux Tuileries pour son mandat au Palais Bourbon. Le Corps législatif tressaillait d'aise et presque d'orgueil en se retrouvant, plus qu'il ne croyait, en possession d'un rôle sérieux, d'un pouvoir réel; il se disait que désormais il fallait qu'on comptât avec lui. Le courage, la parole et l'action tendaient à lui revenir. »

(Corentin Guyho, Etudes d'histoire parlementaire, Paris 1891, t. II, pp. 37-42).

Les prérogatives du Conseil reçurent encore une autre atteinte. Dès 1860, des relations de fait s'établirent pour l'examen des projets de loi budgétaire entre le Corps législatif et les ministres. Dans une lettre à

Persigny, un député bonapartiste, le baron de Richemont, expliquait comment Rouland, ministre de l'instruction publique, y réussissait :

> « Vous savez que les ministres n'ont d'interprète à la Chambre que le Conseil d'Etat. Or, Maître Rouland, trouvant que ses interprètes naturels interprétaient fort mal ses propositions budgétaires, a imaginé d'entrer directement en relation avec la commission du budget. Il dit donc chez lui à quelques membres de cette commission : « J'ai bien envie d'aller causer avec vous, en camarade, nos affaires se feront bien mieux. Trouvez-vous un matin à votre salle de commission, vous y fumerez le cigare; je passerai par là par hasard et nous nous expliquerons ». Ainsi fut fait, et par deux fois. La Chambre est ravie; elle a créé un précédent, un ministre a démontré l'insuffisance du Conseil d'Etat et l'impraticabilité de la constitution; tout est au mieux pour les députés, mais le Conseil d'Etat grince des dents; Baroche s'indigne; les ministres se voilent et je crois que l'Empereur n'est pas satisfait. »
>
> *(Lettre du baron de Richmont à Persigny, 8 juin 1860. Papiers du duc de Persigny, Château de la Grye, Ambierle, Loire, appartenant à madame Duchon d'Espagny).*

LE CONSEIL D'ÉTAT LES MINISTRES ET L'ADMINISTRATION

La Constitution du 14 janvier 1852 avait fait aux ministres une place relativement modeste. Selon son article 13 : « les ministres ne dépendent que du chef de l'Etat; ils ne sont responsables que chacun en ce qui le concerne des actes du gouvernement; il n'y a point de solidarité entre eux; ils ne peuvent être mis en accusation que par le Sénat. » En face des larges attributions du Conseil d'Etat, leur rôle paraissait se limiter à la préparation et à l'exécution des actes d'administration.

Très vite, il en fut autrement dans la réalité. Cinquante années de centralisation administrative et l'extension des activités publiques avaient donné aux départements ministériels — et à leurs chefs — une puissance qu'un article de la Constitution ne pouvait effacer, ni même sérieusement entamer. Le contrôle du Conseil d'Etat devait leur peser et, d'après Cucheval-Clarigny, ils parvinrent à s'y soustraire :

> « Les ministres, à leur tour, refusèrent d'accepter le rôle du Conseil d'Etat. De leur responsabilité vis-à-vis du prince, ils prétendirent faire découler leur omnipotence personnelle dans la conduite de leur département, et ils ne voulurent point reconnaître au Conseil d'Etat nouveau d'autres attributions que celles qui avaient été exercées par le Conseil d'Etat de la République; ils ne voulaient voir dans cette assemblée qu'un tribunal administratif et une sorte de commission permanente pour la préparation et la défense des mesures législatives. Pour eux, agents directs du prince, interprètes et exécuteurs de sa pensée, c'était l'autorité du souverain qu'ils défendaient en défendant la leur, et ils ne pouvaient faire fléchir les droits du pouvoir exécutif devant une assemblée qui émanait de lui. On rapporte

qu'à l'une des premières séances du Conseil d'Etat, un des principaux rédacteurs de la constitution de 1852, M. de Persigny, qui assistait à la séance en sa qualité de ministre de l'intérieur, dut prendre la défense des prérogatives du Conseil d'Etat contre un de ses collègues, et, ce qui est plus remarquable, contre le président lui-même du Conseil, contre M. Baroche, non moins imbu que les ministres eux-mêmes des traditions et des prétentions de l'omnipotence ministérielle.

Un expédient fut bientôt découvert pour mettre les diverses bureaucraties à l'abri de ce qu'elles appelaient les usurpations du Conseil d'Etat. Ce fut, à l'occasion de chaque mesure ou de chaque règlement que l'on projetait, de rédiger, sous forme de mémoire à l'Empereur, une sorte d'exposé des motifs qu'on soumettait à l'approbation impériale, et qu'on insérait au Moniteur avec la mention de cette approbation. Le dispositif ou le projet de règlement était ensuite envoyé au Conseil d'Etat, qui se trouvait en présence, non plus de la pensée d'un ministre, mais d'une décision du souverain, irrévocable du moment qu'elle était devenue publique. Le Conseil d'Etat se voyait retirer ainsi toute possibilité de contester le principe d'une innovation, même dangereuse; il devait se réduire à chercher les atténuations qu'on pouvait apporter dans la pratique à des résolutions qu'il n'était plus possible de combattre et de prévenir.

C'est ainsi que, par un habile détour, en invoquant contre l'œuvre du prince son nom et son autorité, on arriva à annuler les prérogatives essentielles du Conseil d'Etat et à soustraire les diverses administrations publiques au contrôle que la Constitution de 1852 avait préparé pour elles. »

(Cucheval-Clarigny, Histoire de la Constitution de 1852, Paris 1869, pp. 21-24).

Les ministres, pour faire prévaloir leurs vues au sein du Conseil, utilisèrent souvent les conseillers d'Etat en service ordinaire hors sections — qui, au nombre de vingt, avaient voix délibérative dans les assemblées générales. Un ancien membre du Conseil d'Etat sous l'Empire déplorait cette situation, tout en marquant les limites de ces interventions ministérielles :

« Les ministres qui restaient seuls en face du Conseil n'eurent pas toujours la hauteur de vues nécessaire pour comprendre l'utilité de sa résistance au point de vue même de l'intérêt gouvernemental. Soit par enivrement d'un pouvoir presque sans contrôle, soit par désir de dérouter à tout prix les espérances du parti libéral aux écoutes, ils cherchèrent plus d'une fois à l'emporter de haute lutte. Non contents de venir appuyer de leur parole et de leur voix des projets qu'ils sentaient menacés, ils amenaient avec eux le service hors sections dont le vote, sauf d'honorables exceptions, ne présentait pas en pareille occurrence de suffisantes garanties de liberté, et, avec tout ou partie de cet énorme appoint, la majorité se déplaçait. Telle mesure en réalité repoussée par le Conseil passait au dehors pour avoir obtenu son suffrage. Un lit de justice avait faussé l'institution. Une faute de plus allait grossir le nombre des mécontents.

Toutefois il ne faut rien exagérer. La mise en scène qu'exigeait cette pression suffisait à elle seule à n'en pas permettre la fréquente répétition. »

(Un ancien membre du Conseil d'Etat, Le Conseil d'Etat sous le Second Empire et la Troisième République, Paris 1880, p. 13).

Migneret qui dénonce aussi cette « mauvaise combinaison » juge plus favorablement les conseillers hors sections :

« C'était une mauvaise combinaison; mais, sur ce point encore, les hommes ont mieux valu que l'institution, et les conseillers hors sections ont montré, toutes les fois que cela n'était pas impossible, autant de liberté qu'ils avaient de lumières. »

(Migneret (J.B.S.M.), Le Conseil d'Etat du Second Empire, Paris 1872, p. 28).

Le Conseil d'Etat et les ministres s'opposèrent également parfois sur un autre terrain : celui des missions extérieures confiées aux membres du Conseil. Reprenant les traditions du Premier Empire, le Prince-Président, dès 1852, utilisa les conseillers d'Etat comme des missi dominici, mais ceux-ci se heurtèrent souvent à l'opposition des préfets, sans doute soutenus par leur ministre. C'était l'opinion de Quentin Bauchart :

« Au milieu des perpétuels soubresauts des temps qui avaient précédé, le caractère de l'administration publique, particulièrement dans les départements, s'était parfois altéré. Absorbé par le soin de sa propre conservation, le pouvoir central ne portait pas toujours une suffisante attention sur la façon d'être et de faire des préfets. La situation de ces fonctionnaires, menacés à tout moment dans leur existence, était elle-même trop précaire pour qu'ils ne fussent pas forcément enclins à s'occuper trop exclusivement d'eux et de leur avenir, au détriment des intérêts dont ils avaient la garde. De là, certaines négligences et souvent une sorte de désarroi dans les services départementaux...

Dès le début de son règne, l'Empereur vit le mal et prescrivit des mesures pour y porter remède. Il n'admettait pas que la puissance de volonté et d'action qu'il avait lui-même apportée dans le gouvernement, ne se retrouvât pas dans l'administration départementale. Il voulut que chacune des autorités locales fût remise à sa place et que le préfet les dominât toutes. Obéi et respecté dans la capitale, il fallait que le gouvernement impérial fût au même degré respecté et obéi dans les provinces.

Pour atteindre ce but, pour que les populations comprissent bien qu'elles allaient être protégées par un pouvoir discipliné et fort, l'Empereur décida que des conseillers d'Etat se rendraient dans les préfectures et qu'ils concerteraient, avec les préfets eux-mêmes, le moyen le plus sûr et le plus prompt de relever l'autorité préfectorale et de lui rendre l'importance et l'éclat qu'elle avait eus au commencement du siècle, sous une main puissante. Si graves que fussent les changements qui s'étaient faits dans les idées et dans les mœurs, toujours était-il que le préfet devait être réellement à la tête, et seul à la tête, de son département. Sans toucher en principe à l'organisation existante, il s'agissait d'imprimer aux divers services, dans le département, une direction qui fût une garantie à la fois pour la puissance publique et pour les intérêts privés. Rien n'était plus heureux que le choix de conseillers d'Etat pour une telle mission. Mais on avait compté sans la vanité des hommes. Au lieu d'accepter de bonne grâce cette intervention et d'y voir un concours utile, la plupart des préfets en prirent ombrage. Il leur plaisait de n'avoir affaire qu'au ministre dont ils relevaient.

Une telle résistance avait lieu d'étonner... N'y étaient-ils pas encouragés par le ministre de l'intérieur lui-même ? On disait, en effet, qu'il se souciait peu de ces intermédiaires, si haut placés qu'ils fussent, entre les préfets et lui, et il en advint que, si l'on excepte le rétablissement des secrétaires généraux des préfectures, créés en l'an VIII sous le Consulat, supprimés puis rétablis sous la Restauration, supprimés de nouveau sous le gouvernement du Juillet, les résultats qu'on avait espérés ne furent qu'imparfaitement atteints. Il est vrai que les préfets de l'Empire ont prouvé qu'ils n'avaient pas besoin, pour se former, des remontrances des conseillers d'Etat !... »

(A. Quentin-Bauchart, Etudes et souvenirs sur la Seconde République et le Second Empire, t. II, pp. 64-66).

Deux rapports — l'un du préfet de la Gironde au ministre de l'Intérieur, l'autre du procureur général d'Agen au ministre de la Justice — confirment les assertions de Quentin Bauchart :

« A Bordeaux... ce genre d'inspection... semble avoir pour objet de porter atteinte à l'ascendant moral du préfet, au détriment du principe d'autorité qu'il représente. Le préfet doit dominer la municipalité, surveiller tous les fonctionnaires, guider la population dans la voie napoléonienne, telle est sa mission; or, en diminuant sa prépondérance morale, on diminue aussi son action immédiate, si nécessaire dans les élections et dans le temps de crise ».

(Lettre du préfet de la Gironde au ministre de l'intérieur, 15 septembre 1853. Arch. nat., F^{1a} 11).

« Je n'hésite pas à vous dire, qu'à en juger par ce qui se passe sous mes yeux, les missions confiées à MM. les conseillers d'Etat auront pour résultat l'amoindrissement au moins temporaire de tous les dépositaires locaux de la puissance publique et principalement des préfets. La présence d'un représentant extraordinaire du pouvoir souverain éveille toutes les mauvaises passions et semble donner satisfaction à tous les mécontentements que doit faire naître une administration impartiale et ferme. Les influences déchues profitent de cette circonstance pour agiter les populations à faire surgir des plaintes ou dénonciations individuelles ou collectives contre l'autorité qui comprime. Le haut fonctionnaire qui les reçoit ne reste pas assez longtemps parmi nous pour les apprécier à leur valeur ».

(Rapport du procureur général d'Agen au ministre de la justice, 9 juillet 1853. Arch. nat., BB^{30} 407).

IV

ACTIVITÉ ET TRAVAUX DU CONSEIL D'ÉTAT DE 1852 A 1870

Les comptes généraux de 1862 et 1868 — Statistiques des affaires traitées — Nombre et diversité des affaires — Nombreux projets de loi et amendements parlementaires — L'Empereur charge le Conseil de préparer une réforme de l'administration — Le développement du contentieux — Amélioration de la procédure — Le décret du 2 novembre 1864 — Les progrès de la jurisprudence — Une justice d'« équité » — Critique de la théorie du ministre-juge — Le rôle des commissaires du gouvernement — Opinion de Georges l'Hôpital — Les pourvois accueillis plus nombreux que les pourvois rejetés — La commission des pétitions — Les tâches extérieures des membres du Conseil.

STATISTIQUE DES AFFAIRES TRAITÉES

Les travaux du Conseil d'Etat de janvier 1852 à décembre 1865 nous sont bien connus grâce aux deux Comptes généraux publiés respectivement en janvier 1862 et en janvier 1868. Le premier, rédigé sous la direction du conseiller Boulatignier, couvre les années 1852 à 1860; le second, préparé par une commission dont Adolphe Vuitry, ministre président le Conseil d'Etat, s'était réservé la direction, les années 1861 à 1865. Un arrêté du 12 mai 1870 de M. de Parieu, ministre présidant le Conseil d'Etat, avait prescrit l'établissement d'un état statistique des travaux du Conseil du 1er janvier 1866 au 31 décembre 1870. La commission chargée de ce travail était à l'œuvre, lorsque survinrent les événements de 1870; les matériaux réunis au Palais d'Orsay furent détruits dans l'incendie de 1871.

Malgré cette perte, les statistiques fournies par les comptes de 1862 et de 1868 et dont le tableau ci-dessous donne la récapitulation permettent d'avoir une bonne connaissance de l'activité du Conseil d'Etat pendant la période considérée.

Travaux du Conseil d'Etat et de ses sections
de 1852 à 1866

	Projets de sénatus-consulte.	Projets de loi d'intérêt général	Projets de loi d'intérêt local ou particulier.	Affaires administratives.	Affaires contentieuses.	Pétitions.	Totaux.
Section de législation, justice et affaires étrangères	1	94	18	1,426	"	"	1,539
Section de l'intérieur, instruction publique et cultes	1	142	2,322	69,801	"	"	72,266
Section des travaux publics, agriculture et commerce	1	133	14	10,702	"	"	10,850
Section de la guerre, marine et colonies	8	137	6	109,288	"	"	109,439
Section des finances......	11	310	190	43,739	"	"	44,250
Sections réunies	8	123	2	62	"	"	195
Assemblée générale	30	939	2,552	14,499	"	"	18,020
Section du contentieux et Conseil d'Etat délibérant au contentieux	"	"	"	"	14,927	"	14,927
Commission des pétitions .	"	"	"	"	"	230,957	230,957

A partir de ce tableau, l'activité du Conseil d'Etat sera étudiée successivement sur les points suivants :

— les projets de lois et de sénatus-consulte
— les affaires administratives
— les affaires contentieuses
— les pétitions
— les tâches extérieures.

LES PROJETS DE LOI ET DE SENATUS CONSULTE

En vertu de la Constitution du 14 janvier 1852, le Conseil d'Etat est consulté obligatoirement sur tous les projets de loi et les amendements proposés par les commissions du Corps législatif et facultativement sur les projets de sénatus-consulte. Les projets de loi et de sénatus-consulte viennent toujours en assemblée générale après examen par une ou plusieurs sections. Les amendements proposés par les commissions du Corps législatif sont soumis directement à l'Assemblée générale.

Un nombre assez restreint de sénatus-consultes ont été soumis au Conseil (30 de 1852 à 1865); il n'a pas été saisi notamment de ceux relatifs à l'organisation des pouvoirs publics. Il a cependant été consulté pour les sénatus-consulte relatifs aux colonies.

De très nombreux amendements parlementaires lui ont été soumis : entre 1852 et 1866, le Conseil d'Etat en a examiné 1924, il en a adopté 842 en entier, 468 partiellement et en a rejeté 602. Le sénatus-consulte du 8 septembre 1869, qui rendait au Corps législatif l'initiative des lois, limita le rôle du Conseil en la matière, il ne donnait plus d'avis que dans le cas où le gouvernement et la commission intéressée du Corps législatif n'étaient pas d'accord.

De 1852 à 1860, le Conseil d'Etat a examiné 338 projets de loi d'intérêt général, dont les plus importants concernèrent la procédure civile, l'émigration, la culture des marais, les défrichements, l'assainissement des landes de Gascogne, les marques de fabriques et de commerce, les caisses d'épargne et de retraite vieillesse, les chemins de fer (23 projets), la sûreté publique (en 1858).

De 1860 à 1865, lui furent soumis 241 projets de loi d'intérêt général. Les plus importants signalés par le compte général portent sur les matières suivantes :

— en droit pénal, le jugement des flagrants délits, la mise en liberté provisoire, les crimes et délits commis à l'étranger, la répression des coalitions (art. 414 et 415 du code pénal);

— l'enseignement secondaire spécial et l'enseignement primaire;

— en matière agricole, industrielle et commerciale : la loi sur les chemins de fer d'intérêt local, la loi sur les sociétés à responsabilité limitée, la loi sur la pêche, la loi sur les usages commerciaux, la loi sur la marine marchande, la loi sur la liberté de la profession de courtier de marchandises;

— en matière financière, indépendamment des lois annuelles de finances et des lois portant règlement du budget de chaque exercice, huit lois de rachat de canaux de navigation, la loi sur la conversion des rentes 4,5 % sur l'Etat et des obligations trentenaires du Trésor en rentes 3 %, la loi relative au régime des sucres, la loi sur les chèques.

Le rôle du Conseil d'Etat en matière législative fut relancé avec une grande vigueur en 1863 par une lettre de l'Empereur à Rouher, alors ministre présidant le Conseil d'Etat, lettre qui mérite d'être citée intégralement pour la permanence des préoccupations qu'elle révèle dans l'administration française :

Le 24 juin 1863

« Monsieur le président du Conseil d'Etat,

Notre système de centralisation, malgré ses avantages, a eu le grave inconvénient d'amener un excès de règlementation. Nous avons déjà cherché, vous le savez, à y remédier; néanmoins, il reste encore beaucoup à faire. Autrefois le contrôle incessant de l'administration sur une foule de choses avait peut-être sa raison d'être, mais aujourd'hui ce n'est plus qu'une entrave. Comment comprendre, en effet, que telle affaire communale, par exemple, d'une importance secondaire et ne soulevant d'ailleurs aucune objection, exige une instruction de deux années au moins, grâce à l'intervention obligée de onze autorités différentes ? Dans certains cas, les entreprises industrielles éprouvent tout autant de retard.

Plus je songe à cette situation et plus je suis convaincu de l'urgence d'une réforme; mais dans ces matières, où le bien public et l'intérêt privé se touchent par tant de points, le difficile est de faire à chacun sa part, en accordant au premier toute la protection, au second toute la liberté désirable.

Cette œuvre nécessite la révision d'un grand nombre de lois, de décrets, d'ordonnances, d'instructions ministérielles, et l'on ne peut en préparer les éléments qu'en examinant avec attention chacun des détails de notre système administratif, pour en retrancher ceux qui seraient superflus.

Les diverses sections du Conseil d'Etat m'ont paru les plus propres à cet examen, car, si elles n'administrent pas, elles voient agir l'Administration. Ce sont les meilleurs témoins qu'on puisse consulter.

Je vous prie donc de les charger de ce travail, et voici comme j'en comprends l'exécution. Dans le sein de chaque section, le rapporteur dresserait le tableau des formalités, des délais, des diverses autorités, des dispositions règlementaires auxquels chaque affaire aura été soumise. Un certain nombre de tableaux particuliers permettraient de résumer, pour chaque catégorie, la forme et la durée moyenne de l'instruction, en écartant les circonstances exceptionnelles. La section donnerait ensuite son avis sur les modifications ou sur les suppressions jugées nécessaires.

Quant aux affaires qui ne sont pas soumises au Conseil d'Etat, les chefs de service fourniraient des documents et des états analogues, qui serviraient de base à un travail général pour chaque ministère.

Comme j'attache une grande importance à cette réforme, je compte sur le zèle éclairé du Conseil d'Etat pour arriver bientôt à une solution satisfaisante.

Sur ce, je prie Dieu qu'il vous ait en sa sainte garde ».

(Cité in Compte général des travaux du Conseil d'Etat du 1er janvier 1861 au 31 décembre 1865).

Le compte général 1860-1865 donne des indications très précises sur la façon dont cette mission fut remplie :

« Conformément aux ordres de l'Empereur, chaque section a cherché, parmi les affaires ressortissant aux ministères avec lesquels elle correspond, quelles étaient celles où les mesures indiquées par l'Empereur pouvaient être utilemet appliquées, et, après avoir communiqué ses projets au ministère compétent, elle a arrêté, selon la nature ou l'importance de la question, un projet de loi ou un projet de décret pour modifier la législation ancienne. Cette même impulsion a été suivie par plusieurs ministres, qui ont fait préparer de leur côté des mesures analogues et les ont soumises à l'examen du Conseil d'Etat.

Ce travail, qui n'avait pu être achevé au 31 décembre 1865, parce qu'il n'avait commencé qu'en juillet 1863, a abouti jusqu'ici à huit projets de loi et à neuf projets de décret d'une importante inégale.

Les uns ont pour but d'affranchir les particuliers de l'obligation de demander l'autorisation de l'administration pour organiser des entreprises dans lesquelles les intérêts privés sont plus en jeu que l'intérêt public, ou dont les inconvénients, au point de vue de l'intérêt public, peuvent être évités par un système répressif sagement organisé. Les autres ont pour objet de donner plus d'initiative et de liberté d'action aux représentants électifs des départements et des communes. D'autres, enfin, tendent à simplifier et à régulariser les formalités qui doivent être suivies par les citoyens ou par l'administration, dans les cas où l'intervention de l'administration centrale ou locale est nécessaire.

C'est au premier ordre d'idées que se rattachent la loi du 9 mai 1866 portant abrogation des dispositions de la loi du 21 avril 1810 qui exigeaient l'autorisation du chef de l'Etat pour l'établissement des forges, hauts fourneaux et usines métallurgiques et la loi du 21 juin 1865 sur les associations syndicales dans la partie relative aux associations libres. C'est la même pensée qui a inspiré la loi du 24 juillet 1867 sur les sociétés en commandite par actions, les sociétés anonymes, les sociétés à capital variable et les sociétés d'assurances, et le décret du 25 janvier 1865 sur les machines à vapeur.

Les pouvoirs des conseils généraux et des conseils municipaux ont été notablement étendus par les lois du 18 juillet 1866 et du 24 juillet 1867.

Le plus grand nombre des mesures législatives ou des décrets ont apporté des simplifications considérables dans l'instruction d'un certain nombre d'affaires, tantôt en abrégeant les délais dans lesquels la décision devait intervenir, tantôt en attribuant le pouvoir de décider à l'autorité locale. C'est le point de vue auquel on s'est placé dans la loi du 4 mai 1864 relative à la délivrance des alignements le long des routes impériales, départementales et des chemins de grande communication; dans la partie de la loi du 21 juin 1865 sur les associations syndicales relative aux associations autorisées.

Il en a été de même dans la loi du 21 juin 1865 sur les conseils de préfecture et dans le décret du 12 juillet suivant sur la procédure à suivre devant ces conseils, ainsi que dans le décret du 2 novembre 1864 sur la procédure à suivre devant le Conseil d'Etat et devant les ministres dans les affaires contentieuses.

C'est dans le même but qu'une série de décrets rendus en 1864 ont donné aux préfets le pouvoir d'autoriser l'exécution de certains travaux sur les routes départementales, l'établissement des abattoirs, la conversion du cautionnement des caissiers des caisses d'épargne en rentes sur l'Etat, la création ou la modification des foires et marchés aux bestiaux.

Enfin, le Conseil d'Etat a cru devoir, pour hâter l'expédition de certaines affaires qui lui sont soumises, proposer de ne plus les porter à l'assemblée générale et de se borner à les faire examiner par les sections compétentes. Cette proposition a été adoptée par un décret du 7 septembre 1864.

Un projet de loi qui tendait à modifier la législation très compliquée relative à la création des bacs et bateaux de passage, et qui avait été annexé à la loi sur les conseils généraux, a été ajourné par le Corps législatif. Un autre projet, relatif à l'approbation des contributions spéciales destinées à subvenir aux dépenses annuelles des chambres et bourses de commerce, a été soumis au Corps législatif en 1864, mais n'a pas encore été voté. Un projet de loi qui avait pour objet de remanier la législation relative aux mines n'a pas été adopté par le Conseil d'Etat ».

(Compte général 1861-1865).

On ne peut manquer d'être frappé par l'importance de ce bilan et par la rapidité avec laquelle ont été mises au point des réformes dont certaines faisaient preuve de hardiesse et ont fort bien résisté à l'assaut du temps, qu'il s'agisse, par exemple, de la loi de 1865 sur les associations syndicales ou de la loi de 1867 sur les sociétés anonymes.

LES AFFAIRES ADMINISTRATIVES

Le nombre de ces affaires, pour la période comprise entre 1852 et 1866, s'élève à 243 953. Il eût sans doute été plus élevé, si n'étaient intervenus le décret du 25 mars 1852, dit de décentralisation, et diverses mesures analogues déléguant aux préfets le pouvoir de décision dans un grand nombre d'affaires concernant soit l'administration des départements, des communes et des établissements de bienfaisance, soit le régime des eaux, soit la police de l'industrie et du commerce, qui étaient jusque-là réglés par décret rendu en Conseil d'Etat; sous la Monarchie de juillet, le nombre des affaires administratives s'était élevé, pour une période de quinze ans, à 271 550.

L'articulation des sections et des ministères était la suivante :

I — Section de législation, justice et affaires étrangères, correspondant au ministère de la justice et au ministère des affaires étrangères.

II — Section du contentieux. Cette section est exclusivement chargée des affaires contentieuses et ne prépare aucun projet de sénatus-consulte ni aucun projet de loi. Elle peut cependant être réunie à d'autres sections pour préparer ces projets.

III — Section de l'intérieur, de l'instruction publique et des cultes, correspondant au ministère de l'intérieur et au ministère de l'instruction publique et des cultes. (Elle a correspondu au ministère de la police générale depuis le 25 janvier 1852, époque de la création de ce ministère, jusqu'au 21 juin 1853, date de sa suppression).

IV — Section des travaux publics, de l'agriculture et du commerce, correspondant au ministère de l'agriculture, du commerce et des travaux publics. (Elle a correspondu au ministère de l'intérieur, pour les affaires de l'agriculture et du commerce, à dater de l'époque où le ministère de l'agriculture et du commerce et des travaux publics a été réuni à celui de l'intérieur, jusqu'à la constitution du ministère de l'agriculture, du commerce et des travaux publics).

V — Section de la guerre, de la marine, des colonies et de l'Algérie, correspondant au ministère de la guerre, à celui de la marine et des colonies et au gouvernement général de l'Algérie. (Elle a correspondu au ministère de l'Algérie et des colonies pendant la durée de ce ministère, du 24 juin 1858 au 24 novembre 1860).

VI — Section des finances, correspondant au ministère des finances, au ministère d'Etat et au ministère de la maison de l'Empereur.

Conseil d'Etat.

Secrétariat général.

Paris, le 6 février 1873

Monsieur le Garde des Sceaux,

Un certain nombre d'auditeurs de seconde classe ont exprimé à MM. les Présidents de section l'intention de ne pas profiter de tout le congé que vous avez bien voulu leur donner afin de pouvoir plus tôt prendre part aux travaux du Conseil. Quelques uns même ne se sont pas absentés et ont demandé la faveur d'assister à des séances de section.

Dans ces circonstances, MM. les Présidents m'ont chargé de vous faire connaître qu'ils seraient heureux ~~de pouvoir~~ pour répondre à cet empressement de leurs futurs collaborateurs ~~et de vous prier de vouloir bien~~ de recevoir signé ~~signer~~ de vous ~~et me faire remettre~~ l'arrêté de répartition qu'ils ont préparé et soumis à votre approbation.

Veuillez agréer, Monsieur le Garde des Sceaux, l'hommage de mon respect.

Le Maître des Requêtes,
Secrétaire Général du Conseil d'Etat,

M. le Garde des Sceaux, Ministre de la Justice, Président du Conseil d'Etat,

Lettre du secrétaire général du Conseil d'Etat au garde des sceaux, informant ce dernier que les auditeurs nouvellement reçus ont renoncé par zèle à une partie de leur congé.

Parmi les affaires venant à la section de législation, justice et affaires étrangères figurent notamment les demandes en autorisation de poursuites contre des agents publics. Pour la période 1861-1865 on relève 184 demandes en autorisations de poursuites criminelles, dont la plupart concernent des maires ou des gardes forestiers; 53 d'entre elles sont accueillies.

La section de la guerre, de la marine et des colonies et, pour une large part, la section des finances se prononcent sur des liquidations de pensions. En outre, la section des finances fait rapport à l'Assemblée générale des projets de règlements relatifs aux caisses de retraites des administrations publiques et donne son avis sur la répartition par chapitre du crédit alloué pour chaque ministère dans le budget voté par le Corps législatif pour les virements de crédits d'un chapitre à l'autre et pour l'ouverture par décret de crédits supplémentaires.

L'activité de la section de l'intérieur traduit les effets du décret de décentralisation du 25 mars 1852. Sa tâche de tutelle administrative sur les départements et les communes est allégée. Néanmoins, elle doit donner un avis sur un nombre plus important de dons et legs à des établissements religieux reconnus. A noter qu'à cette époque, toutes les créations d'établissements publics passent en Assemblée générale.

Enfin, la section des travaux publics, de l'agriculture et du commerce intervient dans les mêmes matières que celles dont elle connaissait sous la Monarchie de juillet, comme le révèle la statistique suivante empruntée à l'année 1865 :

Section des travaux publics, de l'agriculture et du commerce
Récapitulation par nature d'affaires

Nature des affaires	1865	
	décrets	avis
Routes, ponts, quais et ports	172	22
Chemins de fer	26	1
Cours d'eau navigables et non navigables	149	10
Marais et endiguements	23	7
Mines, forges et carrières	53	1
Etablissements insalubres		
Sociétés anonymes	34	1
Caisses d'Epargne	8	
Foires		
Affaires diverses	55	6
Totaux	520	48

Il est intéressant aussi de remarquer que de 1861 à 1865 sont intervenues 1240 déclarations d'utilité publique pour l'établissement de mairies, d'écoles, d'églises ou le percement de voies.

LES AFFAIRES CONTENTIEUSES

La Constitution du 14 janvier 1852 et le décret organique du 25 janvier 1852 avaient supprimé le tribunal des conflits et rétabli le système de la justice retenue. Le Conseil d'Etat voyait ainsi ses attributions étendues et ses pouvoirs juridictionnels restreints. Ces modifications furent sans importance notable sur le contentieux administratif qui, par son mouvement propre et l'effet de réformes de procédure, continua de se développer entre 1852 et 1870.

Acroissement sensible tout d'abord du nombre des affaires. La moyenne annuelle de celles-ci n'avait jamais dépassé 600 à 700 avant 1852. Elle atteignit et dépassa 1 000 dans la période 1852 à 1860; elle s'éleva à 1160 environ dans la période 1860 à 1870. Le total général des affaires jugées au cours des 17 années fut de 20 272, parmi lesquelles les conflits ne figurèrent que pour 344, dont près de la moitié ne furent pas confirmés.

Le tableau suivant classe les affaires jugées par catégories :

Périodes	Conflits	Recours pour incompétence et excès de pouvoir	Contributions	Elections	Autres affaires contentieuses
1852-1860	198	210	4384	214	4047
1861-1865	88	298	3665	400	1335
1866 - sept. 1870.	58	303	3177	584	1371

Les matières traditionnelles forment encore le gros de la statistique. La progression du nombre des recours pour incompétence et excès de pouvoirs — qui fait plus que doubler — est cependant caractéristique de cette période et n'est sans doute pas accidentelle. Elle s'accélère avec la mise en vigueur du décret du 2 novembre 1864 qui facilite l'accès du prétoire par différentes mesures de procédure (dispense de frais autres que les droits de timbre et d'enregistrement pour les recours pour excès de pouvoir, dispense du ministère d'avocat en matière de pensions, assimilation à une décision de rejet du silence gardé pendant 4 mois sur certaines réclamations par les ministres, etc.).

Décret impérial du 2 novembre 1864
relatif à la procédure devant le Conseil d'Etat en matière cententieuse
et aux règles à suivre par les ministres dans les affaires contentieuses

NAPOLEON, par la grâce de Dieu et la volonté nationale, EMPEREUR DES FRANÇAIS, à tous présents et à venir, SALUT.

VU les décrets des 11 juin et 22 juillet 1806;

VU l'ordonnance du 18 janvier 1826;

Notre Conseil d'Etat entendu,

AVONS DECRETE et DECRETONS ce qui suit :

Art. 1er. — Seront jugés sans autres frais que les droits de timbre et d'enregistrement :

Les recours portés devant le Conseil d'Etat, en vertu de la loi des 7-14 octobre 1790, contre les actes des autorités administratives, pour incompétence ou excès de pouvoir;

Les recours contre les décisions portant refus de liquidation ou contre les liquidations de pensions.

Le pourvoi peut être formé sans l'intervention d'un avocat au Conseil d'Etat, en se conformant, d'ailleurs, aux prescriptions de l'article 1er du décret du 22 juillet 1806.

Art. 2. — Les articles 130 et 131 du code de procédure civile sont applicables dans les contestations où l'administration agit comme représentant le domaine de l'Etat et dans celles qui sont relatives soit aux marchés de fournitures, soit à l'exécution des travaux publics, aux cas prévus par l'article 4 de la loi du 28 pluviôse an VIII.

Art. 3. — Les ordonnances de soit communiqué rendues sur des pourvois au Conseil d'Etat doivent être notifiées dans le délai de deux mois, sous peine de déchéance.

Art. 4. — Doivent être formés dans le même délai :

L'opposition aux décisions rendues par défaut, autorisée par l'article 29 du décret du 22 juillet 1806;

Les recours autorisés par l'article 32 du même décret et par l'article 20 du décret du 30 janvier 1852.

Art. 5. — Les ministres font délivrer aux parties intéressées qui le demandent un récépissé constatant la date de la réception et de l'enregistrement au ministère de leur réclamation.

Art. 6. — Les ministres statuent par des décisions spéciales sur les affaires qui peuvent être l'objet d'un recours par la voie contentieuse.

Ces décisions sont notifiées administrativement aux parties intéressées.

Art. 7. — Lorsque les ministres statuent sur des recours contre les décisions d'autorités qui leur sont subordonnées, leur décision doit intervenir dans le délai de quatre mois à dater de la réception de la réclamation au ministère. Si des pièces sont produites ultérieurement par le réclamant, le délai ne court qu'à dater de la réception de ces pièces.

Après l'expiration de ce délai, s'il n'est intervenu aucune décision, les parties peuvent considérer leur réclamation comme rejetée et se pourvoir devant le Conseil d'Etat.

Art. 8. — Lorsque les ministres sont appelés à produire des défenses ou à présenter des observations sur des pourvois introduits devant le Conseil d'Etat, la section du contentieux fixe, eu égard aux circonstances de l'affaire, les délais dans lesquels les réponses et observations doivent être produites...

Fait au palais de Saint-Cloud, le 2 novembre 1864.

(*Duvergier, t. LXIV, p. 435*).

Ces réformes répondaient au souci de l'Empereur d'établir, à défaut de liberté politique, une administration plus juste. Quentin Bauchart, qui fut le repporteur du décret du 2 novembre 1864, les trouvait cependant insuffisantes :

« L'Empereur, que l'histoire vengera des injustices de l'esprit de parti, voulait être partout où il y avait du bien à faire. Il avait entendu parler des plaintes qui s'exhalaient, de temps immémorial, sur les lenteurs de la bureaucratie administrative. Il résolut d'y porter remède. Les diverses sections du Conseil d'Etat correspondaient aux diverses branches de l'administration. Dans une lettre au ministre d'Etat, — encore une lettre qui n'était pas la moins méritoire ! — il exprima le vœu que l'éternelle question de l'observation des délais et de la simplification des formes en vue d'une plus prompte expédition des affaires fût mise à l'étude das le sein de chaque section. Sur ma proposition, le décret du 2 novembre 1864, relatif à la procédure devant le Conseil d'Etat et aux règles à suivre par les ministres dans les matières contentieuses, fut préparé par la section du contentieux et, sur mon rapport, l'assemblée générale du Conseil l'adopta. Le progrès apparaissait important et indéniable.

Je reconnaissais et je devais être le premier à reconnaître tout le bien qui sortirait de ce décret; mais, personnellement, j'aurais voulu des réformes plus étendues. La justice rendue par le Conseil d'Etat est excellente et ne le cède en rien à celle que rendent les tribunaux; mais les décisions sont longues à venir, et comment en serait-il autrement ? Outre qu'il remplit le rôle d'une Cour de cassation, le Conseil d'Etat fait seul, pour le contentieux administratif, l'œuvre de toutes les cours d'appel de France. Lui seul prononce sur le recours contre les décisions de toutes les juridictions inférieures. Comment une seule section suffirait-elle à un tel labeur ?

Comment y suffirait-elle, quand, pour les affaires les plus importantes, les solutions qu'elle a préparées doivent être révisées par une assemblée spéciale, dont elle fait partie sans y être en majorité, après des débats contradictoires en séance publique, et sur les conclusions des commissaires du gouvernement ?

Pour parer à ces inconvénients, j'avais proposé, dans une étude longuement méditée, de dédoubler la section du contentieux et d'obtenir ainsi un travail double ou à peu près de celui qui s'obtient par une section unique, sauf à faire siéger l'assemblée spéciale du contentieux une fois de plus par mois ou par quinzaine. Le seul reproche sérieux qui soit élevé contre la justice du Conseil d'Etat disparaissait par cela même. »

(Quentin Bauchart, Etudes et souvenirs sur la Seconde République et le Second Empire, t. II, pp. 370-371).

A l'amélioration de la procédure correspondit, du moins à partir de 1860, une évolution libérale de la jurisprudence du Conseil que E. Laferrière décrit ainsi :

« Pendant les premières années de l'Empire et jusque vers 1860, la jurisprudence du Conseil d'Etat en matière contentieuse ne donne lieu à aucune observation particulière; elle n'avance ni ne recule; elle est circonspecte, peu portée aux innovations, peu favorable à l'extension des recours, elle reflète dans son ensemble la sévérité du régime politique, son peu de goût pour les controverses légales et pour l'opposition faite aux actes de l'administration.

Il en fut autrement à partir de 1860. La détente relative qui s'opéra vers cette époque dans le régime politique et qui eut pour effet de rendre quelque vie au Corps législatif par les décrets du 24 novembre 1860, réveilla l'esprit de discussion et de contrôle. Loin de mettre obstacle aux contestations nouvelles, le Conseil d'Etat estima qu'il était sage de leur ouvrir un libre accès. Dans un esprit de prévoyance gouvernementale et aussi dans un sentiment d'équité auquel les contemporains ont rendu justice, il facilite soit par sa jurisprudence, soit par de nouvelles dispositions légales dont il fut le promoteur, les réclamations formées contre les actes irréguliers de l'administration.

C'est dans cette période (1860 à 1870) que se produit le développement le plus notable des recours pour excès de pouvoir. La jurisprudence tend à restreindre les fins de non-recevoir, à réserver un droit de décision contentieuse à l'égard de tout acte d'administration soulevant des questions de légalité, à réduire le nombre des décisions soustraites à tout débat contentieux par leur nature politique ou gouvernementale. Elle déclare recevables des recours formés contre les actes de répression administrative infligés à la presse en vertu du décret du 17 février 1852; elle annule même un arrêté prononçant la suspension d'un journal. A l'occasion des grands travaux de Paris, de nombreux arrêts viennent en aide aux propriétaires contre lesquels une administration puissante épuisait les rigueurs de la législation de la voirie, et quelquefois même en créait de nouvelles pour ménager les finances de la ville aux dépens de la propriété privée. »

(E. Laferrière, Traité de la juridiction administrative, Paris, 1887, t. I, pp. 225-226).

Le mot « équité » employé par Laferrière pour caractériser l'inspiration de cette jurisprudence est celui même que plaçait Aucoc en tête des conclusions prononcées par lui dans une affaire intéressant la ville de Marseille en 1865 :

« On dit souvent que le Conseil d'Etat délibérant au contentieux est une juridiction d'équité. Nous acceptons cette appréciation sans aucune réserve et ce n'est pas nous qui chercherons jamais à détourner le Conseil de la voie où il est si naturellement porté par la situation qu'il occupe au sommet de la hiérarchie administrative à côté du chef de l'Etat... »

(Recueil des arrêts du Conseil d'Etat, Année 1865, pp. 57-58).

Cette période fut aussi celle où apparut — sans que l'expression elle-même fut utilisée — un nouveau moyen d'annulation, le détournement de pouvoir, dont la création remonte à une décision Lesbats du 25 février 1864 (Recueil des arrêts du Conseil d'Etat, année 1864, p. 209), où il fut dit que les préfets ne peuvent « régler l'entrée, le stationnement et la circulation des voitures publiques ou particulières dans les cours dépendant des stations de chemins de fer » que « dans un intérêt de police et de service public » et non pour assurer l'exécution d'un contrat entre une compagnie de chemins de fer et un entrepreneur de voitures publiques.

Le Conseil d'Etat du Second Empire ne réalisa cependant pas tous les progrès jurisprudentiels que certains de ses membres lui suggéraient d'accomplir. Il maintint ainsi la théorie du ministre juge, malgré les efforts du président de section Quentin Bauchart pour convaincre le ministre présidant le Conseil d'Etat, M. de Parieu :

« Un autre reproche que ses détracteurs font à la juridiction administrative, c'est qu'elle transforme les ministres en juges et que ces juges sont en même temps parties dans les contestations sur lesquelles ils prononcent. On conçoit que rien ne puisse répandre une plus grande défaveur sur le principe même de cette juridiction. Je m'étais efforcé de démontrer par des textes et par des considérations non dépourvues de quelque gravité, que cette qualité de juge appliquée si malencontreusement aux ministres était le fruit d'une erreur et qu'ils ne cessent nullement d'être administrateurs, quand ils statuent, en les admettant ou en les rejetant, sur les réclamations des particuliers. J'avais soumis mon travail au président du Conseil d'Etat, M. de Parieu, qui semblait l'approuver; mais d'une telle estime à une action quelconque, à une initiative quelconque pour changer le statu quo, il y avait loin. M. de Parieu, qui est un esprit distingué à plus d'un titre, n'est pas dominé par l'amour de la nouveauté. C'est un de ces tempéraments hésitants, quelque peu apathiques, qui laissent le progrès venir quand il lui plaît, sans trop y pousser, de peur d'une responsabilité gênante. Je dus me contenter, de ce côté, d'une adhésion platonique.

J'avais désiré que M. Aucoc, le premier des adeptes du savant M. Boulatignier, me donnât consciencieusement son avis. Lui, du moins, ne craignit pas de partager beaucoup de mes idées et de le dire. Il admit en point de doctrine désormais acquis que les ministres n'agissent pas comme juges, mais comme administrateurs, quand ils prononcent sur les réclamations qui leur sont soumises directement par les particuliers, ne leur laissant le caractère de juges que lorsqu'ils statuent sur les recours formés contre les décisions des autorités qui leur sont subordonnées. C'était un grand pas dans la voie que j'avais ouverte, après un de mes devanciers au Conseil d'Etat, M. Bouchené-Lefer, le seul, si je ne me trompe, qui se soit véritablement occupé de la question avant moi, et qui l'ait résolue, à sa manière, dans le même sens.

Le mémoire que j'avais remis à M. de Parieu a été publié, dans la première quinzaine d'août 1870, par la Revue de Législation. M. Reverchon (1), qui s'était fait une place honorable parmi les docteurs du droit administratif, avait manifesté quelque sympathie pour les changements que je proposais. Ce fut lui qui se chargea gracieusement de cette publication. A défaut d'une application immédiate qu'il eût dépendu du président du Conseil d'Etat seul de proposer, il voulut que l'attention des jurisconsultes, des administrateurs et de tous les hommes compétents fût mise en éveil. Je n'étais plus, alors, du Conseil d'Etat, mais je n'avais rien perdu de mon zèle pour tout ce qui l'intéressait. Malheureusement l'heure lugubre de nos revers avait sonné, et cette page de la Revue de Législation, oubliée, comme tant de choses, au milieu d'épouvantables complications, a passé sans fixer sur elle les esprits attristés et distraits. »

(A. Quentin Bauchart, Etudes et souvenirs sur la Seconde République et le Second Empire, t. II, pp. 371-373).

Ce fut également sous le Second Empire que la fonction du commissaire du gouvernement au contentieux, commissaire de la loi, mal comprise par beaucoup encore sous la Deuxième République, s'est définitivement constituée. Georges L'Hôpital qui l'exerça alors le rappelait, lorsqu'en 1872 il donnait à ses amis les raisons pour lesquelles il ne

(1) Révoqué comme maître des requêtes lors de l'affaire de la confiscation des biens d'Orléans. Cf. supra, pp. 486 sq.

solliciterait pas les suffrages de l'Assemblée nationale pour être nommé conseiller d'Etat :

« Que doit-on penser de mon rôle comme commissaire du Gouvernement ? Ici je dois éviter une confusion et peut-être faire une rectification qui intéresse l'honneur de mes anciennes fonctions. Car je ne suis pas sûr qu'autour de vous tout le monde sache bien ce que c'est que le ministère public au contentieux du Conseil d'Etat. Si donc, par mon ancienne qualité de commissaire du gouvernement, vous entendez « le ministère public au contentieux », je tiens à répéter bien haut ceci. Mes devanciers, mes collègues, mes successeurs et moi-même, y avons toujours professé hautement et pratiqué, avec l'indépendance la plus complète, le principe que, devant la justice administrative, le gouvernement n'a pas d'autre intérêt que celui de la justice elle-même, et que ces mots « commissaire du gouvernement » veulent dire « commissaire de la loi et du bon droit ». L'Assemblée (1) compte dans son sein et sur ses bancs divers beaucoup d'avocats au Conseil d'Etat, par exemple MM. de Saint-Malo, Clément, Mazeau, Bozérian, Jozon; ils doivent savoir ce qu'il en est, c'est leur affaire. Libre, d'ailleurs, à qui voudra de mettre dans telle ou telle de mes conclusions que je ne me rappelle même plus, la politique que je n'y ai jamais mise. Mais je ne peux pas descendre à analyser ou à expliquer des actes ou des paroles de ma vie judiciaire. Et je ne l'essayerai pas.

Avez-vous, au contraire, entendu parler de ma qualité de commissaire du gouvernement auprès du Sénat et du Corps législatif ? Oh ! cela est absolument différent ! Ici, la parole du commissaire du gouvernement était, dans l'ordre politique, celle du gouvernement lui-même. Très libre en ce sens qu'on ne m'a jamais fait l'injure de m'inviter à la prendre dans un sens qui n'eût pas été le mien, elle était et devait être subordonnée, puisque nous étions, aux termes de la Constitution, ou bien l'organe et l'interprète d'un projet de loi du gouvernement, ou bien le défenseur d'un de ses actes attaqués, ou enfin l'adversaire d'une proposition ou d'une pétition dirigée contre sa pensée ou son action. Je ne regrette rien de ce que j'ai dit ou fait en ce rôle; je n'éprouve non plus aucun embarras à le caractériser, mais il faut bien le distinguer du précédent.

Cela dit, mon bien cher ami, pour l'honneur du contentieux surtout, je m'en rapporte complètement au plus ou moins de bienveillance, de défiance ou d'hostilité que mon nom peut rencontrer de tel ou tel côté. »

(Alfred de Jancigny, Georges l'Hôpital (1825-1892), Evreux 1893, pp. 21-23).

Dernier trait marquant de cette période pour les affaires contentieuses, dont on ne sait s'il faut l'expliquer par la sévérité du juge pour l'administration, les excès de celle-ci, l'insuffisance des premiers juges ou le discernement des plaideurs : de 1852 à 1865 le nombre des pourvois auxquels il fut fait droit a été légèrement supérieur à celui des pourvois rejetés :

(1) Georges l'Hôpital vise ici l'Assemblée nationale élue en 1871.

ACTES ATTAQUES	TOTAL DES		TOTAL GÉNÉRAL 1852-1865
	infirmations	confirmations	
Décrets impériaux	75	159	234
Décisions ministérielles	298	579	877
Arrêtés de préfets	260	287	547
Arrêtés de Conseils de Préfecture	8202	5726	13928
Décisions des juridictions de l'Algérie et des colonies	57	43	100
Décisions de juridictions diverses	96	56	152
Arrêtés de sous-préfets	2		2
Arrêtés de maires	6	3	9
Totaux	6996	6953	
Total général	13949		

LES PÉTITIONS

Le compte général publié en 1862 reproduit le texte du décret du 18 décembre 1852 instituant au sein du Conseil d'Etat une commission des pétitions :

« Un décret du 18 décembre 1852, inspiré par le souvenir d'un décret du 20 septembre 1806, a institué une commission chargée d'examiner les pétitions adressées directement à l'Empereur. Les considérants qui précèdent le décret indiquent les motifs de la création de cette commission.

Considérant, dit ce décret, que si l'organisation des pouvoirs publics offre à tous les citoyens les moyens de faire valoir leurs droits et d'obtenir justice, il importe que, dans certains cas exceptionnels, ils puissent, conformément à ce qui avait été réglé par le décret de 1806, nous adresser directement leurs réclamations ;

Voulant assurer à tous un libre et sérieux recours à notre sollicitude personnelle,

Avons décrété :

Article premier. — Il sera formé, dans le sein de notre Conseil d'Etat, une commission des pétitions, présidée par un conseiller d'Etat et composée de deux maîtres des requêtes et de six auditeurs.

Art. 2. — Toutes les pétitions à nous adressées et ayant pour objet de recourir à notre autorité seront transmises à la commission et immédiatement examinées par elle.

Art. 3. — Chaque semaine, le président de la commission se rendra au palais des Tuileries pour nous remettre un rapport présentant les travaux de cette commission et indiquant les propositions qu'elle a cru devoir signaler à notre attention.

Art. 4. — La commission des pétitions sera renouvelée tous les trois mois ».

(*Compte général des travaux du Conseil d'Etat, 1852-1860, p. 331*).

Le même compte général signale que la commission a reçu un nombre considérable de pétitions, plus de 200 000 entre 1853 et 1860.

Cette fonction exercée par le Conseil d'Etat sous le Second Empire peut sembler à certains égard mineure. Elle n'en révèle pas moins une tentative intéressante d'un régime autoritaire sur le plan politique pour établir sur le plan administratif un contact entre l'administré et le pouvoir. Le Conseil d'Etat se trouvait ainsi investi d'une mission tenant pour partie des tâches d'un cabinet ministériel moderne et pour partie de celles de l'ombudsman que connaissent certains pays étrangers. Il pouvait sans doute y trouver sur les problèmes posés par l'application des lois, sur les besoins réels de la population des informations précieuses et de nature à conforter l'autorité morale du corps dans ses travaux administratifs et dans sa participation à l'élaboration des lois.

LES TÂCHES EXTÉRIEURES

Baroche achève la présentation du compte général des travaux du Conseil d'Etat pour la période 1852-1860 par le développement suivant :

« Sire, les travaux accomplis dans le sein du Conseil d'Etat, et que je viens d'analyser dans ce compte-rendu, paraîtraient, par leur importance et leur variété, devoir absorber tous les moments des membres de votre Conseil. Il n'en est cependant pas ainsi : un grand nombre de membres du Conseil d'Etat sont appelés à faire partie de commissions ou de conseils permanents institués auprès des ministres avec une mission restreinte à une branche spéciale des services publics. Ils y portent leur expérience des affaires et les traditions du Conseil d'Etat. Je puis citer notamment le conseil de l'Ordre impérial de la Légion d'honneur, le conseil du sceau des titres, le conseil impérial de l'instruction publique, le comité consultatif du contentieux des affaires étrangères, la commission consultative pour l'examen des livres, estampes et écrits destinés au colportage, la commission supérieure de la dotation de l'armée, la commission mixte des travaux publics, le conseil supérieur du commerce, de l'agriculture et de l'industrie, la commission de la caisse des retraites pour la vieillesse, le comité consultatif des chemins de fer, le comité consultatif des arts et manufactures.

Le conseil des prises, juridiction spéciale chargée de statuer en premier ressort sur les prises maritimes, est présidé par un conseiller d'Etat. Deux maîtres des requêtes en font partie.

Indépendamment de ces conseils ou commissions permanentes, il est fréquemment formé des commissions, en vertu de décrets de l'Empereur ou de décisions des ministres, soit pour l'étude préalable de projets de loi ou de projets de décret qui doivent ensuite être élaborés par le Conseil d'Etat, soit pour la mise à exécution de mesures auxquelles le Gouvernement attache un intérêt spécial. Ce sont de nouvelles occasions de faire appel au zèle et aux lumières des membres du Conseil d'Etat...

Il en a été notamment ainsi pour la préparation des deux Codes de justice militaire pour les armées de terre et de mer ; pour la préparation de plusieurs lois tendant à modifier des dispositions du Code d'instruction criminelle et du Code de procédure civile; pour l'examen de diverses questions relatives à la redevance imposée aux concessionnaires de mines.

D'autre part, la commission instituée chaque année, conformément aux articles 164, 165 et 167 de l'ordonnance du 31 mai 1838 sur la comptabilité publique, pour examiner les comptes rendus par les ministres, est composée en partie de membres du Conseil d'Etat. Plusieurs membres du Conseil ont été encore appelés à prendre part aux travaux de la commission chargée de répartir la somme de 40 millions de francs, que la loi du 1er août 1860 a autorisé le Gouvernement à prêter aux industriels pour les aider à renouveler et perfectionner leur matériel. Il en a été de même pour la commission chargée de procéder à une enquête sur les transports effectués par les chemins de fer, pour le compte de l'administration de la guerre, pendant la guerre d'Orient.

On ne pouvait, dans les tableaux joints à ce rapport, mettre en relief les services rendus par les membres du Conseil dans ces diverses commissions ; mais il m'a paru juste de les rappeler ici à Votre Majesté ».

(*Compte général, 1852-1860, pp. XXXI et XXXII*).

Le Second Empire fut au total une période d'activité intense et féconde du Conseil d'Etat. S'il ne joua pas pleinement dans le domaine politique le rôle que la Constitution de 1852 semblait lui promettre, la réunion entre ses mains d'attributions nombreuses et diverses — dont il ne retrouvera plus jamais par la suite la totalité — lui donna une emprise solide sur l'administration française pour laquelle il fut non seulement un élément d'équilibre, mais aussi un facteur d'innovation.

BIOGRAPHIES

Pierre-Jules BAROCHE
1802-1870
Président du Conseil d'Etat (1852-1863)

Fils d'un mercier, Pierre - Jules Baroche naît à La Rochelle le 18 novembre 1802.

Débutant à Paris en qualité d'avocat commis d'office en Cour d'assises, il renonce vite à ce genre d'éloquence, se spécialise dans les affaires civiles et obtient rapidement au barreau une place de premier plan. Sa carrière politique commence à la fin du règne de Louis-Philippe : élu en 1847 à la Chambre, il siège sur les bancs de l'opposition; il se rallie à la Seconde République, est réélu en 1848 comme représentant du peuple, mais la violence révolutionnaire l'effraie; l'attitude qu'il adopte lors des débats de l'Assemblée législative en fait vite l'un des chefs du parti conservateur. Il s'associe à la politique du Prince Président Louis-Napoléon, est nommé procureur général près la Cour d'appel de Paris en 1849, ministre de l'intérieur en 1850, ministre des affaires étrangères en 1851. Vice-président de la commission consultative chargée de remplacer le Conseil d'Etat dissous le 2 décembre 1851, il met sur pied les textes organiques du nouveau régime impérial.

Au mois de janvier 1852, il est nommé vice-président du Conseil d'Etat, fonction transformée lors du rétablissement de l'Empire en celle de président du corps, qu'il occupera jusqu'en 1863. Devenu alors ministre de la justice et des cultes, il le demeura six ans, s'opposant, dans ce poste, aux tendances ultramontaines. Il quitta le ministère à l'avènement de l'Empire libéral, tout en demeurant sénateur et membre du Conseil privé. Retiré à Jersey devant l'avance allemande, il y meurt le 28 octobre 1870.

Son rôle et son influence au sein comme à l'extérieur du Conseil d'Etat furent considérables. Il prit notamment une part déterminante à l'élaboration des lois qui modifièrent dans un sens libéral la législation pénale (abolition de la mort civile et de la contrainte par corps, réduction de durée de la prison préventive etc.), à la rédaction des règlements de 1862 sur la comptabilité publique, à la préparation du traité de commerce de 1860. Très proche du gouvernement — il devint en 1861 ministre sans portefeuille — il fut l'orateur habituel de celui-ci devant le Corps législatif, acceptant rarement de partager avec ses collègues, qui en conçurent quelque ressentiment, une fonction qu'il aimait et où il brilla.

Mais il dut aussi sa réussite à une compétence, un talent, un acharnement au travail et un désintéressement personnel que ses contemporains s'accordent à lui reconnaître. La plupart mettent en même temps l'accent sur son extrême habileté, qui frisait le manque de caractère. Corentin Guyho dira qu' « il n'avait pas un ennemi quand il sortit du barreau et il avait été deux fois bâtonnier de l'Ordre ! » — Au Conseil d'Etat, il se fit le défenseur ardent du Pouvoir, usant, parfois jusqu'à l'abus, de l'autorité que lui donnaient sa fonction de président et la connaissance intime qu'il avait de la pensée et des intentions du gouvernement. Libéral modéré dans sa jeunesse, il devint et resta jusqu'à sa mort un partisan convaincu de l' « Ordre ».

Jacqueline Bauchet
Maître des requêtes au Conseil d'Etat

Louis BONJEAN
1804-1871

Conseiller d'Etat
Président de la section de l'intérieur

Maxime du Camp raconte la scène dans ses souvenirs. Nous sommes lors de la dernière journée de juillet 1830 qui verra le changement de dynastie. Un jeune homme de vingt-six ans, pauvre, petit, chétif, s'est emparé d'un fusil de chasse et est en tête de la bande qui pénètre aux Tuileries. Il s'arrête dans la salle du trône et, regardant l'immense lustre de cristal, s'écrie avec les accents de quelqu'un qui fut orphelin en bas âge et étudiant famélique à vingt ans : « Ceci est une insulte à la pauvreté du peuple ». Servi par le hasard plus que par l'adresse, notre jeune révolutionnaire coupa, d'un coup de fusil, la corde de suspension. Le lustre tomba et se fracassa, avec, en écho, les applaudissements de la foule.

L'insurgé de 1830 devait pourtant, par la suite, être investi des plus lourdes charges. Avocat au Conseil d'Etat et à la Cour de cassation en 1838, député de la Drôme en 1848, non réélu en 1849, il est appelé par le Prince Président comme ministre de l'agriculture et du commerce. Membre du Conseil d'Etat réorganisé en 1852, il en présida la section de l'intérieur. Sénateur de l'Empire; il devint, en 1865, président de chambre à la Cour de cassation, puis est fait, en qualité de grand officier, dignitaire de l'ordre national de la Légion d'honneur.

Mais ce juriste éclectique, qui écrivit aussi bien sur les Institutes de Justinien que sur la révision du cadastre ou le pouvoir temporel de la Papauté, intervint dans de nombreux débats au Sénat. Les annales des assemblées du Second Empire donnent le compte rendu d'interventions les plus inattendues qui témoignent d'une ouverture d'esprit peu commune.

La Pologne a trouvé en lui un défenseur ardent. Au cours de plusieurs débats, il dénonce la manière dont la Russie veut assimiler « de la Baltique à l'Adriatique, une masse d'hommes à l'aide d'un protectorat qui bientôt se changerait en domination ». Ne serait-ce les dates ou l'évocation du rideau de fer, des parlementaires d'après la seconde guerre mondiale pourraient refaire ce discours qui n'a pas vieilli. Mais les questions internes lui sont tout autant familières. Il montre notamment qu'une seconde assemblée parlementaire doit faire place à une représentation des collectivités locales et suggère que la moitié des sénateurs soit élue par les conseils généraux; il explique que, si la formation des médecins doit être solide et appropriée à l'état des facultés et des établissements hospitaliers, leur nombre n'est pas conforme à l'évolution démographique. Ici encore, on croit entendre un débat en avance d'un siècle.

L'insurgé de 1830 mourra en 1871 sous les coups de l'insurrection. Il lui sera donné de vérifier la parole de l'Ecriture « celui qui se sert de l'épée périra par l'épée ». Ayant eu la hantise et la prescience de la mort violente qui l'attend, il n'avait pas hésité à dire au Sénat en 1863 : « que dirait l'Europe d'un gouvernement qui transporterait à Cayenne Monseigneur l'Evêque de Paris, ses chanoines, le procureur général de la Cour de Cassation ? ».

Ainsi, la liste des otages de la Commune avait été exactement dressée plus de sept ans d'avance par l'un d'entre eux. Les troupes de la Commune fusillèrent le 21 mai 1871, côte à côte le président Bonjean et Monseigneur Darboy, non sans que ce magistrat quelque peu blasé par la vie ait dit à l'Archevêque de Paris : « montrons leur comment un prêtre et un magistrat savent mourir ». Epoque agitée, curieuse et riche en événements les plus divers que ce XIXe siècle qui vit se succéder tant de régimes et de révolutions. Ceux qui les ont traversées avaient su garder jusque dans des sacrifices par avance acceptés, une lucidité, une force d'âme, qui ont fait à ces grands témoins du passé des destins hors série.

Pascal ARRIGHI
Conseiller d'Etat

Emile Reverchon
1811-1877
Maître des Requêtes

A peine Reverchon venait-il, le 23 mai 1851, de faire ses débuts dans les fonctions de commissaire du Gouvernement près la section du contentieux du Conseil d'Etat — après un refus et de nombreuses hésitations dûs à sa modestie — qu'il fut révoqué avec éclat le 1er août 1852. Ce n'était point pour avoir conclu dans un sens opposé à celui que souhaitait le gouvernement dans l'affaire des décrets du 22 janvier 1852 relatifs aux biens de la famille d'Orléans : le Vice-président Baroche lui retira l'affaire, ainsi qu'au rapporteur Cornudet, dès que Reverchon eût fait connaître sa décision de conclure à l'annulation, au moins partielle, du conflit élevé par le préfet de la Seine et de persévérer dans sa conviction. A Baroche qui insistait sur le caractère politique de l'affaire et lui disait : « Il est bien difficile que le commissaire du gouvernement ne soit pas de l'avis du gouvernement », Reverchon répondit : « Il est bien difficile aussi que le commissaire du gouvernement soutienne une opinion qui ne serait pas la sienne ». Cette indépendance d'esprit, son refus d'abandonner « spontanément » le dossier, la fermeté de son caractère devant les pressions dont il était l'objet lui valurent sa révocation : si Maillard et Cornudet furent englobés dans la même disgrâce, il fut le seul des trois à ne pas obtenir une « réparation ».

Ainsi se terminait au Conseil d'Etat, à quarante et un ans, une carrière qui s'annonçait brillante. Après avoir passé quelque années au cabinet de Maître Galisset, avocat au Conseil d'Etat, Reverchon avait été nommé, en 1838, auditeur et affecté au comité de l'intérieur, puis à la section du contentieux. « Auditeur instruit, laborieux et assidu au plus haut degré », il avait été chef de cabinet du garde des sceaux Martin du Nord en 1842. Promu maître des requêtes en 1846, on songea à le nommer, dès 1848, conseiller d'Etat. Sa culture était vaste, alimentée par une lecture assidue des auteurs latins, Horace, Virgile, Tacite, goût qu'il partageait avec le président Maillard.

L'Ordre des avocats au Conseil d'Etat et à la Cour de cassation l'accueillit après sa révocation, Reverchon ayant acquis la charge de son beau-père. Des raisons de santé le poussèrent à se défaire de sa charge en 1859 et il se fit inscrire au barreau de Paris. Son activité est alors considérable : rédaction de nombreux articles de droit, annotations de décisions du Conseil d'Etat, publications de brochures, il touche aux sujets les plus divers et témoigne ainsi de l'étendue de son savoir. Malgré de nombreuses sollicitations, il se tint éloigné de la vie politique et n'accepta en 1870 que le poste de conseiller général du canton de Pontarlier, cette région de son enfance — il était né à Laferrière-sous-Jougne — où il revenait aux vacances.

Après la chute de l'Empire, il faillit reprendre sa carrière interrompue au Conseil d'Etat : un décret du 19 septembre 1870 le nomma, en qualité de conseiller d'Etat, membre de la Commission provisoire substituée au Conseil d'Etat jusqu'à la réorganisation de ce dernier, mais, en son absence, ces fonctions furent confiées à un autre que lui; au mois de mars 1871, il fut chargé d'élaborer un projet de loi sur le Conseil d'Etat, mais la Commune de Paris interrompit ce travail.

C'est à la Cour de cassation qu'il revint de profiter des talents de Reverchon. Nommé le 16 novembre 1870 avocat général, la Cour l'envoie en 1872 en qualité de commissaire du gouvernement près le Tribunal des Conflits. Sa connaissance approfondie du droit administratif lui donne une véritable autorité à la chambre des requêtes de la Cour. Il est nommé conseiller en 1876.

Lorsqu'il fit paraître en 1871 son ouvrage « Les décrets du 22 janvier 1852 », où il raconte l'affaire de la confiscation des biens de la famille d'Orléans et justifie sa ligne de conduite, dix-neuf années s'étaient écoulées depuis sa révocation : dix-neuf années de silence, qui donnent une idée de la sérénité de l'homme qui ne voulut pas profiter de l'indignation qu'avait suscitée sa révocation pour se poser en victime politique.

Jacqueline Bauchet
Maître des requêtes au Conseil d'Etat

Eugène ROUHER
1814-1883

Ministre présidant le Conseil d'Etat (1863)

Fils d'un avoué, petit-fils d'un notaire, gendre d'un avocat, Eugène Rouher fut avocat pendant douze ans au barreau de Riom, sa ville natale. Il resta toujours marqué par ses origines provinciales, sociales et professionnelles. Daumier le dessinait dansant une bourrée. Mérimée raillait sa « pâteuse jactance auvergnate » et écrivait à son sujet : « Il y a en lui de l'avoué et de l'avoué de province ». Lui-même aimait à dire, lorsque, comme ministre d'Etat de Napoléon III, il devait faire face à l'opposition parlementaire : « Je n'ai pas changé de profession, je suis toujours avocat; seulement, je n'ai qu'une cliente, la France ».

Il fut pourtant beaucoup plus qu'un simple « ministre de la parole » et il exerça certainement une influence importante sur l'élaboration de la politique du gouvernement impérial, à tel point que l'on put dire que la France n'avait pas un Gouvernement mais un « Rouhernement » et qu'Emile Ollivier l'appela le « Vice-Empereur ». Pendant plus de vingt ans Rouher ne cessa de tenir les premiers rôles : garde des sceaux en 1849 à l'âge de 34 ans et deux ans après sa première élection comme député, il devient président de section au Conseil d'Etat, puis vice-président en 1852, ministre des travaux publics, de l'agriculture et du commerce en 1855, ministre présidant le Conseil d'Etat, puis ministre d'Etat en 1863, président du Sénat en 1869.

Partisan convaincu de l'ordre et d'un « pouvoir fortement constitué », il avait déclaré, dès 1850, que la révolution de 1848 avait été une « catastrophe » et il participa à l'élaboration des lois fondamentales de l'Empire et de nombreux textes répressifs. L'avènement de l'Empire libéral devait entraîner sa chute.

En politique étrangère, ses propos manquèrent souvent de clairvoyance. C'est lui qui déclara que l'expédition du Mexique était « la plus grande pensée du règne » et qui affirma en 1867 : « Jamais, jamais l'Italie ne s'emparera de Rome ».

C'est dans le domaine économique que son œuvre fut la plus positive. Comme ministre des travaux publics, de l'agriculture et du commerce, il conclut les traités libre-échangistes avec l'Angleterre, la Belgique et l'Italie. Il sut aussi faire prévaloir l'intérêt général au milieu des âpres rivalités auxquelles donnait lieu l'attribution des concessions de chemin de fer.

Dans cette carrière très remplie, les trois années passées par Rouher au Conseil d'Etat pourraient apparaître comme une simple parenthèse. « Pendant que les autres — écrit un contemporain — usaient leurs facultés et leur vie à soutenir activement le système, lui, plus avisé, attendait patiemment son heure ». Cependant, il n'est guère douteux qu'il acquit au Conseil d'Etat une connaissance des affaires publiques qui lui fut précieuse dans les fonctions qu'il occupa par la suite et qu'il dut se trouver à l'aise dans un corps dont Napoléon III disait : « Le Conseil d'Etat renferme certainement une foule d'esprits éclairés, mais les réformes l'effraient ». Toujours est-il qu'il conserva du Conseil d'Etat une haute idée : « Le Conseil d'Etat, déclarait-il en 1866 devant le Corps législatif, voit tout, examine tout; il n'est pas une de ses œuvres qui ne porte l'empreinte de ses lumières et de ses convictions éclairées; le Conseil d'Etat est à la fois plein de science, d'indépendance et de loyauté ».

C'est un conseiller d'Etat, Michel Chevalier, le négociateur du traité de commerce avec l'Angleterre, qui a porté sur Rouher ce jugement sévère : « Il plaide les affaires du Second Empire; il ne les suit pas en homme d'Etat. Il plaidait pour la politique du Maître, comme il aurait plaidé pour une autre, mais la conviction n'y était guère ».

Il est incontestable que Rouher s'est fait le défenseur d'un certain nombre de décisions malheureuses et qu'à ce titre il porte sa part de responsabilité dans l'effondrement du régime impérial et le désastre de 1870. Néanmoins, quelle qu'ait été l'importance de son rôle, il serait inéquitable de le charger de tous les péchés d'un régime qui, presque jusqu'à sa chute, recueillit une large adhésion dans le pays.

Il semble, en tout cas, injuste de lui reprocher un manque de conviction. Grand travailleur, il se consacra tout entier à sa tâche et put dire sans exagération qu'il n'était pas le ministre des travaux publics, mais le « ministre des Travaux Forcés ». A une époque où l'affairisme fleurissait, il ne tira aucun avantage illégitime de ses fonctions et son intégrité fut reconnue même par ses adversaires. Enfin, après la chute de l'Empire, il resta fidèle à la famille impériale et fut pendant dix ans le chef incontesté du parti bonapartiste. Lorsque, après le 16 mai et la disparition du prince impérial, il dut constater que la cause qu'il défendait était perdue, il se retira de la vie politique. Il mourut trois ans plus tard en 1884 et fut enterré dans un mausolée de style néo-dorique au cimetière de Brou-Vernet dans l'Allier.

Michel Bernard
Maître des requêtes au Conseil d'Etat

Adolphe VUITRY
1813-1885
Ministre présidant le Conseil d'Etat (1864-1869)

Polytechnicien, ingénieur des Ponts et Chaussées comme son père Julien Vuitry qui fut maire de Sens, député (1834-1848) et président du Conseil général de l'Yonne, Adolphe Vuitry, qui naquit à Sens le 31 mars 1813 et devint avocat à la cour d'Appel de Paris, montra dans sa jeunesse une égale aptitude aux sciences et au droit administratif, mais le second finit par l'emporter. D'abord chef de service à l'administration des Cultes, il fut nommé ,en 1842, maître des requêtes au Conseil d'Etat, dont il franchit tous les échelons et qu'il finit par présider. Au cours des vingt sept années qu'il y passa, il devint peu à peu la vivante incarnation du Conseil. Remarqué dès 1850 pour un important rapport sur l'administration communale, il devint en 1857 président de la section des finances. De 1855 à 1864, dans la discussion annuelle des lois financières, il se fit apprécier, écrit M. Aucoc, « pour l'étendue et la variété de ses connaissances, la souplesse d'un esprit également exercé aux études mathématiques et aux études juridiques, sa facilité de travail, sa sagacité toujours en éveil ». Le caractère, chez lui, ne le cédait pas à l'intelligence : c'est ainsi qu'on le vit, en 1852, malgré toutes les pressions du pouvoir, refuser de donner raison à celui-ci dans l'affaire de l'expropriation des princes de la maison d'Orléans.

A deux reprises seulement, Adolphe Vuitry s'éloigna de façon passagère du Conseil d'Etat : en 1851, d'abord, pour devenir pendant quelques mois le sous-secrétaire d'Etat de son ami Fould au ministère des finances; et en 1863, quand les dirigeants du Second Empire, reconnaissant la variété de ses talents, l'appelèrent aux fonctions de gouverneur de la Banque de France. L'année suivante vit le couronnement de sa carrière. Nommé Ministre présidant le Conseil , il prononça le jour de son installation, en octobre 1864, un discours où il définit en ces termes la mission de l'Assemblée :

« Le Conseil... a conservé toutes ses anciennes attributions en matière administrative et contentieuse; il est en outre investi par la Constitution d'une fonction politique qui l'associe à l'action du Gouvernement. Nous sommes chargés de préparer les lois et de les défendre : de ce double mandat découlent des obligations et des responsabilités diverses. Nous devons examiner librement les projets qui nous sont soumis et les discuter avec une respectueuse indépendance... »

A l'approche de l'Empire libéral, Adolphe Vuitry jugea venu le moment de la retraite. Démissionnaire le 17 juillet 1869, il entra au Sénat, ce qui lui permit de dire plaisamment plus tard : « J'ai été sénateur inamovible : je l'ai été treize mois ! ». Il abandonna complètement la vie publique après le 4 septembre 1870 et se consacra dès lors à des travaux sur l'histoire financière de notre pays qui font encore autorité. Depuis 1862, il appartenait à l'Académie des sciences morales et politiques, où il noua de solides amitiés. Le mauvais état de sa santé attrista ses dernières années. Il mourut le 23 juin 1885 à Saint-Douvrin; à ses funérailles, Gaston Boissier prononça son éloge, qu'il conclut ainsi : « Il est difficile d'imaginer un homme qui ait su à ce point s'oublier, se détacher de lui, faire abstraction de sa personne et de son passé, porter dans ses jugements tant de justice et d'impartialité ».

De son mariage avec Caroline Jenny Bret, fille du préfet de Lyon, sénateur de l'Empire, il eut trois filles dont l'une épousa Henri Germain, fondateur du Crédit Lyonnais, député de l'Ain, membre de l'Institut.

Roland de Margerie
Conseiller d'Etat honoraire

CHAPITRE IX

LA COMMISSION PROVISOIRE (1870 - 1872)

LA COMMISSION PROVISOIRE (1870 - 1872)

Gambetta propose de supprimer le Conseil d'Etat — Suspension des membres du Conseil d'Etat impérial — Création de la Commission provisoire — Le rôle de Thiers et de Jouvencel — Le recrutement des auditeurs — Travaux de la Commission provisoire — L'incendie du Palais d'Orsay.

Le Conseil d'Etat faillit être emporté par la chute du Second Empire. Gambetta et Jules Simon proposèrent au Gouvernement de la Défense Nationale de le supprimer. Crémieux obtint l'ajournement de la mesure. Le Conseil fut seulement suspendu et il fut créé une commission provisoire chargée d'en remplir les fonctions jusqu'à la réorganisation du corps.

Cette brève période — elle dura un peu moins de deux ans — ne constitue pas une véritable coupure dans l'histoire du Conseil d'Etat. La Commission provisoire ressemblait beaucoup à celui-ci. En premier lieu par sa composition : on y retrouve conseillers, maîtres des requêtes et auditeurs et, si Léon Aucoc fut le seul conseiller à avoir appartenu au Conseil du Second Empire, plusieurs de ses collègues et notamment le président de la Commission, Ferdinand de Jouvencel, avaient été membres du Conseil sous la Monarchie de juillet ou la Seconde République, tandis que la majorité des auditeurs choisis par la Comimssion avaient rempli les mêmes fonctions sous le régime précédent. Structures à peu près identiques aussi : assemblée générale administrative, assemblée générale délibérant au contentieux, sections administratives, section du contentieux. Les attributions étaient également les mêmes pour l'essentiel, sous réserve bien entendu de celles qui étaient liées, en matière législative notamment, à la Constitution du 14 janvier 1852; le gouvernement n'en limita pas l'exercice aux seules « affaires administratives ou contentieuses urgentes » mentionnées dans le décret du 15 septembre 1870. La Commission tint bien la place du Conseil d'Etat.

Elle travailla beaucoup et remit au mois d'août 1872 une situation saine au Conseil d'Etat qui venait d'être réorganisé par la loi du 24 mai 1872.

Elle lui transmit en même temps plusieurs de ses membres qui devaient tenir les premiers rôles dans le nouveau Conseil : Léon Aucoc, Edmond David, Edouard Laferrière, Octave Le Vavasseur de Précourt, René Marguerie, Eugène Marbeau.

LA SUSPENSION DU CONSEIL D'ÉTAT IMPÉRIAL

Les députés de Paris proclament la République et la formation du Gouvernement de la Défense Nationale le 4 septembre 1870. Le même jour, Gambetta propose à ses collègues la suppression du Conseil d'Etat. La solution adoptée fut moins radicale : les membres du Conseil d'Etat impérial furent suspendus par un décret du 15 septembre 1870, au terme de débats dont l'essentiel nous a été conservé :

Séance du 4 septembre 1870 :

M. Gambetta donne lecture d'un projet de décret avec motifs portant abolition du Conseil d'Etat et d'autres mesures.

Séance du 7 septembre 1870 :

M. Jules Simon développe les raisons tendant à la suppression du Conseil d'Etat. Sur l'avis de M. Crémieux, cette mesure est ajournée.

Séance du 13 septembre 1870 :

M. Herold, en sa qualité de secrétaire général de la justice, demande ce qu'il doit faire à l'égard du Conseil d'Etat dont il va falloir ordonnancer les paiements.

M. Gambetta est d'avis que le Conseil d'Etat doit être dissous.

La nécessité de parer à l'expédition des affaires porte le Conseil à demander qu'un projet de loi lui soit soumis, qui maintienne la chambre des vacations jusqu'à la réorganisation du Conseil d'Etat (1).

(Procès verbaux des séances du Conseil du Gouvernement de la Défense Nationale publiés d'après les manuscrits originaux de Amaury Dréo. Paris s.d. (1905) pp. 68, 86 et 117).

LA CRÉATION DE LA COMMISSION PROVISOIRE

Le rôle qu'il était ainsi envisagé de donner à la chambre des vacations fut confié à une commission provisoire créée par le même décret du 15 septembre 1870, dont voici le texte :

Le Gouvernement de la Défense Nationale décrète :

Article premier. — En attendant la réorganisation du Conseil d'Etat par l'Assemblée constituante, les membres actuels du Conseil d'Etat sont suspendus de leurs fonctions à partir de ce jour.

Art. 2. — Les affaires administratives ou contentieuses urgentes seront expédiées par une commission provisoire composée de huit conseillers d'Etat, dix maîtres des requêtes et douze auditeurs.

Les conseillers d'Etat et maîtres des requêtes seront nommés par le

---

(1) Un décret du 12 septembre 1870 avait autorisé le ministre de la justice à statuer sans prendre l'avis du Conseil d'Etat sur certaines demandes de naturalisation.

Gouvernement, sur la proposition du ministre de la justice. Les membres ainsi nommés désigneront les auditeurs.

Fait à l'Hôtel de Ville de Paris, le 15 septembre 1870.

(*Duvergier, t. LXX, p. 330*).

Les dispositions de ce décret furent complétées par celles du décret du 19 septembre 1870 organisant la commission chargée de remplacer le Conseil d'Etat :

Le Gouvernement de la Défense Nationale décrète :

Article premier. — Sont nommés membres de la commission provisoire...
Art. 2. — La commission élira son président.
Art. 3. — La commission réglera elle-même l'ordre et la répartition de ses travaux.
Art. 4. — M. Caille, secrétaire de la section du contentieux du Conseil d'Etat suspendu, remplira les fonctions de secrétaire général de la commission.

(*Duvergier, t. LXX, p. 335*).

Des décrets et des arrêtés des 3 et 7 octobre 1870 (1) fixèrent la répartition des travaux de la Commission entre l'assemblée générale administrative, la section de législation, justice, etc., la section des travaux publics, agriculture, etc., l'assemblée générale délibérant au contentieux, la section du contentieux. La Commission provisoire conservait ainsi la structure du Conseil qu'elle remplaçait.

Même souci de continuité dans sa composition. Si Aucoc fut le seul conseiller d'Etat de l'Empire maintenu en fonctions, plusieurs autres — et notamment Ferdinand de Jouvencel, élu président de la Commission par ses collègues — avaient appartenu autrefois au Conseil d'Etat. Thiers, bien qu'il ne fût pas membre du Gouvernement de la Défense Nationale, joua un rôle important, selon le biographe de Ferdinand de Jouvencel, dans la formation de la Commission provisoire :

« Thiers fait appel au dévouement de Ferdinand de Jouvencel : il est du devoir des conservateurs d'occuper les hauts postes de l'Administration ; c'est le seul moyen de barrer la route aux républicains.

Aussi, à l'instigation de Thiers et de Jules Simon, Trochu fait-il appel à Ferdinand de Jouvencel, pour organiser ce nouveau Conseil d'Etat.

Jules Simon, conseiller d'Etat en 1848, le plus modéré des membres du gouvernement de la défense nationale, ayant reçu l'acceptation de Ferdinand de Jouvencel, celui-ci est rétabli dans son titre et ses fonctions de conseiller d'Etat. Parmi ses collègues figurent d'autres membres de l'ancien Conseil d'Etat antérieur au coup d'Etat de 1851, ainsi que MM. Desmarest, ancien bâtonnier de l'Ordre des Avocats, et Aucoc, conseiller d'Etat de l'Empire.

M. Auroc était le seul conseiller d'Etat de l'Empire maintenu en fonctions ; sa haute compétence lui avait valu ce privilège ; on sait que depuis, il fut,

(1) Duvergier, t. LXX, pp. 341-342, et p. 343.

en 1872, élu conseiller d'Etat par l'Assemblée nationale, et que, nommé président de section au Conseil d'Etat, il devint une des lumières de cette haute juridiction.

Parmi les maîtres des requêtes figuraient MM. Julien Laferrière (1) qui devait également illustrer son nom au Conseil d'Etat, et de Baulny, fils lui-même d'un maître des requêtes au Conseil d'Etat ; il était neveu de Chateaubriand, et sa belle-sœur, née Rouher, était fille du célèbre ministre de Napoléon III...

Le Conseil d'Etat du Gouvernement de défense nationale est presque entièrement composé de personnalités conservatrices qu'a fait nommer le président de Jouvencel.

Dès le mois d'octobre 1870, la Commission Provisoire nomme les auditeurs appelés à participer aux travaux de la commission ; ces auditeurs sont : MM. Sazérac de Forge, Sanial du Fay, Burin des Roziers, Blin de Varlemont, Le Vavasseur de Précourt, de Jouvencel (Olivier), Vergniaud, Despré s, de Richemont, Griolet, François et Demongeot.

Les noms de ces auditeurs portent la marque du président du Conseil d'Etat : sans rien sacrifier aux tendances politiques du jour, il fait nommer à ces fonctions des jeunes gens de haute culture, encore que ces auditeurs se rattachent presque tous, par leur origine, leurs tendances et leurs convictions, aux anciennes monarchies, quelques-uns à l'Empire ; une faible minorité appartient aux fractions les plus modérées de l'opinion républi caine. »

(Jouvencel (Comte Henri de), Recherches historiques, généalogiques et biographiques sur les Jouvencel, Villeconin, 1940 pp. 694-695).

Le souci de recruter les auditeurs dans le personnel de l'ancien Conseil d'Etat apparaît bien dans les procès-verbaux des réunions de la Commission au cours desquelles ils furent choisis :

« M. le Président donne la parole à M. Aucoc, conseiller d'Etat, pour présenter à la Commission provisoire le rapport de la commission chargée de dresser une liste de candidats pour les deux places d'auditeurs restées libres par la nomination de MM. Sazérac de Forge et Després à d'autres fonctions.

M. Aucoc, rapporteur : Deux auditeurs ayant été récemment appelés à d'autres fonctions, le Conseil a décidé qu'il serait procédé à leur remplacement. La commission chargée par le Conseil (2) d'examiner les titres des différents candidats s'est trouvée fort embarrassée. Dix neuf concurrents se présentaient, parmi lesquels un certain nombre, de mérite à peu près égal, avaient à peu près les mêmes droits.

(1) Il s'agit de Edouard Laferrière, qui fut vice-président du Conseil d'Etat de 1886 à 1898. Il portait aussi, comme son père, avocat puis professeur de droit administratif à Rennes (1798-1861), le prénom de Julien sous lequel il est désigné ici.

(2) On notera que les membres de la Commission provisoire considéraient que le Conseil existait toujours, la Commission se bornant à en remplir provisoirement les fonctions. L'almanach national pour 1871-1872 porte pages 81 et 82 : « Section IV. Conseil d'Etat, Commission provisoire chargée de remplacer le Conseil d'Etat. » Et en note : « un fascicule spécial au Conseil d'Etat réorganisé conformément à la loi du 30 mai 1872, sera publié ultérieurement (Note des éditeurs) » ... « Président du Conseil d'Etat : Mr. J. Dufaure, garde des sceaux, ministre de la justice. Conseillers d'Etat : Mrs de Jouvencel, président de la Commission, ... Aucoc, etc. ».

La commission se demandait aussi si son choix devait porter exclusivement sur d'anciens auditeurs, ayant déjà appartenu au Conseil, possédant l'habitude des affaires administratives, ayant enfin des droits acquis puisqu'ils avaient déjà subi un sérieux examen, ou si elle ferait bien de présenter des candidats nouveaux.

Voici le parti auquel elle s'est arrêtée : comme il s'agit de remplacer d'anciens auditeurs, elle a pensé qu'il serait convenable de choisir les candidats parmi les auditeurs ayant déjà fait partie du Conseil d'Etat, et ce qui a contribué à la décider, c'est la certitude d'une troisième vacance qui doit se produire prochainement par suite du départ d'un auditeur appartenant à la génération nouvelle, que le mauvais état de sa santé force à se rendre dans le midi de la France. On proposerait alors, pour le remplacer, des candidats nouveaux.

La commission a fait un choix de dix anciens auditeurs, qui, tous, ont une valeur réelle. Cette liste a été dressée par ordre de mérite. Quant aux quatre premiers candidats, leur mérite est égal, et le quatrième vaut le premier. Ils ont fait de sérieuses études, possèdent le titre de docteur en droit, sont des travailleurs infatigables et se sont distingués soit dans le Conseil, soit dans diverses fonctions dont ils ont été chargés. Ce sont MM. Morillot, Billard de Saint-Laumer, Lestiboudois et Marguerie...

La commission a éprouvé, pour classer ces jeunes gens, un véritable embarras. Enfin, la plupart de ces messieurs ont fait bravement leur devoir pendant la guerre contre les Prussiens.

Quant aux candidats nouveaux, ils sont au nombre de deux, M. Jules Cambon (1), docteur en droit, secrétaire de la conférence des avocats, âgé de 27 ans, et M. Chanu, ancien substitut à Bourganeuf, âgé de 26 ans et demi...

En conséquence, il est procédé au scrutin.

M. le Président constate qu'il y a 18 votants et 18 bulletins et que les votes sont répartis de la manière suivante : MM. Billard de Saint-Laumer : 13 voix; Marguerie : 11 voix; Cambon : 5 voix; Morillot : 4 voix; Mayniel : 2 voix ; Chabrol : 1 voix.

MM. Billard de Saint-Laumer et Marguerie, ayant réuni plus de la moitié des suffrages, sont nommés auditeurs ».

(Commission provisoire, Séance du 19 mai 1871. P.V. des affaires adm. Arch. C.E.).

LE FONCTIONNEMENT ET LES TRAVAUX DE LA COMMISSION PROVISOIRE

La Commision provisoire fonctionna de l'automne 1870 au début d'août 1872, mais son activité fut pratiquement interrompue pendant la Commune. Elle se transporta alors à Versailles à la suite de son président

(1) Jules Cambon, qui fit ensuite une brillante carrière de diplomate, fut nommé auditeur le 24 juin 1871.

qui, désigné comme otage par les dirigeants de la Commune, ne se trouvait pas à Paris le jour où celle-ci fut proclamée (1).

Le 5 août 1872, à la veille de l'entrée en fonctions du Conseil d'Etat réorganisé par la loi du 24 mai 1872, le garde des sceaux écrivait au président de Jouvencel la lettre suivante :

« Versailles, le 5 août 1872.
Monsieur le Président et honorable collègue,

... La Commission Provisoire se dissoudra, mais en laissant après elle les plus honorables souvenirs.

Lorsque je me reporte aux deux rapports que vous m'avez présentés à la fin du mois de décembre 1871 et le 27 juillet dernier, je puis me rendre compte du zèle qu'elle a déployé et des services très réels qu'elle a rendus.

Nommée au milieu d'une crise formidable, son travail a été pendant trop longtemps limité par nos malheurs mêmes ; mais dès que la France délivrée des deux fléaux de la guerre étrangère et de la guerre civile a pu reprendre possession d'elle-même, les travaux de la Commission ont suivi les progrès de l'activité publique.

Malgré le nombre très restreint de ses membres, elle fut toujours au niveau de sa tâche qui grandissait ; le nombre de ses décisions ne différait plus de celles que prenait le Conseil d'Etat auquel elle a succédé.

Je lui dois ce témoignage qu'elle nous a aidés à remettre en ordre et à rendre à son cour habituel cette vaste administration si fortement ébranlée par les événements que nous avons traversés et que pas un de ces actes, du 19 septembre 1870 au jour où je vous écris, ne porte la trace des temps troublés au sein desquels nous avons vécu.

Veuillez donc recevoir, Monsieur le Président, et faire agréer par vos collègues, les remerciements que je vous adresse au nom du Gouvernement tout entier et croyez à mes sentiments de haute considération.

Signé : J. Dufaure. »

(Lettre citée in Jouvencel, Recherches historiques, généalogiques et biographique sur les Jouvencel, Villeconin, 1940, p. 697).

La Commission, dont l'existence s'était prolongée plus longtemps qu'il n'avait été prévu lors de sa création, n'avait pas limité son activité aux seules « affaires administratives ou contentieuses urgentes », dont parlait le décret du 15 septembre 1870. Elle examina indistinctement toutes les affaires en instance devant le Conseil à cette date et toutes celles dont elle fut ensuite saisie.

Ses travaux se trouvent décrits dans deux rapports établis par elle en janvier et juillet 1872 (2). Le second de ces rapports contient un

---

(1) La Commission siégea jusqu'au 18 mars 1871 au Palais d'Orsay. A Versailles, où elle se transporta conformément à un arrêté du 1er avril 1871 (Duvergier, t. LXXI, p. 67), elle était installée dans l'aile du midi du Palais. De retour à Paris, elle occupa l'hôtel de Rothelin, 101, rue de Grenelle Saint-Germain, qui lui avait été affecté par un arrêté du Chef du pouvoir exécutif du 18 août 1871.

(2) La lettre précitée de Dufaure mentionne le rapport « présenté à la fin du mois de décembre 1871 ». Dufaure commet ici une erreur. Le premier rapport de la commission couvre la période du 19 septembre 1870 au 31 décembre 1871. Il fut sans doute rédigé en janvier 1872. Il fut imprimé en février 1872.

tableau complet des affaires examinées du 19 septembre 1870 au 27 juillet 1872 :

Nature des réunions	Nombre des affaires examinées	OBSERVATIONS
Assemblée générale administrative.	985 (1)	Toutes ces affaires avaient déjà été l'objet d'un premier examen dans l'une ou l'autre des sections administratives.
Section de législation, justice, affaires étrangères, intérieur, instruction publique, cultes et beaux-arts.	2759	
Section des travaux publics, agriculture, commerce, guerre, marine, colonies, Algérie et finances.	39500	Dont 38102 pensions.
Assemblée générale délibérant au contentieux (audience publique).	339	Toutes ces affaires avaient déjà été l'objet d'un premier examen dans la section du contentieux.
Section du contentieux (affaires sans avocat).	595	
Résumé		Affaires administratives . 42259 Affaires contentieuses .. 934 Total 43193

(1) Parmi ces affaires figurent 44 projets de loi d'intérêt local et 17 RAP, la plupart relatifs à la perception des nouveaux impôts.

(*Rapport complémentaire de M. le Président de la Commission provisoire à M. le Garde des Sceaux, minitre de la justice, président du Conseil d'Etat - 27 juillet 1872 - Impr. nat.*).

Les affaires traitées furent d'une grande variété : acceptations de dons et legs, naturalisations, changements de nom, expropriations, prises maritimes, liquidations de pensions, délibérations de conseils généraux, défrichements de bois, plans d'alignement, chemins de fer, mines et carrières, créations de chambres de commerce, sociétés anonymes ou d'assurances, bulles et brefs pontificaux. L'examen de bulles pontificales concernant des nominations d'évêques amena la Commission à y relever et à signaler au gouvernement l'addition par le Saint-Siège du mot « nobis » (« nobis nominavit ») : cette formule figurait dans le concordat de 1516 mais n'avait pas été reproduite dans celui de 1801. Dans une lettre adressée au ministre des affaires étrangères, le ministre des cultes, Jules Simon, tenant compte des remarques du Conseil d'Etat s'exprimait ainsi :

« Pour prévenir de nouvelles observations de la part du Conseil d'Etat, je vous prierais de signaler à Son Eminence le Cardinal Antonelli l'intercalation qui restreint ainsi dans une certaine mesure ses déclarations et ses promesses et de lui demander que dans les prochaines bulles on suive rigoureusement les dispositions du traité conclu entre le Saint-Siège et la France ».

(Arch. ministère des affaires étrangères).

C'est à cette affaire que F. de Jouvencel faisait allusion lorsqu'il signalait dans son rapport complémentaire des « bulles et brefs dont l'examen a soulevé des questions de la plus haute importance et a eu pour résultat de provoquer entre le Saint-Siège et le ministère des cultes, par l'intermédiaire du ministère des affaires étrangères, l'échange d'une correspondance qui restera parmi nos plus précieuses archives ».

Le nombre des affaires contentieuses jugées ou introduites pendant cette période fut relativement faible. Cette diminution s'explique en partie par le fait que, pendant le siège de Paris, les avocats avaient très fréquemment demandé la remise des affaires et que le nombre des pourvois formés pendant la même période fut bien moindre que pendant les années antérieures : 51 pourvois de septembre 1870 au 1er mars 1871, 653 du 1er mars au 31 décembre 1871.

L'INCENDIE DU PALAIS D'ORSAY

C'est pendant cette période que fut incendié le Palais d'Orsay où le Conseil d'Etat avait siégé pendant trente ans.

Peu de jours après le départ, le 18 mars 1871, de la Commission provisoire pour Versailles, des agents de la Commune avaient pris possession du Palais et, selon des récits contemporains qui doivent être lus avec prudence, s'y seraient comportés en pillards. Patrice Salin, qui fut fonctionnaire au Conseil d'Etat entre 1859 et 1891, décrit ainsi cette occupation :

« Le citoyen Peyrouton avait été nommé « directeur » du Conseil d'Etat. Son premier soin fut, avec son acolyte Lepelletier, écrivain du « Rappel » qui remplissait près de lui les fonctions de secrétaire et un nommé Husson affublé du titre de commissaire de police, de monter dans tous les cabinets et de s'emparer des papiers, de l'argent, même des timbres poste, que les employés avaient pu y laisser... Tous les habits d'or des conseillers d'Etat, des maîtres des requêtes et des auditeurs furent enlevés des armoires. On voulait en vendre les broderies, mais, les marchands ayant refusé d'acheter ces objets, on les porta au ministère de l'intérieur ; là ils furent découpés et on destina les broderies à la fonte ».

(*Un coin du tableau, mai 1871. Catalogue raisonné d'une collection d'ouvrages rares et curieux anciens et modernes détruite au palais du Conseil d'Etat du 23 au 24 mai 1871. Paris 1872, pp. 7-sq.*) (1).

Deux mois plus tard, deux jours après l'entrée des Versaillais dans Paris, dans la nuit du 23 au 24 mai, le palais était complètement détruit par l'incendie que les fédérés allumèrent (2); des tonneaux de pétrole avaient été apportés dans la petite cour du côté de la rue de Bellechasse; le feu fut mis à la partie ouest du bâtiment. Emile Zola a dépeint cet incendie, tel que le voit un jeune insurgé qui descend la Seine dans une barque. Arrivé au pont de Solférino il découvre d'un regard les deux quais en flammes :

« C'était d'abord (3) le palais de la Légion d'honneur, incendié à cinq heures du soir, qui brûlait depuis près de sept heures, et qui se consumait en une large flambée de bûcher dont tout le bois s'achèverait d'un coup. Ensuite c'était le palais du Conseil d'Etat, l'incendie immense, le plus énorme, le plus effroyable, le cube de pierre géant, aux deux étages de portiques, vomissant des flammes. Les quatre bâtiments, qui entouraient la grande cour intérieure, avaient pris feu à la fois ; et, là, le pétrole, versé à pleines tonnes dans les quatre escaliers, aux quatre angles, avaient ruisselé, roulant le long des marches des torrents de l'enfer. Sur la façade du bord de l'eau, la ligne nette de l'attique se détachait en une rampe noircie, au milieu des langues rouges qui en léchaient les bords ; tandis que les colonnades, les entablements, les frises, les sculptures apparaissaient avec une puissance de relief extraordinaire, dans un aveuglant reflet de fournaise. Il y avait surtout là un branle, une force du feu si terrible, que le colossal monument en était comme soulevé, tremblant et grondant sur ses fondations, ne gardant que la carcasse de ses murs épais, sous cette violence d'éruption qui projetait au ciel le zinc de ses toitures. Ensuite, c'était, à côté, la caserne d'Orsay dont tout un pan brûlait, en une colonne haute et blanche, pareille à une tour de lumière. Et c'était enfin, derrière, d'autres incendies encore, les sept maisons de la rue du Bac, les vingt-deux maisons de la rue de Lille, embrasant l'horizon, détachant les flammes sur d'autres flammes, en une mer sanglante et sans fin. »

(Emile Zola, La Débâcle. IIIe partie, chap. VIII).

---

(1) La relation de l'incendie du palais du Conseil d'Etat placée en tête de l'ouvrage, d'où ces lignes sont extraites, a vraisemblablement été rédigée par Patrice Salin.

(2) Patrice Salin dans l'ouvrage précité et Laurent Martin (Histoire complète de la Révolution de Paris en 1871) voient dans cet incendie un acte purement criminel. Salin écrit : « Les bureaux, les fauteuils en acajou, tout servit à cette canaille pour réaliser son projet; les matelas sur lesquels elle s'était vautrée de toutes les façons, furent dressés le long des murs des salles inondés de pétrole ainsi que le parquet, et le feu est mis ». Aujourd'hui la majorité des historiens estime que les incendies allumés par la Commune faisaient partie du plan de défense des fédérés.

(3) L'ordre, à première vue surprenant, de cette description s'explique par le fait que le jeune insurgé, blessé, est étendu dans la barque, le visage tourné vers l'amont du fleuve.

Le lendemain matin, le Palais effondré ne présentait plus à l'œil que des murs noircis, percés d'immenses baies que les flammes avaient calcinées toute la nuit.

C'était un désastre; le lendemain de l'incendie les frais de réparation du bâtiment étaient évalués à plus de deux millions. Sur le plan historique, des pertes irréparables avaient été subies : la précieuse bibliothèque était anéantie; des très riches archives, il n'est rien resté, sinon un dossier de lettre de Napoléon Ier à Bigot de Préameneu.

Du point de vue de l'art, le désastre fut plus grand encore : les somptueuses décorations, les peintures ornant les différentes salles, notamment la toile de Delacroix et celle d'Isabey, ainsi que les célèbres fresques de Théodore Chassériau peintes dans le grand escalier furent anéanties.

Furent également détruites des collections privées d'objets d'art ou de livres rares que leurs propriétaires, membres ou fonctionnaires du Conseil, avaient pensé mettre à l'abri en les déposant au Palais d'Orsay. Ainsi celle du maître des requêtes Edmond Taigny :

> « Un concours tout à fait fortuit de circonstances sur lesquelles il serait trop long de m'appesantir, m'avait conduit, quelques jours après le 4 septembre, à déposer au Conseil d'Etat les objets précieux formant mes collections. L'économe du Conseil m'avait indiqué un réduit obscur servant d'entrepôt pour les tapis et situé au-dessus du cabinet de notre président, dans le coin en retrait, à l'angle gauche du monument. Cette soupente était si bien dissimulée que les agents de la Commune l'ont toujours ignorée. Deux de mes collègues avaient eu la même idée que moi. M. Chassériau avait apporté plusieurs caisses contenant des dessins et des tableaux qui venaient de la succession de son frère... le marquis de Belboeuf y avait déposé son argenterie... Je crois inutile de vous donner une description détaillée de ces objets. Il suffira de les mentionner pour que les amateurs comprennent l'étendue de la perte subie. Elle peut être évaluée à 110 000 francs dépensés par moi, mais la valeur marchande serait actuellement d'au moins 150 000 francs ».
>
> *(Cité par Marius Vachon, Le Palais du Conseil d'Etat et de la Cour des Comptes, Paris, 1879, pp. 27 à 29).*

La perte éprouvée par Patrice Salin, chef de bureau au secrétariat général du Conseil, qui était amateur de livres et d'estampes, fut moins grave :

> « Quel eût été mon désastre et mon désespoir si, dans l'idée d'une sécurité plus grande, j'avais apporté dans mon cabinet tous les documents que je possède chez moi ! Car ce que j'ai perdu au Conseil d'Etat n'était que le résultat de mes trouvailles ou de mes emplettes matinales que j'avais amassées là. Je les avais sous la main, et, les sachant aussi en sûreté que dans ma demeure, je remettais continuellement au lendemain, depuis dix ou quinze ans, le soin de les emporter chez moi ».
>
> *(Un coin du tableau, mai 1871, op. cit.).*

Les ruines du Palais se dressèrent sur le quai jusqu'à la fin du siècle. Ce n'est qu'en 1897 que terrain et ruines furent cédés pour 10 500 000 à la compagnie des chemins de fer d'Orléans. Ils furent pendant près de trente ans pour les membres du Conseil qui avaient connu le Palais d'Orsay l'objet de sentiments nostalgiques :

> « Il s'en dégageait surtout une indicible mélancolie pour ceux qui, avant la guerre, avaient eu leur place marquée dans ce défunt palais. J'étais du nombre et je n'ai jamais longé cette triste façade sans sentir mes regards invinciblement attirés vers ses fenêtres béantes ».
>
> *(Alfred de Foville, Notice sur la vie et les travaux de M. Adolphe Vuitry, p. 105, in Académie des sciences morales et politiques, séance publique annuelle du 7 décembre 1912, Paris 1912).*

CHAPITRE X

LE CONSEIL D'ÉTAT DE 1872 à 1879

INTRODUCTION

Il peut paraître surprenant de voir distinguer dans l'histoire du Conseil d'Etat cette courte période de sept années qui prend fin au mois de juillet 1879. Elle s'ouvre, certes, sur un événement important, le vote de la loi du 24 mai 1872, qui réorganise le Conseil et institue la justice administrative déléguée, mais rien, à première vue, n'en marque le terme : c'est quatre ans plus tôt, en 1875, qu'ont été fondées et mises en place les institutions de la IIIe République; c'est aussi en 1875 qu'a été rendu à l'exécutif le pouvoir de nomination des conseillers confié à l'Assemblée par la loi du 24 mai 1872; cette loi ne fait l'objet que de retouches en 1879 et demeurera jusqu'en 1940 la charte du corps.

L'année 1879 a vu cependant la fin d'une période, car il s'y est produit un renouvellement du personnel du Conseil plus important qu'à toute autre époque de son histoire. A la suite de révocations, de mises à la retraite ou de démissions, il ne restait plus au Conseil à la fin du mois de juillet 1879 que trois des 25 conseillers qui y siégeaient quelques semaines plus tôt.

Ce renouvellement eut des causes et un caractère politiques. Issu des suffrages de l'Assemblée nationale monarchiste et des nominations faites par le Maréchal de Mac-Mahon, le Conseil d'Etat de 1879 restait, par sa composition sociale et ses opinions, à l'image de ceux qui l'avaient formé. Disposant de la majorité dans les deux chambres et parvenu au pouvoir, le parti républicain voulut constituer un Conseil, dont il n'aurait à craindre ni l'hostilité, ni les réticences à l'égard des réformes qu'il voulait entreprendre, notamment dans les domaines religieux et scolaire.

Les hommes qui furent alors frappés ou qui s'en allèrent de leur plein gré eurent le sentiment d'être victimes d'une injustice. Associé à la politique conservatrice des gouvernements de l'époque, le corps qu'ils quittaient de gré ou de force avait en effet maintenu pendant ces sept années les traditions essentielles formées depuis son origine. Le respect de la loi était demeuré leur règle essentielle. On le vit bien, lorsque, à la veille de l'épuration de 1879, le Gouvernement intenta un appel comme d'abus contre l'archevêque d'Aix-en-Provence, auquel il était reproché d'avoir critiqué dans un mandement la nouvelle politique scolaire. Bien que partageant sur ce point les opinions de l'Archevêque, la plupart des conseillers dénoncèrent l'abus commis par ce prélat qui, en exprimant ses idées dans un mandement, leur paraissait avoir excédé ses pouvoirs, tels qu'ils étaient définis par le Concordat et les Articles organiques.

I
LA LOI DU 24 MAI 1872

Le projet de loi de réorganisation du Conseil d'Etat — Sa discussion en commission — Le rôle du rapporteur Batbie — Les débats à l'Assemblée Nationale — La justice déléguée est admise sans discussion — Un député d'extrême droite, Raudot, demande la suppression du Conseil d'Etat — Gambetta prend sa défense — Par qui les conseillers d'Etat seront-ils nommés ? — Texte de la loi du 24 mai 1872.

« La Commission provisoire est à bout de souffle », déclarait Thiers, le 22 février 1872, devant l'Assemblée nationale, en demandant à celle-ci d'examiner sans délai un projet de loi sur la réorganisation du Conseil d'Etat. Ce projet avait été déposé par le garde des sceaux Dufaure sur le bureau de l'Assemblée dès le 1er juin 1871 (1). Une commission, présidée par Saint Marc Girardin et dont Batbie fut le rapporteur, tint quinze séances pour l'examiner au cours du second semestre de 1871 et déposa son rapport le 28 janvier 1872. L'Assemblée en délibéra à trois reprises : en première lecture, le 19 février 1872, en seconde lecture les 24, 29 et 30 avril, 1, 2 et 3 mai 1872, en troisième lecture le 24 mai 1872.

Les ambitions du gouvernement en présentant ce projet étaient apparemment modestes. Le rapport introductif les définit ainsi :

> « Messieurs,
>
> La composition et les attributions du Conseil d'Etat ne pourront être réglées d'une manière définitive qu'au moment où l'Assemblée nationale donnera au pays, avec sa constitution politique, son organisation administrative et judiciaire.
>
> Mais, en attendant que cet ensemble d'institutions ait été réglé, il importe de pourvoir à l'exécution des lois en vigueur.
>
> Il importe donc de réorganiser provisoirement, pour un temps dont personne ne peut assigner la durée, le Conseil d'Etat, qui est appelé par les lois à intervenir dans l'expédition d'un nombre considérable d'affaires administratives et dans le jugement en dernier ressort des litiges qui composent le contentieux administratif.
>
> Le Gouvernement de la Défense nationale... avait institué une Commission provisoire pour délibérer sur les affaires urgentes qui auraient dû être soumises au Conseil. Mais le petit nombre des membres de cette Commission..., le caractère restrictif de la mission qui lui a été confiée ne répondent pas aux besoins de la situation actuelle.

(1) Ass. Nat. Session 1871. Annexe au P.v. de la séance du 1er juin 1871, n° 279. Ann. Ass. nat. 1871, t. III, p. 206 à 210. Le texte du projet est précédé d'un rapport de 12 pages.

Tout en réservant expressément les questions d'avenir, le Gouvernement croit utile que le Conseil, aux lumières duquel il aura recours dans les circonstances difficiles que nous traversons, soit constitué d'une manière moins précaire ; il croit utile que le personnel, qui du reste devrait être sensiblement moins nombreux qu'il ne l'était sous le régime antérieur, puisse cependant pourvoir aux nécessités d'un service régulier ».

(*Projet de loi sur la réorganisation du Conseil d'Etat. Assemblée nationale. Session 1871, n° 279, annexe au p.-v. de la séance du 1er juin 1871. Ann. Ass. nat. 1871, t. III, p. 206*).

Le projet allait en réalité beaucoup plus loin : s'il n'apportait pas de modifications fondamentales à la composition et à l'organisation du Conseil d'Etat, il lui donnait le pouvoir de statuer en dernier ressort sur le contentieux administratif et sur les recours pour excès de pouvoir, substituant ainsi la justice déléguée à la justice retenue, et il lui retirait le jugement des conflits, confié, comme en 1848, à un tribunal spécial, le Tribunal des conflits.

La commission de l'Assemblée nationale, puis l'Assemblée nationale, adoptèrent sur ces deux points le projet gouvernemental (1). Elles s'en séparèrent, par contre, sur deux autres points.

Elles refusèrent d'abord de voter une loi « provisoire ». Devinant bien l'avenir — puisque la loi du 24 mai 1872 devait demeurer pendant 68 ans la charte du Conseil — Batbie, rapporteur de la commission, écrivait dans son rapport :

« Le Gouvernement vous a présenté un projet de loi qu'il a expressément qualifié de « provisoire », afin d'éviter, en ce moment, la discussion des questions que la composition et les attributions du Conseil d'Etat ont fait naître toutes les fois que le législateur a touché à cette matière et de les réserver pour un temps où elles pourraient être examinées à loisir et avec maturité. Convaincue que la durée des lois ne dépend pas de notre volonté, votre commission n'a pas adopté cette qualification. Notre œuvre, en effet, sera définitive ou provisoire, suivant qu'elle sera maintenue ou changée, ce qui dépend de circonstances dont nous ne sommes pas les maîtres. Il est d'ailleurs impossible de limiter la controverse sur des questions si graves et celles qu'on voudrait réserver sont posées par les hommes convaincus qui trouvent l'occasion bonne d'en chercher la solution. C'est ce qui est arrêté dans la commission dont j'ai l'honneur d'être le rapporteur. Toutes les difficultés y ont été examinées aussi longuement que s'il s'était agi de

---

(1) La commission fut saisie au cours de ses travaux par l'un de ses membres, le marquis de Chasseloup-Laubat, qui avait été le ministre présidant le Conseil d'Etat à la fin du Second Empire, d'un contre-projet qu'elle écarta sans grande discussion. Selon ce projet, le Conseil aurait été composé de 172 membres nommés pour 8 ans par les conseils généraux et renouvelables par moitié tous les quatre ans. Il aurait exercé des attributions importantes en matière législative : tout projet de loi gouvernemental devait être soumis au Conseil d'Etat qui l'examinait en séance secrète; si l'Assemblée nationale apportait des modifications au texte adopté par le Conseil d'Etat, celui-ci était à nouveau saisi et délibérait alors en séance publique. Le dernier mot appartenait à l'Assemblée.

faire une loi définitive, de sorte que le mot « provisoire » n'aurait même pas eu pour effet d'abréger notre travail ».

(*Rapport fait au nom de la commission chargée d'examiner le projet de loi sur la réorganisation du Conseil d'Etat par M. Batbie, membre de l'Assemblée nationale. Assemblée nationale, année 1872, annexe au p.-v. de la séance du 29 janvier 1872, n° 863, pp. 2-3. Ann. Ass. nat., 1872, t.* **VII**).

En second lieu, la commission, puis l'Assemblée, après de très vifs débats sur le mode de désignation des conseillers d'Etat en service ordinaire substituèrent l'élection par l'Assemblée à la nomination par le pouvoir exécutif (1). Cette question fut au centre des débats.

LES DÉBATS DE L'ASSEMBLÉE NATIONALE

Ce furent les derniers grands débats qu'une assemblée parlementaire ait consacrés au Conseil d'Etat (2). Ils n'eurent cependant ni l'ampleur ni l'intérêt des discussions qui avaient eu lieu sur le même sujet dans les chambres de la Monarchie de Juillet ou à l'Assemblée constituante de 1848.

Cette différence s'explique aisément. Deux des réformes essentielles contenues dans la loi du 24 mai 1872 — la substitution de la justice déléguée à la justice retenue et la création du Tribunal des conflits — ne trouvaient guère d'opposants dans une assemblée dont la droite et la gauche répudiaient également tout régime autoritaire. Il est piquant de noter que la discussion de la loi du 24 mai 1872, qui est associée aujourd'hui dans l'esprit de tous à l'établissement de la justice déléguée, n'a à peu près pas porté sur cette question : moins d'une demi-colonne des débats parlementaires lui est consacrée. Il ne fut apporté d'autre part aucune modification essentielle à la composition, à l'organisation et au fonctionnement du Conseil : les seules réformes de quelque importance concernèrent le service extraordinaire réglementé de façon plus stricte et l'auditorat, recruté et sélectionné de manière plus sévère, et auquel était désormais réservé le 1/3 des postes de maîtres des requêtes. Les deux seules questions longuement et vivement débattues furent, comme il a déjà été indiqué, des questions importantes certes, mais de circonstance : ne fallait-il pas différer la réorganisation du Conseil d'Etat jusqu'au jour

(1) Les conseillers d'Etat en service extraordinaire et les maîtres des requêtes étaient nommés par le gouvernement, comme le prévoyait le projet présenté par celui-ci. Toutefois, les nominations de maîtres des requêtes avaient lieu sur présentation des présidents de section. Les auditeurs étaient recrutés par concours.

(2) Les débats parlementaires de 1879 furent limités à des réformes de détail qui avaient un but bien particulier : renouveler le personnel du Conseil. Sous la IIIe République les discussions concernant le Conseil d'Etat portèrent uniquement, à l'occasion des débats budgétaires, sur les effectifs et le statut du corps. Les réformes de 1940, 1945, 1963 furent faites par voie d'ordonnances ou de décrets.

où la France serait dotée d'une constitution ? (1). Les conseillers d'Etat seraient-ils nommés par le pouvoir exécutif ou élus par l'Assemblée ?

Le Conseil d'Etat sera-t-il supprimé ?

Les grands thèmes furent cependant abordés — sinon traités — par l'Assemblée, et en premier lieu celui de l'existence même du Conseil d'Etat.

Lors de la première délibération, aussitôt après que M. Lefèvre-Pontalis eût réclamé — sans succès — le transfert du contentieux administratif aux tribunaux judiciaires (2), M. Raudot attaqua avec vigueur dans le Conseil d'Etat aussi bien l'organe administratif que l'organe juridictionnel et demanda sa suppression :

« M. Raudot. — Messieurs, j'ai vu beaucoup de révolutions, sans les approuver ; mais j'espérais au moins à chaque révolution voir disparaître quelques abus. Malheureusement il n'en a pas été ainsi. J'ai remarqué qu'en France on fait avec une très grande facilité des révolutions, mais avec une extrême difficulté des réformes.

(C'est vrai ! Très bien ! Très bien !).

J'ai peur que la dernière révolution ne soit comme les précédentes, c'est-à-dire qu'elle ne conserve les abus et ne leur donne de la force au lieu de les supprimer. (Très bien ! Très bien ! sur divers bancs).

M. Edouard Charton. — Ce n'est pas notre faute !

M. Raudot. — Messieurs, il faut espérer que nous les supprimerons, si on veut bien se mettre à l'œuvre, si on veut bien comprendre la gravité des questions.

Voix diverses. — Nous ne demandons pas mieux !

M. Raudot. — Je le sais bien.

Tous les bons esprits, tous les hommes sagement libéraux et véritablement conservateurs avaient toujours pensé que la justice administrative devait être supprimée en France.

---

(1) Au cours de la séance du 23 avril 1872 fut présenté par MM. Lefèvre-Pontalis et d'autres députés un projet ainsi conçu :

« Article unique : En attendant qu'il ait été statué sur la constitution politique du pays, le décret du 15 septembre 1870 (créant une commission provisoire) continuera à recevoir exécution. Le Gouvernement est autorisé à porter, suivant les besoins du service, le nombre des conseillers d'Etat jusqu'à seize, celui des maîtres des requêtes jusqu'à vingt, celui des auditeurs jusqu'à vingt quatre ». Sur un rapport défavorable de la commission (*Ass. nat. - année 1872 - annexe au p.v. séance du 23 avril 1872 - n° 1079. Ann. Ass. nat. 1872, t. XI. Annexes pp. 8-11*), ce projet fut repoussé par l'Assemblée.

(2) M. Raudot lui-même devait revenir sur cette question au cours de la séance du 3 mai 1872 (*Ann. Ass. nat. 1872, t. XI, p. 194*). Sans plus de succès. Bien que, selon le rapport de Batbie, « la juridiction administrative ait été combattue dans la commission par une forte minorité », son existence ne fut pas sérieusement mise en cause au cours des débats à l'Assemblée. Une majorité lui était certainement favorable et ses adversaires, abusés sans doute par le caractère « provisoire » du projet qui leur était soumis, pensèrent qu'ils pourraient la contester plus tard. Un amendement présenté par M. Savary et prévoyant que le Conseil d'Etat serait juge du contentieux administratif « jusqu'à ce qu'il ait été statué par une loi sur l'ensemble de la juridiction contentieuse... » fut repoussé. (*Ass. Nat., séance du 3 mai 1872. Ann. Ass. nat. 1872, t. XI, pp. 200-201*).

Plusieurs membres à droite. — A la bonne heure !

Voix à gauche. — C'est une erreur !

M. Raudot. — A la Révolution de 1848 on n'a pas supprimé la justice administrative, on l'a conservée. Maintenant, après la Révolution de 1870, on nous propose de la conserver encore.

Eh bien, permettez-moi de discuter en très peu de mots cette question de la justice administrative.

M. Lefèvre-Pontalis vous a dit d'excellentes choses que malheureusement vous n'avez pas écoutées. (On rit).

La justice administrative repose sur cette idée que sur plusieurs questions où l'Etat est intéressé, il faut que l'Etat soit le juge et ait des juges à lui. Concevez-vous quelque chose de plus injuste et de plus monstrueux que cette idée : l'Etat juge et partie dans sa propre cause ?...

Un membre. — C'est une erreur complète !

M. Raudot. — Une erreur complète ! Permettez-moi de vous dire que j'ai étudié la question sous toutes ses faces et ce n'est pas d'aujourd'hui que je m'en occupe; nous avons, dans la commission de décentralisation (1), institué une sous-commission qui s'est occupée de la justice administrative et, à l'unanimité, dans cette sous-commission, nous avons conclu à ce que la justice administrative fût supprimée...

Les citoyens français sont accoutumés à se dire qu'il ne faut pas avoir de procès avec l'Etat, qu'il est très dangereux de braver, parce que c'est le pot de terre contre le pot de fer.

Le citoyen français a le sentiment de son infériorité profonde vis-à-vis du Gouvernement, et le Gouvernement, de son côté, a le sentiment profond qu'il est en définitive le maître des traités qu'il passe avec les particuliers. Eh bien, c'est un état de choses, selon moi, intolérable. Le Gouvernement a une responsabilité énorme, parce qu'il a un immense pouvoir et parce qu'on lui croit encore plus de pouvoir qu'il n'en a. C'est dangereux pour lui ; et, d'une autre part, les citoyens n'ont pas ce sentiment de dignité et de fierté qui doit appartenir aux hommes qui sont sûrs qu'il y a dans leur pays une justice qui leur sera rendue indépendamment de la politique, indépendamment de tous les systèmes et de toutes les révolutions.

Si vous aviez un pouvoir judiciaire véritable, vous auriez le droit de dire, comme en Amérique, comme dans une foule d'Etats de l'Europe : Le Gouvernement a rendu une décision, ou il a passé un marché; mais, si le Gouvernement méconnaît mon droit ou la loi, la justice du pays aura le droit de dire souverainement : le Gouvernement a tort ! Je le condamne. A l'instant même renaîtrait dans tous les esprits le sentiment de la sécurité et de la dignité, parce qu'on se dirait : en France la vraie justice est au-dessus de tout, même au-dessus du Gouvernement, quand il méconnaît les droits des citoyens. (Très bien ! à gauche).

C'est sous ce rapport que je ne voudrais point maintenir la justice administrative, qui n'est pas une justice...

Mais, nous dira-t-on, il faut au moins conserver un Conseil d'Etat politique.

Je me demande si nous sommes dans l'ancien régime ou dans le nouveau. Je conçois parfaitement le Conseil d'Etat sous un gouvernement absolu ; c'est l'essence d'un gouvernement absolu de chercher à créer autour de lui

---

(1) Il s'agit de la commission de décentralisation établie sous le ministère d'Emile Ollivier.

des corps dépendants, mais qui puissent l'éclairer ; car, sans cela, à chaque instant, il commettrait de telles fautes qu'il serait obligé de tomber.

Dans l'ancienne monarchie, où vous n'aviez pas de chambres, il y avait des conseils du roi ; pourquoi ? Parce que ces conseils devaient éclairer le roi qui, sans cela, aurait eu un pouvoir immense, indéfini, qui, à chaque instant, l'aurait compromis.

C'était donc avec juste raison que, dans l'ancien régime, vous aviez les conseils du roi ; mais nous avons voulu conserver une institution ancienne, qui ne peut avoir sa raison d'être avec un régime complètement nouveau. Si vous voulez avoir le régime représentatif, vous n'avez pas besoin de Conseil d'Etat, ce sont les chambres qui doivent être elles-mêmes le Conseil d'Etat...

Quant à moi, je suis partisan de deux chambres, et si l'on veut faire quelque chose de raisonnable en France, on aura deux chambres, dont l'une sera composée d'hommes d'expérience ayant déjà joué un rôle important dans le pays et manié les affaires. Si vous faites un Conseil d'Etat qui aura la prétention de prendre cette place, vous empêcherez la seconde Chambre.

Donc, sous le rapport politique, Messieurs, il ne faut pas de Conseil d'Etat.

Mais, nous dit-on, pour la partie administrative ! A ce point de vue, il est absolument nécessaire d'avoir un Conseil d'Etat.

Je vous ferai remarquer — en vous rappelant ce que je vous disais il y a un instant — qu'en Belgique il n'y a pas de Conseil d'Etat, et qu'en somme ce petit peuple nous donne souvent des exemples que nous ferions bien d'imiter. Il se tire parfaitement d'affaire sans Conseil d'Etat ; ce sont les chambres qui en remplissent les fonctions ; ensuite le conseil des ministres ; puis les agents que les ministres appellent auprès d'eux pour les seconder dans leur fonction.

D'après l'organisation de notre Conseil d'Etat, ce corps se divise en sections rattachées aux divers ministères : guerre, marine, finances, intérieur. Pour toutes ces branches des services publics, vous avez un certain nombre de conseillers qui forment les comités attachés à ces ministères.

Est-ce qu'ils éclairent beaucoup les ministres ? Mais si vous voulez des conseillers d'Etat indépendants, ayant l'inamovibilité plus que la magistrature, à chaque instant vous exposez les ministres à être en contradiction avec des gens qui auront été placés à côté d'eux.

Puis, à quoi serviront-ils ? Je me rappelle avoir lu, il y a déjà longtemps, un compte rendu des travaux du Conseil d'Etat. Dans ce compte rendu, on disait qu'en 1844 — il y a déjà longtemps, comme je vous le disais, et depuis, cela a bien augmenté — qu'en 1844, le Conseil d'Etat avait donné son avis sur 20369 affaires et on en tirait la conclusion qu'il avait parfaitement travaillé, qu'il s'était donné beaucoup de peine, qu'il avait examiné une multitude d'affaires et avait été très utile.

Quand j'ai lu ce compte reudu, je me suis dit : le Conseil d'Etat croit qu'il m'a converti à sa cause ! Eh bien, c'est tout le contraire, Comment ! le Conseil d'Etat a donné plus de 20 000 avis ! mais ce sont 20 000 affaires qui sont venues de tous les points de la France et qui ont été entravées par la nécessité de l'avis qu'il devait donner ; ce sont 20 000 affaires qui se sont éternisées pendant un long temps dans les bureaux, de sorte que, au lieu d'arriver à une exécution rapide, on a fait de la paperasse.

Mais où je vois un danger plus grand encore, selon moi, c'est que le Conseil d'Etat, en prenant part à une multitude d'affaires, les alanguit, les retarde et les entrave.

Je crois qu'il faut, au contraire, laisser toute initiative aux particuliers; il faut les laisser agir avec la plus grande liberté et ne pas créer sans cesse des réglementations qui sont des entraves...

Voilà pourquoi je voudrais détruire cette forteresse..., voilà pourquoi je voterai contre le projet ».

(Ass. nat. séance du 19 février 1872. Ann. Ass. nat., 1872, t. VII, pp. 647-651).

Gambetta prend la défense du Conseil d'Etat.

Le discours de M. Raudot devait provoquer une vive réplique de Gambetta. Partisan de l'ajournement de la discussion du projet, il tint cependant à présenter la défense d'une institution qu'il avait été sur le point de supprimer le 4 septembre 1870 :

« Messieurs, Je vous demande la permission de présenter quelques observations sur l'important sujet qui est soumis à vos délibérations.

Et tout d'abord, je voudrais marquer nettement le motif qui m'amène à cette tribune.

Après avoir religieusement écouté les orateurs qui se sont succédés à cette tribune et après avoir noté les développements auxquels ils se sont livrés, il m'a paru que peut-être — la commission et l'Assemblée me permettront de le faire observer — la question si grave qui nous est soumise est prématurée. J'estime, à l'encontre des honorables collègues, MM. Lefèvre-Pontalis et Raudot, que la juridiction administrative déférée à un Conseil d'Etat, dans un pays organisé comme le nôtre, est une nécessité de premier ordre. Je n'aurai pas de peine à établir que les objections dirigées par M. Raudot contre cette juridiction administrative ne sont que la conséquence de ses opinions, bien connues et vaillamment défendues depuis longtemps, sur la décentralisation.

Ce n'est pas, messieurs, que dans les idées de décentralisation il n'y ait une partie que je suis tout à fait disposé à accepter ; mais je crois que ceux qui veulent desserrer sans les compromettre les liens de cohésion, d'unité politique et administrative de la France, ne doivent pas pousser aussi loin que le faisait l'honorable M. Raudot la conséquence de leur principe.

En effet, si dans les diverses communes de France, partout où l'administration se rencontre avec le particulier, avec les droits ou avec les intérêts privés — ce qui est une distinction nécessaire —, vous n'aviez pour faire justice de ces conflits que les tribunaux ordinaires, soyez convaincus que, sans rencontrer plus de protection pour les particuliers, vous mettriez, comme on le disait familièrement autrefois, l'administration dans l'impossibilité de marcher ; vous inspireriez aux contractants avec l'Etat la crainte de ne pas rencontrer une protection suffisante.

Et tout à l'heure, quand on vous dépeignait cette juridiction du Conseil d'Etat, obligeant les entrepreneurs à venir suivre leurs procès et leurs controverses avec l'administration à Paris même, on croyait trouver là une objection contre l'unité de juridiction administrative. Moi, j'y voyais, au contraire, une protection pour les entrepreneurs engagés dans les affaires avec l'Etat ; et si vous vous laissez aller à suivre l'honorable M. Raudot sur cette pente, soyez convaincus qu'alors il serait très difficile dans le reste de la France de trouver de véritables cotraitants. C'est l'éloignement du juge en matière administrative qui fait la garantie du plaideur... (Réclamations sur plusieurs bancs. Approbations sur d'autres) ; c'est l'éloignement du tribunal qui fait l'autorité et, permettez-moi de vous le dire, la véritable impartialité du juge. (Nouvelles réclamations et nouvelles marques d'approbation).

Et, à ce sujet, je dis qu'il n'est pas exact de prétendre que l'Etat est juge et partie dans les procès administratifs. Non, non, ce ne sont pas les agents qui sont engagés et qui ont contracté, ce ne sont pas ceux-là qui jugent.

Loin de là, ce sont au contraire des hommes parfaitement indépendants de cette administration locale et particulière, ce sont les contrôleurs, les surveillants de l'administration générale du pays, qui, en pleine connaissance de cause, avec une compétence qu'il est difficile de réaliser dans les autres sièges consacrés aux procès civils, jugent les débats entre les particuliers et l'Etat. Alors je dis qu'à un double point de vue, et l'atmosphère dans laquelle est placé le juge, et la compétence à laquelle ses études l'ont amené, il y a une double protection pour l'Etat, qui n'est pas un client ordinaire, qui n'est pas un simple particulier, dont aussi il faut se préoccuper, si vous ne voulez pas mettre l'Etat au greffe. L'Etat a bien, j'imagine, le droit, pour ne pas laisser entamer les services publics, pour ne pas laisser toucher ce qui est son pouvoir conservateur... (légère rumeur à droite), son pouvoir administratif, son pouvoir supérieur, l'Etat, dis-je, a bien le droit de comparaître devant une juridiction spéciale : cette juridiction, c'est la juridiction du Conseil d'Etat.

Et je m'étonne, pour ma part, que ce soit l'honorable M. Raudot, si familier avec les institutions françaises et avec les institutions de l'ancienne monarchie, qui vienne faire un pareil procès au Conseil d'Etat. En effet, messieurs, cette création du Conseil d'Etat, qu'on ne retrouve pas, comme on vous le disait, dans les autres pays de la terre, est en effet une création française, et c'est une des meilleures de la monarchie française. (Approbation sur plusieurs bancs). On avait compris, on n'a pas cessé de comprendre dans ce pays-ci, depuis l'origine du pouvoir, qu'il y a, dans l'exercice du pouvoir, une partie qui doit être retenue, qui doit être réservée, et ce n'est que successivement, par des délégations consenties par la couronne, qu'on a vu le pouvoir judiciaire, se détachant des attributs essentiels de la personne royale, aller aux parlements. C'est par une lutte incessante plus tard des parlements contre l'administration, qui était l'émanation même du conseil privé du roi, qu'on a vu apparaître ces conflits, ces entraves, ces embarras de toutes sortes, apportés à la protection générale des citoyens, qu'on a abouti à la confusion des pouvoirs, et que, pour y remédier, on en est venu à cette institution du Conseil d'Etat que la Constituante n'a pas indiquée pour la première fois, mais qu'elle n'a fait que constater et retrouver dans le legs de la monarchie française. Voilà la vérité. (Très bien ! Très bien !) »

(*Ass. nat. séance du 19 février 1872. Ann. Ass. nat., t. VII, pp. 647-651*).

Un débat de circonstance : comment les conseillers d'Etat seront-ils désignés ?

L'Assemblée fut beaucoup moins passionnée par cette joute assez académique que par la longue bataille que se livrèrent partisans et adversaires de l'élection par l'Assemblée des conseillers d'Etat en service ordinaire. Bataille que les premiers remportèrent avec la marge étroite de 338 voix contre 316.

123, Paris. Place du Palais-Royal.

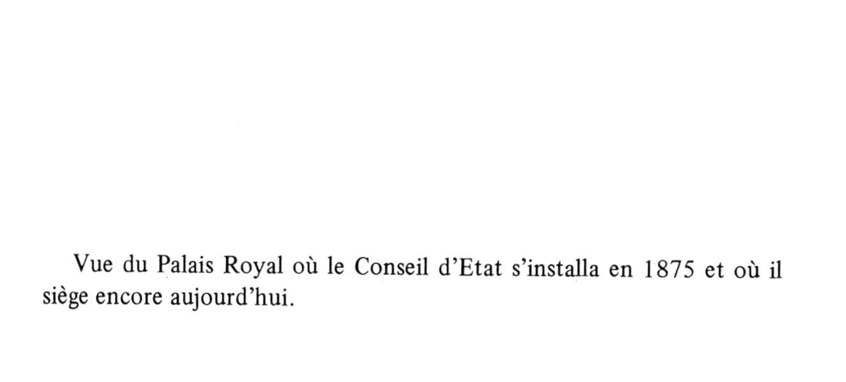

Vue du Palais Royal où le Conseil d'Etat s'installa en 1875 et où il siège encore aujourd'hui.

C'était une lutte politique qui était engagée. La majorité conservatrice de l'Assemblée, mécontente de Thiers, voulait le mettre en échec et affirmer son autorité en réservant à elle-même et aux assemblées qui lui succèderaient la désignation des membres principaux du Conseil (1).

A cette lutte politique il fallait bien donner cependant des apparences doctrinales. Les constituants de 1848 avaient confié à l'Assemblée la désignation des conseillers d'Etat, parce qu'ils avaient fait du Conseil un corps qui avait, partiellement au moins, un caractère et un rôle politiques, à côté d'une assemblée unique et d'un président issus du suffrage universel. Le Conseil d'Etat de 1872 était un corps administratif et la majorité de l'Assemblée nationale était attachée au bicaméralisme. Il fallait donc trouver de nouvelles raisons au choix des conseillers par l'Assemblée. Batbie les énonçait ainsi dans son rapport, en répondant aux objections de ceux qui voyaient une atteinte aux prérogatives naturelles du pouvoir exécutif dans le droit de désignation conféré à l'Assemblée :

« Votre commission a été d'avis qu'il fallait revenir au système de la constitution de 1848 et faire élire les conseillers d'Etat par l'Assemblée nationale. Voici les raisons qui nous ont déterminés à nous éloigner, sur ce point important, de la proposition du Gouvernement.

Si le Conseil d'Etat n'est pas, en règle générale, chargé de préparer les lois, cependant les ministres et l'Assemblée peuvent, par un renvoi spécial, le charger de ce soin. Ce qui n'est pas obligatoire est non seulement permis, mais, en beaucoup de cas, désirable, et nous ajoutons que la faculté de soumettre un projet de loi au Conseil d'Etat sera exercée avec plus ou moins de fréquence suivant le degré de la confiance que l'Assemblée aura dans les membres du Conseil. Or, si les conseillers sont nommés par les députés, ils seront animés du même esprit et jouiront d'un grand crédit auprès de l'Assemblée. Il pourrait même se faire que le renvoi devînt habituel et, qu'en fait, les attributions législatives du Conseil d'Etat fussent aussi étendues qu'elles l'étaient, en droit, sous le régime de l'obligation consacré par la constitution de 1848.

Les règlements d'administration publique nous fournissent un argument analogue au précédent. Ce qui est vrai dans la période antérieure au vote de la loi l'est aussi dans celle qui suit. Lorsque la réglementation de certaines matières a été renvoyée au Conseil d'Etat, il importe que les dispositions additionnelles ne soient pas en contradiction avec la loi même. Or, le meilleur moyen d'assurer l'harmonie entre la volonté du législateur et les mesures relativement secondaires destinées à en assurer l'exécution, c'est de faire nommer par l'Assemblée les conseillers qui seront chargés de compléter son œuvre.

Même pour les avis relatifs aux affaires administratives, nous croyons qu'il est facile de justifier notre proposition. On objecte, à la vérité, que le Gouvernement ne pourra tirer aucun parti de ces délibérations, si elles

(1) Sur la question, cf. le débat à la Société d'histoire moderne en 1936, entre Daniel Halévy et Robert Dreyfus. Journal des Débats des 10 et 29 janvier 1936 et « Bulletin de la Société d'histoire moderne » - 8e série, n° 10 et 11, mars/avril et mai/juin 1936 - Cf. également Vincent Wright - La réorganisation du Conseil d'Etat en 1872, Etudes et Documents du Conseil d'Etat, 1972.

émanent d'hommes qui n'auraient pas sa confiance. Le Gouvernement étant lui-même constitué par la majorité des députés, il serait extraordinaire que de bonnes relations ne s'établissent pas entre le pouvoir exécutif et un Conseil d'Etat provenant de la même source. Nous ferons remarquer d'ailleurs qu'en matière d'administration pure, les avis du Conseil d'Etat ne sont pas obligatoires, que les ministres peuvent s'en écarter et que leur responsabilité est entière, quelle que soit l'opinion du Conseil. Ce qui est désirable, c'est que le Gouvernement reçoive des avis exprimés avec une entière liberté et que ces avis ne s'écartent pas de la pensée de la loi. La nomination par l'Assemblée est à ce point de vue une garantie.

Nous ne nous sommes pas arrêtés à l'objection tirée de ce que les juges étant nommés par le chef du pouvoir exécutif, il y aurait anomalie à faire désigner autrement ceux qui seront chargés, et à titre de délégation comme les autres magistrats, de statuer sur le contentieux administratif. La nomination par le chef du Pouvoir exécutif n'a rien d'essentiel, et la preuve en est que les prud'hommes ainsi que les juges du tribunal de commerce sont désignés par l'élection. La loi du 3 mars 1849 nous fournit un autre exemple, puisque les membres du tribunal des conflits, au lieu d'être nommés par décret, étaient élus par leurs corps respectifs. Il n'y a donc rien qui choque les idées reçues dans un projet où des fonctions judiciaires sont attribuées à des conseillers d'Etat dont le choix est confié à l'Assemblée. C'est une exception ajoutée à d'autres exceptions ».

(*Rapport Batbie précité pp. 15-16. Ann. Ass. nat. Annexe p.-v., séance 29 janvier 1872, t. VII, n° 863*).

M. Audren de Kerdrel contestait pour sa part la valeur de l'objection, selon laquelle l'Assemblée, corps politique, ferait nécessairement, à la diférence du Gouvernement, des choix politiques :

« L'honorable M. Rivet a fait une objection qui est grave. Avec sa grande expérience du Conseil d'Etat, il a dit : « Il faut que le Conseil d'Etat soit un corps administratif et la commission veut en faire un corps politique ». M. Rivet craint qu'un corps nommé par une assemblée politique devienne exclusivement un corps politique. Je dis que c'est une erreur ou au moins une exagération.

D'abord il a invoqué l'exemple de 1849. Eh bien, l'exemple se retourne contre l'opinion de l'honorable M. Rivet.

Si l'Assemblée de 1849 avait cru former un Conseil d'Etat à son image, M. Rivet devrait reconnaître que ce Conseil s'est émancipé au-delà de la mesure. Eh bien, non, la Législative n'avait pas essayé de faire un Conseil d'Etat à son image ; elle a prouvé qu'elle était une assemblée impartiale et sage, que nous saurons imiter dans cette circonstance. Les hommes de différentes opinions s'étaient rapprochés et s'étaient éclairés les uns les autres ; on s'était fait des concessions réciproques, et c'est ce que nous faisons ici tous les jours. Il n'y a pas ici de parti qui veuille dominer, il y a des partis qui veulent s'unir pour sauver la société et le pays. (Approbation sur divers bancs. Rumeurs sur d'autres).

Vous aurez, en effet, une nomination faite par l'Assemblée qui représentera, je le dis hautement, l'esprit conservateur, mais l'esprit conservateur dans l'acception la plus multiple, la plus large du mot, et non dans la signification exclusive que l'on semblait redouter tout à l'heure. D'ailleurs, messieurs, si nous faisons de la politique, il le faut bien dans une assemblée politique.

Est-ce qu'il n'y a que nous à en faire ? Est-ce que le pouvoir n'en fait pas, lui aussi ? Ce n'est pas aujourd'hui que je le lui reprocherais, après les belles et grandes paroles que vient de prononcer M. le garde des sceaux à cette tribune. Mais le pouvoir fait de la politique. Eh bien, messieurs, êtes-vous bien sûr — je puis poser cette question sans blesser le Gouvernement — que si la nomination du Conseil d'Etat était laissée au pouvoir, elle ne serait pas aussi plus ou moins entachée d'esprit politique ? Je ne vois pas que le pouvoir soit nécessairement plus infaillible que nous, plus inacessible que nous à l'esprit de parti. Par conséquent, j'ai répondu à la grosse objection de M. Rivet. »

(*Ass. nat. séance du 29 avril 1872. Ann. Ass. nat., t. XI, p. 114*).

La majorité resta fidèle à ses positions, refusant de prendre en considération des projets transactionnels qui prévoyaient : l'un, la nomination du tiers des conseillers par le Gouvernement; l'autre la révocation par celui-ci des conseillers nommés par l'Assemblée. Elle demeura insensible aux arguments longuement développés devant elle par le garde des sceaux Dufaure et par MM. Bardoux et Laboulaye qui invoquèrent tour à tour le principe de la séparation des pouvoirs, la fragilité d'un corps qui devrait être renouvelé, partiellement au moins, avec chaque législature (1), les risques de conflit entre les pouvoirs publics. On se trouvait ainsi dans la situation paradoxale d'une majorité monarchiste qui défendait la souveraineté de l'Assemblée et d'une minorité républicaine qui rappelait les droits du pouvoir exécutif. Trois ans plus tard, lors du vote des lois constitutionnelles de 1875, la même majorité, sous un président de la République peu républicain, renversera sa position.

LOI DU 24 MAI 1872
PORTANT RÉORGANISATION DU CONSEIL D'ÉTAT
(Extraits)

TITRE Ier. — *Composition du Conseil d'Etat.*

Article premier. — Le Conseil d'Etat se compose de vingt-deux conseillers d'Etat en service ordinaire, et de quinze conseillers d'Etat en service extraordinaire.

(1) Le projet de la commission prévoyait que les conseillers seraient nommés sans limitation de durée. L'Assemblée prit vite conscience qu'il était impossible d'établir un Conseil d'Etat issu de l'élection et dont les membres ne seraient pas soumis à renouvellement. « Si nous renonçons à un Conseil d'Etat permanent, qui soit une carrière. c'est, déclarait Lefèvre-Pontalis, que nous devons obéir à une nécessité qui s'impose à nous. Quelle est cette nécessité ? C'est celle de maintenir l'accord et l'harmonie entre les électeurs et les élus, entre le pouvoir législatif et les conseillers d'Etat... Or nous ne sommes pas une assemblée héréditaire, ni une assemblée viagère... Il ne faut pas seulement songer à nous, mais il faut penser à nos successeurs et nous ne pouvons pas avoir la prétention de leur imposer des délégués et des auxiliaires, dont ils pourraient se défier ». (Ass. nat. séance du 2 mai 1872. Ann. Ass. nat., t. XI, p. 173). De là les dispositions de l'article 3 de la loi du 24 mai 1872.

Il y a auprès du Conseil d'Etat : 1° vingt-quatre maîtres des requêtes, et 2° trente auditeurs.

Un secrétaire général est placé à la tête des bureaux du Conseil ; il a le rang et le titre de maître des requêtes.

Un secrétaire spécial est attaché au contentieux.

Art. 2. — Les ministres ont rang et séance à l'assemblée générale du Conseil d'Etat. Chacun d'eux a voix délibérative, en matière non contentieuse, pour les affaires qui dépendent de son ministère. — Le garde des sceaux a voix délibérative toutes les fois qu'il préside soit l'assemblée générale, soit les sections.

Art. 3. — Les conseillers d'Etat en service ordinaire sont élus par l'Assemblée nationale, en séance publique, au scrutin de liste et à la majorité absolue. Après deux épreuves, il est procédé à un scrutin de ballottage entre les candidats qui ont obtenu le plus de suffrages en nombre double de ceux qui restent encore à élire.

Avant de procéder à l'élection, l'Assemblée nationale charge une commission de quinze membres, nommée dans les bureaux, de lui proposer une liste de candidatures.

Cette liste contient des noms en nombre égal à celui des conseillers à élire, plus une moitié en sus ; elle est dressée par ordre alphabétique.

L'élection ne peut avoir lieu que trois jours au moins après la distribution et la publication de la liste. Le choix de l'Assemblée peut porter sur des candidats qui ne sont pas proposés par la commission.

Les membres du Conseil d'Etat ne pourront être choisis parmi les membres de l'Assemblée nationale.

Les députés démissionnaires ne pourront être élus que six mois après leur démission.

En cas de vacance, par décès ou démission, d'un conseiller d'Etat, l'Assemblée nationale procède, dans le mois, à l'élection d'un nouveau membre.

Les conseillers d'Etat en service ordinaire peuvent être suspendus pour un temps qui ne pourra pas excéder deux mois, par décret du Président de la République, et, pendant la durée de la suspension, le conseiller suspendu sera remplacé par le plus ancien maître des requêtes de la section.

L'Assemblée nationale est de plein droit saisie de l'affaire par le décret qui a prononcé la suspension ; à l'expiration du délai, elle maintient ou révoque le conseiller d'Etat.

En cas de révocation, on procède au remplacement dans le mois.

Les conseillers d'Etat sont renouvelés par tiers tous les trois ans ; les membres sortants sont désignés par le sort et indéfiniment rééligibles.

Art. 4. — Le Conseil d'Etat est présidé par le garde des sceaux, ministre de la justice, et, en son absence, par un vice-président. Le vice-président est nommé par décret du Président de la République et choisi parmi les conseillers en service ordinaire.

En l'absence du garde des sceaux et du vice-président, le Conseil d'Etat est présidé par le plus ancien des présidents de section, en suivant l'ordre du tableau.

Art. 5. — Les conseillers d'Etat en service extraordinaire sont nommés par le Président de la République ; ils perdent leur titre de conseiller d'Etat, de plein droit, dès qu'ils cessent d'appartenir à l'administration active.

Les maîtres des requêtes, le secrétaire général et le secrétaire spécial du contentieux sont nommés par décret du Président de la République ; ils ne peuvent être révoqués que par un décret individuel.

Pour la nomination des maîtres de requêtes, du secrétaire général ou du secrétaire du contentieux, le vice-président et les présidents de section seront appelés à faire des présentations.

Les décrets portant révocation ne seront rendus qu'après avoir pris l'avis des présidents.

Les auditeurs sont divisés en deux classes, dont la première se compose de dix et la deuxième de vingt.

Les auditeurs de deuxième classe sont nommés au concours, dans les formes et aux conditions qui seront déterminées dans un règlement que le Conseil d'Etat sera chargé de faire. Ils ne restent en fonctions que pendant quatre ans et ne reçoivent aucune indemnité.

Les auditeurs de première classe seront nommés au concours, dans les formes déterminées par le règlement du 9 mai 1849. Ne seront admis à concourir que les auditeurs de deuxième classe...

Art. 6. — Nul ne peut être nommé conseiller d'Etat s'il n'est âgé de trente ans accomplis ; maître des requêtes, s'il n'est âgé de vingt-sept ans ; auditeur de deuxième classe, s'il a moins de vingt et un ans et plus de vingt-cinq ; auditeur de première classe, s'il a moins de vingt-cinq ans et plus de trente.

Art. 7. — Les fonctions de conseiller en service ordinaire et de maître des requêtes sont incompatibles avec toute fonction publique salariée.

Néanmoins, les officiers généraux ou supérieurs de l'armée de terre et de mer, les inspecteurs et ingénieurs des ponts et chaussées, des mines et de la marine, les professeurs de l'enseignement supérieur peuvent être détachés au Conseil d'Etat...

TITRE II. — *Fonctions du Conseil d'Etat.*

Art. 8. — Le Conseil d'Etat donne son avis : 1° sur les projets d'initiative parlementaire que l'Assemblée nationale juge à propos de lui renvoyer ; 2° sur les projets de loi préparés par le Gouvernement et qu'un décret spécial ordonne de soumettre au Conseil d'Etat ; 3° sur les projets de décret et, en général, sur toutes les questions qui lui sont soumises par le Président de la République ou par les ministres. Il est appelé nécessairement à donner son avis sur les règlements d'administration publique et sur les décrets en forme de règlements d'administration publique. Il exerce, en outre, jusqu'à ce qu'il en soit autrement ordonné, toutes les attributions qui étaient conférées à l'ancien Conseil d'Etat par les lois ou règlements qui n'ont pas été abrogés.

Des conseillers d'Etat peuvent être chargés par le Gouvernement de soutenir devant l'assemblée les projets de loi qui ont été renvoyés à l'examen du Conseil.

Art. 9. — Le Conseil d'Etat statue souverainement sur les recours en matière contentieuse administrative, et sur les demandes d'annulation pour excès de pouvoirs formées contre les actes des diverses autorités administratives.

TITRE III. — *Formes de procéder.*

Art. 10. — Le Conseil d'Etat est divisé en quatre sections, dont trois seront chargées d'examiner les affaires d'administration pure, et une de juger les recours contentieux...

Art. 14. — Le Gouvernement peut appeler à prendre part aux séances de l'assemblée ou des sections, avec voix consultative, les personnes que leurs connaissances spéciales mettraient en mesure d'éclairer la discussion.

Art. 15. — La section du contentieux est chargée de diriger l'instruction écrite et de préparer le rapport des affaires contentieuses qui doivent être jugées par le Conseil d'Etat.

Art. 16. — Trois maîtres des requêtes sont désignés par le Président de la République pour remplir au contentieux les fonctions de commissaire du Gouvernement. — Ils assisteront aux délibérations de la section du contentieux.

Art. 17. — Le rapport est fait, au nom de la section du contentieux, à l'assemblée publique du Conseil d'Etat statuant au contentieux. Cette assemblée se compose : 1° des membres de la section ; 2° de six conseillers en service ordinaire pris dans les autres sections et désignés par le vice-président du Conseil délibérant avec les présidents de section. — Les conseillers adjoints à la section du contentieux ne peuvent y être remplacés que par une décision prise dans la forme qui est suivie pour leur désignation...

Art. 19. — Les affaires pour lesquelles il n'y a pas de constitution d'avocat ne sont portées à l'audience publique que si ce renvoi a été demandé par l'un des conseillers d'Etat de la section ou par le commissaire du Gouvernement à qui elles sont préalablement communiquées. Si le renvoi n'a pas été demandé, ces affaires sont jugées par la section du contentieux, sur le rapport de celui de ses membres que le président en a chargé et après les conclusions du commissaire du Gouvernement.

TITRE IV. — *Des conflits et du tribunal des conflits.*

Art. 25. — Les conflits d'attributions entre l'autorité administrative et l'autorité judiciaire sont réglés par un tribunal spécial composé :

1° du garde des sceaux, président; 2° de trois conseillers d'Etat en service ordinaire élus par les conseillers en service ordinaire ; 3° de trois conseillers à la Cour de cassation nommés par leurs collègues ; 4° de deux membres et deux suppléants qui seront élus par la majorité des autres juges désignés aux paragraphes précédents.

Les membres du tribunal des conflits sont soumis à réélection tous les trois ans et indéfiniment rééligibles.

Art. 26. — Les ministres ont le droit de revendiquer devant le tribunal des conflits les affaires portées à la section du contentieux et qui n'appartiendraient pas au contentieux administratif.

Toutefois ils ne peuvent se pourvoir devant cette juridiction qu'après que la section du contentieux a refusé de faire droit à la demande en revendication qui doit lui être préalablement communiquée.

II
LA FORMATION DU NOUVEAU CONSEIL

Election des conseillers d'Etat par l'Assemblée nationale — Les candidatures — Une lettre de Georges L'Hôpital — Les scrutins du 22 au 26 juillet 1872 — Leur caractère politique et leurs résultats — Elections partielles — L'élection de J.J. Weiss (1873) — Installation du Conseil d'Etat au Palais Royal (1875).

ÉLECTIONS ET NOMINATIONS

La formation du nouveau Conseil exigeait l'élection par l'Assemblée, comme en 1849, des conseillers en service ordinaire, la nomination par le Gouvernement des conseillers en service extraordinaire et des maîtres des rquêtes et le recrutement d'auditeurs de première et de deuxième classe.

Ce dernier se fit par voie de concours : les auditeurs de première classe furent nommés parmi 33 candidats, le 17 octobre 1872; 20 auditeurs de deuxième classe parmi 44 candidats, le 27 janvier 1873.

Les vingt quatre maîtres des requêtes avaient été nommés dès le 10 août 1872 — parmi 150 candidats — par le Président de la République au vu d'une liste de 48 noms établie par le vice-président du Conseil d'Etat après consultation des présidents de section. O. Barrot, vice-président, accompagna l'envoi de cette liste de la note suivante :

> « Dans la formation de cette liste, nous avons eu égard aux services rendus dans l'ancien Conseil d'Etat et dans la Commission provisoire, obéissant en cela à deux considérations, d'abord celle de l'appréciation de capacités déjà éprouvées et en outre celle de la nécessité où nous étions de suppléer à l'inexpérience des conseillers d'Etat nouvellement élus et un peu inexpérimentés par des maîtres des requêtes initiés déjà à la politique et aux précédents du corps (1) ».
>
> *(Arch. Nat. Papiers Barrot. 271 AP 29. Note pour le Président de la République, août 1872 (s.d.)).*

L'élection des conseillers en service ordinaire avait en effet déjà eu lieu lorsque furent nommés les maîtres des requêtes. Elle s'était déroulée suivant la procédure assez compliquée organisée par l'article 3 de la loi du 24 mai 1872 et précisée par un règlement du 12 juin de la

(1) Le souci de nommer des maîtres des requêtes rompus aux affaires avait été très loin : l'un d'eux, Fabas, avait 62 ans.

commission de présentation qu'avait instituée cet article 3. Les candidats avaient été invités à déposer leurs titres à la questure de l'Assemblée avant le 24 juin. Il y eut 169 candidats, dont un grand nombre énoncèrent leurs titres dans des lettres ou des notices imprimées qui n'eurent pas toutes la sobriété administrative de celle de Charles Collignon, inspecteur général des Ponts et Chaussées et des Travaux maritimes qui, après avoir retracé sa carrière, concluait :

« La commission voudra bien examiner si ce sont là des titres suffisants pour fixer son choix et si elle ne trouverait pas, dans les renseignements qui précèdent, des raisons de penser que j'apporterais au Conseil d'Etat l'aptitude des affaires et particulièrement l'expérience et la préparation nécessaires pour y traiter et y discuter une partie notable des questions qui seront soumises à son examen ».

(Charles Collignon, Election des Conseillers d'Etat et résumé sommaire des services de M. Collignon, candidat. Paris 1872, 2 pages).

Un ancien magistrat, âgé de 73 ans, se recommandait de son excellente santé et exprimait son désir d'être tiré de « l'ossuaire des conseillers honoraires » :

« A Messieurs les Députés composant la commission chargée de faire les présentations pour le Conseil d'Etat.

Messieurs,

Veuillez, je vous prie, me permettre de vous adresser une petite requête bien courte.

J'étais conseiller à la Cour d'appel de Paris, lorsqu'en 1869, j'ai été arraché à mes fonctions par l'inexorable décret du 19 mars. C'est vous dire que je touche aujourd'hui à mes 73 ans, mais, grâce à Dieu, je les porte très allègrement sans avoir rien perdu de mon activité et de mon intelligence.

Si donc vous pensez, Messieurs, qu'un ex-conseiller à la Cour d'appel de Paris, chevalier de la Légion d'Honneur, ne doive pas déparer le nouveau Conseil d'Etat et si, renseignements pris sur mon aptitude et ma valeur aux diverses sources où il vous est facile de puiser, ministère de la Justice, parquet du Procureur général, Premier Président de la Cour, Ordre des avocats, vous estimez que je puis être dans cette compagnie et y rendre de sérieux services comme conseiller d'Etat, je vous serais très reconnaissant de vouloir bien me présenter et me faire agréer pour ce poste par l'Assemblée nationale, car les loisirs, que m'a faits la retraite, ne sont ni dans mes habitudes ni dans mes goûts, et je me trouverais très heureux d'être tiré de l'ossuaire des conseillers honoraires où nous sommes jetés tout vivants et de pouvoir consacrer encore à mon pays tout ce que j'ai d'expérience et de facultés.

L'Etat, du reste, y trouverait une économie de 6 000 F, montant de ma pension de retraite après 43 ans de services.

Je ne me permettrai pas d'ajouter un mot de plus, si ce n'est, Messieurs, pour vous prier de vouloir bien agréer l'assurance de ma considération la plus distinguée ».

Page de Maisonfort,
Conseiller honoraire à la Cour d'Appel de Paris.

(Arch. nat. C 2861).

Le comte de Cosnac insistait sur la signification politique de sa candidature :

« Monsieur le Président,

J'ai l'honneur de poser par cette lettre ma candidature au Conseil d'Etat, je vous prie de la transmettre à la commission élue par la Chambre qui doit, sous votre présidence, dresser la liste des candidats.

Voici les renseignements qui me concernent :

M. le comte de Cosnac (Gabriel, Jules), né à Clermont, Puy-de-Dôme, le 13 avril 1819,

Licencié en droit (diplôme du 11 août 1840),

Chevalier de la Couronne de Chêne (Brevet du 13 juin 1868 et décret impérial du 28 septembre 1868),

Chevalier de la Légion d'Honneur (Brevet du 19 août 1862),

Ancien conseiller général de la Corrèze.

Membre de la commission extra-parlementaire de décentralisation de 1870, réunie par le Gouvernement pour préparer les réformes politiques et administratives ; il a pris la part la plus active à ses travaux et y a particulièrement traité les questions de la nomination des maires et de la police rurale.

Il s'est présenté à la députation contre une candidature officielle dans la Corrèze, en 1857.

Idem, en 1869, contre M. Mathieu.

Candidat aux élections de 1871 dans le même département, il a réuni près de quatorze mille suffrages ; il lui a manqué environ trois mille voix pour être élu...

Comme agriculteur, M. de Cosnac a obtenu pour les améliorations agricoles de sa terre du Pin, Corrèze :

La médaille d'or, grand module, en 1864 ;

La prime d'honneur, en 1871.

Sa nomination au Conseil d'Etat aurait le caractère de « Self Government » qui est dans le courant des idées qui seules peuvent régénérer la France en atténuant dans une juste proportion l'élément fonctionnaire qui a puissamment contribué à sa perte ; car la France paraissait faite pour l'Administration, tandis que l'Administration doit être faite pour elle.

J'ai l'honneur d'être, Monsieur le Président, avec ma haute considération, votre très humble et très obligeant serviteur ».

Comte de Cosnac.

(Arch. nat. C 2861).

Le général Ambert voulait représenter au Conseil les officiers de troupe :

Paris, le 10 juin 1872.

« Monsieur,

N'ayant pas l'honneur d'être connu de MM. les membres de la commission appelée à faire les propositions pour le Conseil d'Etat, j'ai cru devoir établir une simple note tirée en 5 exemplaires seulement.

Ce n'est pas une circulaire banale à l'adresse de tous, mais un renseignement en quelque sorte personnel.

J'aurais dû ajouter que je ne suis ni homme politique, ni homme de parti, mais simplement un officier de troupe ayant passé sa vie au milieu des soldats et des livres, étudiant les enseignements de ceux-ci, les devoirs de ceux-là.

Je l'ignore, mais je dois supposer que parmi les candidats militaires au Conseil d'Etat, se trouvent des officiers d'Etat Major, des intendants, des officiers d'armes spéciales.

Leur nomination serait un grand péril pour l'armée et pour le pays. C'est à eux qu'il faut faire remonter les causes de nos désastres. L'Empire s'était abandonné à eux, pour son malheur.

Ils sont étrangers à l'homme-soldat, ils n'ont jamais eu charge d'âme, ce sont d'habiles théoriciens, mais ils ont fait perdre à l'Armée toutes ses vertus.

Choisissez un autre que moi, mais, pour l'amour de Dieu, choisissez un officier de régiment, un officier ayant commandé compagnies, bataillons, régiments, ayant fait partie des conseils de révision, des conseils de guerre, des conseils d'administration, ayant en un mot exercé le commandement et mis en pratique notre législation.

Aujourd'hui, et bien malheureusement, je le reconnais, l'élément militaire prend le dessus. Gardez-vous bien de confier une mission de la plus haute importance pour l'avenir de la France à des candidatures officielles et respectables, mais insuffisantes.

Je n'ai pas l'honneur d'être connu de vous, quoique je sois de votre école, mais j'avais besoin de vous dire que si vous ne me jugez pas indigne de reprendre au Conseil d'Etat la place que j'y occupais, j'en serais très honoré ; dans le cas contraire, je n'en resterais pas moins dans les rangs de ceux qui vous suivent pour marcher au salut de la France.

Recevez, Monsieur, l'assurance de ma respectueuse considération ».

Signé : Général Ambert.

(Arch. nat. C 2861).

Certains, parmi les meilleurs sans doute, se refusèrent à ces démarches, tel Georges l'Hôpital, membre du Conseil d'Etat et commissaire du gouvernement sous le Second Empire qui, invité à poser formellement sa candidature, à rédiger et à faire distribuer un exposé de ses services et à se rendre en personne à Versailles afin d'y répondre à certaines objections qui pouvaient s'élever à l'encontre de son élection, répondait par la lettre suivante écrite à l'un de ses anciens amis, M. Vente, alors député :

Angerville, 1er juin 1872.

« Mon cher ami,

Merci de vos deux lettres. Voici ma réponse aux quatre questions que vous me faites et que je résume ainsi :

1° Posez-vous votre candidature ?

2° Ferez-vous distribuer une notice individuelle ?

3° Voulez-vous venir à Versailles ?

4° Qu'aurions-nous à répondre aux griefs qu'on tirerait contre vous de vos anciennes fonctions de commissaire du gouvernement ?

1° Je ne puis que me tenir très honoré d'être candidat et très reconnaissant aux amis et aux anciens collègues qui me font tel. Mais je ne trouverais pas honorable de poser ma candidature moi-même... Si ma réserve n'était pas comprise, ce n'est pas pour moi que je le regretterais, mais je ne m'en repentirai pas, car elle m'est commandée par le respect de mon propre passé : mais elle m'apparaît comme un hommage à l'Assemblée, dont le suffrage me serait d'autant plus précieux que je ne l'aurais pas sollicité. Lorsque le roi Louis-Philippe me nomma auditeur, le 21 février 1848, c'était sur la demande de mon père et de ses collègues, membres du conseil général de l'Eure, et je n'ai jamais oublié cette entrée dans la vie publique. Mais, après ma rentrée par le concours, lorsque l'Empereur m'a nommé successivement maître des requêtes, commissaire du gouvernement, conseiller d'Etat, ce fut toujours sur des propositions hiérarchiques et sans que j'aie personnellement agi ou fait agir. Les sollicitations que je n'ai jamais faites pour avancer dans ma carrière, je ne commencerai pas à les faire pour entrer dans les fonctions publiques, à quarante-sept ans, après vingt-deux ans de bons et loyaux services. C'est à vous messieurs, d'aviser.

2° Donc, sans critiquer en rien les distributeurs de notices individuelles, je ne les imiterai pas. Je n'ai d'autres titres au Conseil d'Etat que mes anciens services qui sont bien connus ; on peut les trouver forts ou faibles, ce n'est pas à moi qu'il appartient de les faire valoir.

3° Encore moins irai-je à Versailles, malgré le plaisir de vous y rencontrer. Versailles est un séjour que je m'interdis absolument jusqu'au vote de l'Assemblée sur le personnel dont il s'agit.

4° Que doit-on penser de mon rôle comme commissaire du gouvernement ? Ici je dois éviter une confusion et peut-être faire une rectification qui intéresse l'honneur de mes anciennes fonctions. Car je ne suis pas sûr qu'autour de vous tout le monde sache bien ce que c'est que le ministère public au contentieux du Conseil d'Etat...

Cela dit, mon bien cher ami, pour l'honneur du contentieux surtout, je m'en rapporte complètement au plus ou moins de bienveillance, de défiance ou d'hostilité que mon nom peut rencontrer de tel ou tel côté.

En un mot, nommé je ne serai pas fier ; non nommé je serai plus heureux ; je n'ai donc qu'à gagner, quoi qu'il arrive, à la résolution que l'Assemblée a prise d'élire elle-même ».

(Cité in Alfred de Jancigny, G. l'Hôpital, Evreux 1893, p. 20-23).

L'élection, qui comporta quatre tours de scrutin du 22 au 26 juillet 1872, eut un caractère politique certain. La commission élimina les bonapartistes trop compromis et les républicains trop affichés, ainsi que des amis ou protégés de Thiers. Elle ne dressa cependant pas une liste de combat, fit place à des légitimistes, à des orléanistes, à des républicains modérés, à O. Barrot, très proche de Thiers, qui souhaitait le voir nommer vice-président du corps, à des bonapartistes repentis.

La liste de 33 noms qu'elle établit fut cependant mal accueillie à droite comme à gauche. Veuillot y voyait « le triomphe du cousinage, du népotisme, de la camaraderie » (1). *Le Journal des Débats* avait exprimé en des termes plus mesurés les critiques des milieux orléanistes :

« On s'accorde généralement à trouver que la commission chargée par l'Assemblée nationale de préparer la liste des candidats au Conseil d'Etat n'a pas eu la main heureuse. Sur les trente-trois noms qui la composent, il y en a peu qui ne prêtent à des observations peu favorables. Quelques-uns de ces candidats sont complètement inconnus ; on se demande quels sont leurs titres et d'où ils sortent. Les titres de quelques autres sont au contraire trop connus, ainsi que leurs origines bonapartistes ».

(Journal des Débats, 15 juillet 1872).

(1) L'Univers du 17 juillet 1872.

L'Assemblée, dont le choix n'était pas enfermé dans la liste de la commission, forma par ses désignations un Conseil où les élus de la droite étaient en majorité, mais où figuraient aussi des hommes du centre ou de la gauche : sur les 22 conseillers élus, neuf figuraient à la fois sur la liste de la droite et la liste de la gauche, dix sur la première seulement et trois sur la seconde seulement. L'Assemblée tint compte dans une certaine mesure de la qualification professionnelle des candidats, comme le prouve l'élection de Odilon Barrot, Aucoc, Goussard, Pascalis. Le premier fut nommé vice-président par Thiers, et les deux suivants furent élus présidents de section (1) par leurs collègues, après l'installation du nouveau Conseil, le 10 août 1872, date à laquelle eut lieu la transmission des services de la Commission provisoire, dont l'existence venait de prendre fin.

L'article 3 de la loi du 24 mai 1872 disposait que les conseillers d'Etat seraient renouvelés par tiers tous les trois ans, les premiers membres sortants étant désignés par le sort. Cette disposition s'appliqua autrement qu'il n'avait été prévu pas ses auteurs, car la loi du 25 février 1875 restitua au Président de la République le pouvoir de nomination des conseillers d'Etat (2). Cependant, l'Assemblée, à la suite de démissions ou de décès, procéda à quelques élections partielles. Celle de J.J. Weiss, le 26 juin 1873, constitua un événement mondain, sinon politique. *Le Gaulois* relate ainsi la séance où elle eut lieu :

> « La salle toute entière avait un air de fête ; il y avait autant de monde que si l'on avait compté sur quelque joli discours. Il n'y avait d'attrayant que l'élection d'un conseiller d'Etat. Serait-il vrai, comme le bruit en a couru, que les deux principaux candidats aient mis sur pied la légion de femmes qui remplissaient les tribunes ? Etaient-elles à ces places pour peser du regard et du sourire sur les députés et gagner des voix au candidat préféré ? Ces tours de scrutin sont pleins d'embûches ; il s'y dépense des influences et des prestiges dangereux.
>
> Toujours est-il que les dames n'ont point détaché les yeux des urnes. Aussi longtemps qu'elles sont restées placées sur la tribune, recevant les bulletins des députés, ces deux grosses urnes vertes ont été le point de mire des balcons et des avant-scènes. Parfois un sourire, un léger clignement d'œil, un signe de tête lancés et renvoyés à travers l'espace, trahissaient les intelligences entre les députés et la plus aimable moitié du public.

(1) Le troisième président de section fut Groualle. A l'époque, le vice-président remplissait en même temps les fonctions de président de la section du contentieux. Un poste de président de la section du contentieux fut créé par la loi du 1er août 1874.

(2) Art. 4 de la loi du 25 février 1875 : « Au fur et à mesure des vacances qui se produiront à partir de la promulgation de la présente loi, le Président de la République nomme, en conseil des ministres, les conseillers d'Etat en service ordinaire. Les conseillers d'Etat ainsi nommés ne pourront être révoqués que par décret rendu en conseil des ministres. Les conseillers d'Etat nommés en vertu de la loi du 24 mai 1872 ne pourront, jusqu'à l'expiration de leurs pouvoirs, être révoqués que dans la forme déterminée par cette loi. Après la séparation de l'Assemblée nationale la révocation ne pourra être prononcée que par une résolution du Sénat ».

Cette disposition fut adoptée sur un amendement présenté par M. Wallon sans opposition sérieuse. Beaucoup de députés de droite accordèrent en 1875 au maréchal de Mac-Mahon ce qu'ils avaient refusé à Thiers en 1872. Seul Raudot parla contre l'amendement.

(*Ass. nat. séance du 24 février 1875. Ann. Ass. nat., t. XXXVI, p. 615-632*).

Les urnes furent enlevées à trois heures pour être vidées dans des corbeilles où l'on fit le dépouillement des voix. Cette tâche fut accomplie pendant un discours particulièrement ennuyeux du ministre des Travaux publics... ».

(Le Gaulois, 28 juin 1873).

Ces élections partielles, comme les nominations faites ensuite par le maréchal de Mac-Mahon, ne modifièrent pas la coloration politique du Conseil. Au lendemain du renouvellement du second tiers en juillet 1878, *Le Temps* commentait en ces termes l'opération qui avait consisté à renommer cinq des sept conseillers sortants, à promouvoir un maître des requêtes monarchiste et à rempacer un militaire « apolitique » par un autre :

« Le dernier renouvellement du Conseil d'Etat a donné lieu, ainsi qu'on devait s'y attendre, à un échange de réflexions et de projets de réforme dans les cercles républicains. On se préoccupe sérieusement de modifier, à la rentrée des chambres, un état de choses dont le cabinet ne paraît pas avoir suffisamment compris la gravité. Tout le monde semble d'accord pour reconnaître que le Gouvernement de la République ne saurait se contenter plus longtemps d'un Conseil d'Etat où l'on ne compte pas un seul républicain et où les choix et les tendances de l'Assemblée nationale font encore loi aujourd'hui ».

(Le Temps, 26 juillet 1878).

Ces lignes annonçaient « l'épuration » qui devait avoir lieu un an plus tard.

L'INSTALLATION DU CONSEIL D'ÉTAT AU PALAIS ROYAL

L'arrêté du chef du pouvoir exécutif du 18 août 1871 affectant à la Commission provisoire l'hôtel Rothelin, 101 rue Grenelle - Saint-Germain, précisait qu'elle n'y siègerait que jusqu'à l'époque où elle pourrait être installée au Palais Royal. C'était désigner implicitement celui-ci — qui, par l'effet de l'article 2 du décret du Gouvernement de la Défense Nationale du 6 septembre 1870, avait fait retour au Domaine de l'Etat avec tous les biens de la liste civile de Napoléon III — comme futur siège du Conseil d'Etat alors en voie de réorganisation.

C'est cependant à l'hôtel Rothelin qu'il dût s'installer au mois d'août 1872. Il y demeura jusqu'au 21 novembre 1875, fort à l'étroit dans ces locaux exigus de 2 110 m^2 (au lieu des 7 000 m^2 dont il disposait au Palais d'Orsay.)

Le Palais Royal avait en effet souffert lui aussi des incendies de la Commune et il fallut entreprendre des travaux de restauration et d'aménagement. Ceux-ci furent confiés aux architectes Prosper et Wilbrod

Chabrol. Ce dernier en a retracé les étapes successives dans une notice parue dans l'Inventaire général des richesses d'art de la France :

« Par arrêtés du chef du pouvoir exécutif, en date des 13 juin, 23 et 24 juillet 1871, la direction des Beaux-Arts et la Cour de cassation furent provisoirement transférées dans la partie de l'aile de Valois comprise entre le corps du bâtiment principal et le jardin, et la Cour des Comptes dans l'aile de Montpensier (1).

Les ailes de Valois et de Nemours sur la cour de l'Horloge, ainsi que le corps du bâtiment principal, furent, par un arrêté analogue aux précédents, en date du 18 août 1871, affectés à titre définitif au Conseil d'Etat (qui restait à recréer).

L'affectation de cette partie du palais aux différents services du Conseil d'Etat nécessita la démolition de toutes les distributions antérieures qui servaient primitivement de salons et d'appartements de réception (2).

Ces grands travaux d'appropriation et de décoration entrepris sous la direction de Wilbrod Chabrol furent terminés en novembre 1875, époque à laquelle le Conseil d'Etat s'installa au Palais Royal. La grande salle des assemblées générales ne fut livrée que l'année suivante.

... On ne saurait trop savoir gré à l'Assemblée nationale d'avoir, au lendemain de la Commune, décidé la reconstitution immédiate des bâtiments incendiés et leur affectation au Conseil d'Etat qui, depuis l'incendie du Palais du Quai d'Orsay n'avait pu trouver une installation digne d'une aussi grande compagnie et des services qu'elle rend au pays... ».

(Wilbrod Chabrol, architecte du gouvernement, Notice datée du 10 janvier 1879 parue dans « Inventaire Général des richesses d'art de la France », Paris 1879, Tome I, p. 116).

---

(1) La Cour des Comptes devait rester au Palais Royal jusqu'en 1910.

(2) Les autres pièces, notamment la salle à manger (dite aujourd'hui salle Napoléon) furent beaucoup moins touchées par les travaux de réaménagement, comme on peut en juger d'après des dessins de l'intérieur du Palais Royal parus dans « Paris nouveau illustré », n° 6, 1865 (publication du journal « L'Illustration »). Aucune modification ne fut, semble-t-il, apportée à l'oratoire, enclavé dans la bibliothèque, et qui existe encore aujourd'hui. Le caractère de cette pièce souleva par la suite pour son utilisation des problèmes qui sont évoqués dans une lettre adressée en 1936 par le vice-président du Conseil d'Etat au garde des sceaux :

« Les locaux affectés au Conseil d'Etat dans les bâtiments du Palais-Royal comprennent, enclavée dans la grande salle de la bibliothèque sise dans l'aile Montpensier, une petite pièce ayant servi d'oratoire privé à la princesse Clotilde et dont la décoration (vitraux, voûte, autel) a été faite sur les plans de Viollet le Duc.

Conformément aux règles canoniques, il ne serait pas permis de célébrer la messe dans cet ancien oratoire concédé à l'usage de la princesse Clotilde sans une nouvelle autorisation de l'autorité ecclésiastique compétente; dès lors, et nonobstant la présence d'un autel muni de sa pierre consacrée, cette pièce peut sans enfreindre aucune règle canonique être utilisée à un usage profane.

Ladite pièce est d'ailleurs jusqu'à présent demeurée sans utilisation; elle a été conservée telle qu'elle était lors de l'installation du Conseil d'Etat au Palais-Royal. Il n'y a aucune chance pour qu'elle serve de nouveau à l'exercice du culte.

Les nécessités d'organisation de la bibliothèque dont le nombre d'ouvrages est en progression constante ont amené la commission de la bibliothèque à envisager l'installation contre une paroi de cet ancien oratoire d'un meuble en notre possession et où seraient rangés sous clef des livres anciens et de valeur.

En raison du caractère historique et même artistique que présente cette pièce, je crois devoir, avant de procéder à l'aménagement dont il s'agit, vous demander de vouloir bien vous concerter à ce sujet avec M. le ministre de l'Education Nationale et me faire connaître si la nouvelle affectation de ladite pièce ne soulève pas d'objection de votre part. »

(*Arch. C.E.*).

Malgré la superficie relativement importante de la partie affectée (5 204 m^2) et l'ampleur des travaux de restauration et d'aménagement dont le coût s'éleva à 2 600 000 F, les membres du Conseil de l'époque ne purent oublier le Palais d'Orsay dont la reconstruction, réclamée par la grande majorité de l'opinion publique, avait été un moment envisagée. Dans une note sur les demeures successives du Conseil parue dans le Journal officiel du 1er décembre 1875, le secrétaire général du Conseil de l'époque, M. Fouquier, écrivait :

> « Quels que soient les avantages que le Conseil d'Etat puisse trouver dans sa nouvelle demeure (le Palais Royal), ils ne sauraient lui faire oublier l'aménagement si grandiose du Palais d'Orsay et les belles proportions de ce vaste édifice ».
>
> *(J.O., 1er décembre 1875, pp. 9881-9882).*

III
LES TRAVAUX DU CONSEIL D'ÉTAT DE 1872 à 1879

Une activité législative réduite — Le contrôle des délibérations des conseils généraux — Le Conseil d'Etat accusé d'être le bastion de la centralisation — L'importance des affaires religieuses — L'appel comme d'abus contre l'archevêque d'Aix-en-Provence — Examen de la bulle pontificale conférant à l'abbé Trouillet le titre de prélat romain — Reprise d'activité du contentieux — Abandon de la théorie du mobile politique.

L'ACTIVITÉ LÉGISLATIVE

En l'absence de compte général des travaux du Conseil pendant cette période, on doit se reporter aux indications partielles fournies par le rapport du député Chauveau, fait en juillet 1879 au nom de la commission chargée d'examiner un projet de loi relatif au Conseil d'Etat.

De 1872 à 1877, le Conseil d'Etat a préparé 66 projets de loi d'intérêt général et 350 d'intérêt local, examiné 1 608 affaires communales et départementales et procédé à 102 338 liquidations de pensions. Les affaires importantes, notamment en matière législative, paraissent avoir été moins nombreuses pendant cette période que sous le second Empire et cette situation inspirait à J.J. Weiss, conseiller d'Etat révoqué en 1879, des commentaires pleins d'ironie et même teintés de quelque amertume sur la création par la loi du 13 juillet 1879 d'une commission de législation au Conseil d'Etat :

> « On ne se serait pas attendu non plus à ce qu'une chambre des députés, et surtout la chambre actuelle, éprouvât si vivement le besoin d'une section de législation qu'elle voulût se la donner d'urgence. La chambre de 1877 supporte à peine le contre-poids du pouvoir présidentiel et le frein du Sénat. Le ministère, qui émane d'elle, n'a jamais essayé et n'essaiera jamais, à supposer qu'il dure, de diriger le travail législatif des deux chambres. On a institué depuis quatre ans maintes commissions extra-parlementaires pour dresser les projets préparatoires à telle ou telle réforme. On ne s'est pas toujours imposé pour règle d'y introduire des membres du Conseil d'Etat. Il n'y a, notamment, ni conseiller, ni maître des requêtes dans la commission extra-parlementaire pour la réforme du code d'instruction criminelle. On peut dire en thèse générale qu'en ce qui concerne la préparation des lois, il y a eu depuis 1872 deux Conseils d'Etat : un Conseil d'Etat permanent, qui portait officiellement ce nom et qui siégeait au Palais-Royal ; un Conseil d'Etat flottant, Conseil d'Etat sinon de titre, du moins de fait, dont les sections mobiles étaient formées par les diverses commissions que tel ou tel ministre constituait auprès de lui pour l'étude de telle ou telle question. La

jalousie naturelle au pouvoir législatif, l'aversion des bureaux ministériels pour le Conseil d'Etat qui leur impose des règles, l'inexpérience des ministres, dominés par leurs bureaux, vingt causes diverses ont concouru pour amener ce résultat. Quelle que soit la cause, l'effet est là : le Conseil d'Etat a été à peu près annulé en tant que conseil législatif. Tout au plus lui adressait-on de temps à autre quelques reliefs dédaignés par le Parlement lui-même. On ne nous chargeait pas d'étudier la réforme du code d'instruction criminelle, mais on nous consultait soigneusement sur la destruction des loups, sur la conservation des oiseaux utiles à l'agriculture, sur les mœurs de la truite saumonée et de la lamproie, sur le progrès des épizooties et l'art de les combattre, sur les mille et un moyens de ne pas anéantir le phylloxera. Telle est la pitance législative qui nous était réservée. Le Conseil d'Etat n'était plus le Conseil d'Etat ; c'était une succursale du Jardin d'acclimatation, une académie de pathologie animale et végétale. Et voici que, passant d'un excès à l'autre, on crée une section de législation générale ! Pour quoi faire ? De quelle utilité peut être une telle section sous un régime où les deux chambres, enivrées de domination parlementaire, ont la prétention de tout faire elles-mêmes et où le ministère n'exerce plus guère que pour la forme l'initiative des lois ? ».

(J.J. Weiss, « La fin d'une institution. La loi et les décrets sur le Conseil d'Etat », Revue de France, septembre - octobre 1879, p. 371).

Il faut rappeler cependant que parmi la soixantaine de projets de loi d'intérêt général examinés pendant cette période, on en trouve 37 préparés par la section des travaux publics et qui concernent les chemins de fer, les canaux, les ports, les mines, le commerce et l'agriculture; 14 par la section des finances, de la guerre, de la marine et des colonies sur des questions militaires ou coloniales et sur la législation des pensions civiles; les autres par la section de l'intérieur, de la justice, de l'instruction publique, des cultes et des beaux-arts, notamment sur des réformes de droit civil, la police de la chasse, la fabrication des armes de guerre, le régime des monts de piété etc.

LA TUTELLE DES ASSEMBLÉES DÉPARTEMENTALES

Une des catégories d'affaires les plus délicates dont le Conseil d'Etat eut à connaître pendant cette période fut celle des pourvois formés par les préfets et les ministres pour obtenir, en application des articles 33, 47 et 51 de la loi du 10 août 1871, l'annulation des délibérations des conseils généraux, des commissions départementales et des conférences interdépartementales entachées d'excès de pouvoir ou de violation de la loi.

L'application de ces articles pouvait placer le Conseil d'Etat dans une situation désagréable en raison de l'usage souvent partial par le gouvernement de ses prérogatives dans ce domaine :

« L'un des inconvénients de la loi est que le pourvoi, au lieu d'être une obligation, n'est qu'une faculté pour le préfet du département, et plus encore pour le ministre, qui en use lorsqu'il lui convient. Or, soit que les conseils généraux hostiles au Gouvernement aillent volontairement au-devant d'une répression platonique qui les grandit aux yeux de leurs commettants, soit que les ministres tolèrent les empiétements de ceux qui comptent parmi leurs amis politiques, il arrive que les délibérations poursuivies devant le Conseil d'Etat émanent exclusivement, suivant le courant qui mène les affaires publiques, des assemblées où dominent les adversaires du cabinet. Doit-on conclure de là que la loi appelle des réformes ? La question ne rentrerait pas dans le cadre de ce travail ».

(Un ancien membre du Conseil d'Etat, Le Conseil d'Etat sous le second Empire et la troisième République, Paris, 1880, p. 28).

De 1872 à 1876 il intervint 85 décrets en Conseil d'Etat annulant des délibérations de conseils généraux. Ce sont ces annulations que dénonçait le député Talandier devant la chambre, lorsqu'il demandait en 1879 la suppression du Conseil d'Etat, « la forteresse de la centralisation qui nous énerve et qui nous tue ».

Tous les pourvois des préfets et des ministres ne furent cependant pas admis, bien que le Conseil d'Etat ait été très soucieux des nécessités de la tutelle :

« En ce qui concerne le Conseil d'Etat, sa doctrine s'était fixée, mais non sans des débats très vifs et souvent renouvelés, dans le sens de la limitation des pouvoirs des conseils généraux. Encore faut-il bien s'entendre. Tous les pourvois n'ont pas été admis. Dans chaque cas, les circonstances spéciales de l'affaire étaient scrupuleusement pesées, et il est arrivé plusieurs fois que le représentant du ministre retirât son projet, soit après l'avis négatif de la section, soit devant un échec probable à l'assemblée générale. Ce qui reste vrai, c'est l'esprit général de la jurisprudence puisée dans la pensée de maintenir, autant que le permettait la législation, les droits du pouvoir exécutif sans distinction entre les hommes et les temps. Si j'en crois les nouvelles publiées par les journaux depuis la clôture de la dernière session des conseils généraux, le ministère et le nouveau Conseil sont loin de se montrer plus libéraux ».

(Un ancien membre du Conseil d'Etat, Le Conseil d'Etat sous le second Empire et la troisième République, Paris 1880, p. 28).

L'un de ces décrets en date du 23 juin 1879 annulant une délibération du conseil général du Cantal, qui s'était déclaré compétent pour approuver les projets de travaux sur les chemins vicinaux et avait affirmé le droit pour sa commission départementale de fixer l'ordre de priorité de ces travaux, souleva de vives protestations des conseils généraux et en particulier de celui du Cantal, dont le président, Raymond Bastid, déclarait à sa séance du 18 août 1879 :

« La loi du 10 août 1871, au grand honneur de l'Assemblée nationale, est une loi de liberté.

Mais les principes les plus nettement formulés ont été dénaturés dans une période de réaction.

Les jurisconsultes romains, pardonnez-moi cette réminiscence de l'école, faisaient sortir la vie et la raison écrite du texte muet et quelque peu sybillin de la loi des Douze Tables. Des interprètes de la loi de 1871 n'ont rien trouvé là où la vie débordait et ont réduit à des formules muettes, stériles et sans application les textes les plus lumineux et les plus féconds.

A l'exemple d'autres conseils généraux, nous avions protesté contre la méconnaissance de nos pouvoirs et de ceux de la commission départementale. Nos revendications, vous vous les rappelez, ont été portées devant le Conseil d'Etat et traduites en propositions législatives par celui qui a l'honneur de vous parler en ce moment.

Vous avez remarqué, avec un sentiment de légitime satisfaction, que justice nous était faite par M. le ministre de l'intérieur. Entre autres franchises, nous recouvrons la faculté essentielle d'examiner les projets de travaux à exécuter sur nos chemins de grande et de moyenne communication, dont le contrôle nous échappait absolument.

Félicitons-nous de ce retour au respect de la loi, de cette politique de liberté, de force et de confiance ».

(Département du Cantal, Conseil général, session ordinaire, août 1879, séance 18 août 1879, p. 360. Arch. dép. Cantal).

Dans un domaine particulier, fort important à l'époque, celui des chemins de fer d'intérêt local, le Conseil d'Etat manifeste le même souci, en cherchant à concilier les pouvoirs des conseils généraux, l'autorité de l'Etat et les exigences du développement économique (1) :

« Le législateur ayant conféré aux conseils généraux le droit de statuer sur « la direction » de ces chemins, « sur le mode et les conditions de leur construction, sur les traités et les dispositions nécessaires pour en assurer l'exploitation », les assemblées départementales ont concédé en deux ans plus de 8000 kilomètres. Mais ces concessions devaient, pour la plupart, aboutir à des faillites ou à des déchéances entre les mains de concessionnaires qui avaient trop présumé de leurs forces. D'autres, qui servaient de prête-nom à des spéculateurs étrangers, cherchèrent à souder bout à bout des opérations qui devaient servir de base à de vastes combinaisons financières ; on en connaît les résultats. Il y avait là un danger tout à la fois pour l'autorité de l'Etat, menacée de disparaître devant l'action des conseils généraux, pour les intérêts privés qui se jetaient dans des entreprises imprudentes ou mal conduites, et pour le crédit de l'Etat et des grandes compagnies que pouvait compromettre le contre-coup des désastres infligés aux porteurs de titres d'apparence similaire.

Sans contester aux conseils généraux l'exercice de leur pouvoir légal, le Conseil d'Etat le contint dans les limites fixées par le rapport et par la discussion qui avaient précédé le vote de la loi, non moins nettement que par les termes mêmes dont elle s'était servie. Il établit que ce droit consiste, non à classer le chemin et à le déclarer d'utilité publique, mais à en déterminer le tracé, à régler les conditions de l'exécution et de l'exploitation, et qu'au gouvernement seul il appartient d'apprécier si, par sa destination et par sa situation au regard des lignes existantes, la voie projetée présente un intérêt local ou général.

D'autre part, il réclama énergiquement l'observation de conditions finan-

(1) Le Conseil d'Etat donne en la matière 78 avis favorables et 64 avis défavorables.

cières indispensables pour garantir la moralité des sociétés et pour prévenir les fraudes. Trop souvent, en effet, les fondateurs se réservaient des avantages léonins, et, par divers procédés, le capital-actions demeurait purement fictif. Les promoteurs d'une affaire lançaient dans le public des obligations sans s'être engagés eux-mêmes d'une manière effective et ne gardaient ainsi que l'aléa des bénéfices, laissant à la charge des prêteurs, dont la créance n'avait pas de gage, tous les riques de l'entreprise, sans autre perspective d'émolument que l'intérêt promis. A la suite d'abus analogues, les pays étrangers ont recouru soit à des prescriptions légales, soit à l'action discrétionnaire de leur gouvernement. En France, la législation ne contenant aucune disposition d'ordre général, le Conseil d'Etat a demandé que les émissions d'obligations n'eussent lieu qu'avec l'autorisation des ministres des finances et de l'intérieur, après justification du versement et l'emploi des quatre cinquièmes du capital-actions, et sans pouvoir dépasser ce captial ».

(Un ancien membre du Conseil d'Etat, Le Conseil d'Etat sous le second Empire et la troisième République, Paris 1880, p. 28).

LES AFFAIRES RELIGIEUSES

Elles ont tenu une place particulièrement importante dans l'activité et l'histoire du Conseil d'Etat de cette époque. Le renouveau religieux au lendemain de la guerre de 1870 eut, semble-t-il, pour effet un accroissement des affaires de ce type — autorisations d'établissements congréganistes, dons et legs à des communautés religieuses — dont le Conseil d'Etat fut alors saisi. Les questions religieuses se trouvaient d'autre part au cœur des luttes politiques de l'époque; le Conseil d'Etat accusé de cléricalisme par la majorité républicaine, y fut impliqué malgré lui; l'une des causes principales de l'« épuration » de 1879 set rouve là.

Le recours pour abus du ministre de l'intérieur et des cultes contre Monseigneur Forcade, archevêque d'Aix, en raison de la lettre pastorale publiée le 13 avril 1879 par ce prélat et où celui-ci critiquait la politique scolaire du gouvernement, est l'affaire religieuse la plus marquante qui ait été portée pendant cette période devant le Conseil d'Etat (1). La presse lui donna une large publicité. Tandis que *Le Rappel* dénonçait « les insurgés de la sacristie », *La Lanterne* plaignait les malheureux conseillers d'Etat menacés d'excommunication par Louis Veuillot dans son journal *L'Univers,* s'ils votaient la déclaration d'abus:

« Des gens bien à plaindre pour le moment, ce sont nos conseillers d'Etat, le gouvernement leur donne un évêque à juger, et l'Univers leur défend de prononcer un jugement quelconque, sous peine d'excommunication majeure. Vous voyez qu'il n'est pas commode de tenir la queue de la poële, quand c'est un évêque qui est dedans. Si même ces malheureux conseillers avaient nourri l'espoir d'en échapper en prononçant un acquittement, ils se sont trompés. Veuillot n'entend pas de cette oreille et n'admet pas d'excuses :

---

(1) Sur cette affaire, voir V. Wright, « L'affaire de l'archevêque d'Aix devant le Conseil d'Etat », Revue d'histoire de l'Eglise de France, janvier 1973, pp. 259-289.

aucun catholique ne peut, en conscience, et sans s'exposer aux censures de l'Eglise, prononcer dans une cause où un évêque apparaît comme accusé devant un tribunal qui est sans droit pour le juger.

« Sans droit pour juger », voilà qui coupe court à toute échappatoire ; excommuniés quand même, quoi qu'on fasse, voilà qui est dur pour des conseillers d'Etat dont le cléricalisme seul a motivé la nomination. »

(*La Lanterne, 11 mai 1879*).

L'affaire vint devant le Conseil le 15 mai 1879. La déclaration d'abus fut votée par 18 voix contre cinq (1). Parmi les 18 conseillers qui votèrent la déclaration il se trouvait une majorité de catholiques qui, tout en se déclarant d'accord avec les idées exprimées par Mgr Forcade, jugèrent que celui-ci avait excédé ses droits en critiquant dans une lettre pastorale la politique du gouvernement. Le débat fut d'une très haute tenue. Sa longueur — près de 100 pages du recueil des procès-verbaux de l'assemblée générale — ne permet malheureusement pas d'en reproduire le texte ici.

Par contre ses dimensions plus modestes rendent possible de donner l'essentiel du débat de l'assemblée générale sur une affaire religieuse de la même époque : la réception et la publication sur le territoire de la République du bref donné à Rome le 14 janvier 1879 par le Pape Léon XIII conférant à l'abbé Trouillet, curé de Saint-Epvre à Nancy, le titre de prélat romain. Affaire beaucoup moins importante certes que l'appel comme d'abus contre le mandement de l'archevêque d'Aix; affaire intéressante cependant pour deux raisons : le gouvernement n'avait jamais encore soumis de bref de cette nature à la procédure de la réception; en 1879, au lendemain de la victoire républicaine, le gouvernement, représenté devant le Conseil d'Etat par Laferrière, directeur des cultes, entend réaffirmer tous les droits concordataires du pouvoir civil; d'autre part, on y voit le Conseil manier des notions et appliquer des principes de droit ecclésiastique qui pendant plus d'un siècle furent une des matières importantes de son activité (2) :

« M. Silvy, conseiller d'Etat, rapporteur : « Le bref qui est soumis à l'examen du Conseil d'Etat a pour objet de conférer à l'abbé Trouillet le titre de prélat romain. C'est la première fois que le Conseil d'Etat est appelé à examiner un bref de cette nature, aussi M. le rapporteur croit-il nécessaire d'indiquer quels privilèges sont attachés au titre de prélat romain.

(*Suit un exposé sur la prélature et les diverses catégories de prélats*).

... Viennent enfin les simples prélats romains, sans titre ni dénomination particulières (antistes urbanus, seu pontificalis domus proesul), qui sont attachés par un lien honorifique à la maison pontificale. C'est cette dignité, la dernière dans la hiérarchie ecclésiastique, qui est conférée à l'abbé Trouillet.

---

(1) Les cinq opposants furent MM. de Bellomayre, de Ségur, de Montesquiou, Weiss et David.

(2) Le Concordat est toujours en vigueur dans les départements d'Alsace et de Lorraine.

M. le rapporteur a recherché les précédents. Il n'en a pas trouvé qui concernent les prélats romains. Quelques décrets ont autorisé la publication en France de brefs relatifs au port de certaines décorations ecclésiastiques appartenant à d'anciens collèges établis dans le clergé français. Mais les seuls précédents importants sont ceux qui autorisent la collation du titre de protonotaire apostolique ad instar participantium. Le premier remonte à l'année 1832, le second à 1853 et, depuis 1858 jusqu'en 1869, il y en a eu presque chaque année. Le protonotaire peut donner copie des actes pontificaux ; il a droit à un oratoire particulier placé en dehors de la juridiction de l'ordinaire, mais seulement pour lui et pour sa famille ; il a au doigt une bague en or ; il porte le petit manteau, la cravate et des gants violets et, dans les cérémonies religieuses, le rochet. Quant au prélat romain, il n'a droit absolument qu'au petit manteau, à la cravate et aux gants violets (vestes violaceae) et au rochet que portent d'ailleurs tous les prêtres en France.

Quand la section a examiné le projet de décret, sa première impression a été qu'il n'y avait pas lieu à intervention du pouvoir civil dans une affaire aussi peu importante. Sans doute l'article premier de la loi organique donne au Gouvernement le droit de vérifier tous les actes de la Cour de Rome, qui doivent être exécutés en France ; mais cet article a toujours été entendu en ce sens qu'il conférait au Gouvernement un droit et ne lui imposait pas une obligation. Le Gouvernement est libre de vérifier ou non et, en réalité, il n'a pas cru devoir soumettre à l'examen du Conseil d'Etat un certain nombre de brefs nommant des dignitaires d'un rang assez élevé dans la hiérarchie romaine. La section a donc été étonnée de voir le Gouvernement se prévaloir des droits qu'il tient de l'article premier de la loi organique, alors qu'il s'agit seulement d'un titre de prélat romain, c'est-à-dire de la dignité la moins haute. N'allait-il pas créer un précédent qui pouvait en cette circonstance devenir gênant ou même dangereux ?

La section a conçu quelque doute sur l'application de l'article premier de la loi organique. La vérification des actes de la Cour de Rome a pour objet de leur donner leur valeur en tant que lois civiles. Or un acte qui confère seulement le droit de porter un rochet et un petit manteau est-il de nature à être sanctionné par le pouvoir civil ?

Une autre préoccupation de la section était relative à la procédure. Quand il s'agit d'un bref n'offrant qu'un intérêt privé, c'est d'ordinaire sur la demande des intéressés que le Conseil d'Etat est appelé à statuer. Or, dans l'espèce, ni l'abbé Trouillet ni l'évêque de Nancy n'ont rien demandé. L'administration agit d'office.

M. le Directeur général des Cultes a répondu à ces diverses objections.

Le Gouvernement voit dans l'application de l'article premier de la loi organique non seulement aux actes considérables de la Cour de Rome, mais encore à tous les actes pontificaux, si faible que soit leur importance, un moyen d'affirmer ses droits qui ont été contestés et de prouver que la loi est encore en vigueur à ceux qui ont soutenu qu'elle était tombée en désuétude.

A l'objection tirée de ce que le bref et, par conséquent, le décret, ne produirait point d'effet civil, M. le Directeur a répondu que souvent le Conseil avait été appelé à vérifier des brefs qui ne touchaient qu'au spirituel ; ainsi les brefs relatifs aux protonotaires, qui offrent, avec le bref dont il s'agit actuellement, une frappante analogie. En présentant ce bref à l'examen du Conseil d'Etat, le Gouvernement s'est donc conformé aux précédents.

Devant l'insistance du Gouvernement, la section a cru devoir examiner l'affaire et cet examen l'a convaincue que rien ne s'oppose à ce que le bref soit publié. Le bref déclare que c'est sur la proposition et le bon témoignage de l'évêque de Nancy qu'une distinction est accordée à l'abbé Trouillet, laquelle consiste : 1° dans le titre de prélat romain ; 2° dans le droit au rochet et aux vêtements violets, signes distinctifs de cette dignité.

L'article premier du projet de décret est ainsi conçu : « Le bref délivré à Rome, le 14 janvier 1879, qui confère à l'abbé Trouillet (Joseph), curé de l'église paroissiale de Saint-Epvre à Nancy (Meurthe-et-Moselle), le titre de prélat romain est reçu et sera publié en France en la forme ordinaire ».

L'article 2 contient une réserve qui mérite d'être signalée : ledit bref est reçu sans approbation des clauses, formules ou expressions qu'il renferme et qui sont ou pourraient être contraires aux lois du pays, aux franchises, libertés et maximes de l'Eglise gallicane et sans qu'il puisse résulter d'ailleurs de la publication dudit bref aucune détermination de rang ou de préséance ecclésiastique en France.

Cette dernière réserve se retrouve dans tous les précédents ; elle a été insérée pour la première fois en 1859, à la suite de difficultés relatives au rang des protonotaires. Cette clause a pour objet de rappeler au bénéficiaire qu'en aucun cas il ne pourra arguer du bref pour réclamer une place que les règlements ecclésiastiques en vigueur en France ne lui accorderaient pas.

Le projet de décret présenté par le Gouvernement contenait une deuxième réserve : « sans qu'il puisse résulter de la publication dudit bref... aucune dérogation à l'article 42, § 2 de la loi du 18 germinal an X ». L'article 42 ets celui qui réserve aux évêques la couleur violette. La réserve insérée par le Gouvernement avait donc pour but d'interdire à l'abbé Trouillet le port des habits violets. Mais la section a fait observer que les mots : « vestes violaceae » ne désignent nullement la soutane violette, costume habituel de l'Evêque de France, mais seulement la mantelletta, la cravate et les gants. En outre, si on refuse au prélat romain le droit de porter ces signes distinctifs, il ne lui restera rien qu'un titre ; ne serait-ce pas contradictoire d'autoriser en principe l'exécution du bref et, en fait, de retirer tous les privilèges qu'il confère ?

Ces considérations ont amené la section à supprimer la 2ᵉ réserve ; l'administration a consenti à la suppression.

En résumé, le projet de décret autorise la publication du bref sans approbation des clauses, formules ou expressions qui pourraient être contraires aux lois du pays, aux franchises, libertés et maximes de l'Eglise gallicane et sans qu'il en puisse résulter aucune détermination de rang ou de préséance ecclésiastique en France. La section propose l'adoption du projet de décret.

M. Berger. — Le décret doit avoir pour seul effet de permettre à l'abbé Trouillet de porter le manteau violet ; c'est par cet insigne extérieur que se révèle le titre de prélat romain. Or il est dit dans l'article 42 de la loi du 18 Germinal an X que les ecclésiastiques ne pourront, dans aucun cas, ni sous aucun prétexte, prendre la couleur et les marques distinctives réservées aux évêques. Dès lors, pour observer cette disposition, n'est-on pas conduit à refuser l'autorisation ? M. Berger désirerait savoir si, avant même que la publication n'en fût autorisée, le bref n'a pas déjà été mis à exécution.

M. le rapporteur n'a aucun renseignement sur ce point de fait. A la première question, M. le rapporteur répond que l'article 42 de la loi du 18 Germinal an X détermine le costume ecclésiastique dans les cérémonies religieuses ; la mantelletta, les vestes violaceae sont un costume de ville. L'article 42 n'est donc pas applicable. Dira-t-on qu'il faut appliquer l'article 43 qui détermine le costume de ville de tous les ecclésiastiques ? Mais cet article ne réserve aux évêques que la croix et les bas violets. Le décret du 8 janvier 1804 a d'ailleurs modifié ces dispositions en permettant à tous les ecclésiastiques de porter des vêtements conformes aux canons, règlements et usages de l'Eglise. En fait, lorsqu'un prélat romain officie, il n'a rien du costume de l'évêque. D'ailleurs il n'est pas absolument exact de dire que le violet soit, en France, la couleur réservée aux évêques, le violet est la couleur de la maison du Pape ; la couleur des évêques est le vert. C'est par ces motifs, que la section a été amenée à supprimer, d'accord avec l'administration, la réserve relative au costume, réserve qui, ainsi que l'a indiqué M. le rapporteur, enlevait au décret toute son efficacité.

M. le Directeur général des Cultes tient à préciser le sens et la portée de l'article premier de la loi du 18 Germinal an X. L'intervention du Gouvernement n'a pas pour objet de sanctionner la décision de la Cour de Rome et de s'associer à une collation de titre. Le Gouvernement intervient uniquement pour s'assurer si l'exécution du bref n'a point d'inconvénients au point de vue civil et opposer son veto à ce qu'il regarderait comme contraire aux lois et à l'ordre public en France. Cette pensée, qui est celle de l'article premier de la loi organique, est nettement indiquée dans l'article 3 relatif aux décisions des conciles et synodes.

Répondant à l'observation de M. Berger, M. le Directeur général des Cultes dit qu'à son sens il n'y a pas lieu à un refus d'autorisation. S'il avait proposé à la section d'introduire une réserve relative au port des insignes, c'est qu'à diverses époques, notamment en 1868, le Gouvernement et l'Episcopat lui-même se sont émus de la prodigalité avec laquelle la Cour de Rome accordait des prélatures conférant le droit de porter des insignes que les fidèles peuvent confondre avec ceux réservés aux évêques. Le dernier décret relatif à un protonotaire contenait, dans sa rédaction primitive, un article interdisant le port du costume en dehors de l'église. La section pensa qu'il était trop rigoureux de refuser au nouveau protonotaire une faveur accordée à ses devanciers ; mais, tout en supprimant l'article, elle parut convaincue de la nécessité de faire un règlement à cet égard, afin de remédier aux inconvénients signalés.

C'est de ce précédent de 1868 que M. le Directeur général des Cultes s'était inspiré. La section de l'intérieur a été d'avis de supprimer une réserve qui, s'ajoutant à celle relative à la préséance, détruirait les effets du bref. On aurait pu répondre que, même après ces réserves, il resterait le titre de prélat romain et que d'ailleurs le Gouvernement n'a pas à se préoccuper du plus ou moins d'efficacité du bref. M. le Directeur général des Cultes a préféré adhérer à la proposition de la section ; il ajoute que la formule générale réservant les atteintes portées aux lois civiles est de nature à garantir l'exécution de l'article 42 de la loi de Germinal.

M. le Président Vte du Martroy ne conteste pas le sens que M. le Directeur général des Cultes a assigné à l'article premier de la loi de Germinal, mais il croit que le Gouvernement assurerait d'une manière plus efficace l'indépendance du clergé français en s'abstenant de reconnaître officiellement que tel ou tel ecclésiastique français est investi d'un titre qui le rattache à la maison du Pape. Soumettre à l'examen du Conseil tous les brefs ayant un caractère personnel, c'est s'engager dans une voie difficile, sinon dangereuse.

M. le Président rappelle que la section avait partagé le sentiment exprimé par M. le Président du Martroy.

M. de Bellomayre appuie la proposition de la section. Il ajoute qu'à ses yeux l'autorisation du Gouvernement donnée en vertu de l'article premier de la loi de Germinal n'est pas un simple laisser-passer, c'est la consécration, au point de vue civil, d'un acte qui n'avait de valeur qu'au point de vue religieux, c'est, en quelque sorte, l'apposiiton du sceau de l'autorité civile sur un acte émanant de l'autorité religieuse. En ce qui concerne le port du costume, M. de Bellomayre ne serait pas éloigné de croire que l'article 42 de la loi de l'an X a été abrogée par le décret de Nivôse an XII. Ne le serait-il pas, qu'on n'en serait pas moins fondé à soutenir que cet article est tombé en désuétude, comme l'article portant que les ecclésiastiques seront habillés à la française et vêtus de noir, et l'article interdisant aux archevêques de prendre une nomination autre que celle de Monsieur ou Citoyen. Les lois organiques sont aujourd'hui interprétées dans un sens moins étroit qu'elles ne l'étaient dans les premiers temps qui suivirent leur promulgation. Ainsi que le rappelait M. le Président du Martroy, Portalis, dans une lettre adressée à l'Empereur, exprimait l'opinion que l'acceptation par un ecclésiastique français d'une distinction honorifique conférée par la Cour de Rome, serait de nature à diminuer son attachement aux libertés et franchises de l'Eglise gallicane. Aujourd'hui le point de vue a changé et l'on ne saurait se montrer aussi exclusif à l'endroit des dignités conférées par le Saint-Siège.

M. le Président met aux voix les articles premier et 2 du projet de décret.
(Ces articles sont adoptés).

Personne ne demandant le rétablissement de la réserve, M. le Président met aux voix l'ensemble du projet de décret qui est adopté dans les termes suivants :

Le Président de la République Française,
Sur le rapport du ministre de l'intérieur et des cultes ;
Vu l'article premier de la loi du 18 Germinal an X ;
Vu le bref pontifical, en date du 14 janvier 1879, qui confère à l'abbé Trouillet le titre de prélat Romain,
Le Conseil d'Etat entendu,
Décrète :

Article premier. — Le bref délivré à Rome, le quatorze janvier mille huit cent soixante dix-neuf (14 janvier 1879), qui confère à l'abbé Trouillet (Joseph), curé de l'église paroissiale de Saint-Epvre à Nancy (Meurthe-et-Moselle) le titre de prélat romain, est reçu et sera publié en France en la forme ordinaire.

Art. 2. — Ledit bref est reçu sans approbation des clauses, formules ou expressions qu'il renferme et qui sont ou pourraient être contraires aux lois du pays, aux franchises, libertés et maximes de l'Eglise gallicane et sans qu'il puisse résulter, d'ailleurs, de la publication dudit bref aucune détermination de rang ou de préséance ecclésiastique en France.

Art. 3. — Ledit bref sera transcrit en latin et en français sur les registres du Conseil d'Etat, mention de cette transcription sera faite sur l'original par le secrétaire général du Conseil.

Art. 4. — Le ministre de l'intérieur et des cultes est chargé de l'exécution du présent décret.

(*Arch. C.E., p.-v. annexe (pp. 127-142) au p.-v. séance d'ass. gén. du 3 avril 1879*).

LE DÉVELOPPEMENT DU CONTENTIEUX

Ralentie par la guerre et la Commune, l'activité du contentieux reprit et augmenta de manière sensible dès 1872. D'août 1872 au 31 décembre 1878, il fut rendu 8 834 décisions, soit une moyenne annuelle de plus de 1 400, supérieure à celles de toutes les époques antérieures (772 de 1840 à 1844, 862 de 1845 à 1848, 698 de 1849 à 1851, 1 006 de 1852 à 1860, 1 157 de 1861 à 1865, 1 164 de 1866 à 1870). Les affaires de contributions, d'élections, de marchés et de dommages de travaux publics demeurent de loin les plus nombreuses, mais on constate un accroissement notable des décisions sur les recours pour incompétence et excès de pouvoir : 604 entre août 1872 et le 31 décembre 1878 (soit 6 ans et 4 mois), contre 210 de 1852 à 1860, 298 de 1861 à 1865, 303 de 1866 à septembre 1870 (1).

Cette progression peut s'expliquer par le fait que pendant cette période la législation a contribué à étendre le domaine du contentieux administratif, soit par des dispositions spéciales instituant des recours nouveaux, soit par l'effet de dispositions générales (loi du 10 août 1871 ouvrant un recours au Conseil d'Etat contre les décisions des commissions départementales; loi du 7 juin 1873 chargeant le Conseil d'Etat de statuer sur les recours du ministre de l'intérieur tendant à faire déclarer démissionnaires les membres des assemblées locales; loi du 31 juillet 1875 qui transfère au Conseil d'Etat le contentieux des élections des membres des conseils généraux; lois créant à la suite des événements de 1870 - 1871 des taxes nouvelles soumises au contentieux des contributions directes, etc.). Elle est due sans doute aussi au développement naturel du contentieux administratif, mieux connu, mieux apprécié et que vient de conforter le rétablissement de la justice déléguée. On ne relève cependant pas pendant cette période de progrès spectaculaires de la jurisprudence, si ce n'est toutefois la limitation plus stricte du domaine des actes de gouvernement par l'abandon du critère ancien, excessivement large ,tiré du mobile politique. Saisi par le Prince Napoléon Joseph Bonaparte, cousin de l'Empereur Napoléon III, d'un recours contre la décision qui avait refusé de rétablir son nom sur la liste des généraux publiée dans l'annuaire militaire, le Conseil d'Etat statue au fond, rejetant le moyen tiré par le ministre du caractère politique de la mesure; il suivait ainsi les conclusions de son commissaire du gouvernement, David, qui avait déclaré :

> « Il est de principe, d'après la jurisprudence du Conseil que, de même que les actes législatifs, les actes de gouvernement ne peuvent donner lieu

(1) Le Conseil d'Etat n'est plus juge des conflits depuis le rétablissement par la loi du 24 mai 1872 du Tribunal des conflits. L'augmentation du nombre des décisions contentieuses rendues par lui est donc plus importante relativement que ne le font apparaître les chiffres cités ci-dessus.

à aucun recours contentieux, alors même qu'ils statuent sur des droits individuels. Mais, si les actes qualifiés, dans la langue du droit, actes de gouvernement sont discrétionnaires de leur nature, la sphère à laquelle appartient cette qualification ne saurait s'étendre arbitrairement au gré des gouvernants ; elle est naturellement limitée aux objets pour lesquels la loi a jugé nécessaire de confier au gouvernement les pouvoirs généraux auxquels elle a virtuellement subordonné le droit particulier des citoyens dans l'intérêt supérieur de l'Etat. Tels sont les pouvoirs discrétionnaires que le Gouvernement tient en France soit des lois constitutionnelles, quand elles existent, pour le règlement et l'exécution des conventions diplomatiques, soit des lois de police... Il suit de là que, pour présenter le caractère exceptionnel qui le mette en dehors et au-dessus de tout contrôle juridictionnel, il ne suffit pas qu'un acte, émané du gouvernement ou de l'un de ses représentants, ait été délibéré en Conseil des ministres ou qu'il ait été dicté par un intérêt politique ».

(Recueil des arrêts du Conseil d'Etat, année 1875, pp. 155-sq).

C'est par le Tribunal des conflits que furent rendus pendant cette période les deux grandes décisions qui devaient fixer les règles de droit applicables dans deux domaines importants, celui de la responsabilité de la puissance publique et de ses agents et celui des compétences respectives à cet égard des tribunaux judiciaires et administratifs : l'arrêt Blanco du 8 février 1873 et l'arrêt Pelletier du 30 juillet 1873.

IV
L'ÉPURATION DE 1879

Un projet de loi de réorganisation du Conseil d'Etat d'apparence technique — Les intentions réelles du Gouvernement — La discussion dans les chambres — La majorité républicaine veut un Conseil d'Etat unanimement républicain — Révocations, mises à la retraite, démissions — Les réactions au Parlement et dans l'opinion — Est-ce la fin d'une institution ?

Le 4 février 1879, M. Waddington devenait président du conseil et obtenait la confiance des deux chambres, où les républicains possédaient désormais la majorité. Dès ses premiers jours, le nouveau ministère est mis à l'épreuve par « l'affaire du Conseil d'Etat », que soulèvent la presse radicale et le Parlement. Affaire essentiellement politique. La République appartenait maintenant aux républicains, et ceux-ci supportaient mal un corps dont la plupart des membres, élus par l'Assemblée nationale ou nommés depuis 1875 par le maréchal de Mac-Mahon, étaient soit des monarchistes déclarés, soit de tièdes républicains, et, en majorité en tout cas, des catholiques affichés.

Le Gouvernement déposa le 18 mars 1879 devant le Sénat un projet de loi sur le Conseil d'Etat dont il demanda la discussion d'urgence. Voté par le Sénat le 26 mai, ce projet fut adopté par la Chambre le 12 juillet, quelques jours avant la date où le Conseil devait examiner des requêtes contre des arrêtés préfectoraux concernant des établissements congréganistes et au maintien desquels le Gouvernement attachait une grande importance. La loi fut promulguée dès le 13 et les 14 et 15 étaient pris des décrets qui modifiaient profondément la composition du Conseil.

UN PROJET DE RÉFORME D'APPARENCE TECHNIQUE

L'exposé des motifs précédant le projet de loi ne révélait rien des intentions véritables du Gouvernement :

EXPOSE DES MOTIFS

La loi du 24 mai 1872, qui a fixé l'organisation et les attributions du Conseil d'Etat, a déjà été soumise à une épreuve de plusieurs années. L'expérience en a consacré les dispositions fondamentales. Aussi les modifications que nous vous proposons d'y apporter n'ont-elles pour objet que d'en élargir le cadre, sans en changer l'économie. Le but essentiel du projet de loi qui vous est présenté est d'augmenter le personnel du Conseil d'Etat, en raison des services qu'il est appelé à rendre, et de procurer une meilleure distribution de ses travaux, en créant une nouvelle section, grâce aux ressources d'un personnel plus nombreux.

L'article premier du projet de loi fixe à trente-deux le nombre des conseillers d'Etat en service ordinaire. Cette mesure est depuis longtemps réclamée par les nécessités du service. Elle est justifiée par tous les précédents. Jamais, en effet, le nombre des membres n'était jusqu'à présent descendu au chiffre fixé par la loi de 1872. Il a varié de 30 à 40 depuis la création jusqu'en 1814. La Restauration, qui l'avait ramené à 30, se vit forcée de l'élever à 34 à partir de 1828. Sous la Monarchie de juillet, on ne comptait au début que 24 conseillers, mais il fallut revenir au nombre de 30 à dater de 1839. La loi du 3 mars 1840 éleva ce chiffre à 40. Le Second Empire oscilla entre 30 et 40...

Nous vous proposons de porter à dix-huit, au lieu de quinze, le nombre des conseillers d'Etat en service extraordinaire. Cette augmentation se juistifie par la nécessité de donner à la justice un second représentant ; d'en donner un à la guerre, un aux colonies qui en sont actuellement dépourvues...

Enfin, les raisons invoquées à l'appui d'une augmentation du nombre des conseillers en service ordinaire doivent entraîner un accroissement parallèle du nombre des maîtres des requêtes et des auditeurs, auxiliaires indispensables des travaux du Conseil...

L'article 3 du projet consacre une innovation depuis longtemps réclamée, en permettant aux membres du Conseil d'accepter des fonctions actives, sans perdre ni leur rang, ni leur titre, ni leurs droits au sein du Conseil dont ils sont temporairement détachés. Jusqu'ici on ne pouvait sortir du Conseil qu'en perdant le droit d'y reprendre sa place. Dorénavant, l'acceptation de fonctions actives n'entraînera aucune interruption dans la carrière des auditeurs, maîtres des requêtes ou conseillers. Ils rentreront au sein du Conseil quand le Gouvernement croira devoir les y rappeler, avec l'autorité de l'expérience technique acquise dans les divers services administratifs. Il y a lieu d'espérer qu'il s'établira entre le Conseil et les divers départements ministériels un échange régulier de personnel, également profitable à l'un et aux autres.

L'article 4 du projet de loi dispose qu'il sera ajouté aux quatre sections existantes une cinquième section, qui prendra le nom de section de législation civile et criminelle, de la justice, des cultes et des affaires étrangères.

Mais, s'il est juste de proclamer que, dans les parties techniques et spéciales, les travaux du Conseil d'Etat sont irréprochables, il n'est pas moins juste de convenir qu'au point de vue juridique proprement dit, ils paraissent se ressentir de l'insuffisance du nombre des jurisconsultes au sein du Conseil. Cette lacune sera comblée par l'adoption du projet que nous vous proposons.

La section nouvelle, en venant s'adjoindre aux sections spéciales toutes les fois que le besoin en sera démontré, ajoutera aux lumières des hommes spéciaux les connaissances théoriques des jurisconsultes. Elle donnera une impulsion uniforme et une direction précise aux travaux du Conseil d'Etat. Elle assurera l'unité de la pensée qui doit les diriger. La justice, les cultes, les affaires étrangères, ces trois branches importantes de notre administration, relèveront naturellement de la section de législation.

La participation ainsi réglèe du Conseil d'Etat à l'œuvre législative permettra d'en redoubler l'activité. L'heure est venue de réaliser dans les diverses branches de notre administration publique des progrès impatiemment attendus. Nul instrument n'y sera plus propre que le Conseil d'Etat, régénéré par les dispositions que nous soumettons avec confiance à vos délibérations ».

(Sénat, séance du 18 mars 1879, annexe n° 66, pp. 203-204).

UNE RÉFORME POLITIQUE

Il s'agissait en réalité de tout autre chose. L'augmentation prévue des effectifs avait pour but essentiel de donner au Gouvernement la possibilité de nommer de nouveaux membres de son choix et de « régénérer » ainsi le corps. Le rapport à la Chambre de Franck Chauveau ne pouvait laisser aucun doute à ce sujet :

> « Comme son nom l'indique, et comme le disait très bien M. le garde des sceaux, le Conseil d'Etat est essentiellement une institution d'Etat, un auxiliaire du gouvernement. Il a été établi pour être le conseil, l'appui et le collaborateur des pouvoirs publics. Toutes ses attributions, préparation des lois, des règlements d'administration publique, contrôle administratif, juridiction contentieuse administrative, impliquent le dévouement aux institutions du pays et ne se justifient que par la volonté de concourir à l'affermissement et au bon fonctionnement de ces institutions. Un Conseil d'Etat malveillant pourrait causer au gouvernement des embarras bien plus grands que tous les tribunaux ordinaires, contre les empiètements desquels il est protégé par la séparation des pouvoirs.
>
> Il faut que les chambres et le gouvernement puissent en toute sécurité réclamer le concours du Conseil d'Etat et lui renvoyer les projets de loi ; il faut que le gouvernement puisse avoir toute confiance en lui, qu'il puisse parler, agir à découvert dans le sein du Conseil, qu'il y soit, pour ainsi dire, chez lui. Or, peut-il en être ainsi, si même une partie des membres du Conseil est hostile aux institutions nationales ? Nous ne le pensons pas. Autant dans les assemblées purement politiques, le rôle des minorités est utile et parfois précieux, autant la présence d'antagonistes du gouvernement serait nuisible au Conseil d'Etat. Non certes que nous demandions rien qui ressemble à un Conseil d'Etat servile ; mais nous croyons qu'il sera d'autant plus indépendant qu'il sera moins suspect et plus dévoué.
>
> Tous les gouvernements qui se sont succédés en France ont pensé comme nous sur ce point ; leur premier soin a été de mettre la composition du Conseil en harmonie avec les changements survenus dans l'établissement politique. L'Assemblée nationale, en 1872, n'a-t-elle pas rejeté le projet du pouvoir exécutif, qui donnait la nomination des conseillers d'Etat au gouvernement ? N'a-t-elle pas voulu les choisir elle-même, afin, disait son rapporteur, M. Batbie, « qu'ils fussent animés du même esprit qu'elle » ?
>
> Certes, nous tenons autant que quiconque à conserver dans le Conseil d'Etat des hommes qui en sont la force et l'honneur, qui y ont fait leur carrière, qui sont avant tout des hommes de science et d'administration : ces hommes sont éminemment précieux dans un corps qui vit de traditions, où parfois il faut se reconnaître au milieu d'une multitude de textes accumulés, où d'autres fois la jurisprudence s'induit bien plutôt de principes qu'elle ne se fonde sur des textes ; mais nous ne croyons rien réclamer d'excessif en demandant qu'à cette compétence se joigne le respect des institutions nationales et un esprit conforme à l'ordre de choses établi ».
>
> *(Ch. des dép. Session de 1879, rapport de M. Franck Chauveau, annexe au p.-v. de la séance du 8 juillet 1879, n° 1630, p. 70).*

La discussion à la chambre mit en pleine lumière le caractère politique de la réforme. Cette discussion s'ouvrit curieusement sur la discussion d'un amendement ainsi conçu : « Le Conseil d'Etat est supprimé », présenté par un député d'extrême-gauche, Talandier, qui, citant avec éloge le député d'extrême-droite Raudot qui avait déposé en 1872 un amendement identique, commentait ainsi leur commune proposition : « Cette institution (le Conseil d'Etat), on nous propose de l'améliorer... Eh bien, pour moi, le Conseil d'Etat n'est susceptible que d'une amélioration, sa suppression ». La Chambre ne s'attarda pas à discuter l'amendement. La minorité, par la voix de M. de la Rochefoucauld, duc de Bisaccia, présenta sans grande conviction une brève défense du Conseil en place. Plusieurs membres de la majorité, M. Franck Chauveau, le rapporteur, M. de la Porte, M. Duclaud, M. Noirot, M. Henri Brisson, l'attaquèrent ensuite avec une vigueur et une sévérité croissantes, insistant surtout, presque exclusivement même, sur sa « jurisprudence » en matière religieuse (1). M. Duclaud fut sur ce point le plus incisif des orateurs :

> « Voulez-vous juger de l'étendue, — j'allais dire du mal — qui résulte de cette jurisprudence ? Voici ce qui s'est passé.
>
> Le Conseil d'Etat, en six ans, a autorisé la création de trente-neuf établissements de congrégations dépendant de congrégations déjà reconnues, de trente et un dont les fondatrices ont déclaré adopter les statuts déjà approuvés ou vérifiés par d'autres communautés ; sept autres établissements déjà autorisés ont modifié leurs statuts. En résumé, soixante dix couvents nouveaux ont été autorisés pendant ces six années, non compris les établissements particuliers ou non reconnus.
>
> Ce n'est pas seulement le chiffre qui s'est accru ; vous allez juger maintenant de la richesse, et par le nombre de décrets du Conseil d'Etat vous pourrez savoir approximativement quelle est la valeur des dons, des legs, dans cette période que j'ai l'honneur de vous indiquer.
>
> Ainsi, dans la période de 1872 jusqu'en 1877, il a été rendu quant aux évêchés deux cent quatre vingt quatorze décrets ou avis, — mon collègue n'avait pas cette note, il aurait pu la trouver dans le compte rendu de la commission — les évêchés ont reçu 5 134 899 fr, sans réduction sur ce chiffre.
>
> Les chapitres ont reçu 253 000 francs.
>
> Les séminaires ont reçu 2 436 327 francs. Il y a une réduction de 2 800 francs. (Rires à gauche). 261 avis ou décrets ont été rendus sur ce chapitre.
>
> Les écoles secondaires ecclésiastiques ont reçu 1 153 000 francs.
>
> Les fabriques, messieurs, — et ne perdez pas de vue, quand on parle des fabriques, ce qui peut passer comme donations mobilières à leur profit — 26 929,138 francs... (Oh ! Oh !) Ah ! il y a une réduction, elle est de 77,330 francs. (Rires à gauche).
>
> M. le comte de Maillé. — Cela prouve combien la France est catholique !
>
> Un membre à gauche. — Vous voulez dire combien le Conseil d'Etat est catholique !
>
> M. le comte de Maillé. — C'est contre la thèse de l'orateur, puisque ce sont des dons faits par des catholiques !

---

(1) Cet aspect de la question est étudié de façon très précise dans l'article de J.J. Weiss, La fin d'une institution, (*Revue de France, sept.-oct. 1879, t. 37, p. 25*).

M. Gatineau. — Cela prouve la captation cléricale !

M. Georges Périn. — Cela prouve que les catholiques sont très riches et très généreux, mais cela ne prouve pas que la France soit catholique !

M. Duclaud. — Je continue.

Cures et succursales, 3 910 059 francs; réduction de 1 900 francs.

Congrégations religieuses de femmes, 16 340 544 francs; réduction de 29 586 francs. (Exclamations à gauche).

Congrégations d'hommes, 661 750 francs ; réduction de 200 000 francs.

Le total est donc de 56 809 782 francs et le chiffre des réductions est de 311 000 francs.

Messieurs, ce n'est pas assez ; cette statistique ne comprend pas les libéralités faites aux associations religieuses reconnues comme établissements d'utilité publique ; elle ne comprend pas les libéralités faites en valeurs, en titres, en argent ; elle ne comprend pas celles faites aux congrégations non autorisées...

Vous pouvez juger de l'étendue de ce que j'appelais tout à l'heure le système organisé par le Conseil d'Etat ».

(Annales de la Ch. des dép., séance du 12 juillet 1879, p. 267).

Pour renverser cette jurisprudence, la plupart des membres de la majorité réclamèrent un renouvellement complet du corps et accueillirent avec méfiance les propos du garde des sceaux et de leur collègue Noirot soulignant la nécessité de respecter les « traditions » du Conseil d'Etat, d'y conserver des hommes « indispensables » ou « utiles » que « tous les gouvernements s'honorent de maintenir dans une institution », de « garder des ménagements » vis-à-vis de lui :

« J'entendais, il y a un instant, déclarait H. Brisson, l'honorable M. Noirot vous dire qu'il ne se préoccupait pas beaucoup d'avoir dans le Conseil d'Etat l'unanimité au point de vue républicain. Je réclame, moi, cette unanimité. Sans doute, dans le Conseil d'Etat, il pourra se faire des majorités et des minorités sur les questions spéciales (très bien ! à gauche), sur les questions juridiques qui lui sont soumises. Peut-être s'y fera-t-il des traditions de droit et des traditions administratives, qui établiront une majorité et une minorité, même sur des questions importantes. Mais sur la question de l'attachement à la constitution du pays... (Très bien ! à gauche), souffrir dans une assemblée maîtresse de tant de questions, comme le Conseil d'Etat, qu'il y ait une majorité et une minorité, je dis que c'est sortir des conceptions politiques raisonnables.

Oui, nous devons laisser toute liberté à MM. les conseillers d'Etat de délibérer sur les questions qui leur seront soumises ; et à ce point de vue, ils pourront résister au ministère. Mais, quant à l'attachement aux institutions fondamentales, je dis que vous avez le droit, que vous avez le devoir de l'exiger de tous vos conseillers d'Etat, comme vous avez le droit et le devoir de l'exiger de tous vos autres fonctionnaires (applaudissements à gauche)...

Ainsi, Messieurs, ce qu'il faut, à mon sens, et ce qui me paraît devoir entraîner le vote de la majorité républicaine, si j'ai bien déterminé la situation où l'a mise le mandat qu'elle a reçu en février 1876, qui a été renouvelé le 14 octobre 1877, ce qu'il faut, dis-je, c'est d'exiger un Conseil d'Etat où il n'y ait pas, sur la question de la forme républicaine, une majorité et une minorité, mais l'unanimité, mais l'homogénéité complète. La Chambre se doit, à mon sens, elle doit à ses électeurs, elle doit aux électeurs du Sénat, elle doit au pays, qui a manifesté, avec la plus grande énergie, dans toutes les occasions où il a été sollicité de s'expliquer, son intention d'éliminer des fonctions publiques, les plus hautes comme les plus humbles, tous les éléments d'hostilité à la République amassés au sein de la République par l'Assemblée nationale ; la Chambre, dis-je, se doit à elle-même, elle doit à ses électeurs d'éliminer aussi ce dernier legs de l'Assemblée nationale, elle le doit en fait, et j'ajoute que la décision que la Chambre prendra sur ce point ne sera pas seulement l'élimination des cinq conseillers d'Etat dont il a été question, mais l'établissement de l'homogénéité au sein de cette assemblée si importante.

De plus, je dis que cette élimination sera encore, pour tous les fonctionnaires répartis sur la surface du pays, une leçon suprême... (C'est cela !) et que cette leçon, vous devez la donner aux fonctionnaires (Applaudissements à gauche).

M. le ministre des finances et quelques autres de ses collègues ont procédé par voie de circulaires ; vous, vous procédez par votes, et le vote que vous rendrez sera un ordre d'obéissance intimé à tous les fonctionnaires de la République (Applaudissements prolongés à gauche) ».

(Annales de la Ch. des dép., séance du 12 juillet 1879, pp. 272-273).

LES MODALITÉS DE LA RÉFORME

Unis sur le principe, le Gouvernement et la majorité de la Chambre s'opposèrent sur les modalités de la réforme. Le texte voté par le Sénat et soumis à la Chambre donnait au Gouvernement la possibilité de faire de nouvelles nominations qui, combinées avec des mises à la retraite, devaient permettre un large renouvellement du personnel. Craignant que ce renouvellement ne soit insuffisant, la commission proposa une mesure plus radicale : la dissolution du Conseil d'Etat, que le Gouvernement aurait ensuite reconstitué en pourvoyant à tous les postes. « Le Conseil d'Etat actuel cessera ses fonctions le jour de la promulgation de la présente loi », disait l'article 7 ajouté au projet de loi par la commission. La majorité de la Chambre partageait le point de vue de la commission. Elle se rallia cependant au texte voté par le Sénat (1) après l'intervention décisive de M. Sénard qui, évoquant discrètement mais clairement les affaires congréganistes alors pendantes devant la section du contentieux, souligna les avantages de la solution la plus rapide; or, si la Chambre amendait le texte du Sénat, le projet devrait, à la veille de la fin de la session parlementaire, retourner devant la chambre haute :

(1) Le Gouvernement invoquait notamment en faveur de son texte un argument juridique : le Conseil d'Etat de 1879 comptait encore 5 membres élus par l'Assemblée nationale pour une période qui ne prenait fin qu'en 1881; la loi constitutionnelle du 25 février 1875 avait certes rendu au Gouvernement la nomination des conseillers d'Etat, mais elle avait prévu que les membres antérieurement désignés par l'Assemblée ne pourraient être démis de leurs fonctions, après la séparation de l'Assemblée nationale, que par une décision individuelle du Sénat; le Gouvernement craignait que la mesure proposée par la Chambre — dissolution du Conseil d'Etat — ne soit une violation de la Constitution.

« M. Sénard. — Demain, M. le ministre de la justice peut s'emparer de cette loi que vous lui aurez donnée ; demain il peut la rendre féconde ; demain il peut satisfaire à tous les désirs qui ont été si éloquemment exprimés. Si, au contraire, vous rejetez cette loi aujourd'hui, ou du moins, si, en l'acceptant, vous y introduisez une disposition nouvelle, le ministre est désarmé ; la loi s'en retourne au Sénat. Si vous voulez bien compter les jours qui nous restent avant l'interruption de la session, vous reconnaîtrez qu'il n'est pas possible que, si vous renvoyez cette loi au Sénat, elle soit votée avant la reprise de nos débats au mois de novembre ou de décembre. (Marques d'approbation au centre).

M. Georges Périn. — Le Sénat se hâtera un peu.

Un membre au centre. — N'y comptez pas !

M. Georges Périn. — Vous êtes bien peu respectueux pour le Sénat.

M. le Président. — Veuillez vous abstenir, messieurs, de ces interpellations qui touchent à l'assemblée qui siège à côté de nous.

M. Sénard. — Permettez-moi de vous dire qu'il se pourrait bien que l'arrangement des affaires du Conseil d'Etat, que leur rang d'inscription au rôle, que les dates auxquelles le Conseil d'Etat doit prononcer sur des affaires extrêmement graves... (très bien ! très bien !) soient assez rapprochés de nous pour que ceux qui voteraient à l'heure présente avec le plus d'enthousiasme les dispositions qui viennent d'être tout à l'heure si brillamment défendues, pour que ceux-là puissent en avoir un regret mortel et même qu'il fût trop tard pour regretter le vote auquel on cherchait tout à l'heure à entraîner la Chambre (marques nombreuses d'approbation) ».

(Annales de la Ch. des dép., séance du 12 juillet 1879, pp. 273-274).

L'APPLICATION DE LA RÉFORME

Le Gouvernement était sans doute sincèrement désireux — comme le garde des sceaux l'avait déclaré à la Chambre — de limiter l'épuration, mais il voulait la faire vite. Il prit à cet effet sept décrets. Le premier, du 14 juillet, concerne les conseillers : il en nomme vingt, dont dix sur les postes créés et dix en remplacement d'autant de conseillers, dont un, Andral, vice-président, était démissionnaire depuis la retraite du maréchal de Mac-Mahon, et six autres « admis à faire valoir (leurs) droits à la retraite ». Les six autres décrets étaient des décrets individuels qui relevaient des maîtres des requêtes de leurs fonctions sans indiquer de motifs (1). Enfin, un autre décret nommait vice-président, en remplacement de M. Andral, M. Faustin Helie, membre de l'Institut et président de chambre honoraire à la Cour de cassation (2).

La mesure touchant les conseillers était pour le moins maladroite, car elle justifiait l'élimination de six d'entre eux par un motif inexact — « admis à faire valoir ses droits à la retraite » — et elle prêtait ainsi

(1) Ces maîtres des requêtes se nommaient: Charles de Baulny, Raoul de Saint-Laumer, Marcel Compaignon de Marchéville, Léon Cornudet, Paul Fould, Pierre Le Loup de Sancy.

(2) J.O. de la Rép. Franç. 15 juillet 1879, p. 6762; 16 juillet 1879, p. 6811.

le flanc à la critique. Le conseiller David protesta aussitôt auprès du garde des sceaux :

« Le décret qui me remplace comme conseiller d'Etat ajoute que « je suis admis à faire valoir mes droits à la retraite ». Permettez-moi de vous faire remarquer que je n'ai aucun droit à la retraite et que le titre de conseiller d'Etat, qui m'a été confié l'année dernière sur la proposition de votre éminent prédécesseur, ne peut m'être retiré légalement que par une révocation formelle. Je viens donc vous prier à faire prononcer contre moi cette mesure, que je réclame tout à la fois comme un honneur et comme un droit ».

(Le Français, 16 juillet 1879).

LES RÉACTIONS

L'affaire provoque aussitôt une grande émotion dans les milieux conservateurs. La presse d'opposition ne ménage pas le Gouvernement, comme le prouvent les extraits d'articles ci-après :

« Combien ne doivent leur entrée dans le Conseil d'Etat, développé et épuré, qu'à leur ardent républicanisme, qu'à leurs opinions d'un radicalisme notoire et peut-être avant tout à leur hostilité connue contre l'enseignement congréganiste ».

(Le Soleil, 17 juillet 1879).

« Le nouveau Conseil, recruté d'inconnus, de fruits secs, de gens dont les preuves sont à faire et qui ne les feront pas, a causé au public une grande stupeur ».

(Le Constitutionnel, 23 juillet 1879).

La plupart des conseillers et cinq maîtres des requêtes (1) que les décrets des 14 et 15 juillet n'avaient pas touchés démissionnèrent dans les jours suivants ainsi que sept auditeurs (2) en invoquant des raisons de conscience. Le vicomte de Montesquiou - Fézenzac écrivait le 19 juillet au garde des sceaux :

« Je sais et cela d'ailleurs a été proclamé à la tribune, qu'en face d'affaires graves, complètement instruites, et qui devaient être jugées hier, le tribunal dont je faisais partie va être renouvelé. Je ne voudrais pas par ma présence accepter, à un degré quelconque, la responsabilité d'un acte sans précédents dans l'histoire du corps auquel j'étais fier d'appartenir. Puisque aujourd'hui, comme j'ai pu le craindre à une autre époque de ma carrière (en 1852, lors de l'affaire de la confiscation des biens de la famille d'Orléans), la politique

(1) Ernest Leblanc, Jean Vergniaud, Charles Franquet de Franqueville, Jean Jacqueminot comte de Ham, Fernand de Lacoste du Vivier.

(2) Augustin Caillard d'Aillières, Louis Etignard de Lafaulotte, Pierre Lebas de Girangy de Claye, Maurice Hachette, Pierre de Ségur, Jules Auffray, Joseph de Crousaz-Crétet.

menace de pénétrer dans l'enceinte de la justice, je me retire devant elle comme je l'ai fait en 1852... ».

(Le Soleil, 20 juillet 1879).

Ces démissions placèrent le Gouvernement dans une situation embarrassante. Il chercha à retenir ceux qui s'en allaient et n'y parvint pas. De sorte qu'à la fin du mois de juillet trois conseillers seulement sur ceux qui siégeaient au Conseil avant le quatorze juillet demeuraient en fonctions. Jamais depuis le début de son histoire le Conseil n'avait connu un renouvellement aussi important de son personnel.

Aux exclus comme aux démissionnaires, Chesnelong exprimait son estime au cours de la séance du Sénat du 22 juillet 1879 :

« Mais je tiens à envoyer d'ici un hommage à ces honorables disgrâciés dont vous n'avez pu éviter la décision qu'en brisant leur situation.

Quand on est frappé parce qu'on a voulu se tenir debout, on tombe, messieurs, on ne descend pas (Applaudissements à droite).

J'adresse le même hommage à tous ces honorables démissionnaires, depuis les présidents de section jusqu'aux simples auditeurs qui, devant de tels excès de pouvoir, ont voulu dégager leur solidarité par une retraite volontaire, où l'honneur d'un sacrifice fait au devoir les accompagne (très bien ! très bien !) ».

(Annales du Sénat, séance du 22 juillet 1879, p. 28).

Cette séance (1) fut marquée par un dur affrontement entre le garde des sceaux et un député de l'opposition, M. Baragnon. Celui-ci, sous les applaudissements de la droite de l'Assemblée, reprocha avec vigueur au Gouvernement d'avoir troublé le cours de la justice pour éviter l'annulation de ses actes et d'avoir porté une atteinte grave et irrémédiable au crédit et à la dignité du Conseil :

« Vous le voyez, messieurs, je n'ai pas besoin de m'occuper de ceux que vous avez nommés ; je souhaite qu'ils la relèvent, cette institution ; mais vous, vous lui avez porté un coup mortel...

Qu'il me soit permis de vous le dire : vous avez enlevé au Conseil d'Etat jugeant au contentieux toute autorité, car il n'est pas permis de se donner des juges en vue d'une cause donnée et puis d'ajouter tranquillement : ce sont des juges ; le pays leur doit confiance ! Non ! non ! la confiance envers des magistrats, quand elle est perdue, ne revient pas. Et le Conseil d'Etat que vous avez fait, précisément à cause des circonstances dans lesquelles vous l'avez constitué, j'affirme que la confiance publique n'ira point à lui ! (Vive approbation à droite).

Déjà j'entends donner dans les journaux aux intéressés le conseil de retirer leurs pourvois.

Ce n'est pas mon avis. Qu'on mette ces conseillers d'Etat en face de leur devoir et qui sait ? Le titre si grand de juge donne peut-être des grâces d'Etat ! (Très bien ! très bien ! à droite).

---

(1) Les débats de cette séance méritent d'être lus en entier (*Annales du Sénat, séance du 22 juillet 1879, pp. 6 à 30*).

Oui ! qu'on les mette en face de leur devoir : ils vaudront peut-être mieux que vos espérances ! (Applaudissements sur les mêmes bancs).

Mais ce qui, pour vous, doit être une bien dure leçon, c'est que si le justiciable ne déserte pas encore votre tribunal, les juges se retirent de cette enceinte profanée... (vives protestations à gauche. — Applaudissements à droite)... et vous avez mérité qu'un de ces juges vous écrivît... (Assez ! Assez ! — A l'ordre ! et bruit à gauche. — Nouveaux applaudissements à droite) ».

(Annales du Sénat, séance du 22 juillet 1879, pp. 16 et 20).

« La fin d'une institution », tel est le titre que donnait, deux mois plus tard à un article sur la loi et les décrets de 1879 J.J. Weiss, son auteur qui venait d'être exclu du Conseil et qui concluait ainsi :

« Et maintenant, la conséquence dernière de tout cela ?

La conséquence ! les ministres ne l'on pas calculée. Elle va bien au-delà de l'illégalité et de l'étourderie d'un jour. Les ministres ont cru frapper seulement neuf conseillers et six maîtres des requêtes ; ils ont frappé en même temps tous les membres du Conseil qu'ils ont maintenus dans leurs fonctions et tous les nouveaux membres qu'ils ont introduits dans le Conseil. Ils n'ont cru dissoudre qu'un Conseil d'Etat particulier, qui ne leur plaisait point ; ils ont sapé les principes essentiels sur lesquels repose l'idée même d'un Conseil d'Etat. Le décret du 14 juillet n'est pas simplement la désorganisation du Conseil d'Etat de 1872 ; c'est la fin d'une institution.

Aussi longtemps que durera la République, il n'est plus possible d'effacer le précédent pernicieux, créé par l'inexpérience de M. Waddington et de ses collègues. Ce qui résulte des faits, ce qui résulte des doctrines sur lesquelles s'est fondé le décret du 14 juillet, c'est que le Conseil d'Etat ne doit plus être et n'est plus le Conseil d'Etat de la République française ; il doit être et il est le Conseil d'Etat de messieurs les ministres et de chaque cabinet ministériel ; il émanera désormais, non d'un fait politique permanent, la Constitution, non d'un fait politique septennal, la Présidence et le Président, mais d'un fait éphémère, les cabinets ».

(J.J. Weiss, La fin d'une institution, Revue de France, septembre-octobre 1879, t. 37, pp. 35-36).

Le Journal des Débats du 26 juillet jugea « un peu théâtral le tapage fait à propos de la réorganisation du Conseil d'Etat »; il y voyait la preuve « que bien des gens n'ont pas encore pu se mettre dans la tête qu'il y avait eu en France une révolution, un changement de gouvernement, un changement d'état politique ».

Il n'en restait pas moins que la crise de 1879 n'avait pas seulement entraîné une profonde modification du personnel du Conseil d'Etat; elle avait aussi en partie altéré son image dans une large fraction de l'opinion française.

BIOGRAPHIES

Léon AUCOC
1828-1910
Conseiller d'Etat
Président de la section des travaux publics

Si Léon Aucoc entrait aujourd'hui au Conseil d'Etat en qualité d'auditeur, comme il le fit il y a cent vingt ans, il n'y serait guère dépaysé : il y trouverait, comme collègues, des jeunes gens issus, comme lui, de l'Ecole Nationale d'Administration; mais l'école dont il avait été l'élève en 1848 et où il reçut l'enseignement de Blanche et de Boulatignier, fut aussi éphémère que le gouvernement provisoire qui l'avait créée. Ephémères aussi les convictions socialistes de l'intéressé, qui durèrent le temps d'une révolution.

La vie de Léon Aucoc tient en quelques dates essentielles : en 1864, il est nommé commissaire du gouvernement près la section du contentieux, en 1869 conseiller d'Etat, en 1872, président de la section des travaux publics, après avoir été membre de la commission chargée de remplacer le Conseil d'Etat.

Sa vie et son activité furent entièrement consacrées au Conseil et au Droit administratif. Les très nombreux articles qu'il écrivit se rapportent presque tous au travail accompli par le Conseil d'Etat dans son rôle de conseiller du Gouvernement et de juridiction administrative, aux garanties qu'il offre tant aux citoyens pour la sauvegarde de leurs libertés qu'au gouvernement soucieux d'être complètement éclairé dans l'exercice de son pouvoir réglementaire.

Pour Léon Aucoc, la juridiction administrative trouve sa justification dans son existence même; loin des discussions théoriques sur l'intérêt qu'elle présente en droit ou l'anomalie qu'elle représente pour certains dans notre système judiciaire, il s'en tient aux faits; le juge administratif, bien qu'amovible, est impartial et indépendant; il est éclairé, car il a tout à la fois la connaissance des principes et des textes du droit administratif et celle des intérêts engagés dans les différents services publics; enfin, l'accès au tribunal y est facile et peu onéreux comme en témoigne la voie du recours pour excès de pouvoir. Léon Aucoc est prêt à abandonner le contentieux des Domaines nationaux aux tribunaux judiciaires ou celui du contentieux de grande voirie, mais ce ne sont là, dans son esprit, que les aménagements d'un état de choses bienfaisant pour la collectivité.

Dans un autre domaine, il se fait le défenseur convaincu de l'utilité qu'il y a pour les ministres de consulter le Conseil dans l'exercice de leur pouvoir réglementaire. Il a répondu à l'objection de lenteur que l'on peut faire à cette consultation, par le « regret qui suit toujours la précipitation », et par la pérennité des œuvres qui sont sorties de ses délibérations, tels les Codes de Justice militaire de 1877 et 1878.

Ce juriste éminent et novateur fut chargé en 1869 du cours de droit administratif à l'Ecole des Ponts et Chaussées; il fut appelé en 1877 à l'Académie des Sciences Morales et Politiques dont il devint le conseiller juridique; il y joua un rôle important lors de la donation du château de Chantilly; il présida le conseil d'administration de l'Ecole Libre des Sciences Politiques et la Société de législation comparée.

Après la démission du maréchal de Mac-Mahon, le Conseil d'Etat fut épuré. En démissionnant lui-même en 1879, alors qu'il n'était pas compris dans cette épuration, Léon Aucoc démontra avec beaucoup de dignité que les écrits engagent l'homme.

Il fut alors nommé président du conseil d'administration de la Compagnie des Chemins de fer du Midi et mourut à Paris le 16 décembre 1910.

Jacqueline Bauchet
Maître des requêtes au Conseil d'Etat

Odilon BARROT
1791-1873
Vice-président du Conseil d'Etat
1872-1873

Entrait-il quelque malice dans le choix que Thiers fit d'Odilon Barrot, le 30 juillet 1872, pour les fonctions de vice-président du Conseil d'Etat ou le sort se vengeait-il à sa manière ? Certes Odilon Barrot et le Conseil d'Etat n'étaient pas étrangers l'un à l'autre : Odilon Barrot avait été avocat aux Conseils du Roi de 1814 à 1830; leurs relations intimes ne débutèrent qu'en 1830, mais elles furent brèves et, en quelque sorte, au second degré : conseiller d'Etat en service extraordinaire de 1830 à 1831, mais seulement en qualité de préfet de la Seine; conseiller d'Etat en service ordinaire en 1831... pour deux mois et en compensation des fonctions dont il venait de démissionner; présidant le Conseil d'Etat de 1848 à 1849, mais au titre de ministre de la Justice. Ces liens précaires n'avaient pu détacher Odilon Barrot de la conviction profonde qu'il exprima dans un mémoire lu à l'Institut en 1871 sur « l'organisation judiciaire en France » : l'existence d'une juridiction administrative est un « vice de notre organisation judiciaire »; justice « exceptionnelle » qui « fait prévaloir la raison d'Etat sur les intérêts privés »; juges administratifs qui montrent des dispositions plus favorables au gouvernement que celle que ce dernier rencontrerait chez des juges ordinaires. Odilon Barrot ne trouve aucun motif valable à cette justice que les citoyens ne peuvent considérer comme « équivalente à la justice commune ».

L'exercice des fonctions liées de vice-président et de président de la section du Contentieux dans un Conseil d'Etat devenu adulte grâce à la loi du 24 mai 1872, modifia profondément les opinions d'Odilon Barrot qui s'en expliqua, avec loyauté, devant ses collègues de l'Institut. Des raisons de santé et une surdité croissante motivèrent son départ au printemps de 1873 : Odillon Barrot et le Conseil d'Etat se quittaient enfin réconciliés.

Tous ses contemporains furent unanimes à louer le jurisconsulte, mêlé à toutes les grandes affaires judiciaires de son temps — celle des protestants du midi par exemple — et l'homme privé dont la main « reste vierge des taches que laisse le sang, pure des souillures que laisse l'or ».

Les critiques sont, par contre, vives envers l'homme politique qui essaya de concilier, sans y parvenir jamais, son attachement aux principes de 1789 et son besoin d'ordre, né d'une terreur de l'anarchie. Opposant durant la Seconde Restauration qui avait débuté par la Terreur Blanche, il n'entre dans la vie politique qu'en 1830; il est le chef de la « gauche dynastique », lutte avec succès contre Molé, Guizot et organise la campagne des banquets qui engendra — bien malgré lui — la Révolution de 1848. Il se rallie à la Seconde République mais, chef du Gouvernement entre le 20 décembre 1848 et le 30 octobre 1849, il mesure la difficulté d'être, au pouvoir, libéral. Renvoyé par le Prince-Président — sous qui perce déjà l'Empereur autoritaire — il est surpris par le coup d'Etat du 2 décembre et se retire définitivement de la vie politique.

Partagé entre ses résidences de Bougival et de Paris, il se consacra alors à la rédaction de trois ouvrages : « Examen du traité de Droit Pénal de Rossi »; « De la centralisation et de ses effets »; « De l'organisation judiciaire en France ». La primauté de la justice morale sur la justice sociale, l'hostilité à la centralisation, l'association des citoyens à l'exercice de la justice par la généralisation du jury sont les thèmes majeurs d'une doctrine qui doit autant à la longue expérience de jurisconsulte et d'homme politique qu'aux convictions profondes d'Odilon Barrot.

Jacqueline Bauchet
Maître des requêtes au Conseil d'Etat

CHAPITRE XI

LE CONSEIL D'ÉTAT DE 1879 à 1919

INTRODUCTION

L'épuration de 1879 eut des effets profonds et durables. Le Conseil d'Etat est désormais, pour reprendre les propos tenus par le garde des sceaux, M. Le Royer, lors de l'installation des nouveaux conseillers le 21 juillet 1879, « harmonique au gouvernement central et à la forme du gouvernement » et il le restera. Mais, en même temps, l'image du corps se trouve altérée dans une large partie de l'opinion publique française, qiu ne voit plus en lui qu'un organe du gouvernement, docile aux inspirations, sinon aux volontés du pouvoir. Nombreux sont les jeunes gens issus des milieux conservateurs et catholiques qui se détournent du concours de l'auditorat ou s'en trouvent exclus. Plusieurs ouvrages qui paraissent dans les années 1880 — œuvres parfois anonymes de membres destitués ou démissionnaires en 1879 — déplorent « la fin d'une grande institution ».

Jugements et attitudes certainement excessifs. Nombreux sont alors les républicains qui, à l'inverse, estiment le Conseil d'Etat bien tiède et s'irritent de ne pas y trouver les approbations complaisantes qu'ils espéraient. Gambetta s'emporte contre Laferrière : « Si le Conseil d'Etat me donne tort, je le changerai, j'ai assez des légistes, des commentaires et des commentateurs ». L'esprit d'indépendance et de libéralisme n'a pas abandonné le corps; il le manifestera avec un éclat particulier, lorsqu'au moment des luttes religieuses du début du XXe siècle, il élaborera une jurisprudence de tolérance et d'apaisement, qui lui fera retrouver dans toutes les fractions de l'opinion publique son crédit passé.

L'un des traits marquants de cette période est la diminution du rôle législatif du Conseil et le dévelopement considérable de sa fonction juridictionnelle.

Le premier se réduit à l'extrême. Pendant les douze années de sa présidence qui domine, de 1886 à 1898, cette époque de la vie du Conseil, Edouard Laferrière ne parvient pas, malgré ses efforts répétés, à convaincre le gouvernement et le parlement de l'associer à l'œuvre législative, comme la loi du 24 mai 1872 leur en donne la possibilité.

Le contentieux connaît par contre, à tous égards, un essor incomparable. Multiplication, avec le nombre des pourvois, des matières à juger, présence au pupitre des commissaires du gouvernement de juristes d'une valeur exceptionnelle, progrès continus d'une jurisprudence audacieuse, tout concourt à faire de cette période l'âge d'or du contentieux. Les principes essentiels de celui-ci se trouvent alors fixés.

Il en résulte au sein du corps un nouvel équilibre des tâches. Certains s'en inquiètent déjà pour son avenir et ils trouveront une confirmation de leurs craintes dans le rôle relativement effacé joué pendant la première guerre mondiale par le Conseil, dont une grande partie des membres, était, il est vrai, mobilisée, et qui, pendant quelques mois, à la fin de 1914, travailla dans des conditions précaires à Bordeaux, où il s'était replié avec le Gouvernement. Les comptes rendus d'assemblée générale de 1914 à 1918 occupent sur les rayonnages des salles d'archives du Conseil une place bien plus réduite que ceux des années antérieures.

Il n'est pas surprenant qu'à cette évolution des tâches ait correspondu une professionalisation croissante d'un corps, dont la majorité des membres devaient être désormais des juristes. Le concours, dans toute sa rigueur, assure le recrutement de l'auditorat. Les divers grades deviennent les étapes d'une carrière de plus en plus stable : un nombre croissant de postes de maître des requêtes et de conseiller est réservé respectivement aux auditeurs et aux maîtres des requêtes. La règle coutumière de l'avancement à l'ancienneté s'établit à la veille de 1914. La fixation d'un âge pour la retraite est envisagée. Cette évolution, souhaitée par les membres du corps, ne se fait pas sans difficultés; certains, au dehors, dénoncent le début d'un « nouveau mandarinat administratif ».

I
LES DÉBUTS DU CONSEIL D'ÉTAT « RÉPUBLICAIN »

Un esprit nouveau — L'auditorat fermé aux diplômés des facultés libres — Rejet des pourvois des instituteurs congréganistes — Survivance de l'esprit libéral — L'affaire des délibérations illégales des conseils généraux — Modification d'un article du règlement militaire — Renseignements de police sur des candidats à l'auditorat — Un incident entre Gambetta et Laferrière.

Les nouveaux membres du Conseil d'Etat furent installés le 21 juillet 1879, au cours d'une séance présidée par le garde des sceaux, M. Le Royer. Celui-ci, dans son allocution, ne dissimula pas les raisons de la réforme qui venait d'être faite, mais il tint à rendre hommage aux exclus comme aux démissionnaires, tout en affirmant que le Gouvernement, dont les intentions avaient été à tort suspectées, respecterait l'indépendance du Conseil :

« Messieurs, je désire vous adresser quelques paroles. Assurément, l'heure n'est point aux discours; cependant, je tiens à vous dire quels ont été les mobiles qui ont dirigé le Gouvernement dans la réorganisation du Conseil d'Etat. Pour le Gouvernement, comme pour la loi en vertu de laquelle la plupart d'entre vous sont élevés à la dignité et aux fonctions de conseiller d'Etat, de maître des requêtes, d'auditeur de première classe, le Conseil d'Etat est essentiellement une institution d'Etat, et un des orateurs disait avec un grand bonheur d'expression en 1872, lors de la discussion de la loi qui constitue le Conseil d'Etat, que c'est là une institution qui doit être harmonique au gouvernement central et à la forme du gouvernement. Dès lors, il était évident qu'en présence d'un principe de cette nature, consacré par une loi après une discussion où ce principe avait été maintes fois rappelé avec une grande énergie, il y avait une nécessité, une obligation pour le Gouvernement de se conformer, dans le choix du personnel, au principe même de la loi qui augmentait le nombre des membres du Conseil d'Etat.

Ne croyez point, Messieurs, que ce soit sans regret que le Gouvernement se soit séparé d'hommes, qui par leurs connaissances spéciales et leur expérience, rendaient et pouvaient rendre encore des services. Mais plusieurs d'entre eux ayant été nommés conformément au principe que tout à l'heure je vous indiquais, c'est-à-dire comme représentant les tendances de la majorité de l'Assemblée nationale en 1872, il était évident que, fidèles à leurs convictions, à leur origine, il était difficile qu'ils puissent être maintenus dans les fonctions d'un Gouvernement qui n'avait pas leurs sympathies, mais qui était la loi du pays et avait été acclamé par le suffrage universel.

D'autres, et c'est encore un regret que j'ai à exprimer, ont cru que leur indépendance était menacée malgré le maintien dont ils étaient l'objet. Eh bien, ils nous ont méconnus. Leur maintien même indiquait l'indépendance qu'ils trouveraient désormais et toujours dans l'accomplissement de leur devoir. L'indépendance, Messieurs, elle vous est acquise. Le Gouvernement croirait manquer à son devoir, manquer au respect qu'il doit à vos consciences, si désormais il exerçait à cet endroit là la moindre pression sur le sentiment du devoir que vous avez à accomplir. Je regrette leur absence. Nous les avions maintenus, c'était la certitude pour eux que nous comptions sur leur concours. Leur conscience en a décidé autrement; je m'incline, car il n'y a rien au monde de plus respectable que la conscience de chacun. Mais je crois pouvoir, en mon nom et au nom des anciens membres du Conseil d'Etat restés au poste d'honneur et du devoir sans préoccupations personnelles, obéissant aux incitations du patriostisme, de leur amour pour une institution à laquelle ils se sont noblement, loyalement voués jusqu'ici, loyauté et dévouement qu'ils continueront comme par le passé, je crois pouvoir, tant en mon nom qu'au leur, donner le signal de la bienvenue aux nouveaux membres du Conseil d'Etat. Le Gouvernement fera appel à vos efforts et à votre union et il n'est pas douteux que cet appel sera entendu ».

(Arch. C.E. P.v. séance 21 juillet 1879, pp. 718-sq).

Les nouveaux conseillers que saluait ainsi le garde des sceaux étaient pour la plupart des juristes et des administrateurs : trois d'entre eux provenaient de la maîtrise des requêtes; neuf avaient exercé des fonctions préfectorales et cinq avaient appartenu à la magistrature. A cet égard, l'épuration de 1879 n'était pas un bouleversement. Les changements qu'elle apportait étaient plus considérables au point de vue social et surtout politique. Le Conseil d'Etat demeure certes composé de bourgeois, mais on y trouve désormais davantage de bourgeois de fraîche date, tels Bertout fils d'un épicier, Castagnary d'un mégissier, Tétreau d'un ferblantier, Ballot d'un courtier de commerce, Boiteau d'un droguiste... La grande majorité des nouveaux conseillers étaient connus pour leurs opinions républicaines, tels Victor Chauffour, lié par son mariage à Jules Ferry et à Scheurer-Kestner, député d'extrême-gauche en 1848, exilé après le coup d'état de 1851 ; Clamageran, Castagnary, Courcelle-Seneuil, journalistes républicains sous l'Empire; Ballot, Duboy et Laferrière, avocats des causes républicaines pendant la même période (1).

UN ESPRIT NOUVEAU

La réforme du règlement de l'auditorat.

Une délibération du Conseil devait bientôt prouver qu'il y soufflait un « esprit nouveau ». Dès le 5 août 1879, le garde des sceaux invitait le

---

(1) Sur la composition du nouveau Conseil, cf. Vincent Wright. L'épuration du Conseil d'Etat de juillet 1879 — Revue d'histoire moderne et contemporaine, oct.-déc. 1972, pp. 621-656.

vice-président à « examiner s'il ne serait pas utile d'introduire des modifications dans le règlement d'administration publique qui fixe le mode d'examen et d'admission pour le Conseil d'Etat... ». La principale modification envisagée consistait à n'admettre désormais à concourir que les jeunes gens ayant obtenu leur diplôme de licence dans une faculté d'Etat (1). L'affaire vint à l'assemblée générale du 13 août 1879. Laferrière, rapporteur, exposa en ces termes les propositions de la commission :

« D'après le règlement de 1872, le candidat devait produire le diplôme de licencié en droit ou de licencié ès-sciences ou ès-lettres obtenu dans une des faculté de la République. D'après le règlement de 1878, il devait produire le diplôme de licencié en droit, de licencié ès-sciences ou es-lettres déféré par le ministre de l'Instruction publique. Du seul rapprochement de ces deux textes on voit quelles ont été l'intention et la portée du règlement de 1878, c'était d'admettre au concours de l'auditorat, au même titre que les autres, les jeunes gens ayant des diplômes délivrés par les jurys mixtes après des études faites dans des facultés libres.

La commission s'est demandé s'il y avait lieu de maintenir l'innovation que le décret de 1878, s'inspirant de la loi sur l'enseignement supérieur de 1875, avait consacrée. A l'unanimité, elle propose au Conseil d'en revenir aux dispositions de la loi de 1872 et au règlement de 1872. Il ne nous appartient, à aucun titre, de préjuger les décisions législatives qui peuvent être prises en matière d'enseignement supérieur, mais en admettant même leur permanence, il nous appartient d'apprécier conformément à la mission dont la loi de 1872 nous a chargés, à quelles conditions les jeunes gens seront admis au concours de l'auditorat, et il a paru à votre commission que les garanties d'études faites dans les facultés de l'Etat devraient être exigées. Ce n'est pas, Messieurs, un droit individuel que d'être auditeur au Conseil d'Etat; l'auditorat est une fonction publique, et on peut même dire une fonction politique. Si elle est modeste au début, elle s'accroît plus tard par la hiérarchie que le candidat parcourt. Il devient ou peut devenir auditeur de première classe, les auditeurs de première classe ne pouvant être pris que parmi les auditeurs de 2e classe; la maîtrise pour un tiers des places appartient aux auditeurs de première classe, et, assurément, la maîtrise peut conduire et conduit souvent au siège de conseiller d'Etat. Il y a donc là tout un enchaînement dont le point de départ est — et nous devons désirer qu'il le soit souvent — l'auditorat de 2e classe. Il y a là toute une hiérarchie de fonctions administratives et essentiellement politiques se rattachant au fonctionnement d'une institution d'Etat. Eh bien, puisque le concours ouvre la porte de ce corps, puisque ce concours fait abstraction des opinions politiques individuelles, en les inclinant devant les mérites respectifs des candidats, il est au moins naturel que le Gouvernement, sur le seuil même du concours, exige un minimum de garanties, et il peut trouver que ce minimum n'est pas réalisé par les jeunes gens qui auront volontairement répudié l'enseignement des facultés de l'Etat et auront préféré l'enseignement libre.

Telles sont les considérations qui ont déterminé la commission à revenir, sur ce point, au règlement de 1872 ».

(Arch. C.E. P.v. annexes séance 13 août 1879, pp. 462-463).

---

(1) Depuis la loi sur l'enseignement supérieur du 12 juillet 1875, il s'était créé des facultés libres, en fait toutes catholiques, qui délivraient des diplômes à l'issue d'examens passés devant un jury mixte.

Deux conseillers, MM. Blondel et Chauchat, parlèrent contre le projet de la commission, mais il le firent sans contester les principes énoncés par le rapporteur et en invoquant seulement des raisons de texte et d'équité :

« M. Blondel ne se dissimule pas le côté délicat de la proposition de la commission, mais il a des doutes très sérieux sur la valeur de l'innovation projetée et il croit de son devoir de les exposer au Conseil. Tout d'abord, dit l'orateur, je dois dire que je suis très à mon aise pour exprimer mon opinion sur ce point. Je n'ai jamais été partisan du jury mixte, je l'ai même pratiqué comme professeur et j'en désire ardemment la suppression. Néanmoins, l'opinant est frappé de cette première objection que d'après la loi de 1875 et l'esprit qui a inspiré le législateur à cette époque, les diplômes délivrés par les facultés de l'Etat, pour lesquelles ses sympathies sont très prononcées, ont été considérés comme ayant la même valeur que ceux délivrés par les jurys mixtes où les fonctionnaires de l'Etat figuraient d'ailleurs en grande partie. Il se demande donc si, par une disposition règlementaire distinguant ainsi entre les différents candidats, le Conseil d'Etat ne va pas à l'encontre de l'esprit qui a dicté cette loi encore en vigueur.

En second lieu, la commission interprète cette loi comme permettant certaines distinctions, mais cette interprétation n'a-t-elle pas ce fâcheux résultat de priver des jeunes gens qui, usant de la faculté que cette loi leur a donnée, se sont fait inscrire aux cours des facultés libres avec la persuasion que les titres par eux obtenus dans ces facultés étaient équivalents à ceux délivrés par les facultés de l'Etat, des avantages sur lesquels ils avaient pu et dû compter ? Les dispositions réglementaires proposées ne sont-elles pas une grave atteinte portée à des droits légitimes ?

En troisième lieu l'orateur se demande si, en définitive, on peut bien dès à présent prendre cette initiative de classer ainsi les jeunes gens qui ont obtenu le diplôme de licencié en droit, alors que ces mêmes jeunes gens écartés de l'auditorat peuvent être avocats après des études faites dans les facultés catholiques ? ».

(*Arch. C.E. P.v. annexes, séance 13 août 1879, pp. 464-466*).

Ces deux dernières objections furent écartées de manière catégorique par les conseillers Berger et Dubost, dont le procès-verbal rapporte ainsi les propos :

« Il ne s'agit pas ici, déclare M. Dubost, de l'exercice, de l'accès d'une profession; il s'agit de l'accès au Conseil d'Etat, de cette assemblée dont on a dit avec raison que le droit et le devoir du gouvernement étaient de poursuivre dans son sein non pas seulement la majorité, mais l'unanimité. C'est là ce qu'il ne faut pas perdre de vue. Sur toutes les questions essentielles, sur tout ce qui touche aux institutions que le pays s'est données, à la forme même du Gouvernement, le droit, le devoir même du Gouvernement est de n'avoir au sein du Conseil d'Etat que des fonctionnaires absolument dévoués; de compter dans le sein de ce grand corps sur une unanimité constante et absolue. Eh bien, peut-on ouvrir les portes du Conseil à des jeunes gens animés d'un esprit hostile à nos institutions ? Tant pis pour eux, si leur famille les a entraînés dans une mauvaise voie, mais ce que le Conseil d'Etat ne peut pas se dissimuler, c'est que ceux qui sortent de ces universités sont en général imbus de doctrines que l'orateur respecte sans les partager, mais qui ne sauraient leur donner accès dans un corps qui doit être le plus ferme et le plus dévoué soutien du Gouvernement...

M. Berger, s'il pouvait être ici question d'équité, partagerait certainement et le Conseil d'Etat n'hésiterait pas à partager l'avis qui vient d'être exprimé. Mais comment peut-on parler d'équité en pareille matière ? L'auditorat n'est pas une profession, c'est une fonction, or le gouvernement est toujours maître du choix qu'il fait quand il nomme des fonctionnaires. Tout-à-l'heure, on parlait de ces avocats que le ministre de la justice peut appeler aux fonctions publiques, mais on oubliait que le garde des sceaux a un pouvoir discrétionnaire pour ces nominations, et personne, assurément, ne lui déniera le droit de ne nommer aucun des diplômés des universités catholiques. Non seulement le garde des sceaux a ce pouvoir et il en usera, mais en cela il ne fera rien à quoi l'immense majorité des français et du parlement n'applaudisse du fond du cœur. Il faut donc laisser de côté toute considération d'équité; il s'agit d'une fonction publique au seuil de laquelle le Conseil est parfaitement libre d'élever de nouveaux obstacles.

M. Dubost partage entièrement l'avis exprimé par le préopinant. Les honorables MM. Blondel et Chauchat paraissent préoccupés de l'intérêt individuel des candidats, la commission au contraire s'est placée à un point de vue général, elle a obéi à une préoccupation plus élevée, elle a eu en vue l'intérêt même de l'institution du Conseil d'Etat. Or, quand on formule des dispositions réglementaires de cette nature, ce qui doit préoccuper le Conseil d'Etat, c'est l'intérêt du Conseil d'Etat lui-même. Il ne s'agit pas de savoir s'il y a des jeunes gens dont l'intérêt est lésé, il y a un intérêt supérieur en jeu et le Conseil ne peut hésiter sur ce point. L'orateur demande que la proposition de la Commission soit mise aux voix.

(La proposition de la Commission est mise aux voies et adoptée) ».

(*Arch. C.E. P.v. annexes séance 13 avril 1879, pp. 466-470*).

Le rejet des pourvois des instituteurs congréganistes.

Le 9 décembre 1879, le Conseil d'Etat statuant au contentieux se prononçait sur les pourvois des instituteurs congréganistes, affaire dont l'inscription au rôle d'une séance de jugement avait poussé le Gouvernement à hâter la réforme du 13 juillet précédent. Ces pourvois étaient dirigés contre des décisions préfectorales qui, sur l'avis de conseils municipaux, avaient remplacé des instituteurs congréganistes par des instituteurs laïques. Les requérants soutenaient que de tels remplacements n'étaient légaux qu'en cas de vacance du poste par décès, démission ou révocation disciplinaire; ils invoquaient divers textes qui, selon eux, auraient, hors ces cas, établi au profit des instituteurs une sorte d'inamovibilité. Conformément aux conclusions du commissaire du gouvernement Gomel, le Conseil d'Etat rejeta les pourvois, affirmant que les instituteurs publics étaient soumis au même régime que tous les autres fonctionnaires révocables nommés par le pouvoir exécutif et que, par suite, ils pouvaient être déplacés, relevés de leurs fonctions dans l'intérêt du service et de l'ordre public, en dehors de toute mesure disciplinaire (1) :

---

(1) Cette règle n'est plus admise aujourd'hui par la jurisprudence du Conseil d'Etat que pour les titulaires de quelques très hauts postes administratifs.

« Sur le recours de la dame Thomas, en religion sœur Marie Bertille, exintitutrice communale à Perreux :

Cons. que la requérante soutient que, d'après les dispositions combinées des lois du 28 juin 1833 et du 15 mars 1850, elle ne pouvait être privée de ses fonctions d'institutrice publique communale que par l'effet d'une révocation motivée par une infraction à ses devoirs professionnels et ayant le caractère d'une peine disciplinaire;

Cons. que si, aux termes de l'art. 23 de la loi du 28 juin 1833, les instituteurs publics communaux ne pouvaient être révoqués par le comité d'arrondissement qu'en cas de négligence habituelle ou de faute grave, après avoir été entendus ou dûment appelés, et sauf appel devant le ministre en conseil de l'instruction publique, ces dispositions ont été abrogées par l'art. 33 de la loi du 15 mars 1850 qui a conféré au recteur le droit de révoquer les instituteurs nommés par les conseils municipaux et qui n'a soumis l'exercice de ce pouvoir à aucune restriction établie en faveur des instituteurs...

Cons. qu'il est de principe que les fonctionnaires publics nommés par le pouvoir exécutif peuvent toujours être relevés de leurs fonctions par la même autorité, à moins d'exceptions formellement prévues par la loi, et qu'aucune exception ni réserve de cette nature n'a été établie au profit des instituteurs publics communaux par les lois et décrets précités;

Cons. que de ce qui précède il résulte que les instituteurs communaux sont, d'après les lois en vigueur, dans les mêmes conditions que tous les autres fonctionnaires révocables et qu'ils peuvent être, comme eux, soit déplacés ou relevés de leurs fonctions pour les besoins du service ou dans un intérêt d'ordre public, soit frappés de révocation par mesure disciplinaire;

Cons. que, de ce qui précède, il résulte que le préfet du département de l'Yonne, en prenant les arrêtés attaqués sur le rapport de l'inspecteur d'Académie, le conseil municipal de Perreux entendu, n'a pas excédé ses pouvoirs. »

(*Recueil Lebon, année 1879, Dame Thomas, pp. 796-797*).

Cette décision répondait certainement aux vœux du Gouvernement. Elle valut au commissaire du gouvernement Gomel — et à l'ensemble du corps — les critiques acerbes d'un journaliste conservateur, rédacteur au *Soleil,* Robert de Bonnières :

« (M. Gomel) fut habile pour le gouvernement, habile pour lui-même, soumis et indépendant à la fois... M. Gomel sera nommé conseiller d'Etat, peut-être un peu tard, mais en le nommant, le gouvernement aura l'air de faire acte d'indépendance et il sera nommé, quoiqu'il ait fait acte d'indépendance...

Ca ne va pas.

L'autre jour un conseiller d'Etat, depuis dix ans démissionnaire, vit dans une soirée un vieil huissier du Conseil qui, après sa journée terminée au palais du Palais Royal, fait un extra en ville.

— Ah ! Monsieur le conseiller, dit le brave homme, ça me fait bien plaisir de revoir monsieur.

— Vous êtes encore au Conseil ?

— Eh ! oui... un tout petit Conseil d'Etat !

Cet homme a raison.

Je ne prétends pas que la République n'arrivera pas à constituer un jour quelque chose. Mais, jusqu'ici, la République existante a été impuissante à rien constituer du tout ».

(Robert de Bonnières, Mémoires d'aujourd'hui, t. 1, Paris 1883, pp. 270-272).

D'une façon plus discrète, Me Bellaigue, avocat aux Conseils, ancien président de l'Ordre, plaidant le 19 décembre 1880 devant le Tribunal des conflits appelé à se prononcer sur un arrêté de conflit dans une affaire religieuse, exprimait son inquiétude sur l'avenir de la juridiction administrative :

« Messieurs,
Dans la séance mémorable du 5 novembre dernier, le Tribunal des conflits, présidé par M. le garde des sceaux, a soustrait aux tribunaux civils le jugement des réclamations nées de l'éxécution des décrets du 29 mars (1) et des arrêtés préfectoraux pris en conséquence de ces décrets.
Je n'ai pas à me prononcer sur une décision devant laquelle se sont, je ne dirai pas inclinés, mais retirés deux juges éminents dont il me sera permis de regretter l'absence, sans offenser leurs successeurs.
Je prends votre décision du 5 novembre et celles qui l'ont suivie comme des faits accomplis au profit des revendications administratives, mais j'en retiens une disposition essentielle. En refusant aux parties les juges du droit commun, vous leur avez cependant laissé un juge : le Conseil d'Etat au contentieux. Ce juge, placé au sommet des juridictions et des autorités administratives, chargé d'en réprimer les écarts et les excès, peut inspirer certaines méfiances à certains justiciables.
Mais je ne me reconnais pas le droit de le suspecter, quand je parle revêtu de la robe d'avocat au Conseil d'Etat ».

(Rec. Lebon, 1880, p. 1040).

LE MAINTIEN DES TRADITIONS

Les limites de l'épuration.

Critiques et inquiétudes excessives, pour une part au moins. La composition du Conseil d'Etat n'était pas modifiée aussi profondément qu'il pouvait paraître au premier aspect. L'«épuration » de 1879 n'avait pas ou à peine touché la maîtrise des requêtes; celle-ci, comme à d'autres époques de l'histoire du Conseil, allait assurer la continuité au sein du corps. La plupart de ses membres avaient commencé leur carrière au Conseil sous le Second Empire; la majorité d'entre eux n'étaient pas des républicains ou du moins des républicains ardents; certains, comme Chauffard et Hébrard de Villeneuve, étaient des catholiques affichés. Leur

(1) Il s'agit des décrets du 29 mars 1880 sur les congrégations religieuses non autorisées.

maintien au Conseil d'Etat avait causé quelque surprise (1), et même de l'irritation chez des conservateurs qui auraient voulu voir leurs amis du Conseil y pratiquer la politique de la terre brûlée. Ainsi, Robert de Bonnières, déjà cité, commentant les nouvelles nominations :

> « Je ne sais vraiment ce que durent penser de certaines nominations des gens de tenue et de talent comme MM. Flourens et Laferrière.
>
> Le Conseil d'Etat se panachait très drôlement.
>
> Et les gens renseignés riaient ou s'indignaient selon l'humeur où ils étaient.
>
> Je ne sais de quelle humeur étaient MM. Chauchat, Hély d'Oissel, Braun, Gomel, etc. Bons conservateurs, hommes intelligents d'ailleurs et des plus honorables.
>
> Mais je suis sûr au moins qu'ils ne rirent ni ne s'indignèrent.
>
> Ils restaient.
>
> Pourquoi restaient-il ? Le besoin d'être occupé, l'impossibilité de cesser d'être quelque chose quand une fois on l'a été... et l'avancement et les 18 000 F de conseiller et les 8 000 F de maître des requêtes.
>
> Passe encore de rester, mais prendre du galon quand les chefs et les maîtres signaient le départ, et pour cause, voilà ce qui se concevait moins.
>
> M. Chauchat, ancien chef de cabinet de M. de Forcade, remplaçait M. Aucoc.
>
> M. Hély-d'Oissel, riche autant que M. Chauchat, remplaçait le vicomte du Martroy.
>
> M. Braun, un protestant gai surnommé le petit ébéniste pour la chanson qu'il chanta à Plombières devant l'Empereur, dont il crut devoir s'excuser, en disant qu'il ne chantait plus depuis 1870... que pour l'Alsace, remplaçait M. Pascalis.
>
> M. Gomel, qui fut dans la suite commissaire du gouvernement devant le Tribunal des conflits, était miraculeux...
>
> Et voilà, pour ne citer que quelques exemples fameux, comme l'élément conservateur se trouva demeurer dans le Conseil qui perdait de son prestige dans ses hommes, dans ses fonctions et sa liberté.
>
> Ainsi va le monde et le fonctionnarisme ».
>
> *(Robert de Bonnières. Mémoires d'aujourd'hui. Paris 1883, t. I, pp. 269-270).*

Plusieurs d'entre eux, tels Chauffard en 1881 à propos des affaires religieuses, Gomel et Hély d'Oissel en 1886 lors de l'expulsion des princes d'Orléans, n'hésitèrent pas plus tard à démissionner. Ils n'avaient pas auparavant renié leurs convictions ni renoncé à les exprimer, Gomel ne les cacha pas, lorsqu'il conclut dans l'affaire des instituteurs congréganistes :

> « Messieurs, vous avez entendu tout à l'heure à la barre les honorables avocats des requérants faire l'éloge des frères et des sœurs voués à l'enseignement.

(1) Cf. Paris-Journal du 29 juillet 1879 : « le maintien au Conseil d'Etat de MM. Chauffard et Hébrard de Villeneuve et leur nomination aux fonctions de maître des requêtes ont causé et causent encore une certaine surprise ».

Au début des observations que nous avons à présenter au Conseil, nous tenons à déclarer que nous nous associons à cet éloge, et que nous rendons hommage au dévouement avec lequel les membres des congrégations enseignantes se consacrent à l'éducation des enfants des classes laborieuses. Nous reconnaissons les services qu'ils rendent à la grande cause de l'instruction populaire et nous apprécions toute l'utilité, ou, pour mieux dire, la nécessité de leur concours. Nous savons en effet que sur les 5 220 000 enfants qui sont inscrits annuellement tant dans les salles d'asiles que dans les écoles primaires, 407 000 sont reçus dans les salles d'asiles congréganistes, et que 2 068 000 fréquentent les 19 890 écoles publiques ou libres tenues par les frères et les sœurs (chiffres extraits de l'annuaire statistique de la France publié en 1879).

Mais, messieurs, si nous rendons pleine justice aux congrégations enseignantes, nous savons nous abstraire de tout sentiment de sympathie et d'hostilité quand nous avons à nous prononcer sur une question de droit et à interpréter la loi. Nous avons l'honneur de porter la parole devant le Conseil d'Etat statuant au contentieux; il est saisi d'un débat purement juridique. Nous allons donc, l'esprit dégagé de toute préoccupation étrangère, nous demander si les recours portés devant le Conseil d'Etat sont fondés en droit, et s'il y a lieu de vous proposer d'annuler, comme entachés d'excès de pouvoir, les arrêtés qui vous sont déférés... ».

(*Recueil Lebon. Année 1880. Sieurs Legoff et Cazaneuve, 16 janvier 1880 p. 41*).

Les conseillers d'Etat, désormais tous « républicains » dont beaucoup avaient été des républicains de combat et qui étaient en majorité hostiles à l'Eglise catholique, ne rompirent pas, même sur les questions religieuses qui étaient alors les plus délicates, avec les traditions libérales du Conseil; celles-ci se manifestèrent notamment dans deux délibérations de l'assemblée générale de 1880 et 1882.

L'annulation des délibérations des Conseils généraux.

La première concernait des projets de décret annulant des délibérations de conseils généraux qui avaient émis des vœux, d'approbation ou de désapprobation, relatifs à l'application des décrets du 29 mars 1880 sur les congrégations religieuses non autorisées. Le Conseil d'Etat adopta l'article 1er des projets qui annulait les uns comme les autres, mais, malgré l'insistance du commissaire du Gouvernement, refusa d'adopter l'article 2 prévoyant que ces délibérations seraient rayées sur les registres des procès-verbaux des conseils généraux (1) :

« M. Cotelle, rapporteur : « Le Conseil d'Etat est saisi de trois projets de décrets ayant pour objet de prononcer l'annulation des délibérations des conseils généraux de la Drôme, de la Loire-Inférieure et des Côtes du Nord,

(1) L'insistance du commissaire du gouvernement, M. Flourens, directeur des cultes, s'expliquait sans doute par le fait que les vœux critiquant les décrets étaient les plus nombreux et les plus gênants pour le Gouvernement.

par lesquelles ces assemblées ont émis des vœux relatifs à l'application des décrets du 29 mars 1880 sur les congrégations religieuses non autorisées.

Les conseils généraux des Côtes du Nord et de la Loire Inférieure n'ont fait que renouveler contre les décrets du 29 mars des vœux déjà émis et déjà annulés. Le conseil général de la Drôme, abordant la question pour la première fois, se déclare favorable à l'application des décrets.

Le caractère politique de ces différents vœux n'est pas douteux, et les sections de législation et de l'intérieur réunies n'ont pas hésité à reconnaître qu'ils avaient été émis en violation de l'art. 51 de la loi du 10 août 1871.

S'il s'est élevé quelque dissentiment dans le sein des sections, c'est au sujet de la rédaction des projets de décret présentés par le gouvernement. Chacun de ces textes, outre la formule habituelle d'annulation, porte en effet que la délibération annulée sera rayée du registre des procès-verbaux et qu'il n'en sera pas fait mention dans le volume imprimé des procès-verbaux du conseil général...

La majorité des membres des sections s'est montrée favorable à la rédaction adoptée par le gouvernement. Elle a jugé qu'il y avait lieu de donner une sanction effective à l'article 33 de la loi du 10 août 1871 : il serait bizarre qu'un conseil général eût le droit de faire figurer dans le recueil imprimé de ses actes une délibération qui aurait été annulée par le gouvernement ».

Ces considérations n'ont pas rallié l'unanimité des suffrages. Plusieurs membres estiment qu'il serait grave d'engager sur une question de cette nature, et dans une séance de vacations, la jurisprudence du Conseil d'Etat. La rédaction proposée n'implique-t-elle pas d'ailleurs à l'égard du conseil général une sorte d'aggravation de peine ? Pour justifier cette aggravation, on s'est borné à rappeler la disposition législative qui porte que tout acte et toute délibération d'un conseil général, relatifs à des objets qui ne sont pas légalement compris dans ses attributions, sont nuls et de nul effet. La sanction matérielle que l'on veut donner à l'annulation est-elle efficace, et la mention qui en est faite à la suite du procès-verbal de la séance ne peut-elle être regardée comme ayant un effet moral suffisant ? Enfin, la mesure projetée n'est pas conforme à la première interprétation qui a été donnée des intentions du législateur...

M. Chauchat est d'avis que la jurisprudence qu'on veut établir est absolument nouvelle et s'éloigne du texte comme de l'esprit de la loi. Le législateur de 1871 a voulu que les procès-verbaux des séances des conseils généraux fussent publiés intégralement. Les inconvénients qui peuvent parfois résulter de cette publicité sont les inconvénients mêmes d'une organisation libérale. Le gouvernement n'a pas le pouvoir de supprimer ce qui s'est dit ou ce qui s'est fait dans le sein d'un conseil général. Le procès-verbal n'appartient pas au gouvernement, mais à l'assemblée elle-même, qui fait ce procès-verbal comme elle l'entend, l'adopte ou le modifie librement. Tout ce que le gouvernement peut faire, lorsqu'il annule un vœu, c'est de faire inscrire en marge de la délibération frappée le décret d'annulation. Un texte de loi formel pourrait seul lui conférer un droit plus étendu et ce texte n'existe pas. La loi de 1871 (art. 33) dit : « la délibération sera nulle et de nul effet ». Pour qu'un décret d'annulation intervienne, il faut que la délibération existe; et, si elle existe, il y a là un fait accompli qu'on ne peut détruire.

M. le président fait observer que les ministères précédents se sont contentés de la formule d'annulation pure et simple avec inscription de la décision en marge de la délibération annulée. Il demande quel est le motif spécial

qu'on invoque aujourd'hui pour obtenir la modification de cette formule.
La discussion paraissant épuisée, M. le président met aux voix le projet de la section divisé en deux articles : l'un déclarant la délibération du conseil général nulle et de nul effet, l'autre portant que cette délibération sera rayée du registre des procès-verbaux.
Le projet de la section n'est pas adopté ».

(*Arch. C.E., P.v. annexes séance 9 sept. 1880, pp. 1242-1254*).

Une modification du règlement militaire.

La seconde délibération, du 19 janvier 1882, concernait la modification d'un règlement militaire relatif notamment aux honneurs à rendre par les troupes. Le ministre de l'instruction publique et des cultes avait demandé la disjonction des articles 282 et 286 proposés par le ministre de la guerre, prévoyant : le premier qu'une troupe en marche se trouvant en présence d'une manifestation extérieure d'un culte reconnu par l'Etat porterait les armes, le second qu'une troupe commandée pour assister à un service religieux catholique présenterait les armes, sonnerait aux champs, mettrait genou en terre, etc. Le Conseil, d'accord avec le ministre de la guerre, accepta la disjonction de l'art. 286, mais refusa celle de l'art. 282, au terme d'une discussion dont sont extraits les passages suivants :

« M. Coulon : Puisqu'on réserve cet article, ne pourrait-on pas réserver aussi l'art. 282 sur lequel on a passé bien rapidement ?
Il ne suffit pas que le culte soit reconnu par l'Etat, il faut quelque chose de plus, que la manifestation extérieure du culte soit autorisée, qu'elle ne soit pas illégale.
Le Conseil n'ignore pas qu'il y a eu des manifestations extérieures qui ont été blâmées par l'autorité supérieure et ont donné lieu à des conflits. On pourrait donc dire : « manifestation extérieure et autorisée ».
M. le président demande comment un officier commandant un corps de troupes pourra distinguer si la manifestation est légale ou ne l'est pas.
M. Clamageran (1) n'examine pas s'il est ou non utile d'ajouter le mot « autorisé »; mais il est convaincu qu'il faut conserver cet article, parce qu'il offre une solution très convenable d'une question qui était une difficulté dans nos mœurs. Il importait de faire quelque chose, car une troupe doit se conduire comme se conduirait un homme honnête et bien élevé en présence d'une cérémonie funèbre ou d'une manifestation du culte. C'est une marque de respect comme celle que rend une personne bien élevée.
M. Coulon propose de mettre : « une manifestation non interdite ».
Les observations de M. Clamageran n'infirmant en rien celles que l'orateur a présentées, il se rallie complètement aux idées qu'il a émises, il est comme lui de cet avis qu'une troupe en marche doit donner des marques de respect aux manifestations d'un culte reconnu...
M. Dunoyer insiste sur la proposition qu'il a faite. On manquerait de

(1) Clamageran, nommé en 1879, était un des cinq conseillers protestants et un des treize conseillers francs maçons du nouveau Conseil.

logique en réservant l'art. 286 et en prenant une décision sur l'art. 282. L'un et l'autre de ces articles impliquent que la force armée peut, dans des conditions déterminées, être tenue à donner des marques de respect aux manifestations d'un culte reconnu. Ces deux articles indiquent de quelle façon ces marques de respect seront accordées; ils impliquent une solution générale sur la question. Il s'agit d'une question de principe fort grave dans les deux cas; aussi l'orateur demande à réserver l'art. 282.

M. Clamageran : il y a entre ces deux articles une grande différence. Dans l'art. 286, il ne s'agit point de marques de respect, de marques d'honneur, il s'agit d'actes d'adoration. L'application de cet article a provoqué des réclamations de la part de protestants. Les soldats à un certain moment du service religieux doivent mettre le genou à terre. Ce sont là des actes d'adoration. Dans l'art. 282, il s'agit pour la troupe d'avoir une attitude qu'a tout homme honnête, poli, qui assiste aux manifestations d'un culte ou d'une cérémonie funèbre. Si l'on est au mariage d'un de ses amis, bien que n'appartenant pas au culte qu'il pratique, on observe une attitude convenable. C'est cette attitude que la section a appelée « attitude de respect » et qu'elle a réglée dans l'art. 282.

Il ne s'agit pas d'actes d'adoration intéressant les fidèles qui prennent part aux actes de cette espèce. Aussi l'art. 286 a-t-il une importance à part.

Les prescriptions de l'art. 282 ne peuvent blesser la conscience de personne, tandis que les prescriptions de l'art. 286, en fait, ont très souvent froissé les sentiments religieux de certaines personnes. A une certaine époque, ils auraient provoqué des révoltes.

Il est d'un usage commun, à Paris surtout, lorsqu'on voit passer un convoi funèbre, de donner une marque de respect; eh bien, la troupe, qui occupe un certain espace, qui ferait un certain bruit, doit avoir, comme les citoyens, une attitude convenable.

(L'art. 282, proposé par la section, est mis aux voix et adopté).

(L'art. 286 est réservé) ».

(Arch. C.E., P.v. annexes séance 19 janvier 1882, pp. 79-83).

Le recrutement des auditeurs par voie de concours ne paraît pas avoir été, malgré la réforme du règlement du 13 août 1879, dominé par des considérations politiques trop partisanes (1). Celles-ci demeurent

---

(1) Le principe de l'égalité des concurrents semble avoir été toujours respecté dans les concours de l'audidorat. Mais l'admission préalable à concourir permettait au gouvernement d'éliminer à ce stade certains concurrents en raison de leurs « sentiments ». (M. le Royer, garde des sceaux, au Sénat le 22 avril 1880 : « Indépendamment de la capacité, indépendamment de la moralité, j'ai pour obligation, moi, ministre de la justice, d'examiner, au point de vue de l'Etat, l'attitude et les sentiments des concurrents »). Il fit certainement usage de ce pouvoir. En fit-il un large usage ? La réponse est malaisée. L'attitude du gouvernement varia sans doute de 1879 à 1914. Autant que des « sentiments » eux-mêmes, il tint sans doute compte de la manière dont ceux-ci se manifestaient. Des jeunes gens d'opinion monarchiste ou bonapartiste ou d'un catholicisme militant s'abstinrent d'eux-mêmes de se présenter à un concours qu'ils estimaient leur être fermé (à aprtir de 1885, les notes de renseignements sur les candidats mentionnent presque toujours soit « opinions républicaines », soit « ne s'occupe pas de politique »). Le fait d'être catholique pratiquant ne fut jamais, semble-t-il, une cause d'exclusion. Le meilleur exemple à cet égard est celui du président Pichat, reçu au concours de 1892. D'une communication de Louis Pichat, son fils, nous extrayons les lignes suivantes : « Mon père était catholique très pratiquant, il avait fait ses études chez les jésuites de Lyon et n'avait jamais caché ses sentiments religieux... Quant à ses sentiments politiques, ils étaient républicains et, quoique de nuance modérée, très orthodoxes... J'aurais certainement

discrètes dans les renseignements fournis sur les candidats au concours de 1880 par le préfet de la Seine. Les opinions politiques et religieuses n'y sont pas toujours mentionnées, alors que les origines et l'honorabilité du candidat et de sa famille le sont sans exception :

Cabinet du Sénateur
Préfet de la Seine

Paris le 4 juin 1880

« Monsieur le président,

Conformément au désir que vous avez bien voulu m'exprimer par une lettre en date du 21 mai dernier, je me suis empressé de demander aux maires des divers arrondissements des renseignements sur l'honorabilité et les antécédents des candidats à l'auditorat du Conseil d'Etat, résidant à Paris, dont la liste est ci-joint ainsi que sur leurs familles.

J'ai l'honneur de vous transmettre ces renseignements que je viens de recevoir.

M. Grangier de la Marinière (René, Paul, Léon), né à Paris le 27 avril 1856, habite rue d'Amsterdam, 46. Il est licencié en droit et a accompli le volontariat d'un an. La famille est des plus honorables. Son père est un ancien préfet de la République, destitué au 24 mai. Il a pour oncle utérin, M. Béclard, secrétaire perpétuel de l'Académie de médecine et conseiller général de la Seine.

M. Menant (Charles, Auguste, Amédée), demeure avec son père, 142 boulevard Saint-Germain. Il appartient à une riche et honorable famille et les renseignements recueillis sur sa moralité sont excellents.

M. Truchy (Jean, Georges, Marcel), demeure, 158, rue de Rivoli. Ce candidat est le fils aîné de M. Truchy, juge au Tribunal de Commerce. Il est âgé de 22 ans et a obtenu, en 1878, le grade de licencié en droit. L'honorabilité de sa famille ne laisse rien à désirer.

M. Benac (André, Jean), né le 1er septembre 1858, à la Réole (Gironde), où il résidait avec sa famille, habite Paris depuis six mois seulement. Il demeure rue Pigalle, 32, où il n'a qu'une résidence provisoire, avec sa sœur et sa mère qui est veuve depuis 15 ans.

M. Bénac est docteur en droit de la faculté de Bordeaux. Ce jeune homme, dont la famille est des plus honorables, se recommande par son mérite. On dit ses opinions très libérales et républicaines.

M. Lallier (Pierre, Henri), appartient à un famille riche et honorable. Il habite avec son père, propriétaire, rue du Montparnasse, 32. Sa moralité est excellente.

M. Guillemin (Félix, Léon), demeurant rue de la Vieille Estrapade n° 15, est le fils de M. Guillemin, député d'Avesnes. Ce candidat, qui est âgé de 23 ans, a fait ses études au Collège Sainte-Barbe, où il a laissé de bons souvenirs. Il est bachelier ès lettres et ès sciences, et licencié en droit; il a déjà passé, avec éloges, deux examens de doctorat.

M. Briard (Marie, Eugène, Arthur), demeurant rue Berthollet n° 12, est le

---

gardé le souvenir, s'il les avait tenus devant moi, de propos concernant l'existence d'un barrage (pour l'accès au concours de l'auditorat). Sa discrétion habituelle ne l'aurait pas empêché de me faire sur ce point des confidences. Or, il n'en a rien été ».

Il était de règle — et la règle fut encore appliquée lors des derniers concours de l'auditorat en 1946 — que le président de section, délégué par le bureau du Conseil pour un entretien préalable avec chacun des candidats, pose à ceux-ci la question suivante : « Etes-vous attaché à la République ? »

fils unique d'un ancien agriculteur de l'arrondissement de Beauvais, honorablement connu dans le département de l'Oise. Il a fait ses études au collège de Beauvais d'abord, chez les jésuites de Vaugirard ensuite. Il est bachelier ès lettres et licencié en droit.

M. Laurent (Pierre, Arsène), demeure rue de Mirbel, n° 3. Sa famille est originaire de Thibouville (Eure), où sa mère et son aïeule s'occupent d'agriculture. Son père est décédé depuis 5 ans. Il a fait ses études au Neubourg, institution Lenormand (congréganiste). Le candidat, qui est dans sa 23e année est bachelier ès lettres, licencié en droit et a passé avec succès, le 11 mars dernier, son premier examen de doctorat. On n'a recueilli sur sa moralité que d'excellents renseignements.

M. Tribes (Gaston, Edouard, François), demeurant 16, rue du Luxembourg, est le fils d'un honorable propriétaire des environs de Nîmes (Gard). Il habite à l'adresse ci-dessus depuis 2 ans et fait partie du cercle catholique de la rue Madame.

M. le maire du 6e arrondissement n'a que d'excellents renseignements à donner sur l'honorabilité de ce candidat ainsi que sur sa moralité.

M. Brunot (Charles, Bernard), demeure rue de Seine n° 63. Il est le fils d'un propriétaire de Chagny, ancien officier du génie, riche et honorablement connu.

M. le maire du 6e arrondissement n'a que d'excellents renseignements à donner sur l'honorabilité de ce candidat, ainsi que sur sa moralité ».

(Arch. C. E.).

A travers les réactions de Laferrière, nommé conseiller en 1879, décrites par Paul Cambon dans une lettre à sa femme du 3 décembre 1881, ce sont sans doute les sentiments du corps lui-même au cours de cette période de transition qui se manifestent :

« Gambetta a empoigné Laferrière (le prédécesseur de Flourens aux Cultes), garçon distingué, laborieux, mais juriste en diable :

« En fait d'application du Concordat, je ne veux qu'une chose : empêcher les curés de dire du mal du Gouvernement en chaire. Supprimer le traitement de ceux qui en diront.

— C'est pour cela, dit Laferrière, que j'avais proposé un article additionnel à la loi sur le budget.

— Pas d'article additionnel, je n'en veux pas, le Gouvernement doit agir d'abord, puis faire ratifier ses actes par les Chambres. Le Gouvernement de juillet l'a fait.

— Mais, dit Laferrière, vous n'en avez pas le droit, le Conseil d'Etat vous donnera tort.

— Si le Conseil d'Etat me donne tort, je le changerai, j'ai assez des légistes, des commentaires et des commentateurs.

— Pourtant quand nous étions dans l'opposition les commentateurs vous ont diablement servi.

— Je suis aujourd'hui le Gouvernement, c'est tout différent ».

C'est tout à fait de la graine de dictateur, comme tu vois. Seulement, il n'a pas derrière lui Arcole ou Rivoli ».

(*Paul Cambon, Correspondance* (*1870-1924*), *Paris 1940, t. I, pp. 143-144*).

II
LA PRÉSIDENCE DE LAFERRIÈRE
(1886-1898)

La « politique » de Laferrière — Défense du renom, des principes d'organisation et des prérogatives du corps — Un débat à la Chambre des députés (1888) — Une lettre de Laferrière au journal Le Temps sur un projet de réforme du Conseil d'Etat — Protestation de Laferrière contre la signature d'un décret irrégulier — Efforts de Laferrière pour accroître le rôle législatif du Conseil — Leur échec — Accroissement du nombre des règlements d'administration publique — Une opinion hétérodoxe d'Henri Chardon sur le rôle législatif du Conseil d'Etat — La politique du personnel de Laferrière — Son action contre les choix politiques — La « professionalisation » croissante du corps — Des règles plus strictes de recrutement et de promotion — Antonin Dubost dénonce le danger d'un « mandarinat administratif » — La règle coutumière de l'avancement à l'ancienneté.

Edouard Laferrière fut nommé vice-président du Conseil d'Etat le 19 janvier 1886. Il n'avait alors que 45 ans. Il allait diriger pendant douze années le corps auquel il appartenait depuis 1870 et dont il était par sa science, son éloquence et son ascendant, le membre le plus brillant. Le Conseil d'Etat était pour lui « cette grande et forte institution nationale que toutes nos révolutions ont respectée » (1). Il eut à cœur d'en raffermir le crédit et l'autorité que les événements de 1879 et les deux vice-présidences assez effacées de MM. Faustin Hélie et Ballot (2) avaient, sans les compromettre, un peu diminués. Il eut une « politique » dont les trois objectifs principaux furent : la défense du renom, des prérogatives et des principes d'organisation du corps; l'accroissement de son rôle législatif; le bon choix de son personnel.

LA DÉFENSE DU RENOM, DES PRINCIPES D'ORGANISATION ET DES PRÉROGATIVES DU CONSEIL D'ÉTAT

Edouard Laferrière s'y employa de façon sans doute constante et à coup sûr très ferme, si l'on en juge par trois de ses interventions dont la trace écrite est demeurée.

---

(1) Allocution prononcée par Laferrière lors de son installation le 28 janvier 1886.
(2) Ils furent vice-présidents du Conseil d'Etat respectivement du 14 juillet 1879 au 22 octobre 1884 et du 13 mars 1885 au 29 décembre 1885.

Un débat à la Chambre des députés.

La première, où il défendit la réputation du corps, eut lieu devant la Chambre des députés à l'occasion de l'examen par celle-ci d'un projet de loi — qui devait devenir la loi du 26 octobre 1888 — relatif à la création d'une section temporaire du contentieux. Laferrière, en qualité de commissaire du gouvernement (1), eut à présenter et à défendre ce projet devant le Parlement. Projet qui, malgré son caractère technique — il s'agissait, pour résorber le retard du contentieux, de confier à une section supplémentaire formée en majorité de membres des sections administratives le jugement des affaires de contributions et d'élections — donna lieu à un débat politique très vif. L'opposition y voyait en effet une manœuvre du gouvernement pour faire juger les affaires électorales par des conseillers tenus pour plus « sûrs » :

« Tout le projet, déclarait M. d'Aillières, est dans l'article 1 de la commission, qui est ainsi conçu :

« Lorsque les besoins du service l'exigeront, il sera formé par décret, au Conseil d'Etat, une section temporaire qui concourra au jugement des affaires d'élections et de contributions directes ou taxes assimilées ».

Une section temporaire, messieurs, c'est-à-dire un tribunal qui sera formé en vue, non pas, je le veux bien, d'une affaire, mais d'une catégorie d'affaires... (C'est cela ! Très bien ! à droite), un tribunal spécial que M. le Ministre formera, à son gré, au lendemain des élections. Pour les affaires les plus difficiles à juger, pour celles qui excitent le plus les passions et troublent le plus les consciences, pour les affaires électorales, l'administration choisira les juges qui auront trop souvent à prononcer entre elle et les particuliers.

Ce tribunal spécial, M. Antonin Dubost estime qu'il présentera toutes garanties : « car, dit-il, le ministre pourra choisir ceux qui ont une connaissance plus spéciale de la jurisprudence et des affaires qu'ils seront appelés à juger et on assurera à celles-ci des solutions plus rapides ».

Oh ! plus rapides, je n'en doute pas ! Je crois que ce sera très vite réglé... (Rires à droite), mais quant aux garanties nécessaires, j'ai plus de peine à les trouver.

Je ne doute pas assurément que M. le garde des sceaux n'apporte un soin extrême à choisir les membres du Conseil d'Etat appelés à faire partie de cette section spéciale qui aura à statuer sur les élections, mais ce soin tournera-t-il toujours au profit de la justice ? Je ne veux pas douter de ses bonnes intentions, mais, enfin, il sera partie intéressée comme membre du gouvernement, et, dans ses choix, — malgré lui, j'en suis sûr — d'autres préoccupations que celles de la justice ne viendront-elles pas hanter son esprit ? Malgré lui toujours, les membres du Conseil d'Etat qui lui paraîtront les meilleurs ne seront-ils pas ceux qui, par leur tournure d'esprit, sont plus portés à donner raison au Gouvernement qu'aux simples citoyens ? (Approbation à droite).

Allons plus loin, et admettons que cette hypothèse ne se réalise pas : ne suffit-il pas qu'elle puisse traverser l'esprit de tous ceux qui auront à recourir

---

(1) L'expression « commissaire du gouvernement » désigne ici un haut fonctionnaire assistant un ministre devant le Parlement.

au Conseil d'Etat, pour que l'autorité de la chose jugée en soit diminuée et pour qu'il soit de votre devoir étroit d'écarter de la justice l'ombre même d'un soupçon ? (très bien ! très bien ! à droite) ».

A quoi Laferrière répliquait pour défendre le projet :

« Le Gouvernement a d'abord désiré faire de la manière la plus économique, comme le disait l'honorable rapporteur, puisqu'on ne vous demande ni un homme ni un sou. Il a aussi désiré y pourvoir de la manière la plus simple, la plus pratique, et je ne crains pas d'ajouter : d'une manière qui offre à tous les justiciables les garanties les plus réelles (Exclamations et rires ironiques à droite. Très bien ! très bien ! à gauche)...

Ceux qui rient ont peut-être connu d'autres conseils que ceux auxquels j'ai l'honneur d'appartenir. Quant à moi, j'ose affirmer que s'il venait à l'esprit de quelqu'un de créer au sein du Conseil d'Etat une commission comme celle dont on parlait tout à l'heure, une espèce de chambre ardente en matière politique, en matière électorale, pour servir les intérêts ou les passions de tel ou tel parti, on ne trouverait pas à la composer au sein du Conseil d'Etat (Applaudissements à gauche. Interruptions à droite).

Permettez-moi d'ajouter que j'ai été surpris d'entendre M. d'Aillères, que je me souviens d'avoir vu parmi nos auditeurs laborieux du Conseil d'Etat, oublier à ce point l'organisation du corps auquel il a appartenu.

Il devrait savoir qu'il n'y a pas dans ce corps de classification absolue, permanente, entre ceux qui sont juges et ceux qui ne le sont pas, que tous ses membres actuellement sont juges, que tous doivent en posséder le savoir et en pratiquer les devoirs...

Ce que nous demandons à la Chambre pour assurer l'expédition plus rapide des affaires, c'est de pouvoir placer auprès de la section du contentieux, pour l'expédition des affaires courantes d'élections, de contributions directes, de taxes assimilées — et ces dernières sont aussi très nombreuses...

M. d'Aillières. — D'élections surtout !

M. le commissaire du gouvernement :... de pouvoir, dis-je, pour l'expédition de ces affaires, faire appel à des conseillers d'Etat ayant déjà appartenu à la section du contentieux...

Là est tout le secret de cette combinaison. J'en demande pardon à l'honorable M. d'Aillières; peut-être est-ce un tort qu'il nous faut confesser; mais, lorsque nous avons soumis ces propositions à M. le garde des sceaux, nous n'avons eu en vue, mes collègues et moi, que le bien du service; nous ne nous sommes point préoccupés, je le reconnais, de tous ces mobiles politiques, qui, à ce qu'il paraît, doivent, d'après certains esprits, tout dominer, même l'expédition des affaires ! (Rires et applaudissements à gauche. Interruptions à droite).

Oui, nous avons eu cette préoccupation, que je vous prie d'excuser, messieurs, qu'il fallait avant tout que les affaires fussent faites et qu'elles fussent bien faites par des gens à ce compétents (Très bien ! très bien ! à gauche).

M. d'Aillières : Nous sommes d'accord sur ce point.

M. le commissaire du gouvernement : Eh bien, messieurs, en dehors des membres qui siègent actuellement à la section du contentieux, il en est d'autres qui y ont siégé jadis. Pendant les six années que j'ai eu l'honneur de présider cette section, j'ai eu comme collaborateurs des membres éminents du Conseil qui sont actuellement membres de sections administratives. Et c'est une pensée bien naturelle que de venir demander à ces anciens membres de la section du contentieux, qui ont jugé déjà par milliers de ces affaires de contributions et d'élections, qui connaissent à fond la jurisprudence très complexe de ces sortes de contestations, de revenir prêter leur concours à cette tâche, et de refaire, pour le bien du service et des justiciables, ce qu'ils ont déjà si bien fait quelques années auparavant.

Voilà, messieurs, et vraiment j'éprouve un peu de confusion à venir avouer des mobiles si terre à terre, après des considérations d'un ordre si élevé (Très bien ! très bien ! et applaudissements à gauche).

Je m'excuse une fois encore, auprès de ce côté de l'Assemblée (la droite) de n'avoir pas mis la politique là où il paraît qu'il fallait en mettre. Mais enfin nous pensons avoir fait une œuvre bonne, utile et pratique et qui mérite d'être sanctionnée par la Chambre (Très bien ! très bien ! à gauche) ».

(*Ch. dép., séance du 18 juin 1888, J.O. Déb. parl., pp. 1798 sq*).

Une lettre de Laferrière au « Temps ».

Ce fut encore un projet de réforme tendant à accélérer le jugement des affaires contentieuses qui donna l'occasion à Laferrière de défendre, mais cette fois par sa plume, les principes d'organisation du Conseil d'Etat et notamment l'équilibre entre ses fonctions administrative et contentieuse. Ce projet, présenté aux chambres en 1894, réduisait le nombre des membres des sections administratives pour renforcer les effectifs de la section du contentieux, qui devait être divisée en deux sous-sections travaillant séparément et présidées toutes deux par le président de la section du contentieux. Le journal *Le Temps* du 16 novembre 1894 publia une longue lettre du président Laferrière, où celui-ci — qui avait sans doute pris l'initiative de cette communication — critiquait vivement le projet :

« Monsieur le directeur,

Vous avez bien voulu me demander mon avis sur le projet de loi relatif au Conseil d'Etat, dont le rapport vient d'être déposé par l'honorable M. Krantz. Je considère comme un devoir de répondre à votre appel car, sous l'apparence d'innovations modestes, l'organisation du Conseil d'Etat tout entier semble remise en question...

La mission des sections administratives est des plus étendues et des plus fertiles; c'est réellement en elles et dans l'assemblée générale que réside le Conseil d'Etat considéré comme conseil du Gouvernement et comme auxiliaire des chambres. Ajoutons qu'une participation plus directe à la préparation des lois ne doit pas être exclue des éventualités de l'avenir et que c'est là une raison de plus pour que l'intégrité des sections existantes soit maintenue. Or il est facile de démontrer que l'affaiblissement des sections administratives tel qu'il résulterait du projet créerait de grands obstacles à leurs travaux. Ces sections réduites à cinq conseillers, y compris le président..., pourraient même être réduites à trois membres, si le Gouvernement, usant du droit que lui confère l'article 3 de la loi du 13 juillet 1879, réclamait les services spéciaux d'un conseiller d'Etat attaché à une section administrative pour le mettre à la tête d'un service public. On sait que des délégations de cette nature ont eu souvent lieu pour d'importantes direc-

1912

Croquis, fait en séance d'assemblée générale en 1912 ou 1913 par le président Rivet (1880-1941), alors auditeur, représentant le président Alfred Picard et les cinq présidents de section, Lyon, Marguerie, Hébrard de Villeneuve, de Moüy et Cotelle.

Le Bureau

- - - - - - - - - - - - - - - - - - - -

Picard

Ils sont cinq plus un... l'Un est tout :
C'est le Grand Roi des Manitous,
L'Esprit Sublime !

Lyon

A sa dextre, un crâne s'abîme ;
Petit, ramassé, l'air félin,
La barbiche de Diablotin,
Parole agile !

Margerie

Le port majestueux d'Achille,
A sa gauche, serait tout entier
Dans le visage de morse altier,
A grave mine.

[illegible]

Élégant, Hibrand, l'allure fine,
Poli, paraît s'intéresser....
Soudain, il va se redresser..
Cherchant.. la ligne !

[illegible]

Dans le flot de sa barbe digne
Robert le Pieux est plongé ;
D'ennui, et la tête allongée...
Et symbolique !

Cortot

La silhouette apoplectique,
Le [illegible], l'œil lointain...
Quel est son rêve ? Point incertain...
Travaux privés ? Chose publique ?!

Les six terribles Manitous
Sont lointains et énigmatiques...
Des Hommes-Lois ! Inclinons-nous !

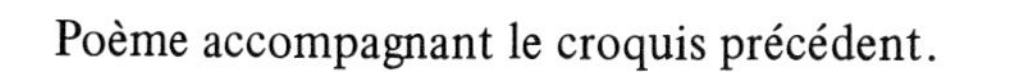

Poème accompagnant le croquis précédent.

tions de ministères : cultes, sûreté générale, postes et télégraphes, colonies, routes et navigation, chemins de fer, etc. Faudrait-il que le Gouvernement renonçât à ce droit de délégation de peur d'appauvrir outre mesure des sections déjà si réduites et même de les paralyser complètement pour peu qu'un de leurs membres vînt à tomber malade ?

Je voudrais, si vous le permettez, m'expliquer sur un autre point non moins important, je veux parler du fonctionnement de la section du contentieux tel qu'il résulterait du projet de la commission...

Les groupes que le projet qualifie de sous-sections seraient... de véritables sections ayant chacune autant de membres que les autres sections du Conseil, mais elles présenteraient cette particularité qu'elles n'auraient pour elles deux qu'un seul président... Si... on envisage la mission du président, on se demande comment elle pourrait être remplie, j'entends bien remplie et conformément aux traditions du Conseil... La fonction de président — au contentieux encore plus qu'ailleurs parce que les affaires durent plus longtemps — exige la permanence de l'unité d'action. Le président n'a pas seulement à s'occuper des dossiers, il faut aussi qu'il s'occupe des personnes. Il a sous sa direction des rapporteurs appartenant à tous les degrés de la hiérarchie, conseillers d'Etat, maîtres des requêtes, auditeurs. A l'égard des plus expérimentés sa direction doit être discrète, mais à l'égard des autres et surtout de la jeune phalange des auditeurs, cette direction doit être assidue. La fonction de président comporte alors une sorte de préceptorat bienveillant, sévère s'il le faut, mais qui ne peut s'exercer avec fruit et avec justice que s'il s'allie à l'esprit de suite et à une autorité toujours en éveil... Une des choses qui ont le plus contribué à assurer à la section du contentieux sa haute discipline et la sûreté de ses méthodes, c'est la fixité de ses cadres et l'unité de sa direction. J'ai eu l'honneur de la présider pendant sept ans et peut-être ai-je, à ce titre, le droit de défendre ses traditions dont j'ai vu de près la force et reconnu la sagesse...

De grâce, qu'on ne se livre pas inutilement à des expériences hasardeuses, qu'on ne remette en question ni l'organisation des sections administratives, ni les méthodes de direction des travaux du contentieux. Ce seraient là des erreurs dangereuses pour l'avenir du Conseil d'Etat, quelques bonnes que puissent être les intentions qui les auraient inspirées ».

(Le Temps, 16 novembre 1894).

Une lettre de Laferrière au ministre de la Marine.

Laferrière n'était pas moins attentif à faire respecter par le Gouvernement les règles fixant les attributions du Conseil d'Etat. Ainsi rappelait-il à l'observation de ces règles, le 1er août 1893, le ministre de la Marine qui avait inséré dans un décret une disposition qui n'avait pas été soumise à l'examen préalable du Conseil :

« Monsieur le ministre,

Je crois devoir vous soumettre quelques observations sur l'insertion qui a été faite, dans le règlement d'administration publique du 25 juillet 1893 relatif à la marine marchande, d'un article 49 qui contient des dispositions transitoires importantes et qui n'a pas été soumis à la délibération du Conseil d'Etat.

Cet article ne figurait pas dans le projet primitif du Gouvernement, et il n'a fait l'objet d'aucune proposition de ses représentants devant les sections réunies des finances et des travaux publics chargées d'élaborer le projet de règlement et de le soumette à l'assemblée générale du Conseil d'Etat.

C'est seulement devant cette assemblée et à la séance du 20 juillet, que l'honorable représentant de votre département a donné lecture d'une disposition additionnelle, conçue dans les mêmes termes que cet article 49, disposition que le Conseil d'Etat a aussitôt renvoyée à l'examen préalable des sections compétentes. Le rapport fait peu après, au nom de ces sections, a fait connaître au Conseil d'Etat qu'à la suite d'un échange d'observations entre les membres des sections et MM. les représentants du Gouvernement, la disposition additionnelle était retirée par eux, et que, par suite, le Conseil d'Etat n'avait pas à en délibérer. Acte a été donné de ce retrait, et l'ensemble du projet de règlement d'administration publique a été, à la même séance, adopté par le Conseil.

Aussi, n'est-ce pas sans quelque surprise que le Conseil d'Etat a vu figurer, dans le texte du règlement d'administration publique promulgué au Journal Officiel du 27 juillet, cet article 49 sur lequel il n'a pas été appelé à délibérer, et dont il a même été formellement dessaisi.

Dans ces circonstances, Monsieur le ministre, j'ai le devoir de faire toutes réserves sur la procédure qui a été suivie à l'égard du Conseil d'Etat, et sur la valeur légale de l'article qui a été inséré, sous le numéro 49, dans le texte du règlement d'administration publique. En effet, lorsque le législateur délègue au Gouvernement en Conseil d'Etat la rédaction d'un règlement d'administration publique destiné à assurer l'exécution d'une loi, il entend que ce règlement tout entier, et non une partie plus ou moins importante de ses dispositions, soit soumis aux délibérations de cette assemblée. En admettant que le gouvernement puisse rétablir des dispositions que le Conseil d'Etat aurait écartées, il n'en résulterait pas qu'il puisse promulguer tout ou partie d'un règlement d'administration publique sans délibération préalable de cette assemblée; en effet, le droit que le gouvernement peut avoir de ne pas suivre un avis émis par le Conseil n'implique pas la faculté de ne pas demander cet avis, dans les matières où il est exigé par la loi.

Je ne doute pas, Monsieur le ministre, qu'il n'y ait un complet accord entre votre Département et le Conseil d'Etat sur ces principes et sur l'application qu'il y avait lieu d'en faire dans le cas particulier que j'ai l'honneur de vous signaler.

Nous sommes convaincus, mes collègues et moi, que, s'il y a été accidentellement dérogé, ce n'est pas par suite d'un dissentiment sur les règles applicables à la rédaction des règlements d'administration publique, mais par suite de quelque malentendu dont il n'y a pas lieu d'appréhender le retour.

Recevez, etc... »

(Arch. C.E.).

Moins d'une semaine plus tard, le ministre de la Marine répondait :

« J'ai l'honneur de vous faire connaître que mon département est en complet accord avec le Conseil d'Etat sur ces principes et que l'erreur d'appréciation qui s'est produite dans l'espèce n'est due qu'à la hâte excessive apportée à la publication d'un décret impatiemment attendu par d'autres départements ministériels ainsi que par le commerce et les industries maritimes. »

(*Arch. C.E.*).

LE ROLE LÉGISLATIF DU CONSEIL D'ÉTAT

Dès le début de sa présidence, Lafferrière marqua l'importance qu'il attachait à l'accroissement de ce rôle. Il fit à cette question une large place dans l'allocution qu'il prononça lors de son installation le 28 janvier 1886 :

« Vos attributions d'ordre administratif et d'ordre juridictionnel n'ont fait que s'accroître sous la République grâce à la confiance du législateur, de l'administration et de vos justiciables.

Mais ces attributions ne sont pas les seules. Il en est une encore que toutes les lois organiques du Conseil d'Etat ont inscrite la première : c'est celle qui vous appelle à l'honneur de collaborer à la préparation des lois.

Cette attribution, Messieurs, a été plus que les autres sujette à de certaines fluctuations, à raison de l'influence que l'organisation politique et parlementaire exerce nécessairement sur elle. Elle a eu, dans d'autres temps, un caractère excessif, car elle est allée jusqu'à subordonner les plus légitimes prérogatives de la représentation nationale à des décisions préalables du Conseil d'Etat. Ces temps sont loin de nous et vous seriez aujourd'hui les premiers à protester contre tout ce qui pourrait éveiller, dans les rapports du Conseil d'Etat avec les chambres, l'idée de rivalités d'attributions désormais impossibles. Mais, s'il faut répudier hautement une telle idée, il ne faut pas craindre d'affirmer celle qui est restéee la vôtre, l'idée d'un concours loyal, offert avec déférence au Gouvernement et aux chambres pour les aider dans l'œuvre difficile de la préparation des lois.

L'inspiration législative, si éclairée qu'elle puisse être, a souvent besoin d'être complétée par un minutieux travail juridique. Les textes législatifs sont comme des témoins fidèles, ils ne peuvent dire toute la vérité, que lorsqu'ils ont subi des interrogatoires et des confrontations devant un juge attentif et sévère.

Votre organisation, mes chers collègues, vos études, vos méthodes se prêtent excellemment à cette œuvre du légiste assistant le législateur. Les pouvoirs publics peuvent, à leur gré, vous confier la préparation d'une loi, dont ils tracent les grandes lignes et dont ils vous chargent d'arrêter les contours, ou bien se borner à vous demander, à titre consultatif, vos observations sur des textes déjà rédigés.

Les formes variées de vos délibérations, soit en assemblée générale, soit au sein de la section de législation ou des autres sections compétentes, peuvent aisément se prêter à tous les modes de consultation. J'ajoute qu'elles doivent s'y prêter avec toute la célérité que permet une étude attentive. Notre empressement à répondre aux questions que les assemblées ou le Gouvernement nous adressent est un de nos premiers devoirs et nous ne devons reculer devant aucun effort pour nous acquitter envers eux. »

(*Arch. C.E. P.v. Ass. gén. 28 janvier 1886, pp. 67 sq*).

Une question ouverte depuis 1872.

La question ainsi posée n'était pas nouvelle; elle était ouverte depuis la mise en vigueur de la loi du 24 mai 1872, qui avait prévu, mais à titre facultatif seulement, la participation du Conseil d'Etat à l'œuvre législative. Le gouvernement et les chambres pouvaient à leur gré soumettre ou ne pas soumettre au Conseil projets et propositions de loi. De 1872 à 1877 il avait été saisi d'un assez grand nombre de textes : 68 lois d'intérêt général et 364 lois d'intérêt local. Déjà cependant, certains — notamment des membres du Conseil — se plaignaient que son concours fût trop rarement sollicité, surtout pour les textes importants. Après la réforme de 1879 et malgré la création d'une section de législation, il le fut moins souvent encore. Ministres et parlementaires étaient également jaloux d'une indépendance qu'ils n'avaient pas connue depuis 1849.

Les prédécesseurs de Laferrière à la vice-présidence du Conseil s'étaient préoccupés de cet amoindrissement d'une des fonctions du corps à laquelle celui-ci attachait le plus grand prix. Le 17 novembre 1883, le président Faustin-Hélie écrivait au garde des sceaux pour protester contre les déclarations récemment faites à la chambre des députés par un de ses membres qui s'était opposé au renvoi d'une proposition de loi au Conseil d'Etat en arguant — raison souvent alors invoquée — de la lenteur avec laquelle ce dernier examinait les textes de loi qui lui étaient soumis :

Paris, le 17 novembre 1883

« Monsieur le Garde des Sceaux,

Dans la séance du 13 de ce mois, à la Chambre des Députés, au cours de la discussion de la proposition de la loi relative à l'assainissement et au moment où un membre, M. Bernard Lavergne, venait de demander le renvoi au Conseil d'Etat, un autre membre, M. Marius Poulet, a prononcé les paroles suivantes :

« Messieurs, je viens vous demander de repousser le renvoi au Conseil d'Etat, comme vous le propose l'honorable M. Bernard Lavergne...

Tout le monde ici sait que, lorsqu'une affaire est renvoyée au Conseil d'Etat, il n'y a pas de raison pour qu'elle en revienne jamais (Très bien, Très bien ! à gauche). C'est ce que l'on appelle vulgairement un enterrement de première classe. (Exclamations sur divers bancs. Très bien ! à l'extrême gauche).

M. Laroche Joubert — Alors, on peut dire que la République nous a donné de bien bons Conseillers d'Etat.

M. Marius Poulet : Je ne ferai pas d'énumération, je ne citerai pas de faits, (je pourrais en indiquer pourtant de nombreux), puisqu'il m'a suffi de signaler la sage lenteur que met le Conseil d'Etat à étudier les projets qui lui sont soumis pour que la majorité de la Chambre m'ait donné raison (Très bien ! à l'extrême gauche) ».

Permettez-moi, Monsieur le Garde des Sceaux, de venir protester devant vous (1), au nom de mes collègues indignés, contre ces allégations si injustes, si contraires à la vérité et de leur opposer la simple réalité des choses.

Et d'abord j'affirme qu'aucun projet de loi ou de décret n'a été soumis au Conseil d'Etat qui n'ait été immédiatement l'objet de la désignation d'un rapporteur et aussitôt mis à l'étude. Sans doute tous les projets n'ont pu être étudiés et terminés avec la rapidité que le Conseil d'Etat lui-même aurait souhaitée, mais les retards ont toujours eu pour cause soit l'insuffisance de l'instruction des affaires, soit les difficultés que ces affaires soulevaient, et jamais un ralentissement dans nos travaux.

A l'appui de mon assertion, permettez-moi, Monsieur le Garde des Sceaux de vous citer, au hasard de ma mémoire, les principaux projets dont nous ayons été saisis, de vous indiquer la durée des travaux auxquels ils ont donné lieu et de vous démontrer ainsi combien ont été immérités les reproches auxquels le Conseil d'Etat s'est trouvé, dans la séance du 13 septembre dernier, livré sans défense...»

(Suit l'énumération de neuf projets de loi soumis au Conseil d'Etat entre 1879 et 1882 avec l'indication de la date de saisine de celui-ci et de la date de renvoi au gouvernement (2)).

(Arch. C.E.).

Quelques mois auparavant, le président Faustin-Hélie avait déjà protesté contre la formation en dehors du Conseil d'Etat d'une commission chargée d'étudier la réforme du code de procédure civile :

Le 6 juillet 1883

« Monsieur le Garde des Sceaux,

Plusieurs de mes collègues, informés que vous seriez dans l'intention de constituer une commission extraparlementaire chargée d'introduire des réformes dans le code de procédure civile, m'ont exprimé à ce sujet des regrets que je crois de mon devoir de vous faire connaître...

Mes collègues regretteraient que le Conseil d'Etat ne fût pas saisi, de préférence à une commission, des modifications dont il s'agit. Peut-être, ont-ils dit, la préférence ne serait-elle retirée au Conseil d'Etat, étant connus les sentiments de bienveillance de Monsieur le garde des sceaux pour le corps, et donnée à une commission que parce que Monsieur le garde des sceaux pourrait y appeler des professeurs de faculté ou autres personnes dont le concours lui paraîtrait précieux; mais le Conseil d'Etat peut lui aussi, en vertu de l'article 14 de la loi du 24 mai 1872, s'assurer ce concours par l'intermédiaire du gouvernement. Cet article 14 est ainsi conçu : « Le gouvernement peut appeler à prendre part aux séances de l'assemblée ou des sections, avec voix consultative, les personnes que leurs connaissances spéciales mettraient en mesure d'éclairer la discussion. »

---

(1) Une protestation aurait pu tout aussi bien être élevée contre les propos de M. Gatineau qui déclarait à la séance de la chambre des députés du 8 juin 1879 : « Mais en quoi le Conseil d'Etat peut-il vous éclairer ? »

(2) Les exemples ainsi donnés ne prouvent guère la célérité alléguée du Conseil : l'examen par celui-ci de ces projets a duré en moyenne 9 mois, allant, suivant les cas, de 2 à 18 mois. Le président Faustin-Hélié avait beau jeu, il est vrai, à relever plus loin dans la même lettre que ces projets de loi n'avaient été déposés devant les chambres que plusieurs mois, sinon plusieurs années après leur renvoi par le Conseil au gouvernement.

Ainsi toutes les personnes qui pourraient être appelées dans une commission extraparlementaire à raison de leurs connaissances spéciales pourraient être, en vertu de cet article, appelées au sein du Conseil et prendre une part active à ses délibérations.

Il semble d'ailleurs que le Conseil d'Etat se trouve en quelque sorte affaibli par ces commissions qui sont formées pour préparer de grandes lois d'intérêt général pour l'étude et la rédaction desquelles, au contraire, il croit avoir été réorganisé en 1879. Nous regrettons de voir nos attributions ainsi diminuées et d'une manière si peu conforme aux traditions qui voulaient depuis la création du Conseil d'Etat que toutes les modifications portant sur l'un des grands codes fussent soumises à son examen ».

(Arch. C.E.).

Les efforts de Laferrière.

C'est contre cet affaiblissement et cette diminution que Laferrière voulut lutter. Il n'y eut guère de visites de garde des sceaux au Conseil d'Etat pendant sa vice-présidence qu'il ne mît à profit pour rappeler au gouvernement « la légitime ambition » du corps de collaborer davantage à l'œuvre législative et ses titres particuliers à y prétendre (1). Recevant le 21 mai 1896 le nouveau ministre de la justice, M. Darlan, il déclarait :

« C'est presque exprimer un desideratum habituel que de rappeler l'utilité que pourrait avoir la participation du Conseil d'Etat dans l'élaboration de certaines lois. Sans se faire d'illusion, je crois qu'on peut dire qu'il s'opère un certain mouvement d'opinion depuis quelques années parmi les jurisconsultes chargés d'interpréter les lois, il a continué par les corps administratifs, par les corps judiciaires; il s'est produit au sein même du Parlement et l'on reconnait que la rédaction des lois laisse quelque peu à désirer. Un honorable membre du Parlement dans un rapport affirmait cette idée et proclamait la nécessité d'apporter un remède à cet état de choses. Il ne renvoie pas les propositions de loi au Conseil d'Etat, mais il créerait une sorte de Conseil d'Etat parlementaire qui au point de vue juridique reviserait ce que de grandes commissions parlementaires auraient fait au point de vue législatif. Nous saluons sans dépit aucun la création de ce conseil parlementaire, persuadé qu'il ne peut rendre les mêmes services que celui que vous connaissez. Car c'est moins une question d'aptitudes personnelles — on peut en trouver ailleurs — qu'une question de milieu, qu'une question de méthode, qu'une question d'état d'esprit. Sous ce rapport le Conseil d'Etat, dégagé des polémiques journalières, dégagé de toutes préoccupations extérieures, de toute préoccupation autre que celle qu'on doit apporter à la préparation des lois paraît mieux outillé, mieux préparé pour ce travail que ceux qui vivent au milieu de préoccupations politiques constantes ».

(Arch. C.E.).

---

(1) Cf. les allocutions prononcées par M. Laferrière lors des réceptions de gardes des sceaux : 12 janvier 1888 (M. Fallières); 25 avril 1888 (M. Ferrouillat); 7 mars 1889 (M. Thevenet); 4 janvier 1890 (M. Dubost); 14 février 1895 (M. Trarieux); 9 janvier 1896 (M. Ricard); 21 mai 1896 (M. Darlan); 6 janvier 1898 (M. Milliard); 21 juillet 1898 (M. Sarrien). Laferrière exprima la même idée, lors de la présentation des vœux de nouvel an au Président de la République le 1er janvier 1898.

L'expression répétée de ce « desideratum habituel » demeura sans grand effet. Répondant à Laferrière, les gardes des sceaux s'en tinrent à des paroles prudentes (1), quand ils ne découragèrent pas ses espérances :

> « Vous trouvez, déclarait M. Trarieux le 14 février 1895, que (votre) part (dans l'élaboration des lois) jusqu'à ce jour a été trop restreinte; vous manifestez même la crainte qu'à cet égard vos attributions ne finissent par tomber en caducité. Vous faites appel à mon concours pour en relever l'importance... Je peux vous donner l'assurance que depuis longtemps j'ai senti le besoin d'associer d'une façon plus étroite le Conseil d'Etat à l'élaboration des lois. Mais ce n'est pas toujours facile; vous connaissez les exigences parlementaires... »
>
> *(Arch. C.E.).*

L'année suivante M. Darlan fut beaucoup plus net :

> « Je sais qu'on pourrait faire bien plus souvent appel à (vos) lumières... J'ai parcouru les quelques discours qui ont été prononcés par les gardes des sceaux qui m'ont précédé; j'ai constaté que chacun d'eux venait promettre au Conseil d'Etat qu'il s'adresserait plus souvent à lui pour réclamer sa collaboration à la préparation des lois. Je ne veux pas le faire. La seule chose que je puisse dire au Conseil c'est qu'il a dans le garde des sceaux d'aujourd'hui un homme qui lui est profondément dévoué. »
>
> *(Arch. C.E.).*

De fait, ces promesses ne furent guère tenues. Si à certains moments le Sénat et le ministère de la justice firent plus souvent appel au concours du Conseil d'Etat, le nombre total des projets et propositions de lois soumis à son examen demeura faible, exception faite des projets de loi d'intérêt local qui, la plupart du temps, ne présentaient ni difficultés sérieuses ni grand intérêt. Le nombre de ces projets, relatifs à des emprunts communaux, à des surtaxes d'octroi, à des créations de communes ou changements de circonscriptions communales ou cantonales, à des déclarations d'utilité publique variait entre 50 et 100 chaque année (96 du 15 avril 1888 au 15 août 1889, 77 du 15 octobre 1892 au 15 octobre 1893), alors que celui des projets ou propositions de loi d'intérêt général — qui avait été de 12 du 13 juillet 1879 au 10 août 1880 — ne dépassa plus par la suite quelques unités : ainsi trois en 1888-1889 ; cinq en 1892-1893 (2).

---

(1) Ainsi M. Thévenet déclarait le 7 mars 1889 : « Messieurs, le Conseil d'Etat a raison d'offrir au gouvernement sa collaboration et, au nom du gouvernement, je l'accepte. Pour ma part, je vous soumettrais des projets de loi... » et M. A. Dubost le 4 janvier 1894 : « J'ai quant à moi l'ambition de vous associer d'une façon plus intime à l'œuvre législative. Cette collaboration est possible, je le crois, mais à une condition, indispensable sous le régime de l'initiative parlementaire, la rapidité dans le travail. »

(2) Deux lois prévirent, il est vrai, à cette époque l'intervention obligatoire du Conseil d'Etat dans la procédure législative : loi du 11 juin 1880 relative à l'autorisation des chemins de fer d'intérêt local, qui devait être donnée par le parlement, sur avis du Conseil d'Etat; loi du 5 avril 1884 imposant la même procédure pour des projets de loi relatifs à la création de nouvelles communes. Mais il ne s'agissait que de lois d'intérêt local. Le rôle législatif du Conseil d'Etat s'en trouvait accru, mais non pas grandi.

Ce fut là pour Laferrière une déception que M. Baudoin, qui lui succéda dans la charge de procureur général à la Cour de cassation et qui prononça en cette qualité son éloge funèbre, évoquait alors en ces termes :

« Sans s'abandonner à la pensée irréalisable de ressusciter le Conseil d'Etat de l'an VIII..., il conçut le noble espoir de convaincre le gouvernement qu'il est d'une constante utilité pour tous les organes de l'administration, si haut placés qu'ils soient, de soumettre à l'examen réfléchi de cette haute assemblée, non seulement les règlements et les décrets en forme de règlements d'administration publique, comme le prescrit l'article 8 de la loi du 24 mai 1872, mais encore tous les projets de loi et de décret préparés par le gouvernement, les projets de loi d'intérêt local et, parmi les projets d'intérêt général, ceux qui touchent à l'organisation et au fonctionnement des grands services publics : il eût voulu, non point un pouvoir distinct pour le Conseil d'Etat, mais une constante et intime collaboration à l'œuvre des ministres et de leurs nombreux agents.

Divers obstacles se dressèrent devant ce programme cependant si logique; en premier lieu l'esprit d'indépendance des grandes administrations publiques, assurées, par une mobilité que l'on peut trouver excessive, de la direction politique. Les bureaux n'aiment pas, dit-on, le contrôle d'un corps qui ne tient pas à eux par l'affinité secrète des organismes similaires, et ils ne s'y soumettent que par la volonté nettement manifestée des ministres, qui, subissant d'autre part l'incessante et rigoureuse surveillance des commissions parlementaires et exposés à tous les périls de la vie politique, sont tout naturellement détournés de la collaboration permanente du Conseil d'Etat par la crainte, asurément injustifiée, de le voir entraver leurs projets.

A maintes reprises, dans les circonstances qui ont appelé les divers gardes des sceaux à venir présider l'assemblée générale, M. Laferrière dit et répéta, avec tout le poids que lui donnait son savoir et tout le charme de sa remarquable faculté d'élocution, que le gouvernement ne pourrait trouver que force et appui dans les avis d'une assemblée qui, par sa composition éclectique et son esprit pondéré, échappe aux fluctuations de la politique quotidienne. Sa voix ne fut pas toujours entendue comme il le désirait : il en souffrit. Il avait le sentiment de sa valeur; il avait la passion des grandes et nobles idées : il concevait fortement l'idéal d'un gouvernement dont le Conseil d'Etat eût été à la fois le soutien et le flambeau, et il supportait difficilement une réalité qui ne le rapprochait pas assez de sa haute visée. »

(*C. cass. séance rentrée 16 oct. 1902, p. 49*).

Cette déception fut atténuée par l'accroissement concommitant du nombre et de l'importance des règlements d'administration publique, accroissement qu'à plusieurs reprises et notamment devant la Chambre lors de la discussion de la loi du 26 octobre 1888, Laferrière souligne avec satisfaction :

« Il ne faudrait peut-être pas trop s'attacher à ce fait, que je reconnais vrai et devant lequel je m'incline, que bien peu de projets de loi nous sont renvoyés directement par la Chambre, pour en conclure que la Chambre laisse de côté la collaboration législative du Conseil d'Etat. Non; elle en use sous une autre forme, et la vérité est qu'elle donne au Conseil une grande et importante délégation.

En effet, messieurs, dans les lois que vous votez vous insérez souvent, très souvent, cette disposition, qui est presque devenue un article de style : « Un règlement d'administration publique déterminera les conditions d'exécution de la présente loi... » Et quelquefois l'article précise : il indique les points importants sur lesquels un règlement d'administration publique devra statuer.

Eh bien, ces règlements d'administration publique, qu'est-ce autre chose qu'une véritable délégation de votre puissance législative que vous faites au Conseil d'Etat ? Et je me demande si la pratique actuelle, qui multiplie les règlements d'administration publique et qui en fait l'objet de délégations étendues, n'élargit pas plus encore la collaboration législative du Conseil d'Etat, que lorsqu'à des intervalles plus ou moins éloignés il est appelé à collaborer à des lois particulières (Marques d'assentiment).

Quoi qu'il en soit, je constate — et je m'en honore, à raison de la confiance que vous témoignez ainsi au Conseil d'Etat — qu'une œuvre importante de collaboration législative lui est attribuée sous cette forme ».

(*Ch. dép. Séance du 18 juin 1888. J.O. Déb. parl., p. 1803*).

C'est sous cette forme que cette collaboration se poursuivit après que Laferrière eut quitté le Conseil d'Etat et la participation de ce dernier à l'œuvre législative proprement dite demeura très réduite jusqu'en 1919 (1).

Les successeurs de Laferrière s'en accommodèrent mieux que celui-ci, semble-t-il. En tout cas, certains membres du Conseil considéraient à l'époque qu'il valait mieux pour lui se cantonner dans la rédaction des règlements d'administration publique; telle était l'opinion de H. Chardon qui, répondant à un interlocuteur imaginaire, écrivait en 1908 dans son ouvrage sur l'administration de la France :

« Mais les attributions législatives du Conseil d'Etat, vous n'en parlez pas. Ne sont-elles ou ne devraient-elles pas être les principales ? »

Je sais que c'est là une opinion courante. Depuis vingt-deux ans j'ai rencontré peu de gens s'intéressant à mon métier qui ne m'aient dit : « Ah ! que ne vous fait-on faire les lois ! » Et non seulement de ces gens du monde qui savent vaguement que le Conseil d'Etat au temps du Premier Empire a joué un grand rôle dans la confection des lois et ne se rendent pas très bien compte de la différence d'un Empire avec une République démocratique, mais même des hommes politiques.

La tradition veut que tout nouveau ministre de la justice vienne, au moins une fois, assister aux séances du Conseil d'Etat dont il est nominalement le président. Jadis on nous faisait mettre en habit pour cette cérémonie; un plus juste sentiment des mœurs démocratiques nous a dispensés de cette formalité. Avant d'aller prendre séance, le garde des sceaux nous réunit dans un vaste salon blanc et rouge qui ne manque pas d'allure et qui vit au temps du Régent d'autres réunions. Nous entendons alors deux discours, le discours du vice-président du Conseil d'Etat souhaitant la bienvenue au ministre de

(1) Il en fut de même de 1919 à 1939. (Cf. Chapitre XII, p. 743-sq.).

la justice et la réponse de celui-ci; agréable moment; je n'ai jamais tant entendu dire de bien du corps auquel j'ai l'honneur d'appartenir. J'ai vu passer ainsi vingt et un ministres de la justice; je n'ai pas souvenance qu'un seul ait omis de déplorer notre faible participation à l'œuvre législative et de promettre qu'il tâcherait de nous y associer plus complètement.

Nous faire préparer les lois ? D'abord seraient-elles beaucoup mieux faites ? C'est une erreur de croire que le Sénat et la Chambre n'ont pas des compétences juridiques suffisantes. Sénateurs et députés font beaucoup trop de lois, mais ils ne les font pas si mal. Et puis ce n'est pas du tout notre rôle de faire des lois, de dire les opinions communes de notre nation. C'est le rôle des fonctionnaires du Parlement, et ce rôle essentiel n'appartient et ne peut appartenir qu'à eux. S'il plaît au Parlement d'avoir l'avis du Conseil d'Etat sur un projet de loi ou à un ministre qui présente un projet de loi de le faire étudier par le Conseil d'Etat, comme ils pourraient s'adresser à n'importe quel spécialiste, rien de mieux; mais on ne saurait songer à imposer en quelque manière cette consultation ou cette préparation aux chambres ou aux ministres. L'utilité seule qu'ils croient pouvoir en retirer, à raison de la façon même dont est composé le Conseil d'Etat et des garanties de capacité qu'il offre, domine toute la question.

Voilà pour les lois proprement dites. Mais nous avons vu que la pratique avait amené une division dans le pouvoir législatif. Les détails d'application des lois sont souvent fixés par les administrateurs et notamment par le Président de la République. Pour les principaux de ces règlements, le Conseil d'Etat est consulté obligatoirement...

Si la pratique, ruinant les anciennes théories sur la division du législatif et de l'exécutif, a amené cette scission des règlements sociaux en lois contenant principalement des règles générales et en règlements contenant surtout des détails d'application, nous devons organiser avec le plus grand soin et la plus grande précision la procédure par laquelle est élaborée la partie d'application. Ce n'est pas la moins importante. Elle ne peut être abandonnée aux hasards des opinions ministérielles. Un corps permanent, pourvu de traditions et de compétences comme le Conseil d'Etat, est seul qualifié pour l'élaborer. C'est ainsi que dans notre organisation actuelle se transforme le rôle législatif du Conseil d'Etat; c'est en ce sens, mais en ce sens seulement qu'il doit participer efficacement à l'élaboration des lois. »

(H. Chardon. L'administration de la France. Paris 1908, pp. 397-400).

LE PERSONNEL DU CONSEIL D'ÉTAT

Les efforts déployés dans ce domaine par Laferrière furent plus féconds. Ils sont sans doute à l'origine des mesures qui entre 1900 et 1914 renforcèrent au sein du Corps, en leur assurant notamment des garanties d'avancement, la situation des membres issus du concours de l'auditorat. La première et la plus importante de ces mesures, contenue dans l'article 73 de la loi de finances pour 1901, fut prise en effet moins de deux ans après que Laferrière eût quitté la vice-présidence du Corps et il est permis de penser qu'elle avait été préparée de son temps.

Nominations et promotions politiques.

Lorsqu'il fut nommé vice-président en 1886, beaucoup de membres du Conseil y demeuraient assez longtemps pour y faire carrière, mais le Conseil ne constituait pas une carrière, faute de règles statutaires garantissant à ses membres stabilité d'emploi et perspectives d'avancement. L'absence d'une limite d'âge supérieure permettait au gouvernement de mettre fin, à son gré, à leurs fonctions. Le 1/3 seulement des postes de maîtres des requêtes était réservé aux auditeurs de première classe et les auditeurs de 2e classe qui, après quatre années passées dans ce grade, n'avaient pas été promus à la première classe devaient quitter le Conseil. Aucun poste de conseiller n'était réservé aux maîtres des requêtes et si la pratique, dite de l'alternance, consistant à nommer un conseiller parmi les maîtres des requêtes pour un conseiller venu de l'extérieur, avait pris un caractère coutumier, elle n'était pas toujours observée. D'autre part, les limites d'âge inférieures très libérales — 27 ans pour les maîtres des requêtes, 30 ans pour les conseillers — permettaient au gouvernement de nommer de très jeunes candidats de l'extérieur alors que leurs collègues appartenant au corps devaient attendre une promotion pendant de longues années et se trouvaient souvent ainsi beaucoup plus âgés que les premiers. Enfin, le gouvernement disposait d'une liberté à peu près totale dans les choix qu'il faisait parmi les membres du corps pour les nominations à un grade supérieur.

Il en fit pendant cette période un usage où les considérations politiques jouèrent un rôle important. Plusieurs membres du Conseil et parmi les plus brillants, lassés d'attendre un avancement qui leur était refusé en raison de leurs origines familiales ou de leurs opinions démissionnèrent. Ainsi Alexis Charles de Loménie, reçu auditeur le 20 décembre 1879 démissionna le 1er janvier 1885 et Albert Vandal, le futur historien du Consulat, issu du concours de 1877, démissionna en 1887. Le marquis de Ségur (1) a raconté les circonstances de cette dernière démission dans l'article qu'il écrivit sur Vandal au lendemain de la mort de celui-ci :

« Malgré ses attaches personnelles, l'indépendance de ses idées, il ne fut pas de la première charette. Pendant quelques années encore, il persévéra dans la voie où l'avait jadis engagé, où le maintenait encore la déférence envers des désirs respectés. Il y remplissait son devoir, sans passion, mais avec conscience, avec succès aussi, puisque ses chefs, quand l'heure en fut venue, le proposèrent unanimement pour un avancement mérité. C'est alors qu'il fit l'expérience, suivant la spirituelle remarque de M. d'Haussonville, « d'une vérité qui, au premier abord, semble faite pour surprendre : c'est que l'hérédité est, par excellence, le principe de la République ». Sur ceux qui se trouvaient en compétition avec lui, il avait l'avantage d'une plus grande ancienneté, d'un mérite reconnu; aucun de ceux qui le voyaient à l'œuvre

---

(1) Reçu auditeur le 26 décembre 1876, il avait démissionné en juillet 1879.

ne lui marchandait son estime; mais il portait « un nom d'Empire », c'était une tare irrémissible. Trois fois, par ses supérieurs hiérarchiques, ce nom fut inscrit sur la liste pour l'emploi de maître des requêtes, trois fois il fut rayé par un garde des sceaux vigilant. C'était lui indiquer le chemin de la porte; il la prit sans mot dire, sans la faire claquer derrière lui. »

(Marquis de Ségur. Albert Vandal. Revue des Deux-Mondes. 1910, tome LX, pp. 247-248)

Ces exclusives, on le notera, furent prononcées par le gouvernement et non par le vice-président et les présidents de section dont les opinions politiques étaient cependant très différentes de celles d'Albert Vandal. Pour le bureau du Conseil, la valeur et le mérite devaient commander les promotions.

Il n'est pas interdit de penser que subsistait, en partie au moins, au Conseil l'atmosphère qui y régnait avant 1879 et que le marquis de Ségur décrit ainsi dans le même article :

« J'ignore ce qu'est actuellement devenue, au point de vue de l'esprit qui y règne et des rapports entre collègues, la vieille demeure dont la façade s'érige sur la place du Palais-Royal; mais au Conseil d'Etat où nous passâmes, Vandal et moi, plusieurs années de notre vie, je dois rendre ce témoignage qu'on ne saurait imaginer milieu plus sympathique, plus simplement cordial, j'allais écrire plus familial. Malgré la différence des grades, des âges, des origines — les uns issus du régime impérial, les autres ne datant que de la République — à tous échelons de la hiérarchie, depuis le président Andral, l'aménité et la bienveillance en personne, jusqu'au plus modeste auditeur, partout une camaraderie affectueuse, une fraternelle entente, partout l'abandon, la confiance, le ton de la bonne compagnie. On eût pu se croire dans un « cercle », un cercle où l'on causerait beaucoup, mais où l'on travaillerait aussi. »

(Marquis de Ségur. Albert Vandal. Revue des Deux Mondes, 1910, p. 247).

L'action de Laferrière.

Laferrière eut sans doute à cœur de préserver cette atmosphère et de défendre le corps contre l'abus des nominations de caractère trop politique. Ce souci apparaît très nettement dans une lettre qu'il adressa au président du Conseil le 24 mai 1889 au lendemain d'un entretien qu'il avait eu avec celui-ci au sujet de prochaines nominations :

« Monsieur le Président du Conseil,

Veuillez me permettre de compléter les explications que j'ai eu l'honneur de vous soumettre hier au sujet de l'éventualité d'un mouvement intéressant le Conseil d'Etat.

Ainsi que vous l'avez justement rappelé, les conseillers d'Etat ne sont point inamovibles. Mais jusqu'à ce jour le gouvernement de la République n'a voulu voir, dans les pouvoirs qu'il a sur eux, qu'une garantie donnée au bon ordre politique et aux obligations de la fonction.

Aussi n'existe-t-il, à ma connaissance, aucun exemple de remplacement effectué d'office, non pour sauvegarder l'un de ces deux grands intérêts, mais pour avancer l'époque où des vacances normales permettraient au gouvernement de nommer de nouveaux titulaires.

Permettez-moi de rappeler quelques précédents...

Si des conseillers d'Etat cessaient d'être à la hauteur de leurs fonctions, le vice-président du Conseil d'Etat aurait le devoir d'en aviser le garde des sceaux et de provoquer un sacrifice devenu nécessaire. Mais vous n'ignorez pas,, Monsieur le Président du Conseil, que tel n'est pas le cas actuel et que les conseillers dont le nom a été prononcé n'ont encouru jusqu'ici aucun reproche sous le rapport de la capacité ou de l'assiduité aux séances.

Permettez-moi d'ailleurs de rappeler, dans l'intérêt de nos doyens, qu'il sied au gouvernement de la République d'être généreux pour la vieillesse, car c'est lui qui a placé, en 1872 et 1879, à la tête du Conseil d'Etat, des vieillards qui s'appelaient Odilon Barrot et Faustin Helie, et qui sont morts octogénaires sur leur siège (1).

Dans un autre ordre d'idées, Monsieur le Président du Conseil, je crois devoir appeler votre haute et bienveillante attention sur les difficultés que pourrait rencontrer le bon fonctionnement du Conseil d'Etat, surtout dans l'exercice de sa juridiction contentieuse, si la plupart des sièges vacants continuait d'être attribuée à des titulaires insuffisamment préparés à ses travaux.

Sur les cinq dernières nominations qui ont été faites, quatre l'ont été au profit de fonctionnaires étrangers au Conseil d'Etat, parmi lesquels figurent deux préfets; le seul maître des requêtes nommé conseiller dans cette période était lui-même un ancien préfet. M. le président de la section du contentieux m'a plusieurs fois signalé comme une conséquence de cet état de choses l'affaiblissement du service dont il a la responsabilité et la nécessité de fortifier l'élément professionnel par l'attribution de sièges de conseillers à des maîtres des requêtes rompus à la pratique des affaires contentieuses.

J'ose espérer, Monsieur le Président, que vous ne prendrez pas en mauvaise part ces réflexions uniquement inspirées par le souci du bon service de l'Etat et de l'autorité nécessaire au Conseil d'Etat de la République.

Vous savez d'ailleurs que celui de qui elles émanent, et dont vous connaissez depuis vingt ans le dévouement, n'a d'autres pensées que de seconder votre gouvernement, tout en vous soumettant respectueusement ses avis, conformément aux devoirs de sa charge. »

(Archives privées de M. Roger Louis).

Laferrière ne demandait pas une modification des règles statutaires (2), mais un meilleur usage par le Gouvernement de sa liberté de choix. Il est intéressant de relever qu'il lie cette question aux exigences du service du contentieux. Le développement de celui-ci rend en même temps nécessaires une « technicité » plus grande et une indépendance mieux assurée des membres du Conseil.

---

(1)Faustin Hélie était né le 31 mai 1799. Il avait donc plus de 85 ans, lorsque la mort mit fin à ses fonctions de vice-président du Conseil d'Etat.

(2) Celles-ci sous sa vice-présidence ne furent modifiées que sur un seul point important : la durée maximum des fonctions d'auditeur de 2e classe fut portée de 4 à 8 ans, ce qui augmentait les possibilités de promotion interne, par l'art. 1 de la loi du 1er juillet 1887.

Vers la « professionalisation » du corps.

Ce sont ces raisons qui, au cours des années suivantes, seront invoquées à l'appui des mesures proposées pour renforcer le caractère « professionnel » du corps. Ces mesures furent variées : la loi du 13 avril 1900 par son article 24 réserva aux auditeurs de première classe les 2/3 des places de maîtres des requêtes (au lieu du 1/3) et aux maîtres des requêtes la moitié des postes de conseiller d'Etat en service ordinaire; l'article 37 de la loi de finances du 8 avril 1910 porta des 2/3 aux 3/4 la proportion des postes de maîtres des requêtes réservés aux auditeurs et l'article 90 de la loi de finances du 13 juillet 1911 releva respectivement de 30 à 40 ans et de 27 à 30 ans les âges minimum de nomination aux postes de conseiller et de maître des requêtes; il était en outre exigé de ces derniers, lorsqu'ils venaient de l'extérieur, l'accomplissement préalable de dix années de services publics.

Ces réformes ne furent pas adoptées sans résistance. Certains, au Parlement notamment, dénoncèrent les dangers d'une « organisation fermée et corporative » pour une institution qui devait selon eux demeurer un « corps politique » (1).

Devant le Sénat, Antonin Dubost, qui avait appartenu au Conseil d'Etat avant d'être garde des sceaux, exprima ce point de vue avec beaucoup de vigueur, en demandant la disjonction des dispositions qui devaient devenir l'article 24 de la loi du 13 avril 1900 :

« En ce qui touche le Conseil d'Etat, depuis la constitution de l'an VIII, c'est-à-dire depuis plus de cent ans, sauf pour la période de 1848 et celle de l'Assemblée nationale de 1872 à 1875, pendant lesquelles les conseillers d'Etat étaient élus par l'Assemblée et, pour la Cour des comptes depuis la loi de 1807, toujours les conseillers à la Cour des comptes et au Conseil d'Etat ont été choisis sans condition par le gouvernement et, pour les conseillers d'Etat, depuis la constitution de 1875, par un décret spécial rendu en conseil des ministres.

Or voilà, messieurs, qu'on éprouve le besoin, qui ne se faisait guère sentir, de changer tout cela et de transformer la Cour des comptes et le Conseil d'Etat en une sorte de corps fermé, comme s'ils devaient redouter la lumière et l'expérience venant du dehors, se recrutant eux-mêmes, sans l'intervention ni du pouvoir législatif ni du pouvoir exécutif et qui constitueraient ainsi une nouvelle catégorie de mandarinats administratifs et judiciaires auxquels les chambres, le gouvernement, les citoyens se trouveraient naturellement subor-

(1) Cette dernière expression figure dans un rapport à l'Assemblée nationale présenté en 1873 par M. Dahirel au nom de la commission chargée d'examiner le projet de loi relatif aux pensions des membres « non replacés » de l'ancien Conseil d'Etat : « Depuis la création du Conseil d'Etat il n'a jamais été question d'assurer une retraite à ses membres, aussi à aucune époque ne les a-t-on assujettis à une retenue, c'est que le Conseil d'Etat a toujours été considéré et a toujours été réellement un corps politique dont les membres étaient révocables, à tout moment, par le pouvoir exécutif. Il devait en être ainsi; inutile de développer un point aussi évident. »

(*Assemblée nationale — Annexe au procès-verbal de la séance du 25 mars 1873, n° 1717, p. 61*)

donnés pour le profit exclusif de ceux qui les exerceraient (Très bien ! très bien !)

M. Hervé de Saisy : Très bien !

M. Antonin Dubost : Il semble, en effet, que ce soit dans un but de philanthropie que ces propositions nous soient soumises pour donner, dit-on, à la carrière plus de fixité et plus de garanties. Il paraît que, depuis cent ans, les membres de la Cour des comptes et du Conseil d'Etat auraient eu à souffrir du malheur des temps; qu'ils auraient été froissés, parfois, dans leurs intérêts particuliers et que, trop souvent, il auraient subi le contrecoup des orages révolutionnaires qui soufflent de temps en temps sur notre pays !

Pour mon compte, je ne l'avais pas encore entendu dire. Je n'avais pas entendu dire non plus que le recrutement de ces deux grands corps fût devenu difficile par suite de leur instabilité.

C'est bien plutôt le contraire que l'on pensait généralement (Marques d'approbation)...

Je sais bien que l'honorable ministre de la justice disait, l'autre jour, que ce qui rendait ce projet nécessaire, c'était l'utilité qu'il pouvait y avoir à donner des encouragements aux membres de ces grands corps pour exciter et échauffer leur zèle.

M. Monis, garde des sceaux, ministre de la justice : Pour assurer leur indépendance.

M. Antonin Dubost : Messieurs, l'honorable ministre de la justice n'a pas songé que, en tenant ce langage, il se calomniait lui-même et calomniait, en même temps, toute la série de ses prédécesseurs et toute la série des gouvernements qui ont précédé celui auquel il appartient.

Quoi ! depuis trente, quarante, cinquante ans, on n'aurait pas reconnu les droits légitimes des membres de la Cour des comptes et du Conseil d'Etat ? Oh ! les pauvres ! Quoi ils n'auraient pas été encouragés ! mais pour en avoir la preuve, il suffit de lire le tableau portant la composition actuelle de ces grands corps...

En ce qui concerne le Conseil d'Etat, on nous dit : il faut donner plus d'avancement aux maîtres des requêtes, il faut donner aux auditeurs les deux tiers des postes de maître de requêtes. Je prends le tableau et je vois qu'à l'heure actuelle, parmi les trente maîtres des requêtes, il y en a seulement cinq ou six qui ne faisaient pas partie de l'auditorat. Parmi les conseillers d'Etat qui sont au nombre de vingt-six, j'ouvre le tableau, je vois douze anciens maîtres des requêtes et il n'est pas douteux, dans les dispositions d'esprit du ministre actuel, que le prochain poste de conseiller d'Etat sera donné à la maîtrise.

Ce n'est donc pas de la composition actuelle du Conseil d'Etat et de la Cour des comptes que vous pouvez tirer l'urgence de la proposition (Très bien très bien !). »

(*Sénat. Séance du 7 avril 1900. J.O. Déb. parl., p. 392*).

Le rapporteur général défendit le projet en liant ses dispositions statutaires à la création d'une deuxième section du contentieux alors envisagée pour résorber l'arrièré des affaires :

« Vous savez qu'aujourd'hui le Conseil d'Etat met quelquefois près de sept ou huit ans pour rendre un arrêt. Or, quelle est la première obligation de la justice administrative ? C'est d'être expéditive. Si elle ne l'est pas, elle ne rend service ni aux particuliers ni aux administrations de l'Etat, parce qu'elle met à leur charge des intérêts moratoires extraordinaires. Il y a unanimité, aussi bien à la Chambre des députés qu'au Sénat, pour regretter cette lenteur et pour demander qu'elle prenne fin, en invitant le Gouvernement à modifier la juridiction du Conseil d'Etat.

Qu'a fait le Gouvernement ? Il a cherché une combinaison aussi économique que possible et on vous demande, dans la loi de finances, la possibilité de créer une seconde section du contentieux, indispensable pour la solution des affaires soumises au Conseil...

On réclamera de tous les membres du Conseil d'Etat un effort nouveau, un surcroît de travail pour constituer cette 2e section, et alors naît cette question dont vous parliez, mon cher collègue. Quand dans un corps on demande à ceux qui en font partie un effort beaucoup plus grand, un travail beaucoup plus considérable, il est naturel que par voie de conséquence on les rassure un peu sur leur avenir.

On arrive généralement à être auditeur de 2e classe au Conseil d'Etat à l'âge de vingt-cinq ans. Le traitement est de 2 000 fr. et on reste pendant huit ans à ce modeste traitement.

Ces jeunes gens sont des licenciés, des docteurs, des lauréats des facultés, et les voilà, à vingt-cinq ans, pendant huit ans, à 2 000 fr. ! Ils deviennent alors auditeurs de 1re classe et touchent 4 000 fr.; ce n'est que vers l'âge de quarante ans qu'ils ont chance de gagner 8 000 fr. comme maîtres des requêtes. Vous avez appelé à vous une élite de jeunes gens ayant une instruction aussi complète que possible; vous leur demandez tout leur temps, tout leur avenir, un travail considérable, et vous ne les rémunérez pas proportionnellement.

Et alors, que pouvez-vous leur donner ?

Une seule chose : c'est la garantie que la carrière dans laquelle ils sont entrés ne sera pas fermée, car si vous trouvez dangereux de ne pas réserver au Gouvernement le droit de faire les nominations, je dis qu'il serait également dangereux de ne pas rassurer, dans une certaine mesure, les jeunes auditeurs au Conseil d'Etat et les référendaires à la Cour des comptes en ce qui concerne leur avenir...

La commission des finances pense que, s'il faut laisser au Gouvernement une grande liberté, il ne faut pas cependant laisser la nomination de ces corps, qui sont des corps judiciaires, entièrement à sa discrétion.

Il faut que ces corps aient une certaine indépendance. Donner la moitié des nominations à la volonté du Gouvernement et laisser l'autre moitié à l'avancement normal dans la carrière ne nous a pas semblé une mesure révolutionnaire et excessive. Cela paraît, au contraire, à votre commission une chose légitime, capable de donner un recrutement certain, une confiance dans l'avenir et la possibilité de demander à ces corps de servir loyalement la République ».

(Sénat. Séance du 7 avril 1900. J. O. Déb. parl., p. 393).

Ces propos emportèrent le vote favorable du Sénat.

Les mesures adoptées en 1900 furent jugées très vite insuffisantes. Tout d'abord au sein même du Conseil, dont Henri Chardon était sans doute l'interprète lorsqu'il réclamait en 1908 dans son ouvrage « L'administration de la France » que le nombre des postes de conseillers réservés aux maîtres des requêtes soit porté de la moitié aux deux tiers :

« Cette proportion d'un poste sur deux seulement attribué aux maîtres des requêtes est-elle équitable ? Je ne le crois pas; un chiffre suffit à le prouver. Actuellement sur vingt-six conseillers d'Etat dix seulement proviennent du concours, et si nous ajoutons les cinq présidents de section et le vice-président qui complètent le corps des trente-deux conseillers d'Etat, onze sur trente-deux proviennent du concours. Sur les trente-deux conseillers d'Etat, onze seulement ont fait leur carrière au Conseil d'Etat. Il ne peut en être autrement. Sur douze postes de conseillers d'Etat qui deviennent vacants, six sont attribués à l'extérieur; six aux maîtres des requêtes. Mais le tiers des maîtres des requêtes est déjà pris à l'extérieur. En définitive, les maîtres des requêtes provenant du concours peuvent, après vingt-cinq ans au moins de services rendus à la nation, prétendre normalement à quatre places de conseillers d'Etat sur douze qui deviennent vacantes. Les huit autres sont données aux candidats de l'extérieur.

Est-il excessif de demander que deux postes de conseillers sur trois soient attribués aux maîtres des requêtes ? En tenant compte de ce fait qu'un poste de maître des requêtes sur trois est déjà attribué aux candidats de l'extérieur, en définitive les postes de conseillers d'Etat ne se répartiraient pas encore par moitié entre le concours et l'extérieur. Un calcul analogue à celui que je viens de faire montre que, dans cette hypothèse, les maîtres des requêtes provenant du concours ne pourraient encore normalement espérer que quatre postes de conseillers d'Etat sur neuf devenant vacants ».

(H. Chardon. L'administration de la France. Paris, 1908, pp. 407-408).

Ces revendications corporatives bénéficiaient alors du courant d'opinion qui, entre 1900 et 1914, fut à l'origine de diverses mesures destinées à protéger les agents de l'Etat contre les intrusions abusives du pouvoir. Celles-ci, après avoir été dictées surtout par des considérations politiques, l'étaient de plus en plus par le favoritisme (1). Ce fut le souci de lutter contre ces pratiques qui, selon M. Brugère auteur d'une thèse sur le Conseil d'Etat publiée en 1911, aurait été la cause directe des dispositions, et notamment de celles relatives au relèvement des limites d'âge inférieures, adoptées en 1911 :

« D'une communication gracieuse qui nous a été faite (2), il résulte même que les règles de ce statut vont devenir plus restrictives encore, si possible. On cherche à prémunir l'élément interne du Conseil contre l'introduction d'éléments étrangers et aussi à le garantir contre l'arbitraire des pouvoirs publics.

Voici, en effet, quelle est l'origine de la nouvelle disposition projetée :

La commission du budget de la Chambre des députés fut saisie, il y a quelque temps, de doléances visant le ministre de la justice, qui aurait élevé au grade de maître des requêtes un de ses secrétaires, tout jeune auditeur de 1re classe.

Des explications fournies par le ministre, il résulte qu'il avait agi dans la pleine limite de son droit. Néanmoins, sur la demande de la commission,

---

(1) Cf. Robert de Jouvenel. La République des camarades. Paris, 1914. L'auteur y raconte pp. 128-sq l'anecdote bien connue du précepteur de l'Elysée nommé auditeur au Conseil d'Etat par Jules Grévy qui voulait libérer ainsi l'appartement qu'il occupait.

(2) La « communication gracieuse » dont M. Brugère fait état provenait, d'après une note figurant en bas de la page 152 de sa thèse, de M. Ajam, rapporteur à la Chambre du budget du ministère de la justice pour 1911.

il se montra tout prêt à consentir une nouvelle modification de la réglementation en vigueur.

En suite de quoi, il a proposé le texte suivant pour être inséré dans la loi de finances :

« Nul ne peut être nommé maître des requêtes au Conseil, s'il ne justifie de dix ans de services publics, soit civils, soit militaires ou s'il n'a pas précédemment rempli pendant deux ans au moins, les fonctions d'auditeur de 1re classe.

Nul ne peut être nommé conseiller d'Etat, s'il n'est âgé de 40 ans accomplis, maître des requêtes, s'il n'est âgé de 30 ans ».

(*Brugère — Le Conseil d'Etat, ses attributions, son personnel. Thèse, Toulouse 1911, pp. 152-153*).

Les problèmes de l'auditorat et les règles d'avancement.

Ces mesures accrurent les garanties de carrière des membres du Conseil. La situation de ceux-ci demeurait cependant fragile sur deux points : les auditeurs de 2e classe devaient quitter le Conseil si, après huit ans de service, ils n'avaient pas été promus à la première classe; le gouvernement choisissait à son gré, sans être lié par des conditions d'ancienneté ou des inscriptions préalables à un tableau d'avancement, les auditeurs et les maîtres des requêtes qu'il voulait élever au grade supérieur (1).

M. Alexandre Lefas intervint à plusieurs reprises à la Chambre, mais sans succès, en faveur des auditeurs de 2e classe :

« Le Conseil d'Etat comprend, à la base, vingt-deux auditeurs de 2e classe. Ces auditeurs ne touchent pas de traitement la première année; ensuite ils restent pendant huit ans au traitement très minime de 2 000 francs; leur seul espoir, pour compenser ce traitement défavorable, est d'arriver, avant l'expiration de ces huit ans, à passer auditeur de 1re classe. S'ils n'y arrivent pas, ils sont éliminés du Conseil d'Etat. Or, il n'y a que dix-huit auditeurs de 1re classe. Ce sont de jeunes hommes; les décès, heureusement, ne sont pas très fréquents parmi eux. Il suit de là que, parmi les auditeurs de 2e classe, plusieurs, bien que capables, peuvent se trouver éliminés, après un long stage, faute d'une vacance qui leur permette d'être nommés auditeurs de 1re classe avant l'échéance fatale de huit ans.

Le remède ne serait pourtant pas très difficile à trouver. Il suffirait de porter le nombre des auditeurs de 1re classe au même chiffre que celui des auditeurs de 2e classe : à vingt-deux. Cette augmentation de quatre places serait justifiée par le fait que quatre auditeurs de 1re classe sont déjà distraits de leurs fonctions normales par le rôle qui leur est confié de commissaire suppléant du gouvernement. Il n'y a donc que quatorze auditeurs de 1re classe en service effectif et c'est un peu de ce fait que se produit l'arriéré contentieux dont on nous parlait. En portant à 22 le nombre des auditeurs de 1re classe, on améliorerait l'expédition des

---

(1) Toutefois les nominations à la première classe de l'auditorat et à la maîtrise des requêtes devaient être précédées de propositions du bureau du Conseil.

affaires en même temps que l'état de choses que j'ai signalé. La dépense serait d'ailleurs faible puisque ce traitement n'est que de 4 000 francs pour les auditeurs de 1re classe. On accélèrerait ainsi le mouvement du contentieux et on introduirait des règles d'avancement plus équitables dans le jeune personnel.

J'insiste sur ce point qu'on vient seulement d'entamer la promotion de décembre 1902 des auditeurs de 2e classe. Il reste encore trois sujets de cette promotion à classer; et si, dans le cours de cette année, ne se produit aucune vacance dans la 1re classe, ces jeunes gens, après avoir passé un concours très difficile, auquel ils arrivent en moyenne à 25 ans et après avoir touché pendant huit ans le traitement de 2 000 francs, qui n'est même pas celui d'un employé de commerce intelligent sur la place de Paris, se trouveront éliminés de la carrière sans recours ».

(Cité par Brugère. Le Conseil d'Etat, ses attributions, son personnel. Thèse, Toulouse, 1911, pp. 79-81).

H. Chardon demandait pour sa part l'institution d'un tableau d'avancement :

« Aucun tableau d'avancement ,arrêté par les présidents du corps et fixant l'ordre normal dans lequel les maîtres des requêtes doivent parvenir au poste de conseiller d'Etat, n'existe. Aucune présentation officielle pour ce poste n'est même demandée. La présentation est demandée pour le poste d'auditeur de 1re classe et pour celui de maître des requêtes, elle ne l'est pas pour le poste de conseiller d'Etat. Le Conseil des ministres peut prendre discrétionnairement qui il veut dans la liste des maîtres des requêtes. Ainsi les hommes les plus méritants, parce qu'ils ne connaissent pas les ministres, ou parce que ceux-ci ont des préventions personnelles contre eux, peuvent, par des circonstances fortuites, à la fin de la plus honorable carrière, être écartés d'un poste pour lequel tout les désignait ou tout au moins contraints à des démarches toujours pénibles et que toute leur vie devait leur épargner. Qui peut les juger sinon ceux qui les ont vus à l'œuvre depuis si longtemps ? Un tableau d'avancement, dressé par les présidents de section et sur lequel chaque maître des requêtes, après plusieurs années d'exercice, pourrait être, s'il le mérite, inscrit par eux, serait la seule solution rationnelle ».

(H. Chardon. L'administration de la France, Paris, 1908, p. 406).

Cette proposition n'eut pas davantage de succès, mais c'est par une autre voie que l'avancement au sein du corps devait être régularisé. La coutume s'établit de promouvoir auditeurs et maîtres des requêtes d'après l'ordre d'ancienneté résultant du rang d'inscription au tableau. Il n'est pas aisé, s'agissant d'une règle purement coutumière et dépourvue de caractère obligatoire, de déterminer à quelle époque elle s'est formée. Elle était appliquée, semble-t-il, avant 1914, aux nominations à la première classe des auditeurs de 2e classe. Elle fut progressivement étendue pendant la première guerre mondiale, et dans les années suivantes aux promotions à la maîtrise et au grade de conseiller. Depuis cinquante ans, elle a toujours été appliquée, sauf en quelques très rares occasions.

III
LE CONSEIL D'ÉTAT ET LA VIE POLITIQUE DE 1879 A 1919

Démissions de Chauffard, Gomel, Hély d'Oissel — Affaire de la garantie d'intérêts des compagnies de chemin de fer (1895) — Le Conseil d'Etat donne tort au Gouvernement — Démission du cabinet et du Président de la République — L'auditeur Spire se bat en duel — Critiques de l'extrême gauche et de l'extrême droite contre le Conseil d'Etat.

Les affaires religieuses — Titres d'intervention du Conseil d'Etat dans ce domaine — Attitude générale du Conseil d'Etat — Respect de la neutralité de l'Etat — Une application gallicane du Concordat — La tradition des Rois très chrétiens — Méfiance à l'égard des congrégations religieuses — Le rôle du Conseil d'Etat dans l'application de la loi de Séparation — La jurisprudence d'apaisement.

Les problèmes de la fonction publique — La crise de la fonction publique sous la IIIe République — Rôle limité des formations administratives du Conseil d'Etat — Extension des garanties juridictionnelles des fonctionnaires — Deux opinions d'avant-garde de MM. Cahen-Salvador et Colson sur le droit syndical et le droit de grève des fonctionnaires.

L'histoire du Conseil d'Etat de 1879 à 1919 est inséparable de l'histoire politique française de cette période. Non pas que le Conseil — dont le caractère de « corps politique » tend alors à s'effacer — se soit trouvé mêlé à tous les problèmes et à toutes les affaires de l'époque. Faute sans doute d'avoir été saisi d'un recours contentieux, d'une demande d'avis ou d'un projet de texte, il est resté étranger par exemple au scandale de Panama, à l'affaire Dreyfus ou à l'affaire des fiches. D'autres affaires, par contre, d'une façon que l'on peut qualifier d'accidentelle, y ont eu leur écho — dans la démission par exemple de certains de ses membres — ou y ont trouvé leur origine, comme la crise politique provoquée en 1895 par l'arrêt du Conseil donnant gain de cause aux compagnies de chemins de fer. C'est, d'autre part, de manière continue, par l'exercice habituel de ses compétences administratives et contentieuses que le Conseil intervint et joua un rôle important dans la solution de quelques grands problèmes — notamment les problèmes religieux — qui dominent la vie politique de cette période.

LE CONSEIL D'ÉTAT ET LES ACCIDENTS DE LA POLITIQUE

Des démissions politiques.

L'épuration de 1879 avait surtout touché les conseillers et fort peu la maîtrise des requêtes. Parmi les membres de celle-ci, beaucoup qui avaient accepté ou même accueilli avec sympathie la République républicaine rompirent avec elle lorsqu'elle développa plus loin qu'ils ne l'avaient prévu une politique de combat. Ce fut le cas dès 1880 de M. Chauffard qui démissionna à la suite de la publication des décrets du 29 mars 1880 sur les congrégations religieuses. Sa lettre de démission fut publiée par le Journal *l'Union de Vaucluse* du 2 avril 1880 :

Avignon, le 31 mars 1880).

« Monsieur le ministre,

Je viens de lire avec une profonde tristesse les deux décrets publiés au Journal Officiel du 30 mars. Je ne saurais, dans les circonstances actuelles, occuper plus longtemps des fonctions publiques.

J'ai donc l'honneur de vous adresser ma démission de mes fonctions de maître des requêtes au Conseil d'Etat.

Veuillez agréer... »

L'Union de Vaucluse faisait précéder cette lettre du commentaire suivant :

« Nous sommes heureux d'apprendre que M. Hyacinthe Chauffard, justement ému de l'attitude prise par le Gouvernement contre les communautés religieuses, vient de donner sa démission de maître des requêtes au Conseil d'Etat. Cette détermination fait le plus grand honneur à notre jeune compatriote. Nous le félicitons chaleureusement de son indépendance. Le Gouvernement n'est pas au bout de ses tribulations; en voyant s'éloigner de lui tous ceux qui avaient cru pouvoir conserver encore quelque illusion à son égard, mais qui ne consentent pas à abdiquer leurs principes d'honnêteté, il comprendra peut-être la faute irréparable qu'il a commise (1) ».

(L'Union de Vaucluse du 2 avril 1880).

Six ans plus tard, le 24 juin 1886, Charles Gomel, maître des requêtes et commissaire du gouvernement, imité quelques jours plus tard par son collègue, Jean Hély d'Oissel, maître des requêtes lui aussi, donnait sa démission à cause de la loi du 22 juin 1886 expulsant du territoire français les princes d'Orléans, avec certains desquels il était personnellement lié. Nous n'avons pu retrouver sa lettre de démission, qui ne fut, semble-t-il, pas rendue publique; les commentaires de la presse ne laissent pas de doute sur les raisons de sa décision qui fut très rapide, puisque la séance du contentieux à laquelle il devait conclure le 25 juin ne put avoir lieu. Sous le titre « Echos politiques », le *Moniteur universel* du 25 juin 1886 annonçait :

« Nous apprenons que M. Gomel, maître des requêtes au Conseil d'Etat, vient de donner sa démission comme protestation contre la loi d'expulsion des Princes. Il n'y aura pas d'audience publique aujourd'hui au Conseil d'Etat par suite de cette démission. M. Gomel était le plus ancien et l'un des plus

(1) Mme Chauffard, belle-fille de H. Chauffard, a bien voulu nous communiquer le détail suivant : lorsque les religieux du monastère de Saint Michel de Frigolet près d'Avignon refusèrent d'évacuer leur couvent et y furent assiégés, H. Chauffard fit partie des défenseurs.

distingués parmi les commissaires du gouvernement auprès du Conseil d'Etat et du Tribunal des Conflits. Il avait, dans ces derniers temps, porté la parole dans toutes les grandes affaires avec une science juridique et une autorité qui rendront plus difficile la tâche de son successeur .La démission de M. Gomel montre la résistance que l'expulsion des Princes a rencontré dans les grands corps de l'Etat. Il ne faut pas oublier que M. Gomel avait servi jusqu'ici la République avec autant de dévouement que de talent; mais il a cru devoir se séparer d'elle, le jour où elle est entrée dans l'ère des proscriptions ».

(Le Moniteur universel, 25 juin 1886).

La démission de Gomel ne fut pas acceptée par le Gouvernement qui, par un décret du 26 juin 1886, le releva de ses fonctions.

Un arrêt du Conseil d'Etat provoque une crise politique et un duel.

Le 11 janvier 1895, l'assemblée du contentieux siégeant sous la présidence de Laferrière commença l'examen du recours formé par les Compagnies des chemins de fer d'Orléans et du Midi contre une décision du 15 juin 1894 du ministre des travaux publics, Louis Barthou, les invitant à mentionner, sur les titres des emprunts émis par elles pour l'exécution des conventions de 1883, que la garantie d'intérêt accordée par l'Etat à ces emprunts prendrait fin le 31 décembre 1914.

L'importance de l'affaire ainsi portée devant le Conseil d'Etat n'échappait à personne. Importance financière tout d'abord. Si la thèse des compagnies triomphait — thèse selon laquelle la garantie d'intérêt leur était acquise jusqu'à l'expiration des concessions, soit 1956 — l'Etat pouvait être exposé à verser à ce titre une somme supplémentaire de 1 500 millions. *La Gazette de France* du 13 janvier exprimait l'impatience de l'opinion et de la Bourse :

« Hier, le Conseil d'Etat a commencé l'examen de la grosse affaire de la garantie d'intérêt des chemins de fer... Quel sera (l'arrêt) et quand sera-t-il rendu ? Telle est la double question qui passionne l'opinion, puisque d'une part plus de deux millions de français ont entre les mains trente-quatre millions de titres qui équivalent au capital de 11 milliards et que d'autre part un délai dans le prononcé de la décision peut donner matière à de plus nombreux agiotages. Très probablement le Conseil d'Etat voudra arrêter le mouvement de bourse qui se produirait pendant l'espace de temps qui s'écoulerait entre les plaidoiries et l'arrêt, intervalle qui est ordinairement de huit jours et il rendra sa décision ou de suite ou dans un fort court délai ».

(La Gazette de France, 13 janvier 1895).

Importance politique aussi. Dès 1894, l'opposition, par la voix de Camille Pelletan, avait accusé Raynal, ministre des travaux publics en 1883, d'avoir trahi les devoirs de sa charge en assurant aux compagnies de chemin de fer, à l'insu du Parlement, par des dispositions équivoques, des avantages scandaleux. Cette interpellation avait provoqué la décision de Barthou que les Compagnies avaient déférée au Conseil d'Etat. A la suite de ce pourvoi, le parti socialiste avait reproché au Gouvernement d'avoir laissé porter sur le plan judiciaire un litige qui devait, selon lui, être tranché par le Parlement. Le ton de la presse était d'une extrême violence :

« La preuve est maintenant faite, écrivait la Petite République du 14 janvier 1895, que Raynal est un bandit qui, en 1883, moyennant je ne sais quel prix, dilapida les finances de la République et conclut avec les Compagnies d'Orléans et du Midi des conventions scélérates qui devaient prolonger indéfiniment la garantie d'intérêt au bénéfice des compagnies ».

(Le Petite République, 14 janvier 1895).

L'assemblée du contentieux siégéa les 11 et 12 janvier, délibéra pendant plus de quatre heures et rendit son arrêt séance tenante.

Cet arrêt, conformément aux conclusions du commissaire du gouvernement Jaegerschmidt, annulait la décision du ministre des travaux publics et donnait entière satisfaction aux compagnies. C'était un grave échec pour le Gouvernement, comme le relevait A. Mayer dans *le Gaulois,* dès le lendemain de l'arrêt :

« Il n'est pas douteux que cet arrêt ne soit vivement commenté dans le monde politique et n'ait un retentissement considérable dans les milieux parlementaires. Tout récemment, M. Camille Pelletan avait interpellé le ministre des travaux publics sur ce point et le sentiment de la Chambre était assurément d'accord avec la thèse que soutenait le Gouvernement et qu'il a portée devant le Conseil d'Etat.

L'échec subi par le Gouvernement ne peut donc qu'être vivement ressenti au Palais Bourbon. Il est certain, bien qu'il y ait chose jugée, qu'un incident se produira soit à bref délai, soit au moment de la discussion du budget des travaux publics ».

(Le Gaulois, 13 janvier 1895).

« L'incident » annoncé par A. Mayer devait se produire plus rapidement et être plus grave qu'il ne l'imaginait. Le 13 janvier au soir, Barthou adressait au président du conseil une lettre confirmant la démission qu'il lui avait donnée verbalement le matin même (1) :

« Mon cher président,

J'ai le regret de ne pouvoir céder à vos instances et de maintenir la démission que je vous ai donnée ce matin.

Cette démission m'est inspirée par le sentiment de mes responsabilités et de mon devoir.

---

(1) Louis Barthou tint à rappeler l'événement, trante-trois ans plus tard, lorsqu'il vint présider le 28 novembre 1928, en sa qualité de garde des sceaux, une assemblée générale du Conseil d'Etat, présidé alors par M. Colson :

« J'ai eu au ministère des travaux publics dans un moment difficile M. Colson comme collaborateur, puisqu'il était directeur des chemins de fer. A cette époque s'est présentée une affaire que je rappelle parcequ'elle m'est une occasion de rendre un hommage direct à l'indépendance du Conseil d'Etat, puisque le Conseil d'Etat m'a donné tort, estimant que je n'avais pas raison » (Arch. C.E.).

J'ai soutenu, le 13 juillet 1894, devant la Chambre des députés dont les votes successifs ont approuvé mes déclarations que les conventions de 1883 ont maintenu pour les Compagnies d'Orléans et du Midi la date du 31 décembre 1914 comme limite des garanties dues par l'Etat. J'ai invité les compagnies à inscrire cette mention sur leurs titres et, sur leur pourvoi, mon administration a défendu cette thèse devant la juridiction compétente.

Les arrêts du Conseil d'Etat n'ont pas modifié mon opinion. Il me serait impossible de m'inspirer comme ministre des Travaux publics dans les négociations avec les compagnies d'Orléans et du Midi d'une décision devant laquelle je m'incline, mais que mon attitude précédente ne me permet pas d'appliquer.

Je vous prie de bien vouloir faire accepter ma démission par le Président de la République.

Veuillez agréer... »

(Journal des Débats, 14 janvier 1895).

Le lendemain 14 janvier, à la Chambre des députés, Millerand interpellait le Gouvernement et présentait le projet de résolution suivant : « La Chambre nommera dans ses bureaux une commission chargée d'examiner s'il y a lieu de mettre en accusation pour crime commis dans l'exercice de ses fonctions M. Raynal, ancien ministre des travaux publics ».

Ainsi mis en cause, M. Raynal n'hésita pas pour se défendre à contester le bien fondé des affirmations de M. Jaegerschmidt, qui, dans ses conclusions devant le Conseil d'Etat, avait tiré argument du comportement du ministre pour dégager la commune intention des parties :

« Il a été dit au Conseil d'Etat par le commissaire du gouvernement, dont je n'ai pas à apprécier l'attitude, qu'il y avait une preuve, celle-là bien plus décisive que l'interprétation qu'on avait donnée de mon silence, à savoir que j'avais, après les conventions et au moment où j'étais encore ministre des travaux publics, accepté le libellé nouveau des obligations du Midi et de l'Orléans, c'est-à-dire l'insertion dans le libellé de ces obligations de la clause nouvelle de la garantie d'intérêt illimitée.

J'ai été vraiment surpris de rencontrer cet argument dans le compte-rendu des observations du commissaire du gouvernement qui, en raison de l'autorité qui s'attache à ses paroles, a le devoir de vérifier et de contrôler toutes ses déclarations, surtout quand il prend parti contre l'Etat.

Je constate avec étonnement que cet argument a été présenté au Conseil d'Etat et qu'il a pu avoir une influence sur cette haute assemblée.

Cette assertion est, en effet, le contraire de la vérité. Je puis vous en donner pour caution non seulement ma parole, mais encore l'affirmation d'une haute autorité qui a une valeur, selon moi, hors de toute contestation : c'est l'avis de la commission de vérification des comptes des compagnies de chemins de fer, qui a été communiqué par M. le ministre des travaux publics au Conseil d'Etat lui-même.

J'ai donc le droit de renvoyer au commissaire du gouvernement le défaut de mémoire qu'il m'a reproché, et je n'ai que faire du soin avec lequel il a prétendu prendre ma défense contre moi-même. »

(Ch. dép., Séance du 14 janvier 1895, J. O. Déb. parl., p. 57).

Cette défense ne convainquit pas l'Assemblée et le Cabinet Dupuy, mis en minorité, démissionna le soir même. Le Président de la République, Casimir Périer, ami personnel de Raynal, fit de même, le lendemain 15 janvier.

La décision du Conseil d'Etat fut en général approuvée par la presse et l'opinion publique. *Le Temps* du 14 janvier écrivait dans sa rubrique « La semaine financière » :

> « Le marché des titres des grandes compagnies a été très agité cette semaine, comme on pouvait s'y attendre, à la veille de l'arrêt du Conseil d'Etat. Cet arrêt vient d'être rendu. Il est conforme à ce que le bon sens public attendait de la Haute Assemblée... Le Conseil d'Etat avait le devoir d'entendre les avocats des deux parties et de juger avec une indépendance absolue. Cette indépendance, il en a fourni la preuve la plus éclatante... tout s'est passé de la façon la plus légale et la plus régulière... »
>
> *(Le Temps, 14 janvier 1895).*

Les journaux socialistes et antisémites ne se joignirent pas à ces éloges. Ils critiquèrent la décision du Conseil, jugée trop favorable par les premiers aux « intérêts capitalistes », par les seconds à ceux de « la finance juive internationale » :

> « Le Conseil d'Etat, écrivait *La Lanterne* du 14 janvier 1895, vient de donner gain de cause aux compagnies d'Orléans et du Midi... L'arrêt du Conseil d'Etat est bien fait pour surprendre tous ceux qui connaissent les conditions dans lesquelles ont été stipulées les conventions de 1883. A cette époque... chacun était convaincu que la durée des garanties d'intérêt prendrait fin en 1914... A supposer qu'un doute pût naître dans l'esprit des membres du Conseil d'Etat sur la véritable intention des parties au moment du contrat, ce doute devait profiter au débiteur, c'est-à-dire à l'Etat, aux termes mêmes de l'article 1162 du Code Civil.
>
> Mais le Conseil d'Etat n'a rien pris de tout cela en considération. C'est la préoccupation des intérêts des compagnies et de leurs actionnaires plutôt que des préoccupations juridiques qui semblent avoir dominé les débats et la décision. Quant à l'attitude du commissaire du gouvernement qui a nettement conclu contre l'Etat, elle a été si bizarre qu'on est tenté de croire que toute cette affaire devant le Conseil d'Etat n'a été qu'une comédie savamment réglée d'avance ».
>
> *(La Lanterne, 14 janvier 1895).*

Les critiques de la presse antisémite s'étaient exprimées avant même le prononcé de l'arrêt. Dès le 9 janvier, Yves Nangis, rédacteur à *la Libre Parole* d'Edouard Drumont, publiait une note très violente contre le Conseil d'Etat. Un jeune auditeur, André Spire, s'estimant doublement atteint dans son honneur de membre du Conseil et de juif, se battit en duel avec Nangis. Il a laissé de l'incident dans ses « Souvenirs à bâtons rompus » un récit qui nous apprend beaucoup sur le Conseil d'Etat de l'époque :

> « Au début de 1895, le Conseil d'Etat avait terminé l'étude de cette affaire

(la garantie d'intérêts des Compagnies de chemin de fer), et sa décision était imminente quand, le 9 janvier, la *Libre Parole* publia la note que voici :

« Les juifs au Conseil d'Etat » :

« Le Conseil d'Etat est appelé notamment à trancher les différends entre l'Etat et les particuliers : c'est lui, par exemple, qui statuera sur le procès pendant entre l'Etat et les grandes compagnies, conflit né d'une « omission » du juif Raynal dans les conventions scélérates.

On comprend aisément l'intérêt que peut avoir la juiverie à être amplement représentée au Conseil d'Etat.

Ainsi en décembre 1893, il y avait six juifs candidats sur onze; sur quatre auditeurs, deux étaient, juifs : Worms et Spire.

En 1894, même affluence de juifs. Sur douze candidats, sept sont juifs; sur quatre nominations, deux juives : Grünebaum, de Peyerimhoff.

Avant longtemps l'Etat français aura un Conseil d'Etat juif.

Et dans un procès où l'épargne française a un milliard et demi engagé, les juifs décideront en dernier ressort.

Il en est de même partout : ce qui n'empêche les aveugles de crier que nous agitons des fantômes ». Nangis.

Je n'avais jamais eu de contact avec David Raynal. Et bien que mon collègue André Bénac, son ancien chef de cabinet, m'y ait engagé, je n'allai point le voir. Je ne demanderai pas non plus son avis à Grünebaum qui n'était au Conseil que depuis une semaine. J'eus au contraire une longue conversation avec Peyerimhoff, mon compatriote, et dont le nom à consonnance russe, mais en réalité d'origine alsacienne un peu déformée, avait trompé les fanatiques de la Libre Parole. D'une famille catholique fixée à Nancy depuis 1870, il avait été, comme Louis Marin, un des plus extraordinaires élèves de l'Institution religieuse Saint-Sigisbert, dont les élèves faisaient semblant, quand ils les rencontraient dans les rues, de ne pas reconnaître les élèves du lycée, dont j'étais.

Mais aux Sciences Politiques où nous avions passé un an ensemble, les vieilles méfiances provinciales s'étaient dissipées et s'étaient changées en cordiales relations. Ensuite, j'allai trouver mon camarade de promotion Favareille et un de nos collègues de la promotion précédente, Paul Couillaut, qui acceptèrent de me servir, le cas échéant, de témoins.

Et sur le drap vert de la grande table circulaire du fumoir du Conseil d'Etat, j'écrivis :

« Paris, le 10 janvier 1895

« Monsieur, la juiverie n'a rien à gagner, l'épargne française rien à craindre de la présence des juifs au Conseil d'Etat. Les juifs qui ont l'honneur d'appartenir à ce corps décident et jugent en obéissant à leur conscience, non à l'intérêt de leurs coreligionnaires.

Je constate qu'une fois de plus votre journal met au service de sa détestable cause l'inexactitude ou, plutôt, le mensonge volontaire.

En 1893, trois juifs candidats (et non six) sur dix-neuf (et non onze). Deux sont reçus, c'est vrai.

En 1894, quatre juifs candidats (et non sept), un reçu (et non deux), vingt et un candidats (et non douze).

Lisez bien reçus, non nommés : la porte de l'auditorat n'est ouverte que par concours.

Les auditeurs juifs doivent leur situation à leur travail, non à leurs appuis.

Je vous requiers d'insérer et vous prie d'agréer l'assurance de mon peu d'estime. » André Spire.

Le lendemain matin, je dormais encore (je m'étais couché fort tard), ma femme de ménage entre et me tend deux cartes. C'étaient Adrien Papillaud et Félicien Pascal, les témoins de Nangis.

Il faisait très froid. La Seine commençait à prendre. Il n'y avait pas alors de chauffage central. Je n'avais pas même de salamandre. Je m'excusai de les recevoir, restant au lit. C'était mon lit de fer d'étudiant, avec une vieille couette en perse et un énorme édredon lorrain, rouge, en andrinople.

L'entretien fut court. Ce fut Papillaud qui parla, le Papillaud qui avait signé la note inspirée par le commandant Henry, publiée le 29 octobre dans la *Libre Parole* et dont les termes impératifs avaient forcé le général Mercier à rendre publique l'arrestation de Dreyfus.

Il me demanda, de la part de son client, une rétractation écrite. Je refusai et lui donnai l'adresse de mes témoins.

J'avertis mes témoins par pneumatique puis je courus au Conseil d'Etat prévenir mes chefs.

D'abord mon président de section Alfred Picard. Il n'avait que cinq ans de moins que mon père, était originaire de Strasbourg encore français et y avait préparé Polytechnique, tandis que mon père y faisait son droit avec ses amis Adrien Volland et Berlet devenus, après le 16 mai, sénateur et député de Meurthe-et-Moselle. Ce grand ingénieur des Ponts et Chaussées, ce spécialiste imbattable dans toutes les questions de travaux publics ou du régime des eaux et qui, en séance, était si dur pour ses interlocuteurs, si dédaigneux pour ses collègues médiocres, était paradoxalement courtois, presque affable dans son cabinet de travail. Il me dit que, peut-être, j'avais été un peu jeune en prenant feu aussi vite. Puis, se levant : « Allez voir le président Laferrière. Moi, je vous couvre. »

Edouard Laferrière, vice-président du Conseil d'Etat (le président étant de droit le garde des sceaux) n'était pas issu comme Alfred Picard d'un milieu conservateur à tendance catholique. Né aussi en 1841, jeune avocat ayant pris part à l'opposition sous l'Empire et condamné à la prison, il était entré au Conseil d'Etat après la Révolution de septembre. Cet homme au buste haut, court sur pattes, avec son teint couperosé, ses lourdes paupières, ses yeux luisants, avait, comme certains conventionnels devenus barons de l'Empire, quelque chose de trop prudent, de solennel, d'un peu comique. D'une incroyable subtilité juridique, il savait, comme les légistes de l'ancienne monarchie, courber les principes du droit aux opportunités du jour. « Faites-moi, disait-il à un de mes jeunes collègues, une de ces rédactions atténuées comme nous savons en faire. »

Il prétendait ignorer l'article de *La Libre Parole* que Peyerimhoff lui avait montré la veille. Je le lui présentai ainsi que ma réponse.

— Pourquoi n'êtes-vous pas venu me trouver avant d'écrire ? Je vous aurais fait profiter de ma vieille expérience de journaliste.

— Il y a des cas, Monsieur le président, où l'on ne prend conseil que de soi-même.

Je me lève et sur le pas de la porte :

— Il y a au Conseil des collègues qui ne blâment pas mon attitude. Il y en a même qui ont accepté de me servir de témoins.

— Ah ! çà ! Je m'y oppose ! Je ne veux pas de duels à la d'Artagnan.

— Pourtant, Monsieur le président, souvenez-vous que les capitaines Crémieu-Foa et Armand Mayer ont trouvé dans l'armée des garants de leur cause et aucun de leurs chefs ne leur a interdit de les prendre comme témoins.

— Les militaires se battent. Nos ministres se battent. Nous, nous sommes un corps judiciaire. Vous ne devez pas engager tout le corps. N'engagez que vous-même.

— C'est l'honneur d'un corps de prendre la défense des opprimés.

Je le saluai à peine et je sortis.

Je passai chez mon camarade du Vivier de Streel, ancien élève comme moi de l'Ecole des sciences politiques et ami personnel d'André Lebon. Il m'emmène à la Chambre causer avec André Lebon qui comme lui accepta de me servir de témoin. Un vieil ami de ma famille, le généreux Dr Bar, médecin en chef de l'Ecole Polytechnique, devait les assister.

Puis comme tous ceux qui s'imaginent que demain ils vont mourir, je rédigeai mon testament...

Bien que les conditions du combat aient été assez sévères (reprises de trois minutes, le terrain gagné reste acquis), bien que mon adversaire, assez boulevard extérieur dans sa chemise molle en pilou rose, ait eu la tête de plus que moi, qu'avec sa face dure, immobile, des grands bras, ses longues jambes souples, il ait eu l'air moins d'un journaliste que d'un bretteur, je ne reçus à la deuxième reprise que trois centimètres de fer dans l'avant-bras.

Le même jour, 12 janvier 1895, le Conseil d'Etat donnait raison aux Compagnies, annulant la décision du ministre Barthou. »

(André Spire. Souvenirs à bâtons rompus, Paris 1962, pp. 54-sq.)

L'affaire de la garantie d'intérêts jugée en 1895 ne devait pas être la seule qui, au cours de cette période, ait exposé le Conseil d'Etat au reproche d'avoir partie liée avec les grands intérêts financiers. Les critiques formulées en 1895 se répèteront désormais de temps à autre et prendront parfois un tour très vif et même personnel, puisqu'elles viseront nommément tel ou tel membre du Conseil d'Etat. Ce fut encore un litige intéressant les compagnies de chemin de fer, jugé en 1898 (1), qui donna lieu à une violente attaque du député socialiste Camille Pelletan. Le ministre de la guerre avait déclaré prescrites des créances dont les compagnies avaient obtenu la reconnaissance au titre de transports exécutés par elles pendant la guerre de 1870. Conformément aux conclusions du commissaire du gouvernement Romieu, le Conseil déclara que la déchéance avait été opposée à tort. Solution scandaleuse, écrivit C. Pelletan dans *le Matin* du 12 avril 1900 :

« C'est une vieille histoire que celle des transports de 1870-1871, bien qu'elle n'ait eu son dénouement qu'il y a deux ans. Jamais Etat ne fut volé comme la France l'a été par les grandes compagnies... C'est une vieille tradition du Conseil d'Etat de donner toujours gain de cause aux puissantes compagnies financières. Aussi le procès fut-il perdu il y a sept ou huit ans, en ce qui concernait les premières revendications produites. Il durerait encore pour le reste, si, il y a un an et demi, le Conseil d'Etat n'avait couronné son œuvre en prononçant la nullité des mesures intempestives de prescription prises par le Général Billot... Il n'est pas superflu de rappeler un détail. Lors du procès au Conseil d'Etat, le rôle de « commissaire du gouvernement » était confié à un certain Romieu, maître des requêtes. Bien entendu, le « commissaire du gouvernement » a conclu contre le Gouvernement pour

(1) Arrêts Compagnie du Nord et autres, 5 août 1898. Rec. Lebon, 1898, p.p. 628, sq.

les compagnies. Mais, par quels arguments !... Ce n'est pas, on le sait, le seul procès perdu par le gouvernement contre les compagnies devant le Conseil d'Etat, dont le résultat ait été un scandale public. On se rappelle l'affaire des garanties d'intérêt de l'Orléans et du Midi... Comment un tel procès a-t-il été perdu ? Dans le monde administratif, on avait été depuis longtemps unanime à condamner la prétention absurde des compagnies, à l'exception d'un certain M. Colson, alors maître des requêtes comme M. Romieu, qui, dans une brochure, sous une forme très ambiguë, très voilée, s'était prononcé pour cette prétention... Ne trouvez-vous pas que si l'on avait le souci de l'intérêt général et s'il n'était pas permis de le trahir, MM. Romieu et Colson auraient été mis à la porte du Conseil d'Etat... ? »

(Le Matin, 12 avril 1900).

LE CONSEIL D'ÉTAT ET LES AFFAIRES RELIGIEUSES

Par l'exercice normal de ses activités de conseiller et de juge, le Conseil d'Etat s'est trouvé mêlé aux grands problèmes de l'époque.

La lecture des débats d'assemblée générale — à peu près totalement inexploités jusqu'ici — projetterait une vive lumière et sur son activité et sur la vie politique de la France, qu'il s'agisse des questions scolaires, des problèmes d'équipement, de l'œuvre des administrations, etc.

Faute de pouvoir les traiter toutes, on a retenu deux questions d'un intérêt particulier : les problèmes religieux (1), les problèmes de la fonction publique.

Du rôle joué par le Conseil d'Etat dans les luttes religieuses de la IIIe République, la postérité a gardé surtout le souvenir du célèbre avis rendu par lui le 30 octobre 1906 sur les conditions d'exercice du culte catholique après le refus par Rome des associations cultuelles, et celui de l'action bienfaisante de sa jurisprudence qui contribua pour une large

---

(1) A la suite de la séparation des Eglises et de l'Etat en 1905, les compétences que le Conseil d'Etat tenait de la loi du 18 germinal an X disparurent. Elles revécurent en 1919 pour les trois départements d'Alsace-Lorraine, lorsque ceux-ci, annexés par l'Allemagne en 1871 et où le Concordat était demeuré en vigueur, firent retour à la France. Le gouvernement français n'a fait depuis lors qu'un usage limité des pouvoirs qu'il tient des textes concordataires et le Conseil d'Etat est rarement saisi d'affaires religieuses intéressant le Bas-Rhin, le Haut-Rhin et la Moselle. Seules les bulles portant institution canonique des évêques et coadjuteurs des sièges épiscopaux de Strasbourg et Metz font l'objet d'une réception par décret en Conseil d'Etat. Il a été d'autre part consulté, au cours des vingt dernières années, sur quelques questions relatives au régime des cultes en Alsace-Lorraine : inéligibilité des ministres du culte en Alsace-Lorraine (demande d'avis n° 249 363 du 29 novembre 1949), conditions d'octroi de subventions aux petits séminaires ou écoles secondaires ecclésiastiques (demande d'avis n° 270 025 du 16 octobre 1956), projet de décret modifiant le décret du 30 décembre 1809 sur les fabriques des églises, en vue de permettre l'admission des femmes au sein des conseils de ces fabriques dont les membres, en vertu du décret précité, doivent être choisis parmi les « notables ». La procédure d'appel comme d'abus n'a pas été, sauf erreur, mise en œuvre depuis 1919.

part, de 1907 à 1914, au rétablissement de la paix intérieure. Cette « œuvre de paix publique » a été saluée presque unanimement comme une des belles pages de l'histoire du Conseil d'Etat.

Son rôle ne se limita cependant ni à cette courte période précédant la première guerre mondiale, ni à cette œuvre d'apaisement. De 1880 à 1914, le Conseil d'Etat a été mêlé de façon constante et intime aux problèmes religieux de l'époque. Ceux-ci ont occupé dans ses activités — et d'abord celles de ses formations administratives — une place aussi considérable que dans les débats parlementaires, la presse, les réunions publiques. Au cours de ces trente-cinq ans, plusieurs centaines d'affaires religieuses, soulevant pour la plupart des questions de principe, furent portées à l'assemblée générale et occupèrent longuement ses débats. Elles ne constituaient qu'une partie du nombre total des affaires de ce type dont il fut saisi et dont la plupart étaient réglées au niveau des sections administratives (1).

Ces affaires se présentaient sous des formes diverses, car les titres d'intervention du Conseil d'Etat étaient nombreux. Les uns, propres à la matière religieuse, se trouvaient d'abord dans la loi du 18 germinal an X promulguant d'une part la convention du 26 messidor an IX — communément appelée le Concordat — conclue entre le pape Pie VII et le Gouvernement français, d'autre part les « articles organiques » à cette convention, ainsi complétée unilatéralement, relatifs au culte catholique, enfin les « articles organiques » sur les cultes réformés et luthériens, légalement reconnus eux aussi. Ils se trouvaient encore dans divers textes législatifs ou réglementaires ultérieurs relatifs à ces trois cultes, au culte israélite légalement reconnu en 1809 et aux congrégations religieuses, dont le régime a toujours été en France entièrement distinct de celui des cultes.

L'autorisation du gouvernement, nécessaire pour l'exécution en France de tout « bulle, bref, rescrit, décret, mandat, provision, signature servant de provision et autres expéditions de la Cour de Rome », était donnée après examen et enregistrement de ces actes par le Conseil d'Etat. C'est devant celui-ci qu'étaient portés les « appels comme d'abus » qui devaient assurer le respect par les autorités religieuses et civiles de leurs obligations réciproques (2). Il donnait son avis, en vertu de textes parti-

(1) Les débats de section, à cette époque comme aujourd'hui, n'étaient pas enregistrés et conservés. L'étude des dossiers des affaires de section mériterait cependant de tenter les chercheurs.

(2) Les recours au Conseil d'Etat, dans tous les cas d'abus, étaient prévus par les art. 6-sq. de la loi du 18 germinal an X :

Art. 6. — Il y aura recours au Conseil d'Etat dans tous les cas d'abus de la part des supérieurs et autres personnes ecclésiastiques. Les cas d'abus sont l'usurpation ou excès de pouvoir, la contravention aux lois et règlements de la République, l'infraction des règles consacrées par les canons reçus en France, l'attentat aux libertés, franchises et coutumes de l'Eglise gallicane et toute entreprise ou tout procédé qui, dans l'exercice du culte, peut compromettre l'honneur des citoyens, troubler arbitrairement leur conscience, dégénérer entre eux en oppression ou en injure ou en scandale public.

Art. 7. — Il y aura pareillement recours au Conseil d'Etat, s'il est porté atteinte à l'exercice public du culte et à la liberté que les lois et règlements garantissent à ses ministres.

culiers, notamment les lois des 2 janvier 1817 et 24 mai 1825, sur de nombreux projets de décret reconnaissant légalement des congrégations ou autorisant la création d'établissements de communautés congréganistes de femmes, après vérification et enregistrement de leurs statuts, ainsi que l'acceptation par ces établissements de dons et legs (1). Il donnait également son avis sur l'acceptation de dons et legs par des établissements publics du culte (fabriques paroissiales, menses épiscopales ou canoniales, consistoires protestants ou israélites (2)).

D'autres affaires religieuses pouvaient venir à lui par les voies courantes : examen de projets de loi et de règlements d'administration publique (3) ; demandes d'avis dont plusieurs portèrent sur des questions très importantes; annulation de délibérations de conseils généraux protestant contre la politique religieuse du gouvernement; autorisations de plaider accordées ou refusées à des contribuables voulant agir aux lieu et place d'un conseil municipal qui refusait d'expulser un curé, occupant sans titre du presbytère; reconnaissances d'utilité publique, etc.

Le sens, sinon toujours le contenu même des délibérations du Conseil d'Etat fut dans la plupart des cas connu du public. Le gouvernement se prévalut souvent de ces avis devant les chambres et en publia ou laissa publier un grand nombre (4). Loué par les uns, âprement critiqué par les

ART. 8. — Le recours compètera à toute personne intéressée. A défaut de plainte particulière, il sera exercé d'office par les préfets.

Ainsi le recours pouvait être exercé, non seulement par le gouvernement, mais aussi par les fidèles, contre les actes des autorités ecclésiastiques, comme par ces dernières contre les actes des autorités civiles, par exemple : 17 mars 1881, recours d'une sage-femme contre un curé qui l'aurait injuriée devant témoins, en lui reprochant de présenter un nouveau-né trop tard au baptême; 11 juillet 1892, recours pour abus d'un abbé contre la décision de l'Archevêque de Paris, lui interdisant de célébrer la messe; 3 mars 1894, recours d'un curé contre la décision du maire de Saint-Denis, interdisant les processions... Bien qu'il y fût statué comme en matière administrative, l'appel comme d'abus était regardé par la jurisprudence du Conseil d'Etat comme exclusif du recours pour excès de pouvoir. De là le petit nombre de décisions rendues au contentieux en matière de police des cultes pendant la période concordataire.

(1) Cette tutelle administrative sur les congrégations religieuses légalement reconnues ou autorisées, à l'exercice de laquelle le Conseil d'Etat participe, existe toujours, la loi de séparation de 1905 ne concernant que les cultes. Les lois de 1901 et 1904 n'ont concerné que les congrégations qui n'étaient pas alors reconnues ou autorisées ou qui avaient pour but exclusif l'enseignement.

(2) Fabrique (ou conseil de fabrique) : ensemble des clercs et des laïcs chargés de la gestion matérielle d'une paroisse catholique.
Consistoire : assemblée de ministres du culte et de laïcs élus pour diriger les affaires d'une communauté religieuse (protestante ou israëlite).
Mense : masse de biens affectés à un prélat ou à une communauté ecclésiastique.

(3) Il ne lui fut soumis pendant cette période aucun projet de loi et qu'un très petit nombre de règlements d'administration publique, dont les trois principaux étaient pris pour l'application de la loi de séparation du 9 décembre 1905 (formalités des inventaires; service des pensions et allocations aux membres du clergé; dévolution des biens d'Eglise; constitution et fonctionnement des cultuelles).

(4) On en trouve beaucoup reproduits et commentés dans les revues juridiques spécialisées de l'époque : Revue d'organisation et de défense religieuse (Maison de la Bonne Presse); Revue administrative du culte catholique (fondée en 1892); Journal des conseils de fabrique et du contentieux des cultes.

autres, le Conseil fut ainsi mêlé, malgré lui, aux polémiques de l'époque (1).

Une application gallicane du Concordat.

D'une manière générale, il fut considéré de 1880 à 1905 par les milieux conservateurs et catholiques comme un ferme soutien du gouvernement dans sa politique religieuse, et on le lui reprocha vivement, parfois violemment, mettant en doute son esprit d'indépendance. Interpellant le gouvernement au Sénat le 1er juin 1883, sur la question des manuels scolaires (2), le duc de Broglie décochait quelques flèches au Conseil d'Etat :

> « Les commissions scolaires ainsi interrogées (par les parents au sujet des manuels scolaires), déclara-t-il, n'ont pas été toutes du même avis. Quelques unes ont admis, d'autres ont, au contraire, refusé d'admettre l'excuse d'absence fondée sur la violation de la neutralité religieuse, mais dès qu'il a été connu que l'excuse était admise par plusieurs d'entre elles, le ministre annonça sur le champ qu'il allait déférer la décision de ces commissions scolaires au Conseil d'Etat comme ayant excédé leurs pouvoirs.
>
> Et comme on sait d'avance, en général, ce que le Conseil d'Etat répond à un ministre qui l'interroge, il a été évident que ce mode de recours ne tarderait pas à être fermé. Que faire alors et à qui s'adresser ? »
>
> *(Sénat, séance 1er juin 1883, J.O. Déb. parl. Sénat, pp. 597-598).*

L'opposition eut parfois, cependant, à se féliciter des prises de position du Conseil d'Etat. M. Combes, président du Conseil, le rappelait à la Chambre le 15 janvier 1903, en réponse aux attaques dirigées contre la jurisprudence adoptée par le Conseil d'Etat et la procédure suivie par le gouvernement pour l'autorisation des établissements congréganistes, en vertu de l'article 13 de la loi du 1er juillet 1901 sur les associations :

> « Le ministre estime-t-il qu'il faille accueillir les demandes d'autorisation : il les envoie au Conseil d'Etat sous la forme d'un décret d'autorisation. Est-il d'une opinion contraire : il écarte les demandes.

---

(1) Les avis et les déclarations d'abus du Conseil d'Etat étaient souvent soumis pour examen critique par des évêques ou des organisations catholiques à des juristes ou à des collèges de juristes. Ainsi en 1882, la conférence des avocats de Paris se réunit pour discuter la question de la légalité des mesures de suspension des traitements ecclésiastiques. A une grande majorité et contrairement à l'avis rendu par le Conseil d'Etat sur cette question, elle se prononça pour l'illégalité.

(2) A la suite de la mise en usage dans les écoles publiques de manuels d'instruction morale et civique jugés par eux offensants pour la foi, et qui avaient été mis à l'Index par la congrégation romaine compétente, cinq évêques rendirent publique cette mise à l'Index. Il fut formé contre eux un appel comme d'abus, au motif que la décision de la Cour de Rome ne pouvait recevoir exécution en France, faute d'avoir été approuvée par le gouvernement.

De nombreux parents catholiques retirèrent leurs enfants des écoles publiques, et, craignant d'être poursuivis pour infraction à la loi sur l'obligation scolaire, saisirent du cas les commissions scolaires, en faisant valoir l'excuse que constituait à leurs yeux la violation de la neutralité scolaire.

M. Louis Ollivier : L'interprétation du Conseil d'Etat est erronée.
M. Fernand Rabier : C'est la loi.
M. le comte de Lanjuinais : C'est le Conseil d'Etat qui a agi arbitrairement.
M. le président du conseil : Messieurs, j'ai assisté ici à des séances dans lesquelles j'entendais des membres de la droite faire à la tribune l'éloge du Conseil d'Etat. (Applaudissements à gauche). Mais dès que ce conseil prend des mesures opposées à votre manière de voir, vous vous insurgez contre lui (Nouveaux applaudissements sur les mêmes bancs).

Pour moi, je me borne à prendre le Conseil d'Etat pour ce qu'il est dans la circonstance présente, c'est-à-dire pour un corps à qui vous avez vous-mêmes remis le soin d'appliquer la loi que vous avez votée (Très bien ! très bien !) »

(Ch. dep. séance 15 janvier 1903, J.O. Déb. parl. Ch. dep., p. 15).

Il n'en reste pas moins que de 1880 à 1905, les avis et décisions du Conseil favorables aux thèses gouvernementales furent de loin les plus nombreux (1). Le gouvernement obtint d'abord son concours pour redresser dans un sens plus favorable aux droits et prérogatives du pouvoir civil des jurisprudences ou des pratiques qui par quelques lois et surtout par une interprétation libérale des textes, s'étaient établies, notamment entre 1871 et 1879, au profit de l'Eglise catholique.

Les fabriques et consistoires furent renfermés dans leur rôle d'administration et de gestion des biens du culte et ne furent plus autorisés à recevoir des dons et legs pour des œuvres de charité et d'enseignement (2). Les rétrocessions d'immeubles à des établissements ecclésiastiques les ayant acquis par personne interposée ne furent plus admises (3). Les poursuites pénales contre les membres du clergé ne furent plus subordonnées à une autorisation administrative. La reconnaissance d'utilité publique fut retirée à des établissements de congrégations religieuses qui l'avaient obtenue, comme si elles étaient des associations non congréganistes. Sur la base d'un recensement fait en 1877, qui avait révélé l'existence de 500 congrégations non reconnues ou autorisées comprenant plus de 22 000 religieux des deux sexes, des mesures de dissolution ou d'expulsion furent prises. Dans certains cas, l'initiative vint du Conseil d'Etat lui-même. C'est lui aussi qui prit les devants dans l'affaire du « Nobis nominavit », à l'occasion de projets de décrets relatifs à la réception et à la publication en France de bulles portant institution canonique de deux évêques (4).

Le rapporteur des projets, M. Saisset-Schneider, releva que la mention « nobis nominavit » figurant sur ces bulles constituait une irrégularité qui, pour avoir été longtemps tolérée, ne devait pas se perpétuer

---

(1) Les avis et décisions en sens inverse concernèrent dans l'ensemble des questions d'importance secondaire.
(2) Cf. Ass. gén. Séances 25 mai, 1er et 2 juin 1881. Arch. C.E. P.-v. annexes, notamment pp. 632, 644, 646, 649. On retirait ainsi aux Eglises de puissants moyens d'influence.
(3) Cf. Ass. gén. Séance du 24 décembre 1879. Projet d'avis. Arch. C.E. P.-v. annexes, pp. 819-sq.
(4) Cf. Ass. gén. Séance 11 février 1904. Arch. C.E. P.-v. annexes, pp. 157-sq.

ni engendrer un droit opposable au gouvernement; l'adjonction du mot « nobis », introduite en 1871 par le Saint-Siège dans les bulles d'investiture des évêques donnait à la mention le sens de « presentavit » (« La France nomme à nous = nous nomme »), ce qui pouvait paraître impliquer que le gouvernement ne nommait pas l'évêque, mais se bornait à le « présenter » à la nomination du Pape. Malgré les réticences du ministère des affaires étrangères qui estimait inopportun de rouvrir le débat avec la Cour de Rome, le Conseil d'Etat subordonna l'avis favorable donné par lui aux projets de décret à une déclaration formelle du Saint-Siège; en conséquence, le projet de décret fut précédé du visa suivant :

> « Vu les dépêches du ministre des affaires étrangères des 11 et 28 janvier 1904 reproduisant une déclaration formelle du Saint-Siège, d'après laquelle le mot « nobis » ne figurera plus à l'avenir devant le verbe « nominavit » dans les bulles d'investiture des évêques français, ensemble, la bulle ci-dessus visée, rectifiée conformément à la déclaration qui précède par les soins de la Chancellerie pontificale »
>
> *(Assemblée générale du 11 février 1904. Arch. C.E. P.v., p. 90).*

Le Conseil d'Etat accueillit favorablement tous les appels comme d'abus introduits par le gouvernement contre des cardinaux, archevêques, évêques et curés. Ils furent nombreux, et certains retentissants : ainsi le recours contre l'évêque de Grenoble, qui avait mis à exécution, sans autorisation du gouvernement, une décision de la Cour de Rome, relative à l'érection en basilique de l'église de la Salette (1); le recours contre un archevêque et trois évêques pour publication et mise à exécution, sans autorisation du gouvernement, d'un décret de la congrégation de l'Index (2); le recours contre l'évêque d'Angers qui faisait obstacle à la nomination d'un administrateur séquestre de la caisse de secours des prêtres âgés et infirmes du diocèse (3); le recours contre l'évêque de Pamiers qui, dans une lettre pastorale, avait protesté contre la suppression des traitements des prêtres et desservants (4); le recours contre 74 archevêques et évêques, qui avaient diffusé un écrit intitulé « Pétition à Messieurs les Sénateurs et Messieurs les députés en faveur de la demande d'autorisation faite pour les congrégations » (5), etc. Par contre, les appels comme d'abus contre les actes des autorités civiles eurent rarement une suite favorable.

Le Conseil d'Etat donna ensuite au gouvernement des avis favorables sur des questions qui étaient d'une importance capitale pour le succès de sa politique religieuse. Les deux plus importantes concernèrent : en 1882 la suspension ou la suppression des traitements des ecclésiastiques dont le comportement était hostile au gouvernement; en 1902, les conditions d'ouverture des établissements d'enseignement où enseignaient un ou plu-

---

(1) Séance 11 décembre 1879. P.-v. p. 1121 et p.-v. annexes, pp. 761-780.
(2) Séance 26 avril 1883. P.-v. pp. 490-sq. P.-v. annexes, pp. 325-339.
(3) Séance 27 mars 1884. P.-v. pp. 354-sq. P.-v. annexes, pp. 951-952.
(4) Séance 21 janvier 1886. P.-v. p. 32. P.-v. annexes, pp. 195-236.
(5) Séance 27 novembre 1902. P.-v. p. 351. P.-v. annexes, pp. 1561-1610.

sieurs congréganistes. Le Conseil d'Etat admit dans la première affaire la légalité de la suspension ou de la suppression de ces traitements; il considéra dans la seconde que toute école où enseignait un congréganiste devait être regardée comme un établissement de la congrégation dont relevait cet enseignant et devait par suite être autorisée, en vertu de l'article 13 de la loi du 1er juillet 1901 sur les associations, nonobstant la loi du 30 octobre 1886 sur l'organisation de l'enseignement primaire (1).

Faut-il conclure du rapprochement de ces diverses décisions avec la jurisprudence libérale du début du XXe siècle, que le Conseil s'est profondément transformé pendant cette période ? Ce n'est pas l'impression qui se dégage de la lecture des débats d'assemblée générale. Certes, le ton de ces débats a-t-il quelque peu changé de 1880 à 1900, parce que la composition du corps n'est plus tout à fait la même. Les auditeurs ou maîtres des requêtes, de conviction ou de tradition catholiques, que l'épuration n'avait pas touchés en 1879, sont conseillers d'Etat quinze ou vingt ans plus tard. L'assemblée générale est par suite moins homogène qu'elle ne l'était en 1880, et l'opinion catholique ou tout simplement libérale y trouve en des hommes comme Marguerie ou Hébrard de Villeneuve des avocats habiles et écoutés qui lui manquaient auparavant. Mais ce sont là des nuances nouvelles plutôt que des changements profonds. Le Conseil d'Etat est resté lui-même; ce qui s'est modifié, c'est la nature des problèmes qu'il a eu à résoudre; de 1880 à 1905, la France vivait sous un régime concordataire qu'il s'agissait d'appliquer; une fois faite la séparation des Eglises et de l'Etat, la question religieuse est devenue une pure question de liberté de conscience et de culte.

Avant de décrire l'attitude du Conseil d'Etat au cours de ces deux périodes, il importe de noter qu'il ne versa jamais dans une politique antireligieuse, qui aurait cependant répondu aux sentiments profonds de plusieurs de ses membres. Révélatrice est à cet égard la position prise par sa section de l'intérieur le 13 mars 1889 à propos d'un projet de décret, vivement soutenu par le gouvernement, qui reconnaissait d'utilité publique la société « La libre pensée de Niort » (2); elle motiva ainsi sa décision de rejet :

> « Considérant que la société « La libre pensée de Niort » ne poursuit pas seulement une œuvre d'assistance, qu'elle a principalement pour but de « lutter contre les empiètements du cléricalisme » et de « propager les doctrines de la libre pensée »;
>
> Considérant que le gouvernement ne saurait reconnaître cette société comme établissement d'utilité publique sans paraître s'associer, dans une certaine mesure, à sa propagande et sans se mettre en contradiction avec le principe de la neutralité de l'Etat en matière de religion. »
>
> *(Arch. C.E.).*

---

(1) Cette dernière jurisprudence d'une portée considérable n'eut qu'un effet très limité dans le temps, car la loi du 7 juillet 1904 interdit l'enseignement à toutes les congrégations, même autorisées.

(2) D'après les statuts, tout postulant, pour être admis dans cette association devait prendre l'engagement écrit, sous forme de testament, de se faire enterrer civilement.

Croquis du président Romieu crayonné en séance sur un rôle par le président Rivet. On devine sous le dessin les numéros et titres des affaires inscrites à ce rôle.

De cette attitude on peut rapprocher le souci du Conseil d'Etat — assez remarquable à une époque où la violence des passions entraînait beaucoup à des excès de langage — de conserver la bienséance à l'égard de tous. Ce souci se manifesta en 1896 dans une affaire d'appel comme d'abus contre Monseigneur Sonnois, archevêque de Cambrai, et quatre curés de son diocèse. Comment devait-on désigner le premier dans la déclaration d'abus ? Fallait-il dire, comme certains le proposaient avec le gouvernement, le sieur Sonnois, « en vue de donner satisfaction aux principes, à l'égalité des appellations » ?

L'assemblée générale se rangea à l'avis du conseiller Legrand, qui motiva ainsi sa proposition de ne pas utiliser le mot « sieur » :

> « Il pourrait résulter une impression fâcheuse de l'emploi de cette expression (sieur Sonnois) dans l'opinion publique. L'orateur a fait des recherches dans les précédents concernant la matière; depuis 40 ans, on a prononcé un grand nombre de déclarations d'abus et dans une seule espèce on ne rencontre qu'une fois l'expression de « sieur » : le sieur Genouillac, évêque de Grenoble. Dans tous les décrets on dit : l'Archevêque de Paris, l'Archevêque de Tours, l'Evêque de Grenoble. Les Conseils d'Etat précédents ont eu le soin d'éviter d'accoler au nom de l'évêque ou de l'archevêque le mot « sieur » qui n'a pas dans la pensée de ses auteurs une portée outrageante, mais qui, pour le public, peut paraître autrement. Quel motif, de plus, pour ne pas rester dans la tradition constante du Conseil; on les appelle « Monsieur » ou par leur titre (1). »
>
> *(Ass. gén. 30 juillet 1896, Arch. C.E. P.v. annexes, pp. 1060-sq.).*

Les affaires concernant les Eglises reconnues soumises au Conseil de 1880 à 1905 étaient presque toutes des affaires « concordataires », mettant en cause l'interprétation et l'application de la loi du 18 germinal an X et, par suite, des dispositions de la Convention du 26 messidor an IX. Ces dispositions pouvaient être interprétées et appliquées dans un esprit libéral, comme ce fut le cas de 1872 à 1879; elles pouvaient l'être de façon rigoureuse au profit du pouvoir civil. Ce fut cette seconde solution que les gouvernements adoptèrent à partir de 1880, et il n'est pas douteux que la plupart le firent dans un esprit anticlérical, voire antireligieux. Ils trouvèrent dans le Conseil d'Etat un large appui, mais qui fut motivé par un esprit bien différent : un gallicanisme toujours soucieux d'assurer le respect des droits et prérogatives du pouvoir civil vis-à-vis du pouvoir relligieux ainsi que l'indépendance de l'Eglise de France vis-à-vis de la Cour de Rome. Pour cette double défense, interprétant très largement

(1) On peut rapprocher de cette affaire une affaire postérieure analogue. L'Impératrice Eugénie, veuve de Napoléon III, avait donné en 1919 une somme importante pour la restauration de la cathédrale de Reims et remis à son trésor le célèbre talisman de Charlemagne qui avait appartenu à l'impétratrice Joséphine, puis à la reine Hortense; il fallait un décret en Conseil d'Etat pour accepter cette donation; le ministère avait préparé un texte approuvant la donation faite par « Eugénie de Montijo, veuve Bonaparte »; le Conseil d'Etat jugea cette dénomination peu convenable; le ministère estimait que toute autre serait contraire aux lois de la République; il s'inclina cependant devant l'avis du Conseil d'Etat et on écrivit : « la donation faite par l'Impératrice Eugénie » (*Communication de M. A. Moreau-Néret*).

l'article 16 du Concordat (1), le Conseil d'Etat puisa dans les lois, règlements et traditions de la Monarchie française les raisons de beaucoup de ses décisions. Le rapporteur d'une affaire d'abus, en 1896, le disait ouvertement :

« Cette vérité irréfutable est que la République fait usage pour la défense de l'ordre public de lois qui sont dans la tradition des lois édictées par la monarchie elle-même, par nos rois très chrétiens, invariablement et par-dessus tout autre souci soucieux de maintenir contre toute usurpation, d'où qu'elle vînt, les droits de la puissance civile.

Toute inteprétation de notre part ne pourrait ici qu'affaiblir l'autorité des textes, et il nous convient d'y recourir immédiatement, pour les opposer d'avance aux affirmations que nous rencontrerons plus loin.

Lorsqu'il s'agit, en 1670, de vérifier, avant de les rendre publics, les articles de l'ordonnance criminelle du mois d'août de cette même année, le roi Louis XIV ordonna la réunion de conférences où furent appelés les jurisconsultes les plus éminents du royaume par leur expérience, et dont les convictions religieuses ne pouvaient être suspectées; y figuraient le chancelier de France, neuf membres du Conseil du roi, le premier président et vingt-cinq membres du Parlement de Paris, les deux avocats généraux et le procureur général.

A l'occasion de la discussion de l'article 11, relatif aux cas royaux et aux juges qui peuvent en connaître, l'oncle de Colbert, le conseiller Pussort, dit : « Les appellations comme d'abus ont été introduites pour empêcher les entreprises ecclésiastiques sur les droits du roi et de l'Etat. Mais, comme ce corps a relation à une puissance étrangère, il aurait été dangereux de spécifier et de limiter les cas d'abus, lesquels doivent être étendus selon les occurences. » Si expressive que fût cette parole, le président Lamoignon jugea nécessaire de résumer comme il suit une doctrine qui a été de tradition perpétuelle dans notre pays, et, disons-le, à son plus grand honneur, la tradition de la Monarchie française : « L'Eglise est dans l'Etat, elle en fait partie et ne doit rien faire qui puisse altérer son repos et nuire au repos des sujets du roi. » Comme on le voit, ce mot fameux n'est pas de Portalis. Il ne date pas davantage de notre Révolution, bien qu'on le retrouve dans les cahiers de 89. Il est antérieur au dix-septième siècle, puisque Loyseau écrivait : « L'Eglise de France est dans le royaume, et non le royaume dans l'Eglise. » Il nous vient de ces temps lointains où le roi de France, aidé de nos légistes, s'essayait à devenir son maître. Les curés de Roubaix et de Lille, qui revendiquent avec la liberté les droits de citoyen, auraient tout intérêt à reconnaître qu'ils tendent par leurs doctrines à se placer hors de la nation, hors de ce devoir commun qui nous oblige premièrement au respect des lois.

Resterait à savoir, il est vrai, si dans les conférences de 1670 les délégués du Parlement et les envoyés du Conseil n'ont pas outrepassé les intentions du chef de l'Etat ? Ni les uns ni les autres ne les ont outrepassées et, dans les déclarations, lettres patentes, édits, ordonnances ou décrets sans nombre, contenus dans nos archives nationales, signés Louis, Charles, Philippe ou Napoléon, nous retrouvons invariablement l'affirmation du même principe : à savoir que notre unité et notre sécurité dépendent expressément de l'accord loyal et de la modération réciproque de deux puissances qui ne sauraient,

---

(1) Art. 16. « Sa Sainteté reconnaît dans le premier Consul de la République française les mêmes droits et prérogatives dont jouissait près d'elle l'ancien gouvernement » (c'est-à-dire la Monarchie).

sans un péril égal pour l'une ou pour l'autre, méconnaître l'impérieuse nécessité de leur entente. »

(Ass. gén. 30 juillet 1896, Arch. C.E. P.v. annexes, pp. 1046-sq.).

Une application plus directe encore des « maximes traditionnelles » avait été faite en 1883, à propos de la suspension des traitements des curés hostiles au gouvernement. La section de l'Intérieur estimait la mesure régulière et sa légalité lui paraissait si évidente qu'elle avait à peine motivé son projet d'avis. C'est alors qu'intervint Laferrière. Il ne cacha pas qu'il jugeait la mesure opportune, mais, dit-il en de fières paroles, il s'agissait d'abord d'une question de droit :

« S'il suffisait d'un très vif et sincère désir d'accord pour adopter la solution proposée dans cette affaire par le gouvernement et par la section de l'Intérieur, je serais heureux de la voter des deux mains, car jamais désir d'entente n'a été plus vif et j'espère bien que nous pourrons arriver à la réaliser. Mais avec ce désir d'accord toujours présent à l'esprit quand le gouvernement vient nous soumettre des questions aussi graves que celles-ci, il y a cette vieille maxime qui est celle du Conseil : « amicus Plato, sed magis amica veritas », il y a l'accomplissement de ce devoir envers le gouvernement et envers nous-mêmes de ne donner ici que des solutions juridiques et non des décisions politiques. »

(Ass. gén., 26 avril 1883. Arch. C.E. P.v. annexes, pp. 265-266).

Or, avouait-il, il cherchait en vain la base légale de la mesure : aucun texte ne prévoyait la suspension du traitement; on ne pouvait invoquer la théorie du service fait, puisque les prêtres en cause remplissaient leurs fonctions sacerdotales.

Sa longue et éloquente intervention jeta l'Assemblée dans un grand embarras. Elle en fut tirée par le conseiller Tetreau qui, à son soulagement manifeste, invoqua, par dessus les régimes, les traditions du droit public français :

« Messieurs, M. le conseiller Chauffour faisait part au Conseil des doutes qui, à l'heure actuelle, assiègent encore son esprit, et il demandait, soit au gouvernement, soit à ceux d'entre nous qui ont particulièrement étudié la question, de vouloir bien lui citer un texte qui donnât au pouvoir exécutif le droit qu'il demande aujourd'hui au Conseil d'Etat de reconnaître.

Cette préoccupation, Messieurs, je l'ai eue, je la partage encore et cependant, en examinant de bien près les différents textes qui ont été invoqués de part et d'autre, il en est un qui me semblerait pouvoir donner satisfaction ou tout au moins une réponse presque suffisante à la question posée par l'honorable M. Chauffour. Ce texte..., c'est l'article 16 de la loi du 26 messidor an 9, dont les termes sont tellement généraux et en même temps tellement précis qu'il est indispensable que nous en donnions ici une interprétation pour savoir jusqu'où nous devons aller... Que dit ce texte ? Mais avant d'en donner la lecture, je rappelle au Conseil que M. le président Laferrière, en examinant le droit ancien, le droit intermédiaire et le droit concordataire, a dit, lorsqu'il parlait du droit ancien — et j'ai noté ses paroles — : « Le roi avait un pouvoir absolu et lui, dont émanait la justice, il faisait exercer par la juridiction omnipotente des parlements le droit de saisir le temporel et le traitement des ecclésiastiques d'alors. » Ainsi, dans le droit ancien, droit omnipotent pour la monarchie; dans le droit intermédiaire, j'admets que la situation n'a pas changé et que les textes qu'on invoque comme ayant renforcé le droit ancien ne lui aient pas donné une force nouvelle, mais il est certain qu'en tous cas ils ne l'ont pas affaibli. On arrive alors à la période concordataire et on se trouve désormais en présence de l'article 16 de la Convention de messidor, et ce texte est ainsi conçu : « Sa Sainteté reconnaît dans le premier Consul de la République française les mêmes droits et prérogatives dont jouissait l'ancien gouvernement. »

Croyez-vous qu'au moment où Bonaparte faisait cette stipulation avec le Pape et lui accordait cette faveur insigne de restaurer le culte catholique, il allait abandonner à l'intérieur les droits disciplinaires de l'ancienne monarchie ? Croyez-vous qu'il ait pu lui venir à la pensée qu'il abandonnait cette portion de ce droit qu'on qualifiait tout à l'heure de droit absolu, que les monarques avaient en leurs mains et que la juridiction des Parlements exerçait d'une façon omnipotente ? Eh bien ! Je ne le pense pas et je crois que ce droit tout entier a passé sur la tête du premier Consul, c'est-à-dire sur la tête du chef du gouvernement. » (1)

(Ass. gén. 26 avril 1883. Arch. C.E. P.v. annexes, 26 avril 1883, pp. 312-sq.).

Les principes du droit public ecclésiastique de l'ancienne monarchie, invoqués et appliqués avec ardeur par des républicains libres penseurs : voilà qui pouvait fournir au duc de Broglie, interpellant le gouvernement au Sénat, quelques mois plus tard, l'occasion de propos ironiques :

« Bien des choses m'ont étonné et m'étonnent encore souvent de nos jours; mais j'avoue que je ne m'étais jamais attendu à la surprise de voir M. Jules Ferry, M. Martin-Feuillée et leurs conseillers d'Etat, tous laïques et même quelque chose de plus, accuser gravement les évêques de troubler arbitrairement les consciences chrétiennes ! (Rires approbatifs à droite et au centre).

Je sais que, comme nous l'a dit l'autre jour M. le garde des sceaux, c'est là une procédure ancienne et dont on trouve des précédents sous tous les régimes. Cela s'est toujours fait, nous a-t-il dit. Eh bien, oui ! Des précédents de ce genre, vous en trouverez beaucoup. Vous en trouverez d'abord dans l'ancien régime. L'appel comme d'abus pour troubles arbitraires des consciences était très fréquent sous l'ancienne monarchie, et je sais que vous vous êtes pris tout récemment d'affection, presque d'enthousiasme pour certains actes de l'ancien régime.

Cet ancien régime, qui n'a eu, c'est bien entendu — M. Paul Bert et M. Compayré l'ont prouvé — ni grandeur, ni gloire, ni prospérité, ni commerce, ni industrie, il a eu pourtant, à vos yeux, quelque chose de bon, ce sont les lois restrictives qu'il a faites souvent contre la liberté de l'Eglise et contre le clergé (Nouveaux rires approbatifs à droite). C'est là ce que M. le garde des sceaux appelle la législation traditionnelle de la France. Cette législation

(1) Laferrière intervint de nouveau pour critiquer, par des raisons apparemment décisives, l'interprétation ainsi donnée de l'art. 16 du Concordat. Pour sa part, il trouvait le fondement juridique de la mesure de suspension des traitements dans un pouvoir de haute police, de l'usage duquel le gouvernement devait rendre compte aux Chambres, en leur demandant un « bill d'indemnité ».

traditionnelle dont il fait l'éloge, ce ne sont pas les beaux édits qui ont fondé le droit civil de la France; ce sont les arrêts du Parlement qui permettaient de suspendre le traitement des évêques quand ils avaient arbitrairement troublé la conscience de leurs troupeaux (Très bien ! très bien ! à droite).

Ces précédents de l'ancien régime, vous les trouvez donc et en grand nombre; seulement je vous avoue qu'ils ne nous touchent pas, parce qu'ils sont tous atteints de déchéance par cet argument invincible que vous rappelait l'autre jour mon honorable ami M. Batbie, c'est qu'entre le droit public de l'ancien régime en matière écclésiastique et le nôtre, il y a un abîme ouvert par la Révolution et que rien ne peut combler. »

(Sénat, séance 1er juin 1883, J.O. Déb. parl. Sénat, p. 598).

Un strict contrôle des congrégations.

C'est le même esprit gallican qui détermine l'attitude du Conseil envers les congrégations. Attitude de réserve et même de méfiance teintée d'hostilité pour ces groupements qui échappent à l'autorité de l'Ordinaire (1), et sont souvent propriétaires d'importants biens de main morte, « la main morte ecclésiastique, cette lèpre que la Révolution a emportée et qui effraie », comme le déclare le conseiller Berger à l'assemblée générale du 26 mai 1881.

Il n'est donc pas question d'en faciliter la création. Le Conseil rappellera à maintes reprises, en se référant aux règles, maximes et traditions de la Monarchie française qu'il faut une loi — là où autrefois un édit royal était nécessaire — pour conférer la personnalité légale à une congrégation religieuse; le principe sera confirmé par la loi du 1er juillet 1901 sur le droit d'association et les exceptions doivent être interprétées de façon restrictive, comme le fait l'avis suivant du 16 juin 1881 :

« Le Conseil d'Etat qui, sur le renvoi ordonné par M. le Ministre de l'Instruction publique et des Beaux-Arts, a pris connaissance d'une dépêche ministérielle appelant le Conseil d'Etat à examiner la question de savoir si la Société de Marie, autorisée par ordonnance royale du 16 novembre 1825 comme association charitable en faveur de l'instruction primaire, possède la personnalité civile;

Vu l'ordonnance du 16 novembre 1825 autorisant la société établie à Bordeaux (Gironde), sous le nom de Société de Marie, comme association charitable en faveur de l'instruction primaire, ensemble les statuts annexés à ladite ordonnance;

Considérant que, d'après les principes de notre droit public, les congrégations religieuses ne peuvent, avec l'autorisation du gouvernement, recevoir des libéralités ou acquérir des biens immeubles ou des rentes qui si elles ont été reconnues par une disposition législative; que si la loi du 24 mai 1825 a permis au gouvernement, dans certains cas et sous certaines conditions, de constituer, par simple décret, en personnes civiles les congrégations reli-

(1) C'est-à-dire de l'évêque du lieu.

gieuses de femmes, aucun texte de loi ne lui donne le même droit en ce qui concerne les associations religieuses d'hommes (1);

Considérant en fait, qu'aucune loi n'a reconnu la Société de Marie;

Que l'ordonnance du 16 novembre 1825, autorisant cette congrégation comme association charitable en faveur de l'instruction primaire, n'a pu suppléer à la loi qui était nécessaire pour lui donner la personnalité civile;

Que l'incapacité de cette association pour recueillir directement des libéralités ressort même de l'obligation où l'on s'est trouvé, pour parer à son défaut de qualité, d'insérer dans l'ordonnance de 1825 un article spécial disposant que « le Conseil royal de l'Instruction publique pourra, en se conformant aux lois et règlements de l'administration publique, recevoir les legs et donations qui seraient faits en faveur de ladite association et de ses écoles » (Art 2);

Que le décret du 18 avril 1857, en abrogeant cette disposition de l'ordonnance de 1825, n'a pu avoir pour conséquence de conférer à ladite association une capacité qui ne lui avait jamais appartenu,

Est d'avis :

Que la Société de Marie ne possède pas la personnalité civile. »

(Arch. C.E. P.v. séance 16 juin 1881, p. 692).

Attitude tout aussi restrictive lorsqu'il s'agit d'autoriser par décret les établissements nouveaux créés par une congrégation reconnue ou autorisée. L'autorisation n'est accordée à l'établissement ou succursale que si son activité apparaît indispensable pour satisfaire les besoins publics et elle est assortie de précautions bien souvent minutieuses. Ainsi pour un établissement que les Petites Sœurs des Pauvres ont fondé à la Mulatière, près de Lyon, le rapporteur justifie de la manière suivante l'avis favorable de la section :

« Messieurs, l'établissement que la Congrégation des Petites Sœurs des Pauvres demande l'autorisation de créer est déjà créé. Il a une existence de fait depuis 1890, et il s'agit seulement de lui donner une existence de droit.

Le préfet d'Ille et Vilaine, où siège l'établissement principal des Petites Sœurs des Pauvres, a donné un avis défavorable, en se basant sur ce que le conseil municipal intéressé avait lui-même émis un avis défavorable dicté, sans doute, par des considérations d'ordre politique et budgétaire.

Le préfet du Rhône, au contraire, a émis un avis favorable par ce motif que l'établissement dont il s'agit rend des services appréciés de la population.

La section de l'Intérieur s'est rangée à cet avis et conclut à l'autorisation du nouvel établissement.

Il a paru, MM., à votre section que tant que l'assistance publique ne serait pas suffisamment organisée pour pourvoir aux besoins des vieillards malheureux, on ne pouvait refuser le concours des congrégations.

La section propose donc d'émettre un avis favorable. Le projet de décret, tout en consacrant par son article premier la fondation du nouvel établis-

---

(1) En vertu de la loi du 2 janvier 1817, les congrégations religieuses d'hommes ne pouvaient être reconnues que par une loi. La loi de 1901 exigeant une loi pour l'autorisation légale d'une congrégation a eu pour effet de supprimer la possibilité de reconnaître par décret les congrégations de femmes, qui existait depuis la loi du 24 mai 1825, mais a toutefois maintenu les autorisations données jusque-là.

sement, édicte les précautions d'usage; il fixe dans son article 3 le nombre maximum des membres que l'établissement pourra comprendre et, en même temps, il indique la quotité d'étrangères qui ne pourra être dépassée. Cette dernière précaution n'est pas inutile, car nous avons constaté que dans les établissements des Petites Sœurs des Pauvres, surtout dans ceux qui sont situés dans le voisinage de la frontière, les étrangères étaient fort nombreuses. Il s'est même trouvé à Glaire, près Sedan, un établissement dans lequel les étrangères étaient en majorité.

L'article 4 du projet de décret porte que le Ministre de l'Intérieur pourra intervenir pour faire visiter par ses délégués l'asile de la Mulatière et se faire rendre compte de son fonctionnement. »

(Ass. gén. du 7 janvier 1904, Arch. C.E. P.v. annexes, pp. 2-3).

Ce débat du 7 janvier 1904 présente d'ailleurs un autre intérêt. Le rapporteur, M. Théodore Tissier, posa et examina longuement la question suivante : l'acquisition des biens affectés à l'asile de la Mulatière doit-elle être faite, comme le demande le gouvernement, par la supérieure locale, au nom de l'établissement, ou par la supérieure générale, au nom de la congrégation ? Il se prononça nettement pour la première solution, qui fut adoptée par le Conseil, en faisant valoir des considérations juridiques tirées des travaux préparatoires et des termes mêmes de la loi du 1er juillet 1901 « qui a été faite contre les congrégations... pour abattre leur puissance », mais ces considérations se trouvèrent à la fois éclairées et confortées au terme de la discussion par l'échange des propos suivants entre le conseiller Cotelle, le rapporteur et le commissaire du gouvernement, M. Dumay, directeur des cultes :

« M. Cotelle : Je suis frappé, dans toute cette discussion, de ce fait que l'on considère que la congrégation prise en tant qu'entité présentait un danger, qu'il fallait se montrer très circonspect dans les actes de cet être à qui on donne la vie.

Je sais les conditions dans lesquelles on reconnaît les établissements d'utilité publique; quand ils viennent devant nous, nous demandons à voir leurs statuts; on les reconnaît. Or la loi de 1825, comme la loi de 1901, n'a pas interdit la reconnaissance des congrégations. Puisqu'elle a dit qu'on pouvait les reconnaître, c'est qu'elle a pu admettre que dans certains cas leur but pouvait être assez intéressant pour qu'on les encourage. Donc, si la congrégation est reconnue, si un acte de la loi a reconnu un établissement, bien loin de le regarder avec défaveur, vous devez y applaudir. Ce que je ne comprends pas, c'est cette perpétuelle contradiction d'un père qui met au jour son enfant et cherche à le tuer.

Quels sont les statuts de la congrégation ? S'ils tendent à remplir un des actes pour lesquels vous lui avez donné la vie civile, bien loin de lui mettre des bâtons dans les roues, il me semble que vous devez chercher par tous les moyens possibles à l'aider à atteindre son but.

Vos conclusions ne sont pas d'accord avec vos prémisses. Vous autorisez quelque chose à naître et vous dites en même temps : « je vous stérilise. »

M. le Rapporteur : Au contraire, nous voulons donner la vie à l'établissement.

M. Cotelle : On considère que la congrégation est un danger : eh bien ! pourquoi reconnaissez-vous d'utilité publique ce danger ?

M. Dumay : Au contraire, nous disons qu'elles rendent de très grands services. Seulement nous demandons que cet établissement soit maître de son patrimoine et ne soit pas obligé de donner de l'argent qui irait à la maison mère et de là à Rome. Nous voulons qu'il y ait un patrimoine pour la Mulatière. C'est vous qui, en 1880, avez demandé par un avis que justement les congrégations, si bonnes qu'elles soient, ne puissent créer des établissements nouveaux, sans une nouvelle autorisation, nous mettons une nouvelle modalité qui est la capacité sur place ».

(Ass. gén., 7 janvier 1904, Arch. C.E., P.v. annexes, pp. 46-48).

La séparation des Eglises et de l'Etat.

L'abrogation du Concordat et la séparation des Eglises et de l'Etat allaient profondément modifier la situation, beaucoup plus même que ne l'avaient voulu les auteurs de la loi du 9 décembre 1905. Celle-ci — à la préparation et à l'exécution de laquelle deux membres du Conseil d'Etat, MM. Grunebaum-Ballin et Théodore Tissier participèrent très activement (1) — avait prévu la constitution d'associations dites associations cultuelles, groupant les fidèles et administrés par eux, chargés de subvenir aux frais, à l'entretien et à l'exercice public du culte : en vertu de l'article 8 de la loi, le Conseil d'Etat devait, statuant au contentieux, se prononcer sur l'attribution des anciens biens de l'Eglise aux nouvelles associations, lorsque cette attribution serait contestée ou que ces biens seraient réclamés par plusieurs associations formées pour l'exercice du même culte. L'arbitrage ainsi confié au Conseil d'Etat fut accueilli avec faveur par une partie de l'opinion catholique qui lui faisait confiance, mais ce fut l'une des nombreuses raisons qui motivèrent le refus de la loi par la Cour de Rome. Celle-ci jugea contraire aux principes d'organisation de l'Eglise l'attribution de compétence à un corps civil comme le Conseil d'Etat pour trancher les différends entre associations cultuelles. Le Conseil d'Etat est nommé à deux reprises dans l'Encyclique « Vehementer Nos » du 11 février 1906 :

«... Si la loi (du 9 décembre 1905) prescrit que les associations cultuelles doivent être constituées conformément aux règles d'organisation générale du culte dont elles se proposent d'assurer l'exercice, d'autre part, on a bien soin de déclarer que, dans tous les différends qui pourront naître relativement à leurs biens, seul le Conseil d'Etat sera compétent. Ces associations cultuelles elles-mêmes seront donc, vis-à-vis de l'autorité civile, dans une dépendance telle que l'autorité ecclésiastique — et c'est manifeste — n'aura plus sur

(1) M. Grunebaum-Ballin, alors auditeur au Conseil d'Etat, publia en octobre 1904, avec une préface d'A. France, un ouvrage de 425 pages : « La séparation des Eglises et de l'Etat », où il commente et développe les articles du projet de loi de séparation, dit « projet Briand ». Briand eut alors également pour proches collaborateurs Théodore Tissier, maître des requêtes au Conseil d'Etat et Louis Méjan. Ce groupe d'hommes jouera un rôle très important dans l'application de la loi de séparation (cf. Biographie de M. Grunebaum-Ballin, par Jean Diedisheim, dans Les Cahiers Français, n° 1, publiés par la Société A. France. Paris 1971).

elles aucun pouvoir... Rien n'est plus contraire à la liberté de l'Eglise que cette loi. En effet quand, par suite de l'existence des associations cultuelles, la loi de séparation empêche les pasteurs d'exercer la plénitude de leur autorité et de leur charge sur le peuple des fidèles; quand elle attribue la juridiction suprême sur ces associations au Conseil d'Etat et qu'elle les soumet à toute une série de prescriptions en dehors du droit commun... que fait-elle donc, sinon placer l'Eglise dans une sujétion humiliante... ? ».

(Pie X. Pont. Max. Acta vol. III, 1908, pp. 24-sq.).

Le refus par Rome du principe même de la séparation obligea à imaginer pour l'exercice du culte un autre système. Le gouvernement admit que le culte public pourrait être exercé dans le cadre de la loi de 1881 sur les réunions, assouplie au besoin sur quelques points; les édifices du culte, propriété de l'Etat et des communes, furent laissés à la disposition des fidèles (1). Mais ces solutions ingénieuses n'allaient pas de soi. Elles supposaient que le culte pût être légalement exercé en dehors du cadre juridique des cultuelles défini par la loi du 9 décembre 1905. Le Conseil d'Etat fut consulté à ce sujet. Il en délibéra longuement les 25 et 30 octobre 1906 et conclut à la possibilité de l'exercice du culte en dehors de ce cadre. La discussion fut vive. Les membres les plus « laïcs » du Conseil soutinrent que la loi de 1905 interdisait l'exercice du culte en dehors de tout autre cadre que celui des cultuelles : « sortir de ce cadre, c'est donner aux catholiques et à l'Eglise toute liberté ». A l'inverse, les « cléricaux » manifestèrent leur crainte de voir l'Etat consacrer comme des cultuelles et soumettre aux dispositions de la loi de 1905 les groupements de fait de fidèles qui, sous la direction de leur pasteur, se constitueraient pour assurer l'exercice du culte. La majorité ne s'embarrassa ni de ces objections juridiques, ni de ces craintes. Le rapporteur, M. Saisset-Schneider emporta sa conviction en déclarant :

« Comment les catholiques s'accommoderont-ils de la loi de 1881 ? Comment le culte catholique pourra-t-il subsister à l'état inorganique ? Ce n'est pas à nous de le dire. Un point de droit nous est soumis qui est celui-ci : la loi de 1881 est-elle applicable à l'exercice public du culte, lorsque cet exercice est assuré par une initiative individuelle ? Nous n'avons pas à nous demander si, dans la pratique, on rencontrera des difficultés, comment le gouvernement entend appliquer la loi de 1881 en cette matière, s'il fera dresser des procès-verbaux chaque fois que le commissaire de police n'assistera pas aux cérémonies religieuses. Nous sommes consultés uniquement sur une question de droit.

(Ass. gén. 31 octobre 1906. Arch. C.E. P.v. annexes, p. 2670).

Le Conseil d'Etat avait clairement conscience cependant que sa réponse faciliterait la tâche du gouvernement qui publiait au Journal Officiel du 2 décembre suivant une circulaire « relative aux conditions

(1) Cf. loi du 2 janvier 1907, concernant l'exercice public des cultes, not. art. 5 et loi du 28 mars 1907, relative aux réunions publiques (*Duvergier, T. 107, p. 12 et p. 171*).

d'exercice du culte public à défaut d'associations cultuelles », fondée sur l'avis du Conseil.

Désormais, les problèmes des cultes se posaient en termes de droit commun et non plus en termes concordataires. La liberté du culte devenait une liberté comme les autres, qui pouvait être réglementée, comme elles, dans l'intérêt de l'ordre public, mais qui devait être respectée et garantie de la même manière. Les Eglises et les fidèles n'étaient plus enfermés dans l'étroit corset des dispositions du Concordat et des articles organiques, interprétées dans un esprit gallican; ils n'étaient plus soumis qu'à des prescriptions de police, où cet esprit n'avait rien à faire. Le recours pour excès de pouvoir relayait l'appel comme d'abus. Au sein du Conseil d'Etat, le premier rôle allait revenir à la section du contentieux, et celle-ci devait de 1907 à 1914 élaborer et appliquer une jurisprudence d'apaisement.

Jurisprudence très nécessaire, car ni la loi de séparation, ni celles des 2 janvier 1907 et 13 avril 1908, ni les ingéniosités de leurs applications n'avaient suffi à ramener la paix dans certaines régions de France, notamment l'Ouest, où, dès lors que l'entente ne régnait pas entre les deux pouvoirs, tout était prétexte à incident : sonneries de cloches, processions, port du viatique, enterrements, location du presbytère, police de l'Eglise, etc. Dans l'exercice de sa fonction contentieuse, le Conseil d'Etat joua le rôle d'un « régulateur de la vie paroissiale », selon l'expression de Gabriel Le Bras (1).

Les formations administratives du Conseil continuèrent pour leur part d'être saisies de nombreuses affaires relatives à l'application des textes régissant les congrégations, les libéralités, les reconnaissances d'utilité publique, la désaffectation des lieux de culte, etc., textes que l'abrogation du Concordat n'avait pas fait disparaître. Leurs jurisprudences ne furent pas substantiellement modifiées par la novation des rapports entre les Eglises et l'Etat. Les prudences traditionnelles subsistaient à l'égard des groupements et des biens de main morte.

Après de longs siècles de régime concordataire, les légistes du Conseil d'Etat éprouvaient sans doute quelque peine à admettre l'exercice totalement privé d'un culte religieux. De là leur attachement à ne pas relâcher les liens qui, sur certains points encore, unissaient les deux pouvoirs. Il en fut ainsi notamment à propos des édifices religieux, propriété de l'Etat ou des communes, laissés à la disposition des fidèles.

Le Conseil d'Etat accueillit presque toujours avec réticence et rejeta le plus souvent les demandes de désaffectation qui lui étaient présentées par les communes pour des églises à l'abandon, que souvent des particuliers se proposaient d'acheter et de restaurer (2). Réticences et refus lui

(1) Cf. Gabriel Le Bras : « Le Conseil d'Etat, régulateur de la vie paroissiale ». ED. 1950, p. 63-sq.

(2) En 1911, lorsque Maurice Barrès entreprit la campagne : « La grande pitié des églises de France », environ 150 communes saisirent le Conseil d'Etat de demandes de désaffectation d'églises; il n'en admit que 20.

étaient parfois inspirés par la crainte de voir le culte catholique pratiqué dans des lieux sur lesquels la puissance publique n'aurait plus aucun droit de regard. Rapportant un projet de décret relatif à la désaffectation de l'église de Taingy, dans l'Yonne, M. Saisset-Schneider déclarait :

> « Si elle (cette désaffectation) devait être complètement isolée, si nous n'avions pas à redouter la généralisation de désaffectations semblables, je ne dirais rien et je voterais sans discussion le projet qui me paraît fort bien étudié par le gouvernement... Mais très certainement, la décision rendue va entraîner nombre d'affaires de même nature. Elle va éveiller dans un parti des ambitions et l'espoir de reconstituer à peu de frais, en dehors de l'action publique, le culte en France. Sans doute, je ne suis pas l'adversaire du culte, mais enfin, étant donné qu'on a voulu prendre des garanties contre l'Eglise, il serait peut-être dangereux de la laisser se reconstituer à très peu de frais, et même sans frais du tout, dans des circonstances qui, plus tard, peuvent créer des difficultés ».

M. Coulon, qui présidait la séance, tint de son côté à attirer l'attention de l'assemblée sur l'importance de l'affaire :

> « Cette affaire est extrêmement grave, elle aura pour conséquence d'entraîner dans une mesure considérable la substitution du culte privé au culte public ».
>
> *(Ass. gén., 26 novembre 1908. Arch. C.E. P.v. annexes, pp. 2043 sq.).*

LE CONSEIL D'ÉTAT ET LES PROBLÈMES DE LA FONCTION PUBLIQUE

La politique a dominé de 1880 à 1914 les problèmes de la fonction publique. La plupart des gouvernements qui se sont succédé au cours de cette période ont cherché à maintenir dans ce domaine leur compétence exclusive et à l'exercer aussi librement que possible. Pas de statut général des fonctionnaires, surtout s'il devait être l'œuvre du Parlement; des statuts particuliers nombreux, sommaires et souples; à la rigueur des associations, mais en aucun cas des syndicats d'agents publics : c'est sur ces positions que les ministères successifs se sont battus face aux groupements de fonctionnaires, à une large partie de l'opinion publique, à l'opposition parlementaire. Les seuls projets gouvernementaux relatifs au statut des fonctionnaires ont été déposés vers la fin de cette période, à la veille d'élections générales ou sous des pressions extérieures.

Cette attitude ne s'explique pas seulement par le désir naturel de tout pouvoir de conserver pleine et entière autorité sur ses agents. Elle a eu également pour cause l'âpreté des luttes politiques de l'époque. Les partis victorieux et cependant toujours menacés voulaient récompenser leurs militants, s'assurer des agents fidèles, neutraliser leurs adversaires, réels ou supposés. Il fallait pour cela ne pas être contraint pas trop de règles (1).

L'affaire des « fiches » (2) éclata alors. Le « Spoil's system » faillit s'installer en France.

La réaction fut vigoureuse. Elle vint d'abord des fonctionnaires eux-mêmes. Ils constituèrent des syndicats qui furent déclarés illégaux et dissous. Ils formèrent des associations dans le cadre de la loi du 1er juillet 1901. Ils interrompirent le travail et revendiquèrent le droit de grève. Ils réclamèrent le vote d'un statut général fixant et garantissant leurs droits.

Ils trouvèrent au Parlement, dans l'opposition de droite comme dans celle de gauche, des appuis nombreux et vigoureux (3). L'initiative des réformes vint des chambres (4). Mais les propositions de loi n'eurent pas de suite, à l'exception de celle de Marcel Sembat qui fut à l'origine de l'article 65 de la loi de finances du 22 avril 1905, subordonnant à la communication préalable de son dossier toute mesure disciplinaire contre un fonctionnaire, tout déplacement d'office, tout retard dans l'avancement à l'ancienneté.

Deux débats sur la fonction publique.

Le rôle joué dans ce domaine par les formations administratives du Conseil fut réduit. Les projets de loi furent rares et aucun ne lui fut soumis. Les propositions de loi furent nombreuses, mais ni les chambres ni le gouvernement ne l'en saisirent. Le Conseil fut consulté sur des mesures réglementaires, mais la plupart de celles-ci avaient des objets limités. C'est surtout par la voie contentieuse qu'il exerça, comme on le verra plus loin, une influence importante dans ce domaine.

Son rôle administratif ne fut cependant pas négligeable et l'esprit de ses interventions apparaît nettement à travers les débats d'assemblées générales et les avis qui les concluent : réserve certaine à l'égard d'une réglementation trop générale et trop libérale de la fonction publique qui déposséderait le pouvoir exécutif de ses prérogatives essentielles, mais en même temps souci de l'adoption et du respect de règles très fermes de recrutement, d'avancement et de discipline.

---

(1) La fonction publique française était organisée de longue date selon le système de la carrière. Mais l'application de ce régime résultait plus d'habitudes que de dispositions écrites. Le gouvernement disposait légalement d'une très grande liberté d'action dont, normalement, il ne faisait qu'un usage assez limité (cf. ci-dessous les débats de l'Assemblée générale du Conseil d'Etat des 16 et 23 juillet 1874). Les choses changèrent lors des luttes politiques à la fin du XIXe siècle et au début du XXe siècle. De là le désir des gouvernements de ne pas laisser trop réduire leur liberté d'action.

(2) Le scandale des « fiches » éclata en 1904. Le gouvernement radical-socialiste de l'époque faisait surveiller les faits et gestes des fonctionnaires civils et des officiers par des agents appartenant souvent à la Franc-maçonnerie.

(3) C'est un député de droite, M. Alexandre Lefas, qui, dans un ouvrage paru en 1913 : « L'Etat et les fonctionnaires », réclamait avec vigueur l'adoption d'un statut général des fonctionnaires.

(4) Cf. les discours à la chambre des députés de Joseph Reinach le 13 décembre 1906 (*J.O.*, p. 3208-sq.); Théodore Steeg le 8 mai 1907 (*J.O.*, p. 928).

La première de ces préoccupations était apparue prédominante à la veille de la IIIe République, lorsque le Conseil se prononça sur un projet de loi relatif aux conseils d'administration et à l'état des employés dans les administrations centrales, élaboré par une commission de l'Assemblée Nationale (1). Le projet, reprenant des dispositions présentées sans succès sous la IIe République, était audacieux : applicable à tous les ministères, il créait auprès du ministre un conseil d'administration groupant, sous sa présidence, les chefs des différents services et qui devait être consulté sur tous les problèmes d'organisation du ministère et de gestion du personnel; le recrutement devait se faire par voie d'examen (pour les agents subalternes) ou de concours (pour les rédacteurs); l'avancement était réglementé, ainsi que l'exercice du pouvoir disciplinaire.

Le rapporteur du projet, M. de Silvy, se montra assez favorable à celui-ci, mais l'avis émis au terme des débats d'assemblée générale fut beaucoup plus réservé. En voici les principaux passages :

« Considérant que le projet de loi institue, d'une part, des conseils d'administration auxquels il accorde une autorité considérable sur le personnel et qu'il établit, d'autre part, des règles uniformes pour le recrutement, l'avancement et la discipline des employés de toutes les administrations centrales;

Considérant que si la loi conférait à ces conseils des attributions qui viendraient limiter, aussi étroitement que le fait le projet, le pouvoir du ministre, ils auraient, dans la plupart des cas, le grand inconvénient de soustraire à la direction de l'autorité ministérielle un personnel dont le ministre est responsable; qu'il n'y a pas d'ailleurs de motif suffisant pour accorder aux employés des administrations centrales des garanties exceptionnelles analogues à celles qui ont été données par les lois, pour des motifs d'ordre public, à l'armée et à quelques professions spéciales;

Considérant, d'autre part, que les administrations centrales sont, par la nature même de leurs travaux, essentiellement différentes les unes des autres; que ces différences n'existent pas seulement entre les divers ministères, mais encore entre les services d'un même département;

Considérant que les conditions de l'état du personnel des employés varient non moins que la constitution des services, selon la nature des travaux, selon que les employés sont civils ou militaires, selon qu'ils sont attachés d'une manière permanente à l'administration centrale, ou que, provenant du service extérieur, ils y sont rattachés temporairement;

Considérant qu'il ne paraît pas possible de soumettre à un ensemble de règles uniformes, qui seraient édictées par la loi, des services et un personnel administratifs qui, par leurs origines, leurs traditions et la nature de leurs travaux, sont aussi différents les uns des autres; que cette impossibilité a été reconnue par le législateur qui, en 1850, c'est-à-dire à une époque où l'article 10 de la constitution du 4 novembre 1848 prescrivait que l'admissibilité aux fonctions publiques fût réglée par les lois, a renvoyé la solution de ces questions à des règlements d'administration publique;

Considérant qu'il résulte de l'enquête parlementaire qu'il y aurait utilité à établir sur des règles fixes l'organisation de chacune des administrations centrales, les cadres des bureaux, la hiérarchie des fonctions en même temps que les conditions de recrutement, d'avancement et de discipline; que les

(1) Ass. nat. 22 juillet 1873, Annales de l'Assemblée nationale, t. XVIII, Annexes, p. 182.

règlements d'administration publique peuvent seuls atteindre ce but parce que, seuls, ils peuvent tenir compte des besoins très divers des services... »

(Ass. gén., 23 juillet 1874. Arch. C.E. P.v., pp. 871-872).

Les dispositions du projet de loi avaient cependant été défendues avec vigueur devant l'assemblée par un membre de celle-ci, le contre-amiral Bourgois, qui voyait un exemple à suivre pour l'administration civile dans le statut dont les militaires étaient depuis longtemps dotés :

« Je voudrais exprimer le regret que l'on n'ait pas fait davantage dans la voie d'une certaine uniformité dans la réglementation. Je crains que les règlements divers qui arriveront des différents ministères ne forment peut-être, malgré le désir des ministères et les soins du Conseil, une mosaïque assez peu réussie. Je crois qu'on aurait pu adopter certaines règles générales qui peuvent indistinctement s'appliquer à tous les ministères. Ainsi, principalement pour l'avancement des employés, est-ce que ce serait absolument enlever au ministre toute autorité sur son personnel que de lui imposer dans ses choix certaines obligations qui existent déjà dans plusieurs administrations ? Est-ce que le tableau d'avancement qui existe dans la marine et dans l'armée de terre ne pourrait pas être introduit dans les administrations civiles ? Peut-être serait-il utile de faire la part de l'ancienneté et d'entourer le choix du ministre de certaines garanties. Les Conseils d'administration pourraient très bien jouer le rôle des Comités de la Guerre et des Conseils d'amirauté et d'avancement de la Marine. Indiquer au ministre les sujets qui font le mieux leur service, ce n'est pas paralyser son action, c'est l'éclairer et sous ce rapport il me semble que c'est là un principe général qui pourrait s'appliquer à toutes les administrations. Si les ministres sont libres de proposer des règlements dans un sens ou dans un autre, il arrivera peut-être que quelques-uns proposeront cette mesure et que d'autres ne la proposeront pas. Ne serait-il pas plus simple d'établir cette règle générale, si le Conseil la trouve juste ? Ce serait une excellente garantie à donner à ceux qui, toute leur vie, rendent des services à l'Etat.

Est-ce que dans l'admission il n'y aurait pas aussi quelques règles à établir ? Si l'on veut entourer les avancements de certaines garanties, il est nécessaire de les rechercher à l'entrée dans les bureaux. On a pu supprimer presque partout — et avec raison — le surnumérariat, surtout le surnumérariat non payé, mais le stage ne serait-il pas une excellente chose qu'il serait bon de généraliser ? Un examen ne donne pas la mesure exacte des aptitudes d'un employé. C'est quelque chose de très utile, mais ce n'est pas tout, il faut offrir quelques garanties de plus pour l'avenir. Dans les carrières militaires il y a un stage. Avant que l'officier soit en possession de son état, il a passé par certaines épreuves. C'est à l'école dans laquelle il est admis, ou dans les rangs inférieurs qu'il fait son stage. Est-ce qu'il ne serait pas possible de généraliser cette mesure qui existe dans quelques administrations ? Et alors, après avoir imposé ainsi des épreuves avant l'admission définitive, après ne l'avoir pas fait dépendre uniquement d'un seul examen, il serait naturel de donner à l'employé des garanties pour la possession de son emploi. Je ne propose pas d'aller jusqu'à l'état des officiers, mais il y a certainement quelque chose à faire dans cet ordre d'idées. Il y a vingt ans qu'on agite la question et nous arrivons à dire qu'aucune règle générale n'est possible.

Il me paraît difficile aussi qu'on ne puisse pas entourer la révocation d'un employé, quand sa situation a été ainsi acquise, de certaines garanties.

Qu'elles ne soient pas celles de l'armée, je le veux bien, mais qu'il y ait au moins certaines formes à observer pour lui imposer sa révocation. »

(Ass. gén. 16 juillet 1874, Arch. C.E. P.v. annexes, pp. 367 sq.).

La grande majorité de l'Assemblée était plus sensible à la nécessité de maintenir une discipline qui, semble-t-il, n'était pas alors très rigoureuse. Répondant au contre-amiral Bourgois, le président Goussard déclarait :

« Les lois ou règlements sont faits pour parer à des inconvénients connus. L'inconvénient le plus apparent ici est-il la facilité des révocations ? Je crois que c'est le moins réel au contraire et que ce qui est à craindre, c'est le maintien d'employés paresseux ou négligents. Je crois qu'on trouverait de très rares exemples de révocations pouvant présenter l'aspect d'une sévérité excessive. J'aimerais mieux donner à l'Administration non pas un droit plus étendu (ce droit, elle en est déjà en possession), mais des moyens plus faciles d'arriver à se priver de mauvais auxiliaires, et nous faisons une loi qui aura ce résultat : la loi des pensions. Quand un employé a 10 ou 12 ans de service, s'il n'a pas fait trop de scandale, s'il n'est pas d'une paresse extra-réglementaire, on ne le congédie pas parce qu'on sait qu'il est presque impossible à un homme qui a douze ans de service de se créer une nouvelle carrière. Du moment où on pourra lui donner une pension, l'Administration aura de grandes facilités, et je dois dire que ce qui m'a frappé dans la loi allemande que le rapport a citée, c'est que c'est surtout une loi de pension. Nous pourrons arriver à un résultat analogue.

Je crois qu'il faut diriger ses efforts là où il y a un but à atteindre. Incontestablement, le but à atteindre est ici de venir en aide à l'Administration qui a de la peine à se débarrasser d'employés vieillis ou incapables.

Je craindrais, en ce qui me concerne, qu'en indiquant par un avis à l'Administration qu'elle pourrait créer en faveur des employés certaines garanties, nous n'ayons l'air d'accuser l'administration de ne leur en donner aucune (ce n'est pas le reproche que je lui fais, je ne lui ferai même pas le reproche contraire, car je comprends et j'approuve même toute la bienveillance qu'elle apporte dans ces sortes de questions), mais je ne puis m'associer aux vœux de l'honorable amiral Bourgois ».

Propos approuvés, repris et développés par le conseiller Grimprel :

« Je ne puis qu'adhérer à ce qu'a si bien dit M. le Président Goussard. Dans une pratique déjà longue au ministère des finances, j'ai pu bien des fois me convaincre que la principale difficulté qui se présente dans les questions de personnel, c'est de se séparer des mauvais employés. Lorsqu'un employé a 25 ans de service, femme et enfants, on n'a pas la force de lui dire : vous êtes un mauvais employé, je vous mets sur le pavé. On ne sait comment s'en débarrasser et je ne crois pas qu'aucun employé, sauf dans des cas exceptionnels, ait pu se plaindre que la situation qui lui était faite ne lui présentait pas de garanties suffisantes. Je ne crois pas qu'on puisse citer même quelques exceptions de gens qui auraient été martyrisés dans les ministères ou qui auraient été la victime de leurs chefs.

Comme avancement, c'est une autre affaire; chacun se plaint de ce que son voisin qui avait moins de droits que lui et moins d'aptitudes soit passé avant lui. Je ne dis pas que cela n'ait pas pu se présenter, mais en thèse générale, je suis porté à croire que c'est le chef qui a raison plutôt que l'employé.

Mais je voudrais répondre à une autre partie des paroles qu'a prononcées l'amiral Bourgois, lorsqu'il a regretté de ne pas trouver dans le rapport des considérations tendant à prescrire certaine uniformité dans les différents ministères. Je ne puis que m'élever très énergiquement contre cette uniformité que je déclare impossible et impraticable. Sans aller dans d'autres ministères, et le résultat serait le même, je n'aurai pour le prouver qu'à prendre le ministère des finances dont je fais partie depuis plus de 30 ans. Il serait absolument impossible d'établir un cadre de règlement pour les différents grades, qui puisse être appliqué d'une façon utile aux différentes directions du ministère...

J'arrive au recrutement. On a parlé de concours, d'examens; tout cela est excellent, mais là encore, je suis convaincu qu'il est impossible de tracer des règles uniformes. En thèse générale, le concours et l'examen sont la meilleure manière de juger les aptitudes des candidats, sans doute elle n'est pas parfaite, mais c'est un élément fort sérieux d'appréciation. Mais convient-il d'y avoir recours dans tous les cas ? Dans les régies financières, par exemple, vous ne trouverez aucun chef de service qui se contente de cela. Ils prennent des employés qu'ils ont vu à l'œuvre, qu'ils ont vus travailler depuis 15 ans sur le terrain; c'est à ceux-là qu'ils s'adresseront. Il y a donc des systèmes différents parce qu'il s'agit de services différents.

J'en conclus que bien loin que la loi doive tracer une règle uniforme, je crois que cette règle uniforme ne pourrait être établie qu'au détriment de certains services et qu'elle serait beaucoup plus nuisible qu'utile. Je ne vois d'ailleurs aucun besoin de remanier la législation en ce qui concerne l'état des employés ».

(Ass. gén., 16 juillet 1874. Arch. C.E. P.v. annexes, pp. 369-371).

La position du Conseil ne fut cependant pas aussi négative que le voulait ce conseiller. Il compléta son avis par les considérants et le projet de loi suivants :

« Considérant, toutefois, que les administrations sont toutes également intéressées à un bon recrutement de leurs employés et qu'il paraît, dès lors, convenable d'inscrire dans la loi même que tous les candidats aux fonctions de l'administration centrale devront être soumis à l'épreuve d'un examen;

Considérant que, pour compléter les garanties de capacité en ce qui concerne les agents du service extérieur appelés au ministère, les règlements d'administration publique devront déterminer à l'avance les équivalences de grades du service extérieur et du service central;

Considérant que, dans tous les ministères, les fonctions supérieures doivent être réservées au libre choix du ministre; qu'elles ne sauraient être confiées qu'à des personnes qui offrent des garanties d'un ordre plus élevé que celles que donne l'examen placé à l'entrée de la carrière : qu'il y a lieu, dès lors, d'excepter de l'obligation de l'examen, ainsi que le faisaient les projets de loi de 1844 et de 1850, les personnes qui peuvent être appelées aux fonctions supérieures;

Considérant qu'il convient de tenir compte, en ce qui concerne les conditions d'admission, des exceptions résultant de la loi du 24 juillet 1873, relative aux anciens sous-officiers;

Est d'avis de substituer au projet de loi proposé le projet de loi ci-joint.

Projet de loi
Article unique

Dans le délai d'un an, à partir de la promulgation de la présente loi, des règlements d'administration publique fixeront l'organisation, les cadres des bureaux et la hiérarchie des fonctions dans les administrations centrales des ministères, ainsi que les conditions d'admission, d'avancement et de discipline dans les mêmes administrations.

Ces règlements détermineront les conditions de l'examen et des équivalences de grades du service extérieur, en dehors desquelles nul ne pourra être admis, sauf dans les fonctions supérieures, et sous la réserve des exceptions résultant de la loi du 24 juillet 1873, relative aux anciens sous-officiers ».

(Ass. gén., 23 juillet 1874. Arch. C.E. P.v., p. 873).

C'est dans la voie ainsi tracée que le gouvernement devait s'engager, neuf ans plus tard, en exécution de l'article 16 de la loi de finances du 30 décembre 1882, prévoyant qu'avant le 1er janvier 1884 l'organisation centrale de chaque ministère serait réglée par un décret rendu dans la forme des règlements d'administration publique. Le Conseil d'Etat fut saisi à la fin de 1883 de huit projets de règlements d'administration publique concernant les principaux ministères. Il les examina séparément au cours de réunions qui occupèrent plusieurs mois (1), mais il tint ensuite des séances destinées à harmoniser, dans toute la mesure possible, les dispositions arrêtées pour chaque ministère. M. Chauffour, chargé du rapport d'ensemble, s'en expliqua ainsi :

« A la suite de la dernière séance où vous avez entendu lecture d'une comparaison des différents règlements que vous avez adoptés, MM. les rapporteurs ont jugé qu'il pourrait être utile d'avoir une réunion officieuse dans laquelle ils examineraient les différentes questions qui ont été soulevées dans ce rapport et les autres questions qui s'y rattachent, afin d'arriver à une espèce d'entente, s'il était possible, et de faciliter par là le travail de l'assemblée générale. Il est impossible, en effet, de soumettre à une nouvelle délibération l'ensemble de ces règlements. Les rapporteurs se sont mis d'accord sur un certain nombre de questions, pas sur beaucoup d'autres, et il a été convenu que ces dernières seraient posées à nouveau à l'assemblée générale qui aura à décider si sur certains points une solution uniforme peut être introduite dans les règlements ».

(Ass. gén., 3 avril 1884. Arch. C.E. P.v. annexes, p. 987).

Les points sur lesquels un accord était recherché sont pour la plupart d'assez mince importance : le bureau rattaché au cabinet du ministre aura-t-il un chef ou seulement un sous-chef ? Les chefs et sous-chefs de bureau seront-ils attribués nominativement à chaque bureau ou distri-

(1) Ces règlements fixaient l'organisation des ministères, le nombre et les attributions des directions, services et bureaux, les effectifs du personnel et les traitements. Ils posaient ensuite quelques règles de recrutement, d'avancement, de discipline. Le Conseil d'Etat exerçait ainsi un contrôle très strict sur l'administration active. Aujourd'hui (1973), l'organisation des ministères est réglée par des décrets qui ne sont pas soumis la plupart du temps au Conseil d'Etat.

bués par directions et services ? Etablira-t-on des échelles de traitement pour les directeurs ? (1). Quelques questions d'intérêt plus général furent cependant abordées, ainsi celles de la promotion interne et du recrutement par concours. Cette dernière fut soulevée à propos du régime particulier du ministère de la justice qui voulait écarter le concours pour le recrutement des rédacteurs et qui, grâce à la voix prépondérante du président, obtint satisfaction. La discussion fut d'une grande vivacité, qui traduit sans doute l'intérêt porté alors à cette question de principe :

« M. le rapporteur : « Le concours sera-t-il exigé dans tous les ministères pour l'emploi de rédacteur et pour celui d'expéditionnaire ?

Cette question a été vivement débattue dans le Conseil et dans les sections. Tous les règlements ont admis la nécessité d'un concours pour l'entrée dans l'administration centrale. Quelques-uns ont même institué un double concours, l'un pour les rédacteurs, l'autre pour les expéditionnaires. Mais à l'administration des cultes, le concours est complètement supprimé, et il n'est maintenu au ministère de la justice que pour les seuls expéditionnaires. Une question se pose donc, c'est celle-ci : convient-il d'établir dans les règlements qui concernent les cultes et la justice, le concours qui est admis dans les autres ministères ?

Pour mon propre compte, je ne vois aucune raison particulière pour ne pas établir ici le concours qui est considéré partout comme le seul mode normal de recrutement ».

M. Jacquin : « Cette question a déjà été examinée sérieusement par l'assemblée générale du Conseil d'Etat, et elle l'a discutée à fond. Je ne vois pas, quant à moi, de raison pour reprendre une discussion qui serait une réédition de la première délibération ».

M. le rapporteur : « Je ferai seulement remarquer qu'en ce qui concerne le ministère de la justice, il est peut-être exagéré de dire que la question a été discutée à fond. Elle a été rapidement examinée, et l'argument principal qu'a fait valoir M. le directeur pour la suppression du concours, c'est le petit nombre d'employés auquel ce concours s'appliquerait. Je ne suis pas

---

(1) Cette question fit l'objet d'une discussion très vive, sans doute parce qu'elle intéressait directement de nombreux conseillers en service extraordinaire. Après quelque hésitation, ceux-ci — qui n'avaient voix délibérative que dans les affaires concernant leur ministère — prirent tous part au vote, alors qu'un premier scrutin avait donné 10 voix contre et 8 voix pour. Leur intervention donna lieu à une passe d'armes assez vive :

M. Pallain : Les conseillers en service extraordinaire peuvent-ils voter ? En ont-ils le droit ?

M. le Pt Berger : Evidemment, puisque la question dont le Conseil s'occupe en ce moment intéresse tous les départements ministériels.

M. le Président : Je recommence l'épreuve. Que ceux qui veulent revenir sur les décisions prises par le Conseil d'Etat, relativement à la fixation du traitement des directeurs, veuillent bien lever la main.

12 se prononcent pour,

14 contre.

M. Dislère : Nous demandons que l'on consigne au procès-verbal le fait que la majorité, dans le sens de l'affirmative, résulte du vote du service extraordinaire. C'est le point sur lequel il a déjà appelé l'attention du Conseil.

M. Hély d'Oissel : C'est le service extraordinaire qui fait la majorité. Le fait est que sur une affaire de ce genre, la majorité du Conseil d'Etat n'existe plus.

M. le Président : Ce que dit M. Hély d'Oissel est très exact, pourtant, nous ne pouvons pas procéder autrement.

M. Hély d'Oissel : D'après la loi, les conseillers en service extraordinaire ne doivent voter que dans les affaires qui concernent leur ministère.

M. le Pt Berger : S'il doit en être ainsi, il ne faut pas poser de questions générales. (*Ass. gén. 3 avril 1884. Arch. C.E. P.-v. annexes, pp. 1020-sq*).

convaincu par cet argument, car, pour le ministère de la justice, le concours est bien admis pour les expéditionnaires dont le nombre n'est pas plus considérable que celui des rédacteurs. Dans la réunion des rapporteurs, on a reconnu qu'il n'y avait pas de raison sérieuse pour faire une exception à propos de la Justice. Je propose donc de décider que le concours sera rétabli ».

M. Jacquin : « J'ai fait connaître au Conseil le petit nombre d'employés auquel le concours pourrait s'appliquer. Nous avons à peine en moyenne une vacance d'emploi de rédacteur par an. Nous détournerions de leurs travaux des gens très distingués et nous n'aurions à leur offrir qu'une place ou deux. Il y a au ministère de la justice des services très différents. Prenez, par exemple, la comptabilité et les services dans lesquels les connaissances de droit sont d'un intérêt secondaire, il ne me paraît pas nécessaire d'exiger des employés les mêmes conditions que pour ceux qui aspirent à être rédacteurs au premier bureau des affaires civiles.

Il y a une seconde raison. La question du concours pour entrer dans la magistrature a été examinée et repoussée. L'opinion du ministre est qu'il ne convient pas de l'admettre davantage pour entrer dans l'administration centrale quand il n'a pas été admis pour l'entrée dans la magistrature ».

M. le rapporteur : « Enfin, on demande le concours pour tous les ministères, et même pour les ministères qui comptent un personnel moins considérable que la Justice. On a pensé que c'était le meilleur mode de recrutement, que c'était la vraie manière de recruter un personnel convenable. Je ne crois pas que les arguments présentés par M. Jacquin puissent prévaloir sur l'opinion généralement adoptée ».

M. le président : « Je vais mettre la question aux voix. L'assemblée générale veut-elle revenir sur la décision qu'elle a prise, de ne pas admettre le concours pour le ministère de la justice ? ».

10 voix se prononcent pour le maintien de la première opinion et 10 pour l'opinion contraire.

M. le président fait recommencer le vote et prie MM. les conseillers de ne pas s'abstenir.

11 voix se prononcent pour l'établissement du concours au ministère de la justice, et 10 contre.

M. le rapporteur : « La majorité est acquise au concours ».

M. le président : « Tout le monde n'a pas voté; nous sommes plus de 21. J'insiste et je vais remettre une 3e fois la question aux voix ».

M. Dunoyer : « Il y a un vote acquis ».

M. le président : « Si j'insiste, c'est parce que c'est un devoir pour les conseillers de voter ».

M. le président Berger : « On pourrait faire voter par assis ou levé ».

M. le président : « Je remets une 3e fois la question aux voix et je prie tous les conseillers de prendre part au vote ».

11 pour le concours et

11 contre.

M. le président : « Il y a 11 voix contre le concours ,parmi lesquelles celle du président qui fait la majorité. Il en résulte qu'il n'y aura pas de concours ».

M. le président Berger : « M. le président, il y a des protestations ».

M. le président : « Recommençons le vote. Que ceux qui veulent établir le concours pour le ministère de la justice veuillent bien lever la main ».

12 pour,

12 contre.

M. le président ayant voté contre le concours, le résultat du vote est que le concours n'est pas établi pour le ministère de la justice. »

(Ass. gén. 3 avril 1884. Arch. C.E. P.v. annexes, pp. 1020 sq.).

Des débats de cette longueur et de cette ampleur ne se renouvelèrent pas. Le Conseil fut cependant saisi de nombreux textes concernant l'organisation des ministères et le personnel des administrations centrales. De 1884 à 1911, il n'intervint pas dans ce domaine moins de 153 décrets — modificatifs pour la plupart — et d'une portée souvent limitée. Leur examen donna occasion au Conseil de réaffirmer quelques principes et règles jugées par lui essentielles : recrutement au mérite, avancement réglementé, soumission du pouvoir disciplinaire à des règles précises, etc.

Le rôle du contentieux.

Mais ces exercices réglementaires furent sans doute de moindre valeur que les progrès du contrôle juridictionnel pour limiter ou réprimer les abus alors si fréquents et si graves dans la gestion de la fonction publique.

Ces progrès furent considérables pendant cette période, notamment dans les dix premières années du XXe siècle. Non pas que les agents publics aient été privés jusque là de tout recours. Leurs droits pécuniaires étaient garantis par le recours de plein contentieux. Le recours pour excès de pouvoir leur était ouvert assez largement pour que Laferrière ait pu écrire en 1888, dans son Traité de la juridiction administrative :

« Il va de soi que les fonctionnaires de tout ordre, civils ou militaires, peuvent demander l'annulation pour excès de pouvoir des décisions prises à leur égard, qu'ils estimeraient contraires à leurs droits, aux règles d'avancement, d'inamovibilité, de discipline auxquelles leur fonction est soumise. Le principe de la subordination hiérarchique n'est pas considéré en France comme faisant obstacle aux recours légaux d'un inférieur contre les infractions à la loi et au droit que le supérieur commettrait à son préjudice ».

(E. Laferrière : « Traité de la juridiction administrative et des recours contentieux », 2e éd. 1888, t. II, p. 415).

Cette protection était cependant assez limitée : le fonctionnaire ne pouvait agir que contre les actes le concernant directement; il ne pouvait demander réparation pécuniaire des fautes de gestion dont il avait été victime; l'action des groupements de fonctionnaires n'était pas admise. C'est sur ces trois points que la jurisprudence va faire les progrès les plus notables (1) (2).

(1) Le Conseil d'Etat appliqua également l'article 65 de la loi du 22 avril 1905 sur la communication du dossier, avec le souci de lui donner le plus large effet possible.

(2) Sur l'évolution de la jurisprudence à cette époque, cf. notamment : G. Jèze : Notes de jurisprudence. R.D.P., 1904, pp. 515-sq.; 780 sq. M. Hauriou : Notes au Sirey : 1900, II, pp. 41-sq.; 1904, III, pp. 121-sq.; 1909, III, pp. 145-sq.

Elargissant en la matière la notion d'intérêt pour agir, le Conseil d'Etat admet les recours formés par des agents publics contre les décisions — notamment d'avancement — prises au profit de leurs collègues et qui peuvent avoir une incidence immédiate ou future sur leur propre carrière. Commentant cette innovation considérable réalisée par des arrêts de 1903 et 1904 (notamment arrêt du 11 décembre 1903. Sieur Lot, Rec. Lebon, p. 780), le professeur Hauriou écrivait :

« Avant de nous enfermer dans la discussion juridique, il est bon de signaler toutes les raisons extrinsèques de l'évolution du Conseil d'Etat. Il n'y a pas que la préoccupation d'élargir le recours pour excès de pouvoir; il y a aussi celle, plus immédiate, d'offrir aux fonctionnaires de carrière un moyen de se défendre contre les perturbations de plus en plus fréquentes apportées à la marche régulière de l'avancement par des nominations de personnages politiques. Il y a toute une catégorie de fonctionnaires politiques; ce sont avant tout les chefs de cabinet des ministres, ce sont aussi les préfets, sous-préfets, secrétaires de préfecture. Dans nos trois affaires, on trouve des deux. Ce personnel, dont la situation est brillante, mais instable, et souvent tout-à-fait éphémère, a la préoccupation de s'assurer l'avenir par la nomination, après un certain temps d'exercice de ses fonctions, à des emplois tranquilles, et, comme on dit, de tout repos. Le malheur est que les emplois ambitionnés sont en général des fins de carrière, qu'ils sont plus ou moins dûs à des catégories de fonctionnaires civils très méritants et que nos fonctionnaires politiques, en s'y faisant nommer d'emblée, causent un tort très sensible à quantité de gens et découragent de bons serviteurs. Ces pratiques sont de nature à désorganiser l'administration. C'est en grande partie pour se protéger contre ces méfaits de la politique et d'autres du même genre que, depuis la loi du 1er juillet 1901, les fonctionnaires fondent des associations de défense mutuelle, connues sous le nom d'amicales, et nous savons un département où les instituteurs primaires, ayant organisé des amicales, ont fait savoir aux hommes politiques de la région qu'ils eussent à ne pas se mêler de leurs affaires, sous peine d'avoir affaire à eux, instituteurs.

Il faut espérer que le mouvement offensif, dessiné depuis quelques années par la politique contre la régularité du recrutement des carrières administratives, sera arrêté par ces deux vigoureux éléments de défense, qui d'ailleurs se combinent, les associations de fonctionnaires et la jurisprudence du Conseil d'Etat, qui va mettre à leur disposition le recours pour execès de pouvoir pour violation de la loi. Il ne sera pas dit qu'un stage politique quelconque vaut un stage professionnel régulier ».

(Recueil Sirey, 1904, III, pp. 113-114).

Presque au même moment, le Conseil d'Etat rend plusieurs décisions reconnaissant aux fonctionnaires un droit à indemnité en réparation des dommages qu'ont pu leur causer des actes illégaux et fautifs de l'administration (notamment arrêt Villenave, 11 déc. 1903 — Rec. Lebon p. 767). Il renverse ainsi sa jurisprudence que Laferrière résumait dans ces lignes :

« Lorsqu'il s'agit d'actes de puissance publique, la règle qui domine est celle de l'irresponsabilité pécuniaire de l'Etat. Cette règle s'applique, en premier lieu, dans les rapports de l'Etat avec ses fonctionnaires. Les erreurs ou les fautes commises par le supérieur hiérarchique à l'égard de l'inférieur ne donnent lieu à aucune action en indemnité contre l'Etat : et cela non seulement qaund le supérieur abuse de ses pouvoirs discrétionnaires de discipline ou de révocation, mais encore lorsqu'il porte illégalement atteinte à un droit acquis ».

(E. Laferrière, « Traité de la juridiction administrative et des recours contentieux, 2e éd., 1888, t. II, pp. 174-175).

D'une importance pratique beaucoup plus grande fut l'admission des recours formés par les associations de fonctionnaires, dont le Conseil d'Etat reconnaissait ainsi la légalité. Cette admission, consacrée par un arrêt du 11 décembre 1908 aux conclusions de M. Tardieu (Association professionnelle des employés civils de l'administration centrale du ministère des colonies, Rec. Lebon, p. 1016), devait permettre dans bien des cas aux associations d'agir à la place de fonctionnaires qui n'auraient pas osé, par crainte de représailles administratives, prendre les risques d'une action en justice.

Mais, dans le même temps, le Conseil d'Etat maintint fermement les principes de hiérarchie, d'autorité et de discipline qui gouvernaient la fonction publique. Il le fit avec un éclat particulier en affirmant dans sa décision Winkell du 7 août 1903 (Rec. Lebon, p. 826) que les fonctionnaires ne possédaient pas le droit de grève. Il dénia de même aux agents publics, pour des raisons qui n'étaient pas toutes de texte, le droit de former des syndicats professionnels. Depuis lors, l'évolution de la législation, comme celle des idées et des mœurs, ont rendu ces jurisprudences caduques.

Deux opinions d'avant-garde.

Ces transformations étaient dès cette époque pressenties par un jeune auditeur qui devait tenir par la suite une grande place au Conseil d'Etat, Georges Cahen-Salvador. Il écrivait en 1906, dans la *Revue politique et parlementaire :*

« Que reste-t-il donc, en dernière analyse, de la distinction affirmée et soigneusement maintenue entre les associations et les syndicats ? Ces deux organismes remplissent des fonctions identiques et tendent vers un même but. De tous les méfaits dont on charge les groupements syndicaux, des associations se sont, en fait, rendues coupables ! Et alors, que conclure ? Sinon, qu'en saine logique, le procès de tendance qu'on institue contre l'organisation syndicaliste, ne tardera pas à être dirigé contre les associations elles-mêmes. Déjà, on voit poindre des menaces, qui ne manqueront pas de se préciser et d'être suivies d'effets ! ... Si une association de fonctionnaires prenait les allures d'un syndicat professionnel, c'est-à-dire entendait lutter contre les pouvoirs publics, comme un syndicat d'employés lutte contre un patron, il n'est pas douteux que le gouvernement serait absolument fondé à s'y opposer, puisque dans l'état actuel des choses, les fonctionnaires ne peuvent former de syndicats professionnels...

Cet aveu est dépouillé de toute ambiguïté; c'est à l'arbitraire gouvernemental qu'on aboutit. L'application de la loi sur les associations de fonctionnaires est remise à la discrétion des ministres. Tel se croira en droit de réclamer, sous la menace de peines disciplinaires, la dissolution d'un groupement importun. Tel autre, sous le prétexte de l'obéissance due aux supérieurs hiérarchiques, réduira une amicale complaisante en servitude. Toutes les velléités d'indépendance pourront être sévèrement réprimées ! Que sert, dès lors, d'avoir proclamé et législativement organisé le droit de s'unir, si on en peut, par voie administrative, limiter à son gré l'exercice ? »

(Les syndicats de fonctionnaires. Revue politique et parlementaire. Juillet 1906, p. 80-sq.).

Tout aussi peu conformistes furent les considérations développées quelques années plus tard dans une conférence faite à l'Institut par M. Colson, Conseiller d'Etat, qui devait devenir vice-président en 1924. Celui-ci, comme son jeune collègue, avouait ne pas comprendre les raisons pour lesquelles on refusait le droit syndical aux fonctionnaires :

«... En droit, depuis que le législateur, en 1901, a étendu à toutes les associations les avantages accordés en 1884 aux seuls syndicats, autoriser à former des associations exclusivement professionnelles des fonctionnaires à qui l'on défend de se syndiquer, est une ligne de conduite trop peu d'accord avec les réalités de fait et de droit, pour être soutenable.

Que les syndicats avec ou sans faux nez, jouent dans les services publics, comme dans les entreprises privées, un rôle plus souvent malfaisant qu'utile, nous n'en avons aucun doute. Mais, en notre qualité de vrai libéral, nous ne croyons pas que l'Etat ait le droit d'interdire aux citoyens un acte qui ne porte en lui-même aucune atteinte à la liberté d'autrui, par le motif que cet acte peut engendrer des abus; il doit seulement réprimer les abus quand ils se produisent. Et s'il admet que les ouvriers d'une entreprise privée ne commettent pas un délit en se syndiquant, il est vraiment mal fondé à décider le contraire en ce qui concerne ses propres agents. »

(Discipline et avancement des fonctionnaires. Séance du 20 avril 1912 de l'Académie des sciences morales et politiques. Recueil des séances et travaux, 1912, pp. 627-sq).

M. Colson déclarait, au cours de la même conférence, ne pas comprendre davantage que l'on puisse faire une distinction fondamentale entre les salariés du secteur privé et les fonctionnaires en ce qui concerne le droit de grève :

« La seule bonne raison qui puisse justifier une limitation du droit de grève, dans un cas comme dans l'autre, provient des torts que cause aux tiers l'arrêt d'une industrie. D'une manière générale, c'est là, et non dans une distinction de pure forme entre les services publics et les entreprises privées qu'il faut chercher à notre avis une base de distinction entre les grèves licites et les grèves illicites... Il est des services d'Etat dont la suspension ne peut entraîner aucun dommage public et où, dès lors, il n'y a nul motif d'interdire la grève.

Quand les allumettiers, qui ont déjà extorqué aux contribuables des salaires invraisemblables et qui ne supportent aucune discipline, se mettent en grève, l'Etat trouve grand bénéfice à s'approvisionner à l'étranger pour la vente;

on ne pourrait que remercier le personnel de cette industrie ruineuse, s'il lui en rendait l'exercice définitivement impossible et s'il l'obligeait par ce moyen à percevoir l'impôt sous une autre forme. »

(*Recueil des séances et travaux de l'Académie des sciences morales et politiques, 1912, pp. 627-sq.*).

IV
L'ESSOR DU CONTENTIEUX ADMINISTRATIF

L'afflux des pourvois — L'accroissement du rendement — Augmentation du nombre des formations de jugement — Les progrès de la jurisprudence — Extension et systématisation de la compétence de la juridiction administrative — Renforcement du contrôle de la légalité — Elargissement de la responsabilté de la puissance publique — La théorie des contrats administratifs — Les grands commissaires du gouvernement — Professeurs et arrêtistes — Une motion de la Ligue des droits de l'homme — Un jugement du comte d'Haussonville sur le Conseil d'Etat.

La fin du dix-neuvième siècle et, plus encore, les premières années du vingtième constituent sans aucun doute l'une des périodes les plus riches de l'histoire du contentieux administratif. En même temps que la République, le contrôle juridictionnel de l'administration se consolide et se renforce, comme le montrent à la fois son accroissement quantitatif, les progrès de la jurisprudence et les constructions de la doctrine.

Le nombre des affaires entrées et jugées, qui avait crû progressivement depuis 1800, connaît un développement spectaculaire.

Cet afflux de pourvois n'a pas empêché le Conseil d'Etat d'élaborer une série de nouvelles jurisprudences qui ouvraient plus largement son prétoire et accroissaient l'efficacité de son contrôle.

Dans le même temps, ses membres et des professeurs de droit ont constitué un corps de doctrine qui systématisait les progrès de la jurisprudence et augmentait encore leur portée. Pour l'essentiel, c'est à cette époque que se sont formées les grandes théories du droit administratif français, qui le dominent encore aujourd'hui et qui ont inspiré beaucoup de pays étrangers. Et c'est à cette époque également que le principe même de la juridiction administrative a cessé d'être sérieusement remis en question; il est non seulement accepté, mais approuvé, à une quasi unanimité, dans les milieux juridiques et politiques.

LE DÉVELOPPEMENT QUANTITATIF

Les statistiques révèlent une augmentation analogue des affaires entrées et des affaires jugées; mais cet ajustement n'a pu se faire qu'avec un certain décalage, par l'augmentation du nombre des formations de jugement.

L'afflux des pourvois.

Quelques chiffres permettent de le mesurer.

Le nombre des affaires enregistrées, qui était de 1375 dans l'année judiciaire 1878-1879, est passé à 5434 en 1908-1909 : il a ainsi plus que triplé en trente ans. Le cap des 2 000 affaires par an a été franchi pour la première fois en 1884-1885, celui des 3 000 en 1892-1893, celui des 4 000 en 1896-1897 et celui des 5 000 en 1901-1902.

Cette augmentation a évidemment des causes profondes, telles que l'accroissement de la population, l'augmentation de son niveau culturel, le développement économique, les interventions sociales et fiscales de l'Etat. Elle a en outre des causes juridiques plus immédiates. Dans une première période, elle a porté essentiellement sur le contentieux électoral, en raison de deux réformes législatives : la loi du 30 juillet 1875 a confié au Conseil d'Etat statuant en premier et dernier ressort le contentieux des élections aux conseils généraux; et la loi municipale du 5 avril 1884 a donné un effet suspensif aux appels en matière d'élections municipales, en cas d'annulation par le conseil de préfecture. Ce deuxième texte, en donnant un intérêt accru aux appels, a eu pour effet de les doubler, en les faisant passer de 600 à 1 200 environ à chaque renouvellement général des conseils municipaux. Par la suite, l'augmentation a porté principalement sur les affaires de pensions et, plus encore, sur les recours pour excès de pouvoir; le nombre de ces derniers est passé de 160 en 1890 à 1160 en 1909; cet essor est particulièrement significatif parce qu'il est la conséquence directe de la politique jurisprudentielle du Conseil d'Etat, qui tendait à en faire un instrument plus accessible et plus efficace.

La guerre a provoqué une diminution temporaire des pourvois, dont le nombre est tombé à 892 pour l'année allant du 15 août 1914 au 15 août 1915, pour remonter et se stabiliser aux environs de 2 000 jusqu'à 1919. Mais, dans le même temps, de nombreux conseillers étaient mobilisés, de sorte que le nombre des affaires jugées a diminué à peu près dans la même proportion que celui des affaires entrées.

L'accroissement du rendement.

Le tableau suivant montre que la progression des décisions a suivi, dans l'ensemble, celle des pourvois.

Période	Moyenne annuelle
1878-1888	1 530
1888-1898	2 240
1898-1908	3 760

L'activité contentieuse s'est ensuite stabilisée entre 3 et 4 000 décisions par an; elle a connu une chute brutale au début de la guerre : le nombre des jugements est tombé à 896 pour l'année judiciaire qui se situe entre le 15 août 1914 et le 15 août 1915; il est remonté au cours des années suivantes pour atteindre 2 419 en 1918-1919.

Même si l'on ne tient pas compte des circonstances particulières de la guerre, on doit constater que l'afflux des pourvois a posé des problèmes difficiles tout au long de cette période. Des arriérés importants se sont accumulés à plusieurs reprises; le nombre des affaires restant à juger s'est ainsi élevé de près de 3 000 à la fin de 1887 à plus de 6 000 à la fin de 1898; il était de 6 500 le 15 août 1909 et de 6 720 le 15 août 1914. Il en résultait des retards dans le cours de la justice : la durée moyenne de jugement des affaires était évaluée à 5 ans en 1898 et 3 ans en 1908. Ces retards furent souvent dénoncés dans la presse ou au Parlement, à la fois parce qu'ils lésaient gravement les justiciables, parce qu'ils avaient des inconvénients pour l'administration elle-même, obligée de payer d'importants intérêts moratoires en cas de condamnation et parce que, dans un droit largement jurisprudentiel, ils ne permettaient pas de fixer rapidement l'interprétation des nouveaux textes.

L'ajustement du nombre des jugements à celui des pourvois ne s'est donc fait qu'avec un certain décalage et la nécessité de liquider ces arriérés et de faire face à l'augmentation des pourvois a imposé une série de réformes législatives, destinées à permettre au Conseil d'Etat d'accroître son activité contentieuse.

L'augmentation du nombre des formations de jugement.

L'accélération du jugement des affaires n'a pas été recherchée dans une réduction de leur nombre, qui aurait pu résulter d'une restriction de la compétence juridictionnelle du Conseil d'Etat soit au profit des tribunaux judiciaires, soit au profit des conseils de préfecture. Il est vrai qu'un projet de loi déposé en 1916 prévoyait le transfert aux premiers du contentieux des marchés de travaux publics et de fournitures ; mais il a été retiré avant même de venir en discussion. Par ailleurs, certains auteurs comme Jèze et Rolland ont suggéré à plusieurs reprises d'élargir la compétence des juridictions de première instance, en les transformant en tribunaux administratifs régionaux ; mais il a fallu attendre les réformes de 1926, 1934 et surtout 1953 pour que ces idées soient mises en application.

Des mesures ont été prises, en revanche, pour accroître les effectifs du corps et pour améliorer le statut de ses membres. Le nombre des auditeurs est passé de 36 à 40 en 1900, celui des maîtres des requêtes est passé la même année de 30 à 32, et en 1910 de 32 à 37, celui des conseillers de 32 à 35 en 1910. A ces augmentations très modestes se sont ajoutées des garanties de carrière destinées à améliorer le recrutement et à éviter les départs : la loi du 13 avril 1900 a posé le principe que les deux tiers des emplois de maîtres des requêtes seraient réservés aux auditeurs de premières classe, et la moitié des emplois de conseillers aux maîtres des requêtes; la loi du 8 avril 1910 a porté aux trois quarts la première de ces proportions; des améliorations de traitement ont également été obtenues.

Mais ces réformes partielles et limitées n'étaient évidemment pas suffisantes pour que le rendement du Conseil soit triplé, comme l'exigeait l'afflux des dossiers. La compétence demeurant constante et tendant plutôt même à augmenter en raison de l'évolution de la jurisprudence, les effectifs étant stables à quelques unités près, il ne restait qu'une solution : augmenter le nombre des formations de jugement tout en réduisant celui de leurs membres. Ce fut l'objet de trois réformes législatives intervenues, selon un rythme à peu près décennal, en 1888, 1900 et 1910.

La loi du 24 mai 1872 avait maintenu les deux formations de jugement qui existaient sous le Second Empire : la section du contentieux, chargée de l'instruction des requêtes et du jugement de celles qui avaient été présentées sans avocat, sous réserve de renvoi à l'assemblée, à la demande d'un conseiller ou du commissaire du gouvernement; et l'assemblée du Conseil d'Etat statuant au contentieux, qui examinait toutes les affaires présentées par un avocat ou renvoyées par la section. Dans la pratique, d'ailleurs, celle-ci ne jugeait elle-même que des affaires d'élections et de contributions. L'augmentation du contentieux électoral, consécutif, on l'a vu, aux lois de 1875 et 1884, conduisit le gouvernement à déposer un projet qui devint la loi du 26 octobre 1888, « relative à la création d'une section temporaire du contentieux du Conseil d'Etat ».

La solution retenue consistait à dédoubler l'ancienne section du contentieux en une section permanente et une section temporaire, habilitées toutes les deux à juger les affaires électorales et fiscales, même lorsqu'elles étaient présentées par avocat et sauf renvoi à l'assemblée. Dans l'esprit des auteurs de ce texte, la section temporaire devait être créée en cas de besoin, c'est-à-dire, normalement, au lendemain du renouvellement des conseils municipaux; et l'on prévoyait qu'elle siègerait environ deux années sur quatre. Mais le temporaire devint en fait permanent, et cela même ne suffit pas à régler le problème, comme devait le confirmer la seconde réforme, intervenue en 1900.

Cette réforme a été faite en deux temps, par l'art. 24 de la loi de finances du 13 avril 1900 et par la loi du 17 juillet 1900, qui est propre au contentieux administratif. Ces textes dédoublent le section permanente et la section spéciale, en les divisant chacune en deux sous-sections. Au total, par conséquent, quatre sous-sections sont instituées, qui sont chargées à la fois de l'instruction des requêtes et du jugement des affaires d'élection et de contributions, dites du « petit contentieux », lorsqu'elles sont présentées sans avocat.

Ce n'était pas encore assez. L'arriéré s'accumulant à nouveau, une troisième réforme dut intervenir, qui est contenue dans les art. 96 et 97 de la loi du 8 avril 1910. Ce texte pérennise la section temporaire, qui prend le nom de section spéciale du contentieux, et qui sera composée de trois sous-sections habilitées à juger les affaires de « petit contentieux ». La section du contentieux est également divisée en trois sous-sections d'instruction, et elle est autorisée à juger elle-même certaines catégories d'affaires, énumérées par le décret du 31 mai 1910; cette liste comprend notamment les marchés de travaux publics et de fournitures, les dommages de travaux publics et l'occupation temporaire, les affaires d'établissements dangereux, incommodes et insalubres et d'immeubles menaçant ruine, les contraventions de grande voirie, enfin le contentieux des pensions et des lois d'assistance.

Ainsi, en quarante ans, le nombre des formations de jugement était passé de deux (Assemblée et Section) à trois (Assemblée, section permanente et section temporaire), puis à sept (Assemblée, sections permanente et temporaire et quatre sous-sections) et enfin ramené à six (Assemblée, Section, section spéciale et ses trois sous-sections). Cette augmentation importante du nombre des formations de jugement ne s'est accompagnée que d'une augmentation très modeste des effectifs du corps. Il ne semble pas qu'elle ait eu des conséquences fâcheuses sur la qualité des décisions ; mais elle n'a pas suffi à résorber entièrement l'arriéré et à l'empêcher de se reformer; bien au contraire, la guerre, qui a diminué le nombre des membres du Conseil en activité sans réduire celui des pourvois, a entraîné une nouvelle accumulation d'affaires en retard, de sorte qu'il fallut envisager de nouvelles mesures : c'est ainsi qu'a été déposé le 12 septembre 1918 un projet de loi qui tendait, selon son exposé des motifs, « à accélérer le cours de la justice administrative par une décentralisation plus complète des affaires jusqu'ici réservées à l'assemblée publique du Conseil d'Etat statuant au contentieux et par une augmentation sensible des organes de jugement ».

LES PROGRÈS DE LA JURISPRUDENCE

L'augmentation du nombre des pourvois a été certainement due pour une large part à l'évolution libérale de la jurisprudence au cours de la même période : par une série d'arrêts rendus en quelques années, le Conseil d'Etat a tout à la fois élargi l'accès de son prétoire et renforcé son contrôle.

Aucune période n'a plus nettement montré le poids de la jurisprudence dans le contentieux administratif. Le rôle et les pouvoirs du Conseil d'Etat ont été accrus par les arrêts qu'il a rendus lui-même et non par des textes législatifs ou réglementaires. En quarante ans, deux dispositions seulement, contenues dans les lois de 1900, sont intervenues dans ce domaine, en dehors de celles qui concernaient l'organisation du Conseil. Elles traitent l'une et l'autre des conditions de recevabilité.

La première a un caractère restrictif : c'est l'art. 96, 4e al., de la loi du 13 avril 1900, qui ramène de trois à deux mois le délai de recours.

La seconde augmente au contraire les droits des justiciables, en généralisant le système de la décision implicite; l'on sait que le juge administratif ne peut être saisi, en règle générale, que par la voie d'un recours formé contre une décision administrative; il suffisait donc à une administration de ne pas répondre à une demande pour que, en l'absence de décision, le contentieux ne puisse être lié; le décret du 2 novembre

1864 avait apporté un remède partiel à cette situation, en disposant que le silence gardé pendant quatre mois par le ministre sur un recours hiérarchique vaudrait décision implicite de rejet et permettrait ainsi à l'intéressé de saisir la juridiction; c'est ce système qui a été étendu par l'art. 3 de la loi du 17 juillet 1900 à toutes les demandes adressées à l'administration, dont le silence ne fera plus, désormais, obstacle à l'ouverture d'une procédure contentieuse.

En dehors de ces dispositions isolées, c'est la jurisprudence elle-même qui va construire, au cours de cette période, le contentieux administratif et qui lui a donné ainsi des traits qu'il a conservés depuis lors pour l'essentiel. A partir de principes qui avaient été établis ou ébauchés à la fin du Second Empire et surtout au début de la Troisième République, elle a étendu et systématisé la compétence de la juridiction administrative, renforcé le contrôle de la légalité des actes, élargi la responsabilité de la puissance publique, précisé la théorie des contrats administratifs.

L'extension et la systématisation de la compétence de la juridiction administrative.

La compétence du juge administratif a été étendue à la fois par rapport aux tribunaux judiciaires et par rapport aux autorités administratives.

La première de ces évolutions est l'œuvre commune du Conseil d'Etat et du Tribunal des Conflits. Prolongeant et complétant l'arrêt Blanco de 1873, leur jurisprudence a précisé le fondement de la compétence administrative et élargi ses limites. L'arrêt Blanco avait attribué compétence au juge administratif pour apprécier « la responsabilité qui peut incomber à l'Etat pour des dommages causés aux particuliers par le fait des personnes qu'il emploie dans le service public ». Il faisait ainsi du service public le critère de la compétence ; mais il ne concernait que l'Etat. Entre 1900 et 1910, plusieurs arrêts vont consacrer le critère, tout en étendant son champ d'application aux personnes morales autres que l'Etat.

Le premier et le plus important est l'arrêt Terrier du 6 février 1903 (1). Il ne contient pas de considérations doctrinales; il se borne en effet à déclarer que le refus opposé par un préfet, au nom du département, à une demande de primes présentée par un chasseur de vipères a fait naître « un litige dont il appartient au Conseil d'Etat de connaître ». Mais cette petite phrase a une grande importance : elle signifie que les principes affirmés par l'arrêt Blanco pour l'Etat s'étendent désormais aux collectivités locales, et, du même coup, à l'ensemble de l'administration. Cet arrêt doit sans doute sa célébrité, pour une grande part, aux conclusions du commissaire du gouvernement Romieu, qui constituent l'une des

---

(1) Recueil Lebon 1903, p. 94.

pages les plus importantes et les plus brillantes de l'histoire du droit administratif et qui méritent d'être ici largement citées, aussi bien pour leur valeur doctrinale que pour la vigueur et la clarté de leur style :

« Qu'il s'agisse des intérêts nationaux ou des intérêts locaux, du moment où l'on est en présence de besoins collectifs auxquels les personnes publiques sont tenues de pourvoir, la gestion de ces intérêts ne saurait être considérée comme gouvernée nécessairement par les principes du droit civil qui régissent les intérêts privés; elle a, au contraire, par elle-même un caractère public; elle constitue une branche de l'administration publique en général, et, à ce titre, doit appartenir au contentieux administratif.

Votre jurisprudence tend de plus en plus, par les solutions qu'elle adopte, vers ces conclusions : elle a ainsi successivement admis la compétence du Conseil d'Etat, comme juge de droit commun du contentieux administratif, dans une série de litiges intéressant les communes, les départements, les établissements publics, soit dans les rapports de ces personnes publiques entre elles, soit dans leurs rapports avec des tiers, soit à l'occasion d'actions nées de contrats, soit à l'occasion de dommages causés par des actes de gestion...

La doctrine qui se dégage de l'ensemble de ces décisions nous paraîtrait pouvoir se formuler ainsi : « Tout ce qui concerne l'organisation et le fonctionnement des services publics proprement dits, généraux ou locaux, — soit que l'administration agisse par voie de contrat, soit qu'elle procède par voie d'autorité, — constitue une opération administrative, qui est, par sa nature, du domaine de la juridiction administrative, au point de vue des litiges de toute sorte auxquels elle peut donner lieu », ou encore, sous une autre forme : « Toutes les actions entre les personnes publiques et les tiers ou entre ces personnes publiques elles-mêmes, et fondées sur l'exécution, l'inexécution ou la mauvaise exécution d'un service public, sont de la compétence administrative et relèvent, à défaut d'un texte spécial, du Conseil d'Etat, juge de droit commun du contentieux de l'administration publique, générale ou locale ». L'on arriverait ainsi à assimiler le contentieux départemental et communal au contentieux d'Etat et à unifier, par une interprétation plus large du principe de la séparation des pouvoirs, les règles de compétence pour la gestion des intérêts collectifs par les personnes publiques de toute nature; vos décisions sur les rapports des communes avec leurs agents et sur les litiges intercommunaux ou interdépartementaux ne formeraient plus, dès lors, qu'un cas particulier — le plus important d'ailleurs, — de ce contentieux administratif local.

Il demeure entendu qu'il faut réserver, pour les départements et les communes, comme pour l'Etat, les circonstances où l'administration doit être réputée agir dans les mêmes conditions qu'un simple particulier et se trouve soumise aux mêmes règles comme aux mêmes juridictions. Cette distinction entre ce qu'on a proposé d'appeler la gestion publique et la gestion privée peut se faire, soit à raison de la nature du service qui est en cause, soit à raison de l'acte qu'il s'agit d'apprécier. Le service peut, en effet, tout en intéressant une personne publique, ne concerner que la gestion de son donmaine privé : on considère, dans ce cas, que la personne publique agit comme une personne privée, comme un propriétaire ordinaire, dans les conditions du droit commun... D'autre part, il peut se faire que l'administration, tout en agissant, non comme personne privée, mais comme personne publique, dans l'intérêt d'un service public proprement dit, n'invoque pas le bénéfice de sa situation de personne publique et se place volontairement dans les situations d'un particulier, soit en passant un de ces contrats de droit commun, d'un type nettement déterminé par le Code civil (location d'un immeuble, par exemple, pour y installer les bureaux d'une administration), qui ne suppose par lui-même l'application d'aucune règle spéciale au fonctionnement des services publics, soit en effectuant une de ces opérations courantes, que les particuliers font journellement, qui supposent des rapports contractuels de droit commun et pour lesquelles l'administration est réputée entendre agir comme un simple particulier (commande verbale chez un fournisseur, salaire à un journalier, expéditions par chemin de fer aux tarifs du public, etc.)... Il appartient à la jurisprudence de déterminer, pour les personnes publiques locales, comme elle le fait pour l'Etat, dans quels cas on se trouve en présence d'un service public fonctionnant avec ses règles propres et son caractère administratif ou au contraire en face d'actes qui, tout en intéressant la communauté, empruntent la forme de la gestion privée et entendent se maintenir exclusivement sur le terrain des rapports de particulier à particulier dans les conditions du droit privé. »

(Recueil Lebon, 1903, p. 94).

L'arrêt Terrier avait étendu aux départements le critère du service public. Le Tribunal des conflits a confirmé cette solution dans une décision Feutry du 29 février 1908 (1) ; et il l'a appliquée, la même année, les 11 avril et 23 mai, aux communes dans la décision de Fonscolombe (2) et aux établissements publics dans la décision Joullié (3).

Le Conseil d'Etat a précisé les principes de cette jurisprudence en matière de contrats, par ses arrêts Thérond, du 4 mars 1910 (4) et Société des granits porphyroïdes des Vosges du 31 juillet 1912 (5) : un contrat qui avait pour objet la capture et la mise en fourrière des chiens errants et l'enlèvement des bêtes mortes a un caractère administratif parce que la ville, en le passant, « a eu pour but d'assurer un service public »; à l'inverse, relève de la compétence judiciaire et du droit privé un contrat de fourniture de pavés, qui « avait pour objet unique des fournitures à livrer, selon les règles et conditions des contrats intervenus entre particuliers ». Ces distinctions, qui sont toujours applicables, ont été rappelées avec force, un demi-siècle plus tard, dans des arrêts rendus en 1956.

Ainsi, la compétence administrative s'affermit et s'étend en quelques années. Elle se construit autour de la notion de service public. Elle s'applique aux collectivités locales et aux établissements publics comme à l'Etat. Elle permet au Conseil d'Etat de construire un droit administratif d'application générale.

Sans doute cette construction équilibrée n'était-elle pas aussi solide qu'il y paraissait. Après la première guerre mondiale se manifesteront les signes de ce que l'on a appelé la crise de la notion de service public;

(1) Recueil Lebon 1908, p. 208.
(2) Recueil Lebon 1908, p. 448.
(3) Recueil Lebon 1908, p. 509.
(4) Recueil Lebon 1910, p. 193.
(5) Recueil Lebon 1912, p. 909.

avec l'apparition des services publics industriels et commerciaux et des services publics gérés par des organismes privés, l'on assistera à une dissociation des trois notions de personne morale de droit public, de service public et de droit administratif. Les critères établis au début du siècle n'en ont pas moins été maintenus pour l'essentiel et ils ne semblent pas près d'être abandonnés.

L'unification de la compétence à l'égard des personnes administratives s'est accompagnée d'une extension du champ du contrôle exercé sur les actes. Le Conseil d'Etat a abandonné la théorie des actes purement discrétionnaires et il a continué à réduire la liste des actes de gouvernement, dont la décrue, amorcée en 1875 par l'arrêt Prince Napoléon, a été confirmée par la décision du Tribunal des conflits Marquigny en date du 5 novembre 1880 (1).

Si cette jurisprudence n'a fait que prolonger une évolution en cours, le Conseil d'Etat a pris une initiative plus importante et plus audacieuse en soumettant à son contrôle les règlements d'administration publique, par l'arrêt Compagnie des chemins de fer de l'Est et autres du 6 décembre 1907 (2). Jusque là, ces règlements, pris pour l'exécution des lois, étaient considérés comme participant du caractère des actes législatifs; sans doute leur illégalité pouvait-elle être invoquée devant les juridictions administratives ou judiciaires; mais ils ne pouvaient être attaqués directement par la voie du recours pour excès de pouvoir. Cette analyse est abandonnée, au profit d'une conception fondée sur la nature de l'auteur de l'acte; les règlements d'administration publique sont pris par le pouvoir exécutif et ils sont ainsi, comme tous les autres actes des autorités administratives, susceptibles de recours. Cette décision très importante permettra ensuite au Conseil d'Etat d'assujettir à son pouvoir d'annulation les décrets-lois de la IIIe et de la IVe République, ainsi que les ordonnances prises, sous la Ve République, en vertu d'une loi parlementaire ou référendaire, quels qu'en soient l'importance et l'objet.

L'abandon de la théorie dite du ministre-juge peut être également rattachée à l'extension de la compétence de la juridiction administrative. Celle-ci avait été, pendant longtemps, doublement limitée. D'une part, le Conseil d'Etat ne jugeait pas au nom du peuple français, mais au nom du chef de l'Etat, auquel il donnait un avis; la loi du 24 mai 1872 a définitivement remplacé ce système de la justice retenue par celui de la justice déléguée. D'autre part, l'on considérait que les litiges administratifs devaient, en principe et sauf texte contraire, être portés d'abord devant un ministre, qui statuait en première instance à charge d'appel devant le Conseil d'Etat. Cette théorie du ministre-juge fut abandonnée progressivement, d'abord pour les décisions de l'Etat, puis pour celles des collectivités locales; cette dernière étape fut franchie par l'arrêt Cadot du 13 décembre 1889 (1). Désormais, la juridiction administrative peut être

(1) Recueil Lebon 1880, p. 800.
(2) Recueil Lebon 1907, p. 913.
(1) Recueil Lebon 1889, p. 1148.

saisie directement, sans recours préalable au ministre, de tous les litiges. C'est un progrès considérable sur le plan des principes; d'un point de vue pratique, l'arrêt Cadot doit être rapproché de l'arrêt Terrier rendu quelques années plus tard : le premier étend aux actes des collectivités locales le système du recours direct au juge et le second leur applique les principes généraux de la répartition des compétences entre la juridiction administrative et l'autorité judiciaire. Jointe au développement du contentieux des élections et des marchés de travaux publics passés par les collectivités locales, cette double évolution a permis de développer le contrôle juridictionnel de l'administration locale; elle justifie l'opinion de Laferrière, qui se flattait d'avoir ainsi créé le contentieux administratif communal et départemental.

Le renforcement du contrôle de légalité.

Le recours pour excès de pouvoir a pris véritablement son essor entre 1890 et 1910 ; il a pris au cours de cette période, la plupart des caractères qui en font l'instrument principal du contrôle de la légalité de l'action administrative en France et l'une des techniques les plus efficaces de ce contrôle dans le monde. Ce développement a été maintes fois souligné par la doctrine; un exemple, que donnait Achille Mestre, suffit à le souligner : le traité de Ducrocq ne consacrait qu'une page de ses sept volumes au recours pour excès de pouvoir, à la fin du Second Empire; un demi-siècle plus tard, le précis d'Hauriou, en un volume, lui en accordait une cinquantaine.

Sans doute cette évolution avait-elle été amorcée sous la période antérieure. La formation des recours pour excès de pouvoir a été considérablement facilitée par le décret de 1864 qui les a dispensés du ministère d'avocat et en a ainsi abaissé le coût; et c'est à une décision de la même année que l'on fait généralement remonter l'apparition du détournement de pouvoir comme moyen d'annulation. La jurisprudence a fait faire à cette catégorie de recours des progrès décisifs en suivant les mêmes directions : élargissement des conditions de recevabilité et approfondissement du contrôle.

Une série d'arrêts, rendus en quelques années au début du siècle, ont ouvert plus largement le recours pour excès de pouvoir aussi bien en ce qui concerne les actes susceptibles d'être attaqués par cette voie que les personnes qui peuvent l'utiliser.

Quant à la liste des actes, il a été déjà indiqué que les règlements d'administration publique y ont été ajoutés en 1907 et que l'exception des actes de gouvernement a été progressivement restreinte. En outre, le Conseil d'Etat a étendu le champ du recours pour excès de pouvoir à des secteurs qui ne pouvaient donner lieu jusque là qu'à des recours de plein contentieux. Il utilise à cette fin la notion d'acte détachable, qui permet d'attaquer directement certains actes pris dans des matières comme les élections et les contrats; l'extension de cette notion résulte essentiellement de deux arrêts : l'arrêt Chabot du 7 août 1903, qui permet d'attaquer le sectionnement électoral d'une commune sans attendre les élections (1); et l'arrêt Martin du 4 août 1905, qui permet d'attaquer les actes préparatoires à la passation d'un contrat (2). Le Conseil d'Etat a également réduit la portée de l'exception de recours parallèle en l'écartant du contentieux des traitements : depuis l'arrêt Lafage du 8 mars 1912 (3), les fonctionnaires peuvent attaquer par la voie du recours pour excès de pouvoir les décisions relatives à leurs droits pécuniaires.

L'ouverture du recours pour excès de pouvoir à de larges catégories de justiciables a été plus remarquable encore. Alors que dans la plupart des pays étrangers, la faculté de recours demeure subordonnée à la lésion d'un droit, le Conseil d'Etat, sans aller jusqu'à faire du recours pour excès de pouvoir une action populaire au sens romain du terme, a adopté une conception extensive et libérale de l'intérêt pour agir.

C'est ainsi que la décision Casanova du 29 mars 1901 autorise tout contribuable communal à attaquer les décisions municipales qui ont pour effet d'augmenter les dépenses (4) ; cette solution sera étendue ensuite au contribuable départemental en 1911 et au contribuable colonial en 1932. Entre 1901 et 1908, l'intérêt pour agir a été reconnu au membre d'une assemblée délibérante pour les actes de cette assemblée, à l'électeur pour une opération de sectionnement électoral, au titulaire d'un diplôme pour une nomination portant atteinte à ses prérogatives, à un fidèle pour la fermeture d'une église. Ainsi des catégories de plus en plus larges de personnes sont-elles autorisées à défendre leurs intérêts, et, à travers eux, la légalité objective.

Dans le même temps, la jurisprudence a précisé les conditions dans lesquelles les groupements, syndicats, associations, peuvent former des recours pour excès de pouvoir : un groupement d'usagers peut se plaindre de la fermeture d'une ligne de transport en commun (5) ; mais un syndicat patronal ne peut attaquer des décisions individuelles relatives au repos hebdomadaire (6). Les principes de cette jurisprudence, fondée sur la distinction des intérêts individuels et collectifs, demeurent encore applicables aujourd'hui.

Enfin, le droit de recours est reconnu plus largement aux collectivités publiques : le maire d'une commune peut se pourvoir contre l'arrêté par lequel le préfet a annulé un de ses actes (7). Le recours pour excès de

---

(1) Recueil Lebon 1903, p. 619 (les commentateurs ont fait observer à l'époque que ce revirement de jurisprudence était d'autant plus méritoire que la décision avait été prise par un conseil général présidé par le président du conseil, ministre de l'Intérieur, qui s'était personnellement engagé dans l'affaire).

(2) Recueil Lebon 1905, p. 749.

(3) Recueil Lebon 1912, p. 348.

(4) Recueil Lebon 1901, p. 333.

(5) 21 décembre 1906, Syndicat des propriétaires et contribuables du quartier Croix-de-Seguey-Tivoli, Recueil Lebon 1906, p. 961.

(6) 28 décembre 1906, Syndicat des patrons coiffeurs de Limoges, Recueil Lebon 1906, p. 977.

(7) 16 avril 1902, Commune de Néris-les-Bains, Recueil Lebon 1902, p. 275.

pouvoir n'est donc pas seulement un instrument de défense des citoyens contre l'administration; il sert aussi — et cet aspect, pour être moins connu, n'est guère moins important — à protéger l'autonomie des collectivités locales et des établissements publics contre les empiètements du pouvoir central; il fait ainsi du Conseil d'Etat un arbitre entre les différentes personnes publiques, qui est chargé, en veillant à l'application des lois de décentralisation, de trouver un point d'équilibre entre l'autonomie des autorités locales et des services personnalisés d'une part, les nécessités de l'unité juridique et administrative du pays d'autre part.

Cet élargissement de l'accès du prétoire s'est accompagné d'un approfondissement du contrôle du juge.

La doctrine distinguait traditionnellement quatre cas d'ouverture, ou quatre moyens d'annulation : l'incompétence, le vice de forme, la violation de la loi, le détournement de pouvoir. C'est sur le troisième que le Conseil d'Etat va faire porter son effort au cours de cette période, en exerçant un contrôle de plus en plus étroit sur les motifs et sur les faits. Sans entrer dans tous les détails d'une jurisprudence particulièrement abondante, l'on se bornera à donner quelques exemples pour montrer que le Conseil d'Etat se prononce sur des questions qui se trouvent au cœur de la politique de l'administration et parfois de la politique tout court.

En matière de police administrative, le Conseil d'Etat a été saisi de nombreux recours qui se rattachaient aux relations de l'Eglise et de la puissance publique et qui concernaient les manifestations extérieures du culte. A une époque où ces questions faisaient l'objet d'un débat politique passionné dans tout le pays, il a joué un rôle conciliateur et modérateur, en statuant sur les recours formés contre les arrêtés de police qui lui étaient déférés. Il ne s'est pas contenté d'un examen de la régularité formelle de ces arrêtés; il a vérifié, dans chaque affaire, si les mesures prises par le maire étaient justifiées en fait par les nécessités de l'ordre public. La rédaction de l'arrêt Abbé Olivier du 19 février 1909 (1) est significative : le Conseil d'Etat pose d'abord en principe qu'il lui appartient, lorsqu'il est saisi d'un recours pour execès de pouvoir contre un arrêté de police du maire, « non seulement de rechercher si cet arrêté porte sur un objet compris dans les attributions de l'autorité municipale, mais encore d'apprécier, suivant les circonstances de la cause, si le maire n'a pas, dans l'espèce, fait de ses pouvoirs un usage non autorisé par la loi »; et il a décidé dans cette affaire que, compte tenu des habitudes et des traditions locales, le maire n'avait pu légalement « réglementer les convois funèbres et notamment interdire aux membres du clergé, revêtus de leurs habits sacerdotaux, d'accompagner à pied ces convois ». Cette solution est d'autant plus remarquable que, saisie au pénal par la voie de l'exception d'illégalité, la Cour de cassation s'était bornée à constater que le maire avait agi dans les limites de ses attributions. Le Conseil d'Etat va au-delà de ce contrôle de compétence; il examine les circonstances locales, il recherche les intentions du maire et il vérifie si la mesure

(1) Recueil Lebon 1909, p. 181.

prise était réellement nécessaire. Il n'a depuis lors cessé d'exercer ce type de contrôle, en l'étendant à d'autres domaines comme ceux des réunions ou des manifestations sur la voie publique.

En dehors des rapports entre la police et les libertés, le Conseil d'Etat a étendu le contrôle de la qualification juridique des faits et généralisé celui de leur exactitude matérielle. Deux arrêts sont généralement cités à ce propos. Dans la décision Gomel du 4 avril 1914, le Conseil d'Etat saisi d'un recours contre un refus de permis de construire déclare qu'il lui appartient « de vérifier si l'emplacement de la construction projetée est compris dans une perspective monumentale et, dans le cas de l'affirmative, si cette construction, telle qu'elle est proposée, serait de nature à y porter atteinte » ; il se reconnaît ainsi le droit de contrôler l'ensemble des appréciations auxquelles a procédé l'autorité administrative; et il affirme, en l'espèce, que la place Beauvau ne constitue pas une perspective monumentale (1). Deux ans plus tard dans la décision Camino du 14 janvier 1916, à propos d'une sanction disciplinaire prise contre un maire, il affirme que s'il « ne peut apprécier l'opportunité des mesures qui lui sont déférées par la voie du recours pour excès de pouvoir, il lui appartient, d'une part de vérifier la matérialité des faits qui ont motivé ces mesures et, d'autre part, dans le cas où lesdits faits sont établis, de rechercher s'ils pouvaient légalement motiver l'application d'une sanction (2) ».

Tous ces arrêts contiennent une formule qui est par elle-même significative : « il appartient au Conseil d'Etat de rechercher si... » ou « de vérifier si... » ; c'est ainsi le juge qui définit lui-même ses pouvoirs ; et il les définit largement. Mais il fait de ses pouvoirs accrus un usage modéré; il tient compte, en effet, des nécessités du service public et il fait la part belle aux prérogatives de la puissance publique. C'est ce que montrent, parmi d'autres, les jurisprudences qu'il a développées à propos des grèves et de la guerre.

En 1909, à l'occasion des grandes grèves des postiers, il affirme que la grève des fonctionnaires est illicite, même si elle n'est pas interdite par la loi pénale, que ceux qui y recourent commettent une faute si grave qu'ils se mettent en dehors de la loi et qu'ils ne peuvent même plus bénéficier des droits de la défense, et qu'en pareil cas l'administration est tenue de les remplacer d'urgence (3). De même, peu de temps après, le Conseil d'Etat reconnaissait au gouvernement le droit de mobiliser les cheminots pour faire échec à une grève des chemins de fer (4). Condamnées depuis par l'évolution des mœurs et du droit, de telles jurisprudences paraissent aujourd'hui anachroniques ; elles montrent en tout cas que les mêmes juges qui avaient étendu leur contrôle sur l'administration avaient une conception très rigoureuse des intérêts supérieurs de l'Etat.

(1) Recueil Lebon 1914, p. 488.
(2) Recueil Lebon 1916, p. 15.
(3) 7 août 1909, Winkell, Recueil Lebon 1909, p. 827.
(4) 18 juillet 1913, Syndicat national des chemins de fer de France et des colonies, Recueil Lebon 1913, p. 875.

L'on retrouve des préoccupations analogues dans une jurisprudence qui, au contraire, est demeurée vivace; il s'agit de la théorie des circonstances exceptionnelles, que le Conseil d'Etat a dégagée pendant la première guerre mondiale; c'est ainsi qu'il a admis que le Président de la République avait pu, aussitôt après la déclaration de guerre, suspendre la formalité de la comunication du dossier, qui avait été prescrite par une loi de 1905 avant toute sanction disciplinaire (1).

Ces notions d'urgence et de régime d'exception ont été appliquées depuis à plusieurs reprises, notamment dans le second conflit mondial et dans les guerres d'Indochine et d'Algérie; ce sont des préoccupations du même ordre qui ont inspiré le législateur, lorsqu'il a organisé, en 1955, l'état d'urgence, et le constituant, en 1958, lorsqu'il a défini les pouvoirs de crise du Président de la République.

La guerre clôt ainsi une période qui s'était ouverte par l'arrivée au pouvoir des Républicains. Au total, dans le domaine du contrôle de la légalité, le bilan de cette période est important et positif; par sa politique jurisprudentielle, telle qu'elle s'est développée notamment dans la première décennie du vingtième siècle, le Conseil d'Etat a rendu le recours pour excès de pouvoir à la fois plus accessible et plus efficace et il a ainsi renforcé le plus remarquable de ses instruments de contrôle.

L'élargissement de la responsabilité de la puissance publique.

Le principe de l'irresponsabilité de l'Etat a été longtemps affirmé; dans certains pays comme la Grande-Bretagne et les Etats-Unis, il n'a été définitivement abandonné qu'après la deuxième guerre mondiale; en France l'évolution s'est faite, par étapes, au dix-neuvième siècle. Le célèbre arrêt Blanco, de 1873, qui est surtout connu pour son apport à la théorie de la répartition des compétences, contient, en ce qui concerne les règles de fond, une formule frappante : la responsabilité de l'Etat n'est « ni générale, ni absolue ». Cette expression signifiait que la responsabilité de la puissance publique, reconnue en principe, demeurait limitée dans son application et qu'elle était engagée dans une moindre mesure que celle des particuliers.

L'évolution de la jurisprudence entre 1879 et 1919 va éliminer progressivement ce principe d'atténuation. L'autonomie de la responsabilité de l'administration demeure; elle sera même étendue aux collectivités secondaires; mais elle change de sens. Les différences entre le régime administratif et le droit civil ne sont plus toutes en faveur de la puissance publique; bien, au contraire, le premier est souvent plus avantageux pour les victimes que le second; il arrivera désormais que la responsabilité de l'administration soit engagée dans des cas où celle d'un particulier ne le serait pas.

(1) 28 juin 1918, Heyriès, Recueil Lebon 1918, p. 651.

CAFE du COMMERCE
TABACS
SUD-OUEST

Hôtel de Ville de Monségur (Gironde), où le Conseil d'Etat tint quelques séances pendant son séjour dans cette commune en juillet et août 1940.

Cette transformation est le résultat de quatre constructions jurisprudentielles : l'extension du domaine de la responsabilité; la distinction de la faute de service et de la faute personnelle; la théorie du cumul de responsabilités; enfin, le développement de la responsabilité sans faute.

L'extension du domaine a été essentiellement marqué par l'arrêt Tomaso-Grecco, du 10 février 1905, rendu en matière de police (1). Jusque-là, le principe de l'irresponsabilité avait été maintenu en ce qui concerne les fautes commises par les services de police; cette restriction est supprimée; désormais, la responsabilité des services de police pourra être engagée, selon les cas, soit pour faute lourde, soit pour faute simple, soit même sans faute.

Une zone importante d'irresponsabilité disparaît ainsi, au cœur même des missions de souveraineté et des prérogatives de puissance publique de l'Etat. Ce n'est pas, toutefois, une généralisation complète du principe de responsabilité, qui demeure exclu dans d'autres domaines tels que les faits de guerre, les actes de gouvernement ou le fonctionnement de la justice; des lois et des arrêts s'attaqueront ultérieurement à ces réduits, qui n'ont pas encore tous disparu.

Le principe de la distinction de la faute personnelle et de la faute de service avait été posé par le Tribunal des Conflits, en 1873, dans sa décision Pelletier (2). Sa portée avait été précisée par le commissaire du gouvernement Laferrière, dans des formules célèbres de ses conclusions sur la décision Laumonier-Carriol du 5 mai 1877 :

> « Si l'acte dommageable est impersonnel, s'il révèle un administrateur, un mandataire de l'Etat, plus ou moins sujet à erreur, et non l'homme avec ses faiblesses, ses passions, ses imprudences, l'acte reste administratif et ne peut être déféré aux tribunaux; si, au contraire, la personnalité de l'agent se révèle par des fautes de droit commun, par une voie de fait, une imprudence, alors la faute est imputable au fonctionnaire, non à la fonction, et l'acte, perdant son caractère administratif, ne fait plus obstacle à la compétence judiciaire (3). »

La jurisprudence du Conseil d'Etat va interpréter ces formules en donnant une définition de plus en plus large de la faute de service. A la fin de notre période, le commissaire du gouvernement Léon Blum formulera cette définition dans ses conclusions sur l'arrêt Lemonnier qui sont aussi célèbres et importantes que celles qu'avait prononcées Laferrière quarante ans auparavant :

> « Le juge civil n'est compétent que lorsque la faute de l'agent se détache totalement du service. Le juge administratif ne serait incompétent que si le service se détachait d'une façon totale de la faute présumée de l'agent.
>
> Il y a donc coexistence possible d'une faute que l'autorité judiciaire pourra

(1) Recueil Lebon 1905, p. 139.
(2) Recueil Lebon 1873, 1er supplt., p. 117.
(3) Recueil Lebon 1877, p. 437.

considérer comme personnelle à l'agent et engageant sa responsabilité propre avec une faute administrative que l'autorité administrative devra considérer comme faute du service, engageant la responsabilité de l'administration.

Ce cumul de responsabilités (et par suite d'actions) pourra se produire, dans les cas limite, par suite de divergences d'appréciation entre les deux autorités (c'est le cas de l'espèce actuelle), chacune des deux étant souveraine dans son domaine. Mais il est essentiel de remarquer que ce cumul pourra se produire même sans aucune confusion de compétence, dans tous les cas où le fait imputé à l'agent prend le caractère d'une faute au sens pénal, d'un délit ou d'un crime de droit commun. Dans cette hypothèse, les tribunaux judiciaires décideront avec raison que la faute a un caractère personnel, qu'elle ressortit, suivant la distinction classique, non pas au fonctionnaire, mais à l'homme, au représentant du type spécifique humain avec ses défaillances, ses passions et ses vices..., que, par suite, elle se détache du service public... Cependant, si elle a été commise dans le service ou à l'occasion du service, si les moyens et les instruments de la faute ont été mis à la disposition du coupable par le service, si la victime n'a été mise en présence du coupable que par l'effet du jeu du service, si, en un mot, le service a conditionné l'accomplissement de la faute ou la production de ses conséquences dommageables vis-à-vis d'un individu déterminé, le juge administratif, alors, pourra et devra dire : la faute se détache peut-être du service, c'est affaire aux tribunaux d'en décider, mais le service ne se détache pas de la faute. Alors même que le citoyen lésé possèderait une action contre l'agent coupable, alors même qu'il aurait exercé cette action, il possède et peut faire valoir une action contre le service, et aucune fin de non-recevoir ne peut être tirée contre la seconde action de la possibilité ou de l'existence de la première ».

(Recueil Lebon, 26 juillet, 1918, pp. 767-sq.).

Ainsi la faute personnelle peut-elle constituer en même temps une faute de service; et cette confusion est possible même dans des cas où elle a été commise en dehors du service.

Cette extension de la notion de faute de service est allée de pair avec la formation de la théorie du cumul de responsabilité. Lorsque le dommage est imputable à deux faits, dont l'un constitue une faute de service et l'autre une faute personnelle, l'administration peut être reconnue responsable pour le tout; c'est ce qui a été affirmé par la décision Anguet du 3 février 1911 (1) : un accident ayant été la conséquence à la fois de la fermeture prématurée d'un bureau de poste et des brutalités commises par des employés, le Conseil d'Etat admet qu'il « doit être attribué, quelle que soit la responsabilité personnelle encourue par l'agent..., au mauvais fonctionnement du service public ».

La même solution sera étendue en 1918 par l'arrêt Lemonnier précité, à l'hypothèse où c'est le même fait qui constitue à la fois une faute personnelle et une faute de service :

« La circonstance que l'accident éprouvé serait la conséquence d'une faute d'un agent administratif préposé à l'exécution d'un service public, laquelle

(1) Recueil Lebon 1911, p. 146.

aurait le caractère d'un fait personnel de nature à entraîner la condamnation de cet agent par les tribunaux judiciaires à des dommages-intérêts et que même cette condamnation aurait été effectivement prononcée, ne saurait avoir pour conséquence de priver la victime de l'accident du droit de poursuivre directement, contre la personne publique qui a la gestion du service incriminé, la réparation du préjudice souffert. »

(Recueil Lebon 26 juillet 1918, p. 761).

Il convient seulement de prendre en pareil cas les précautions nécessaires pour que la victime ne soit pas indemnisée deux fois.

En donnant une définition large de la notion de faute de service et en admettant que la responsabilité de l'administration se cumule avec celle de son agent, le Conseil d'Etat a pris une position doublement libérale : à l'égard des particuliers et à l'égard des fonctionnaires. Les premiers seront plus facilement indemnisés, car les personnes publiques ne sont jamais insolvables; les seconds sont, du même coup, protégés contre des poursuites pécuniaires; la puissance publique dédommage les uns et garantit les autres.

Parallèlement, le Conseil d'Etat s'est engagé, plus audacieusement que les tribunaux judiciaires à la même époque, sur la voie de la responsabilité sans faute, qui n'avait guère été admise, auparavant, que dans le cas des dommages de travaux publics.

Cette évolution est jalonnée par deux arrêts importants. La décision Cames du 21 juin 1895 reconnaît aux ouvriers de l'Etat, trois ans avant l'adoption de la loi sur les accidents du travail, le droit à une indemnité en cas de dommage résultant du service, même si aucune faute ne peut être relevée à la charge de l'administration (1). La décision Regnault-Desroziers du 28 mars 1919 adopte la même solution pour les dommages causés par l'explosion, pendant la guerre, d'un dépôt de grenades (2).

Ainsi apparaissent les notions de risque professionnel et de chose dangereuse qui connaîtront par la suite d'amples développements dans la législation comme dans la jurisprudence.

Le développement de la théorie des contrats administratifs.

En même temps qu'il précisait la définition des contrats administratifs, le Conseil d'Etat en construisait le régime juridique autour de deux notions fondamentales : les nécessités du service public et l'équation financière du contrat.

Alors qu'en droit civil, les termes des conventions sont interprétés strictement et font la loi des parties, le Conseil d'Etat s'est reconnu à lui-même des pouvoirs d'interprétation souple et il a reconnu à l'administration des pouvoirs de modification unilatérale. C'est ce que mon-

(1) Recueil Lebon 1895, p. 509.
(2) Recueil Lebon 1919, p. 329.

trent plusieurs décisions importantes rendues entre 1900 et 1910, à propos des concessions d'éclairage et de transports en commun.

La première se rattache à ce que l'on appelait à l'époque « la querelle du gaz et de l'électricité ». De nombreuses communes avaient concédé à des compagnies privées le monopole de l'éclairage par le gaz; lorsque l'électricité a commencé à se répandre et que ses avantages ont été connus, elles ont voulu y recourir, en s'adressant à des compagnies d'éclairage électrique; les concessionnaires en place ont alors protesté et demandé des indemnités, en invoquant le privilège qui leur avait été accordé. Le Conseil d'Etat a commencé par leur donner raison; mais il s'est aperçu que cette solution risquait d'entraver un progrès technique; c'est pourquoi il a finalement jugé que les communes pouvaient recourir à l'électricité à la seule condition d'avoir offert par priorité le service au concessionnaire du gaz. Si elle se réfère, par hommage aux principes, à la commune intention des parties, cette jurisprudence est en réalité très constructive puisqu'elle leur attribue des pensées qu'elles n'avaient pu avoir au moment de la conclusion du contrat ; elle constitue en réalité un compromis fondé sur les exigences du service public (1).

Peu après, le Conseil d'Etat a admis successivement que la collectivité publique peut infliger à un cocontractant des sanctions non prévues au contrat (2) et modifier unilatéralement ses obligations (3). Mais il a en même temps posé en principe que ces mesures sont soumises au contrôle du juge, et, dans le second cas, qu'elles peuvent ouvrir droit à une indemnité dans le cas où elles causeraient un préjudice. Le principe de l'équation financière vient ainsi compenser la rigueur des prérogatives de la puissance publique.

Le dernier grand arrêt contractuel de notre période, qui a été également rendu dans le domaine des concessions, est sans doute aussi le plus célèbre : c'est celui qui fonde la théorie de l'imprévision.

Le concessionnaire de l'éclairage au gaz dans la ville de Bordeaux se trouvait aux prises avec de sérieuses difficultés nées de la guerre : alors que le tarif de vente demeurait stable, le prix de revient du gaz avait augmenté dans des proportions considérables ,en raison de la hausse du prix du charbon; il demandait en conséquence une augmentation du tarif ou une indemnité compensatrice. Le Conseil d'Etat lui a donné partiellement satisfaction : le contrat de concession doit être exécuté jusqu'à son terme aux conditions qu'il comporte; mais le déficit qui en résulte peut être couvert dans une large mesure par une indemnité extracontractuelle, s'il est dû à des circonstances qui étaient imprévisibles au moment de la conclusion du contrat, qui sont indépendantes de la volonté du cocontractant et qui entraînent un bouleversement de l'équilibre financier de l'opération.

(1) 10 janvier 1902, Compagnie nouvelle du gaz de Deville-lès-Rouen, Recueil Lebon, p. 5.
(2) 31 mai 1907, Deplanque, Recueil Lebon, p. 513.
(3) 11 mars 1910, Compagnie générale française des tramways, Recueil Lebon, p. 216.

L'arrêt mérite d'être largement cité en raison de sa portée doctrinale et parce qu'il constitue un modèle d'analyse des circonstances économiques d'une affaire contentieuse :

« Cons. qu'en principe le contrat de concession règle d'une façon définitive jusqu'à son expiration, les obligations respectives du concessionnaire et du concédant; que le concessionnaire est tenu d'exécuter le service prévu dans les conditions précisées au traité et se trouve rémunéré par la perception sur les usagers des taxes qui y sont stipulées; que la variation du prix des matières premières à raison des circonstances économiques constitue un aléa du marché qui peut, suivant le cas, être favorable ou défavorable au concessionnaire et demeure à ses risques et périls, chaque partie étant réputée avoir tenu compte de cet aléa dans les calculs et prévisions qu'elle a faits avant de s'engager;

Mais cons. que, par suite de l'occupation par l'ennemi de la plus grande partie des régions productrices de charbon dans l'Europe continentale, de la difficulté de plus en plus considérable des transports par mer à raison tant de la réquisition des navires que du caractère et de la durée de la guerre maritime, la hausse survenue au cours de la guerre actuelle dans le prix du charbon qui est la matière première de la fabrication du gaz, s'est trouvée atteindre une proportion telle que non seulement elle a un caractère exceptionnel dans le sens habituellement donné à ce terme, mais qu'elle entraîne dans le coût de la fabrication du gaz une augmentation qui, dans une mesure déjouant tous les calculs, dépasse certainement les limites extrêmes des majorations ayant pu être envisagées par les parties lors de la passation du contrat de concession; que, par suite du concours des circonstances ci-dessus indiquées, l'économie du contrat se trouve absolument bouleversée; que la compagnie est donc fondée à soutenir qu'elle ne peut être tenue d'assurer aux seules conditions prévues à l'origine, le fonctionnement du service tant que durera la situation anormale ci-dessus rappelée. »

(30 mars 1916. Cie générale d'éclairage de Bordeaux. Recueil Lebon, p. 125).

Cette solution manifestait une fois de plus le souci de concilier les besoins du service public et les intérêts des particuliers. Elle revêtait une importance d'autant plus grande qu'elle se situait au début d'une période d'inflation monétaire et de crises économiques et sociales. Même si elle a perdu aujourd'hui une partie de son utilité pratique parce qu'elle a été relayée par le jeu des clauses de révision des prix insérées dans les contrats eux-mêmes, elle demeure un exemple particulièrement éclatant du rôle de la jurisprudence dans la formation du droit administratif.

L'ŒUVRE DOCTRINALE

Parallèlement au développement quantitatif et aux progrès qualitatifs de la jurisprudence, la période 1879-1919 a été marquée par une remarquable œuvre doctrinale. C'est alors qu'a été construit, pour l'essentiel, le droit administratif français. Nous vivons encore sur les notions, les distinctions et les classifications qui ont été dégagées à cette époque.

L'importance de cette construction a bien été soulignée par Achille Mestre au début d'une étude sur « L'évolution du droit administratif (Doctrine) de 1869 à 1919 » :

« Lorsque nous interrogeons les hommes qui avaient vingt ans vers 1870 sur les souvenirs que leur ont laissés leurs études juridiques, ils ne manquent pas de faire une allusion assez peu bienveillante aux leçons de droit administratif qu'ils ont reçues de maîtres cependant très distingués. Pendant longtemps, cet enseignement a été considéré comme particulièrement morose et, en 1879, M. Gautier dans son Précis des matières administratives dans leurs rapports avec les matières civiles et judiciaires et avec le droit public, après avoir constaté avec une nuance de mélancolie qu'il est impossible de rattacher par un lien logique des dispositions inspirées souvent par des idées contradictoires (tome II, p. 1), reconnaissait que cette partie du droit était « assez discréditée parmi les étudiants ».

Les temps sont changés, semble-t-il, et l'enseignement du droit administratif dans nos diverses facultés apparaît au contraire comme un de ceux où les préoccupations de logique juridique dominent le plus manifestement, où les théories du droit les plus vivantes, les plus profondes, parfois les plus audacieuses tendent à jouer un rôle prépondérant, un de ceux enfin que les étudiants suivent le plus volontiers.

Ce changement nous apparaît comme bien naturel si nous rapprochons les livres de droit administratif de ces deux époques. Si nous comparons par exemple le « Cours de Droit administratif contenant le commentaire et l'exposé de la législation administrative dans son dernier état, avec la reproduction des textes, dans un ordre méthodique » de M. Ducrocq, 4e éd., 2 vol., 1874 avec le « Précis de droit administratif », de M. le doyen Hauriou (1), il semble, à rapprocher seulement les tables des matières de ces deux ouvrages, qu'ils n'aient pour ainsi dire presque rien de commun; on dirait qu'ils envisagent des objets différents : dans le Cours de M. Ducrocq, il n'est question que « d'autorités, conseils et tribunaux »; le contentieux est tout entier traité, on pourrait dire relégué, dans la partie consacrée à l'organisation; la description prend nettement le pas sur la construction juridique; les règles administratives se présentent, non pas comme les manifestations d'un ordre général autonome, d'une conception d'ensemble, mais comme des restrictions aux diverses libertés individuelles; absence bien significative, les mots : recours pour excès de pouvoir, responsabilité de l'Etat ne se trouvent pas dans l'index alphabétique qui termine les deux volumes. Partout des distinctions et sous-distinctions, des classements, des numérotages, des textes législatifs ou règlementaires cités in extenso et s'étendant parfois sur des pages entières.

Le précis de M. Hauriou paraît au contraire dominé par le contentieux, qui ne se cantonne pas dans la partie spéciale qui lui est consacrée, mais rayonne au contraire à travers l'œuvre entière; l'ouvrage nous apparaît comme baigné dans une atmosphère saturée de droit. Les solutions législatives

---

(1) Il pourrait être intéressant de prendre d'autres termes de comparaison : les travaux de MM. Duguit et Jèze, par exemple, constructions rigoureuses dominées par des théories objectives ou ceux de MM. Berthélemy et Moreau où semble dominer un esprit d'équilibre et de transaction. Nous avons choisi le Précis du doyen Hauriou, d'abord parce qu'il est le plus récemment paru (10e édit., 1921); ensuite parce qu'il s'oppose avec une particulière netteté aux ouvrages de droit administratif édités vers 1870. (*Note de M. Achille Mestre sous le texte de son article « L'évolution du droit administratif* (*Doctrine*) *de 1869 à 1919* »).

n'y tiennent point une place prépondérante; elles constituent, avec les décisions de jurisprudence, les éléments de la construction doctrinale dans laquelle elles apparaissent comme fondues. Les matières juridiques d'ordre général, comme la théorie des fautes, l'enrichissement sans cause, le jeu des recours occupent dans cet ouvrage une place prépondérante.

Dans aucune autre branche du droit sans doute, on ne pourrait relever une transformation plus profonde, une opposition plus marquée entre les conceptions de 1870 et celles qui dominent aujourd'hui. »

(Les transformations du droit dans les principaux pays depuis 50 ans, 1869-1919, Paris 1923, t. II, pp. 19-sq.).

Cette construction doctrinale est due à la fois aux travaux de membres du Conseil d'Etat et à ceux de professeurs de droit.

Parmi les premiers, il convient tout d'abord de citer Edouard Laferrière, qui fut commissaire du gouvernement, président de la section du contentieux et vice-président du Conseil d'Etat. Chargé par Jules Ferry, en 1883, d'un cours de doctorat à la faculté de droit, il en tira son magistral « Traité de la juridiction administrative et des recours contentieux », en deux volumes, qui connut deux éditions, en 1888 et en 1896. Ce n'était pas la première tentative d'organisation du droit administratif; d'autres, comme Cormenin, s'y étaient essayés dans la première moitié du dix-neuvième siècle; à la fin du Second Empire, Aucoc avait publié en trois volumes ses « Conférences sur l'administration et le droit administratif », qui avaient constitué son cours à l'Ecole des Ponts et Chaussées. Mais le traité de Laferrière, qui a profité des travaux de ses devanciers et des progrès de la jurisprudence, constitue une synthèse particulièrement remarquable, par son ampleur et sa clarté, du droit administratif tel qu'il s'était constitué à la fin du siècle. Ce n'était pas seulement un bilan. Son auteur, qui a exercé une forte influence sur l'évolution de la jurisprudence du Conseil d'Etat et du Tribunal des conflits, l'a prolongée par son ouvrage; aujourd'hui encore, l'enseignement et la pratique du contentieux administratif sont marqués par le plan qu'il a suivi, la méthode d'analyse qu'il a utilisée, les idées qu'il a dégagées. L'on se bornera ici à citer des extraits de sa préface qui exposent la place et la portée de la jurisprudence dans le droit administratif :

« Le droit civil, commercial, criminel est codifié; le droit administratif ne l'est pas, et il est douteux qu'il puisse l'être. Nos codes sont des œuvres méthodiques, dans lesquelles le législateur a lui-même réuni et coordonné les préceptes de droit que le juge doit appliquer; nos lois administratives sont des lois d'organisation et d'action, qui se préoccupent plus d'assurer la marche des services publics que de prévoir et de résoudre des difficultés juridiques. Pour le droit codifié, l'exégèse des textes est la méthode dominante, et la jurisprudence ne peut être qu'un auxiliaire; pour le droit administratif, c'est l'inverse; l'abondance des textes, la diversité de leurs origines, le peu d'harmonie qu'ils ont souvent entre eux risquent d'égarer le commentateur qui voudrait leur appliquer les mêmes méthodes qu'au droit codifié. La jurisprudence est ici la véritable source de la doctrine, parce qu'elle seule peut dégager les principes permanents des dispositions contingentes dans lesquelles ils sont enveloppés, établir une hiérarchie entre les textes, remédier à leur silence, à leur obscurité ou à leur insuffisance, en ayant recours aux principes généraux du Droit ou à l'équité...

Lors donc que l'on a recueilli et commenté les règles de droit peu nombreuses et généralement très concises, qui ne font que jalonner le vaste domaine du contentieux administratif, il faut s'y orienter à l'aide de la jurisprudence, chercher en elle les éléments des solutions juridiques et compléter ce travail d'analyse par une synthèse qui condense et précise la doctrine.

Cette synthèse doit être faite avec prudence; elle ne doit pas être trop hâtive dans les matières qui n'ont donné lieu qu'à des solutions partielles et isolées; mais elle peut et elle doit être réalisée dans toutes les questions parvenues à maturité : non seulement parce qu'elle seule permet de vulgariser les doctrines, mais encore parce qu'elle contribue à en assurer la fixité, qui est une des garanties dues au justiciable.

Telle est la méthode qui s'impose, pour expliquer les principes du contentieux administratif et leur application aux principales branches de l'administration. Je dis à dessein « les principes ». C'est à tort, en effet, que la jurisprudence administrative est quelquefois représentée, faute d'études assez approfondies, comme un assemblage de décisions particulières dont on ne saurait dégager des doctrines générales.

Il est vrai que le Conseil d'Etat, à la différence de la Cour de cassation, n'a pas l'habitude d'exposer, dans ses arrêts, toutes les déductions juridiques qui motivent ses décisions; mais ces déductions n'en existent pas moins; elles sont d'autant moins changeantes qu'elles se sont toujours inspirées d'un grand respect des précédents et qu'elles ont pour base, lorsque les textes font défaut, les principes traditionnels, écrits ou non écrits, de notre droit public et administratif. »

(Edouard Laferrière, Traité de la juridiction administrative et des recours contentieux, Paris 1887, t. I, préface pp. VII-sq.).

Si Laferrière fut, au cours de cette période, le seul membre du Conseil à faire une présentation synthétique du contentieux administratif, d'autres que lui ont publié des œuvres importantes. L'on peut citer, à cet égard, le monumental « Répertoire du Droit Administratif » dirigé par Léon Béquet et auquel ont participé de nombreux membres du Conseil, ainsi que des ouvrages plus spécialisés comme la « Responsabilité de la puissance publique » de Teissier ou le « Traité des Eaux » de Picard.

A ces études doctrinales s'ajoute naturellement l'œuvre des commissaires du gouvernement. C'est sans doute Romieu qui a exercé l'influence la plus importante sur l'évolution de la jurisprudence et la formation de la doctrine; son nom est associé à presque tous les grands arrêts rendus entre 1891 et 1907; il est impossible d'évoquer les théories de la compétence de la juridiction adminisrative, du recours pour excès de pouvoir, de la responsabilité de la puissance publique, des contrats administratifs, sans se référer à ses conclusions, dont certaines formules sont demeurées célèbres; c'est lui qui a le mieux exprimé le droit administratif de cette période, et qui lui a donné dans de nombreux domaines sa forme la plus achevée. Par la suite, entre 1910 et 1919, Léon Blum a apporté une contribution également remarquable à la construction des régimes de la légalité, de la responsabilité et des contrats. D'autres doivent être cités, dont les conclusions font encore autorité : Jagerschmidt, Teissier, Pichat, Tardieu, Chardenet. Cette pléiade de grands commissaires ne brillait pas seulement par la profondeur et la solidité des analyses, mais aussi par la clarté, la vigueur et la précision du style : leurs conclusions sont un modèle de beau langage administratif et juridique.

Dans le même temps, la jurisprudence administrative a été abondamment commentée et systématisée par la doctrine. Ce n'est pas ici le lieu d'en retracer l'histoire ; l'on se bornera à en rappeler quelques traits essentiels. A partir de 1892, Maurice Hauriou annote de nombreuses décisions du Conseil d'Etat; ses commentaires dégagent les principes généraux de la jurisprudence, avec laquelle il mène un dialogue qui durera près de quarante ans; et certains arrêts n'ont été depuis lors considérés comme importants que parce qu'il les avait commentés; il a complété cette œuvre au jour le jour par des études plus synthétiques et par son important « Précis du droit administratif ». C'est à la même époque que Duguit a élaboré ses constructions doctrinales, que Jèze a développé son enseignement et commenté la jurisprudence et que l'école de Bordeaux s'est affirmée en face de celle de Toulouse.

Les auteurs divergeaient sans doute dans leurs interprétations de la jurisprudence et dans leurs appréciations sur son évolution. Mais ils se rejoignaient dans leurs approbation du système français de justice administrative. Ce système, qui avait été critiqué et remis en cause à plusieurs reprises au cours du dix-neuvième siècle, est désormais définitivement installé et généralement accepté aussi bien par les milieux juridiques que par l'opinion publique. Maurice Hauriou pouvait écrire en 1920 :

> « Les adversaires de la juridiction administrative ont perdu du terrain et on peut dire que le Conseil d'Etat a définitivement gagné la partie, non seulement en devenant un juge public à justice déléguée, mais en organisant un droit général d'action en matière administrative. »
>
> *(Les transformations du droit dans les principaux pays depuis 50 ans 1869-1919, t. II, p. 10).*

A cette affirmation d'un juriste font écho deux textes qu'il est intéressant de rapprocher : une motion de confiance de la Ligue des droits de l'homme au Conseil d'Etat; l'extrait d'une brochure publiée en 1906 par le comte d'Haussonville qui était une personnalité marquante des milieux catholiques libéraux.

Réunie en congrès à Bordeaux en 1907, la Ligue des droits de l'homme adopta la motion suivante qui fut transmise avec une lettre d'accompagnement, par son président, M. Francis de Pressensé, au vice-président du Conseil d'Etat :

L'ADRESSE AU CONSEIL D'ETAT

Conformément à la décision unanime du Congrès, M. Francis de Pressensé, député du Rhône, président de la Ligue des droits de l'homme, a adressé la lettre suivante à M. Coulon, vice-président du Conseil d'Etat :

Paris, le 12 juin 1907

Monsieur le Président,

J'ai l'honneur de vous transmettre la copie de la motion suivante qui a été votée, à l'unanimité des cinq cents délégués, par le Congrès de la Ligue des droits de l'homme qui s'est tenu à Bordeaux les 18, 19 et 20 mai :

« Le Congrès de la Ligue des droits de l'homme, sur le rapport de ses conseils juridiques,

Considérant que la Ligue des droits de l'homme se propose principalement, en se plaçant sur le terrain de la légalité et en se donnant pour objet de faire sortir de la loi telle qu'elle existe le maximum de justice qu'elle contient, de propager par des moyens juridiques la pratique intégrale des principes de liberté et d'égalité formulés dans la Déclaration des droits de l'homme, et de préparer l'application de ces principes aux difficultés issues de l'évolution de nos institutions,

Exprime sa confiance et sa reconnaissance au Conseil d'Etat, dont les arrêts, rendus par des magistrats amovibles et dépendants du pouvoir exécutif, attestent le souci invariable d'imposer à toutes les administrations et à tous les degrés des hiérarchies, le respect des droits et des intérêts individuels ou collectifs et, par suite, facilitent la solution pacifique des conflits nés ou à naître entre le droit du passé et le droit de l'avenir. »

Permettez-moi, Monsieur le Président, de me féliciter tout particulièrement que ce témoignage de reconnaissance et de confiance de la démocratie envers la haute et impartiale juridiction du Conseil d'Etat, protectrice des intérêts et des droits individuels, ait été voté par l'association que j'ai l'honneur de présider : je souhaite qu'il vous soit agréable de constater que vos travaux sont suivis par les justiciables et appréciés par eux dans des sentiments juridiques avec déférence et gratitude.

Veuillez agréer, etc.

Le Président
Francis de Pressensé,
Député du Rhône

(Bulletin officiel de la Ligue des droits de l'homme, 15 juillet 1907).

M. Coulon, vice-président du Conseil d'Etat, répondit en ces termes :

Paris,le 21 juin 1907.

Monsieur le Président,

J'ai reçu la lettre que vous m'avez fait l'honneur de m'adresser à la date du 12 juin courant. Si je ne vous en ai pas accusé réception plus tôt, c'est que j'ai tenu à en donner préalablement connaissance à mes collègues, les présidents de section, qui ne se réunissent dans mon cabinet qu'à l'issue de l'assemblée générale du jeudi.

Bien que dans l'étude des affaires dont il est saisi le Conseil n'ait pas à se préoccuper de l'impression que ses décisions peuvent produire au dehors, il est toujours heureux de constater la confiance que sa juridiction inspire aux justiciables.

Mes collègues et moi ne pouvons donc être que fort touchés de l'aimable pensée que vous avez eue de me faire connaître le vote de la Grande Assemblée que vous présidez et nous vous remercions sincèrement.

Je vous prie d'agréer, etc.

G. Coulon.

(Arch. C.E.).

L'année précédente, au lendemain du vote de la loi de Séparation, le comte d'Haussonville avait engagé les catholiques à faire confiance au Conseil d'Etat, chargé par l'article 8 de cette loi de statuer sur les litiges qui pourraient s'élever en matière d'attribution des biens aux associations cultuelles :

« L'article 8 aurait gagné assurément à être rédigé d'une façon plus claire. En effet, la rédaction ambiguë de cet article et l'intervention éventuelle du Conseil d'Etat substitué à la juridiction civile paraissent à certains catholiques une embûche, un moyen détourné de déposséder les associations cultuelles de la propriété ou de la jouissance qui leur aurait été dévolue. Cette propriété, cette jouissance, disent-ils, sera toujours entachée de précarité, partant sans dignité et sans sécurité. Mieux vaut prendre son parti de renoncer à cette faveur apparente et ouvrir de nouveaux lieux de culte où les associations seraient chez elles, que les installer dans les édifices anciens dont elles pourront, et à toute époque, être expulsées par le Conseil d'Etat. L'objection n'est pas sans force. Je crois qu'on y peut cependant répondre.

Sans doute, le vote de cette disposition a été très regrettable et inspiré par les plus mauvais desseins. Le péril est-il cependant aussi grand qu'on le dit ? Je ne le crois pas... Ce qu'on redoute, c'est que cette attribution ne soit contestée par une autre association se formant dans la même circonscription religieuse et que le Conseil d'Etat dépouille l'association orthodoxe au profit d'une association schismatique...

Est-il raisonnable de supposer que, systématiquement, le Conseil d'Etat dépouillera l'association orthodoxe au profit de l'association schismatique ? Je ne le pense pas. J'étonnerai peut-être même quelques-uns de mes lecteurs en disant qu'à ce point de vue le Conseil d'Etat m'inspire plus de confiance que la juridiction civile. Il n'y aurait en effet rien d'impossible à ce qu'un tribunal d'arrondissement, présidé par quelque « bon juge » et soucieux de se singulariser, ou influencé par des considérations locales, prétendît installer dans une église, par autorité de justice, quelque prêtre schismatique. Mais MM. les conseillers d'Etat sont des gens sérieux qui connaissent l'histoire. Ils savent le tort que la Première République s'est fait par la constitution civile du clergé. Ils n'ignorent pas le lamentable échec auquel ont abouti, au cours du siècle dernier, non seulement en France, mais en Europe, les tentations de schisme, lors même qu'elles pouvaient se couvrir de quelques grands noms, et il est infiniment peu vraisemblable qu'ils se donnent le ridicule d'encourager je ne sais quel obscur prêtre à renouveler la tentative. »

(Comte d'Haussonville. Après la Séparation. Paris 1906, pp. 25 sq.).

Il serait excessif de céder à la nostalgie pour voir dans la jurisprudence des alentours de 1900 la « belle époque » du contentieux administratif. Mais il est sans doute exact de dire que la jurisprudence et la doctrine n'ont jamais fait, dans cette matière, autant de progrès en si peu d'années. Le partage entre droit public et droit privé a été rationalisé; le recours pour excès de pouvoir a été ouvert plus largement grâce à des conceptions extensives des actes qui peuvent en faire l'objet et de l'intérêt pour agir ; le contrôle de la légalité s'est approfondi et le juge est allé plus loin dans la vérification des faits, des motifs et des intentions; l'autonomie du régime de la responsabilité administrative est devenue une source d'avantages plus que d'inconvénients pour les administrés comme pour les fonctionnaires; la théorie des contrats administratifs a pris forme. Liée à ces évolutions jurisprudentielles qu'elle consacre et qu'elle favorise, la doctrine a construit le droit administratif, qui est sorti définitivement de l'ère des catalogues alphabétiques pour entrer dans celle des synthèses organisées. Les perfectionnements de la jurisprudence et la systématisation du droit s'accompagnent d'une acceptation de la justice administrative par la doctrine et par l'opinion. Il y aura encore des crises et des critiques, des réformes et des progrès. Il n'y aura plus de sérieuse remise en cause de l'existence même de la juridiction du Conseil d'Etat ni des principes fondamentaux dégagés par sa jurisprudence.

BIOGRAPHIES

Léon BLUM
1872-1950

Maître des requêtes

Les encyclopédies, les dictionnaires, les ouvrages des historiens ne mentionnent l'activité de Léon Blum au Conseil d'Etat que de façon marginale. A fortiori, en 1936-1937, les admirateurs de Léon Blum et ses détracteurs ignorent, le plus souvent, qu'il lui a consacré vingt-cinq ans de sa vie.

Pourtant, l'expérience acquise au sein du Conseil a profondément marqué sa pensée et sa vie d'homme politique et d'homme d'Etat.

Issu d'une famille juive d'origine alsacienne et dont le Préfet Poubelle disait « qu'elle avait la réputation d'être composée de bons républicains », Léon Blum fait de brillantes études secondaires qui lui ouvrent presque naturellement les portes de l'Ecole normale supérieure. Il entre au Conseil d'Etat en 1896, il n'a pas encore atteint l'âge de vingt-quatre ans. Il est successivement rapporteur, commissaire-adjoint puis commissaire du gouvernement. Durant cette période, le recueil Lebon ne publiait que parcimonieusement les conclusions des commissaires. Pourtant, lorsqu'on recherche, page après page, le nom de Léon Blum, on peut mesurer l'importance et la fréquence de ses « rôles », le nombre élevé des affaires et aussi, comme aujourd'hui, leur infinie variété.

Cependant, Léon Blum poursuit alors une double, et même une triple carrière. Dans le temps mesuré que lui laisse la rédaction de ses conclusions, il collabore à *la Conque,* au *Banquet,* à *la Revue Blanche.* Il écrit des essais : Stendhal et la Beylisme, Nouvelles Conversations de Goethe avec Eckermann et aussi Du Mariage, ouvrage dont l'audace paraîtrait aujourd'hui quelque peu dépassée, mais dont la prétendue immoralité alimentera, en 1936, les odieuses campagnes de *Gringoire* et de *Candide.* Il collabore aussi à *Comoedia.*

Il eût pu se borner à vivre dans ce milieu littéraire où il avait tant d'amis : André Gide, Anatole France, Octave Mirbeau, Pierre Louys, Anne de Noailles, Marcel Proust, Paul Valéry. Mais déjà le démon de la politique l'avait saisi. Il écrit très tôt dans *le Populaire* et s'engage dans les rangs des partisans de la révision du procès Dreyfus. Il est dès lors impossible de séparer les diverses activités de Léon Blum qui sont toutes liées à la continuité d'une pensée, qui est restée, durant toute une vie, fidèle aux mêmes principes.

Pensée et principes qui se manifestent aussi dans ses fonctions de commissaire du gouvernement. Même dans les affaires contentieuses apparemment techniques on perçoit les tendances profondes de Léon Blum. La primauté de l'intérêt général y est toujours présente, notamment dans les conclusions sur l'affaire de la Compagnie Générale des Tramways. On ne peut résister à la tentation — ou au plaisir — de citer ce passage de ses conclusions dans l'affaire Le Monnier : « Nous sommes depuis un siècle un peuple d'administrés. Encore faut-il que l'administré puisse, le cas échéant, obtenir une réparation, une compensation équitable quand il se trouve lésé dans ses droits par l'erreur de l'administration. Cette exigence devient de plus en plus puissante à mesure que l'esprit démocratique, ou simplement l'esprit de justice, pénètre davantage dans l'esprit de nos lois ».

Léon Blum avait adhéré très tôt au parti socialiste, mais ce n'est qu'en 1919 qu'il amorce une carrière politique. Il est élu député, devient secrétaire puis président du groupe parlementaire socialiste.

Après avoir refusé, au Congrès de Tours, l'adhésion à la Troisième Internationale, il défend pendant 15 ans son idéal socialiste à la fois contre les tentations d'hommes pressés de participer au pouvoir et celles de militants qui ne craignent pas de dialoguer, sinon de s'allier avec le parti communiste. L'année 1934 marque avec la montée des périls qui menacent la démocratie un tournant décisif. Léon Blum avait joué un rôle déterminant dans la création du Front Populaire; il prend la tête de son gouvernement.

Il devait payer cher cette action. Au lendemain de l'armistice, il est arrêté, emprisonné et traduit avec d'autres devant la cour de Riom. Ce procès tourne à la confusion de ses initiateurs; mais Léon Blum est déporté. Du fond de sa cellule au Portalet, il avait continué à guider le parti socialiste clandestin dans des conditions que l'adjectif téméraire est trop faible pour qualifier. Il écrit alors l'essentiel de son ouvrage « A l'échelle humaine » dont la sérénité et la hauteur de vues seront après 1945 appréciées de tous et même de ceux qui en d'autres temps avaient été ses adversaires les plus ardents. Cet ouvrage illustre sa fidélité à la philosophie de Jean Jaurès et sa conception du « socialisme à visage humain ».

Au lendemain de la guerre, en 1946, dans les débuts difficiles de la IVe République, il tente d'imprimer un nouvel élan à la politique française. On sait ce qu'il a fait dans les quelques semaines de la fin de 1946.

Léon Blum est mort en 1950. L'auteur de ces lignes peut témoigner que, de sa retraite de Jouy-en-Josas, il continuait à inspirer sur le seul fondement de sa force morale, de sa culture, de ses connaissances juridiques et du rayonnement qui s'en dégageait, l'action des gouvernants d'alors dans ce qu'elle avait de meilleur. Lorsqu'en 1948, membre du cabinet du ministre du travail, j'avais établi un avant-projet de loi tendant au rétablissement intégral des conventions collectives, Léon Blum me fit l'honneur de le passer au crible. La conversation dura plus d'une heure. Il avait à l'esprit toute la jurisprudence de la Cour supérieure d'arbitrage (1938-1939), tous les textes législatifs et réglementaires promulgués dans le domaine des relations sociales et professionnelles. Le jeune auditeur que j'étais alors et qui se croyait très compétent en matière sociale se sentait alors infiniment humble.

Pierre Juvigny
Conseiller d'Etat

Henri CHARDON
1861-1939
Conseiller d'Etat
Président de la section de législation et de la section des finances

Né à Saint-Lô, où son père était directeur de la Banque de France, Henri Chardon, après de bonnes études secondaires et après avoir poussé l'étude du droit jusqu'au doctorat, était reçu en 1885 au concours de l'auditorat au Conseil d'Etat.

Sa carrière y fut brillante, car il la termina comme président de section (section de législation, puis section des finances). Selon la tradition, il fut chargé par le gouvernement de missions diverses dont le choix montrait à lui seul tout le prix que l'on attachait à sa collaboration : chef du cabinet du ministre du commerce en 1881, secrétaire général de l'exposition de 1900 (on lui doit le premier projet du Pont Alexandre III et des deux Palais), président de nombreuses commissions et de conseils d'administration, notamment des manufactures des Gobelins, de Beauvais et de Sèvres; il fut enfin, de 1913 à 1937, successivement membre, vice-président et président du réseau des Chemins de fer de l'Etat.

Les honneurs vinrent, qu'il n'avait pas sollicités, car ses amis pouvaient fêter en 1938 sa promotion au grade exceptionnel de Grand-Croix de la Légion d'Honneur.

Mais c'est l'écrivain et le penseur que l'Académie des sciences morales et politiques avait élu en 1925 membre de la section de morale, en remplacement du comte d'Haussonville.

Son œuvre, d'une étonnante unité dans sa diversité, n'est qu'une longue méditation sur la mission de la Fonction publique, ses droits et devoirs, sur l'éminente dignité du service de l'Etat et ses exigences qui doivent se concilier avec le contrôle du Parlement.

Dans deux études consacrées respectivement aux structures du ministère des travaux publics et à celles du ministère de la justice il donnait la mesure de sa probité intellectuelle dans la recherche des matériaux de sa pensée, puis dans le « Pouvoir administratif » il exprimait sa doctrine. Ceux qui se sont familiarisés avec son œuvre gardent une prédilection pour un ouvrage écrit 10 ans plus tard où, dégagé des fatigues de l'élaboration, il pouvait condenser sa pensée dans une courte étude dont le titre résume la substance : « L'organisation d'une démocratie;

les deux forces : le nombre (le suffrage universel); l'élite (les serviteurs de l'Etat). »

On ne peut lire cet ouvrage sans penser à la pléïade d'historiens qui furent presque les contemporains de son auteur, les Boutmy, les Sorel, les Vandal, qui avaient le don de tout savoir et de tout comprendre, comme d'en administrer la preuve dans un style élégant.

Les membres du Conseil d'Etat qui ont eu le privilège de connaître Henri Chardon gardent le souvenir de son amabilité naturelle, alliée à une dignité sans apprêt qui faisait le charme de son commerce; bien peu savaient que ce grand commis affrontait à l'occasion la houle des meetings quand il croyait devoir défendre une juste cause. Ses familiers connaissaient un Henri Chardon artiste, aussi à l'aise devant son clavier que devant sa toile, et un romancier, voire un dramaturge qui, sous le nom d'Henri Mauprat, abordait des sujets moins sévères que l'académicien.

Son sourire dissimulait une plaie intime : la mort de son fils aîné, Ary-Henri, glorieusement tombé le 22 août 1918, dans la Somme, à la tête de sa section; ce jeune agrégé d'histoire était le confident et l'interlocuteur préféré de son père qui a évoqué en termes émouvants sa mémoire dans la préface de « L'organisation d'une démocratie ».

La mort d'Henri Chardon, le 24 avril 1939 à Montreux, lui a épargné le spectacle de la défaite de 1940 qui l'eût profondément meurtri comme la fin prématurée en 1941 de son second fils, Florian, qui l'avait rejoint en 1923 au Conseil d'Etat où sa finesse et sa sensibilité ne lui avaient fait que des amis.

Jean Hourticq
Conseiller d'Etat

Edouard LAFERRIERE
1841-1901

Vice-Président du Conseil d'Etat (1886-1898)

Tout donnait à penser, au lendemain de la proclamation de la République le 4 septembre 1870, qu'Edouard Laferrière allait s'engager dans l'action politique. Ce jeune et brillant avocat de 29 ans, arrêté et condamné deux fois l'année précédente pour délits de presse, avait combattu l'Empire avec vigueur dans les rangs de l'opposition républicaine, dont il fut le candidat lors d'élections partielles pour le Corps législatif à Paris en 1869.

Il prit une tout autre voie. Il fut nommé le 17 septembre 1870 maître des requêtes à la Commission provisoire remplaçant le Conseil d'Etat, qui venait d'être créée et y fut chargé presqu'aussitôt des fonctions de commissaire du gouvernement. Il les exercera sans interruption jusqu'en 1879, car il les conserve, avec son titre, dans le Conseil d'Etat réorganisé par la loi du 24 mai 1872. Nommé directeur des cultes, en même temps que conseiller d'Etat en service extraordinaire, au début de 1879, il revient au mois de juillet, en service ordinaire, au Conseil, où il va poursuivre la plus brillante des carrières. Nommé président de la section du contentieux dès le 26 juillet 1879, il devient le 19 janvier 1886, à l'âge de 45 ans, vice-président du corps. Il le restera jusqu'au 25 juillet 1898, date à laquelle il est nommé gouverneur général de l'Algérie. Il occupa ce poste deux ans, fut nommé à son retour procureur général à la Cour de cassation et mourut le 2 juillet 1901, à 59 ans.

Pendant les quelques mois où il fut, au début de 1879, directeur des cultes, Laferrière appliqua sans faiblesse la politique religieuse du gouvernement, qui voulait relever les droits du pouvoir civil par une stricte application du Concordat et des articles organiques. On pouvait imaginer que, revenu au Conseil, président de section, puis vice-président, ce républicain ardent, membre important du Grand Orient de France, lié de près aux dirigeants de l'époque, serait le légiste du nouveau régime. C'est sous ces traits qu'il apparait dans quelques lignes assez cruelles d'André Spire, auditeur en 1895 : « D'une incroyable subtilité juridique, il savait comme les légistes de l'ancienne monarchie, courber les principes du droit aux opportunités du jour ». Très différente est la figure qui se dessine à la lecture des débats d'assemblée générale et des correspondances qu'il signait comme chef de corps : l'homme que Gambetta empoignait en 1881 en lui reprochant son formalisme, fut avant tout un juriste, qui voyait dans le Conseil d'Etat une grande institution nationale créée pour être l'organe du droit. C'est pourquoi il fut ambitieux pour le corps qu'il présida pendant douze années avec une exceptionnelle autorité. Il défendit, au besoin contre le gouvernement, ses prérogatives, les principes de son organisation, son renom. Il s'efforça d'améliorer la qualité de son personnel, en s'opposant aux nominations de caractère politique. Il chercha surtout à développer son rôle législatif, dont l'exercice depuis 1872 était à la discrétion du Parlement et du Gouvernement. Il n'y parvint pas, malgré des efforts constants, et ce fut pour lui une vive déception.

Aux séances d'assemblée générale dont les procès-verbaux nous ont conservé le texte de ses interventions qui étaient fréquentes et éloquentes, il mettait l'accent, à la différence de collègues souvent plus soucieux d'opportunité, sur les principes et les règles de droit dont le Conseil avait pour rôle à ses yeux, d'assurer le respect. « Amicus Plato, sed magis amica veritas », déclarait-il en refusant de voter l'avis qui reconnaissait au gouvernement le droit de suspendre par voie administrative les traitements des ecclésiastiques hostiles au régime.

Ce juriste ne fut pas seulement un praticien du droit. Chargé, en 1883, d'un enseignement de droit administratif à la faculté de droit de Paris, il en tira son célèbre Traité de la juridiction administrative et des recours contentieux, qui fut le premier ouvrage à ordonner dans la pleine lumière des principes les matières contentieuses qui formaient encore à cette époque une masse assez informe.

L'homme lui-même n'apparaît guère à travers ses écrits, ses propos, ses activités professionnelles. Les portraits tracés de lui par ses contemporains sont pour la plupart de circonstance et ne le révèlent pas davantage. Sans doute leur apparut-il aussi lointain qu'à nous-mêmes. Il est permis d'imaginer un homme grave, rendu distant par une certaine hauteur orgueilleuse et le souci de protéger une vie personnelle marquée d'épreuves. Peut-être n'en incarne-t-il que mieux l'homme de droit qu'il fut avant tout.

Louis Fougère
Conseiller d'Etat

Alfred PICARD
1844-1913
Vice-président du Conseil d'Etat
1912-1913

Parmi tous les polytechniciens qui, au long du XIXe siècle, s'illustrèrent au Conseil d'Etat, Alfred Picard est à la fois un des plus représentatifs et un des plus originaux : représentatif, parce que sa carrière fut d'abord celle d'un remarquable ingénieur des Ponts et Chaussées; original, parce que sa grande intelligence et sa vaste culture lui firent occuper, extrêmement jeune, les rôles les plus divers du monde administratif français de l'époque : chargé en 1867, à 23 ans, du canal de la Serre, il est commandant du génie à Verdun en 1871, puis, pendant dix ans, il exerce brillamment son métier d'ingénieur des Ponts, et il y trouve l'occasion d'inventer quelques techniques de construction encore en usage; alors commence une fulgurante carrière de haut fonctionnaire, qui le conduit, en deux ans, du poste de directeur du cabinet du ministre des travaux publics à celui de conseiller d'Etat, en passant par la Direction des routes et celle des chemins de fer et de la navigation, créée pour lui. Conseiller d'Etat à 38 ans, il devient, quatre ans plus tard, président de la section des travaux publics, de l'agriculture, du commerce et de l'industrie. Il devait présider cette section pendant plus d'un quart de siècle, jusqu'au 27 février 1912. Il eut, à ce poste, l'occasion d'élargir considérablement son champ d'action. Sa puissance d'analyse, sa rapidité au travail lui permirent d'être éclectique, sans pour autant devenir dilettante. On retrouve cette universalité dans ses écrits, qui couvrent des sujets très divers : auteur d'abord de deux austères « Traité des chemins de Fer » et « Traité des eaux », il eut le courage d'écrire, après un remarquable rapport sur l'Exposition universelle de 1889, un « Bilan du Siècle » en dix volumes, où il consigna ses réflexions sur le XIXe siècle finissant, nourries par son expérience de commissaire général de l'Exposition de 1900.

Par son action, Alfred Picard illustre brillamment le rôle, l'esprit et le rayonnement de l'élite française de l'époque. Passionné de tout, des chemins de fer aux Beaux-Arts, président des comités et jurys de l'Exposition de 1889, maître d'œuvre et grand organisateur de l'Exposition Universelle de 1900, il fut un des principaux artisans de ce grand moment du prestige de la France.

En 1908, il fut pendant un an ministre de la Marine, en une période difficile et capitale de la réorganisation de l'armée, et il devint, le 27 février 1912, vice-président du Conseil d'Etat. Il ne devait exercer cette fonction que peu de temps, puisqu'il mourut le 8 mars 1913.

Dans cette grande carrière de fonctionnaire lucide, modeste, peu attiré par les arcanes de la vie politique, il n'y eut peut-être qu'une déception avouée : il ne revit jamais, après 1870, sa maison natale de Strasbourg, où son père était ingénieur des télégraphes.

Ses idées, son rayonnement sont aussi ceux d'une époque où le progrès technique commençait à être profondément lié au développement culturel : c'est à cet ingénieur, qui inventait, à trente ans, une technique très nouvelle de construction d'aube de pont, que, vingt ans plus tard, on confie la tâche de réaliser la manifestation la plus universelle de la culture française.

Jacques Attali
Auditeur au Conseil d'Etat
Ancien élève de l'Ecole Polytechnique

CHAPITRE XII

LE CONSEIL D'ÉTAT DE 1919 A 1939

INTRODUCTION

Au lendemain de la première guerre mondiale, l'avenir du Conseil d'Etat préoccupe beaucoup d'esprits.

L'augmentation continue et importante des pourvois compromet la célérité et l'efficacité de la justice administrative. La fonction juridictionnelle absorbe une part croissante des activités du Conseil dont le rôle législatif demeure toujours aussi faible. Certains redoutent de le voir « dénaturé » et peu à peu « réduit au rôle d'un simple tribunal ».

Le Parlement est alors saisi de projets de réforme tendant tous à décharger les rôles du Conseil soit par le transfert de diverses catégories d'affaires aux tribunaux judiciaires, soit par l'extension de la compétence des conseils de préfecture. Il est même envisagé de faire de ceux-ci les juges de droit commun du contentieux administratif.

Les réformes adoptées seront modestes : création de nouveaux organes de jugement au sein du Conseil et renforcement des effectifs de la section du contentieux par la loi du 1er mars 1923; réforme limitée et inachevée des conseils de préfecture, dont les attributions sont étendues par des décrets-lois de 1926 et de 1934.

Le Conseil d'Etat reste juge de droit commun du contentieux administratif. Il lui consacre la majeure partie de son activité et enrichit une jurisprudence qui atteint alors une sorte de perfection classique.

Pour le reste, les vingt années qui séparent les deux guerres mondiales sont dans l'histoire du Conseil d'Etat des années discrètes. Il n'est pas ou à peine associé à l'activité législative. Le hasard des affaires administratives et contentieuses ne le mêle que de façon rare et indirecte à quelques incidents de la vie politique du pays : dissolution des ligues en 1935, grèves et occupations d'usines deux ans plus tard. La grande querelle religieuse qui avait si abondamment garni ses rôles au début du siècle s'est apaisée avec la guerre.

Le corps attire toujours des hommes de valeur. Ceux qui n'y restent pas — les démissions sont alors nombreuses — l'illustrent ou l'illustreront, à leur manière, dans la vie politique ou économique du pays. Ceux qui y demeurent pour accomplir les tâches traditionnelles du Conseil voient les questions sociales prendre une place sans cesse plus grande dans leurs occupations et leur préoccupations. C'est alors qu'est créée « la section du travail, de la prévoyance sociale et de la santé publique », que l'on désigne déjà sous le nom de « section sociale ».

Très nombreux sont les maîtres des requêtes et les auditeurs auxquels il est fait appel pour des postes et des tâches de caractère social : Conseil économique et social, Cour supérieure d'arbitrage, directions du ministère du travail, procédures de conciliation et d'arbitrage, etc. Plusieurs d'entre eux se retrouveront en 1945 aux postes de commande de la politique sociale française.

I

LES PROBLÈMES DU CONSEIL D'ÉTAT AU LENDEMAIN DE LA GUERRE, LES PROJETS DE RÉFORME ET LA LOI DU 1er MARS 1923

Des cris d'alarme — L'encombrement du contentieux — Les difficultés du recrutement — Les démissions — Des projets de réforme nombreux et ambitieux — La difficile réforme des Conseils de Préfecture — La loi du 1er mars 1923 — Sa portée limitée — La professionalisation du corps s'accentue — Institution d'une limite d'âge fixée à 75 ans — Le statut de l'auditorat.

Accroissement important et continu du nombre des affaires contentieuses, diminution des effectifs due aux pertes de la guerre (1), à la suspension du recrutement normal par la voie de l'auditorat de 1914 à 1918 et à des démissions : ces deux causes conjuguent leurs effets pour placer le Conseil d'Etat, au moment où la première guerre mondiale prend fin, dans une situation difficile. Nombreux sont alors ceux qui se préoccupent de l'avenir du Conseil et réclament ou proposent d'importantes réformes.

DES « CRIS D'ALARME »

Les plus nombreux et les plus forts proviennent de ceux qu'inquiètent la « marée » des litiges administratifs et le retard consécutif des décisions de jugement :

> « Il est un danger très grave, écrivait dès 1918 Gaston Jèze, qui, à l'heure actuelle, menace la juridiction administrative française : c'est l'impossibilité, pour le Conseil d'Etat, de juger dans un temps raisonnable toutes les affaires portées devant lui. La législation récente, les transformations économiques ou sociales, les événements de guerre ont multiplié les affaires susceptibles d'être portées devant le Conseil d'Etat. Par exemple, les lois fiscales récentes (impôt sur le revenu, impôt sur les bénéfices de guerre), la multiplication des services publics, les événements de la guerre (marchés de fournitures, de travaux publics, pensions militaires, etc.) sont et vont être la source de milliers et de milliers de litiges de la compétence des tribunaux administratifs et portés au premier degré ou en appel ou en cassation devant le Conseil d'Etat. La conséquence fatale sera un engorgement dans le fonctionnement du Conseil d'Etat, des lenteurs dans le règlement des litiges telles que les recours

(1) Six membres du Conseil d'Etat : un conseiller, le conseiller Collignon et cinq auditeurs de 1re classe, MM. Collavet, Roger, Fernet, Heurtel, Feldmann, furent tués au cours de la guerre. Une plaque placée dans le salon bleu rappelle leur souvenir.

à la juridiction administrative risqueront d'être discrédités aux yeux des justiciables et qu'un très grand nombre d'actions en justice seront, à raison de cette lenteur même, privées de toute efficacité. Tout procès est un mauvais procès, s'il n'est jugé qu'avec de grands retards. Si ces craintes se réalisaient, comme il n'est que trop probable, le contrôle juridictionnel administratif tendrait à n'être bientôt plus qu'une censure doctrinale et platonique. C'est là un péril si certain et si grave qu'il paraît nécessaire de pousser un cri d'alarme et de demander instamment aux pouvoirs publics de s'occuper de la question et de rechercher un remède énergique. »

(Revue D.P., 1918, pp. 63-64).

L'engorgement ainsi annoncé avait déjà commencé. Le nombre d'affaires restant à juger, de 5 555 en 1912 était passé à la fin de 1917 à 7 125. Redescendu à 5 664 en 1919, il remontait aux environs de 7 000 en 1922; le nombre des affaires entrées demeurait constamment supérieur à celui des affaires jugées. La grande presse citait à l'envi, en généralisant quelques cas sans doute extrêmes, des affaires dont l'instruction et le jugement avaient demandé près de dix ans (1). Cette évolution prolongeait et accentuait celle qui s'était manifestée depuis les débuts de la IIIe République : 1 253 pourvois annuels en moyenne de 1872 à 1877; 3 113 en 1902/1903; 4 273 en 1913/1914; elle apparaissait irréversible, si des réformes profondes n'étaient pas faites (2).

Cette évolution n'inquiétait pas seulement ceux qui se souciaient de l'avenir du contentieux administratif. Elle préoccupait davantage encore peut-être ceux qui, envisageant l'avenir du corps lui-même, redoutaient de le voir accaparé par sa fonction judiciaire.

Deux députés, MM. Edouard Barthe et Jean Félix, motivaient ainsi la proposition de loi soumise par eux à la Chambre en 1920 :

« A accroître son activité contentieuse, on risque de troubler l'harmonie établie par l'histoire, la législation, les besoins d'un grand pays démocratique entre les trois fonctions que remplit le Conseil d'Etat. Il participe au pouvoir législatif comme conseil de gouvernement en assemblée générale et dans sa section de législation, qui est, suivant le mot d'un garde des sceaux, M. Ricard, « l'âme d'un Conseil d'Etat ». Il est l'agent du pouvoir exécutif, comme contrôleur des administrations publiques dans ses sections administratives et en assemblée générale fermée. Il tient au pouvoir judiciaire, comme tribunal suprême administratif, dans ses sections du contentieux et en assemblée générale publique. Il n'est pas, ne doit pas et ne peut pas n'être qu'une « juridiction ».

De plus en plus il en est cependant ainsi : les affaires contentieuses sont

---

(1) Cf. journal « La Croix » du 19 avril 1922, article signé L. Guiraud.

(2) Cette crise du contentieux apparaissait d'autant plus grave aux spécialistes qu'elle coïncida avec la suspension, en 1918, pour des raisons financières, de la publication du Recueil des arrêts du Conseil d'Etat. La Commission des finances de la Chambre des députés refusa d'accorder une subvention de 20 000 F demandée par l'éditeur. Elle ne fut pas suivie par la Chambre qui, sur la demande de deux de ses membres, anciens maîtres des requêtes, MM. Blum et de Tinguy du Pouët, rétablit le crédit (*Cf. Revue D.P. 1921, pp. 484-485*).

devenues envahissantes, ainsi que le constatait, dans une étude substantielle, M. le maître des requêtes Le Gouix, et, si l'on n'y prend garde, elles vont dénaturer et réduire le corps au rôle d'un simple tribunal. Il deviendrait, selon le mot de Cormenin, « une petite jugerie, un établissement sans largeur et sans retentissement ».

(Ch. dép., Annexe au P.v. de la séance du 19 mars 1920, n° 578, J.O. Doc.parl. p. 486).

La diminution des effectifs du Conseil et les perspectives de recrutement constituent alors une troisième préoccupation à l'intérieur comme à l'extérieur du corps. Le président du jury du concours ouvert à la fin de 1918 pour le recrutement de quatre auditeurs écrivait dans son rapport final :

« Monsieur le Président,

Le concours qui vient d'avoir lieu pour la nomination à quatre places d'auditeur de 2e classe s'est effectué, comme vous le savez, dans des conditions anormales.

D'une part, il n'a pu réunir que des candidats n'ayant pas eu le temps d'acquérir une connaissance approfondie de toutes les matières comprises dans les programmes. D'autre part, par suite du nombre très peu élevé de ces candidats qui s'est trouvé, au dernier moment, strictement égal à celui des places offertes, ce concours a présenté les caractères d'un simple examen d'aptitude professionnelle...

Le jury ne peut, en terminant, qu'exprimer l'espoir que les prochains concours, redevenus normaux, permettront, comme par le passé, d'exercer parmi des candidats plus nombreux une sélection plus serrée. Dans ce but il estime qu'il serait utile d'échelonner sur plusieurs concours l'attribution du nombre, malheureusement très grand, des places vacantes.

(Arch. C.E.). Signé : Paul Arrivière »

A la même époque, la revue *Europe Nouvelle* publiait un article de M. de Pressac, intitulé « Le problème des hauts fonctionnaires et la crise de recrutement du Conseil d'Etat » :

« ... Pour le Conseil d'Etat, écrivait M. de Pressac, il faut qu'intervienne une solution, provisoire peut-être, mais immédiate. Ou c'en est fait... On connaît le fait brutal : dix-sept places d'auditeurs sont vacantes, plus des trois-quarts de l'effectif. Un concours pour quatre places seulement vient d'être ouvert entre les mutilés de la guerre : quatre candidats se sont présentés, et il a été impossible, à moins d'avilir le concours, de pourvoir à plus de deux de ces vacances... Il ne saurait être question, étant donné le rôle du Conseil d'Etat, d'avilir le recrutement. Mais, si un prompt remède n'y est apporté, il se tarit de lui-même. J'ai marqué que non pas demain, aujourd'hui même, les jeunes gens éminents par leur intelligence et leur culture ne paraissent plus ambitionner l'auditorat, qui ne leur donne plus les moyens matériels de vivre. Un maître des requêtes, qui peut avoir dépassé la cinquantaine, touche 8 000 francs, comme il y a un siècle, alors que ses pairs au Tribunal des conflits, les avocats généraux de cassation, en touchent 18 000 et que les préfets ont un traitement bien supérieur : quel espoir d'affecter dès lors à la maîtrise non seulement les auditeurs défaillants, mais les plus éminents fonctionnaires, peu soucieux, s'ils ont surtout de la famille, d'abandonner pour le Conseil des postes qui, en province, leur permettent de mieux vivre ».

(Europe nouvelle, 7 janvier 1919, pp. 124-125).

Ces prévisions pessimistes devaient être en partie démenties. Les candidatures au concours pour l'auditorat de décembre 1919 furent nombreuses. Le président du jury pouvait écrire dans son rapport sur les opérations du concours :

Paris le 19 mars 1920

« Monsieur le Président,

Le concours pour l'auditorat de décembre 1919 donne lieu à des observations un peu nouvelles par les caractères tout spéciaux qu'il a présentés. Il était en réalité le premier depuis six années, le petit concours de 1918 ayant été ouvert seulement aux blessés de la guerre. Les candidats inscrits ont été très nombreux (1), la démobilisation ayant mis simultanément dans l'obligation de chercher une carrière tous les jeunes gens qui eussent normalement trouvé leur voie dans les années précédentes. Beaucoup d'entre eux, ayant été rendus à la vie civile seulement depuis 3 à 6 mois, n'avaient disposé que de très peu de temps pour étudier les matières du programme; c'est ce qui explique qu'on prévoie pour le prochain concours un nombre de candidats bien plus élevé encore, beaucoup de ceux qu'attiraient le grand nombre de places disponibles n'ayant pu être prêts pour la fin de 1919. L'élévation des traitements fait d'ailleurs envisager l'auditorat comme un excellent poste d'attente par les jeunes gens qui ne désirent pas faire leur carrière au Conseil...

Sur les 16 admissibles, nous avons pu recevoir 8 bons collaborateurs pour le Conseil, étant d'ailleurs décidés à l'avance à n'admettre qu'un nombre de candidats inférieur à celui des places mises au concours, si nous n'en trouvions pas assez qui nous parussent suffisamment capables et préparés.

(Arch. C. E.). Signé : C. Colson »

Les candidats furent, en effet, nombreux aux concours suivants, mais les démissions le furent aussi entre 1918 et 1930 (2), et les compressions

(1) Ils furent 56, dont 40 seulement subirent toutes les épreuves d'admissibilité.

(2) Plus d'une vingtaine au total, données presque toutes par des maîtres des requêtes et des auditeurs. Le phénomène — que le vice-président Théodore Tissier déplorait, dans ses allocutions au garde des sceaux du 21 novembre 1929 et du 24 décembre 1930 — n'était pas nouveau. Plusieurs démissions avaient eu lieu dans les années précédant la guerre; le professeur L. Rolland écrivait dans la Revue de droit public, en commentant l'art. 13 de la loi de finances du 30 juillet 1913 qui avait relevé dans des proportions assez notables le traitement de certaines catégories de membres du Conseil d'Etat : « Depuis quelques années, cet état de choses (l'insuffisance des traitements) entraînait deux conséquences très graves. D'une part, le nombre et la valeur des candidats au concours de l'auditorat baissaient de façon sensible,... d'autre part, les auditeurs et les maîtres des requêtes, désespérant d'arriver jamais au poste de conseiller d'Etat, obligés cependant de vivre et de faire vivre les leurs, abandonnaient le Conseil pour entrer dans des entreprises privées où on leur offrait des appointements très rémunérateurs. Le Conseil a ainsi perdu, durant ces dernières années, quelques-uns de ses membres les plus considérables ». (*Revue D.P.*, 1913, pp. 728-729). Au lendemain de la guerre, le professeur Jèze réclamait un nouveau relèvement des traitements en invoquant la nécessité de démocratiser le Conseil d'Etat : « Si l'on veut que les meilleurs étudiants des facultés de droit se présentent au concours de l'auditorat, il faut leur offrir une carrière non seulement très honorable, mais aussi rémunératrice. Sinon on court le risque de n'avoir que des candi-

budgétaires de 1934 (1) aggravèrent la situation des effectifs qui ne fut jamais très à l'aise entre les deux guerres.

DES PROJETS DE RÉFORME NOMBREUX ET AMBITIEUX

La plupart d'entre eux, inspirés par des professeurs de droit et sans doute aussi par des membres du Conseil d'Etat (2), revêtirent la forme de propositions de loi ou d'amendements aux projets de réforme — beaucoup plus timides, comme on le dira plus loin — du gouvernement.

La majorité d'entre eux visaient uniquement à améliorer le fonctionnement du contentieux, en allégeant la tâche juridictionnelle du Conseil d'Etat et en renforçant les moyens d'action de celui-ci. Les voies proposées étaient très différentes les unes des autres. Certains parlementaires (3), s'inspirant des dispositions d'un projet gouvernemental avorté de 1916 (4),

---

dats médiocres ou — péril grave — des candidats possesseurs d'une fortune leur permettant de tenir le rang social élevé qui est et doit rester celui des membres du Conseil d'Etat. La jurisprudence d'un tribunal, quelque volonté d'impartialité qu'aient ses membres, reflète en grande partie la mentalité de la classe sociale dans laquelle les juges sont recrutés. Il ne peut pas en être autrement... Si pour des raisons d'ordre financier, l'entrée au Conseil d'Etat est réservée en fait aux classes possédantes, il est à craindre que, dans une large mesure, la juridiction administrative ne soit une juridiction de classe; non pas que les juges aient le parti-pris de favoriser la classe sociale à laquelle ils appartiennent, mais parce qu'il n'est pas possible à la plupart des hommes, lorsqu'ils sont investis d'une fonction, de faire abstraction de leurs préjugés sociaux ». (*Revue D.P., 1918, pp. 522-523*).

(1) Elles entraînèrent au Conseil d'Etat la suppression de 11 postes, soit près de 10 % de l'effectif et la mise à la retraite de 1 président de section, 5 conseillers d'Etat et 3 maîtres des requêtes.

(2) Parmi ceux-ci, il faut citer M. Chardon, membre du Conseil d'Etat de 1885 à 1936. Il publia en 1926 « L'organisation de la démocratie » et en 1927 « L'organisation de la République pour la paix ». Il expose dans ces ouvrages des vues très proches de celles qui inspirent les propositions de lois présentées par divers parlementaires entre 1919 et 1923. Il est vraisemblable qu'avant même la parution de ces livres, M. Chardon avait répandu autour de lui les idées qui s'y trouvent développées.

Citons aussi les propositions de réforme présentées par André Thiers (1890-1973) alors maîtres des requêtes, dans son ouvrage paru en 1919 « Administrateurs et administrés ». A. Thiers jugeait nécessaire une séparation complète, au sein du Conseil d'Etat, des sections administratives et de la section du contentieux. « Il faut éliminer, écrivait-il, de l'assemblée générale du Conseil d'Etat administratif tous les conseillers appartenant à la section du contentieux. Les travaux de l'assemblée générale perdront alors cet aspect de cour de justice qu'elle a trop souvent et s'imprègneront davantage des nécessités extérieures et des contingences avec lesquelles un conseil avisé du Gouvernement doit compter » (p. 252). Cette opinion paraît avoir été isolée et n'avoir exercé aucune influence.

(3) Propositions de M. Emile Bender, député, le 1er juillet 1919, de MM. Barthe et Felix, députés, le 19 mars 1920, de M. Servain, sénateur, le 25 mars 1922. Cette dernière proposition fit l'objet d'un rapport de la commission d'administration générale du Sénat, concluant à la dévolution aux tribunaux civils de première instance de tout le contentieux des conseils de préfecture. Les tribunaux civils devaient statuer sur ce contentieux en des audiences distinctes, « en veston » et en suivant la procédure fixée par la loi du 22 juillet 1889. Ils statuaient donc comme juges administratifs et l'appel de leurs décisions devait être porté devant le Conseil d'Etat. Les Conseils de préfecture étaient supprimés, à l'exception de celui de la Seine.

(4) Projet de loi présenté le 25 juillet 1916 à la Chambre des députés en vue d'attribuer aux tribunaux civils compétence pour les marchés de travaux publics et de fournitures passés par les diverses administrations publiques. (Ce projet est analysé et discuté à la Revue de Droit Public, 1918, pp. 69 sq.).

demandaient, en invoquant tout autant des raisons de principe que d'opportunité, le transfert aux tribunaux judiciaires d'une part importante des litiges administratifs, notamment de ceux relatifs aux contrats de travaux publics, aux dommages causés par les travaux publics, aux contraventions de grande voirie, aux ventes domaniales et aux partages de biens communaux.

Soutenant la proposition de loi de MM. Barthe et Félix, le député Saget déclarait à la Chambre :

« Nous sommes ici un certain nombre à vouloir que la réforme soit beaucoup plus complète et que le système qui a été adopté par la Révolution française, par les lois des 22 décembre 1789, 10 janvier 1790 et du 28 pluviose an VIII, soit définitivement abandonné, c'est-à-dire qu'il n'y ait plus en France qu'une seule juridiction, la juridiction judiciaire.

Nous sommes un certain nombre en effet qui n'admettons pas que, dans ce régime républicain institué depuis plus de cent ans, nous ayons encore le système tel qu'il a été organisé par la royauté, c'est-à-dire la justice déléguée : la juridiction judiciaire, et la justice retenue : la juridiction administrative. Nous n'admettons pas comme définitif et intangible le principe de la séparation des pouvoirs administratif et judiciaire, dont certains voudraient faire un principe fondamental de notre droit. La justice rendue au nom du peuple français ne peut avoir deux faces, nous la voulons unique et indépendante... Nous avons pensé que la juridiction judiciaire est la seule qui, tant par l'inamovibilité de ses magistrats que par le mode de leur recrutement, puisse donner au justiciable des garanties suffisantes, les garanties qu'il est en droit d'exiger... »

(Ch. dép. 2e séance du 5 juillet 1920. J. O. Déb. parl., p. 2757).

Déclarations qui éveillèrent peu d'échos au Parlement et provoquèrent des critiques très vives et quasi unanimes dans les milieux judiciaires et juridiques :

« Il semble bien, écrivait le professeur J. Laferrière, que les défenseurs de cette opinion extrême ne la formulent que par acquit de conscience en quelque sorte, pour n'omettre aucun aspect de la question qu'ils traitent, mais sans y apporter grande conviction ni envisager sérieusement les chances de réalisation pratique d'une réforme aussi radicale.

Le terrain sur lequel la question de la juridiction administrative se pose aujourd'hui de façon utile est exclusivement celui de ses résultats pratiques et des améliorations à y apporter. L'institution est définitivement entrée dans nos mœurs et forme une pièce essentielle de notre système administratif. Prise dans son ensemble, elle a donné d'excellents résultats; elle a été le facteur principal du développement juridique du droit administratif. Son maintien ne fait plus question. Mais c'est une institution à perfectionner pour remédier aux défauts reconnus de son organisation... »

(Revue D. P., 1920, p. 554).

Pour la plupart, le remède essentiel consistait dans une extension de la compétence des conseils de préfecture, dont certains voulaient même faire le juge de droit commun, et dans certains cas en dernier ressort, du contentieux administratif :

« A l'encombrement du Conseil d'Etat qui est en effet un péril grave auquel de toute nécessité il faut mettre fin, nous ne voyons en définitive, écrivait encore J. Laferrière, qu'un remède : la réorganisation de la juridiction administrative; d'une part, en faisant au système des juridictions spéciales la part — assez étroite à notre avis — dans laquelle il est susceptible de donner de bons résultats; d'autre part, en donnant aux formations contentieuses du Conseil d'Etat tout le développement et tout le personnel nécessaires; enfin et surtout, en organisant une juridiction inférieure assez forte pour qu'il soit possible de lui donner une compétence de dernier ressort. Ainsi, le Conseil d'Etat, débarrassé du nombre infini d'appels sans intérêt qui à l'heure actuelle l'encombrent, pourrait ne conserver, sinon exclusivement, du moins à peu près, que le rôle qui est véritablement le sien : celui de tribunal de cassation de la juridiction administrative, assurant l'unité de jurisprudence, dégageant les principes juridiques du contentieux administratif ».

(Revue D. P., 1921, p. 163).

Gaston Jèze professait la même opinion, mais se montrait peu optimiste sur les chances d'une réforme des conseils de préfecture, qui était à ses yeux la condition essentielle d'un élargissement de leurs attributions :

« Certains proposent sérieusement d'augmenter le personnel du Conseil d'Etat et de créer de nouvelles sections contentieuses. Mais le Conseil d'Etat actuel est très nombreux; ne serait-il pas sans danger de concentrer davantage le service de justice administrative ?

Une réforme désirable et permanente, c'est la réorganisation des conseils de préfecture ou plutôt leur remplacement par des tribunaux administratifs régionaux.

Tout a été dit sur l'insuffisance des conseils de préfecture. Tels qu'ils existent actuellement, ils n'ont pas un seul défenseur. Après plus de cent ans d'existence, la preuve est amplement faite de leur incapacité.

Tant qu'ils ne seront pas réorganisés de manière à en faire des juridictions capables et indépendantes, il ne saurait être question d'élargir leur compétence. A cet égard, il convient de critiquer très vivement le projet de loi précité du 25 juillet 1916 portant attribution de compétence aux conseils de préfecture pour toutes les concessions de service public. Ce sont, de l'avis unanime, des matières administratives d'une très grande complexité; il serait donc difficile de choisir de plus mauvais juges que les conseils de préfecture tels qu'ils existent. Les arrêtés rendus par les conseils de préfecture dans les litiges récents entre les compagnies du gaz et les communes, les énormités juridiques consacrées par quelques conseils de préfecture ont démontré par les faits l'erreur des rédacteurs du projet de loi du 25 juillet 1916.

Au surplus, la réforme n'aurait aucun résultat pratique. Les arrêtés des conseils de préfecture sont toujours susceptibles d'appel devant le Conseil d'Etat. On fait toujours appel, même pour les affaires peu importantes. Le recours devant le conseil de préfecture n'est donc qu'une formalité, entraînant des retards et des frais. Et personne, connaissant les conseils de préfecture, ne songera à accuser l'esprit processif des plaideurs qui ne s'en tiennent pas à la décision de ces juges de premier ressort. Quoi qu'il en soit, l'attribution aux conseils de préfecture des procès relatifs aux concessions de service public ne pourra désencombrer le Conseil d'Etat que le jour où l'appel sera interdit pour les litiges de faible importance pécuniaire. En l'état actuel, il ne peut absolument pas être question de confier aux conseils de préfecture le jugement définitif et sans appel d'une affaire quelconque, si minime soit-elle. La solution devra être toute différente le jour — mais seulement le jour — où les conseils de préfecture seront réorganisés.

Cette réorganisation est-elle possible politiquement ? La chose est douteuse. Il faudrait commencer par exclure soigneusement des nouveaux tribunaux administratifs régionaux l'immense majorité des conseillers de préfecture actuels. Cela est-il politiquement dans la limite des forces d'un Gouvernement et d'un Parlement ? Le personnel actuel des conseils de préfecture n'a-t-il pas des attaches très étroites avec le personnel politique, parlementaire et gouvernemental ? Les questions de personnes sont, le plus souvent, des obstacles insurmontables, contre lesquels se brise l'intérêt général.

Pourtant, le mal est grave; le danger est sérieux. Il ne s'agit de rien de moins que de l'efficacité de l'admirable juridiction du Conseil d'Etat ».

(Revue D.P., 1918, p. 65 et pp. 76-78).

La réforme des conseils de préfecture était également la pièce essentielle des projets de ceux qui voulaient accroître le rôle législatif et administratif du Conseil d'Etat — accroissement subordonné à une réduction de sa tâche juridictionnelle. La proposition la plus novatrice en ce sens fut celle présentée par M. Louis Marin, à la Chambre des députés, le 23 janvier 1920, et dont l'exposé des motifs, qui critiquait vivement le projet de loi déposé peu avant par le Gouvernement, mérite d'être largement cité :

« Nous estimons qu'il faut chercher à tirer du Conseil d'Etat tous les services qu'il peut rendre à la République, non seulement sans augmenter les charges budgétaires, mais même en s'orientant vers une réduction de ces charges.

C'est l'objet de la proposition que nous vous soumettons, inspirée de nombreux travaux, études et projets antérieurs sur le Conseil d'Etat et sur les conseils de préfecture : elle pourra servir de base à une discussion plus approfondie de la question.

Le projet du Gouvernement accentue la diminution du Conseil d'Etat qui, de conseil de gouvernement, passerait de plus en plus au rôle de tribunal administratif et de grand conseil de préfecture.

Sur 42 conseillers d'Etat, 32 feraient obligatoirement du contentieux; 16 ne feraient que du contentieux.

Il suffit de se reporter aux ordres du jour du contentieux pour voir le peu d'importance de la grande majorité des affaires jugées avec cet appareil. Sur 4 000 dossiers arrivant en moyenne par an avant la guerre, 2 000 environ concernaient des contributions, 1 000 des pensions, des élections municipales ou des affaires analogues. Sur les 1 000 autres, en pouvait-on compter la moitié dont l'importance, directe ou indirecte, fût telle qu'elles méritassent un jugement en Conseil d'Etat ?

Le Conseil d'Etat de la République française ne doit pas être le premier conseil de préfecture. Il doit, sans doute, continuer à être le régulateur de la justice administrative : c'est une gageure, contraire au bon sens, que de le faire statuer sur le moindre recours en matière de contributions, de marchés ou d'élections.

Nous devons instituer au-dessous de lui, sous son autorité supérieure, la justice administrative ordinaire et l'instituer dans des conditions telles qu'elle puisse fonctionner rapidement, avec toutes les garanties nécessaires. Pour cela, nous n'avons qu'à prendre l'un quelconque des projets ou propositions déposés dans les législatures antérieures pour substituer aux conseils de préfecture une quinzaine ou une vingtaine de conseils régionaux auxquels seraient attribués, en premier et dernier ressort, les 4/5 des affaires actuellement soumises au Conseil d'Etat. Ces conseils régionaux coûteraient moins cher, dans l'ensemble, que les conseils de préfecture, et ils offriraient aux pouvoirs politiques un point d'appui précieux pour l'organisation de la vie régionale, sans nuire en quoi que ce soit à la part de centralisation nécessaire des administrations...

Puisque le Gouvernement propose de modifier l'institution du Conseil d'Etat, il faut saisir l'occasion pour donner à ce corps une organisation correspondant au développement de notre démocratie.

Le Conseil d'Etat doit être l'unique conseil du gouvernement, dans les innombrables affaires de tout ordre, législatives ou administratives, pour lesquelles, à tous moments, les travaux ou l'avis d'une commission sont nécessaires. Sauf un très petit nombre de comités essentiellement techniques, exigeant des spécialistes, toutes les commissions extraparlementaires, administratives, permanentes ou temporaires, dans lesquelles les chefs de service perdent le plus clair de leur temps, où toutes les responsabilités se pulvérisent et qui ne laissent après elles qu'un papier que personne ne défend, doivent disparaître.

Désormais, il doit être entendu que, si le gouvernement a besoin d'un avis, d'un travail, d'un projet, il le demande directement au vice-président du Conseil d'Etat ou aux présidents des sections compétentes. A ceux-ci de prendre les mesures nécessaires pour donner, en toute diligence, dans les conditions les plus satisfaisantes et sous leur responsabilité, le travail demandé. Ils doivent, en conséquence, recevoir le pouvoir d'organiser ce travail et de faire appel, toujours sous leur responsabilité, aux compétences indispensables.

Actuellement, le Conseil d'Etat ne peut, dans beaucoup de cas, fournir un travail utile. Composé, pour la moitié, presque exclusivement d'anciens préfets et, pour une autre moitié, de professionnels dont une partie fait toute sa carrière au contentieux administratif, il n'est outillé ni en matière juridique, ni en matière de législation civile, commerciale ou criminelle, ni en matière économique, ni en matière financière, ni même en matière de grande administration, pour être prêt à tout instant à fournir ou diriger les travaux dont un gouvernement a constamment besoin.

Pour lui permettre de remplir son rôle, le renforcer, le mêler davantage à la vie de la nation et lui assurer toutes les compétences dont il a besoin dans sa grande tâche, nous proposons de lui adjoindre les éléments extérieurs pris les uns parmi les hauts fonctionnaires, les autres parmi des citoyens dont la situation même atteste la compétence spéciale.

Voici comment nous concevons l'organisation nouvelle du Conseil d'Etat :

1° 30 conseillers d'Etat ,dits du cadre ordinaire, proviendraient exclusivement des maîtres des requêtes, qui proviendraient eux-mêmes exclusivement du concours de l'auditorat.

Ce serait la partie permanente du Conseil, le noyau du corps autour duquel s'agrègeraient les éléments extérieurs.

Au lieu d'augmenter le nombre des conseillers d'Etat en service ordinaire, nous le réduirions donc de cinq unités. Ces réductions seraient réalisées par voie d'extinction; elles n'arrêteraient pas l'avancement des maîtres des requêtes, puisque désormais, toutes les places de conseillers d'Etat seraient réservées aux maîtres des requêtes, tandis qu'actuellement la moitié seulement des postes de conseiller d'Etat leur est attribuée; il y aurait, donc, une ample compensation.

2° 20 conseillers d'Etat hors cadre seraient pris parmi les hauts fonctionnaires pourvus de l'un des postes figurant sur une liste arrêtée par règlement d'administration publique.

Ce règlement d'administration publique, cette liste, devrait se préoccuper uniquement de fortifier le Conseil d'Etat en lui adjoignant les chefs des plus grands services de France.

Ceux-ci ne pourraient être pourvus du titre de conseiller d'Etat que par décret en Conseil des Ministres et après deux ans d'exercice de leurs fonctions.

Les conseillers hors cadres appartiendraient définitivement au Conseil d'Etat. Ils seraient affectés suivant leur compétence à une section, pourraient participer avec voix délibérative aux travaux de la section et de l'assemblée générale du Conseil d'Etat. Ils auraient même rang et mêmes prérogatives que les conseillers d'Etat du cadre ordinaire. S'ils cessaient les fonctions à raison desquelles ils ont été nommés conseillers d'Etat, ils rentreraient immédiatement, sans aucune décision spéciale, au Conseil d'Etat, et, à partir du jour de leur rentrée, recevraient le traitement de conseiller d'Etat.

Le nombre des conseillers d'Etat hors cadre en exercice serait limité à vingt. Ainsi serait établie, entre le Conseil d'Etat et la haute administration, une communication constante qui serait aussi profitable à l'une qu'à l'autre. Elle assurerait ,d'une part, au Conseil d'Etat des compétences précieuses, d'autre part, aux chefs de nos principaux services, la liberté de pensée et d'action nécessaire.

Cette création de conseillers d'Etat hors cadre pourrait, au premier abord, être considérée comme une simple modification de l'institution actuelle des conseillers d'Etat en service extraordinaire. Nous croyons qu'elle en diffère profondément.

Les lois en vigueur prévoient 22 conseillers d'Etat en service extraordinaire. Les chefs de service, ainsi nommés par décret, ont voix délibérative dans les affaires de leur département ministériel, voix consultative dans les autres; en fait, ils se considèrent comme chargés surtout de faire passer les premières; ils ont ainsi quelquefois à défendre des affaires qu'ils ne connaissent pas particulièrement, puisqu'elles ne sont pas toujours dans leur propre service. Ils cessent d'appartenir au Conseil d'Etat dès qu'ils quittent les fonctions à raison desquelles ils ont été nommés conseillers d'Etat en service extraordinaire.

Nous estimons que tout chef de service doit avoir entrée au Conseil d'Etat pour défendre les affaires de son service et nous laissons au règlement le soin d'organiser cette participation régulière et normale de tous les chefs de service aux travaux du Conseil d'Etat.

Les conseillers d'Etat hors cadre dont nous demandons l'institution, sans attacher, d'ailleurs, aucune importance à l'appellation que nous proposons, ont un tout autre objet.

Les hauts fonctionnaires qui recevraient ce titre seraient, du jour de leur nomination, définitivement membres de la haute Assemblée; ils pourraient participer à toutes ses délibérations et apporter, dans ses travaux, leur expérience et les conceptions suggérées par la pratique; ils deviendraient, avant tout, des conseillers d'Etat exerçant de grandes fonctions, assurés, s'ils quittent ces fonctions, de retrouver, sans décision spéciale, leur place au Conseil d'Etat.

3° Cela ne suffirait pas à outiller le Conseil d'Etat pour toutes les tâches que le Conseil d'Etat seul peut et doit assumer sous sa responsabilité.

Il faut adjoindre au Conseil d'Etat, avec le titre de conseillers d'Etat en service extraordinaire, les hommes attestant la compétence spéciale qu'ils ont acquise par leur situation même dans les sciences, l'enseignement, les professions libérales, les finances, l'industrie, le commerce, l'agriculture, les organisations patronales et ouvrières.

Un règlement d'administration publique déterminerait les postes ou situations qui permettent d'obtenir le titre de conseiller d'Etat en service extraordinaire. Le nombre des conseillers d'Etat en service extraordinaire en exercice serait limité à vingt.

Les conseillers d'Etat en service extraordinaire seraient répartis entre les sections du Conseil d'Etat; ils participeraient aux travaux de ces sections et de l'assemblée générale avec voix délibérative; ils auraient, tant qu'ils seraient en exercice, le même rang et les mêmes prérogatives que les conseillers d'Etat du cadre. Ils ne recevraient aucun traitement; ils cesseraient immédiatement leurs fonctions quand ils quitteraient le poste ou la situation à raison desquels ils ont été nommés conseillers d'Etat en service extraordinaire.

Avec ces éléments extérieurs, le Conseil d'Etat participerait directement à la vie de la nation : il aurait ,sur toutes les questions qui peuvent lui être posées, les compétences et les éléments de travail nécessaires ».

Le même rapport précisait les attributions et le mode de recrutement des dix-huit conseils régionaux destinés à remplacer les conseils de préfecture :

« Les dix-huit conseils régionaux que nous vous proposons d'instituer devraient être des sortes de Conseils d'Etat régionaux; ils devraient avoir des attributions de juridiction, d'administration et de réglementation.

Attributions de juridiction

Ils seraient le tribunal administratif de droit commun. Ils statueraient en premier et dernier ressort sur les recours en matière de contributions, de pensions, de contraventions de grande voirie, et sur les recours contre les excès de pouvoir des autorités inférieures. Ils jugeraient également en premier et dernier ressort tous les recours électoraux, sauf ceux concernant les élections au conseil général, qui pourraient être portées en appel devant le Conseil d'Etat.

Les décisions en premier et dernier ressort des conseils régionaux pourraient être déférées en cassation au Conseil d'Etat.

Attributions administratives

Les conseils régionaux seraient investis d'attributions administratives étendues; ils exerceraient la tutelle administrative sur la région; ils conduiraient les enquêtes générales; ils centraliseraient et transmettraient les renseignements dont le Gouvernement a besoin pour la gestion des affaires publiques dans une région déterminée. Ces attributions seraient, par règlement d'administration publique, réparties, suivant les cas, entre l'assemblée générale du conseil régional, ses sections ou son président. Lorsque les conseils régionaux auront commencé à fonctionner, il conviendra d'examiner par quels éléments extérieurs ils peuvent être renforcés pour les grandes affaires de la région.

Attributions réglementaires

Le pouvoir de réglementation attribué aux préfets serait partiellement transféré au conseil régional ou à son président. Ainsi seraient unifiés, par région, des règlements dont la diversité ne se comprend pas de département à département.

La composition de chaque conseil régional s'inspirerait de l'organisation du Conseil d'Etat et permettrait de créer, en principe, deux sections pour chaque conseil.

Nous n'avons pas cru devoir fixer dans notre proposition les traitements des membres des conseils régionaux : après étude, nous estimons que, tout en fixant ces traitements à un chiffre suffisant pour assurer un bon recrutement, il serait possible de diminuer sensiblement la dépense qu'imposent actuellement au budget les conseils de préfecture.

Chaque conseil régional se composerait d'un président, de deux conseillers, de trois conseillers adjoints, de deux commissaires du Gouvernement, de quatre auditeurs-rapporteurs, le nombre des commissaires et des auditeurs pouvant être augmenté par décret en Conseil d'Etat, si l'importance des affaires dans la région l'exige...

Un seul et même concours donnerait accès aux fonctions d'auditeur au Conseil d'Etat et à celles d'auditeur rapporteur au conseil régional. Les premiers reçus seraient attribués au Conseil d'Etat, les autres seraient répartis entre les conseils régionaux, suivant les besoins du service et en tenant compte, dans l'ordre de promotion, des préférences des candidats... Cette unité de recrutement permettrait d'établir pour le Conseil d'Etat une sorte de stage probatoire complétant le concours. Après deux ans de stage, les auditeurs seraient définitivement inscrits sur le tableau d'avancement pour la première classe. Ceux qui ne seraient pas inscrits seraient reversés dans le cadre des conseils régionaux.

La fusion ainsi opérée au début de la carrière aurait pour conséquence la fusion de toutes les questions de personnel des conseils régionaux au bureau des présidents du Conseil d'Etat. Le Conseil d'Etat étant juge d'appel et de cassation des tribunaux régionaux, statuant en matière administrative sur des instructions souvent préparées et conduites par ces derniers, pourrait juger la valeur professionnelle des conseillers et auditeurs régionaux. C'est lui, par conséquent — par l'intermédiaire de ses présidents — qui paraîtrait le plus apte à préparer les promotions et les avancements des conseils régionaux ».

(Ch. dép. séance 23 janvier 1920, Doc. parl., Annexe 222, pp. 105-sq).

LA GENÈSE LABORIEUSE D'UNE RÉFORME LIMITÉE

Cette réforme fut faite par la loi du 1er mars 1923, aboutissement d'un long travail parlementaire. Reprenant un projet déposé par lui le 12 septembre 1918, le Gouvernement saisit la Chambre le 28 décembre 1919 de nouvelles propositions qui furent votées sans discussion par

THERMAL
RESTAURANT

Hôtel Thermal à Royat (Puy-de-Dôme) où le Conseil d'Etat siègea de 1940 à 1942.

celle-ci le 29 juillet 1920. Le Sénat, malgré un rapport favorable de M. Boivin-Champeaux, renvoya le texte à la Commission. Le 20 juin 1922, le Gouvernement déposa devant le Sénat un nouveau projet qui fut voté par les deux chambres au début de 1923 et devint la loi du 1er mars 1923. Entre temps, le gouvernement avait proposé par la voie budgétaire, à l'occasion du vote de la loi de finances pour 1920, une réforme des conseils de préfecture. Ceux-ci devaient être remplacés par 21 tribunaux administratifs, dont l'extension de compétence était envisagée dans l'avenir. Le Sénat disjoignit les articles correspondant de la loi de finances et le gouvernement n'insista pas (1).

Des lois étaient intervenues antérieurement à celle du 1er mars 1923 en matière de contentieux administratif. Elles avaient créé des juridictions spécialisées pour trancher les litiges afférents à l'application de certaines législations : bénéfices de guerre (loi du 1er juillet 1916), pensions militaires (loi du 31 mars 1919), dommages de guerre (loi du 17 avril 1919), réparations aux victimes civiles de la guerre (loi du 24 juin 1919). Mais il s'agissait là de textes et de mesures de circonstance, qui laissaient entière la question de la réforme de la juridiction administrative et notamment du Conseil d'Etat.

La réforme opérée par la loi du 1er mars 1923 (2) fut modeste. Soucieux avant tout de résorber l'arriéré du contentieux, peu désireux d'accroître les rôles législatif et administratif du Conseil d'Etat, réticents devant une réforme des conseils de préfecture qui impliquait un nouveau mode de recrutement de leurs membres, les gouvernements successifs de cette époque eurent pour but de parer au plus pressé en modifiant le moins possible l'organisation existante. La réforme pouvait être analysée en quelques lignes par le commentateur de la Revue de droit public :

> « La nouvelle loi ne comporte aucun accroissement du personnel, aucune dépense nouvelle. C'est par une utilisation meilleure du personnel actuel et par une répartition plus utile entre les sections du contentieux et les sections administratives qu'on en obtient un meilleur rendement.
>
> Chaque section administrative, sauf la section de législation, ne comprendra plus que quatre conseillers d'Etat en service ordinaire; les trois conseillers ainsi récupérés seront affectés à la section du contentieux qui comprendra désormais, outre son président, douze membres au lieu de neuf.
>
> La section du contentieux remplacera, comme juge de droit commun, l'assemblée publique du Conseil d'Etat statuant au contentieux. Cette section, pour le jugement, se divisera en deux sous-sections, chacune ayant la même compétence que la section elle-même.
>
> Le nombre des organes de jugement sera donc doublé; mais l'unité de jurisprudence sera sauvegardée par la possibilité du renvoi à l'assemblée publique du Conseil d'Etat statuant au contentieux, chaque fois que l'importance de la question, ou sa nouveauté, motivera cette mesure. »
>
> *(Revue D.P., 1923, pp. 225-226).*

---

(1) Cf. sur cette tentative de réforme Revue D.P., 1921, pp. 109 sq.

(2) Cette loi fut suivie d'un règlement d'administration publique du 4 août 1923 (*J.O.*, 7 août 1923). Cf. Revue D.P., 1924, pp. 102-106.

La modeste réforme opérée par la loi du 1er mars 1923 n'apportait qu'une solution très partielle aux problèmes de la justice administrative. Les décrets-lois des 6 et 26 septembre 1926 et celui du 5 mai 1934 firent davantage (1), mais sans aller beaucoup plus loin. Les deux premiers substituèrent vingt-deux conseils de préfecture interdépartementaux aux quatre-vingt neuf conseils de préfecture et donnèrent à ces nouvelles juridictions une organisation plus conforme à leur mission. Le dernier étendit la compétence des conseils de préfecture interdépartementaux en leur attribuant la connaissance de la plus grande partie du contentieux administratif local. Mais cette compétence demeurait une compétence d'attribution; le Conseil d'Etat restait juge de droit commun du contentieux administratif.

Les auteurs du décret-loi du 5 mai 1934 restaient donc très en deçà des propositions de réforme beaucoup plus audacieuses faites dès 1918 et qui ne devaient aboutir qu'en 1953. Ils réalisaient d'autre part avec près de quatorze ans de retard des modifications de compétence que le Conseil d'Etat avait proposées dès 1921. Il n'est donc pas surprenant que la réforme plus timide encore de 1923 ai été accueillie par lui sans grand enthousiasme et qu'il en ait apprécié surtout les dispositions accessoires relatives au statut de ses membres.

LA « PROFESSIONALISATION » DU CORPS S'ACCENTUE

M. Hébrard de Villeneuve s'en expliqua devant le Conseil d'Etat, lorsqu'il reçut le 9 août 1923, veille de son départ à la retraite, le garde des sceaux, Maurice Colrat. S'adressant à celui-ci, il déclarait :

> « Quant à notre fonctionnement, vous le connaissez bien puisqu'il vient d'être réglé, au moins provisoirement, par la loi du premier mars 1923... Nous avons dû cependant l'attendre pendant quatre ans. Sans entrer ici dans le détail, je rappellerai que les premiers projets préparés par le gouvernement avaient envisagé une réforme simple et naturelle : augmenter le nombre des organes de jugement, en créant quelques nouveaux postes de rapporteurs

(1) Les décrets-lois de 1926 reprirent partiellement les dispositions contenues dans un projet de loi qui était en instance au Sénat au début de 1926. Le 1er mars 1925, le Sénat, adoptant par 203 voix contre 88 une motion préjudicielle de M. Chapsal, avait écarté un projet qui lui était soumis par la commission d'administration générale et qui tendait à la suppression pure et simple des conseils de préfecture dont les attributions juridictionnelles auraient été dévolues aux tribunaux civils. Le Gouvernement constituait alors une commission interministérielle dont firent partie MM. Romieu et Arrivière, présidents de section au Conseil d'Etat, M. Chareyre, conseiller d'Etat et M. Grunebaum-Ballin, président du conseil de préfecture de la Seine. Cette commission déposa un rapport dont les dispositions essentielles furent reprises dans un nouveau projet de loi (cf. Sénat, Annexe au procès-verbal de la séance du 29 juin 1926, n° 348), qui excluait toute idée de transfert du contentieux administratif aux tribunaux civils, supprimait les conseils de préfecture et créait 22 conseils administratifs dont la compétence était plus large que celle des conseils de préfecture. Les décrets-lois de 1926 reprirent les dispositions du projet de loi, à l'exclusion de celles attribuant aux nouveaux conseils une compétence plus étendue.

et de conseillers. Cette conception, agréée d'abord par la chambre, ne fut pas ratifiée par le Sénat, fermement décidé à ne pas augmenter le nombre des fonctionnaires. Le gouvernement chercha une autre solution et réduisit le projet de loi à un meilleur aménagement des sections et sous-sections du contentieux, en prélevant sur les sections administratives le contingent nécessaire pour augmenter le cadre de nos organes de juridiction.

C'est ainsi que la loi du 1er mars 1923 a résolu le problème. L'avenir dira si ce système peut donner des résultats suffisants; je dois faire observer, en tout cas, qu'en restreignant le personnel des sections administratives, on restreint, par là même, l'heureuse faculté qu'a le gouvernement de venir puiser dans nos cadres pour y trouver des hommes expérimentés auxquels il délègue la gestion de certains services publics.

Malgré tout, je dois reconnaître que la loi, dans son ensemble, a été bien accueillie ici, car, en dehors de l'expédient envisagé pour remédier à l'encombrement du contentieux, elle contient une série d'améliorations définitives dont bénéficieront les membres du Conseil. Nous avons déjà obtenu — non sans peine — que la loi organique de 1879 fût modifiée de façon à réserver aux maîtres des requêtes la moitié des postes de conseiller d'Etat. Dorénavant, la part de la maîtrise sera des deux tiers, le libre choix du gouvernement ne s'exerçant plus que sur un tiers des places.

D'autre part, à côté des délégations prévues par l'article 3 de la loi de 1879 et dont la durée est ramenée à deux ans, la nouvelle loi prévoit, sous le nom de « hors cadres », une sorte de cadre de disponibilité où nos collègues pourront prolonger leur séjour sans nuire à la bonne marche des travaux du Conseil et en ouvrant pour leurs collègues le droit à l'avancement.

Enfin, la loi a établi pour nous une limite d'âge identique à celle de la Cour de Cassation et de la Cour des Comptes. Vous me permettrez, Monsieur le ministre, pour bien souligner l'esprit de cette réforme, de noter que la loi n'a pas eu en vue d'augmenter les pouvoirs du gouvernement — puisque les membres du Conseil étaient et restent amovibles — mais au contraire d'en limiter l'application. Elle établit une distinction bien nette entre les membres du Conseil et les autres fonctionnaires soumis à la loi de 1853, dont la limite d'âge normale est de 60 ans, et elle doit assurer aux conseillers d'Etat leur maintien dans les cadres de l'activité jusqu'à l'âge déterminé par la loi elle-même, qui ne doit pas être considéré seulement comme un maximum, mais comme l'âge normal jusqu'où les conseillers peuvent conserver leur poste tant que des raisons de santé ou de service n'exigeront pas leur mise à la retraite.

C'est cette disposition de la loi nouvelle, si justifiée et à laquelle je suis le premier à applaudir, qui va être le signal de mon départ ».

(Arch. C.E.).

Cette disposition qui fixait à 75 ans la limite d'âge supérieure pour les conseillers d'Etat constituait une innovation importante et qui n'avait pas été adoptée sans résistance par le Parlement (1). C'est, semble-t-il,

(1) La disposition portant de la 1/2 aux 2/3 le nombre de places de conseiller réservées aux maîtres des requêtes souleva aussi quelques objections : lors du débat au Sénat, M. Schrameck demanda le maintien du statu quo en faisant valoir que la réforme proposée aurait pour effet une augmentation du nombre des anciens préfets parmi les conseillers d'Etat issus du tour extérieur : « Aujourd'hui, ne pouvant plus nommer pour deux maîtres des requêtes de première classe qu'un seul membre pris à l'extérieur..., je me

en 1892 qu'avait été posée pour la première fois, à l'initiative d'un membre de la Chambre des députés, la question de la fixation d'une limite d'âge supérieure pour les conseillers d'Etat. M. Krantz, rapporteur de la commission, déclarait à ce sujet :

« L'article 14 du projet constitue une des innovations les plus importantes. Il introduit au Conseil d'Etat le principe de la limite d'âge et de la mise à la retraite de plein droit. Ce n'est pas sans beaucoup d'hésitation que votre commission s'est résolue à vous proposer de rompre ainsi avec la tradition qui, sous tous les régimes, a permis de maintenir en fonction, quel que fût leur âge, les conseillers d'Etat considérés comme membres d'un grand corps politique, beaucoup plutôt que comme de véritables magistrats.

Les membres du Conseil d'Etat ne sont pas placés au point de vue de la retraite dans les mêmes conditions que les magistrats de l'ordre judiciaire et que les fonctionnaires en général. C'est une loi du 22 août 1790 qui règle à cet égard leur situation comme celle des ministres et des préfets. Ils échappent à la loi commune en ce qui touche les retenues sur le traitement, mais, par contre, les conditions qui leur sont faites sont beaucoup moins favorables. Il serait désirable que cette situation prît fin, mais votre commission n'avait pas qualité pour vous proposer de remanier la législation relative aux pensions civiles.

Malgré les raisons qu'on peut invoquer en faveur du statu quo, il a paru nécessaire d'étendre aux membres du Conseil la règle de la limite d'âge. C'est une loi rigoureuse qui atteint parfois des fonctionnaires en pleine possession de leurs facultés, en pleine activité intellectuelle, qui, parfois, aussi, incite le gouvernement à prolonger la durée de service de fonctionnaires fatigués avant l'âge. Mais c'est la loi commune et la condition nécessaire du renouvellement régulier des corps constitués. La commission mise en présence d'une proposition formelle d'un de ses membres, n'a pas cru pouvoir se soustraire à une nécessité pénible.

La limite d'âge est fixée à soixante-cinq ans pour les maîtres des requêtes et à soixante-dix ans pour le vice-président, les présidents de section et les conseillers. Il n'a pas paru possible d'adopter la même règle qu'à la Cour de cassation. Les fonctions de conseiller d'Etat exigent, en effet, une plus grande activité que celles de conseiller à la Cour de cassation et le personnel du Conseil d'Etat étant peu nombreux, il importe que tous ses membres soient valides et aptes aux multiples et importantes fonctions qui leur sont dévolues ».

(Ch. Dép. - Annexe au procès verbal de la séance du 21 mai 1892 - n° 2104, pp. 1074-sq.).

En 1923, les hésitations ne portent plus sur le principe — admis à peu près par tous — d'une limite d'âge supérieure, mais sur la fixation de celle-ci. De nombreux parlementaires, tel M. Schrameck, critiquaient l'assimilation du Conseil d'Etat à la Cour de cassation et à la Cour des Comptes (1), et voulait pour ses membres une limite d'âge de 70 ans :

---

demande si l'on ne sera pas tenté de ne plus nommer exclusivement que des préfets. Car, enfin, c'est dans les rangs de l'administration préfectorale, cela va de soi... que l'on a le plus de difficulté à trouver des débouchés pour le haut personnel ». (*Annales du Sénat, séance du 23 janvier 1923, p. 107*).

(1) Une limite d'âge supérieure avait été fixée pour les membres de la Cour de cassation et de la Cour des comptes en 1852.

« Si vous estimez, déclarait M. Schrameck, qu'il n'est pas mauvais que tous les fonctionnaires des services publics prennent leur retraite à partir d'un âge déterminé, je demande que pour les conseillers d'Etat cet âge soit fixé à 70 ans.

J'entends une objection que l'on va nous faire. On va dire qu'il y a d'autres corps où la limite d'âge régulière est de 75 ans et l'on nous citera, entre autres, la Cour de cassation. La situation n'est pas du tout la même; elle sera même de moins en moins comparable, si l'article 7 reste acquis, si la Chambre l'accepte, d'accord avec le Gouvernement.

Les conseillers d'Etat sont d'anciens maîtres des requêtes qui ont parcouru au Conseil d'Etat une carrière déjà très longue; la Cour de cassation, elle, est recrutée, bien que le garde des sceaux ait laissé supposer, dernièrement, qu'il voulait la rajeunir — et l'événement n'a pas corroboré cette supposition — la Cour de cassation se recrute parmi des magistrats arrivés à un âge déjà relativement avancé. Dès lors, au moment où le garde des sceaux nomme un conseiller à la Cour de cassation, il peut se rendre compte de ses aptitudes à exercer encore, pendant cinq ou six ans, une juridiction qui réclame des dispositions intellectuelles et mêmes physiques très sérieuses.

Assimiler le Conseil d'Etat à la Cour de cassation, c'est donc vouloir établir une comparaison qui pèche par la base ».

(Sénat. Séance du 23 janvier 1923. J. O. Déb. parl., p. 108).

Le rapporteur du projet combattit victorieusement ce point de vue :

« La fonction de conseiller d'Etat, qu'il s'agisse de donner des avis au gouvernement ou de préparer ces règlements d'administration publique qui, parfois, sont plus importants que la loi... ou de régler au contentieux ces grands procès dont l'enjeu est parfois si considérable, la fonction de conseiller d'Etat, dis-je, suppose la connaissance approfondie de matières très variées et très délicates, qui ne peut s'acquérir que par un long apprentissage.

Monsieur Schrameck, vous êtes jeune...

M. Schrameck : Hélas non !

M. le rapporteur : Si, si, et M. de Monzie aussi, qui m'a l'air d'être de votre avis...

M. de Monzie : C'est un reproche dont on abuse un peu ici.

M. le rapporteur : ... et vous vous imaginez facilement qu'un homme, parce qu'il a atteint l'âge de soixante-dix ans, est en quelque sorte usé et fini. C'est une erreur et, à cet égard, pour vous convaincre, vous n'auriez qu'à jeter un regard sur cette assemblée. L'expérience, vous entendez bien, démontre que, dans ces grands corps judiciaires dont je parlais tout à l'heure, les hommes les plus éminents sont parmi les plus anciens (Mouvements divers).

Cela est certain, et la mesure proposée par l'honorable M. Schrameck, si elle était appliquée aujourd'hui, atteindrait le Conseil d'Etat actuel dans ses meilleurs éléments. Vous ne ferez pas cela ». (1)

(Sénat. Séance du 23 janvier 1923. J. O. Déb. parl., p. 108).

---

(1) La limite d'âge supérieure des conseillers d'Etat fut ramenée à 70 ans par la loi du 18 août 1936. Cette règle est toujours en vigueur, mais a aujourd'hui un caractère réglementaire. L'abaissement de la limite d'âge pour l'ensemble des fonctionnaires avait été envisagé en 1933. Il fut alors question de régler indirectement le cas des conseillers d'Etat

Cette tendance à renforcer les garanties statutaires des membres du Conseil d'Etat se manifesta à nouveau en 1936 en faveur des auditeurs. Le 3 juillet 1936, le vice-président adressait au garde des sceaux un projet de loi tendant « à renforcer la situation des auditeurs de 2e classe en en assurant la sécurité conformément à leur légitime vœu ». Ce projet était accompagné d'une lettre d'envoi qui exposait les raisons et l'économie de la mesure proposée :

« La loi du 1er juillet 1887 relative au cadre des auditeurs de 2e classe a fixé à 8 ans la durée de leurs fonctions, que la loi du 24 mai 1872 portant statut de notre Corps avait limitée à 4 ans. Les auditeurs qui, à l'expiration du délai de huit années, n'ont pas été promus à la 1re classe sont de plein droit et automatiquement éliminés du Conseil d'Etat. En vue de tempérer la rigueur de cette prescription, la loi du 1er juillet 1887 disposa que des fonctions publiques extérieures qu'elle énumère doivent, en janvier de chaque année, être mises... à la disposition des auditeurs de 2e classe comptant au moins quatre ans de services, mais, tel qu'il a été conçu, ce palliatif n'a guère pu être appliqué, tant à cause de la résistance rencontrée de la part des ministères intéressés que par la tendance naturelle des auditeurs de 2e classe à courir jusqu'à l'échéance fatale leur chance d'être élevés à la 1re classe...

Or, il est actuellement à craindre qu'à assez brève échéance il y ait des hécatombes d'auditeurs de 2e classe après 8 ans d'exercice; ce danger menace avec une acuité particulière les promotions entrées au Conseil en 1931 et 1932, qui comptent respectivement six et sept auditeurs dont l'ancienneté s'échelonne sur le tableau du numéro 4 au numéro 16.

Le bureau est ainsi amené à vous proposer, pour faire l'objet d'un projet de loi, un amendement au statut organique du Conseil d'Etat.

L'amendement... consisterait à ne plus faire dépendre de la loi que l'effectif total de l'auditorat, la répartition entre la 2e et la 1re classe ne résultant plus que de la durée des services des auditeurs recrutés par le concours, qui, débutant dans la 2e classe, passeraient de droit à la 1re classe moyennant une proposition du bureau en ce sens après trois ans de fonctions... Des vacances dans la 1re classe ne seraient donc plus nécessaires pour la promotion des auditeurs de 2e classe à la 1re et pour leur incorporation définitive, par suite, au personnel du Conseil d'Etat.

Déjà le bureau est appelé par la loi du 13 juillet 1879 à faire des présentations pour l'élévation à la 1re classe des auditeurs de 2e; désormais, il

---

— comme celui des membres de la Cour de cassation — en déléguant à des règlements d'administration publique le pouvoir de porter à 70 ans pour certains fonctionnaires la limite prévue en règle générale à un âge inférieur. Le vice-président du Conseil d'Etat protesta auprès du garde des sceaux contre cette délégation : « Cette manière de procéder constituerait une innovation d'une extrême gravité qui risquerait de mettre en péril l'institution même du Conseil d'Etat. Jusqu'ici, le statut du Conseil d'Etat, comme celui de la Cour de cassation, a été déterminé par la loi et c'est parce que le Conseil d'Etat tenait de la loi même les conditions de son existence qu'il a joui de l'indépendance avec laquelle il a pu jusqu'à présent, pour le bien public, tout en apportant au gouvernement une collaboration loyale et dévouée, exercer ses attributions... Si le Conseil d'Etat est exposé désormais, au lendemain d'un arrêt ou d'un avis qui aura déplu au Gouvernement ou contrarié des intérêts qui en auront appelé à celui-ci, à voir abaisser la limite d'âge de ceux de ses membres qui auront rendu l'arrêt ou émis l'avis... que deviendra cette indépendance sur laquelle repose l'autorité morale dont le Conseil d'Etat est investi auprès des pouvoirs publics et de l'opinion publique ? » (*Lettre du 7 octobre 1933, Arch. C.E.*).

aurait à procéder à la discrimination de ceux qui avanceraient dans le corps et de ceux qui seraient assurés d'être appelés à des fonctions publiques extérieures. Les auditeurs de 2e classe seraient ainsi assurés d'obtenir d'après leurs aptitudes et suivant l'appréciation de leurs chefs soit leur maintien au Conseil d'Etat, soit leur nomination, en temps utile, à d'autres fonctions; par là on leur confèrerait la sécurité qui présentement leur fait défaut ».

(Arch. C. E).

Les dispositions du projet de loi furent insérées dans la loi de finances du 31 décembre 1937 et les « hécatombes d'auditeurs » annoncées ne se produisirent pas.

Cette mesure achevait une évolution au terme de laquelle le Conseil d'Etat devenait une véritable carrière, à l'instar des autres corps ou services de l'Etat. Il eut lieu parfois de le regretter, notamment lorsqu'il fut invité à présenter un plan de compression de ses effectifs, en exécution du décret du 4 avril 1934 sur la réduction du nombre des agents de l'Etat. Sans utiliser pour désigner le Conseil d'Etat l'expression de « corps politique », le vice-président fit valoir au garde des sceaux, Georges Pernot, qu'il recevait à la séance d'assemblée générale du 20 décembre 1934, que le décret du 4 avril 1934 ne concernait que les « administrations », et par suite, n'aurait pas dû être appliqué au Conseil d'Etat :

« Le décret-loi du 4 avril de cette année (1934) qui a décidé en termes généraux que les effectifs des personnels civils et militaires de l'Etat seraient réduits de 10 %... ne paraissait pas devoir s'appliquer au Conseil d'Etat.

Le Conseil d'Etat, dont l'existence est consacrée par la constitution de 1875, n'est pas l'une des administrations visées tant par le décret même du 4 avril que par le rapport qui l'a précédé; il n'est pas inclus dans la hiérarchie administrative, il est au-dessus de toutes les administrations et aux côtés du gouvernement dont il est le conseil et il a le caractère d'organe du pouvoir législatif tant par le rôle qui lui a été dévolu dans la préparation des lois et l'élaboration des règlements d'administration publique destinés à procurer l'exécution des lois que par cette attribution capitale qui l'appelle — en cas de prorogation des Chambres — à les remplacer pour l'ouverture des crédits supplémentaires et extraordinaires sur le budget de l'Etat (1). Enfin, dans son domaine propre ,qui est celui du droit public et administratif, il est une cour de justice souveraine comme la Cour de cassation dans le sien. A tous ces titres, il était permis de penser que le Conseil d'Etat ne partagerait pas le sort des administrations, que, de par sa vocation constitutionnelle de conseil du gouvernement, il paraissait devoir être associé aux remaniements à faire subir aux diverses administrations et que, pour l'accomplissement d'une œuvre d'une telle importance, il convenait de le laisser en pleine possession de tous ses moyens et de ne pas risquer de l'affaiblir par des mesures de compression susceptibles de le gêner dans l'exercice de sa mission ».

(Arch. C. E.).

Le gouvernement, c'est-à-dire en l'espèce le ministre des finances,

(1) Cette règle avait été établie par une loi du 14 décembre 1879. Elle se trouve aujourd'hui à l'art. 11 de la loi du 4 janvier 1959.

demeura sourd à cette argumentation, déjà développée dans une lettre du vice-président au ministre de la Justice et appliqua le décret du 4 avril 1934 au Conseil d'Etat. Celui-ci n'avait d'ailleurs guère insisté (1), trouvant sans doute préférable un régime statutaire qui le plaçait à l'abri des remous de la politique. Le souci d'en être tenu à l'écart est manifeste dans une lettre adressée à la même époque au garde des sceaux par le vice-président, qui y exposait ses vues personnelles sur la formule alors « lancée dans la circulation du rattachement du Conseil d'Etat à la Présidence du Conseil » :

> « Il est permis de penser que cette formule dépasse peut-être la pensée de ceux qui en ont eu l'initiative en vue de la réforme de l'Etat; en tout cas, j'ai eu soin de marquer dans ma lettre, hier (2), que ce rattachement ainsi limité à la procédure d'introduction des affaires interministérielles devant le Conseil d'Etat ne comporterait pas nécessairement le rattachement à la Présidence du Conseil du personnel du Conseil d'Etat...
>
> Personnellement, je crois devoir me prononcer contre ce rattachement qui soulève de graves objections que, j'en ai la conviction, votre haute sollicitude pour le Conseil d'Etat ne manquera pas de retenir.
>
> Il est de tradition, et, sur ce point, le statut législatif en vigueur du Conseil d'Etat n'a fait que confirmer une pratique plusieurs fois séculaire (3), que cette institution ressortisse au ministère de la justice et que son personnel soit placé sous l'autorité du garde des sceaux de qui dépendent toutes mesures le concernant.
>
> Il me paraît nécessaire qu'il continue à en être ainsi pour que le Conseil d'Etat conserve tout son crédit auprès de l'opinion publique; la confiance que celle-ci met dans notre corps tient essentiellement à ce que le Conseil d'Etat, tout en étant le serviteur loyal de la République et en étant profondément imprégné de l'esprit de nos institutions démocratiques, se place, dans l'accomplissement de sa haute mission, au-dessus des partis politiques et présente ainsi toutes les garanties d'une indispensable impartialité.
>
> Il serait à craindre que, si le personnel du Conseil d'Etat était rattaché à la Présidence du Conseil, notre corps pût apparaître comme transporté sur le plan politique, ce qui risquerait d'entraîner une désaffection de l'opinion publique; j'estime donc pour ma part, et je suis persuadé que tel sera aussi votre sentiment, qu'il est préférable que le Conseil d'Etat reste dans l'atmosphère plus sereine du ministère de la justice où il ne sera pas exposé aux mêmes suspicions. »
>
> *(Lettre du vice-président du Conseil d'Etat au garde des sceaux du 10 juillet 1934. Arch. C. E.).*

---

(1) Cf. lettre du vice-président au garde des sceaux du 27 avril 1934. (Arch. C.E.). Cependant, la même argumentation fut encore reprise par le vice-président en 1937 pour demander une dérogation au décret du 29 octobre 1936 sur les cumuls de rémunération au profit des membres du Conseil d'Etat qui « est, au sommet des institutions publiques, la seule dont les membres soient par destination traditionnelle et constitutionnelle appelés dans l'intérêt général à collaborer au dehors de leur corps au fonctionnement des services publics ». (*Lettre au garde des sceaux du 26/1/1937. Arch. C.E.*).

(2) Référence à une lettre adressée la veille par le vice-président du Conseil d'Etat au Président du Conseil.

(3) M. Théodore Tissier a commis ici une erreur : le Conseil d'Etat sous le 1er Empire fut d'abord rattaché à la secrétairerie d'Etat, dépendant directement de l'Empereur. Son rattachement ultérieur au ministère de la justice fut assez mal accepté par le corps. Sous le Second Empire, il fut jusqu'en 1869 rattaché au ministère d'Etat, puis, après la suppression de celui-ci, au ministère de la justice.

II

L'ACTIVITÉ ET LES TRAVAUX DU CONSEIL D'ETAT DE 1919 A 1939

L'affaire des ligues et l'arrêt du 4 avril 1936 — L'Action Française attaque le Vice-Président du Conseil d'Etat — Un article du Crapouillot en 1936 : le Conseil d'Etat dénoncé comme le donjon du capitalisme conservateur — Une attaque de la Confédération générale du travail contre les « émigrés » du Conseil d'Etat — Le Front populaire (1936) — Le projet de création d'une Ecole nationale d'administration jugé par le Conseil d'Etat.

Un rôle législatif « à peu près négligeable » — De nombreux détachements — Les « commissions de la hache » — Les affaires sociales — La création de la section du travail, de la prévoyance sociale et de la santé publique.

Le contentieux — L'augmentation du nombre des pourvois — Réorganisation de la section du contentieux — Réforme des mesures d'instruction — L'œuvre de la jurisprudence — Elargissement de la notion de service public — La situation réglementaire des agents publics — Intérêt général et droits privés.

DES ANNÉES PAISIBLES

Comparée à celles qui l'avaient précédée et à celles qui devaient la suivre, la période de 1919 à 1939 fut pour le Conseil d'Etat une période d'activité paisible. Il ne se trouva touché qu'une seule fois par les remous de la politique, lors de la dissolution par le Gouvernement, en application de la loi du 10 janvier 1936 sur les groupes de combat et milices privées, de divers groupements d'extrême droite et notamment de la Ligue d'Action Française, de la Fédération nationale des Camelots du Roi et de la Fédération nationale des étudiants d'Action française. Saisi par MM. François de Lassus, Maxime Real del Sarte et Maurice Pujo d'un recours contre le décret de dissolution de ces trois groupements, le Conseil d'Etat en prononça le rejet le 4 avril suivant par un arrêt dont le motif essentiel était le suivant :

> « Considérant... que la loi prévoit la dissolution de tous groupements ayant pour but d'attenter par la force à la forme républicaine du Gouvernement, sans qu'il soit nécessaire que ce dessein ait été suivi d'actes d'exécution;
>
> « Considérant qu'il résulte nettement des documents versés aux dossiers que la doctrine constante de l'« Action Française » tend au rétablissement de la monarchie par tous moyens, notamment par l'emploi de la force; que les trois groupements dissous concourent par leur activité à la réalisation de cet objet et tombent ainsi sous le coup de ladite loi... ».
>
> *(Recueil Lebon, 4 avril 1936, p. 455).*

L'arrêt était rendu conformément aux conclusions du commissaire du gouvernement, M. Andrieux. Celui-ci s'était exprimé à l'égard des groupements dissous dans des termes dont, au lendemain de l'arrêt, le journal *L'Action Française* reconnaissait lui-même la modération : l'Action Française, avec sa formule « par tous les moyens », n'envisage certainement pas, avait dit M. Andrieux, les moyens déloyaux; elle répudie l'insurrection devant l'ennemi et on ne suspectera pas la sincérité de son patriotisme; il n'en est pas moins vrai qu'elle n'a jamais dissimulé son intention de restaurer la monarchie par des moyens qui, sans être forcément déshonorants, peuvent ne pas être des moyens légaux.

Cela n'empêcha pas *L'Action Française* de mener au cours des semaines suivantes une violente campagne contre le Conseil d'Etat et contre son vice-président, Théodore Tissier. Le 5 avril 1936, lendemain de l'arrêt, l'*Action Française* faisait précéder le compte-rendu de l'audience et le texte de la décision des lignes suivantes :

« Le Conseil d'Etat a rejeté les pourvois formés par François de Lassus, Maxime Réal del Sarte et Maurice Pujo contre le décret du 13 février dernier qui a prononcé la dissolution de la Ligue des Camelots du Roi et des étudiants. L'Action Française avait déjà une longue expérience de la magistrature républicaine tant assise que debout: les diverses juridictions n'avaient pas de secret pour elle. Il lui restait à prendre contact avec la justice administrative de la République. Voilà qui est fait.

Le Conseil d'Etat jouissait d'une certaine réputation d'indépendance. On l'avait vu quelquefois accueillir le pourvoi d'un cantonnier mis indûment à la retraite, ou redresser une erreur commise dans le calcul d'une pension. Il a même eu l'occasion de se compromettre dans des affaires religieuse et n'a pas craint de casser, par exemple, l'arrêté d'un maire qui s'arrogeait le droit de sonner les cloches de l'église de sa commune. Toutes ces décisions avaient constitué une sorte d'auréole à la haute assemblée et on se plaisait à la considérer comme le dernier asile où s'était réfugié ce qui reste de justice en France.

L'arrêt d'hier montre quelle est la réalité. Lorsque l'intérêt du régime est en jeu, tout le monde se ressaisit; « en politique, il n'y a pas de justice », a déclaré un jour un certain député nommé Dupuy (Destin, Decadi, Magloire), et cette vérité trouve son application aussi bien devant la Cour de cassation que devant le Conseil d'Etat. »

(Action Française, 5 avril 1936).

Les propos contre M. Théodore Tissier furent beaucoup plus violents de ton. Le vice-président se refusa à engager une polémique avec Charles Maurras et à provoquer une protestation officielle du garde des sceaux. Il écrivait à celui-ci le 25 avril 1936 :

« Après l'arrêt par lequel le Conseil d'Etat, statuant au contentieux sous ma présidence, a, dans son assemblée plénière du 4 de ce mois, rejeté les recours de la Ligue d'Action Française et des groupements en dépendant contre le décret de dissolution, je m'attendais à être traîné dans la boue par l'Action Française.

Mon attente n'a pas été trompée et j'ai été outrageusement vilipendé avec le cynisme le plus éhonté dans une série d'articles du journal « l'Action Française ».

Ce journal a commencé par contester dans ses numéros des 5 et 6 avril l'indépendance du Conseil d'Etat, oubliant que l'Action Française avait manifestement reconnu cette indépendance en formant ses recours contre le décret de dissolution, ce qui impliquait qu'elle faisait confiance à la justice du Conseil d'Etat.

Puis, dans ses numéros des 8, 9, 10, 11, 12, 13, 14, 15 et 20 avril, le même journal, sous la signature de M. Charles Maurras, m'a pris personnellement à partie en déversant sur moi une charretée de basses injures et de grossières calomnies.

Je ne m'émeus pas de cette campagne sans scrupules et même je m'en réjouis et je m'en félicite, car ces attaques forcenées d'adversaires de la république sont le plus beau brevet que pût souhaiter un magistrat républicain, fort de sa conscience et de sa droiture comme de son loyalisme envers le régime.

Que M. Charles Maurras me traite de pourceau et de misérable (n° du 8 avril), de pourri (n° du 11), de monumentalement bête (n° du 15), je passe.

Il insinue (n° du 8 avril) que pendant la guerre je me serais fait le complice des manœuvres antinationales et des actes de trahison qu'il impute au président Aristide Briand, dont la haute personnalité est bien au-dessus d'aussi abjects procédés, mais personne ne saurait prendre au sérieux une telle incrimination, pas même M. Maurras lui-même qui pendant la guerre, dans une lettre cordiale où il me comblait de sa sympathie, s'inclinait devant la haute valeur intellectuelle et morale du président Briand et faisait des vœux pour la stabilité du gouvernement que présidait celui-ci.

M. Maurras insinue encore, à propos de poursuites dont l'Office scientifique et technique des pêches maritimes que je préside a eu l'initiative et pour la solution desquelles il a suivi les directives du ministre de la marine marchande sous la tutelle duquel cet office est placé, que je serais le complice des fraudeurs, dont je tirerais des profits personnels; cette insinuation ne sera pas plus prise au sérieux que la précédente et M. Maurras en sait l'inanité.

Là ne s'arrêtent pas les impostures de M. Charles Maurras; avec une fertilité d'invention et une puissance de déformation des faits qui lui sont habituelles, il crée de toutes pièces des incriminations par lesquelles il tente de me discréditer...

Cette mise au point sommaire en présence des imputations calomnieuses de M. Maurras m'a paru s'imposer; je n'entends pourtant réclamer de mon calomniateur aucune rectification et je ne demande pas au Gouvernement de procéder, à ma place, à un redressement public de la vérité.

J'ai seulement voulu que, pour le jour où je ne serai plus, il restât dans les archives officielles un document établissant qu'à aucun degré je n'ai entaché l'honneur de mon nom ».

(Arch. C. E.).

Peu de temps après cet incident, le Conseil d'Etat était l'objet d'attaques ou de critiques issues de milieux de gauche qui avaient soutenu le Front populaire aux élections de 1936 et avaient triomphé avec lui. Comme entre 1895 et 1900, lors des procès des compagnies de chemins de fer (1), le Conseil d'Etat était accusé d'être « le haut et inaccessible donjon où le grand capitalisme conservateur a enfermé ses suprêmes ressources ». La revue *Le Crapouillot* consacrait son numéro de novembre 1936 à reproduire — parce qu'il les estimait toujours d'actualité — les pages écrites par Francis Delaisi en 1911 sous le titre « La démocratie et les financiers », pages qui, parmi les instruments et les bénéficiaires de la démocratie financière, font au Conseil d'Etat — décrit d'ailleurs de façon anachronique et inexacte — une place de choix à côté de la Banque de France, du Comité des Forges, des 200 familles, des députés d'affaires et des avocats-conseils :

> « Le Conseil d'Etat est un des rouages les plus importants et les moins connus de la démocratie... (Il) est d'autre part de tous les corps de fonctionnaires le plus fermé et le plus inaccessible au public. Pour devenir « auditeur », il faut passer un examen où les connaissances juridiques ne sont pas seules requises. On fait une enquête sur chaque candidat, sa famille, sa situation de fortune, ses opinions, ses relations, etc. Seuls sont admis ceux qui appartiennent à la haute bourgeoisie conservatrice, ou sont apparentés aux hauts fonctionnaires ou liés aux grands financiers.
>
> Une fois reçus, on leur fait subir un long stage, pendant lequel on les paye fort peu. On écarte ainsi tous les jeunes gens intelligents, mais pauvres. Puis on fait parmi ceux qui restent un second triage.
>
> La plupart sont envoyés en province comme sous-préfets, préfets ou hauts employés dans les diverses administrations. Seuls ceux qui ont su prendre, comme on dit, « l'esprit de la maison » demeurent. Ils deviennent « maîtres des requêtes », puis « conseillers d'Etat » en titre. Un esprit de corps très puissant les unit; ils sont tenus par leurs règlements de se donner à dîner et de se recevoir les uns les autres; ils se transmettent d'une génération à l'autre les traditions de gouvernement des régimes disparus. Ils sont, en pleine démocratie, les héritiers directs des juristes de Napoléon et des grands parlementaires de l'ancienne monarchie...
>
> Tous ces hommes forment assurément une élite; ils ont acquis dans l'administration une expérience réelle; ils sont pour la plupart des juristes consommés.
>
> Mais il ne relèvent à aucun degré du contrôle populaire. Sans doute, c'est le Président de la République qui les nomme, mais sur la désignation de leurs collègues. Et, une fois nommés, c'est pour toujours; il n'est plus au pouvoir d'aucun gouvernement, ni d'aucune chambre de les révoquer ou de les déplacer. Ils sont inamovibles.
>
> Et c'est à ces hommes, aussi parfaitement indépendants de la démocratie, que l'on confie les plus redoutables fonctions du gouvernement.
>
> Ils sont en fait les maîtres du pouvoir « législatif » puisqu'ils peuvent substituer leur interprétation des lois à la volonté de la représentation nationale.
>
> Ils tiennent en leurs mains le pouvoir « exécutif », puisque ce sont eux qui décident par qui la loi sera appliquée, dans quelles conditions et sous quel contrôle.
>
> Enfin, ils détiennent même le pouvoir « judiciaire », puisqu'ils tranchent sans appel les conflits entre l'Etat et les particuliers et fixent la jurisprudence.
>
> On voit ce que devient la fameuse séparation des pouvoirs, que l'on pré-

(1) Cf. ci-dessus, pp. 639-sq.

sente dans toutes les écoles comme la suprême garantie des citoyens et la gloire de la République.

En réalité, tous les pouvoirs sont unis dans les mains, non pas d'un homme il est vrai, mais d'un corps de fonctionnaires. Et ces fonctionnaires ne dépendent que d'eux-mêmes. Aucun gouvernement ne peut les révoquer, aucun vote de la Chambre ne peut les faire plier.

Le Conseil d'Etat, c'est le rocher sur lequel se brise tout l'effort de la démocratie. C'est le haut et inaccessible donjon où le grand capitalisme conservateur a enfermé ses suprêmes ressources.

Il a été construit par l'ancienne monarchie; Napoléon Ier l'a consolidé; tous les régimes qui ont suivi l'ont conservé. Et la République démocratique et financière s'est bien gardée d'y toucher ».

(Le Crapouillot, novembre 1936, pp. 26-27).

La « mise à jour » intitulé « 1936 - vingt cinq ans après », qui suit dans le même numéro du Crapouillot les pages écrites par Francis Delaisi en 1911 ne parle pas du Conseil d'Etat — alors que l'Inspection des finances y est vivement attaquée — mais d'autres journaux de cette époque reprennent le thème de « l'alliance » du Conseil d'Etat avec le grand capital. Ainsi, *La Tribune des Fonctionnaires,* organe de la Confédération générale du travail, dans son numéro du 6 novembre 1937, sous le titre « Les émigrés du Conseil d'Etat — Huit sur douze des représentants des Compagnies au Conseil d'administration de la Société nationale des chemins de fer sont des anciens membres du Conseil d'Etat » :

« Vous êtes chargés de la mission la plus noble. Vous assurez, au prix d'un effort continu et pacifique, le progrès social vers l'idéal humain ».

Tel est le compliment d'usage que le garde des sceaux, M. Vincent Auriol, adressa l'autre jeudi aux membres du Conseil d'Etat, réunis solennellement en assemblée plénière.

Trois autres ministres assistaient à cette brillante cérémonie d'installation du nouveau vice-président, M. Georges Pichat, trois maîtres des requêtes honoraires qui ont quitté le Conseil d'Etat pour l'arène politique.

Tous les « émigrés » du Conseil d'Etat n'ont pas l'ambition de forcer les portes des conseils du gouvernement. Il y a ceux qui se contentent des conseils d'administration des sociétés par actions concessionnaires de grands services publics et qui se laissent enlever par l'oligarchie financière.

Au moment de la réforme du régime des chemins de fer, le 31 août dernier, les cinq conseils d'administration des compagnies concessionnaires comprenaient très exactement cent quatre membres; j'ai donné ailleurs leurs noms et leurs dates de naissance.

Sait-on combien ces cent quatre administrateurs de chemins de fer comptaient parmi eux d'anciens membres du Conseil d'Etat passés, avec armes et bagages, au service de l'argent-roi ? Combien sont-ils, ceux qui ont retourné leurs armes contre la Nation Française ? Pas moins de seize !

Quatorze conseillers d'Etat ou maîtres des requêtes honoraires et deux anciens auditeurs avaient rejoint cette nouvelle armée de Worms ou de Coblentz enrôlée sous la bannière du baron de Rothschild ! La liste de ces « émigrés », chevaliers du tantième ? La voici :

MM. André Bénac, Jean Benoist, Pierre Getten, Edmond Hannotin, Pierre

Laroze, le baron Laurent-Atthalin; MM. Louis Marlio, René Mayer, André Moreau-Néret, Marcel Peschaud, Ernest Roume, Emmanuel Rousseau, André Silhol, Guillaume de Tarde, Paul Tirard et Albert Tirman.

Cinq de ces « déserteurs » avaient été embrigadés par la seule Compagnie d'Orléans (MM. Bénac, Benoist, Roume, Rousseau et Tirman). Les intérêts de l'Etat étaient, on peut le dire, bien combattus par le conseil d'administration de cette étrange compagnie. Quel rude jouteur, en tout cas, que son président d'aujourd'hui, M. Pierre Richemond, qui eut deux chevaux tués sous lui, le Lyon-Alemand et la B.N.C., et qu'on voit, infatigable, toujours sur la brèche !

Le P. L. M. devait se contenter de quatre « émigrés » du Conseil d'Etat (le baron Laurent-Atthalin et MM. Laroze, Peschaud et Silhol). L'Est n'en comptait que trois (MM. Hannotin, Marlio et de Tarde). Le Midi, deux seulement (MM. Moreau-Néret et Tirard), et le Nord, également deux (MM. Getten et Mayer). »

(La Tribune des fonctionnaires, 6 nov. 1937).

Ces attaques de presse demeurèrent isolées et sans suite. Aussi bien, le Front populaire qui avait inscrit à son programme la réforme du Sénat ne paraît pas avoir nourri de desseins hostiles au Conseil d'Etat. Peut-être cependant lui en avait-on prêté, car une pointe d'inquiétude et le souci de rassurer sont sensibles dans les allocutions prononcées par le vice-président et le garde des sceaux à l'assemblée générale du 25 juin 1936 :

« Le gouvernement dont vous êtes ici l'éminent représentant, déclara M. Tissier, entend être le serviteur de la démocratie; le Conseil d'Etat n'a pas moins l'ambition de se comporter comme tel. Le Gouvernement peut donc compter sur la loyale et dévouée collaboration du Conseil d'Etat dans toute la mesure des attributions d'ordre législatif et réglementaire et d'ordre consultatif qui appartiennent à notre institution ».

M. Marc Rucart lui répondit :

« Vous avez bien voulu m'assurer que le Gouvernement pouvait compter sur la loyale collaboration du Conseil d'Etat. Je vous remercie de cette déclaration par laquelle vous confirmez des sentiments, des traditions et un civisme qui font l'honneur de chacun d'entre vous et contribueront à cette tâche que le Président du Conseil a qualifié d'œuvre de bien public. Le Gouvernement actuel qui se propose d'apporter dans les institutions les réformes profondes souhaitées par le pays ne peut qu'avoir avantage à consulter ceux qui connaissent, par leur labeur quotidien, les défauts de ces institutions. Il sait bien que les abus ne se trouvent pas chez vous; votre sens de l'intérêt général ne les aurait pas tolérés. Au cas où le statut de la fonction publique paraîtrait devoir être modifié sur un point quelconque, le garde des sceaux veillerait à ce que demeurent intacts votre rôle éminent, votre autorité nécessaire et votre légitime prestige ».

(Arch. C. E.).

La présence à la tête du premier gouvernement de Front Populaire de Léon Blum, ancien maître des requêtes au Conseil d'Etat, garantissait la valeur de ces propos. Léon Blum était demeuré très attaché au corps où il était entré comme auditeur et où il avait passé près de vingt années (1). Il tint à assister le 28 octobre 1937, en même temps que MM. Georges Bonnet et Chapsal, comme lui anciens membres du Conseil d'Etat, à l'assemblée générale au cours de laquelle M. Georges Pichat fut installé par M. Vincent Auriol dans ses fonctions de vice-président. Le nouveau vice-président saluait ainsi la présence de ses anciens collègues :

« Votre présence donne à cette assemblée un éclat inaccoutumé. Nous en éprouvons une légitime fierté. Il me sera permis d'ajouter que notre joie est plus grande encore. Nous nous reportons aux jours heureux où, dans une amicale émulation, nous servions ensemble la cause du droit. Le président Léon Blum, Messieurs Georges Bonnet et Chapsal nous ont quittés pour d'autres destinées, apportant à la conduite des affaires publiques les qualités éminentes qui avaient marqué leur place au milieu de nous. Je ne suis pas certain que nous ayons pardonné à la politique de nous les avoir enlevés. Mais nous savions bien que leurs sentiments du moins étaient restés fidèles, Ils nous en fournissent une preuve nouvelle en venant s'unir à cette fête de famille. Ils se retrouvent ici chez eux. Leur émotion, j'en suis sûr, est égale à la nôtre ».

(Arch. C. E.).

Plusieurs membres du Conseil firent partie de cabinets ministériels dans les deux gouvernements présidés par Léon Blum : cinq, dont un directeur et un chef de cabinet, dans le premier gouvernement; trois dans le second.

Les modifications apportées pendant cette période à l'organisation du Conseil d'Etat (2) — et notamment la création d'une nouvelle section administrative — marquèrent l'extension de son rôle en matière sociale. Aucune mesure ne vint altérer les règles traditionnelles de son organisation et de son fonctionnement. Le projet de création d'une Ecole nationale d'administration qui aurait recruté les auditeurs n'aboutit pas. Le vice-président avait été consulté sur ce projet. Le bureau en délibéra et, sans condamner le principe de la réforme envisagée, se déclara très fermement attaché au maintien d'un concours de recrutement propre au Conseil :

« Il est légitime, que, sans supprimer les établissements privés, tels que l'Ecole des sciences politiques qui, dans le domaine de l'enseignement supérieur, ont été institués pour dispenser l'enseignement des connaissances exigées des candidats aux fonctions publiques, l'Etat veuille participer à la formation intellectuelle et morale des jeunes gens se destinant aux fonctions de ses services et y pourvoir, tant au moyen de l'enseignement donné par

---

(1) A la demande de leurs anciens collègues demeurés au Conseil, Léon Blum et André Maginot, tous deux députés mais qui siégeaient à l'opposé sur les bancs de la Chambre, le premier à gauche et le second à droite, firent à plusieurs reprises des démarches auprès du ministre des finances lorsqu'une décision intéressant la situation des membres du corps dépendait de l'accord de ce ministre. Ils se donnaient rendez-vous au Conseil d'Etat et s'y retrouvaient pour se rendre ensuite ensemble chez le ministre (Communication de M. Sauvel).

(2) Cf. ci-dessous, pp. 750-sq.

les facultés de droit, de sciences, et de lettres et les autres établissements d'enseignement supérieur relevant de lui que par un établissement dont l'enseignement supérieur sera spécialisé dans cette formation...

Il appartient à l'Etat de remplir tout son rôle à cet égard, ce qu'il n'a pas fait jusqu'ici; il existe dans l'organisation de la vie publique de ce pays une lacune qui doit être comblée. L'initiative prise par le Gouvernement et tendant à la création d'une Ecole nationale d'administration qui sera une institution d'Etat, ne saurait donc prêter à discussion qu'autant qu'il ne s'agirait pas seulement pour l'Etat de s'acquitter intégralement de sa mission d'enseignement supérieur en concurrence avec l'enseignement privé et que l'Etat entendrait conférer un monopole à l'Ecole nationale d'administration pour le recrutement des fonctions publiques.

Dans l'intérêt même de ce recrutement la concurrence de l'enseignement public et de l'enseignement privé est désirable. Ce qu'il importe, c'est de mettre un terme au monopole de fait dont bénéficient pour le recrutement des fonctions publiques certaines institutions privées, seules en mesure par une organisation appropriée de leur enseignement de former les candidats à ces fonctions, mais il ne faut pas remplacer ce monopole de fait par un monopole d'Etat institué par la loi. La concurrence, par l'émulation qu'elle suscitera, ne pourra que contribuer à porter à un niveau élevé les études auxquelles doivent se livrer les jeunes gens qui aspirent aux fonctions publiques.

Mais il semble bien que le projet de loi préparé par le Gouvernement tende, en créant l'Ecole nationale d'administration, à supprimer la concurrence de l'enseignement privé, sinon pour le recrutement de la généralité des fonctions publiques, du moins pour celles qui seront portées sur la liste dont l'établissement serait laissé à sa seule appréciation et qui seraient réservées aux élèves de l'Ecole. Les diplômes délivrés par l'Ecole ouvriraient directement l'accès des dites fonctions publiques sans l'entremise des examens et concours auxquels sont actuellement soumis les candidats à ces fonctions.

C'est contre l'application d'un pareil régime au recrutement des auditeurs au Conseil d'Etat que nous nous élevons afin d'éviter la grave atteinte qui serait portée à notre corps dont le recrutement à la base serait bouleversé dans des conditions contraires au bien de l'institution.

Il ne nous paraît pas admissible pour les raisons exposées ci-dessous que les examens de sortie de l'Ecole nationale d'administration se substituent au concours qui a été prévu par la loi organique du Conseil d'Etat, en date du 24 mai 1872...

Les auditeurs au Conseil d'Etat, dès le lendemain de leur installation, ont une individualité propre, avec des attributions et des responsabilités qui leur sont personnelles; la loi organique du Conseil d'Etat du 24 mai 1872 dans son article 11, paragraphe 3, dispose, en effet, qu'ils ont voix délibérative à leur section et voix consultative à l'assemblée générale.

Seul un concours spécial tel qu'il fonctionne actuellement peut établir que les candidats reçus seront aptes à s'acquitter immédiatement de telles fonctions, non seulement à raison du programme sur lequel les candidats subissent les épreuves écrites et orales, mais aussi parce que, conformément au règlement d'administration publique du 21 avril 1913, article 8, le jury est composé de membres du Conseil d'Etat (trois conseillers dont le président du jury et deux maîtres des requêtes), qui seuls sont en état de s'assurer si les candidats justifient de toutes les aptitudes indispensables pour exercer au mieux les importantes fonctions qui leur sont dévolues.

Nous demandons, en conséquence, que l'on conserve intact le statut législatif du Conseil d'Etat et que le recrutement du corps à la base reste sous l'empire de la loi et ne soit pas abandonné à des décrets ».

(Lettre du vice-président au garde des sceaux du 31 octobre 1936. Arch. C.ᵉE.).

UN ROLE LÉGISLATIF « A PEU PRÈS NÉGLIGEABLE »

C'est par cette expression que Théodore Tissier, recevant M. Paul Reynaud, garde des sceaux, le 17 mars 1932, caractérisait le déclin, depuis longtemps commencé (1), de la fonction législative du Conseil d'Etat. Déclin évoqué rapidement et sans regrets semble-t-il, dans la plupart des allocutions d'usage alors prononcées à l'occasion des visites au Palais Royal des ministres de la justice : n'est-ce pas au Parlement seul qu'il appartient de faire la loi ? Le Conseil d'Etat ne trouve-t-il pas une compensation dans la rédaction des règlements d'administration publique ? Le président Théodore Tissier ne chercha pas à lutter contre cette évolution, qu'il jugeait sans doute inévitable :

« La fonction législative demeure inscrite dans le statut organique du Conseil d'Etat, déclarait-il le 2 juillet 1931, en s'adressant à Léon Bérard, mais en ce qui concerne la participation directe à l'élaboration des lois elle est pratiquement ramenée à ce qui est compatible avec l'existence des chambres élues, interprètes de la volonté du peuple, c'est-à-dire à assez peu de chose; c'est dans ces assemblées que réside avant tout la fonction législative et le Conseil d'Etat ne peut être associé à la création des lois qu'occasionnellement et comme une sorte d'expert. Si, généralement, il est absent de la conception et de la gestation des lois, s'il n'y concourt pas, il apparaît, dès que les lois sont votées et promulguées. C'est à lui qu'incombe le soin de rédiger les règlements d'administration publique nécessaires pour en faire des réalités pratiques; c'est à lui, par des dispositions appropriées, de donner à la volonté du législateur, qu'il s'applique à dégager et à discerner, toute sa valeur, toute sa force exécutive. Voilà la principale fonction législative du Conseil d'Etat... »

(*Arch. C.E.*).

La suppression, motivée par les réductions d'effectifs, de la section de législation le 5 mai 1934, consacra cette décadence de la fonction législative. Le Conseil ne comprenait plus que trois sections administratives et une section du contentieux.

A la veille de la guerre, le président Pichat exprimait discrètement son regret de cette situation :

« (Le Conseil d'Etat) n'a plus guère participé, déclarait-il le 3 mars 1938, ... depuis sa réorganisation en 1872 qu'à l'œuvre exécutive. Il est permis de

(1) Cf. ci-dessus, pp. 619-sq.

le regretter. Le Parlement trouverait ici, sans avoir à craindre aucun empiètement, le concours d'hommes qualifiés par leurs connaissances juridiques, leur expérience, leurs méthodes, leur souci de l'intérêt général pour l'aider dans sa tâche de jour en jour plus immense et plus complexe. Le travail législatif en serait facilité. Animés par le seul souci de bien servir le pays et d'accord avec l'opinion publique (1), nous formons le vœu que cet appel soit entendu. Par un heureux présage, à l'ordre du jour de notre assemblée, figure aujourd'hui un projet de loi relatif à l'extension des attributions contentieuses des conseils de préfecture à certains litiges contractuels intéressant le domaine public. Nous espérons que ce retour à une collaboration trop longtemps oubliée ne restera pas sans lendemain. »

(Arch. C.E.).

Deux ans auparavant, le garde des sceaux avait laissé entrevoir au Conseil un nouveau champ pour son activité législative :

« Les délégations du pouvoir législatif qui en ces dernières années ont été conférées au gouvernement pour la réalisation de diverses réformes par décrets ont ouvert un nouveau champ à l'activité du Conseil d'Etat dans le domaine législatif et il s'est montré toujours prêt à apporter, en pareille occurence, avec sa compétence propre et son habituelle activité, sa collaboration lorsqu'elle a été prescrite par les lois de délégation ou demandée par le gouvernement; elle ne manquera pas de porter ses fruits toutes les fois qu'elle sera utilisée. »

(Assemblée générale du 25 juin 1936, Arch. C.E.).

C'était trop dire, et les fruits promis ne furent pas nombreux, comme le constatait avec quelque amertume le président Porché dans une allocution prononcée à Royat le 24 août 1940 et qui, sur ce point, visait la période antérieure :

« Monsieur le garde des sceaux, déclarait-il, vous venez à une heure où l'on pouvait parler sans excès de la grande pitié du Conseil d'Etat : en m'exprimant ainsi, ce n'est pas à notre œuvre contentieuse que je pense, à cette jurisprudence que vous avez si fortement contribué vous-même à édifier et dont le développement jamais interrompu force l'admiration générale; c'est l'autre aspect de notre activité que j'envisage et je considère surtout avec tristesse que le conseil du gouvernement que nous devrions être n'est plus appelé à tenir le rôle qui fut autrefois le sien. Le mal, s'il s'est récemment aggravé en raison des circonstances, ne date pas d'hier; depuis de très longues années notamment, nous ne participions plus à la préparation des lois; on s'accordait à dire naguère que la responsabilité en incombait principalement aux commissions parlementaires, jalouses de leur quasi-souveraineté et assurées de leur universelle compétence; aussi étions-nous fondés à croire, aux époques où certains gouvernements ont été investis de pouvoirs

(1) La question ne paraît pas avoir beaucoup préoccupé l'opinion publique à l'époque. On trouve cependant exprimé ici et là dans des ouvrages de droit ou des articles le regret que le Conseil d'Etat soit si rarement associé à l'œuvre législative. Dans une thèse soutenue à la faculté de droit de Paris le 21 mai 1938 sur l'évolution des attributions législatives du Conseil d'Etat, M. Jacques Auboyer-Treuille proposait une très large extension de celles-ci.

exceptionnels, qu'ils allaient enfin nous demander de collaborer avec eux; à chaque fois, notre attente a été déçue; mieux que cela, la situation s'est trouvée empirée : beaucoup de textes, dits « décrets-lois », ont en effet bloqué des dispositions du domaine non seulement de la loi, mais du décret, parfois même de la circulaire, de sorte que nous avons été souvent dépouillés d'une attribution essentielle qui nous avait été jusqu'alors maintenue, celle de délibérer sur les projets de règlements d'administration publique. Et sans doute, on comprend, dans une certaine mesure, la griserie de ceux qui se voyaient investis, pour un temps, de la puissance; dégagés à peu près en fait du contrôle des chambres, il eût été pour eux particulièrement méritoire de se soumettre de leur plein gré à celui de notre assemblée. Quel a été cependant le résultat ? Faut-il rappeler ces « trains », c'était l'expression à la mode, ces trains interminables, composés de véhicules de tous les types et qui remorquaient, derrière quelque wagons modernes et parfaitement aménagés, il faut le reconnaître, une suite cahotante de voitures légères portant soit le premier essai de jeunesse d'un attaché de cabinet, soit la dernière pensée d'un chef de bureau ? C'est à se demander vraiment si la France, pour avoir échappé aux flots d'éloquence de tout aloi qu'on avait prétendu arrêter, n'allait pas périr emportée par une avalanche de papiers. Soit, dira-t-on, mais ne sait-on pas de quelles lenteurs sans fin toute intervention du Conseil d'Etat est la source ? La légende est ancienne, elle a la vie dure, ce n'est pourtant qu'une légende; je n'entends pas affirmer que jamais un peu plus de diligence de notre part n'eût été possible, je prétends que ces cas sont extrêmement rares et que, du moins, on n'a jamais pu donner, à ma connaissance, un exemple concret d'un retard regrettable engageant vraiment notre responsabilité; la rapidité, d'ailleurs, ne saurait constituer en elle-même une méthode; comme il est fréquent qu'elle ne puisse s'exercer qu'aux dépens d'autres qualités du travail, il est seulement indispensable d'être prêt à l'appliquer lorsqu'elle s'impose; si certains textes se confondent presque avec l'action et veulent être établis sans délai, d'autres, qui la préparent ou l'organisent, valent d'être médités; et il faudra bien, à cet égard, dès que les circonstances le permettront, exorciser ce démon de la prétendue urgence dont les administrations sont trop souvent possédées et qui, la plupart du temps, sert de masque à leur propre négligence; il faudra qu'après avoir été pressés d'étudier tel projet en deux jours, nous ne fassions plus la constatation décevante qu'un mois s'écoule avant sa parution au Journal Officiel. Non, il n'existait en vérité aucun motif avouable de se priver des ressources qu'enferme notre Maison... »

(Arch. C.E.).

ACTIVITÉS ADMINISTRATIVES ET PROBLÈMES SOCIAUX

La collaboration du Conseil d'Etat à l'action administrative du gouvernement conserve pendant cette période, où elle demeure importante, ses formes traditionnelles à l'intérieur comme à l'extérieur du corps.

A l'extérieur, nombreux sont les membres du Conseil qui remplissent, de façon temporaire ou durable, les fonctions les plus variées, comme le rappelait en 1938 M. Georges Pichat dans son allocution d'accueil au garde des sceaux le 23 juin :

« Ce serait présenter une vue bien incomplète des travaux des membres du Conseil d'Etat que de les limiter aux attributions propres du Conseil. Ils s'étendent à l'extérieur à tous les services publics, dont les appels se font de plus en plus nombreux et pressants. Il est peu de commissions, de juridictions spéciales, d'organismes divers souvent importants qui n'aient à leur tête ou ne comptent parmi leurs membres des présidents de section, des conseillers d'Etat, des maîtres des requêtes ou des auditeurs. Beaucoup d'entre nous sont désignés comme surarbitres dans les conflits sociaux. D'autres sont délégués ou mis hors cadres pour représenter la cause française à l'étranger et dans les pays de protectorat. Un tel rayonnement est conforme à la destination du Conseil d'Etat; utile à la formation et au développement professionnels de ses membres, il fait pénétrer dans les administrations des traditions et des méthodes qui ont donné leurs preuves. Nous ne pouvons qu'y applaudir pourvu que la juste mesure ne soit pas dépassée; si notre volonté de servir est inépuisable, nos facultés en effet ne sont pas indéfiniment extensibles. Une excessive dispersion de nos forces risquerait, si nous n'y prenions garde, de compromettre notre mission essentielle. »

(Arch. C.E.).

Les fonctions dans les cabinets ministériels ne sont pas citées dans ce texte. Elles occupaient cependant un nombre relativement important de maîtres des requêtes et d'auditeurs — nombre toujours trop élevé aux yeux du président de la section du contentieux, dont le vice-président Théodore Tissier exprimait les préoccupations dans une lettre au garde des sceaux du 21 juin 1935 :

« J'ai l'honneur de vous informer que, ainsi que cela se produit lors de la constitution de chaque nouveau ministère, un certain nombre de maîtres des requêtes et auditeurs au Conseil d'Etat, pressentis pour exercer des fonctions dans les cabinets ministériels, se sont mis en instance auprès de moi, préalablement à toute nomination, en vue d'obtenir mon agrément à leur désignation.

Or parmi eux figurent à l'heure actuelle huit membres du Conseil d'Etat appartenant à la section du contentieux. A ces huit membres de la section du contentieux doivent être joints M. Dayras, maître des requêtes, nommé secrétaire général de la Présidence du Conseil et M. Imbert, directeur du cabinet du commissaire général de l'exposition internationale de 1937, tous deux membres de cette même section.

Le président de la section du contentieux m'a fait part des inquiétudes que lui cause pour le bon fonctionnement de sa section, à laquelle incombe une tâche extrêmement lourde, la désignation d'un grand nombre de ses rapporteurs, représentant environ 20 % des effectifs de cette section, en raison du fait que les fonctions absorbantes que les maîtres des requêtes et les auditeurs exercent dans les cabinets ministériels les amènent trop souvent à négliger plus ou moins leur service au Conseil d'Etat, malgré l'engagement pris par eux de continuer à l'assurer.

Il est de mon devoir de subordonner comme précédemment les autorisations qui me sont actuellement demandées à cet engagement et il est essentiel que mes collègues appelés auprès des ministres pour des fonctions extérieures le tiennent ponctuellement; j'y veillerai personnellement et je serai reconnaissant au gouvernement de me donner son appui pour obtenir que le Conseil d'Etat n'ait pas à souffrir du défaut de rapporteurs d'autant plus indispensables que les effectifs du Conseil d'Etat ont été réduits l'an dernier.

Si cette condition essentielle n'était pas réalisée, l'on serait amené à envisager le retrait des autorisations accordées.

Quelque intérêt que présente la collaboration des membres du Conseil d'Etat à l'œuvre gouvernementale, il ne faut pas que la juridiction contentieuse du Conseil se trouve mise en péril ».

(Arch. C.E.).

Cette forme de collaboration à l'œuvre gouvernementale, si importante à la veille de la deuxième guerre mondiale, avait connu, semble-t-il, une éclipse vers les années 1920, éclipse que regrettait un parlementaire, M. Louis Marin, lors du débat à la chambre des députés sur le projet qui devait devenir la loi du 1er mars 1923 :

« Au fur et à mesure que nous avons cru faire — un peu à tort peut-être — de la démocratie, nous avons délaissé complètement cette collaboration (1) du Conseil d'Etat; de même que les ministres, eux aussi, dans la constitution de leurs cabinets, se sont graduellement séparés du personnel de cette haute assemblée.

Jadis, les ministres avaient pour préoccupation, en constituant leur cabinet, de choisir leur principaux collaborateurs au Conseil d'Etat. L'avantage de cette manière de faire, c'est que les cabinets ministériels, dirigés par des personnalités de premier ordre, rompues aux affaires, étaient infiniment moins nombreux, coûtaient moins cher au pays, tandis que la besogne s'y accomplissait d'une façon beaucoup plus rapide et plus régulière. Puis, lorsque le ministre quittait le pouvoir, il rendait au Conseil d'Etat les personnalités qu'il lui avait empruntées.

Nous avons substitué à ces usages un régime très différent. Les ministres prennent leurs collaborateurs où ils veulent. Ils les introduisent ainsi en apprentis dans l'administration, et, quand le ministre s'en va, la plupart de ses collaborateurs restent dans l'administration, l'encombrent et reçoivent souvent un avancement excessif au détriment de vieux serviteurs qui, n'ayant point passé par les cabinets ministériels, sont condamnés à leur céder la place.

Je crois, par conséquent — et je me permets de recommander cette pratique aux futurs ministres — que cette organisation des cabinets ministériels avec, à leur tête, des membres du Conseil d'Etat (auditeurs, maître des requêtes) donnait les garanties les meilleures et les plus complètes. »

(Ch. dép. Séance du 23 janvier 1923, J.O. Débats parl., Ch. dép. année 1923, p. 106).

Parmi les activités extérieures, qui marquèrent particulièrement cette période, mention doit être faite des commissions d'économie, dites « commissions de la hache » créées en 1935 et qui mobilisèrent un grand nombre de membres du Conseil. L'année suivante, M. Marc Rucart, garde des sceaux, rendait hommage à leur activité dans les termes suivants :

« L'an dernier vous avez été chargés de dresser en quelque sorte l'inventaire de l'administration française. Pendant que certains d'entre vous recher-

(1) Il s'agit ici de la collaboration du Conseil d'Etat à l'œuvre législative.

chaient les mesures destinées à simplifier le fonctionnement des ministères, les autres, reprenant la tradition des chevauchées des maîtres des requêtes sous l'ancien régime, parcouraient les départements où ils procédaient à un examen minutieux de la situation des fonctionnaires. Pour accomplir cette mission vous avez dû renoncer aux congés auxquels vous pouviez si légitimement prétendre... Les procès-verbaux de votre enquête constituent une documentation unique où le gouvernement puisera, le moment venu, les éléments nécessaires à ses décisions ».

(Assemblée générale du 25 juin 1936. Arch. C.E.).

Le trait le plus notable de cette période est la place prise par les questions sociales dans les préoccupations et les activités, à l'intérieur comme à l'extérieur du corps, des membres du Conseil d'Etat.

L'évolution en ce sens commence dès 1928 avec la rédaction ou la mise au point des dispositions d'application de la loi du 5 avril 1928 sur les assurances sociales. M. Georges Cahen-Salvador, assisté de ses jeunes collègues MM. Parodi, Detton, Labbé et de Monsegou, fut le rapporteur de cet important règlement d'administration publique de 291 articles, dont il souligna dès l'abord devant l'assemblée générale le caractère particulier :

« Je tiens à placer sous vos yeux une citation de M. Antonelli, un des rapporteurs à la Chambre, qui indique que le projet a fait l'objet d'une étude analytique qui peut se diviser en deux parties :

« La première groupe toutes les observations ou suggestions qui, si elles étaient retenues par la Chambre, entraîneraient une modification du texte voté par le Sénat; la deuxième rassemble toutes les observations qui portent sur des imprécisions, des obscurités ou des lacunes du texte, que votre commission a cru devoir retenir à titre de suggestions proposées par elle au Conseil d'Etat, chargé d'élaborer les règlements d'administration publique prévus dans la loi pour son application, mais qui ne réclament aucune modification du texte de loi. »

Vous le voyez, Messieurs, votre mission dépasse en importance celle que le plus souvent vous vous assignez strictement, lorsqu'il s'agit d'une œuvre réglementaire.

Les pouvoirs publics attendent de vous comme une sorte de complément pratique de la loi, le gouvernement vous demande, dans la limite de vos pouvoirs, de l'aider à donner à l'application de la loi la souplesse et le libéralisme nécessaire...

Ainsi vous avez à remplir une mission traditionnelle que le texte de la loi vous impose et une mission exceptionnelle; c'est la volonté du législateur qui vous la suggère, qui vous la recommande et qui, dans son for intérieur, la souhaite. »

(Assemblée générale du 25 mars 1929. Arch. C.E.).

Ce n'était pas la seule singularité dans l'élaboration de ce règlement d'administration publique. Le ministère du travail avait inséré au *Journal Officiel* du 15 janvier 1929 le communiqué suivant reproduit par la plupart des journaux du lendemain :

Avis relatif au règlement d'administration publique sur les assurances sociales

Le gouvernement vient d'achever l'élaboration du règlement général d'administration publique prévu par l'article 75 de la loi du 5 avril 1928 sur les assurances sociales, après avoir recueilli, à cet effet, l'avis d'une commission où les principales organisations en cause étaient représentées.

Au moment où s'effectue la transmission de ce règlement au Conseil d'Etat, le ministre du travail invite les diverses organisations intéressées au fonctionnement de la loi, qui pourraient avoir à présenter des suggestions complémentaires, à les lui adresser avant le 5 février 1929, dernier délai. Ces suggestions seront communiquées, à toutes fins utiles, au Conseil d'Etat.

(J.O. 15 janv. 1929, p. 553).

Le Conseil d'Etat en eut en effet connaissance, les étudia toutes et donna suite à un certain nombre d'entre elles.

A cette époque des relations étroites se trouvaient déjà établies entre le Conseil d'Etat et le Conseil national économique (1) institué en 1925 auprès de la Présidence du Conseil. M. Georges Cahen-Salvador avait été nommé secrétaire général de ce nouvel organisme lors de sa création. Il devait conserver ces fonctions jusqu'à la guerre; il y fut secondé de 1929 à 1938 par son collègue Alexandre Parodi, qui fut nommé le 21 décembre 1938 directeur général du travail et de la main-d'œuvre au ministère du travail où il devait revenir comme ministre en 1944. Plusieurs des rapporteurs devant le Conseil économique furent choisis au sein du Conseil d'Etat (2).

Le Conseil se trouvait ainsi préparé à remplir les tâches plus étendues qui à partir de 1936 allaient être confiées dans le domaine social à ses formations et à ses membres. La loi du 31 décembre 1936 instituant les procédures de conciliation et d'arbitrage obligatoires dans les conflits collectifs du travail prévoyait en son article 3 qu'à défaut de convention fixant les règles de ces procédures les modalités de celles-ci seraient déterminées par des décrets rendus en Conseil d'Etat et l'article 4 de la même loi disposait : « s'il y a lieu à désignation d'un surarbitre, à défaut par les parties ou par les premiers arbitres de s'être entendus sur ce choix, ce surarbitre sera désigné parmi les membres en activité ou en retraite des grands corps de l'Etat ». Les deux grandes organisations syndicales, la confédération nationale du patronat français et la confédération générale du travail, dressèrent une liste indicative de trente et un surarbitres

(1) Le Conseil national économique fut réformé par la loi du 19 mars 1936 qui étendit ses attributions. Organe de conseil du seul gouvernement à l'origine, il put désormais être saisi également par le Parlement de tout projet ou de toute proposition de loi de caractère économique ou social de même que de l'étude de tout problème économique. Son avis devait être obligatoirement recueilli sur tout règlement d'administration publique intéressant l'économie nationale. Il pouvait, à la demande des intéressés, arbitrer les conflits économiques. Dans le domaine des conventions collectives il fournissait son avis au ministre du travail en cas de difficultés survenant dans leur élaboration.

(2) De 1931 à 1939, dix-neuf maîtres des requêtes et auditeurs présentèrent des rapports (et certains d'entre eux en présentèrent plusieurs) devant le Conseil national économique.

qui fut entérinée par un arrêté du président du Conseil du 31 janvier 1937. Cette liste comprenait six membres ou anciens membres du Conseil d'Etat, MM. Cahen-Salvador, Fochier, Grunebaum-Ballin, Loriot, Porché, Maringer. Elle n'avait pas un caractère limitatif et les membres du Conseil qui remplirent en 1937, 1938 et 1939 les fonctions de surarbitre furent nombreux (1).

C'était là pour le Conseil un surcroît de travail qui appelait une adaptatation de ses structures et une augmentation de ses effectifs. Le vice-président Tissier posa le problème au gouvernement dans une lettre du mois de mars 1937 où il lui soumettait un projet de loi destiné à réaliser les réformes du corps qu'il jugeait nécessaires :

« Le Conseil d'Etat a dû subir, en 1934, une compression de ses effectifs; le nombre de ses sections administratives a été réduit de 4 à 3; celui de ses membres de 129 à 118. Cette réduction n'a été opérée qu'en vue de réaliser dans la Haute Assemblée, comme dans toutes les institutions et services publics, des économies jugées nécessaires.

L'expérience révèle que si, grâce à un surcroît de labeur, le Conseil d'Etat a pu, malgré ces amputations, continuer à assurer son travail normal, il n'est plus en mesure d'assumer les tâches nouvelles que les transformations sociales de ces derniers mois ont conduit à lui confier.

Une réforme s'impose pour lui permettre de les remplir. Tel est l'objet du présent projet de loi.

C'est que depuis dix mois, le Gouvernement s'est efforcé, en plein accord avec le Parlement, d'instituer une politique rénovatrice destinée à réaliser tout à la fois la prospérité économique et la justice sociale. De grandes réformes ont modifié, en les régularisant, les rapports entre patrons et ouvriers par les conventions collectives, la conciliation et l'arbitrage; elles ont amélioré la condition des travailleurs par la réduction du temps de travail, l'aménagement des repos, la hausse des salaires, la sécurité de la vieillesse, la résorption du chômage. C'est un changement profond qui, par des voies pacifiques, s'opère dans le monde de la production et du travail.

Pour en appliquer sans trouble les principes et les méthodes, le gouvernement a besoin de collaborations qui s'inspirent de ce même esprit; celle du Conseil d'Etat est une des plus nécessaires. Son concours collectif tout d'abord : les règlements d'administration publique, les décrets, les arrêtés, les avis qui précisent les modalités d'exécution des mesures ainsi prises réclament non seulement des compétences éprouvées, mais une cohésion de vues, une harmonie d'efforts. Seule une section spécialisée dans l'étude des problèmes sociaux présentera, de ce point de vue, les garanties indispensables.

Le concours individuel de ses membres n'est pas moins utile; il faut qu'aux comités où siègent patrons et ouvriers, aux commissions où s'élabore ce droit nouveau, aux juridictions de travail qui peu à peu se forment, des conseillers et des arbitres, pris dans les divers grades du premier corps administratif de l'Etat, puissent, sans être contraints de ralentir ou de négliger leur travail professionnel normal, apporter leur compétence et leur autorité.

---

(1) On relève dans les numéros de 1938 de la revue Droit Social la mention de 34 surarbitrages rendus entre mars 1937 et avril 1938 par des membres du Conseil d'Etat. Dans la même revue on trouve de nombreux articles et notes signés de membres du Conseil d'Etat : MM. Charles Blondel, Ivan Martin, Roland Cadet, Emmanuel Rain, Hubert Leroy-Jay et Charles Célier. Trois d'entre eux — MM. Blondel, Martin et Rain — faisaient partie du comité de rédaction de la revue, dont le comité de patronage comprenait M. Georges Cahen-Salvador.

Rétablir une 4e section, sous l'aspect d'une section sociale; restituer au corps quelques unes des unités que le décret de 1934 avait momentanément supprimées, pour en faire des conseillers ou des juges sociaux, tels sont le sens, le but, la haute portée de la réforme projetée.

Aucune création réelle d'emploi. Il suffit à cet effet de corriger quelques uns des effets des décrets d'économie en rétablissant le président de section, les 3 conseillers d'Etat, et les 4 maîtres des requêtes qui existaient avant le décret-loi du 5 mai 1934, pour constituer les éléments de base de la section nouvelle.

3 autres conseillers et 3 autres maîtres des requêtes y pourraient être adjoints par prélèvement sur les 3 sections administratives actuelles, qui, se trouvant déchargées d'une partie de leurs attributions présentes, pourront se consacrer avec ce personnel, l'une aux affaires d'administration judiciaire ou scolaire, aux questions départementales et communales, l'autre aux affaires d'ordre économique, la troisième aux problèmes d'ordre militaire, diplomatique ou financier.

Il est à penser que l'effectif de la section sociale ainsi fortement constituée permettra à chacun de ses membres de s'acquitter des missions extérieures qui lui seront confiées sans le gêner dans l'accomplissement de sa besogne collective normale.

Ils pourront ainsi notamment, répondre, sans hésitation ni scrupules, aux appels du gouvernement, à la confiance des patrons et des ouvriers qui leur confieront le règlement des différends d'ordre collectif.

Président, conseillers, maîtres des requêtes pourront mieux suivre les faits et mieux connaître les hommes. Ils se pénétreront des milieux sur lesquels leur expérience devra s'exercer, des besoins auxquels leur ingéniosité devra pourvoir. Les auditeurs, dans ce même climat, se formeront aux tâches nouvelles auxquelles l'évolution des temps les convie.

Cette adaptation progressive, cette coordination, cette spécialisation ne pourront qu'accroître l'autorité de leurs interventions. »

(Arch. C.E.).

La quatrième section administrative, officiellement dénommée « section du travail, de la prévoyance sociale et de la santé publique », mais que l'on désigna avant même sa naissance sous le nom de « section sociale », fut créée par des décrets du 13 janvier 1938.

Ces décrets portaient en même temps de 4 à 5 le nombre des postes de présidents de section, de 30 à 36 celui des conseillers d'Etat, de 39 à 43 celui des maîtres des requêtes et de 20 à 25 celui des auditeurs de première classe (1).

Le rôle de cette section, selon M. Bonnevay rapporteur à la Chambre des députés du budget du ministère de la justice pour 1938, était d'apporter son concours à :

« l'élaboration des règlements d'administration publique, des décrets, des arrêtés, des avis de toute nature que rend nécessaire l'application des lois sociales et notamment des importantes réformes récemment réalisées : con-

(1) Le nombre des postes d'auditeur de 2e classe était ramené de 24 à 15. Sur la réforme de l'auditorat à cette époque, cf. ci-dessus, pp. 732-sq.

ventions collectives du travail, conciliation et arbitrage, réduction des heures de travail, organisation des repos, résorption du chômage et, bientôt, retraite des vieux travailleurs.

A titre personnel, les membres de cette section apparaîtront comme particulièrement qualifiés pour remplir les fonctions de conseillers et d'arbitres dans les conflits sociaux ».

(*Ch. dép. J.O. Doc. parl. 1937. Annexe 2843, p. 1295*).

La nouvelle section faillit même recevoir à sa naissance une attribution nouvelle et d'une importance primordiale. Au moment où le Parlement autorisait les créations d'emplois proposées, un communiqué du conseil des ministres faisait connaître l'intention du gouvernement de confier au Conseil d'Etat et en particulier à la section du travail l'homologation des sentences des surarbitres en vue de s'assurer de leur correction juridique et d'établir entre elles l'harmonie indispensable. Le projet de loi correspondant fut déposé devant le Parlement le 25 janvier 1938. Un collaborateur anonyme de la revue *Droit social* commentait ainsi dans le second numéro de celle-ci les décrets du 13 janvier 1938 et le projet du gouvernement :

«... Le gouvernement de M. Léon Blum a cherché au Palais-Royal des arbitres et sur-arbitres de plus en plus nombreux pour la solution des conflits du travail.

En quelques mois, le gouvernement a fait le tour des conseillers d'Etat et maîtres des requêtes susceptibles de remplir une telle mission et il dut se résoudre à faire appel à des auditeurs qui n'ont évidemment pas la même autorité.

Les membres de la section des travaux publics, en particulier, dont relevaient toutes les questions économiques et sociales, ont été très fréquemment appelés à trancher des litiges particulièrement délicats, cependant que plusieurs d'entre eux prêtaient leur concours au Conseil national économique pour l'extension des conventions collectives de travail; finalement cette section ne parvint plus qu'à grand'peine, avec les effectifs réduits qui lui étaient laissés, à accomplir sa mission propre.

C'est pour remédier à cette situation que M. Vincent Auriol, d'accord avec le ministre des finances d'alors, demanda au Parlement l'autorisation de créer au Conseil d'Etat un emploi de président de section et six postes de conseillers et de transformer quatre postes d'auditeurs de première classe en postes de maîtres des requêtes. Le Gouvernement n'avait pas caché aux Chambres son intention qui était, non de ressusciter l'ancienne section de législation (dans l'état actuel des esprits et des mœurs politiques une section de législation ne saurait être appelée à un rôle vraiment actif), mais de créer une section entièrement nouvelle, compétente pour les questions relevant des ministères du travail et de la santé publique.

Si le rôle de la section sociale devait être limité à l'examen des projets de règlement d'administration publique et des demandes d'avis émanant des ministères du travail et de la santé publique, sa création n'aurait pas, en elle-même, une grande portée. Tout au plus aurait-elle sans doute l'heureux effet de développer parmi les membres du Conseil d'Etat le goût des questions sociales et la connaissance des difficiles problèmes que posent chaque jour les relations du capital et du travail. Ainsi seront-ils mieux préparés à la tâche de surarbitres qui leur incombe de plus en plus fréquemment.

Tout autre sera l'importance de la formation nouvelle, si les Chambres acceptent de confier au Conseil d'Etat le rôle essentiel que M. Chautemps a proposé de lui attribuer dans ses projets sur les conventions collectives de travail et sur l'arbitrage obligatoire. Il serait prématuré de faire dès maintenant un examen détaillé de l'ensemble de ces projets. Rappelons du moins que le projet sur « les conventions collectives de travail » prévoit que, faute par les parties de se mettre d'accord sur les termes d'une convention, les règles générales applicables dans la profession seront établies par des règlements d'administration publique, pris après consultation des organisations patronales et ouvrières les plus représentatives et du Conseil national économique et s'imposeront aux intéressés. Ainsi se trouve prévue, pour la première fois croyons-nous, et dans un domaine particulirement important, la collaboration du Conseil national économique et du Conseil d'Etat dans l'élaboration de textes réglementaires. La section du travail aurait un rôle essentiel à jouer dans la préparation de ces statuts des diverses professions. Plus important encore serait celui que prévoit pour elle le projet sur les procédures de conciliation et d'arbitrage. D'après l'article 10 de ce texte, les sentences surarbitrales, en cas de réclamation présentée par l'une des parties, seraient soumises à l'homologation de l'assemblée générale du Conseil d'Etat ou de l'une de ses sections administratives — évidemment la section du travail; en cas de refus d'homologation, le Conseil d'Etat évoquerait le fond du litige et déléguerait un de ses membres pour rendre sous son contrôle une nouvelle sentence, homologuée de plein droit. La mission ainsi confiée au Conseil d'Etat serait particulièrement délicate et risquerait, il ne faut pas se le dissimuler, de soulever contre lui bien des mécontentements. Du point de vue juridique, d'autre part, les litiges entre patrons et ouvriers ont toujours été regardés comme relevant du droit privé et non du droit public, de sorte que des considérations purement théoriques auraient pu conduire à confier cette mission à la Cour de cassation..., mais nous ne croyons pas qu'elle la revendique.

Quoi qu'il en soit, de l'issue de ce débat dépendra le sort de la section sociale du Conseil d'Etat. Ou bien sa mission sera aussi traditionnelle et aussi effacée que celle de l'ancienne section de législation, ou bien ce sera l'organisme le plus vivant, et même peut-être, pendant quelque temps, le plus important du Conseil. »

(La Section du travail du Conseil d'Etat. Note de XXX Droit social 1938, n° 2, pp. 55-57).

Le projet du Gouvernement n'eut pas de suite et c'est sous une autre forme que le Conseil d'Etat fut amené à donner son concours (1). La loi du 4 mars 1938 sur les procédures de conciliation et d'arbitrage (2) créa une Cour supérieure d'arbitrage pour statuer sur les recours formés pour incompétence, excès de pouvoir ou violation de la loi contre les sentences arbitrales et surarbitrales. Un décret du 3 avril suivant (3) organisa la Cour et fixa les règles d'introduction, d'instruction et de jugement des

(1) Le nombre d'affaires administratives intéressant le travail, la prévoyance sociale et la santé publique soumises au Conseil d'Etat de 1936 à 1939 et dont la connaissance à partir du 14 janvier 1938 fut attribuée à la nouvelle section demeura peu élevé.

(2) J. O. du 5 mars 1938, p. 2570.

(3) J. O. du 5 avril 1938, p. 4040.

recours. Cette Cour, souveraine dans son ordre, était étroitement unie au Conseil d'Etat par son personnel, son siège et son secrétariat. Elle était composée du vice-président du Conseil d'Etat ou d'un président de section au Conseil d'Etat, président, de deux conseillers d'Etat, de deux hauts magistrats de l'ordre judiciaire et de deux hauts fonctionnaires de l'Etat en activité ou en retraite. Les fonctions de rapporteur et de commissaire du gouvernement étaient exercées par des maîtres des requêtes et des auditeurs (1). La cour siégeait au Conseil d'Etat et son secrétariat était assuré par des fonctionnaires des bureaux du Conseil.

La Cour qui tint sa première séance le 9 mai 1938 dans la salle du Tribunal des conflits fut aussitôt saisie d'un très grand nombre d'affaires. Dix huit cents étaient pendantes devant elle à la date du 20 juillet 1939. Son activité devait s'interrompre avec la guerre, mais pendant près de deux ans elle avait mobilisé une bonne part des effectifs du Conseil d'Etat.

LE CONTENTIEUX

Les soucis de la statistique et les difficultés de l'instruction.

De 1919 à 1939, le contentieux occupe la première place dans les activités du Conseil d'Etat. L'augmentation du nombre des recours au lendemain de la guerre n'est pas un phénomène accidentel et passager. Le nombre des pourvois reste élevé au cours des années suivantes. Il approche 5 000 (4 976) durant l'année judiciaire 1924-1925; il dépasse 7 000 (7 360) en 1934/1935; la moyenne annuelle entre 1924 et 1939 est de 5 700 environ (2). Ces chiffres ne rendent d'ailleurs pas un compte exact de la charge de travail du contentieux; on doit y ajouter le stock d'affaires anciennes restant à juger au début de chaque année judiciaire. Ce stock qui était de 10 554 en 1927 s'élève à 13 759 en 1930 ; la décrue commence en 1931[e]1932 (11 380), devient plus sensible en 1933/1934 (9 363) et marque un net progrès en 1936/1937 (7 864). C'est que, dans le même temps, le nombre des affaires jugées a augmenté de façon à peu près continue, passant de 4 190 en 1924/1925 à 5 367 en 1929/1930, pour atteindre 7 000 en 1930/1931 et se maintenir ensuite aux environs de ce chiffre.

La liquidation de l'arriéré et un règlement aussi rapide que possible des affaires nouvelles constituent au cours de cette période l'une des préoccupations majeures du Conseil d'Etat. Il a conscience en effet que

(1) La présidence de la Cour supérieure d'arbitrage fut assurée alternativement par MM. Pichat et Grunebaum-Ballin. MM. Tissier, Fouan, Laroque et Ingrand furent commissaires du gouvernement. Près d'une vingtaine de maîtres des requêtes et d'auditeurs furent rapporteurs. M. Tissier (qui était le fils du président Théodore Tissier) publia en 1938 un répertoire méthodique des arrêts de la Cour et M. Laroque publia la même année aux éditions Aubier un ouvrage intitulé « Les rapports entre patrons et ouvriers ».

(2) Le nombre des pourvois diminua cependant de 1937 à 1939.

la rapidité est une condition essentielle d'une bonne justice et, bien plus même, comme l'écrivait en 1934 le président de la section du contentieux, M. Pichat, qu'en matière d'excès de pouvoir une justice tardive peut être plus nuisible qu'utile :

> « Il suffit de parcourir les registres ou les fichiers pour constater que nombreuses sont les affaires en cours datant, même pour les excès de pouvoir, de plusieurs années.
>
> Or, ces retards apportés au jugement des recours pour excès de pouvoir dénaturent complètement le rôle de ce rouage essentiel de notre droit public. Pour que le Conseil d'Etat puisse être ce « régulateur » dont parle volontiers la doctrine, il faut qu'il statue avec une extrême rapidité. Le justiciable ne se sentira pas protégé contre les abus de pouvoir, s'il doit attendre plusieurs années pour en obtenir la réparation. L'auteur de l'acte, s'il s'est trompé de bonne foi, doit être éclairé rapidement sur son erreur, pour éviter d'y persévérer ou d'y retomber; si — ce qui est fréquent — il a agi en connaissance de cause, il faut qu'il sache que les difficultés créées par sa faute retombent sur lui-même et non sur un de ses lointains successeurs. S'il s'agit d'un acte collectif ou d'un acte réglementaire, l'annulation tardive peut pour l'administration devenir désastreuse : des services ont été créés et ont fonctionné, des nominations ont été faites, des crédits consommés, des droits conférés, des contrats passés; comment procéder alors à cette « restitutio in integrum » qu'exigerait l'exécution d'une décision d'annulation rétroactive ? L'administration, le plus souvent, s'y efforce, mais elle n'aboutit habituellement qu'à de nouvelles illégalités, suivies d'une nouvelle vague de pourvois. Dans ces conditions, le recours pour excès de pouvoir risque de n'être plus un instrument d'ordre, mais de désordre.
>
> Il est bien entendu que la situation n'est pas souvent aussi fâcheuse; néanmoins, chacun a pu voir dans quels abîmes de difficultés certaines annulations de tableaux d'avancement ou certaines décisions relatives aux bonifications d'ancienneté ont plongé des administrations qui avaient cru bien faire ».
>
> *(Note sur l'instruction des affaires contentieuses. Décembre 1934, Arch. C.E.).*

La plupart des réformes législatives et réglementaires de cette période concernant le contentieux furent inspirées par le souci d'accélérer le cours de la justice : transferts de compétence, bien limités encore, du Conseil d'Etat, qui demeurait dans tous les cas juge d'appel, aux conseils de préfecture en matière d'affaires locales par le décret du 5 mai 1934; augmentation du nombre et accroissement des effectifs des formations d'instruction et de jugement par les lois du 1er mars 1923, 16 avril 1930 et 31 mars 1933 (1).

(1) Selon la loi du 1er mars 1923, le Conseil d'Etat comprend deux sections du contentieux : la section du contentieux proprement dite et la section spéciale du contentieux. Cette dernière, héritière de l'ancienne section temporaire du contentieux, instruit et juge, comme le faisait celle-ci, les affaires dites du « petit contentieux » (élections administratives, affaires fiscales). Elle possède un président propre et est formée de membres qui appartiennent en même temps aux sections administratives. Le nombre des sous-sections la composant fut portée, par le décret du 22 avril 1930, de 3 à 6. En 1934, la section spéciale du contentieux fut supprimée et ses attributions transférées

La cause des retards était moins la longueur des délais de jugement que les lenteurs de l'instruction. Le Conseil s'appliqua à réduire la durée de celle-ci. L'occasion lui en fut fournie, semble-t-il, par l'intervention d'un sénateur, M. Bachelet, qui, le 16 février 1934, adressa au ministre de la justice une question écrite où il demandait à connaître par département ministériel :

« I. Le nombre de recours pour excès de pouvoir : a) communiqués (aux ministres) depuis le 1er janvier 1933; b) pour lesquels les observations et les réponses demandées n'ont pas été produites : 1) dans le délai de 40 jours habituellement fixé par le Conseil d'Etat; 2) dans le délai de 3 mois à l'issue duquel un rappel est habituellement envoyé.

II. Les mesures prises par le département de la justice ou envisagées par lui en vue de faire observer les décisions prises par le Conseil d'Etat, en vertu de l'article 4 du décret du 4 août 1923 » (1).

(*Annales Sénat, Questions écrites, n° 133-1934, p. 127*).

Le Conseil d'Etat, à qui cette question avait été transmise, fit une étude statistique dont il communiqua les résultats — peu satisfaisants — au garde des sceaux, le 24 mars 1934 :

« Il résulte de cette statistique que 535 pourvois sur un nombre total de 849 (recours pour excès de pouvoir) communiqués aux ministres, n'ont pas été renvoyés par ceux-ci au Conseil d'Etat dans le délai réglementaire de 40 jours, ce qui fait ressortir une proportion de dossiers non rétablis de 63 %; 224 dossiers ont été rétablis dans un délai compris entre 40 jours et 3 mois, c'est-à-dire avant l'envoi d'une lettre de rappel. 3 dossiers n'ont pas été rétablis dans les trois mois et ont donné ou donneront lieu, à l'expiration du sixième mois, à ordonnance de rétablissement ».

Pour ces ordonnances, la situation n'était pas favorable non plus :

« En ce qui concerne les ordonnances de rétablissement signifiées aux avocats au Conseil d'Etat, je dois reconnaître, écrivait le vice-président dans la même lettre, que grâce à la discipline qui règne au sein de l'Ordre et à l'esprit de collaboration qui anime le Conseil de l'Ordre elles sont immédiatement suivies d'effet dans les cas de plus en plus rares où la section du contentieux se trouve forcée d'y avoir recours.

Il n'en est malheureusement pas de même en ce qui concerne les ordonnances signifiées aux administrations...; le tableau ci-joint fait ressortir que

---

à la Section du contentieux. Mais l'organisation ancienne subsista sous une nouvelle forme : des huit sous-sections alors formées au sein de la section du contentieux, quatre furent chargées d'instruire et de juger les affaires du « petit contentieux » (pensions, emplois réservés aux anciens militaires, carte du combattant, élections administratives, affaires fiscales), tandis que les quatre autres, succédant aux comités d'instruction, instruisaient les affaires dites du « contentieux général », et se réunissaient deux par deux pour former des organes de jugement. Les affaires d'une importance particulière étaient renvoyées pour jugement à la section du contentieux ou à l'assemblée plénière du contentieux.

(1) Cet article fixait les règles de l'instruction et prévoyait notamment que le rétablissement des dossiers et pièces communiqués pour les besoins de l'instruction ne pouvait être ordonné que par décision de la section.

7 ordonnances antérieures au 1er octobre 1933 n'ont pas encore été suivies d'effet; 54 ordonnances sur 247 émises depuis le 1er octobre 1933 n'ont pas encore fait l'objet, à la date du 12 mars 1934, de mesures d'exécution de la part des divers ministres intéressés ».

(Arch. C.E.).

Le même jour, avec l'accord du garde des sceaux, le vice-président du Conseil d'Etat adressait à tous les ministres une lettre où, en des termes très énergiques, il leur signalait les retards de leurs départements et les invitait à respecter les délais d'instruction et à déférer aux ordonnances de rétablissement. Cette lettre se terminait par une mise en garde :

« Dans le cas où il ne serait pas dans l'avenir tenu compte des prescrip-législatives ou réglementaires que j'ai l'honneur de vous rappeler, le Conseil d'Etat n'hésiterait pas à user du droit qu'il tient de l'article 22 du décret précité du 4 août 1923, de statuer, dès l'expiration du délai assigné, sur le vu des copies pouvant figurer au dossier, et même à demander une modification des prescriptions de cet article consistant à obliger les parties à fournir des copies de leurs requêtes et des pièces jointes, de façon à lui permettre de statuer en tous les cas aussitôt après l'expiration des délais impartis aux ministres. Une telle solution comporterait pour vos services le risque de se trouver placés en face de décisions de justice d'annulation ou de condamnation rendues sans procédure contradictoire et dont les conséquences pourraient être particulièrement gênantes pour l'administration. »

(Arch. C.E.).

Peu après, en vue de raccourcir les délais de jugement par la réduction de la durée de l'instruction, le président de la section du contentieux décidait de modifier sur plusieurs points importants les pratiques suivies jusqu'alors. Ces modifications furent définies et commentées dans une longue note adressée aux ministres et aux avocats aux Conseils (1). Dans une lettre au président de l'ordre des avocats, le président de la section du contentieux résumait ainsi la réforme :

« Cette réforme repose sur les principes suivants :

1) l'instruction sera, à l'avenir, dirigée effectivement par les sous-sections sur les propositions du rapporteur;

2) les délais de 15, 20, 40 jours, jusqu'ici appliqués indistinctement à toutes les affaires, sont abandonnées.

La sous-section fixera dans chaque affaire et pour chaque acte d'instruction un délai pour ainsi dire « individualisé », déterminé en tenant compte de toutes les circonstances : nature et importance de l'affaire, lieu de l'instruction, urgence plus ou moins grande, etc. Ces délais seront presque toujours beaucoup plus larges que les délais actuels...;

3) mais, et précisément parce qu'ils seront fixés en tenant compte des besoins réels, ces délais devront être rigoureusement observés. J'insiste sur

(1) Les prescriptions de cette note règlent encore pour l'essentiel aujourd'hui l'instruction des affaires contentieuses devant le Conseil d'Etat.

ce point dont il est essentiel que vos confrères saisissent toute l'importance. Il ne sera plus envoyé de lettre de rappel; à l'expiration du délai imparti, le dossier sera purement et simplement repris, sans préavis, et transmis soit au rapporteur, soit à l'adversaire ».

(Lettre du 27 novembre 1934, Arch. C.E.).

La procédure se trouvait donc en même temps assouplie et rendue plus rigoureuse. Mais le Conseil d'Etat ne mit pas à exécution le projet annoncé dans la lettre du vice-président aux ministres, du 24 mars 1934 : production obligatoire par les parties de copies de leurs requêtes et des pièces jointes, afin de permettre au Conseil de statuer, en cas de défaut de réponse de l'administration mise en cause. Une note figurant aux archives du Conseil d'Etat et signée de M. Gueroult, secrétaire du contentieux, révèle combien il était alors jugé délicat de s'engager dans une telle voie :

« Le Conseil d'Etat statuant au contentieux ne dispose que des moyens suivants pour faire respecter les délais qu'il a impartis aux ministères pour produire leurs observations : la lettre de rappel, l'ordonnance de rétablissement et les dispositions de l'article 22 du décret du 4 août 1923 aux termes duquel « les requêtes ainsi que les pièces qui y sont jointes peuvent être accompagnées, en vue des communications de copies sur papier libre... A l'expiration du délai assigné aux ministres et aux parties pour la production des défenses et des observations, le Conseil d'Etat peut statuer. »

Les deux premiers moyens ne sont pas toujours efficaces, car ils sont dépourvus de sanction. Le troisième est d'une application très délicate. Il ne faut pas en effet oublier que dans la procédure devant le Conseil d'Etat les ministères sont les principaux agents d'instruction et que, s'ils font défaut, surtout en matière d'excès de pouvoir, il ne subsiste que les allégations du requérant qui peuvent ne pas être toujours contrôlables sans leur intervention.

Il est également très difficile d'envisager des mesures nouvelles destinées à servir de sanction aux moyens précités, car il ne faut pas oublier que la juridiction administrative n'est pas répressive et qu'elle est fondée sur la discipline et la liaison des administrations publiques. »

(Arch. C.E.).

On ne saurait mieux exposer l'un des problèmes majeurs du contentieux administratif. C'est en 1945 qu'une solution satisfaisante y sera apportée par l'article 56 de l'ordonnance du 31 juillet 1945, aux termes duquel, si la mise en demeure adressée au défenseur ou à un ministre reste sans effet, « il est réputé avoir acquiescé aux faits exposés dans la requête ».

L'œuvre de la jurisprudence.

A en juger d'après le nombre des arrêts rendus de 1919 à 1939 qui sont reproduits et commentés par MM. Long, Weil et Braibant, dans leur ouvrage classique (1) — vingt et un sur les quatre vingts décisions du Conseil qu'ils ont retenues pour les années 1873 à 1968 —, l'œuvre de la jurisprudence fut aussi importante entre les deux guerres qu'elle l'avait été dans le passé et qu'elle devait l'être par la suite.

Il est moins aisé de rendre compte de cette œuvre que de l'activité du contentieux au cours de la même période (2). Elle n'est pas marquée en effet par des innovations jurisprudentielles considérables et spectaculaires, comme l'avaient été l'admission des recours contre les mesures de police et les règlements d'administration publique ou la création de nouveaux moyens d'annulation, comme le détournement de pouvoir. Elle se trouve d'autre part artificiellement isolée par le plan chronologique du présent ouvrage des périodes antérieure et postérieure, alors que ni 1919, ni 1939 ne marquent de césure dans une activité jurisprudentielle remarquable par la continuité de son développement (3). On ne peut parler d'une « jurisprudence des années 1919-1939 » (4), mais cette période, où la section du contentieux fut présidée successivement par MM. Romieu (1918-1932), Pichat (1932-1937) et Porché (1937-1939), a contribué de façon importante à l'enrichissement progressif de la jurisprudence administrative. On se bornera à indiquer les plus notables de ces apports.

Le premier est l'élargissement de la notion de service public. A cette notion, qui est au cœur du droit administratif, plusieurs arrêts — notamemment les décisions « Etablissements Vézia », du 20 décembre 1935 et « Caisse primaire Aide et protection », du 13 mai 1938 — viennent donner une portée beaucoup plus large que par le passé. La décision « Etablissements Vézia » (5) amorce cette évolution. L'affaire posait la

(1) Les grands arrêts de la jurisprudence administrative. 5e édition 1969 — Editions Sirey — Paris.

(2) On a donné plus haut le nombre des affaires jugées. La consultation des tables du recueil Lebon fournit d'intéressantes indications sur la nature des affaires qui occupent une place importante dans les rôles du Conseil d'Etat pendant cette période. Le nombre des affaires « religieuses » a beaucoup diminué. Un grand nombre de litiges sont relatifs à l'application de législations issues de la guerre, dommages de guerre, pupilles de la nation, emplois réservés, pensions des victimes militaires et civiles de la guerre, etc. A côté de ces contentieux de « circonstance », certaines rubriques de caractère permanent ont augmenté d'importance : le contentieux de la fonction publique, le contentieux colonial. Les rôles du Conseil sont un miroir assez fidèle des occupations et préoccupations d'une époque, comme de ses événements marquants — avec toutefois pour ceux-ci un décalage de quelques années dû aux délais d'instruction et de jugement : ainsi c'est en 1938 que le Conseil statue sur les conséquences des occupations d'usines qui avaient été le grand événement de l'été de 1936.

(3) L'un des arrêts les plus importants de la période 1919-1939, Tramways de Cherbourg, du 9 décembre 1932, complète et parachève la théorie de l'imprévision dont les principes avaient été posés par des arrêts rendus au cours de la guerre 1914-1918.

(4) Toutefois le Conseil d'Etat a rendu au cours de cette période quelques décisions qui reflètent, notamment dans le domaine économique, les conceptions de l'époque. Ainsi l'arrêt Chambre syndicale du commerce en détail de Nevers, du 30 mai 1930, par lequel le Conseil a annulé, pour le motif suivant, un arrêté créant un service municipal de ravitaillement en denrées de toute sorte : « Les entreprises ayant un caractère commercial restent, en règle générale, réservées à l'initiative privée et les conseils municipaux ne peuvent ériger des entreprises de cette nature en services publics communaux que si, en raison de circonstances particulières de temps et de lieu, un intérêt public justifie leur intervention en la matière ».

(5) Recueil Lebon 1935, p. 212.

question suivante : le droit d'expropriation, réservé en principe aux collectivités publiques, avait-il pu être légalement exercé, en vertu d'un décret, au profit d'organismes de droit privé ? Le Commissaire du Gouvernement, M. Latournerie, conclut à la légalité du décret en proposant au Conseil d'Etat de distinguer parmi les activités privées ou publiques trois types distincts :

« Elles constituent... ou bien un service public, ou un service purement privé, sans prérogatives de puissance publique, ou bien un service intermédiaire qui, sans être un service public, est doté cependant de certaines des prérogatives de puissance publique et qui pourrait être qualifié de service d'intérêt public. »

(Revue D.P. 1936, p. 119-sq.).

Le Conseil d'Etat adopta ce point de vue, retenant « le caractère d'intérêt public qui s'attache... aux opérations des société indigènes de prévoyance » pour fonder une décision dont MM. Long, Weil et Braibant définissent ainsi la portée :

« Le Conseil d'Etat fit sien ce système, qui introduisait dans le droit français la catégorie des organismes privés d'intérêt public; du même coup, il amorçait la dissociation entre le service public entendu comme une institution, comme un organe administratif et le service public entendu comme une mission, comme une fonction pouvant être éventuellement confiée à un organisme privé » (1).

(Long, Weil, Braibant, Les grands arrêts de la jurisprudence administrative, 5e édition 1969, p. 229).

La décision « Caisse primaire Aide et protection » (2) alla plus loin, en jugeant que les caisses primaires d'assurances sociales, bien que constituant des organismes privés, géraient un service public, celui des assurances sociales et se trouvaient par suite soumises à des dispositions visant tous les agents relevant d'un organisme chargé de l'exécution d'un service public :

« L'importance de cet arrêt est considérable, écrivent MM. Long, Weil et Braibant; au-delà même des organismes de sécurité sociale qui sont, aujourd'hui encore, régis par les principes qu'il pose..., il introduit en effet dans le droit administratif français la notion d'organisme privé assurant la gestion d'un service public, notion qui se trouvait déjà en germe dans l'arrêt du 20 décembre 1936 Etablissements Vézia ».

(Long, Weill, Braibant. Les grands arrêts de la jurisprudence administrative, 5e édition, 1969, pp. 243-244).

---

(1) Dans un domaine différent mais dans le même esprit, un arrêt de cette époque — Commune de Monségur, du 10 juin 1921 — dissocia les notions de travail public, de propriété publique et de service public. Il fut jugé par cet arrêt que des travaux exécutés, après le vote de la loi de Séparation, dans une église appartenant à une commune, étaient des travaux publics « parce qu'exécutés pour le compte d'une personne publique dans un but d'intérêt général », bien que le service du culte ne fût plus un service public et sans qu'il y ait lieu de rechercher si l'église faisait partie du domaine public ou du domaine privé de la commune.

(2) Recueil Lebon 1938, p. 417.

Assemblée générale du Conseil d'Etat au Palais-Royal.

Le second apport de cette période est l'affirmation claire et définitive du caractère statutaire et réglementaire de la situation des agents des collectivités publiques. Depuis longtemps, certes, la jurisprudence distinguait ces agents des salariés de droit privé, mais elle les considérait comme liés à l'administration par un contrat de fonction publique. Cette notion de contrat fut abandonnée entre 1919 et 1939.

L'arrêt Deberles, du 7 avril 1933 (1), fait une application implicite de cette nouvelle conception. Deberles, agent communal, avait été révoqué. Cette révocation fut annulée par le Conseil d'Etat. Il demanda alors le versement des traitements qu'il aurait dû percevoir pendant la durée de son éviction illégale. Jusqu'alors le Conseil d'Etat décidait que le fonctionnaire, dont la révocation venait à être annulée pour excès de pouvoir, avait droit au rappel intégral du traitement et des indemnités accessoires dont il avait été privé du fait de sa révocation. Le commissaire du gouvernement, M. Parodi, demanda au Conseil « d'abandonner la théorie que nous appellerons pour simplifier la théorie du traitement et d'appliquer à tous les fonctionnaires... la théorie que nous appellerons la théorie de l'indemnité ».

Le Conseil d'Etat adopta cette nouvelle théorie en motivant ainsi sa décision :

> « Le requérant, en l'absence de service fait, ne peut prétendre au rappel de son traitement, mais... il est fondé à demander... la réparation du préjudice qu'il a réellement subi du fait de la sanction disciplinaire prise à son encontre dans des conditions irrégulières...; il convient pour fixer l'indemnité à laquelle le requérant a droit, de tenir compte notamment de l'importance respective des irrégularités entachant les arrêtés annulés et des fautes relevées à la charge du sieur Deberles... »
>
> *(Recueil Lebon, 1933, p. 439).*

Le caractère réglementaire et statutaire de la situation des agents publics fut affirmée expressément par l'arrêt Demoiselle Minaire et autres, du 22 octobre 1937 (2), rendu sur pourvoi de fonctionnaires qui avaient été révoqués à la suite de faits de grève (3). Comme il l'avait fait en 1909, dans une espèce analogue (arrêt Winkell, du 7 août 1909) (4), le Conseil d'Etat jugea que les intéressés avaient pu être légalement révoqués sans communication préalable de leur dossier, mais sa décision se distingue de celle de 1909 par quelques mots essentiels. En 1939, comme en 1909, le Conseil d'Etat estime que les agents grévistes se sont placés par un acte collectif en dehors de l'application des lois et règlements édictés dans le but de garantir l'exercice de leurs droits..., et notam-

(1) Recueil Lebon 1933, p. 439.

(2) Un autre arrêt célèbre de cette période, l'arrêt Rodière, du 26 décembre 1925 (Recueil Lebon 1925, p. 1065), fixe les règles que l'administration doit appliquer pour reconstituer la carrière d'un fonctionnaire. Ces règles procèdent d'une conception statutaire de la situation des agents publics.

(3) Recueil Lebon 1937, p. 843.

(4) Recueil Lebon 1909, p. 826.

ment de l'article 65 de la loi du 22 avril 1905 prévoyant la communication du dossier ; mais, alors que l'arrêt Winkell définit ces droits comme ceux résultant pour chaque agent « du contrat de droit public qui le lie à l'administration », l'arrêt Demoiselle Minaire et autres les qualifie seulement de droits appartenant à ces agents à l'égard de la puissance publique.

Le troisième apport est de loin le plus important, car il est relatif à la conciliation par le juge des exigences de l'intérêt général et du respect des droits privés. Une dizaine de décisions rendues entre 1919 et 1939 ont apporté à cet égard, sur quelques points essentiels, des solutions qui ont fixé ou orienté de façon décisive la jurisprudence et enrichi le droit administratif français. M. Pichat les avait sans doute présentes à l'esprit lorsque, le 28 octobre 1937, jour de son installation comme vice-président du Conseil d'Etat, il définissait ainsi l'esprit de la jurisprudence :

> « La jurisprudence du Conseil d'Etat est marquée par deux idées maîtresses qui en constituent les bases fondamentales et inébranlables : les nécessités du service public et le respect des droits de la personne humaine. Juges administratifs, connaissant l'administration, nous assurons la liberté d'action qu'exige l'accomplissement de sa mission. Nous n'oublions pas en revanche que nous sommes des juges dans toute l'acception du terme, investis du pouvoir de garantir le respect du droit. La conciliation de ces intérêts distincts, qui doivent cependant se combiner pour la sauvegarde de nos libres institutions et pour le bien du pays, est notre tâche quotidienne. Tâche infiniment délicate. Ici encore, pour l'accomplir, nous demandons aux faits de nous éclairer. Ils sont essentiellement changeants et l'orientation de notre jurisprudence, immuable dans ses principes, est, à leur image, en constante évolution ».
>
> (*Arch. C.E.*).

Ces décisions prennent pleine valeur par leur rapprochement. Il en ressort en effet que l'évolution libérale de la jurisprudence du Conseil d'Etat, à cette période comme aux autres, ne s'est pas faite par une amputation des droits et prérogatives de l'Etat, mais par un contrôle plus strict de leur exercice et l'octroi aux administrés de compensations adéquates.

Que la jurisprudence de cette période n'ait pas énervé l'action de la puissance publique, six décisions importantes le prouvent amplement : les arrêts Dames Dol et Laurent, Labonne, Jamart, Couiteas, la Société La Cartonnerie et Imprimerie Saint-Charles, Chambre syndicale des constructeurs de moteurs d'avion.

Par l'arrêt Dames Dol et Laurent, du 28 février 1919 (1), rendu sur le pourvoi de ces deux personnes se disant « filles galantes » contre des arrêtés du préfet maritime de Toulon, de 1916, réglementant strictement leurs activités, sous peine d'expulsion de la ville, le Conseil d'Etat, met-

(1) Recueil Lebon 1919, p. 208.

tant en œuvre la théorie générale, naissante à cette époque, des pouvoirs de guerre et des circonstances exceptionnelles, affirma comme un principe que les limites des pouvoirs de police n'étaient pas les mêmes en temps de paix qu'en temps de guerre.

L'arrêt Labonne, du 8 août 1919 (1), rendu sur le pourvoi d'un automobiliste dont le permis de conduire avait été retiré en vertu d'une réglementation édictée par décret du président de la République, reconnut au chef de l'Etat un pouvoir propre de réglementation indépendant de toute délégation législative et lui permettant de prendre des mesures de police applicables à l'ensemble du territoire.

Si un pouvoir réglementaire général n'a, par contre, jamais été reconnu aux ministres, l'arrêt Jamart du 7 février 1936 (2) admit que ceux-ci peuvent, comme tout chef de service, prendre les mesures, même de portée générale, nécessaires au bon fonctionnement de l'administration placée sous leur autorité.

L'arrêt Couiteas du 30 novembre 1923 (3) et l'arrêt Société La Cartonnerie et Imprimerie Saint-Charles du 3 juin 1938 (4) sont habituellement cités et commentés, parce qu'ils ont étendu le domaine de la responsabilité sans faute de l'administration. Mais il y est d'abord affirmé la liberté d'appréciation et d'action dont jouit le pouvoir exécutif dans la répression des atteintes à l'ordre public et l'exécution par la force des décisions de justice. Invité par un chef d'entreprise à faire évacuer une usine occupée par des grévistes, un préfet a pu, sans méconnaître ses obligations légales, se refuser à intervenir, quelqu'illicite que fût cette occupation, dès lors qu'elle s'était effectuée et poursuivie dans des conditions qui ne constituaient pas une atteinte d'une gravité particulière à l'ordre public (Affaire Société La Cartonnerie et Imprimerie Saint-Charles). Dans ces deux arrêts, il a été affirmé d'autre part que si le justiciable nanti d'une sentence judiciaire revêtue de la formule exécutoire est en droit de compter sur l'appui de la force publique pour en assurer l'exécution, l'autorité administrative a le devoir d'apprécier les conditions de cette exécution et le droit de refuser le concours de la force publique, lorsqu'elle estime qu'il y a danger pour l'ordre et la sécurité. Le juge avait ordonné dans l'affaire La Cartonnerie et Imprimerie Saint-Charles l'évacuation de l'usine, et dans l'affaire Couiteas, l'expulsion des tribus installées en Tunisie sur le domaine du requérant.

L'arrêt Chambre syndicale des constructeurs de moteurs d'avion du 12 novembre 1938 (5) a pour sa port confirmé, en en expliquant mieux les principes, la jurisprudence en matière de sursis à exécution. Le privilège du préalable demeure un principe fondamental du droit administratif français et ce principe a pour corollaire que les recours contre les déci-

(1) Recueil Lebon 1919, p. 737.
(2) Recueil Lebon 1936, p. 172.
(3) Recueil Lebon 1923, p. 789.
(4) Recueil Lebon 1938, p. 529.
(5) Recueil Lebon 1938, p. 840.

sions administratives n'ont pas d'effet suspensif, sauf décision contraire du juge saisi d'une demande à cet effet. L'octroi du sursis est subordonné à deux conditions : un préjudice très grave, sinon irréparable; l'existence à l'appui de la requête, de « moyens sérieux », suivant la formule employée pour la première fois par l'arrêt du 1er novembre 1938.

En regard de ces décisions, il faut citer les arrêts qui ont renforcé les garanties des administrés : les arrêts Benjamin, Cachet, Despujol et, dans le domaine de la responsabilité, outre les arrêts Couiteas et La Cartonnerie et Imprimerie Saint-Charles, déjà mentionnés, les arrêts Regnault-Desroziers et La Fleurette.

L'arrêt Benjamin du 19 mai 1933 (1) annulait des arrêtés du maire de Nevers interdisant des conférences du sieur Benjamin. Le maire avait estimé que la venue à Nevers du sieur Benjamin, membre en vue d'un groupement politique d'extrême-droite, était de nature à troubler l'ordre public; des instituteurs syndiqués avaient fait savoir qu'ils s'opposeraient par tous les moyens à ce que ces conférences aient lieu. Après avoir rappelé que l'autorité administrative doit concilier l'exercice de ses pouvoirs de police avec le respect de la liberté de réunion garantie par les lois du 30 juin 1881 et du 2 mars 1907, le Conseil d'Etat a déclaré que l'éventualité de troubles allégués par le maire ne présentait pas un degré de gravité telle que celui-ci n'ait pu — sans interdire la conférence — maintenir l'ordre en édictant les mesures de police qu'il lui appartenait de prendre. Décision très importante par les trois principes qui la fondent : « la liberté est la règle, la restriction de police l'exception »; les restrictions à la liberté ne sont légales que dans la mesure où les circonstances de temps et de lieu les rendent nécessaires ; le juge de l'excès de pouvoir contrôle l'adéquation des mesures de police aux circonstances.

L'arrêt Dame Cachet du 3 novembre 1922 (2) a apporté aux administrés une garantie d'une haute valeur en fixant les conditions dans lesquelles l'administration peut retirer les mesures individuelles illégales qu'elle a prises. Si ces mesures étaient génératrices de droits, l'administration ne peut les rapporter que pour des motifs d'illégalité et dans le délai du recours contentieux, c'est-à-dire deux mois. Ce délai expiré, les droits découlant de ces mesures se trouvent acquis.

L'arrêt Despujol du 1er janvier 1930 (3) permet aux administrés de remettre en cause, malgré l'expiration du délai de recours, des mesures administratives, notamment des mesures de police, lorsque les circonstances qui les avaient motivées ont changé ou lorsqu'une loi ultérieure a créé une situation juridique nouvelle.

Dans le domaine de la responsabilité, plusieurs décisions rendues à cette époque ont élargi le champ d'application de la théorie de la responsabilité pour risque de la puissance publique. Cette théorie était

(1) Recueil Lebon 1933, p. 541.
(2) Recueil Lebon, 1922, p. 790.
(3) Recueil Lebon, 1930, p. 30.

ancienne, mais n'avait reçu d'application qu'en matière de dommages de travaux publics. L'arrêt Regnault-Desroziers du 28 mars 1919 (1) l'a étendue à de nouveaux risques de voisinage (en l'espèce l'accumulation d'explosifs), l'arrêt Société anonyme des produits « La Fleurette » du 14 janvier 1938 (2) aux dommages résultant de l'application d'une loi, lorsque celle-ci n'a pas exclu tout droit à réparation, l'arrêt Couiteas du 30 novembre 1923 (3) et l'arrêt « Société La Cartonnerie et Imprimerie Saint-Charles » du 3 juin 1938 (4) aux dommages résultant du refus du concours de la force publique pour faire cesser un désordre ou exécuter une décision de justice.

(1) Recueil Lebon, 1919, p. 329.
(2) Recueil Lebon 1938, p. 25.
(3) Recueil Lebon 1923, p. 789.
(4) Recueil Lebon 1938, p. 529.

BIOGRAPHIES

Georges CAHEN-SALVADOR
1875-1963

Président de Section
1936-1945

Je ne peux évoquer sans émotion le souvenir du Président Cahen-Salvador avec lequel j'ai si longtemps travaillé et qui détermina le cours de ma carrière et de ma vie lorsqu'il me proposa en 1929 de devenir son adjoint au Secrétariat Général du Conseil National économique.

Tous ceux qui l'ont connu gardent le souvenir d'un homme élégant, distingué, toujours soigneux de sa mise comme ils gardent le souvenir de l'ouverture et de la générosité de son esprit. Toujours attentif aux idées nouvelles, désireux de ne pas se laisser distancer par son époque, il a été l'homme des causes généreuses, sensible à la nécessité du progrès social, attiré par les organisations internationales. Sa bienveillance, sa constante courtoisie, comme la pénétration de son esprit, attiraient les jeunes membres du Conseil d'Etat et beaucoup des conseillers actuels ont été à un moment ou à un autre ses collaborateurs.

C'est un des grands mérites de l'organisation et des traditions du Conseil d'Etat de permettre le genre de carrière équilibrée entre le travail intérieur du Corps et les activités administratives extérieures, que parcourut si brillamment Georges Cahen-Salvador.

Attaché au Conseil, il le fut profondément et toute sa vie. Reçu au concours en décembre 1898, il ne le quitta pas (sauf l'intermède d'une mesure peu glorieuse prise par le gouvernement de Vichy et annulée dès la libération de la France) jusqu'à sa mise à la retraite. Il y travailla beaucoup, au contentieux d'abord pendant 5 ans, puis à la section des Travaux Publics. Il reste ensuite attaché comme auditeur et comme maître des requêtes, tantôt à l'une, tantôt à l'autre de ces sections. Après la guerre de 1914, il est 3 ans commissaire du gouvernement au contentieux de 1924 à 1927. Nommé conseiller cette année-là, il revient encore aux Travaux Publics. Puis il préside la Section de l'Intérieur en 1936 et la préside de nouveau après la seconde guerre. Ses occupations extérieures l'absorbent jusqu'à sa retraite, qu'il prend en 1955 avec le titre de Vice-Président honoraire.

Dans ces différentes formations du Conseil il n'a cessé, entouré de l'estime de tous, d'apporter le bénéfice de sa brillante intelligence, de son imagination créatrice et de sa puissance de travail.

Mais parallèlement à son travail à l'intérieur du Conseil d'Etat, Georges Cahen-Salvador a rempli, presque sans interruption, d'importantes tâches extérieures qui donnent mieux la mesure de son activité.

Au cours de la première guerre il est chargé de créer, d'organiser, puis de diriger le service des prisonniers de guerre. A ce titre il négocie à quatre reprises à Berne des accords avec l'Allemagne concernant le régime et les échanges de prisonniers. Il fait partie en 1918 de la Commission d'Armistice et préside la Commission des Prisonniers de guerre à la Conférence de la paix en 1919. Il devait dans un ouvrage publié dix ans plus tard retracer l'histoire de sa direction et de ses négociations.

La période qui a suivi 1919 a été dominée par les préoccupations de justice sociale. Dès le lendemain de la guerre, Georges Cahen-Salvador commence à se consacrer aux questions de travail qui resteront toute sa vie une de ses grandes préoccupations. Et là il accomplit la première grande œuvre à laquelle son nom doit rester associé. De 1920 à 1923, comme directeur de ce que l'on appelait encore les retraites ouvrières et paysannes, il prépare la grande réforme des Assurances Sociales, qu'il présente et soutient devant les Chambres. Nous avons un peu de peine à nous rappeler aujourd'hui combien ces débuts de ce qui est devenu la Sécurité Sociale ont été difficiles et contestés. Georges Cahen-Salvador apporta dans la préparation de la loi, puis inlassablement dans la préparation et la modification des textes d'aplication, sa générosité et cette foi dans les réformes généreuses qui était le grand levier de son action. Il fallait répondre aux résistances patronales, à l'égoïsme et à la courte vue des milieux médicaux. Georges Cahen-Salvador a été l'un de ceux qui ont le plus fait pour implanter en France cette législation, aujourd'hui incontestée et qui a si profondément modifié la condition ouvrière.

Dans un autre domaine, Georges Cahen-Salvador allait être peu après de nouveau un précurseur et un créateur, avec la même foi dans une institution nouvelle et la même obstination à l'organiser et à l'insérer dans notre ensemble administratif. Secrétaire Général, de 1925 à la seconde guerre mondiale, du Conseil National Economique, il en a été vraiment le fondateur, l'animateur. C'est lui qui a réussi, à force d'y croire, à réaliser cette première expérience d'une étude systématique de l'économie française, production par production, en confrontant les points de vues des différents producteurs, des consommateurs, des ouvriers et de l'administration.

Je dois avouer que lorsque nous accumulions alors des rapports, certes sérieusement étudiés et qui étaient le fruit de nombreuses et longues séances mais que ne suivait jamais aucune réalisation pratique, il m'est arrivé de me sentir sceptique sur l'utilité du travail auquel j'étais associé. J'avais tort, c'est Georges Cahen-Salvador, qui dans sa confiance et sa foi en l'institution qu'il dirigeait, avait raison.

On constata d'abord, lors de la crise sociale de 1936, qu'il avait créé une atmosphère de discussion honnête, un lieu de rencontre que l'on était trop heureux d'utiliser. C'est au Conseil Economique qu'apparut un jour la première possibilité de détendre la rigueur des réglementations sur la semaine des 40 heures, dont mourait l'économie française. Et puis un peu plus tard lorsque la pénurie conduisit, par nécessité, à une organisation systématique de la production, l'administration, jusque-là indifférente, constata que les seuls renseignements dont elle disposait étaient les rapports du Conseil National Economique.

Sécurité Sociale, Conseil national Economique : ce sont les deux grandes créations du Président Cahen-Salvador. Les historiens de l'économie et ceux des questions sociales seraient bien injustes s'ils ne lui faisaient pas un place éminente dans l'histoire des 15 ans qui ont précédé 1940.

Après la guerre, lorsqu'il a été réintégré au Conseil d'Etat, le Président Cahen-Salvador a été encore associé à la mise sur pied d'une grande législation d'intérêt national : Commissaire Général au ministère de la Reconstruction et de l'Urbanisme, il est chargé de réorganiser le service des Dommages de guerre et de préparer une législation unique refondant les réglementations partielles et morcelées. Puis jusqu'à une date beaucoup plus récente, Georges Cahen-Salvador a présidé la commission supérieure de cassation des dommages de guerre.

Je n'ai d'ailleurs pas encore épuisé le tableau de son activité et il faut rappeler le rôle qu'il joua dans la période finale de sa vie à la Croix-Rouge : il était le plus ancien membre de son conseil d'administration, et lui a apporté le concours de son expérience, en surveillant efficacement les finances et la bonne gestion.

Le Président Cahen-Salvador est décédé le 5 février 1963. Ses obsèques ont été célébrées au Conseil d'Etat même, dans la salle des Pas Perdus, le 8 février.

Alexandre Parodi
Vice-Président honoraire
du Conseil d'Etat

Clément COLSON
1853-1939

Vice-président du Conseil d'Etat
1923-1928

D'origine lorraine, fils du directeur des contributions directes de la Seine, Clément Colson est né le 13 novembre 1853 à Versailles; il était neveu d'un directeur général des contributions indirectes et du général Joseph Emile Colson.

Entré à l'Ecole polytechnique en 1873, classé dans les Ponts et Chaussées à la sortie de l'Ecole, il prépara et obtint sa licence en droit pendant ses années d'étude à l'Ecole Nationale des Ponts et Chaussées, passa le concours de l'auditorat et, peu après avoir été nommé ingénieur, entra au Conseil d'Etat comme auditeur le 1er janvier 1879, « à 25 ans seulement — dit une note non signée restée dans son dossier — avec l'espoir que, s'il débutait tard, non par suite de la lenteur de la préparation mais par suite du temps employé à acquérir dans d'autres fonctions des connaissances de nature à être utilisées au Conseil, on voudrait bien lui en tenir compte dans la comparaison ultérieure de ses titres avec ceux des candidats qui le précédaient immédiatement au tableau » !

Affecté à la section des travaux publics, il fut autorisé dès le mois de mai 1879, — avec l'accord de son président de section qui n'y vit « aucun inconvénient pour le service de la section » — à remplir les fonctions de sous-chef, puis de chef du cabinet du ministre des travaux publics qui était alors Freycinet. Deux autres ministres, Varroy et Sadi Carnot, devaient le retenir dans ces fonctions qu'il occupait encore lorsqu'il fut, le 31 décembre 1883, nommé maître des requêtes et affecté à la section du contentieux à laquelle il appartint jusqu'en avril 1885. Il fut alors affecté à la section des travaux publics et nommé en même temps adjoint au directeur général des chemins de fer, des routes, de la navigation et des mines, Alfred Picard.

Durant les dix années suivantes, il exerce soit ces fonctions, soit, à partir du 8 février 1894, celles de directeur des chemins de fer qu'il quitte le 12 septembre 1895 à la suite d'un heurt avec son ministre Dupuy-Dutemps : Colson, semble-t-il, donne sa démission; le ministre le relève de ses fonctions.

C'est durant cette période de dix ans que s'affirme une vocation qui, avec son appartenance au Conseil d'Etat, devait marquer la vie de Colson : celle de l'enseignement des sciences économiques. Chargé en 1885 du cours d'économie politique à l'Ecole des hautes études commerciales, il est, sans qu'il renonce pour autant à ce premier enseignement, nommé en 1892 professeur d'économie politique à l'Ecole nationale des Ponts et Chaussées en remplacement de Baudrillard. Il allait consacrer à cet enseignement une importante part de son activité pendant près de 40 ans.

Le désaccord qui l'a opposé à son ministre en 1895 et qui a fait un certain bruit l'a ramené à la section des travaux publics. Son activité s'y déploie, en même temps que dans l'enseignement, dans la conduite d'importantes commissions qu'il préside, dans sa participation à celles — dont la liste tiendrait des pages — dont il est membre; elle se manifeste aussi par des travaux sur des questions économiques d'actualité intéressant le plus souvent les transports, la fiscalité, les finances ou la monnaie et, en 1909, par la publication de son monumental cours d'économie politique — fruit d'une expérience acquise dans les secteurs les plus divers de l'administration et de l'économie. Il y travaillait depuis 10 ans et devait continuer à l'enrichir jusqu'à l'édition définitive en 7 volumes.

Durant ces vingt années au cours desquelles il est nommé conseiller d'Etat en 1897, son autorité et son prestige n'ont cessé de croître. Membre ou président de plusieurs sociétés savantes, il entre en 1910 à l'Académie des sciences morales et politiques (section d'économie politique).

Nommé ingénieur général des ponts et chaussées en 1912, maître de conférences à l'Ecole polytechnique en 1914, président du conseil supérieur de la statistique en 1919, il est, en 1920, nommé président de la section des finances et, en 1923, vice-président du Conseil d'Etat. Conseiller hier écouté, porte-parole presque officiel de certaines tendances de la pensée économique de l'époque, il joue un rôle important dans les mesures de stabilisation du franc qui devaient aboutir au « franc Poincaré », en 1926.

Atteint par la limite d'âge de 75 ans en 1928, il est nommé vice-président honoraire. Jusqu'à la fin de sa carrière, il participe aux travaux de nombreux congrès et continue les plus importants de ses cours.

Il meurt le 24 mars 1939 à l'âge de 86 ans.

De cette biographie et de tout ce qu'on sait de Colson une figure se dégage. Celle d'un homme de science et de caractère, capable de pousser la fermeté jusqu'à l'intransigeance lorsqu'il considère que l'intérêt général est en jeu. Il aurait dit qu'en économie politique, lorsque la théorie et les faits sont en désaccord, ce sont en général les faits qui ont tort. Théoricien alors ? Mais pour qui le contrôle statistique des idées est capital : préoccupation constante chez lui. Homme à principes ? Certes. Mais pour qui les principes doivent, d'une façon ou de l'autre, passer dans l'action. Sans doute a-t-il, très jeune, eu l'ambition et décidé d'agir. Il agira aux postes de commande, il agira par le conseil, il agira en enseignant et en formant une jeunesse qu'il marquera profondément.

Dans ses relations avec ses collaborateurs, il est droit, entier, exigeant, mais remarquablement fidèle à ceux qu'il a une fois appréciés et qu'il soutient avec la même constance que ses idées. Il a eu des amis, des adversaires, des collaborateurs dévoués; avec cela, il a formé des disciples qui, sous des formes souvent bien différentes, et parfois un peu hermétiques, continuent aujourd'hui sa pensée et son action réaliste, réfléchie, contrôlée, entièrement dévouée à l'intérêt général et à la science. Plusieurs qui ont, directement ou indirectement, recueilli son héritage, disent volontiers : Colson est encore des nôtres plus qu'on ne croit.

Il est une grande figure du Conseil d'Etat.

André Lavaill
Conseiller d'Etat
Ancien élève de l'Ecole polytechnique

Henri HEBRARD DE VILLENEUVE
1848-1925

Vice-Président du Conseil d'Etat
1919-1923

Avec Hébrard de Villeneuve entre, en janvier 1873, au Conseil d'Etat, un auditeur de 24 ans issu d'une vieille famille de notables auvergnats installés à Riom. A peine est-il licencié en droit que le désastre de

Sedan l'incite à s'engager. Il part au front en blouse et en galoches avec les mobiles du Puy-de-Dôme, Devenu officier, il participe aux opérations des armées de la Loire et de l'Est où le futur escrimeur de renom donne sa mesure. Il termine la campagne interné en Suisse. De retour à Paris, il préside bientôt la conférence Molé-Tocqueville.

A son arrivée au Conseil d'Etat, il rapporte, à la section du contentieux où son affectation n'excèdera pas un an, une affaire qui « traîne » depuis la guerre de Crimée. La solution qu'il propose satisfait les exigences du droit et met en valeur l'esprit de conciliation qui ne cessera d'animer le nouveau membre du Conseil d'Etat. Sa carrière est assurée. Elle se déroulera régulière et brillante. Au soir de sa vie, le président Hébrard de Villeneuve évoquera avec émotion son auditorat en ces termes : « Il n'y a point en France une situation officielle où un jeune homme de 25 ans puisse avoir la responsabilité et l'indépendance d'un auditeur de 2e classe, qui, le lendemain de son entrée au Conseil, est maître des conclusions de son rapport, les débat librement devant la section avec les conseillers qui la composent, vote contre son président et peut même grouper la majorité contre lui ».

Il est promu maître des requêtes en 1879 et conseiller d'Etat seize ans plus tard.

En dehors du Conseil, Hébrard de Villeneuve oriente ses activités dans quatre directions différentes, dont le choix atteste que ce conseiller d'Etat, conservateur par tradition de famille, porte cependant la marque de son temps. Il se consacre simultanément à l'amélioration du fonctionnement de l'assistance publique et privée, à l'amélioration de la situation des fonctionnaires, à l'organisation de l'œuvre des pupilles de la Nation, à l'établissement du statut juridique de l'Eglise de France.

Il souhaite la fusion, le cas échéant, de la comission des hospices et du bureau de bienfaisance. C'est lui qui obtient que soit accordée aux associations privées de bienfaisance l'autorisation de recevoir des donations et legs.

En 1910 au Congrès de Copenhague, il demande l'assimilation des étrangers aux nationaux en matière d'assistance. Promoteur convaincu de la justice sociale, il est un ardent mutualiste. Il aurait souhaité que la mutualité remplaçât l'assistance. Lors de l'établissement des retraites ouvrières, il propose que les sociétés de secours mutuels, largement subventionnées par l'Etat, soient chargées de ce service. En matière de droit de grève, il se révèle un chaud partisan de l'arbitrage.

L'Office des pupilles de la nation (1917) est en grande partie son œuvre. On lui doit le caractère libéral de l'institution. Il refuse que « la conquête de l'âme de l'enfant » soit l'enjeu des partis.

Au lendemain de la guerre, il se déclare partisan du vote des femmes.

Homme de conciliation et de réconciliation, Hébrard de Villeneuve souffre de toute division nationale et au premier chef de la querelle religieuse.

Il joue un rôle aussi discret que décisif dans les négociations qui aboutissent à la reprise des relations diplomatiques entre la France et le Saint-Siège. Il s'occupe du statut légal de l'Eglise catholique en France. On songe à le désigner en 1923 comme ambassadeur de France auprès du Saint-Siège.

Depuis 1919, il occupait les fonctions de vice-président du Conseil d'Etat : un de ses principaux soucis est la liquidation du retard accumulé par la section du contentieux par suite de la guerre et du manque de rapporteurs. Il quittera le Palais Royal en 1923, atteint par la limite d'âge fixée par la loi du 1er mars 1923 dont il avait conseillé au Gouvernement de prendre l'initiative.

Dans son discours d'adieu, il admire dans le Conseil d'Etat la collaboration permanente et fructueuse de trois générations différentes au sein « d'une très ancienne institution avec un esprit franchement moderne ... d'un corps démocratique qui a des traditions ».

Colette Même
Maître des requêtes au Conseil d'Etat

René MAYER
1895-1973

Maître des requêtes

La vie de René Mayer est liée à tous les grands événements de son époque, et nombreux sont ceux qui portent sa marque.

Après de brillantes études au lycée Carnot, à la Sorbonne, à la faculté de droit et à l'Ecole libre des sciences politiques, âgé d'à peine dix-neuf ans en 1914, il est mobilisé dans l'artillerie, combat au front pendant trente mois, reçoit une blessure et est décoré de la Croix de guerre.

Il passe en 1919 le concours de l'auditorat et entre au Conseil d'Etat le 15 janvier 1920. Il exerce à partir de 1923 les fonctions de commissaire du gouvernement à la section du contentieux. En même temps, il est chef de cabinet de plusieurs ministres, notamment de Bovier-Lapierre aux Pensions en 1924 et de Pierre Laval aux Travaux Publics en 1925. Il est nommé administrateur du Port autonome de Strasbourg en 1925 et Secrétaire général du Conseil supérieur des Chemins de fer en 1926.

En 1928, il est admis à l'honorariat et quitte le Conseil pour entrer dans les affaires privées, notamment à la Compagnie des Chemins de fer du Nord, dont il devient vice-président. En 1930, il négocie avec les allemands la convention d'Essen et est président de la S.I.C.A.P. En 1932, il entre à la Compagnie internationale des Wagons-Lits, d'abord comme administrateur, puis comme président. En 1937 il négocie avec le Gouvernement français la création de la S.N.C.F. et en est nommé administrateur et membre du Comité de direction. Il est également administrateur et membre du Comité de direction d'Air France de 1933 à la guerre et vice-président de la Compagnie générale pour la navigation du Rhin.

En 1940, après avoir été chef de la mission de l'armement à Londres, il rentre en France et est déchu de toutes ses fonctions par la législation raciale. Il rejoint en 1943 le général Giraud en Algérie, est nommé secrétaire aux communications, puis entre dans le Comité Français de Libération Nationale, en qualité de Commissaire aux communications et à la marine marchande. En 1944, il est ministre des travaux publics et des transports du Gouvernement Provisoire.

Après un échec en 1945 aux élections de la première Assemblée constituante, il est nommé Commissaire général aux Affaires allemandes et autrichiennes par le Général de Gaulle, puis il est élu en 1946 député de Constantine. Il est ministre des finances en 1947 dans le gouvernement Schuman, ministre des armées en 1948 dans le gouvernement André Marie, garde des sceaux de 1949 à 1951 dans les gouvernements Bidault, Queuille, Pleven et Queuille, ministre des finances en 1951 dans le gouvernement Pleven, Président du conseil en 1952-1953. Pendant les intervalles de ses fonctions ministérielles, il joue un rôle actif dans les travaux parlementaires et est notamment en 1949 le rapporteur du Pacte atlantique à l'Assemblée Nationale.

Nommé en 1955 président de la Haute Autorité de la Communauté du Charbon et de l'Acier, il exerce ces fonctions jusqu'en janvier 1958. Il retourne aux affaires privées. Il préside le Nickel, le Comité de direction de Sofina, Eurafrep, et est vice-président ou administrateur de plusieurs autres sociétés. Il préside en outre jusqu'à sa mort le Conservatoire national des Arts et Métiers.

Homme de tradition, au sens le plus noble du terme, René Mayer fut toujours fidèle aux valeurs de sa famille et de son éducation. Il avait reçu la plus haute culture et, curieux de toutes choses nouvelles, ne cessa de l'enrichir. A ses instants perdus, il pratiquait le piano et le chant. La présence à ses côtés de Madame René Mayer, d'une famille humaniste et raffinée comme la sienne, tempérait pour lui la sévérité des affaires et les exigences de l'action. Formé à la religion juive — son grand-père était rabbin —, il fut jusqu'à sa dernière heure vice-président de l'Alliance Israélite Universelle et de l'I.C.A. à Londres. Le discours qu'il a prononcé en 1950 à l'Assemblée générale du Conseil d'Etat comme garde des sceaux exprime son attachement à l'institution, qu'il a défendue, illustrée et développée pendant toute sa carrière, notamment en faisant adopter la réforme de 1953, et il fut le premier président de l'Association de ses membres. Maître de conférence et professeur à l'Ecole libre des sciences politiques de 1922 à 1932, il fut pendant dix ans l'initiateur de la jeunesse à la doctrine administrative et compta parmi ses élèves des hommes comme Alexandre Parodi, Jacques Chaban-Delmas, Maurice Couve de Murville et Michel Debré.

Homme d'imagination, il avait le triple don de voir loin, de voir clair et de voir haut, d'une vision qu'il savait allier au réalisme. Ce don fut le secret de son autorité, dans l'administration comme dans les affaires, au Parlement comme au Gouvernement, et son énergie lucide s'est déployée sans nulle trêve dans tous les postes qu'il a occupés et dont il a fait des postes de combat. La création d'Air France en 1933, celle de la S.N.C.F. en 1937 portent son empreinte et sa signature. Ministre des travaux publics et des transports en 1944, il dirige toutes les opérations de rétablissement des communications jusqu'à la victoire, et sa présence au Gouvernement provisoire est en même temps un élément de sagesse politique et de modération. Ministre des finances en 1947, il rétablit le marché libre de l'or et amorce vigoureusement une politique de redressement financier, aussi courageuse à l'époque qu'elle paraît simple et naturelle aujourd'hui et qui était pour la France la condition de son développement industriel et de sa participation à celui du monde occidental. Garde des sceaux en 1949, il clôt l'activité des Cours de justice, fait voter la loi d'amnistie, libère une foule de malheureux et ouvre la voie à l'apaisement. Partisan résolu de l'unification européenne et de la solidarité occidentale, il contribue, aux côtés de Ramadier, de Robert Schuman, de Georges Bidault, de Jean Monnet, de Jules Moch à mettre un terme à l'expansion en Europe de l'oppression stalinienne, dans les conditions difficiles nées de la guerre, et fait adopter et appliquer le plan Marshall, le traité C.E.C.A., l'O.E.C.E., le Pacte Atlantique. Il préside en France le Mouvement européen. Il propose et soutient de nombreuses mesures tendant à renforcer le gouvernement et à réformer les institutions de 1946 pour sauvegarder le régime parlementaire.

Homme d'action et de caractère, il aimait le pouvoir non pour lui-même, mais pour les créations qu'il permet. Nul souci de la popularité, ni de la postérité n'effaçait chez lui le sens du devoir, la volonté de saisir en temps utile les chances offertes au pays. Bien qu'il ait participé pendant un demi-siècle à tous les aspects de la vie nationale, il n'a eu ni le goût ni le loisir d'écrire des mémoires. Sans doute est-ce une réflexion réaliste sur la guerre de 1914 et sur le problème franco-allemand qui l'a conduit, dès le début de sa carrière, à s'attacher aux problèmes de l'industrie lourde, de l'expansion des transports et du développement économique, et, après la seconde guerre qui lui coûta son fils Antoine, mort à dix-neuf ans au champ d'honneur, à transformer le même souci en position politique de construction européenne. Car l'unité profonde de son action n'est pas moins saisissante que la diversité des formes qu'elle a revêtues.

Homme de cœur, il était doué d'une sensibilité aigüe, d'autant plus vibrante qu'il savait et devait mieux la contenir. Il n'avait pas moins de charme que d'autorité, et connaissait l'entier clavier des relations humaines, de la fermeté la plus résolue à la délicatesse la plus fidèle. « Debater » hors pair, tour à tour redouté, envié et admiré comme tel, il avait le goût et le secret de l'amitié, et son influence s'est exercée et s'exerce encore, bien au-delà de son rôle propre, par les hommes qu'il a choisis auprès de lui et qui, sans nulle contrainte, se sont formés à son contact, présidents du conseil ou ministres comme Maurice Bourgès-Maunoury, Félix Gaillard, Maurice Faure, Alain Savary, Albin Chalandon, hauts fonctionnaires ou dirigeants d'entreprises nationales comme Paul Delouvrier, Robert Bordaz, Hubert Rousselier, Georges Galichon, Etienne Burin des Roziers, André Touren, etc. Tous lui doivent une certaine passion de la vérité, une certaine hauteur d'objectifs et, devant les obstacles inéluctables, l'intransigeance de la noblesse.

A-t-il donné toute sa mesure ? Certes l'instabilité ministérielle empêcha la 4e République de tirer le meilleur parti des ressources exceptionnelles d'expérience, d'intelligence et d'énergie qu'il mit à son service; le groupe radical-socialiste qu'il revivifia lui donna autant de déceptions que d'appui; après 1958, des divergences graves sur de nombreux problèmes, notamment de politique étrangère, l'écartèrent d'une coopération renouvelée avec le Général de Gaulle, et sans doute souffrit-il de cette séparation et de ces divergences, comme des voies prises par notre diplomatie. Mais il ne voulut ni tromper les autres ni se trahir lui-même, et les affaires industrielles reprises lui permirent de satisfaire jusqu'à la fin sa passion du travail et de l'action utile. Sa carrière fut ainsi, d'un bout à l'autre et jour après jour, à travers l'une des périodes les plus tragiques de l'histoire de France, ce qu'il voulut qu'elle fût, sans forfanterie ni faiblesse. Et devant la mort, il refusa tout honneur officiel, recourant simplement aux prières rituelles de ses intimes et de ses frères.

Jacques Donnedieu de Vabres
Maître des requêtes honoraire

Georges PICHAT
1867-1950

Vice-président du Conseil d'Etat
1937-1938

Lorsqu'en 1930 j'entrai au Conseil d'Etat, le président Pichat régnait, avec le président Romieu, sur le contentieux administratif. Je ne les connaissais que pour avoir suivi leurs enseignements rue Saint-Guillaume. Le président Pichat assumait alors depuis huit ans des fonctions essentielles quoique discrètes et dont l'importance est mal connue en dehors du Conseil, celles de président de comité d'instruction. Sa réputation, sa valeur, l'estime et l'amitié que lui portait le président Romieu, lequel présidait depuis 1918 la section du contentieux, en faisaient l'inspirateur le plus actif de la jurisprudence administrative qui pourrait bien avoir atteint vers cette époque l'apogée d'une perfection classique. Au cours des délibérés, le président Romieu se tournait d'abord vers le président Pichat pour demander à son interlocuteur privilégié : « qu'en pensez-vous ? » Il s'intéressait manifestement moins à l'opinion que certains autres assesseurs ne cherchaient d'ailleurs ni à faire valoir, ni même peut-être à avoir. Ainsi invité à faire connaître son sentiment, le président Pichat l'exprimait en paraissant poursuivre à voix haute un monologue intérieur; l'impression qu'il donnait ainsi n'était pas inexacte, puisqu'il avait l'habitude de se recueillir avant le début de chaque séance pour méditer sur les affaires qui devaient y être jugées. Son raisonnement était lumineux : il analysait la situation selon la plus cartésienne des méthodes, mais dont la mise en œuvre exige beaucoup d'intelligence, de finesse et de discernement. Sa logique juridique était à la fois impeccable et d'une extrême subtilité. Ce n'était cependant pas un pur intellectuel; il se préoccupait des effets pratiques que les solutions qu'il préconisait pourraient avoir; il tenait beaucoup à ce que la jurisprudence fût comprise et acceptée tant par le gouvernement et l'administration que par les administrés.

Le président Pichat devint président du contentieux en février 1933 après le départ en retraite du président Romieu. En octobre 1937, plus par devoir, semble-t-il, que par goût, il accepta la vice-présidence du Conseil d'Etat pour sa dernière année d'activité; le président Porché, qui fut aussi un très grand président, lui succéda.

La carrière du président Pichat se termina ainsi à la tête du Conseil; elle avait été étonnament droite; elle ne s'agrémenta d'aucun détour dans un cabinet ministériel ou dans l'administration active; elle se déroula même toute entière au contentieux.

Ses qualités lui avaient valu, en 1900, après sept années de noviciat comme rapporteur, d'accéder au commissariat du gouvernement : il conserva pendant quatorze ans cette charge, la seule dans laquelle un magistrat administratif sort de l'anonymat du travail collectif. Les conclusions du commissaire du gouvernement Pichat furent à l'origine de jurisprudences célèbres; elles demeurent des modèles.

Si l'on fait le bilan de ces périodes d'activité à peine diversifiée et de responsabilités toujours accrues, on constate que, durant trente huit années consécutives — hormis entre 1914 et 1918 — peu d'orientations furent prises par la jurisprudence du Conseil d'Etat sans avoir été influencées ou déterminées par Georges Pichat. Son élection en février 1938 à l'Académie des sciences morales et politiques consacra la notoriété qui lui était venue et qu'il aurait dédaigné de rechercher.

Un tiers de siècle s'est écoulé. Le président Pichat a conservé tout son prestige dans une maison où l'on s'abandonne facilement aux délices de l'esprit critique. Comment cette situation assez exceptionnelle s'explique-t-elle ?

Dès le premier abord le président Pichat frappait par son extrême distinction qui lui donnait beaucoup de séduction et qui s'accompagnait d'une réserve confinant à la froideur. Le détachement apparent avec lequel il s'exprimait protégeait vraisemblablement une sensibilité que son éducation, dans un collège fondé à Lyon par les Jésuites, l'avait entraîné à dominer. On résistait facilement à la tentation de le déranger sans nécessité; et cependant il accueillait ses visiteurs non seulement avec courtoisie, mais avec une sympathie et une gentillesse réconfortantes; il écoutait, ses jeunes collègues notamment, avec attention et avec une bienveillance parfois amusée : il respectait scrupuleusement leur liberté d'opinion et les encourageait à préserver et à cultiver leur indépendance. Il était très humain. Il eut, mais en dehors du Conseil, diverses occasions de pratiquer la vertu théologale de charité qui, pour un esprit très religieux comme le sien, avait une grande valeur. En 1917, après les mutineries qui mirent en péril le sort du pays, le moment de la répression vint; le commandant Pichat, qui appartenait au service juridique du Grand Quartier Général, exerça en faveur de la clémence une action qui fut à la fois ignorée et déterminante auprès du commandant en chef. De 1939 à 1944, il se consacra, comme président du Secours National, à soulager des misères que la guerre, la débâcle et l'occupation accumulèrent et il tenta de maintenir l'œuvre à l'écart de toute action politique. A la fin de 1950, quelques jours après sa mort, c'est dans la chapelle des Orphelins-apprentis d'Auteuil, dont il s'était longuement occupé, qu'un service fut célébré pour le repos de son âme.

En une analyse très pénétrante, M. René Puaux, son successeur à l'Institut, a évoqué sous la Coupole, la mémoire de ce grand magistrat qui « se révéla destiné à la fonction présidentielle par la clarté de l'intelligence, l'impartialité du jugement et ce magnétisme presque indéfinissable que nous appelons l'autorité » et « dont un monument complexe et harmonieux de jurisprudence perpétuera au Palais-Royal le souvenir ».

Raymond Odent
Conseiller d'Etat
Président de la section du contentieux

Jean ROMIEU
1858-1953

Président de la section du Contentieux
1918-1933

Des jeunes années de Jean Romieu, personne ne peut plus porter témoignage. Il ressort des archives du Conseil d'Etat que, né le 31 janvier 1858, il fut, en 1877, reçu au concours d'entrée à l'Ecole Polytechnique, puis, le 1er janvier 1881, au concours du Conseil d'Etat. Nommé maître des requêtes le 29 janvier 1891, puis conseiller d'Etat le 8 août 1907, il a exercé la présidence de la section du contentieux depuis le 18 janvier 1918 jusqu'au 31 janvier 1933, jour où il atteignit la limite d'âge, alors fixée à 75 ans.

M. Romieu appartint au petit nombre des membres du Conseil d'Etat qui ont consacré aux travaux de ce Conseil toute leur activité professionnelle, sans rechercher ni accepter aucun emploi dans l'administration active.

J'ai rencontré pour la première fois M. Romieu alors qu'avant la guerre de 1914 je suivais les cours de l'Ecole des sciences politiques, rue St Guillaume. A cette époque, la doctrine était assez partagée en ce qui concernait l'évolution de la jurisprudence du Conseil d'Etat. Certains, comme M. Berthélemy, continuaient à professer un enseignement étriqué et périmé. M. Hauriou, lui, était favorable aux solutions adoptées par le Conseil, mais ses commentaires faisaient état le plus souvent de théories trop subtiles pour qu'elles pussent exercer une réelle influence sur les étudiants. D'autres se contentaient de citer et d'analyser des textes de lois ou de règlements. Le cours de M. Romieu avait, au contraire, une valeur magistrale. Clair, lucide, précis, dégageant avec netteté les principes généraux du droit administratif, il a permis à des générations d'étudiants de connaître ce droit, demeuré trop souvent obscur et rébarbatif. Pour ma part, c'est grâce aux notes que j'avais conservées de ces deux années d'enseignement que j'ai pu, après sept ans de services militaires et quelques conférences de préparation de M. Alibert, me présenter utilement au premier concours d'après la grande guerre.

A la même époque Romieu a exercé, avec le plus grand succès, les fonctions de commissaire du gouvernement. Quelle part prit-il à l'élaboration des arrêts rendus sur ses conclusions ? En fut-il le plus souvent l'instigateur ? Personne ne peut, sans doute, apporter de précisions à cet égard. Il est vraisemblable que le renouveau de la jurisprudence fût une œuvre collective, mais les conclusions présentées en séance publique par M. Romieu demeurent un véritable modèle. La clarté et la rigueur du raisonnement juridique, la hauteur des conceptions énoncées par le commissaire du gouvernement, la grande portée des principes définis par lui entraînent dans tous les cas la conviction du lecteur. Ces conclusions ont été souvent reproduites dans les recueils du Dalloz ou du Sirey. Elles ont eu ainsi une large diffusion dans les milieux juridiques et ont beaucoup contribué au rehaussement dans l'opinion du prestige de la juridiction administrative.

Dès son accession en 1918 à la présidence de la section du contentieux, M. Romieu s'est trouvé en présence d'une situation difficile. La mobilisation des auditeurs et d'une grande partie des maîtres des requêtes, l'absence de tout recrutement pendant les hostilités avaient entraîné la formation d'un reliquat élevé de recours non jugés, introduits souvent avant la guerre. Les mesures prises pendant celle-ci, la fin prochaine de la suspension des délais de recours avaient fait naître de nouveaux litiges. M. Romieu augmenta le nombre des séances de jugement, ainsi que le nombre des affaires portées aux rôles des séances. Travailleur infatigable, il présidait toutes les séances de jugement des affaires relevant du grand contentieux, se félicitant lorsque le nombre de recours prêts à être jugés par la section du contentieux nécessitait une séance supplémentaire de cette section, les semaines où il y avait, comme il le disait, « deux vendredis » (1).

(1) La section du contentieux tient traditionnellement séance le vendredi.

Le président de la section du contentieux, qui n'a jamais voix prépondérante, ne dispose que d'une prérogative : celle de renvoyer une requête à la section ou à l'assemblée publique, lorsqu'il estime mauvaise ou simplement douteuse la solution qui vient d'être adoptée par l'organisme de jugement. M. Romieu n'avait pas besoin d'user de cette procédure de renvoi, tant son influence sur ses collègues était grande. Très autoritaire, il écoutait cependant avec un vif intérêt les observations présentées par le président Pichat et en tenait grand compte; il acceptait aussi que le rapporteur, fût-il un jeune auditeur, pût soutenir une argumentation même contraire à son opinion. Les discussions qui avaient lieu pendant les délibérations de la section et surtout les exposés doctrinaux faits par le président étaient si intéressants que de nombreux rapporteurs venaient y assister. Quant à l'assemblée publique du contentieux, M. Romieu préférait lui faire juger des affaires susceptibles d'intéresser l'opinion ou pouvant avoir des répercussions politiques, réservant autant que possible à la section l'examen des recours qui soulevaient des problèmes difficiles de droit administratif.

Ce grand président fut aussi un homme modeste. Ainsi que l'a fait connaître M. Barthou, ministre de la justice, lors de l'installation de M. Théodore Tissier comme vice-président du Conseil d'Etat, le gouvernement avait préalablement offert ces fonctions à M. Romieu qui avait refusé cette proposition.

Il fut aussi un homme très sensible. Lorsqu'il fut près d'atteindre la limite d'âge, le 31 janvier 1933, M. Théodore Tissier lui fit part de l'intention des membres du Conseil de lui exprimer leurs regrets unanimes. M. Romieu demanda qu'il ne fût pas donné suite à ce projet. Il déclara au vice-président qu'il serait trop profondément ému par une pareille manifestation « qui aviverait la peine qu'il éprouvait à être séparé du corps auquel il avait consacré le meilleur de lui-même ». Par la suite, il accepta très volontiers que fût célébré au Conseil son 90e anniversaire.

C'était également un homme très cultivé. Il était fort loin de limiter toutes ses activités intellectuelles aux seules questions d'ordre juridique. Je me souviens, en particulier, de la conversation que j'avais eue avec lui, au cours d'un déjeuner dans l'appartement austère de l'Ecole des Mines, où il résidait chez sa sœur et son beau-frère, directeur de cette école. M. Romieu venait de passer ses vacances en Sicile et il était plein d'admiration pour les monuments antiques qui existent encore sur cette île, faisant preuve de la plus grande érudition.

Le président Romieu avait conservé intactes toutes ses facultés physiques et intellectuelles, lorsque je lui rendis visite aussitôt après ma nomination comme président de la section du contentieux. Il avait alors 94 ans. Je lui exprimai la joie qu'éprouvait le nouveau président de pouvoir lui faire hommage de toute sa gratitude et je l'assurai que je m'efforcerais d'être, autant que possible, digne de la leçon exemplaire que me donnait sa vie toute de labeur, puis de sérénité. Je rendis visite aussi à l'autre ancien président de la section du contentieux, encore en vie, le grand juriste que fut Alfred Porché, afin de le remercier des services qu'il avait rendus au Conseil, notamment pendant la période si difficile d'après 1940.

Je vis par la suite plusieurs fois encore M. Romieu. Il avait gardé toute sa vivacité d'esprit et continuait à s'intéresser aux questions concernant le Conseil d'Etat et ses membres. A ma dernière visite, je le trouvai, cette fois, très vieilli.

Il s'est éteint pendant les vacances de 1953, au mois d'août. Peu de membres du Conseil ont pu, sans doute, assister à ses funérailles. Je n'appris son décès qu'après ses obsèques. Le vice-président du Conseil d'Etat prononça son éloge au début de la séance de l'assemblée générale, le 8 octobre 1953.

Ainsi disparut cet homme aux qualités exceptionnelles, ce grand serviteur du droit, de la justice, de l'Etat.

Tony Bouffandeau
Président de section honoraire

Théodore TISSIER
1866-1944

Vice-Président du Conseil d'Etat
1928-1937

Dans la galerie des portraits au Palais-Royal, Théodore Tissier se distingue par son visage imberbe. Ses contemporains étaient surtout frappés par sa haute stature, son allure solide et énergique et son accueil rude, parfois glacial, reflet de son caractère farouchement indépendant.

Né d'un père commerçant, il eut trois enfants, dont Pierre Tissier, conseiller d'Etat, président de la S.N.C.F. et Raymond Tissier, général qui commanda l'Ecole Polytechnique.

Après de brillantes études au Lycée Henri IV, puis à la Faculté de droit, Théodore Tissier s'initie à la pratique du contentieux comme avocat à la Cour d'appel et secrétaire d'un avocat aux Conseils.

Après son succès au concours de 1890, la rapidité de son avancement au Conseil : auditeur de première classe en 1897, maître des requêtes en 1902, conseiller d'Etat en 1909, lui permet d'entrer tour à tour dans chacune des trois sections administratives.

Dès le début de son auditorat, il participe, en dehors du Conseil, aux travaux de comités et commissions des plus variés dont la liste impressionnante ne comptera pas moins de 94 rubriques.

La présidence de la section des travaux publics, à laquelle il est porté en 1918, l'amènera à présider l'Office national de la navigation et de nombreux organismes compétents en matière d'énergie, de transport et de tourisme.

Ainsi, aucun domaine de l'Etat ne lui est étranger : finances, armées, colonies, départements, communes, industries, pêche, constructions, syndicats, coopératives. Mais son tempérament le portait vers l'administration active.

Dès 1905, il prend par intérim la direction des Cultes au ministère de l'intérieur, passe ensuite à la direction du contentieux et de la justice militaire au ministère de la guerre, puis au ministère de la justice où il est directeur des affaires criminelles et des grâces et directeur du personnel avant de remplir les mêmes fonctions au ministère de l'intérieur. Pendant la grande guerre, il dirige les services du cabinet, place Vendôme, puis place Beauvau. Et, en 1925, il assure le secrétariat général de la Présidence du Conseil qui préfigurait le Secrétariat Général du Gouvernement, créé dix ans plus tard par Flandin.

Des talents aussi variés et une aussi grande puissance de travail avaient été remarqués très tôt par plusieurs ministres, si bien qu'à 28 ans, Théodore Tissier était appelé à entrer dans l'action politique comme chef-adjoint de cabinet du ministre des colonies, puis du ministre des travaux publics. Mais c'est en 1905, comme chef de cabinet du ministre de l'instruction publique chargé des Cultes, qu'il devait commencer, en préparant la loi de séparation de l'Eglise et de l'Etat, cette période de collaboration étroite avec Briand qui marqua sa vie.

Aussi Briand, devenu en janvier 1921, président du Conseil, fait-il entrer son fidèle ami au gouvernement comme sous-secrétaire d'Etat à la Présidence du conseil. Briand, préoccupé de haute politique, étrangère et intérieure, se refusait à l'étude des dossiers et répondait à ceux qui lui présentaient un problème difficile : « Voyez donc Théodore ! »

Ainsi Théodore Tissier, installé dans la grande rotonde du quai d'Orsay, administrait, coordonnait les affaires avec une autorité incontestée. Surmené, il faillit succomber à une grave opération, mais un de ses amis, venu prendre des nouvelles, s'entendit répondre : « Hier, la fièvre était très élevée, mais ce matin, Monsieur Tissier a fait venir un gros dossier, l'a étudié et la fièvre est tombée ! »

La chute du Cabinet Briand en janvier 1922 lui permit de poursuivre avec ardeur une autre forme d'action qui l'avait passionné dès sa jeunesse : l'administration municipale. Elu à Bagneux en 1899, aussitôt choisi comme maire, il le resta pendant trente-cinq ans et fut longtemps le doyen d'élection de la Seine. Sans doute est-ce dans ces fonctions que la marque de son esprit organisateur et précurseur s'est fait le plus fortement sentir.

Il transforma en effet son village horticole en une ville de 11 000 habitants, dotée de services publics modernes.

Mais Théodore Tissier fut surtout le pionnier de l'organisation de la banlieue, le premier à sentir l'inadaptation des structures administratives aux problèmes nés de la concentration urbaine.

Après deux ans de préparation au sein d'une conférence intercommunale, il obtenait la création, par décret du 31 décembre 1903, du syndicat des communes de la banlieue de Paris pour le gaz. La même formule était appliquée aux Pompes funèbres en 1905, à la distribution de l'eau en 1922, de l'électricité en 1924; elle groupa 81 communes de la Seine et plus de 40 communes de Seine et Oise. Il resta à la tête de ces quatre syndicats pendant trente ans.

Après une réussite aussi incontestée dans de si nombreux domaines, le Gouvernement ne pouvait que choisir le président Tissier pour le poste suprême du Conseil d'Etat. Il fut installé par Louis Barthou le 28 novembre 1928 et lui répondit en exprimant avec chaleur sa reconnaissance au Conseil d'Etat qui l'avait formé.

Il s'engagea aussi à veiller « sur le patrimoine des attributions du Conseil d'Etat » et sur les intérêts de son personnel. Il tint parole, si nous en jugeons par la vigueur des discours qu'à dix reprises, il tint aux gardes des sceaux reçus au Palais-Royal et dont le ton atteignait parfois celui de « remontrances ».

Aussi, un autre garde des sceaux, M. Vincent Auriol, pouvait-il « exprimer les regrets et les remerciements du gouvernement à ce grand serviteur de l'Etat » qu'une loi, abaissant la limite d'âge, venait d'obliger à prendre sa retraite le 1er octobre 1937, mais pour lequel Léon Blum créa le titre de président honoraire du Conseil d'Etat.

Après une vie et une carrière si bien remplies, Théodore Tissier aurait pu aspirer au repos. Mais pour un homme de sa trempe, une retraite succédant à un demi-siècle consacré au service de l'Etat et au bien public ne pouvait être que remplie d'activité. Jusqu'à la fin de sa vie, il présida des congrès, des comités, des réunions administratives et politiques. Il consacra ses dernières années à servir le culte de Briand auquel il avait voué une dévotion profonde et s'éteignit doucement en novembre 1944, dans la joie de la libération de Paris.

Un navire océanographique porte son nom sur tous les océans.

François d'Harcourt
Maître des requêtes au
Conseil d'Etat

CHAPITRE XIII

LE CONSEIL D'ÉTAT DE 1939 A 1945

INTRODUCTION

La deuxième guerre mondiale fut pour le Conseil d'Etat une période agitée.

Le lendemain de la mobilisation, le Conseil quitte Paris pour Angers, où il passera trois mois. Il y revient en juin 1940, repart presqu'aussitôt pour Bordeaux où il ne s'arrête pas et cantonne plusieurs semaines à Monségur, chef-lieu de canton de la Gironde, avant de s'installer à Royat, près de Clermont-Ferrant, où il restera jusqu'à la fin de 1942. Il n'avait jamais, depuis sa création, siégé aussi longtemps hors de Paris. Le repli sur Bordeaux en 1914 n'avait été dans son histoire qu'un bref épisode.

Les évènements politiques de 1940 ouvrent à son rôle et à son influence de nouvelles perspectives. Le Gouvernement de l'Etat français, qui vient de mettre le Parlement en congé et d'instituer un régime d'inspiration autoritaire, veut s'entourer de « Conseils »; il manifeste son intention d'y faire une place spéciale au Conseil d'Etat. « Le Conseil d'Etat n'a pas toujours été mis à même de jouer le rôle qui aurait dû être le sien, parce que les institutions politiques et juridiques étaient faussées, déclare M. Alibert, garde des Sceaux, ancien membre du Conseil, à l'assemblée générale du 24 août 1940. Vous serez appelés désormais à rendre au pays et au gouvernement les services que vous leur devez ».

Les services ainsi attendus et espérés devaient consister avant tout en une participation accrue à l'œuvre du législateur. Elle demeura très limitée. Le Conseil — dont les règles d'organisation et de fonctionnement avaient été à peine modifiées — continua d'exercer l'essentiel de son activité dans les domaines traditionnels de l'administration et du contentieux.

Mais dans le même temps les instances dirigeantes de la France Libre créaient des organes chargés de remplir les fonctions que le Conseil d'Etat n'était plus en mesure d'exercer en dehors de la métropole. Le Comité juridique créé à Alger le 6 août 1943 et placé sous la présidence de M. René Cassin s'installa à Paris au mois d'août 1944 auprès du Gouvernement provisoire et se vit confier par l'ordonnance sur le rétablissement de la légalité républicaine toutes les attributions non contentieuses du Conseil d'Etat. Les sections administratives et l'assemblée générale ne se réunirent pas pendant près de deux mois.

Cette situation ambiguë devait se dénouer par un « retour à l'ordre des choses conforme aux traditions de la République », selon les termes mêmes de l'exposé des motifs de l'ordonnance du 17 octobre 1944 qui restituait au Conseil d'Etat ses compétences administratives. Ses compétences législatives lui furent rendues par l'ordonnance du 31 juillet 1945 qui supprima le Comité juridique. Mais en disparaissant il laissait sa marque sur le Conseil : celui-ci gardait à sa tête M. René Cassin qui, nommé vice-président le 12 novembre 1944, avait, durant cette période transitoire, établi une « union personnelle » entre les deux institutions; la plupart des nouveaux membres nommés à la place de ceux qui avaient été frappés par l'épuration provenaient du Comité juridique; un organisme nouveau — la commission permanente — était créé en son sein pour examiner en cas d'urgence les projets de loi; enfin, innovation capitale, ces projets devaient tous désormais lui être soumis pour avis.

I

LE CONSEIL D'ÉTAT SUR LES ROUTES : ANGERS, MONSÉGUR, ROYAT

Le repli sur Angers — La vie à Angers — Le retour à Paris — L'exode de juin 1940 — Six semaines en cantonnement à Monségur — L'installation et la vie à Royat — Un banquet d'auditeurs — Le retour à Paris.

LE REPLI SUR ANGERS

Une note confidentielle du vice-président datée du 21 avril 1939 fixait les modalités du départ pour Angers (1), ville de repli du Conseil d'Etat, en cas de mobilisation :

Conseil d'Etat
Le vice-président

Note pour le cas de mobilisation

Confidentiel.

Le Conseil d'Etat se repliera le deuxième jour de la mobilisation.

Les membres non mobilisables du Conseil d'Etat accompagnés des membres de leur famille habitant avec eux et, dans la mesure du possible, les femmes et enfants des membres du Conseil d'Etat mobilisables se replieront sur Angers, dans les conditions suivantes.

Un train portant le n° 50 sera formé à la gare de Vaugirard (marchandises), le deuxième jour de la mobilisation et partira à 17 h 52; il est indispensable d'arriver aux gares d'embarquement au moins une heure avant le départ du train.

Pour se rendre à la gare sus-indiquée les membres du Conseil d'Etat et leurs familles se serviront des moyens de transport qu'ils pourront trouver. Toutefois il est prévu que, sauf cas de force majeure, deux autocars de 30 places chacun partiront du Palais-Royal (Cour d'honneur du Conseil d'Etat) à 15 h 30 pour faciliter le transport des membres du Conseil d'Etat entre le Palais-Royal et la gare de Vaugirard.

---

(1) Au cours d'une conférence tenue dans le cabinet de M. Paul Reynaud, alors garde des sceaux, le choix avait été donné au Conseil d'Etat entre Tours et Angers, chef-lieu du département du Maine-et-Loire situé dans l'ouest de la France à 300 km de Paris. Le secrétaire général du Conseil préféra cette dernière ville, Tours devant être submergé par les ministères et Angers offrant de bonnes ressources de logement. Il accompagna peu après dans un voyage de reconnaissance à Angers le vice-président M. Porché, M. Fremicourt, premier président de la Cour de cassation et M. Richaud, conseiller à la même Cour. Celle-ci devait se replier également sur Angers (communication de M. Cuvelier, secrétaire général du Conseil d'Etat en 1939).

Les voyageurs ne seront admis à transporter avec eux que des bagages à main; il leur est recommandé de se munir de deux repas froids et de couvertures.

Selon les instructions de M. le garde des sceaux, dès le moment où, en raison d'une tension internationale grave et avant la mobilisation générale, le Gouvernement fait connaître par la presse ou par la radio que des trains supplémentaires sont mis à la disposition de la population parisienne, les membres du Conseil d'Etat sont autorisés et même invités, sans plus attendre, à se rendre à Angers par lesdits trains ou par les moyens de transport personnels qu'ils peuvent avoir à leur disposition.

Les billets de chemin de fer afférents au train 50 seront mis à la disposition des bénéficiaires dès que la gravité des événements l'exigera. Il en est de même pour les masques des membres du Conseil d'Etat.

Il est loisible, dès à présent, aux membres du Conseil d'Etat, de faire transporter et livrer à Angers, au Palais de Justice, au nom du Premier Président de la Cour d'appel, une valise ou malle d'effets ou objets personnels (une seule par famille), en ayant soin de mentionner sur les étiquettes la qualité de membre du Conseil d'Etat.

Alfred Porché

(Archives C.E.).

Le repli eut lieu le 3 septembre conformément aux dispositions ainsi arrêtées. Certains membres rejoignirent Angers en voiture.

Le Conseil d'Etat demeura à Angers jusqu'au 29 décembre, mais à cette date plusieurs de ses membres non mobilisés avaient déjà regagné Paris. Membres et personnel logèrent chez l'habitant ou à l'hôtel, prenant leur repas dans les restaurants ou à une « popote » organisée par le conseiller Roland Marcel. Le Conseil siégeait au premier étage du restaurant Welcome, place Saint-Martin, réquisitionné. Cet étage avait été divisé par des toiles en 2 ou 3 salles. On avait fait venir Lebon et Duvergier et on y travailla.

Un décret fut pris le 4 octobre 1939 pour assouplir pendant la durée des hostilités les conditions de fonctionnement du Conseil en raison de la mobilisation d'un nombre important de ses membres, spécialement de maîtres des requêtes et d'auditeurs (1) :

Décret du 4 octobre 1939 (Extraits).

ART. 2. — Tous les membres du Conseil d'Etat peuvent, suivant les besoins du service, être affectés à une ou plusieurs sections ou sous-sections par décision du vice-président, prise après avis du président de section, ou, en cas d'absence, du conseiller le plus ancien de chacune des sections intéressées.

Des conseillers d'Etat, maîtres des requêtes, d'une part, et auditeurs, d'autre part, peuvent être désignés par le vice-président respectivement

(1) Le nombre de membres du Conseil repliés à Angers ne dépassa pas une cinquantaine, dont la plus grande partie était des conseillers d'Etat. Les autres membres du Conseil étaient mobilisés ou en fonction dans des cabinets ministériels ou des administrations.

comme commissaires du gouvernement et commissaires adjoints et attachés à la section du contentieux et à ses sous-sections.

ART. 3. — Le nombre des membres dont la présence est nécessaire pour la validité des délibérations est réduit à treize conseillers d'Etat en service ordinaire pour l'assemblée générale et à sept membres ayant voix délibérative pour l'assemblée plénière du contentieux.

ART. 4. — Les affaires peuvent être renvoyées pour instruction devant la section du contentieux sur la demande soit du vice-président du Conseil d'Etat, soit du président de la section du contentieux. Ces affaires sont jugées par l'assemblée plénière du contentieux.

ART. 5. — L'assemblée plénière du contentieux comprend le vice-président du Conseil d'Etat, le président de la section et les présidents des sous-sections du contentieux et trois autres conseillers d'Etat en service ordinaire désignés par le vice-président du Conseil d'Etat.

ART. 6. — La section du contentieux comprend le président de la section, les présidents des sous-sections du contentieux et les conseillers faisant partie de la section tant pour l'instruction des affaires qui lui sont renvoyées conformément au paragraphe 3 ci-dessus que pour le jugement des affaires instruites par les sous-sections.

(*Duvergier, N^lle série, t. 39, p. 1202*).

Le vice-président dut s'opposer avec fermeté à des demandes de ministres qui souhaitaient en raison des circonstances que plusieurs membres du Conseil fussent placés auprès d'eux pour constituer une sorte de comité juridique de leur département. Il écrivait ainsi le 30 septembre 1939 au garde des sceaux qui lui avait transmis une demande en ce sens du ministre de la Santé Publique :

« La demande de M. le ministre de la Santé Publique me paraît se rattacher à une conception personnelle qui n'a rencontré aucun appui auprès du bureau des présidents. Celui-ci a estimé et persiste à estimer que la substitution de membres du Conseil agissant « ut singuli » aux sections compétentes, peu recommandable en soi comme pratique normale (aucun avis individuel ne valant en règle générale une délibération collective) et qui équivaudrait à une mise en sommeil de notre Corps comme assemblée administrative, ne pourrait être envisagée que s'il était établi que le Conseil se trouve hors d'état de rendre les services que le Gouvernement est en droit d'attendre de lui. Or j'affirme qu'il n'en est pas ainsi; en particulier le repliement qui a été imposé au Conseil dans une ville qu'il n'a pas choisie ne saurait être objecté, alors que, grâce à ses efforts qui n'ont d'ailleurs pas toujours été secondés comme ils eussent mérité de l'être, nous sommes parvenus à nous organiser; la régularité et la célérité de notre fonctionnement ne dépendent plus de nous mêmes, mais de la bonne volonté des administrations intéressés; si ces dernières, au lieu d'exagérer les délais, en réalité minimes, que peut entraîner notre éloignement actuel, veulent bien nous aider à les vaincre et si, d'autre part, les services apportent à la préparation des affaires une diligence suffisante (l'urgence invoquée n'étant bien souvent que la conséquence d'un retard à nous saisir), je déclare très nettement qu'aucune déficience ne pourra nous être reprochée.

En tout cas, et quelque opinion que l'on ait, il est un système qui ne saurait être admis, c'est celui qui consisterait tout à la fois à demander au Conseil d'Etat de remplir son rôle et à le priver des éléments qui lui sont indispensables. Tous les membres de notre corps en raison de la brèche très importante faite dans nos effectifs par la mobilisation, doivent se tenir prêts à toutes les fonctions sans distinction de grade, sans affectation particulière; c'est vous dire qu'ils doivent se trouver tous à ma disposition. »

(Arch. C.E.).

Le séjour à Angers fut sans histoire et empreint, semble-t-il, d'un certain ennui qui fit désirer à tous un prompt retour à Paris. Une lettre figurant aux archives du Conseil d'Etat, par laquelle le vice-président informe le garde des sceaux qu'il a « prié M. Josse, maître des requêtes, d'établir un rapport sommaire sur les principales questions en suspens.. » afin d'éclairer « les habitants et les fonctionnaires » qui se trouvent « les uns et les autres dans l'impossibilité d'apprécier nettement quels sont leurs droits et leurs obligations réciproques », pourrait donner à penser qu'il se produisit alors quelques incidents (1). Il n'en est pas en tout cas resté trace. Les archives du département du Maine-et-Loire et de la ville d'Angers et la collection de l'époque des journaux locaux ne contiennent rien qui se rapporte au séjour du Conseil (2).

L'EXODE

Le Conseil d'Etat devait revenir à Angers le 9 juin pour quelques jours seulement, dans la confusion de l'exode. Le train spécial prévu n'ayant pu être utilisé, chacun quitta Paris individuellement. Certains arrivèrent presque au moment du nouvel exode pour Bordeaux le 15 juin. D'après un état de réquisitions de logement, une trentaine de membres seulement du Conseil auraient alors séjourné à Angers.

Le voyage Angers-Bordeaux se fit par un train qui, arrivé à Bordeaux, fut dirigé sur Monségur, nouveau lieu de repli du Conseil. Il devait séjourner pendant un mois et demi dans ce chef-lieu de canton de la Gironde qui comptait 1251 habitants en 1939 et où avait été repliée à la déclaration de guerre la population de la commune de Villerupt (Meurthe et Moselle). Visitant Monségur en 1971, un ancien membre du Conseil d'Etat y a recueilli auprès de la population quelques souvenirs pittoresques sur ce séjour :

« C'est dans ce milieu hétérogène que les membres du Conseil d'Etat alors en fonctions arrivèrent en juin 1940, par train spécial, qui avait emprunté la ligne désaffectée Bordeaux-Duras-Eymet-Issigeac. Des auto-

(1) Le rapport en question traitait du règlement des indemnités de réquisition. M. Josse en avait été chargé parce qu'il avait préparé le repliement du Conseil à Angers (Communication de M. Josse).

(2) Ces indications nous ont été aimablement fournies par MM. Contamain, directeur des services d'archives du Maine-et-Loire, Sarazin archiviste de la ville d'Angers et Beauvois, du Courrier de l'Ouest.

mobilistes bénévoles montèrent personnes et bagages (la ville est située sur une hauteur dominant la vallée du Drot). Les voyageurs étaient très déprimés par la fatigue et les évènements ayant provoqué leur départ. Leur arrivée suscita une véritable panique dans la double population : « Si le Conseil d'Etat lui-même doit fuir, c'est que tout est perdu ». Néanmoins l'accueil fut bon, et le logement (par voie amiable) aisé. Le vice-président Porché fut logé au château de Beysserat, chez madame Roux-Nauton, d'autres au château Vieillard à Mesterrieux, commune des environs, ou au château de Neujon. Les dames secrétaires qui ont laissé un excellent souvenir (l'une d'elle a écrit un adieu en vers) logeaient ensemble dans une grande maison de la ville. Chacun prenait ses repas à sa guise, parfois chez l'habitant. Le conseiller Delaitre a laissé le souvenir d'un amateur des vins régionaux, tandis que le conseiller Leloup s'adonnait avec dilection à la pêche dans le Drot. Le secrétaire général Cuvelier, inspiré par le chant des loriots, composa de la musique sur leurs thèmes et offrit à sa logeuse un exemplaire dédicacé de ses « Chansons pour Hélène ». La grand-messe du dimanche était très suivie par les membres de la Haute-Assemblée, ce qui obligea le curé à soigner particulièrement ses prônes. Le départ eut lieu sans gloire dans des autobus de la R.A.T.P. qui firent le trajet jusqu'à Royat. On les vit dans l'ensemble partir avec regret. Leur souvenir demeure ».

(*Communication de M. Theis*).

La mémoire collective des habitants de Monségur a sans doute quelque peu enjolivé l'image de ces jours, qui, à travers les correspondances de l'époque conservées par les archives du Conseil d'Etat, paraissent avoir été longs et pénibles :

« En terminant, écrivait le 18 juillet le secrétaire général du Conseil à son collègue Dayras alors à Vichy où il venait d'être nommé secrétaire général au ministère de la justice, je vous dis tout notre espoir de voir le Conseil appelé à reprendre sa tâche le plus prochainement possible. L'inaction est pesante. Notre isolement est grand, les télégrammes même officiels doivent passer par Bordeaux, envoyés comme simples lettres. Les lettres mises à la poste après 17 heures ne partent que le surlendemain; le téléphone est coupé avec Bordeaux et est impraticable dans la direction de Vichy; les journaux sont ceux de la zone occupée ».

(*Arch. C.E.*).

Privé de la plus grande partie de ses archives et de ses instruments de travail, en relations précaires avec le Gouvernement, le Conseil, auquel avait été affecté pour ses réunions le greffe de la justice de paix, ne pouvait évidemment plus remplir ses fonctions. La préoccupation essentielle du vice-président et du secrétaire général fut de retrouver les membres dispersés du Conseil, de reprendre et maintenir le contact avec les autorités de l'Etat, d'assurer la vie matérielle du corps et de préparer son départ pour le nouveau siège qui lui serait fixé. Quelques questions intéressant l'organisation et la vie du corps — la nature de certaines étonne — furent cependant traitées pendant cette période : rédaction de la nouvelle formule exécutoire; création d'une nouvelle position statutaire dite « à la disposition », sorte de « congé spécial » susceptible d'être accordé pendant les cinq années précédant la retraite, avec maintien des 2/3 du traitement et possibilité de réintégration; nomination et installation malgré leur absence « en raison des circonstances » de plusieurs maîtres des requêtes et auditeurs, application de la loi excluant de la fonction publique les agents nés de parents étrangers etc. (1).

DEUX ANS A ROYAT

Le 20 juillet un télégramme de la chancellerie annonçait le prochain départ du Conseil pour Royat, ville d'eau de 5 000 h. située près de Clermont-Ferrand dans le Puy-de-Dôme à 60 km de Vichy, siège à l'époque des pouvoirs publics. Le voyage, en cars ou voitures particulières, eut lieu le 7 août. M. Léonard, maître des requêtes, attendait et accueillit ses collègues dans leur nouvelle résidence où la plupart d'entre eux allaient passer près de deux années. La majorité du personnel de bureau regagnait en même temps Paris. Il avait été décidé, en prévision sans doute d'un retour dans la capitale considéré alors comme prochain, d'y installer un échelon administratif, chargé notamment de centraliser l'instruction des dossiers de la section du contentieux.

Le 27 août 1940 le vice-président du Conseil d'Etat informait le secrétaire général du ministère de la justice que « conformément aux instructions données par le garde des sceaux, il avait appelé et regroupé à Royat tous les membres du Conseil d'Etat qui ne s'y trouvaient pas encore réunis et qui avaient gardé l'attache avec le corps, à l'exception toutefois de ceux auxquels une mission officielle a été confiée par le gouvernement ».

En fait, à cette date, une dizaine de membres se trouvant à Paris n'avaient pu gagner Royat, faute de laissez-passer et la plupart des maîtres des requêtes et auditeurs mobilisés étaient encore absents. C'est au cours du mois de septembre que le Conseil se trouva effectivement réuni à Royat. Manqueront encore dix membres prisonniers de guerre en Allemagne dont trois demeureront en captivité jusqu'à la fin des hostilités. Le corps devait perdre au cours des derniers mois de 1940, par application des lois d'exception de l'époque, dix-sept de ses membres (2).

La crise des effectifs fut cependant moins sévère que pendant la guerre 1914-1918. Alors qu'au cours de celle-ci le recrutement à la base avait été interrompu, un concours pour l'auditorat eut lieu en décembre 1940, suivi d'autres concours en juin 1941, janvier 1942 et juin 1943.

---

(1) D'après le registre des procès-verbaux des affaires administratives 1940-1944, l'assemblée générale se réunit une seule fois à Monségur le 25 juillet 1940. Séance de pure forme où furent lus plusieurs décrets de nomination et de réintégration.

(2) Trois membres du Conseil, Jacques Helbronner, président de section, Pierre Lévy, conseiller d'Etat, et Pierre Pontrémoli, maître des requêtes, ont disparu tragiquement pendant la guerre, décédés sans doute en prison ou en camp de déportation.

Le Conseil s'installa tant bien que mal dans les hôtels de Royat. Les salons et salles du rez-de-chaussée de l'hôtel Thermal servirent de salles de réunions, de travail et de secrétariat. Quelques membres du Conseil y logeaient. La plupart des autres et le personnel administratif furent répartis dans divers hôtels (Victoria, Majestic, Royat-Palace, Métropole, de la Paix) dont les chambres servaient en même temps de bureaux de travail.

Cette installation précaire était accordée au « malheur des temps » dont le vice-président rappelait à ses collègues les exigences dans une note du 2 septembre 1940 :

> « Le souci de maintenir très haut le renom du grand Corps auquel nous nous honorons d'appartenir nous impose une obligation d'ordre général : nous devons éviter avec soin qu'on ne puisse, en quelque occasion que ce soit, dire que nous nous comportons comme si nous étions venus ici passer des vacances; notre participation personnelle, par exemple, à ce qu'on appelle communément des « parties de plaisir » prêterait à de justes critiques et même notre présence dans des réunions de caractère purement mondain ne se conçoit que dans une mesure discrète. Qu'on ne voie là aucune tentative de soumettre le Conseil à une discipline conventuelle; il s'agit simplement de conformer notre vie au malheur des temps. Qu'on n'objecte pas davantage que l'oisiveté est mauvaise conseillère; n'oublions pas tout d'abord que nous continuons à recevoir un traitement d'activité; et puis n'est vraiment oisif que celui qui le veut bien; l'occasion est excellente pour ceux d'entre nous que n'accable pas le travail professionnel, d'enrichir leur esprit dans d'autres domaines ou de méditer sur tant de questions qui nous pressent ».
>
> (*Arch. C.E.*).

La vie de « club » du Conseil d'Etat devint une vie de famille dont le souvenir est resté très vivant. Les habitudes et les traditions du corps s'y maintinrent, notamment celle qui, à l'issue du concours de l'auditorat, réunissait les nouveaux auditeurs en un repas amical présidé par l'auditeur le plus ancien. Celui-ci était à la fin de 1941 Michel Debré qui, au restaurant « La Mère Moulin » à Ceyrat (1) près de Clermont-Ferrand, adressa à ses nouveaux collègues l'allocution d'usage dont sont extraits les passages suivants :

> « A vrai dire, vos anciens sont un peu honteux. Puisque la disgrâce des temps présents, par un curieux hasard, me vaut l'honneur de présider aujourd'hui à votre installation, il m'appartient de vous expliquer nos regrets.

---

(1) L'habitude prise en 1941 par les membres du Conseil d'aller jusqu'à Ceyrat est à l'origine du pseudonyme choisi par M. Alexandre Parodi, lorsqu'il fut en 1943 désigné par le Général de Gaulle comme représentant en France du Comité français de libération nationale. Au moment même où cette décision lui était notifiée, M. Parodi chercha un pseudonyme. M. Michel Debré qui était à ses côtés, évoquant le village de Ceyrat, lui proposa de choisir ce nom, au moins phonétiquement. C'est ce qui fut fait et le délégué du Général de Gaulle fut dès lors connu sous le nom de Séra (Communication de M. Michel Debré).

Il fut un temps, que nous avons connu, où chaque année, vers le milieu de la froide saison, réunissait trente à quarante auditeurs. La Pérouse, la Rôtisserie Périgourdine, Drouant, Café de Paris, Restaurant Le Doyen... nos mémoires, comme par un dernier effet des vins trop généreux que nous y bûmes, confondent en un rêve identique les salles aux lambris surchargés d'or, aux glaces éclatantes.... Imaginez alors une longue table couverte des plus beaux linges, de verres innombrables qui reflètent l'éclat des lustres de cristal; sur cette table les bouteilles poussièreuses saignent de leurs cachets déchirés; autour de cette table, des valets, des maîtres d'hôtel...

L'ordonnance du menu était d'une année à l'autre, mystérieusement semblable; on peut se demander si quelque repas de quelque lointain ancêtre, chez Véfour, chez Véry, restaurateurs fameux du siècle antérieur, ne servait pas encore, au même titre qu'un vulgaire arrêt fiscal, de précédent trop vénéré : potage vert, saumon rose, viandes rouges, foies gras aux tâches noires... nous étions à Babylone. Aujourd'hui, nous sommes à Sparte.

Messieurs les nouveaux promus, au nom de tous vos Anciens, ceux qui sont ici et ceux qui sont au loin, je vous dois quelques explications. Un auditeur écoute, un auditeur entend... mais que doit-il écouter, que doit-il entendre ?

Déjà, votre titre tout neuf a attiré de vos familles fières de votre succès des commentaires auxquels vous devez réfléchir.

Notre Conseil n'est pas de ces forêts vierges, qui à l'oreille du voyageur perdu chantent de mystérieuses et troublantes mélodies... vous entrez dans une de ces forêts semées par les rois, taillées par l'Empereur, enrichies et appauvries à la fois par la République, dont les larges allées et les chemins sagement mesurés ont été en tous sens parcourus par de bons serviteurs comme par de médiocres courtisans, par des sages et des fous, des malins et des sots. C'est dire que les voix qu'à l'orée de la forêt vous commencez déjà à entendre sont des voix bien connues, cataloguées comme les chênes, numérotées comme les rayons, épiées comme la horde des cerfs ou le vol des faisans. Ces voix sont nombreuses et les vents, qui sont changeants, les font chanter tour à tour à l'oreille de l'auditeur novice.

Une voix aimable, celle de l'insouciance, lui indique un chemin couvert d'un sable léger, qui s'enfonce sous une charmante roseraie. Elle lui explique comment, au prix de quelques dossiers, d'un respect apparent pour tous ses aînés sans exception, il est sûr de connaître la vie la plus calme et la plus agréable : grasse matinée, deux mois de vacances, une petite amie de temps en temps, un mariage bourgeois avant la quarantaine, s'il ne préfère rester vieux garçon, décoré de la Légion d'honneur à sa date et à son rang et qui sait ? un jour peut-être, une commission qui lui donnera la carte de circulation sur l'ensemble du réseau concédé. Ecartez-vous cependant de ce chemin trop facile. Une nuit, la roseraie s'évanouit pour faire place à un épais buisson, où le jour ne paraît plus. L'ancien auditeur devient un conseiller grincheux, jaloux de la jeunesse et de l'enthousiasme. Souvent ce chemin, si plaisant à l'aurore, vers la nuit tombe dans un ravin et descend très bas.

Une autre voix a déjà chanté à vos oreilles, dont le charme n'est pas moindre. L'ambition, je parle de l'ambition égoïste, aride et mesquine, a des accents impérieux. Ils vous mènent à une clairière d'où partent mille chemins, chemin du pouvoir apparent, chemin de la fortune éphémère.

A qui s'abandonne, la voix de l'ambition médiocre fait suivre le premier chemin venu, en lui parlant de gloire. S'il n'aboutit point, un second aussitôt se présente sous les pas du malheureux, puis un troisième et ainsi de suite, sans autre raison qu'une soif de vanité. Il a peur, semble-t-il, de se retrouver sans plumes, sans costume doré. Gardez-vous de ces chemins, dont beaucoup sont fangeux, et dont les autres n'ont pas d'issue.

Insouciance totale, ambitions sans scrupules, que de chansons encore emplissent notre maison. Sachez ne pas leur prêter une oreille indulgente. Faites mentir votre titre. Par votre caractère et la force de votre esprit et de votre réflexion, gardez la maîtrise de votre destin, l'indépendance de votre jugement, la pureté de votre ambition, jusqu'à vos fonctions futures de président de section.

Jeunes auditeurs, vous êtes avertis ! Maintenant, que votre avenir réponde à vos espérances ! C'est le souhait fraternel de vos anciens.

Et qu'un jour prochain, l'un de vous, à la fonction que j'exerce, à la place que j'occupe, après un repas garni de mets plus abondants, de vins plus généreux, à la fin d'un discours plus spirituel — ce qui lui ne sera pas difficile — et surtout, si Dieu le permet, plus insouciant, transmette à de plus jeunes encore, cette même parole ».

(*Archives personnelles de M. Jean Donnedieu de Vabres*).

Les conditions de travail du Conseil d'Etat étaient difficiles : il était éloigné du Gouvernement, auprès duquel il constitua en février 1942 une commission chargée de le représenter à Vichy; les dossiers contentieux faisaient la navette entre Royat et Paris et franchissaient parfois difficilement la ligne de démarcation; des conversations téléphoniques ne pouvaient être échangées qu'au cours de brèves vacations, sous la responsabilité du Secrétaire général, qui fit quelques voyages de liaison entre Royat et Paris.

Le retour du Conseil à Paris fut envisagé dès l'automne 1940 : le 30 novembre de cette année, le garde des sceaux demandait au vice-président l'état des membres et du personnel, le volume des archives à transporter etc. Un an plus tard, l'Amiral Darlan, vice-président du Conseil des ministres, proposait au garde des sceaux une solution différente :

« Mon attention, écrivait-il le 21 novembre 1941, a été appelée à maintes reprises et en dernier lieu par un certain nombre de conseillers nationaux sur les graves inconvénients qu'entraîne le maintien prolongé du Conseil d'Etat à Royat.

D'une part, la section du contentieux n'est pas à même de remplir normalement sa tâche : malgré les dispositions prises pour acheminer régulièrement un certain nombre de dossiers de Paris à Royat, le nombre des pourvois jugés mensuellement reste très inférieur à ce qu'il était en temps de paix. Le défaut de documentation suffisante nuit à l'étude des affaires. Enfin l'absence de tout contact avec les avocats au Conseil d'Etat et à la Cour de cassation est de nature à présenter des inconvénients pour la bonne marche de la justice.

D'autre part le fonctionnement du Conseil d'Etat dans l'ordre administratif et législatif souffre également d'une manière très sérieuse de la situation actuelle, du fait notamment que les administrations sont en majorité réinstallées à Paris. Même en ce qui concerne celles qui sont à Vichy, l'éloignement relatif du siège actuel du Conseil rend les contacts difficiles.

La seule solution susceptible, à mon avis, de résoudre ces difficultés consiste :

1°) à faire rentrer à Paris les membres de la section du contentieux ainsi qu'une fraction des membres des sections administratives;

2°) à transférer à Vichy le siège du Conseil d'Etat avec les éléments strictement nécessaires pour délibérer sur les projets que le Gouvernement aurait à soumettre à la Haute assemblée.

Si ces mesures reçoivent votre accord, j'estime que le transfert à Paris devrait être achevé, le 1er janvier prochain ».

(*Arch. C.E.*).

Informé de cette proposition par le garde des sceaux, le vice-président exprima son désaccord, faisant valoir les caractères particuliers de l'organisation du Conseil d'Etat :

« Le Conseil d'Etat est un organisme dont le rôle est complexe : législatif, administratif, contentieux; mais cela ne signifie pas que son activité s'exerce sur des voies parallèles et indépendantes et l'interpénétration des éléments qui l'assurent en constitue au contraire l'originalité profonde. C'est dire que notre fonctionnement utile, partie en zone libre, partie en zone occupée, ne se peut concevoir que si un aménagement du régime des laissez-passer nous donne le moyen de circuler sans incertitude et sans hiatus ».

(*Lettre du 25 novembre 1941 — Arch. C.E.*).

Décidé en janvier 1942, différé à plusieurs reprises, le retour du Conseil à Paris eut lieu à la fin du mois de juin de cette année. Il laissait derrière lui un « échelon » léger formé de deux conseillers et de trois maîtres des requêtes, assistés de deux rédacteurs, d'une sténodactylographe et d'un gardien de bureau. Cet échelon devait préparer, en liaison avec les services demeurés à Vichy, les projets de loi à soumettre à l'assemblée générale; il pouvait être consulté seul dans les affaires les plus urgentes, étant entendu que son avis n'aurait qu'un caractère officieux. En fait, il ne remplit pas cette fonction et servit uniquement de bureau d'enregistrement des pourvois formés par des requérants domiciliés en zone sud.

II

LE CONSEIL D'ÉTAT SOUS LE GOUVERNEMENT DE VICHY

L'assemblée générale du 24 août 1940 — Rétablissement de la section de législation — Les secrétaires généraux des ministères conseillers d'Etat en service extraordinaire de plein droit — La loi du 18 décembre 1940 — La prestation de serment au chef de l'Etat — La collaboration du Conseil d'Etat à l'œuvre législative reste limitée — De nombreux détachements — La continuité de l'œuvre juridictionnelle.

LES RÉFORMES DE LA LOI DU 18 DÉCEMBRE 1940

Venu présider, le 24 août 1940, l'Assemblée générale du Conseil d'Etat, le garde des sceaux, M. Raphaël Alibert, concluait ainsi l'allocution par laquelle il répondait à M. Alfred Porché, vice-président :

« Je viens, Messieurs, de dégager deux notions capitales de la philosophie politique : l'indépendance du Gouvernement statuant dans ses Conseils et le caractère véritable des actes législatifs. Je souhaite que ces idées imprègnent la législation de demain.

Mon propos serait téméraire, si les révolutions et les régimes sucessifs n'avaient point, par bonheur, maintenu auprès du pouvoir central son conseil traditionnel.

Le Conseil d'Etat n'a pas toujours été mis à même de jouer le rôle qui aurait dû être le sien, parce que les institutions politiques et juridiques étaient faussées.

Vous serez appelés désormais à rendre au pays et au gouvernement les services que vous leur devez.

Vous êtes trop fiers de vos longues traditions, trop informés de la grande œuvre des légistes pour ne pas mettre vos travaux et vos actes à la hauteur de votre mission : je vous y aiderai. Je suis prêt d'ailleurs à prendre les mesures propres à délier les entraves qui vous retiendraient encore ».

(*Procès-verbaux des affaires administratives* 1940-1944 — *Arch. C.E.*).

Ces propos faisaient écho à l'allocution que venait de prononcer le vice-président et où celui-ci, après avoir déploré le dépérissement de la fonction législative du Conseil, avait déclaré :

« J'ai le droit, puisqu'on a feint si longtemps de nous ignorer, j'ai le devoir de dire un peu notre propre louange : autant que jamais aujourd'hui, nous sommes en mesure de servir; nous saurons, si on nous le demande, apporter d'utiles suggestions à ceux qui veulent reconstruire, nous saurons les aider à choisir les matériaux, à les grouper harmonieusement, à élever ainsi des monuments dignes de notre pays et à projeter la lumière dans le dédale où elle se perd; nous saurons aussi, je l'ajoute au risque de nous voir une fois de plus traiter de maniaques de la virgule, veiller à la conservation de notre langue qui, elle du moins, constitue un élément de notre patrimoine qui ne peut nous être ravi; il n'est pas plus long d'écrire en français qu'en petit nègre, même avec la ponctuation. Et si l'on m'objectait que ce vaste travail d'architecture ne peut être que l'œuvre de demain, je répondrais que ces juristes, ces administrateurs que nous sommes sont capables ausi de se plier aux obligations de l'heure et de prendre l'allure qu'elles rendent nécessaire. Nous nous mettons donc, comme c'est notre élémentaire devoir, à la disposition du Gouvernement; mes prédécesseurs et moi-même n'avons cessé de le déclarer, au point que nous prenions la pénible apparence de gens qui s'obstinent à offrir leurs services à qui est bien résolu à s'en passer. Les temps sont-ils donc révolus ? Votre présence ici, Monsieur le garde des sceaux, nous invite, pour la première fois, à le croire; le rétablissement dans notre sein d'une section de législation nous donne déjà une indication précieuse; la désignation de secrétaires généraux de ministères en qualité de conseillers d'Etat en service extraordinaire nous est le gage d'une collaboration étroite, nous ne doutons pas que vous ne veuillez replacer notre corps dans l'Etat au rang dont il n'aurait jamais dû déchoir et donner à ses membres une situation conforme à l'importance de leur mission; nous savons, connaissant votre action et votre tenacité, que, si telle est votre volonté, vous la ferez prévaloir. En notre nom à tous, au nom surtout de ceux à qui leur jeunesse permet d'espérer qu'ils seront jusqu'au bout les témoins de l'œuvre immense de reconstitution du pays, que, sous l'impulsion de son chef respecté, le Gouvernement a entreprise, je vous dis : merci, nous sommes prêts ».

Les deux réformes dont M. Porché faisait état venaient d'être réalisées, la première par la loi du 20 août 1940 qui avait rétabli la section de législation supprimée en 1934 (1), la seconde par la loi du 15 juillet 1940 qui conférait de plein droit la qualité de conseiller d'Etat en service extraordinaire aux secrétaires généraux de ministères créés par elle. Ces réformes de détail en annonçaient une plus étendue, dont l'initiative fut prise par le garde des sceaux. Celui-ci adressait au vice-président, le 10 novembre 1940, la lettre suivante :

« Comme suite à ma lettre n° 358 du 2 novembre 1940 relative à la codification des textes législatifs et réglementaires, j'ai l'honneur de vous faire connaître qu'en ce qui concerne les textes intéressant le Conseil d'Etat, je désire que la Haute Assemblée ne se borne pas à rechercher des textes existants.

Vous voudrez donc bien faire envisager par le Conseil toutes les réformes qui lui sembleront désirables dans l'intérêt du service et de la bonne administration.

Le Gouvernement attache un intérêt particulier à ce que soient prévus et définis par de nouveaux textes :

(1) Cette loi supprimait en même temps la section du travail, de la prévoyance sociale et de la santé publique, instituée par un décret du 13 janvier 1938.

1°) les positions que peuvent occuper les membres du Conseil d'Etat. Il y aurait lieu, notamment, d'instituer une position de disponibilité pour tous les membres du Conseil d'Etat, quels que soient leur grade et la durée de leurs services.

2°) Le statut des conseillers d'Etat en service extraordinaire. Il y aurait lieu de prévoir que les conseillers d'Etat en service extraordinaire comprendraient, d'une part, les secrétaires généraux des ministères et un haut fonctionnaire représentant les ministères ne comportant pas de secrétaire général (Guerre, Marine, Aviation, Intérieur), d'autre part, vingt personnalités désignées par décret en Conseil des ministres. Ces derniers conseillers d'Etat en service extraordinaire auraient voix délibérative dans toutes les affaires portées à l'assemblée générale ».

(Arch. C.E.).

Un arrêté du vice-président du 12 novembre 1940 constitua une commission « chargée de préparer la codification des textes législatifs et réglementaires concernant le Conseil d'Etat et de proposer toutes réformes qui sembleraient désirables dans l'intérêt du service et de la bonne administration ». La commission comprenait les membres du bureau et cinq conseillers. L'un de ceux-ci, M. Duléry, était rapporteur et M. Letourneur, auditeur de première classe, rapporteur-adjoint.

La commission élabora un projet de loi et un projet de règlement. Le premier fut examiné par l'assemblée générale dans ses séances du 12 et du 13 décembre 1940, le second le 20 décembre suivant (1).

Ils devinrent la loi du 18 décembre 1940 et son règlement d'application. Ces deux textes réalisaient, notamment pour le contentieux, une œuvre importante de codification en abrogeant, en tout ou en partie, une cinquantaine de textes antérieurs de loi ou de règlement, et notamment, hors son titre IV, la loi du 24 mai 1872. Ils ne bouleversaient pas les règles traditionnelles d'organisation et de fonctionnement du Conseil. Des réformes importantes intervenaient cependant sur trois points : les attributions du Conseil; le service extraordinaire; le statut des membres.

En ce qui concerne les attributions, il s'agissait surtout, à vrai dire, d'une manifestation d'intention en référence à une future constitution que l'on croyait alors prochaine et qui ne vit jamais le jour :

ART. 19. — Le Conseil d'Etat participe à la confection des lois, dans les conditions fixées par la Constitution. Il prépare et rédige les textes qui lui sont demandés, et donne son avis sur les projets établis par le gouvernement.

ART. 21. — Le Conseil d'Etat peut, de sa propre initiative, appeler l'attention des pouvoirs publics sur les réformes d'ordre législatif ou réglementaire qui lui paraissent conformes à l'intérêt général.

---

(1) Il n'a pas été établi, faute, semble-t-il, de moyens matériels, de compte rendu des débats d'assemblée générale de fin mai 1940 au début de 1945. Les indications qui suivent concernant l'élaboration de la loi du 18 décembre 1940 proviennent pour l'essentiel d'une communication de M. Letourneur.

Le service extraordinaire était renforcé dans son effectif, porté à 40 conseillers et modifié dans sa composition :

> ART. 6. — Ont le titre de conseiller d'Etat en service extraordinaire :
> 1°) De plein droit et tant que durent leurs fonctions, les secrétaires généraux des ministères et secrétariats d'Etat;
> 2°) En vertu de leur nomination par décret pris en conseil des ministres :
> a) pour la durée de ses fonctions, un haut fonctionnaire de chaque ministère ou secrétariat d'Etat qui ne serait pas représenté au Conseil par un secrétaire général;
> b) pour la période fixée par le décret de nomination, des personnalités qualifiées dans les différents domaines de l'activité nationale.
> (*Duvergier, N^lle^ série, t. 40-I, p. 266*).

Les garanties statutaires des maîtres des requêtes et des auditeurs étaient affaiblies : ils seront désormais nommés et révoqués par des arrêtés ministériels et non plus par décret. Mais, sur un point essentiel — qui fit l'objet entre la Chancellerie et le Conseil d'Etat de tractations longues et délicates, où le conseiller Duléry, issu du même concours de l'auditorat que le garde des sceaux et désigné pour cette raison comme rapporteur par le président Porché, joua un rôle important — le projet élaboré par la commission et qui devint la loi du 18 décembre 1940 ne répondit pas aux intentions initiales du ministre. Celui-ci désirait la création d'une position de disponibilité où les membres du Conseil auraient pu être placés d'office. La loi créa bien une position de disponibilité, mais où l'on ne pouvait être placé que pour raison de santé ou pour convenances personnelles.

La loi du 18 décembre 1940, modifiée par des lois ultérieures, notamment celle du 17 juin 1942, demeura jusqu'en 1945 la charte du Conseil. Charte d'ailleurs incomplètement appliquée : il ne fut pas nommé de conseiller en service extraordinaire au titre de personnalité qualifiée dans les différents domaines de l'activité nationale; le nombre des conseillers en service extraordinaire varia donc comme celui des secrétaires généraux des ministères, mais ne dépassa jamais 28; l'équilibre entre les deux catégories de conseillers ne fut pas compromis en fait et il le fut d'autant moins que les conseillers en service extraordinaire prirent rarement séance au Conseil; l'assemblée générale ne pouvait d'ailleurs valablement délibérer que si un nombre minimum de conseillers en service ordinaire — 16 d'abord, puis 24 à partir de 1942 — était présent.

LA PRESTATION DE SERMENT AU CHEF DE L'ÉTAT

L'acte constitutionnel n° 7 du 27 janvier 1941 prévoyait que les fonctionnaires devaient prêter au chef de l'Etat un serment de fidélité dont les formules, différentes selon les personnes en cause, furent fixées par le décret du 14 août 1941.

La prestation de serment des membres du Conseil d'Etat eut lieu à Royat, dans les salons de l'hôtel Majestic, en présence du Maréchal Pétain, le 19 août 1941. La cérémonie est ainsi relatée dans le registre des procès-verbaux des affaires administratives :

> « M. le Garde des Sceaux, Ministre Secrétaire d'Etat à la Justice, invite M. le Vice-Président du Conseil d'Etat et MM. les Membres du Conseil d'Etat à prêter le serment institué par l'acte constitutionnel n° 7 du 27 janvier 1941 et dont les formules ont été fixées par le décret du 14 août 1941.
>
> M. Alfred Porché, vice-président du Conseil d'Etat, prête au Chef de l'Etat le serment de fidélité en les termes suivants : « Je jure fidélité à votre personne et je m'engage à exercer ma charge pour le bien de l'Etat, selon les lois de l'honneur et de la probité ».
>
> M. le Chef de l'Etat serre la main de M. le vice-président du Conseil d'Etat en disant : « Je vous remercie ».
>
> MM. les Présidents de section Riboulet, Fochier, Ripert, Rouchon-Mazerat et Reclus prononcent successivement la formule du serment à la personne du Chef de l'Etat.
>
> M. André Cuvelier, maître des requêtes, secrétaire général du Conseil d'Etat, s'avance devant le Maréchal Pétain et lit la formule du serment suivante : « Je jure fidélité à la personne du Chef de l'Etat et je m'engage à exercer ma charge pour le bien de l'Etat, selon les lois de l'honneur et de la probité ».
>
> M. le garde des Sceaux, MM. les conseillers d'Etat, le secrétaire général, les maîtres des requêtes et auditeurs présents à la séance, debout, lèvent la main droite et prononcent les mots : « Je le jure ».

Les membres du Conseil qui n'étaient pas présents à la séance du 19 août 1941 prêtèrent serment individuellement à la plus prochaine séance à laquelle ils se trouvèrent assister (1).

La prestation de serment du 19 août 1941 avait été précédée de deux allocutions dans lesquelles, rattachant l'avenir au passé, le garde des sceaux Joseph Barthélémy, le premier, le Maréchal Pétain, ensuite définirent le rôle que le régime nouveau assignait au Conseil d'Etat. Le garde des sceaux déclara notamment :

> « Monsieur le Maréchal,
>
> Voici une grande journée et qui marquera dans l'histoire du Conseil d'Etat...
>
> Si l'exil n'avait pas condamné la cérémonie, qui reste grandiose, d'aujourd'hui à se dérouler dans ce cadre trop modestement thermal; si les circonstances nous avaient permis de vous accueillir dans cette capitale unique, que, au cours de votre dernière allocution, Monsieur le Maréchal,

---

(1) L'un des membres absents à la séance du 19 août 1941, le conseiller Blondeau, s'était volontairement abstenu de siéger; il n'admettait pas le principe même d'un serment prêté à la personne du chef de l'Etat. Après avoir demandé certaines assurances quant à la nature exacte du serment institué par l'acte constitutionnel n° 7, il prêta serment à la séance du 20 novembre 1941.

vous avez désignée comme le siège normal, nécessaire, indispensable des pouvoirs publics, nous vous aurions prié de vous asseoir sur le fauteuil (1), d'ailleurs sans beauté, qu'occupait Bonaparte lorsqu'il venait chez nous et que nous gardons comme un émouvant souvenir de ce chef d'Etat qui aimait à répéter qu'il se sentait solidaire de tous ceux qui, à travers les siècles, avaient apporté leur pierre à la construction de la grandeur française.

Mais au moins autant que l'honneur que nous apporte votre présence, nous apprécions la haute signification que nous nous permettons de lui attribuer au sujet de vos intentions sur le régime que vous entendez fonder et aussi sur le rôle que nous souhaiterions que vous nous y réserviez.

C'est ici, par excellence, la maison du droit...

Nous ne sommes pas des juristes étriqués, conduits par une aveugle logique, porteurs d'œillères. Cette maison a de nombreuses fenêtres sur les réalités et on s'y applique à les tenir toujours largements ouvertes. La jeunesse y pénètre, la tête haute, par la porte étroite du plus difficile des grands concours. Elle se perfectionne dans la pratique d'austères disciplines et au bout de quelques années des occasions lui sont offertes de recevoir la dure leçon des faits. D'autre part, des administrateurs, des préfets, des gouverneurs de territoires d'outre-mer, des officiers aspirent à l'honneur que d'aucuns trouvent trop rare, d'apporter ici les connaissances des réalités acquises dans les grands emplois. Vous pouvez trouver ici, Monsieur le Maréchal, l'harmonieuse combinaison de l'ardeur de la jeunesse avec l'expérience de l'âge mûr, l'équilibre de la science et de l'expérience...

Nous avons le respect des formes, nous n'en avons pas la superstition. Nous savons que le salut de l'Etat peut exiger le sacrifice des formes. Nous l'avons dit, au cours de la guerre de 1914, dans un arrêt qui est célèbre dans notre petit monde de juristes. Mais nous ne croyons pas que ce soit un mérite particulier de violer les formes quand ce viol est parfaitement inutile, pour le luxe, pour le plaisir, pas plus que ce n'est un mérite en soi de juger sans étudier et de condamner sans entendre. Nous croyons que, d'une façon générale, les lois méritent d'être méditées pour être bien faites et que quelques lois mûries valent mieux qu'un foisonnement de textes improvisés. Tacite disait, il y a deux mille ans : Plurimae leges, messima respublica. Nous savons enfin qu'il y a des périodes où les lois se confondent avec l'action et doivent répondre sur le champ à l'explosion imprévue des besoins.

Quand les temps permettront de construire l'avenir dans la réflexion, le Conseil sera heureux de servir en reprenant ce rôle de « flambeau des lois » pour lequel il a été fait et que le régime parlementaire, par l'envahissement des assemblées et de leurs commissions, avait rejeté dans l'ombre.

Comme tous ceux qui ont le souci sincère du bien de l'Etat au-dessus des passions, des ressentiments ou des intérêts égoïstes, le Conseil pense que le salut de la France réclame un régime d'autorité. Mais il croit que, la tempête une fois apaisée, un régime d'autorité n'est solide, valide et sain que dans le règne de la loi... ».

(Registre des P.v. des affaires administratives 1940-1944 Arch. C.E.).

---

(1) Ce fauteuil se trouve actuellement dans le bureau du secrétaire général du Conseil d'Etat.

Le Maréchal Pétain répondit :

« Messieurs, j'ai tenu à venir parmi vous dès que la lourde charge des affaires de l'Etat m'en a laissé la possibilité. Mon désir de vous connaître et de prendre contact avec vous était bien naturel, puisque vous êtes mes conseillers. Vous avez, à ce titre, mission de m'assister dans l'élaboration des projets de loi, dans la rédaction des règlements, dans la décision sur toutes les matières où je juge opportun de vous consulter. Le Conseil tiendra une grande place dans le régime que je veux instituer; plus le chef en effet, se sent seul à la tête de l'Etat, plus est haute sa situation, plus il éprouve le besoin de s'entourer de conseils.

Il est entendu que le chef doit être libre dans sa décision, mais lorsqu'il a fait connaître ses intentions, il vous appartient de lui apporter les suggestions que vous croyez utiles, de l'aider à choisir les matériaux, à les assembler harmonieusement, à jeter la lumière sur l'ensemble.

Ma venue a aussi pour motif de recevoir votre serment...

Il faut se prononcer. On est avec moi ou contre moi. Et cette pensée est surtout vraie pour les serviteurs de l'Etat et d'abord de vous qui êtes les premiers. Telle est la portée du serment que je suis venu entendre...

Je maintiendrai l'ordre matériel, mais cette œuvre ne suffit pas à satisfaire mes plus hautes et mes plus chères ambitions. Il me faut le concours cordial du pays. J'espère l'obtenir. Je veux rétablir la prospérité matérielle et j'y parviendrai dès que l'horizon international se sera éclairci...

Mais la réforme matérielle ne me satisfait pas. Je veux par surcroît la réforme morale, je veux assurer à mes compatriotes le réconfort des certitudes éternelles, la vertu, dont j'ose dire le nom démodé, la Patrie, la discipline, la famille et ses mœurs, la fierté, le droit et le devoir du travail...

Après la paix, le premier besoin des peuples est l'ordre, l'ordre dans les choses, les institutions, dans la rue, dans les esprits. Sans ordre, pas de prospérité, pas de liberté. La grandeur de votre mission vient de ce que vous êtes l'organe de la régularité dans l'administration et dans la gestion des services publics. Tout porte donc à croire que dans la France de demain le Conseil d'Etat, animé de l'esprit nouveau du régime, saura jouer son rôle ».

Moins de deux mois auparavant, présidant l'assemblée générale, M. Joseph Barthélémy avait défini de manière plus précise le concours attendu par le gouvernement du Conseil d'Etat en matière législative, à la suite de l'intervention de la loi du 18 décembre 1940 :

« Je n'ai jamais hésité, sous le régime précédent, à déclarer qu'on avait tort de se servir si peu de vous comme instrument naturel de l'initiative législative, et, pour parler un langage à la Siéyès, comme atelier d'élaboration des lois. Les autorités les plus hautes ont accusé de cette négligence la jalousie des commissions parlementaires. Et je ne sais jusqu'à quel point cette observation est justifiée, puisque tant de trains de décrets-lois sont partis sans que vous ayez donné le coup de sifflet; c'est une constatation qu'il convient de faire publiquement et de répéter, si vous tenez à votre réputation de loyaux fabricants de textes. Quoiqu'il en soit, la concurrence des commissions parlementaires ne vous paralysera plus; et comme nous ne cessons de proclamer la nécessité de l'appel aux compétences, votre

mission est ,selon toutes les apparences, appelée à grandir de ces côtés.
Permettez ici que j'exprime ma pensée en pleine clarté.

Vous incombe d'abord un travail de technique, et, si je ne craignais de minimiser (comme on dit dans le jargon d'aujourd'hui), une œuvre de rédaction. Ce n'est pas rien. Vous vous attendez certainement, puisque c'est devenu une banalité, à ce que je vous répète que Stendhal lisait chaque jour quelques articles du Code Civil pour s'y faire un style. Tempi passati. Ce n'est certes pas dans les lois de ces derniers lustres que les écrivains juristes iront chercher des modèles de style dénudé, précis, concis, disant, avec le moins de mots possible, le plus de choses possible et avec une absolue clarté. Si vous y tenez, je me frapperai moi-même la poitrine, ici, publiquement, devant vous. Votre rôle est évidemment de chasser ces obscurités fertiles en litiges qui naissent de l'imperfection de la formule, laquelle n'est trop souvent que la fille naturelle de l'indécision de la pensée.

Mais vous ne permettriez pas qu'on réduisît votre rôle à celui de traducteur, de filtre, d'épurateur, de clarificateur de la pensée des autres. Vous êtes des hommes, vous avez des opinions, vous avez des expériences, vous avez des impressions, des réflexions et des pensées. Votre devoir est de les mettre au service de l'Etat. Votre abstention ne serait certes pas excusée par cette considération que vous vous trouvez en présence d'un projet du Gouvernement et que vous n'avez pas à apprécier sa pensée. D'abord, il arrive souvent qu'il attend cette appréciation et en exprime nettement le désir. Si, comme cela pourra arriver, une mesure projetée vous apparaissait néfaste en ses conséquences, vous n'avez certainement pas épuisé votre mission en déplaçant des virgules et en faisant régner l'accord des participes. Certes, vous avez le tact assez délié pour sentir que certains problèmes dépassent la technicité et sont essentiellement de compétence gouvernementale. Ce n'est pas vous qui aurez à examiner s'il y a lieu ou non de conserver le mot de « République », si ce mot est toujours le « mot sacré », comme disait Camille Pelletan en 1875. Ce n'est pas vous davantage qui aurez à décider comment le Gouvernement s'articulera sur le pays et quelles courroies de transmission seront établies.

La liberté du Gouvernement dans ses initiatives et dans ses décisions doit demeurer entière. Il vous reste le devoir de conseil, sur le fond et sur la forme. Votre avis est dans le dossier du gouvernement, et non dans le dossier du public. C'est dans ces conditions de discrétion et aussi de sécurité que vous avez à « montrer au prince la vérité toute entière », comme disait Locré il y a plus de 130 ans. »

(Arch. C.E.).

UNE COLLABORATION LIMITÉE A L'ŒUVRE LÉGISLATIVE

Plus de cent cinquante projets de loi furent soumis au Conseil d'Etat de 1940 à 1944. Parmi eux figuraient des projets importants relatifs au régime de la nationalité, aux ordres professionnels, au statut de la fonction publique, au droit de la famille, à l'urbanisme, à l'expropriation etc. La loi du 18 décembre 1940 ne resta donc pas lettre morte.

Elle ne reçut cependant pas la large application que ses auteurs et le Conseil d'Etat avaient sans doute voulue et espérée. « Si les vœux de celui qui a l'honneur immense de porter chez vous le titre de président sont réalisés, déclarait, le 30 juin 1941, le garde des sceaux, aucune fondation ne sera bâtie, aucune colonne ne sera dressée, aucune pierre d'angle ne sera posée sans que vous soyez appelés à faire connaître votre avis ». Il n'en fut pas ainsi. C'est à peine le dixième des lois promulguées pendant cette période qui furent soumises à l'examen du Conseil d'Etat. Il n'eut pas à connaître notamment des actes constitutionnels et de la plupart des lois d'exception.

Toutefois, au début de 1941, le vice-président fut invité par le Gouvernement, à établir, sur des bases déterminées, un projet de constitution. M. Porché constitua une commission restreinte qui travailla de façon très discrète. Un texte fut établi et remis au Gouvernement. Il n'eut pas de suite. Il n'en est resté aucune trace dans les archives du Conseil (1).

Les projets de caractère courant ne lui furent même pas tous soumis, comme le relevait le vice-président en donnant un avis défavorable à la demande du ministre secrétaire d'Etat à la guerre de voir son département représenté au Conseil d'Etat par trois conseillers en service extraordinaire :

> « J'ajoute, à titre d'information, que le ministère de la guerre qui depuis l'armistice a été l'un de ceux qui ont préparé le plus de textes de toute nature, n'a en fait saisi le Conseil d'Etat d'aucun projet de loi et qu'il lui a envoyé, en tout et pour tout, deux projets de règlement d'administration publique (d'ailleurs ajournés pour étude complémentaire), deux demandes d'avis et huit affaires individuelles sans importance (trois concernant le statut des juifs, un l'accès aux fonctions publiques, et quatre remises de débet). »
>
> *(Lettre au Garde des Sceaux du 17 mars 1941. Arch. C.E.).*

La réticence des ministères à consulter le Conseil d'Etat se manifestait donc également en ce qui concerne les projets de textes réglementaires et de décisions individuelles pour lesquels son avis n'était pas obligatoire (2). Il était encore moins fait appel à lui, semble-t-il, pour « préparer et rédiger » des textes, comme le prévoyait l'article 19 de la loi du 18 décembre 1940. Une lettre du garde des sceaux aux ministres et secrétaires d'Etat avait cependant appelé en 1941 l'attention de ceux-ci sur les innovations de la loi à cet égard :

> « Les circonstances actuelles s'accompagnent, dans tous les domaines, de profondes transformations qui se traduisent par une œuvre législative

---

(1) Selon le Professeur Laferrière (Manuel de droit constitutionnel. Paris 1947, p. 855), ce projet aurait été l'objet de modifications, et un texte définitif établi en 1943. Les trois exemplaires, revêtus de la signature du Maréchal Pétain, auraient été déposés entre les mains du vice-président du Conseil d'Etat, du premier président de la Cour de Cassation et du notaire du Maréchal.

(2) Ainsi la section de l'agriculture du 1er octobre 1941 au 30 septembre 1942 enregistra 75 affaires et en examina 181, chiffres fort peu élevés.

abondante où le travail de mise au point et de coordination s'avère aussi difficile que nécessaire, c'est ce travail que la loi du 18 décembre a entendu confier au Conseil d'Etat.

Il est donc indispensable, pour répondre au vœu de la loi que tous les textes de loi ou de décret qui ne présentent pas un caractère d'urgence exceptionnelle et qui ont trait à des réformes d'une certaine importance ou sont susceptibles de mettre en jeu des principes juridiques d'un caractère nouveau fassent l'objet d'un examen de la part du Conseil d'Etat, soit que le projet ait été préparé par le Gouvernement, soit que la Haute Assemblée l'établisse elle-même d'après les indications générales qui lui seront données par les départements intéressés. Tel est, au surplus, le seul moyen qui puisse permettre au Conseil d'Etat de suivre l'ensemble de l'œuvre législative du Gouvernement et d'être à même d'exercer efficacement le rôle d'initiative que lui a confié l'article 21 de la loi du 18 décembre 1940 ».

(Lettre non datée de 1941. Arch. C.E.).

A deux reprises au moins, le chef du Gouvernement devait répéter ces recommandations. Rappelant le 17 novembre 1943 une circulaire antérieure, il écrivait aux ministres et secrétaires d'Etat :

« Par ma circulaire n° 4748 (S.G. du 20 août 1943), je vous ai recommandé de recourir largement au Conseil d'Etat pour la préparation des textes législatifs et réglementaires et tout particulièrement de ceux qui ont trait à des réformes d'importance ou ceux susceptibles de mettre en jeu des principes juridiques nouveaux.

Bien que la Haute Assemblée soit actuellement à même d'examiner dans les plus brefs délais les projets qui lui sont transmis, ces prescriptions de ma circulaire précitée n'ont reçu application que dans des cas beaucoup trop rares. Il en est résulté que des lois et décrets importants ont été soumis à ma signature dans un état de préparation insuffisante et que, très peu de temps après la publication de certains textes, il a été demandé à mes services de faire insérer au Journal officiel des rectificatifs qui tendaient en réalité à opérer de véritables modifications sur des dispositions à peine entrées en vigueur.

Je crois utile, dans ces conditions, de vous faire connaître que j'enverrai directement au Conseil d'Etat, parmi les textes soumis à ma signature, ceux qui me paraîtraient requérir l'examen de la Haute Assemblée. »

(Arch. C.E.).

Recevant, le 21 octobre 1943, le nouveau ministre de la justice, M. Maurice Gabolde, M. Alfred Porché ne lui dissimulait pas, en même temps que sa déception de voir les gardes des sceaux venir si rarement présider le Conseil d'Etat, les difficultés de la collaboration de celui-ci avec les pouvoirs publics (1) :

---

(1) Le président Porché était très attaché aux institutions de la 3e république et manifesta à plusieurs reprises, notamment dans ses allocutions, une réserve certaine à l'égard du régime de Vichy. Il ne souhaitait certainement pas voir le Conseil d'Etat s'engager de manière trop active dans le sens de la Révolution nationale. Cette attitude explique sans doute pour une part le relatif effacement du Conseil d'Etat en tant qu'institution pendant cette période.

« Monsieur le Garde des Sceaux,

Votre présence à ce fauteuil nous donne une fois encore, par son caractère exceptionnel, le regret que le titre de président du Conseil d'Etat, qui fut un temps la plus belle parure de votre charge, soit aujourd'hui, ou peu s'en faut, un titre nu. Plus généralement, les ministres et secrétaires d'Etat, qui, notre loi organique le rappelle, ont place à notre assemblée, n'ont pas appris ou ont oublié le chemin du Palais-Royal.

Lorsqu'on cherchait l'explication de ce phénomène, on se tenait pour satisfait naguère en constatant que le Conseil ne possédait plus en fait que des attributions législatives fort réduites et que celles qui lui avaient autrefois appartenu étaient monopolisées avec une attentive jalousie par des commissions parlementaires, qui, elles, n'attendaient pas le bon vouloir des membres du Gouvernement, mais ne se faisaient pas faute de les convoquer impérieusement à toute occasion, parfois même, disait-on, hors de propos. Hélas ! les commissions ont disparu, le Conseil s'est vu restituer, en théorie du moins, un rôle important dans la préparation des lois; or, depuis trois ans, l'exemple est unique d'un secrétaire d'Etat venu parmi nous pour prendre part à la discussion d'un projet de loi intéressant son Département.

Il n'est pas jusqu'aux secrétaires généraux qui, bien que le législateur les ait faits conseillers d'Etat en service extraordinaire, ne nous soient, sauf quelques exceptions, à peu près inconnus; certains même, tout en mettant volontiers leur nouveau titre en vedette, n'ont pas seulement pris la peine de se faire installer. Et ce n'est en somme le plus souvent que sur un ordre reçu d'en haut qu'on se résigne à ne pas nous ignorer tout à fait.

D'où vient donc, l'ancienne explication ne valant plus, cette résistance à nous saisir et à collaborer ? Passons sur le prétexte trop commode de l'urgence, on en a tant usé et abusé qu'il n'éveille aujourd'hui qu'un sourire; passons aussi sur la vieille légende des retards qu'entraînerait notre intervention; on commence, semble-t-il, à admettre que la rengaine a fait son temps et qu'on ne saurait la reprendre de bonne foi. Pure négligence alors, ou manque d'habitude ? Ce n'est pas impossible en certains cas; mais à l'ordinaire, bien plutôt prétention arrêtée que chacun (et quand je dis « chacun » je vise évidemment moins les secrétaires d'Etat eux-mêmes que leurs chefs de services), prétention que chacun est apte, quelle que soit sa formation et sa culture, mieux encore s'il est très jeune, à mettre debout, seul et dans le moindre délai, un texte législatif ou règlementaire et que ce n'est pas après tout plus malaisé que de rédiger une circulaire ou une lettre quelconque. Le résultat, le Journal officiel nous en est témoin chaque jour : monuments informes, obscurs, incomplets, triomphe de l'erratum et du rectificatif. C'est que, à la différence d'autres œuvres d'art, dont le premier mérite est l'originalité et qui ne s'accommodent qu'exceptionnellement d'une collaboration, une loi ou un règlement, jusque dans la forme, où la propriété des termes a tant de prix, ne peut être que l'aboutissement de délibérations mûries, que, si l'on délibère à la rigueur avec soi-même, on délibère beaucoup mieux à plusieurs, et qu'un homme seul, si éminent soit-il, ne vaut jamais à cet égard une réunion de quelques hommes bien choisis, fussent-ils individuellement moins remarquables que lui. »

(Arch. C.E.).

Le Conseil d'Etat apportait, il est vrai, son concours au Gouvernement sous une autre forme : l'exercice par ses membres de fonctions à l'extérieur du corps. Une trentaine de membres du Conseil furent placés hors cadres pendant cette période pour occuper des postes très variés : secrétariats généraux de ministère (secrétariats d'Etat à la Justice, à la Marine et aux Colonies), préfectures (Haute-Garonne, Alpes-Maritimes, Hérault, Ille-et-Vilaine), directions de ministère, commissariat au Tourisme, inspections générales, etc. Plus nombreux encore furent ceux qui, tout en restant dans les cadres, remplirent des fonctions à temps partiel ou complet dans les cabinets ou les services ministériels. De caractère tantôt politique, tantôt administratif, tantôt politico-administratif, l'exercice de certaines de ces fonctions ne fut pas sans soulever des problèmes immédiats ou à terme. A terme, il devait poser le problème de l'« épuration »; dans l'immédiat, il privait le corps d'un certain nombre de ses membres dont le départ, bien que temporaire, fut mal accepté ou regretté par le bureau et son Président. Les archives du Conseil renferment de nombreuses correspondances où ils expriment leur opposition à des détachements demandés par le Gouvernement. Le vice-président exprimait publiquement son souci à cet égard en déclarant le 30 juin 1941 au garde des sceaux :

> « Un péril... nous menace, appauvris que nous sommes par l'absence de nos chers prisonniers, avec un auditorat réduit de plus de moitié et qu'il nous est interdit de rétablir à son effectif normal (1), les prélèvements répétés qui s'opèrent dans nos rangs parmi les meilleurs et sans que nous percevions toujours avec netteté que l'intérêt général commande nos sacrifices, nous conduiraient fatalement, s'il n'y était mis une limite, à une sorte d'anémie (2). »

LA CONTINUITÉ DE L'ŒUVRE JURIDICTIONNELLE

L'activité de la section du contentieux fut affectée d'une double manière par les évènements de guerre. Le nombre des affaires entrées et des affaires jugées diminua de façon très sensible. Trois cents décisions seulement furent rendues en 1940, dont la plupart au cours du premier semestre; aucune affaire ne fut jugée entre le 7 juin et le 8 novembre de cette année. Leur nombre demeura inférieur à 400 en 1941 et 1942 pour remonter à un peu plus d'un millier au cours des

(1) Un texte avait mis en réserve un certain nombre de places d'auditeurs pour les mobilisés et les prisonniers auxquels furent ouverts en 1945 et 1946 des concours spéciaux.

(2) Le vice-président écrivait le 25 novembre 1941 au garde des sceaux : « Si depuis le moment où nous avons pu recevoir des dossiers, nous n'avons pas repris une marche normale, cela provient du maintien de certains de nos collègues en captivité (6), de l'impossibilité de pourvoir aux vacances réservées aux blessés et prisonniers (14), du prélèvement opéré dans nos rangs avec l'indication souvent répétée et difficilement contestable que l'accomplissement de telles missions était dans les circonstances actuelles plus urgent et plus utile que le jugement d'affaires contentieuses (24 dont 7 commissaires du Gouvernement), au total 44 unités, soit plus de 50 % de l'effectif total des maîtres des requêtes et auditeurs ». (*Arch. C. E.*).

M. Galmot, maître des requêtes, commissaire du gouvernement, donne ses conclusions devant une formation de jugement de la section du contentieux présidée par M. Odent.

deux années suivantes. L'heure n'était évidemment pas au contentieux et la suspension générale des délais de procédure raréfiait encore les pourvois. D'autre part, l'instruction et le jugement des affaires furent compliquées par les circonstances de la guerre : le Conseil résida près de deux ans loin de son siège, dont il était séparé par la ligne de démarcation des zones occupée et non-occupée; les requêtes étaient enregistrées soit à Paris, soit à Royat selon le domicile du plaideur; les avocats aux Conseils étaient restés à Paris près de la Cour de cassation réinstallée dans la capitale dès l'été 1940; les dossiers, comme les renseignements concernant la procédure, devaient cheminer dans des conditions souvent précaires. Deux correspondances échangées entre Paris et Royat illustrent bien ces difficultés :

Royat, le 5 novembre 1940

Le Maître des requêtes
Secrétaire général du Conseil d'Etat à
Monsieur le Chef du service
du Secrétariat général du Conseil d'Etat à Paris

1) Veuillez me faire savoir où en est l'instruction des affaires suivantes :
— Seva (affaire d'assistance judiciaire). Pièces d'indigence envoyées en mai sont-elles parvenues ?
— Craignic (Me Bosviel)...
— Lauze (pas d'autre indication)...
2) Prière d'envoyer à Royat les dossiers suivants : ...
4) Le Conseil est-il saisi des affaires suivantes :
— Besson, planteur c/Conseil du contentieux de la Côte d'Ivoire du 13 juillet 39.

Paris, le 29 novembre 1941,

Le Secrétaire de section
chargé du service du secrétariat général du Conseil d'Etat
à Monsieur le Président du Conseil d'Etat
à Royat

J'ai l'honneur de vous adresser sous ce pli un dossier composé :
1) de 29 lettres de notification des décisions du bureau d'assistance judiciaire;
2) des exemplaires des décisions dactylographiées des séances des 14-17 mai 1941, 19 mars - 14 mai, 1er août - 25 septembre (6e ss/son);
3) d'une lettre du secrétaire du contentieux pour la dame Vve Combal;
4) du numéro octobre 1941, revue des impôts.

(Arch. C.E.).

Il n'y eut cependant pas — sauf durant cinq mois de l'année 1940 où se trouvaient d'ailleurs comprises les vacances judiciaires traditionnelles — interruption de l'activité contentieuse. La justice administrative continua d'être rendue dans les formes habituelles, comme en témoignent les tomes 110 à 114 du recueil des arrêts du Conseil d'Etat des années 1940 à 1944.

On relève en ces années peu d'innovations jurisprudentielles. Les arrêts les plus marquants furent rendus dans des litiges concernant des organismes nouveaux : les comités d'organisation professionnelle et les ordres professionnels groupant les membres de certaines professions libérales, médecins, architectes, etc. Le Conseil d'Etat affirma la compétence de la juridiction administrative pour connaître de ces litiges, en faisant appel à la notion de service public qui se trouvait ainsi étendue et précisée.

L'arrêt relatif aux comités d'organisation professionnelle est l'arrêt d'assemblée « Sieur Monpeurt, verreries et cristalleries d'Alfortville » du 31 juillet 1942 :

> « Considérant que la requête ... tend à l'annulation d'une décision du 10 juin 1941 par laquelle le secrétaire d'Etat à la production industrielle a rejeté le recours formé par le sieur Monpeurt contre une décision du Comité d'organisation des industries du verre... déterminant les entreprises autorisées à fabriquer les tubes en verre neutre ou ordinaire pour ampoules et leur imposant de livrer à une usine, dont la demande de mise à feu du four n'avait pas été admise, une tonnage mensuel de verre à titre de compensation;
>
> Considérant qu'en raison des circonstances qui nécessitaient impérieusement l'intervention de la puissance publique dans le domaine économique, la loi du 16 août 1940 a aménagé une organisation provisoire de la production industrielle afin d'assurer la meilleure utilisation possible des ressources réduites existantes, préalablement recouvrées, tant au point de vue du rendement que de la qualité et du coût des produits, et d'améliorer l'emploi de la main-d'œuvre dans l'intérêt commun des entreprises et des salariés; qu'il résulte de l'ensemble de ses dispositions que ladite loi a entendu instituer à cet effet un service public; que, pour gérer le service en attendant que l'organisation professionnelle ait reçu sa forme définitive, elle a prévu la création de comités auxquels elle a confié, sous l'autorité du secrétaire d'Etat, le pouvoir d'arrêter les programmes de production et de fabrication, de fixer les règles à imposer aux entreprises en ce qui concerne les conditions générales de leur activité, de proposer aux autorités compétentes le prix des produits et services; qu'ainsi les comités d'organisation, bien que le législateur n'en ait pas fait des établissement publics, sont chargés de participer à l'exécution d'un service public, et que les décisions qu'ils sont appelés à prendre dans la sphère de ces attributions, soit par voie de règlements, soit par des dispositions d'ordre individuel, constituent des actes administratifs; que le Conseil d'Etat est, dès lors, compétent pour connaître des recours auxquels ces actes peuvent donner lieu... »
>
> *(Recueil Lebon, 1940, pp. 239-240).*

L'arrêt relatif aux ordres professionnels est l'arrêt d'assemblée Sieur Bouguen du 2 avril 1943 rendu sur le recours d'un médecin contre la décision d'un conseil départemental de son Ordre lui refusant d'ouvrir un cabinet de consultation secondaire :

> « Considérant qu'il résulte de l'ensemble des dispositions de la loi du 7 octobre 1940... et notamment de celles qui prévoient que les réclamations contre les décisions du Conseil supérieur de l'Ordre des médecins prises en matière disciplinaire et en matière d'inscription au tableau seront

portées devant le Conseil d'Etat par la voie du recours pour excès de pouvoir, que le législateur a entendu faire de l'organisation et du contrôle de l'exercice de la profession médicale un service public; que, si le Conseil supérieur de l'ordre des médecins ne constitue pas un établissement public, il concourt au fonctionnement dudit service; qu'il appartient au Conseil d'Etat de connaître des recours formés contre les décisions qu'il est appelé à prendre en cette qualité et notamment contre celles intervenues en application de l'art. 4 de la loi précitée, qui lui confère la charge d'assurer le respect des lois et règlements en matière médicale; que par suite le docteur Bouguen est recevable à déférer au Conseil d'Etat une décision par laquelle le Conseil supérieur a confirmé l'interdiction qui lui avait été faite de tenir des cabinets multiples et lui a ordonné de fermer son cabinet de Pontieux... »

(Recueil Lebon, 1943 p. 86).

L'intérêt essentiel de la jurisprudence de cette période est ailleurs : dans le maintien par le Conseil d'Etat, agissant dans son ordre, des principes traditionnels du droit public français. C'est à la lumière et dans le respect de ceux-ci qu'il a interprêté et appliqué les dispositions législatives et réglementaires d'exception ou de contrainte qui furent nombreuses pendant cette période. Le président Bouffandeau a analysé l'œuvre du Conseil à cet égard dans un article paru en 1947 dans la revue *Etudes et Documents* sous le titre : « Le juge de l'excès de pouvoir jusqu'à la libération du territoire métropolitain » :

« En juillet 1940 la défaite militaire entraînait l'écroulement de la IIIe République, dont le climat de complète liberté politique avait permis le développement et l'épanouissement de la jurisprudence de l'excès de pouvoir. Qu'allait-il advenir de cette jurisprudence sous le régime d'autorité institué par le Gouvernement de Vichy ?

Le Gouvernement de Vichy, qui prétendait établir un ordre nouveau, ne tardait pas à porter les plus sérieuses atteintes, par des lois sans cesse aggravées, aux droits de l'homme proclamés par la déclaration de 1789. Il n'appartenait ni au Conseil d'Etat, comme il l'avait reconnu avant 1940, ni aux juridictions, de discuter la valeur constitutionnelle de ces mesures qui présentaient en la forme le caractère de dispositions législatives. Il était également impossible au juge de l'excès de pouvoir de contredire des prescriptions expresses des lois de Vichy. De telles décisions n'auraient pas manqué d'entraîner la publication d'une loi supprimant tout recours en la matière, comme n'a pas hésité à le faire, pour les concessions de terres abandonnées, la loi du 23 mai 1943.

Mais le Conseil d'Etat pouvait ou considérer les lois de Vichy comme instituant un régime nouveau de notre droit public et leur donner alors une large extension, ou les regarder au contraire comme des mesures apportant des dérogations aux principes demeurés en vigueur et, dans ce cas, annuler les décisions prises en méconnaissance de ces principes, qui n'étaient pas fondées sur une disposition législative expresse et interpréter restrictivement les lois édictées depuis juillet 1940, à raison de leur caractère de mesures d'exception. C'est cette seconde solution qu'il a choisie, comme il devait le faire.

I — Sous la IIIe République la jurisprudence du Conseil d'Etat avait réussi à protéger d'une manière efficace les droits des fonctionnaires. La loi du 17 juillet 1940, qui accordait à l'autorité gouvernementale le pouvoir de relever de leurs fonctions tous les agents civils et militaires, même les magistrats, et qui supprimait expressément toutes formes de procédure, a mis à néant les garanties dont le régime républicain avait fait bénéficier les fonctionnaires.

Le Conseil d'Etat a pu, cependant, apporter trois limitations au pouvoir arbitraire que le Gouvernement de Vichy s'était arrogé. Il a décidé que les mesures de relèvement de fonctions ne pouvaient être valablement prises qu'après examen de chaque cas particulier et il a annulé les décisions qui s'étaient bornées à faire application à des agents de règles générales, sans qu'il ait été procédé à l'étude de la situation spéciale de chacun d'eux (24 juillet 1942, Piron). Il a jugé que les dispositions de la loi du 17 juillet 1940 n'avaient pas porté atteinte aux garanties instituées par l'article 20 de la loi du 14 avril 1924 qui subordonne l'admission à la retraite pour invalidité physique à la constatation préalable de celle-ci par une commission de réforme et il a regardé comme illégaux les relèvements de fonctions motivés par l'état de santé des agents et prononcés sans intervention de la commission de réforme (12 novembre 1943, Bertolucci). Enfin, il a estimé que la loi du 17 juillet 1940 n'avait pas substitué les mesures qu'elle prévoyait aux sanctions disciplinaires dont pouvaient être passibles les fonctionnaires et il a annulé les décisions prises en vertu de cette loi, lorsqu'elles étaient fondées sur une faute considérée isolément (4 février 1944, Duplat). L'agent qui avait été ainsi frappé retrouvait, en vertu de cette jurisprudence, le bénéfice des garanties disciplinaires...

II — Si le juge de l'excès de pouvoir n'a été saisi à notre connaissance d'aucun recours formé contre des décisions portant application de lois particulièrement odieuses, comme celles sur le travail obligatoire, il n'en a pas été de même pour la législation antisémite. Par un arrêt de principe du 21 janvier 1944, sieur Darmon, le Conseil d'Etat a annulé une décision du Gouverneur général de l'Algérie, qui limitait le nombre des élèves juifs admis à suivre les cours des établissements d'enseignement primaire et secondaire, alors qu'à cette époque aucune loi ne restreignait l'accès de ces enfants aux établissements précités. Il reconnaissait ainsi que le principe fondamental de l'égalité de tous les français devant la loi, quelle que fût leur race ou leur religion, n'avait pas été aboli et qu'il devait être respecté par l'administration dans toute la mesure où une loi de Vichy n'y avait pas porté une atteinte particulière.

S'inspirant des mêmes considérations, le juge de l'excès de pouvoir avait déjà, auparavant, consacré les interprétations les plus restrictives de la législation antisémite, notamment en ce qui concernait la détermination de la qualité de juif. Il avait décidé, par un arrêt sieur Kaan, du 2 avril 1943, que les dispositions de la loi du 2 juin 1941, spécifiant que la « non-appartenance à la religion juive est établie par la preuve de l'adhésion à l'une des autres confessions reconnues par l'Etat avant la loi du 9 décembre 1905 », n'excluait pas d'autres moyens de preuve et il avait annulé la décision ministérielle fondée sur ce que le requérant, né de deux grands-parents juifs, n'avait pas adhéré à une autre confession. A l'égard des personnes qui se prévalaient de leur adhésion à une autre religion, le Conseil d'Etat a admis que la preuve exigée par la loi résultait d'un certificat de baptême (7 janvier 1944, demoiselle Schnir), voire d'un simple ondoiement attesté par des témoins (30 avril 1943, demoiselle Sée), alors même qu'il était établi que les requérantes n'avaient jamais observé les rites de la religion catholique, et, également, qu'une personne non baptisée, mais qui avait participé depuis son mariage aux exercices du culte protestant, devait être regardée comme n'appartenant pas à la religion juive le 25 juin 1940 (5 février 1943 sieur Alekian).

Invoquant les dispositions du Code Civil, il a annulé la décision de l'administration reconnaissant comme juive une requérante issue de grands parents qui étaient manifestement des israélites algériens, mais qui étaient des enfants naturels non reconnus (31 mars 1944, dame Berthy).

D'autre part, il a appliqué avec la plus grande rigueur les dispositions qui excluaient de la mise sous administration provisoire les immeubles servant à l'habitation personnelle de l'israélite ou de sa famiille, sauf décision motivée, et il a annulé les mesures qui avaient été prises par le Commissaire général aux questions juives à l'égard de tels immeubles parce qu'elles n'étaient pas fondées sur des motifs tirés de circonstances spéciales (8 mars 1944, sieur Kahn). Il a étendu l'exonération légale même aux propriétés qui n'étaient utilisées que pendant une courte partie de l'année, comme résidences secondaires (16 juillet 1943, sieur Bickert). Il a estimé qu'il résultait des dispositions combinées de la loi du 22 juillet 1941 et de la loi du 17 novembre 1941 réglementant l'accès des juifs à la propriété foncière, que le placement sous administration provisoire ne pouvait s'étendre aux exploitations agricoles mises en valeur par des israélites (19 janvier 1944, consorts Weill).

Il a, enfin, déclaré illégales les nominations d'administrateurs provisoires concernant des sociétés de capitaux dont certaines actions appartenaient à des juifs (5 mai 1944, Société Elastic) et pris à l'égard des biens de communauté des décisions favorables aux conjoints non israélites qui avaient épousé des juifs (5 mai 1944, sieur Dieuzeide, 28 juillet 1944, consorts Rézine).

En application de ces précédents de nombreuses annulations ont été prononcées. Elles sont intervenues dans des conditions exceptionnelles de célérité, lorsqu'il avait été signalé qu'elles seraient de nature à préserver la liberté du requérant.

En matière de police administrative il faut faire mention, notamment, des arrêts du 9 juillet 1943, sieur Ferrand, et du 11 décembre 1942, sieur Champsavoir. Dans la première de ces décisions, le Conseil d'Etat a annulé un arrêté préfectoral du 11 août 1941 qui imposait aux voyageurs descendus dans un hôtel l'obligation de répondre, en remplissant leur fiche, à une question générale concernant leur religion. Le juge de l'excès de pouvoir affirmait ainsi qu'il entendait garantir le respect de la liberté de conscience et de la neutralité de l'Etat. Par l'arrêt Champsavoir, le Conseil d'Etat a déclaré illégal, comme contraire au principe de la séparation des pouvoirs, un arrêté préfectoral qui avait modifié la portée et les effets d'un jugement de l'autorité judiciaire. Ainsi étaient sauvegardées des règles de notre droit public auxquelles il n'avait pas été dérogé par une loi de Vichy...

Les arrêts que nous avons cités ont été généralement rendus en Assemblée publique, sous la présidence de M. le Vice-Président Alfred Porché et conformément aux conclusions des commissaires du gouvernement. »

(Etudes et Documents, 1947, pp. 23-sq).

III
UNE ANNÉE DE TRANSITION
(1944-1945)

Les organes de conseil et de juridiction administrative de la France libre : la Commission de Législation, le Comité juridique — Coexistence du Conseil d'Etat et du Comité juridique — Leurs attributions et leur rôle respectifs — L'épuration — Des projets de réforme du Conseil d'Etat — Le rôle de la commission d'étude et le rapport de M. Puget — Les ordonnances du 31 juillet 1945.

L'assemblée générale du Conseil d'Etat tint séance le 17 août 1944, une semaine avant la libération de Paris, sous la présidence de M. Porché. Elle ne devait plus se réunir avant le 12 octobre suivant, où elle délibéra sous la présidence de M. Rouchon-Mazerat, président de la section du contentieux, faisant fonction de vice-président à la place de M. Porché, admis le 11 septembre précédent à faire valoir ses droits à la retraite. Entre-temps, le Comité juridique, créé à Alger, le 6 août 1943, auprès du Comité français de la libération nationale et dont la compétence avait été étendue au territoire métropolitain par l'ordonnance du 9 août 1944 sur le rétablissement de la légalité républicaine, s'était installé, à la fin du mois d'août, à Paris, à l'hôtel Matignon. Il y tint une première séance le 9 septembre 1944. Sa dernière réunion, une fois décidé le transfert de ses attributions au Conseil d'Etat, devait y avoir lieu le 1er août 1945. Cette période de près de douze mois fut pour le Conseil une période de transition marquée d'ambiguïtés et d'incertitudes dues notamment à la coexistence de deux organismes aux compétences voisines, sinon concurrentes (1). Elle vit aussi un important renouvellement du personnel du Conseil, provoqué par les mesures d'épuration administrative prises en vertu de l'ordonnance du 27 juin 1944.

LE COMITÉ JURIDIQUE ET LE COMITÉ TEMPORAIRE DU CONTENTIEUX (2)

Le Comité national français créé à Londres durant l'été 1940 avait vite ressenti le besoin d'instituer auprès de lui un organe de conseil

(1) A la différence de ce qui se passa alors pour beaucoup d'institutions publiques, des organismes extérieurs issus de la Résistance, comme les Comités de Libération, n'intervinrent pas dans le fonctionnement du Conseil.

(2) La majeure partie des renseignements concernant ces Comités est due aux communications de M. René Cassin et de M. François Marion qui furent respectivement président et membre du Comité juridique.

législatif. Ce fut la Commission de législation issue du décret n° 58 du 15 décembre 1941 :

Décret n° 58

portant institution d'une Commission de législation auprès du Commissariat national à la Justice et à l'Instruction publique

Le général de Gaulle,
Chef des Français Libres,
Président du Comité National,

Vu l'Ordonnance n° 16, du 24 septembre 1941, portant organisation nouvelle des pouvoirs publics de la France Libre;

Vu le Décret n° 10, du 30 septembre 1941, relatif aux attributions des Commissaires nationaux et à l'organisation générale des Commissariats nationaux (départements civils);

Décrète :

ART. 1er. — Il est institué auprès du Commissariat national à la Justice et à l'Instruction Publique une Commission de législation qui préparera les projets d'ordonnances et de décrets dont la rédaction lui aura été confiée et qui examinera tous les projets d'ordonnances préparés par les Commissaires nationaux.

ART. 2. — La Commission est composée d'un président et de quatre membres qui seront nommés par décret.

ART. 3. — Les dépenses afférentes au fonctionnement de la Commission sont imputées sur le budget du Commissariat national à la Justice et à l'Instruction Publique.

ART. 4. — Le Commissaire National à la Justice et à l'Instruction Publique est chargé de l'exécution du présent décret, qui sera publié au Journal officiel de la France Libre.

Fait à Londres, le 15 décembre 1941.

C. de Gaulle

Par le Chef des Français Libres,
Président du Comité National,
Le Commissaire national à la Justice et à l'Instruction Publique,

R. Cassin

(J.O. de la France Libre du 20 janvier 1942, p. 3).

Cette Commission, dont l'effectif fut porté à 7 membres par le décret n° 227 du 18 avril 1942, eut pour tâche principale de préparer les mesures nécessaires au rétablissement de la légalité républicaine dans les territoires qui avaient été soumis à l'autorité du gouvernement de Vichy avant leur ralliement à la France libre (1).

Ce ralliement privait les habitants de ces territoires de la faculté de former des recours devant le Conseil d'Etat contre les actes administratifs ou contre les jugements des tribunaux administratifs locaux. Pour remédier à cette situation, l'ordonnance n° 25 du 13 mars 1942

(1) Cf. ordonnances n° 46 du 2 mars 1943 et n° 52 du 20 avril 1943, relatives au rétablissement de la légalité républicaine dans l'île de la Réunion et dans la colonie de Madagascar et dépendances. J. O. de la France combattante des 18 mars et 3 mai 1943.

institua un Comité du contentieux, dont le rôle fut défini par rapport à celui du Conseil d'Etat statuant au contentieux :

Ordonnance n° 25

Instituant un Comité du Contentieux
Au nom du Peuple et de l'Empire
Français,
Le Général de Gaulle,
Chef des Français Libres,
Président du Comité national,

Vu l'Ordonnance n° 16, du 24 septembre 1941, portant organisation nouvelle des pouvoirs publics de la France Libre;

Sur le rapport du Commissaire national à la Justice et à l'Instruction publique;

Le Comité national en ayant délibéré le 10 mars 1942;

Ordonne :

ART. 1er. — En raison des circonstances de la guerre et de l'impossibilité pour le Conseil d'Etat d'exercer normalement ses fonctions, il est institué, auprès du Commissariat national à la Justice, un Comité du contentieux.

ART. 2. — Tant que les circonstances de guerre ne permettront pas au Conseil d'Etat d'exercer normalement ses fonctions, les recours formés contre un acte administratif ou contre un jugement des tribunaux administratifs seront déposés devant le Comité du contentieux.

ART. 3. — Le Comité du contentieux reçoit les recours qui sont formés devant lui, procède à leur instruction et statue dans les formes et selon les règles du Conseil d'Etat.

ART. 4. — Les arrêts rendus par le Comité du contentieux sont exécutoires immédiatement.

Après la cessation des hostilités et dans les délais et conditions fixés par un texte ultérieur, les parties auront la faculté de former devant le Conseil d'Etat contre les arrêts du Comité du contentieux un recours en cassation pour violation de la loi.

ART. 5. — Le Comité du contentieux est formé d'un président et de deux à six membres, choisis parmi des hauts magistrats, des jurisconsultes et des hauts fonctionnaires.

Le quorum nécessaire est de trois, y compris le président. En cas de partage égal des voix, la voix du président est prépondérante.

Il est constitué auprès du Comité du contentieux un Ministère public composé d'un commissaire du gouvernement et, éventuellement, de commissaires adjoints.

Des rapporteurs sont mis, d'autre part, à la disposition du président du Comité.

Le président, les membres, le commissaire du gouvernement, les commissaires adjoints sont désignés par décret; les rapporteurs sont désignés par arrêtés du Commissaire national à la Justice.

ART. 6. — Le Comité du contentieux ne connaît des recours formés devant le Conseil d'Etat entre le 1er mai 1940 et l'entrée en vigueur de la présente ordonnance que s'ils sont renouvelés devant lui à la diligence des requérants, un tel renouvellement entraînant de plein droit désistement de la procédure précédemment engagée devant le Conseil d'Etat.

Le délai de recours contre un acte d'une autorité administrative ou un jugement d'une juridiction administrative intervenus entre la rupture de fait des relations normales entre les territoires libres et la métropole et la date d'entrée en vigueur de la présente ordonnance dans chaque territoire expirera deux mois après cette dernière date. Aucune forclusion ne sera cependant opposable de ce chef ni aux mobilisés ou volontaires français libres présents sous les drapeaux à un moment quelconque pendant le délai de deux mois, ni aux personnes bénéficiant d'une prorogation légale ou réglementaire de délais, ni à ceux qui justifieront avoir été dans l'impossibilité matérielle ou juridique de former leurs recours dans le délai fixé ci-dessus.

ART. 7. — Un décret fixera les conditions dans lesquelles les parties seront représentées devant le Comité du contentieux et, d'une façon générale, les adaptations qu'il est nécessaire, en raison des circonstances, d'apporter au décret du 22 juillet 1806 et aux textes ultérieurs qui l'ont modifié (1).

ART. 8. — Le Commissaire national à la Justice et à l'Instruction publique est chargé de l'exécution de la présente ordonnance, qui sera publiée au Journal Officiel de la France Libre.

Fait à Londres, le 13 mars 1942.

C. de Gaulle

Par le Chef des Français Libres;
Président du Comité national;

Le Commissaire national p.i.
à la Justice et à l'Instruction publique
A. Diethelm

(J.O. de la France Libre, 14 avril 1942, pp. 29-30).

Ce comité dont les membres avaient été nommés par un décret du 2 mars 1943 (2) eut une courte existence et ne jugea aucune affaire. Il fut remplacé le 17 septembre 1943 à Alger par un comité temporaire du contentieux. L'ordonnance de création et le décret du 29 octobre 1943 fixant les règles de procédure innovent peu par rapport aux dispositions des textes relatifs au Comité du contentieux (3).

Un mois auparavant, une ordonnance du 6 août 1943 avait créé auprès du Comité français de la Libération nationale un Comité juridique qui remplaçait de facto la Commission de législation disparue par suite de la dispersion de ses membres. A la différence de la commission, la compétence du Comité était fixée en partie par référence à celle du Conseil d'Etat :

---

(1) Ces adaptations furent faites par le décret n° 547 du 2 novembre 1942 (J. O. de la France combattante du 24 novembre 1942, pp. 62-63).

(2) Le Président était M. Ehrhard, inspecteur général des finances; les membres : MM. Hervé Alphand, inspecteur des finances, Lambert Blum-Picart, directeur général des mines, conseiller d'Etat en service extraordinaire, Jean Burnay, André Gros, professeur des facultés de droit, l'intendant général Souques. M. Pierre Tissier, maître des requêtes au Conseil d'Etat, était commissaire du gouvernement et M. André Duval, inspecteur des finances, commissaire adjoint du gouvernement (André Duval était le nom de résistance de André Postel-Vinay).

(3) Cf. J. O. de la France combattante n° 21 du 23 septembre 1943 et n° 33 du 4 novembre 1943. — Cf. également circulaire du commissaire à la justice du 10 fév. 1944 (J.O. n°s 16 et 17 des 19 et 24 février 1944).

ART. 1er. — Il est institué auprès du Comité français de la libération nationale, un comité juridique.

ART. 2. — Le Comité juridique :

1) émet les avis consultatifs qui, aux termes des lois en vigueur au 16 juin 1940, devraient être émis soit par les sections administratives, soit par l'assemblée générale du Conseil d'Etat, notamment en ce qui concerne les règlements d'administration publique, les décrets pris en la forme de règlements d'administration publique et les décrets rendus l'une des sections du conseil d'Etat entendue;

2) étudie, à l'invitation du Comité de la libération nationale ou des commissaires intéressés, la révision des textes législatifs ou réglementaires appliqués dans les divers territoires relevant de l'autorité du Comité, en vue d'assurer l'uniformité de la législation et sa conformité avec les principes en vigueur le 16 juin 1940;

3) procède à la mise en forme juridique des projets d'ordonnances ou de décrets réglementaires qui doivent être soumis aux délibérations du Comité français de la libération nationale.

ART. 3. — Le président et les membres du comité juridique, au nombre de dix au maximum, sont nommés par décret.

(J.O. n° 11 du 12 août 1943).

Placé sous la présidence de M. René Cassin, le comité juridique comprit à l'origine M. Pierre Tissier, maître des requêtes au Conseil d'Etat. MM. Rodière et Paul Coste-Floret, professeurs de droit, M. Groslière, bâtonnier de l'Ordre des avocats près la cour d'appel d'Alger.

Vinrent y siéger plus tard : MM. Raoul Mary, Lebhar, Stefanini, Heitz, F. Marion, le Lt. Cl Fournier et le Pt. Megrin. M. Lucien Laurence, avocat, fut nommé secrétaire du Comité.

Le Comité temporaire du contentieux, qui siégea successivement sous la présidence de M. Pierre Tissier, puis de M. Capeau, président du conseil de préfecture d'Alger (1) n'eut qu'une activité réduite. Il enregistra 617 requêtes, mais ne jugea, au cours de 15 séances, que 97 affaires. Le Comité juridique fut par contre très occupé. Les projets affluèrent dès sa création. Il tint à Alger, du 2 septembre 1943 au 29 août 1944, d'abord dans le bâtiment principal du lycée Fromentin, puis au Palais d'Eté, 99 séances au cours desquelles il examina 550 dossiers d'affaires très diverses : projets concernant la vie courante des territoires relevant du Comité français de la Libération nationale et la conduite de la guerre, projets relatifs aux questions qui seraient posées par le débarquement et la libération du sol national (exercice des pouvoirs civils et militaires, rétablissement de la légalité républicaine, etc.),

---

(1) Outre MM. Tissier et Capeau, le comité temporaire fut initialement composé de MM. de Laubadère et Watrin, professeurs de droit public. Y furent nommés ultérieurement MM. Ehrhardt, inspecteur des finances, Raoul Mary du Commissariat aux colonies, Bonfanti, préfet et Castel, procureur général à la cour d'appel de Brazzaville. Les fonctions de commissaire du gouvernement furent exercées successivement par MM. Watrin et Bonfanti.

projets élaborés en France par des organisations de résistance (épuration administrative, indignité nationale, etc.) (1).

Le Comité temporaire du contentieux disparut dès le lendemain de la libération. L'ordonnance du 8 septembre 1944 qui le supprima transféra tous les recours pendants devant lui au Conseil d'Etat (2). L'activité de la section du contentieux ne fut donc jamais interrompue. Elle se poursuivit même — fait inhabituel — pendant tout l'été 1944, où il n'y eut pas de vacances judiciaires; le recueil des arrêts du Conseil de cette année contient une cinquantaine de décisions rendues au cours du mois de septembre.

LA COEXISTENCE DU CONSEIL D'ÉTAT ET DU COMITÉ JURIDIQUE

Il en fut tout autrement pour les activités non contentieuses du Conseil. L'extension au territoire métropolitain par l'ordonnance du 9 août 1944 de l'ordonnance du 6 août 1943 qui avait créé le comité juridique fit de celui-ci, installé à Paris à la fin d'août 1944, l'organe de conseil législatif et administratif du Gouvernement. Le Comité juridique se trouva ainsi investi à la place du Conseil d'Etat des compétences non contentieuses de celui-ci (3), et il les exerça effectivement : près de 900 affaires lui furent soumises de septembre 1944 jusqu'à

(1) Les archives du Comité juridique sont conservées au Conseil d'Etat (secrétariat de la commission permanente). Elles comprennent notamment le registre où étaient inscrites au fur et à mesure de leur arrivée les affaires soumises au Comité. A l'intérieur de ce registre se trouve cousu le petit cahier d'écolier qui servit à cet usage pendant les premières semaines d'activité du Comité. Les archives du Comité de législation ont disparu dans un naufrage entre Alger et Marseille.

(2) J. O. de la République française du 13 septembre 1944, p. 804.

(3) Il ne paraît guère contestable que tel ait été l'effet juridique de l'extension de l'ordonnance du 6 août 1943 chargeant le comité juridique d'émettre les avis consultatifs « qui, aux termes des lois en vigueur au 16 juin 1940, devraient être émis soit par les sections administratives, soit par l'assemblée générale du Conseil d'Etat ... ». Cette interprétation est confirmée par divers textes ou déclarations : l'exposé des motifs de l'ordonnance du 17 octobre 1944, qui limita au domaine législatif la compétence du comité juridique, dit : « A la suite de la libération de Paris et du transfert dans la capitale des pouvoirs publics qui y ont retrouvé leur place traditionnelle, il n'est plus possible de conserver au Comité juridique ses attributions primitives. Le premier des rôles (avis en matière administrative) qui avaient été dévolus à ce Comité doit normalement revenir au Conseil d'Etat avec le régime prévu par l'ordonnance du 6 avril 1943. Si un décret était publié n'ayant pas été examiné par le Comité juridique, ce texte serait frappé d'une illégalité telle que le juge de l'excès de pouvoir se verrait dans l'obligation de l'annuler »... Le président Cassin mentionna à l'assemblée générale du 23 décembre 1944 « la double mesure qui a aboli le Comité temporaire du contentieux et rendu au Conseil d'Etat ses attributions traditionnelles en matières de règlements d'administration publique, de décrets et d'avis ». Au lendemain de l'entrée en vigueur de l'ordonnance du 31 juillet 1945 qui avait supprimé le comité juridique, le garde des sceaux, M. P. H. Teitgen déclarait devant l'assemblée générale du Conseil : « Répondant au vœu exprimé par l'Assemblée consultative, les ordonnances du 31 juillet vous transfèrent donc les attributions du comité juridique, vous associant ainsi à notre fonction législative ».

sa disparition en août 1945, parmi lesquelles figurèrent jusqu'au 17 octobre 1944 des demandes d'avis et des projets de décret.

Mais, ni avant ni après l'intervention de l'ordonnance du 17 octobre 1944 qui limita au domaine législatif la compétence du Comité, la situation de fait ne fut en complète harmonie avec la situation de droit; avant comme après cette date, le Conseil d'Etat et le Comité juridique exercèrent concurremment leur activité et le firent, semble-t-il, d'un tacite accord. Les ministères ne cessèrent jamais de saisir le Conseil de projets de textes et de demandes d'avis en matière administrative : on en relève une soixantaine au total entre le 20 août et le début d'octobre 1944; les sections administratives qui n'avaient plus siégé depuis le début d'août se réunirent et travaillèrent comme à l'accoutumée dans les derniers jours de septembre et les premiers jours d'octobre, avant même l'intervention de l'ordonnance du 17 octobre; l'assemblée générale se réunit aussi avant cette date, le 12 octobre, et pour examiner, à la demande du Gouvernement, un projet d'ordonnance, relatif, il est vrai, au Conseil. Entre l'entrée en vigueur de l'ordonnance du 17 octobre 1944 et la disparition, le 2 août 1945, du Comité juridique demeuré en principe seul compétent jusqu'à cette date en matière législative, le Conseil fut saisi de quelques projets d'ordonnance et notamment de ceux supprimant le comité juridique et le réorganisant lui-même (1).

Mais c'est le Comité juridique qui examina la quasi totalité des projets d'ordonnance, dont beaucoup soulevaient des questions importantes et difficiles, comme ceux relatifs à l'internement administratif, à l'épuration dans les entreprises, aux Comités d'entreprise, à la presse périodique, aux prix, à l'Assemblée consultative provisoire, au Conseil d'Etat, etc. Le Comité, trop peu nombreux pour une tâche aussi lourde, fut renforcé à la fin d'octobre 1944 par quatre membres : MM. Andrieux, président de la section de législation du Conseil d'Etat, Oudinot, conseiller d'Etat, Julliot de la Morandière, ancien doyen de la faculté de droit de Paris et Villey, ancien préfet de la Seine. La nomination des deux premiers établissait entre les deux organismes des liens qu'allaient bientôt renforcer la désignation, le 22 novembre, comme vice-président du Conseil d'Etat, de M. Cassin, président du Comité juridique, à la tête duquel il devait demeurer jusqu'à sa suppression, et l'entrée au Conseil, à la fin de 1944, comme conseillers en service ordinaire ou maîtres des requêtes, de plusieurs membres du Comité juridique. On s'acheminait ainsi vers une intégration du Comité juridique au Conseil d'Etat, qui allait retrouver la plénitude de ses attributions législatives et administratives.

(1) Réciproquement le Comité juridique fut saisi après le 17 octobre 1944 d'un projet de décret.

L'ÉPURATION

Avant que ce « retour à l'ordre des choses conforme aux traditions de la République » (1) ne fût complètement opéré par les ordonnances du 31 juillet 1945, le Conseil d'Etat subit d'importantes modifications dans son personnel. L'épuration créa dans ses rangs de nombreux vides, dont la plupart furent comblés par des apports extérieurs.

L'ordonnance du 27 juin 1944 sur l'épuration administrative était applicable au Conseil d'Etat comme à toute l'administration française. Ses membres, comme la France elle-même, s'étaient partagés en face des problèmes de l'époque entre des attitudes différentes ou opposées, de l'engagement le plus complet dans la Résistance à la fidélité, gardée jusqu'au dernier moment, au Gouvernement de Vichy.

Un arrêté du garde des sceaux, M. François de Menthon, du 6 octobre 1944 (2), pris en vertu de l'ordonnance du 27 juin 1944, créa sous sa présidence une commission d'épuration pour le Conseil d'Etat comprenant MM. Paul Tirard, conseiller d'Etat honoraire, Jean Labbé, président du Comité départemental de libération de l'Orne (3) et Paul Coste-Floret, directeur-adjoint du cabinet du ministre de la Justice. Un arrêté complémentaire du 3 novembre, non publié au Journal Officiel, adjoignit à la commission deux nouveaux membres, MM. Leveillé-Nizerolle et Lescuyer, membres d'organisations de la Résistance.

Une solution plus rigoureuse avait été antérieurement envisagée : la suspension de tous les membres du Conseil, sauf renouvellement des fonctions, après examens individuels, de ceux qui justifieraient de titres particuliers.

La commission, qui siégea au ministère de la justice, fut saisie des dossiers des vingt-cinq membres suspendus de leurs fonctions dès le 8 septembre précédent et de treize autres membres à qui il avait été demandé au même moment des explications sur leur attitude depuis 1940. Communication lui fut en outre donnée de la liste de tous les autres membres du Conseil qui, entre le 16 juin 1940 et la Libération, avaient exercé des fonctions politiques ou de hautes fonctions administratives.

L'épuration fut rapide : elle était achevée à la fin de l'année. Comparée à l'épuration de corps voisins aux effectifs analogues, comme la Cour

(1) Exposé des motifs de l'ordonnance du 17 octobre 1944.
(2) J. O. du 19 octobre 1944, p. 900.
(3) M. Jean Labbé avait été jusqu'en 1938 avocat au Conseil d'Etat et à la Cour de cassation. Il présida l'Ordre avec une autorité exceptionnelle. C'est cette qualité, plus, semble-t-il, que la présidence du comité départemental de libération de l'Orne qui le fit nommer membre de la Commission d'épuration.

des Comptes et l'Inspection des Finances, elle fut sévère (1) : vingt révocations sans pension, cinq mises à la retraite d'office, une mise en disponibilité d'office pour trois ans, six blâmes (2)...

La réintégration de la plupart des membres du Conseil victimes en 1940 des lois d'exception, de nombreuses promotions internes consécutives aux mesures d'épuration et qui abaissèrent l'âge moyen des conseillers (3), de nombreuses nominations au tour extérieur permirent de pourvoir les postes vacants de conseillers et de maîtres des requêtes (4). Ces dernières furent rendues possibles par une ordonnance du 9 novembre 1944 qui, nonobstant toutes dispositions contraires, autorisa le Gouvernement à choisir les conseillers dans la proportion de la moitié des places vacantes — au lieu du tiers — en dehors du cadre des maîtres des requêtes et les maîtres des requêtes dans la proportion de la moitié des places vacantes — au lieu du quart — en dehors du cadre des auditeurs de première classe; en outre, il n'était éxigé que cinq ans de services publics — au lieu de dix — pour la nomination des maîtres des requêtes venant de l'extérieur. Au bénéfice de ces dispositions furent nommés en novembre et décembre 1944 huit conseillers et six maîtres des requêtes. Quatre de ces quatorze nouveaux membres appartenaient au comité juridique (5), un cinquième avait été membre du Comité temporaire du contentieux.

LES ORDONNANCES DU 31 JUILLET 1945 ET LA RÉFORME DU CONSEIL D'ÉTAT

L'existence et le rôle du Conseil d'Etat ne furent pas remis sérieusement en question au cours de cette période.

Les textes pris à Londres et à Alger pour créer auprès du Comité national, puis du Comité Français de la Libération nationale des organes

(1) L'épuration de la Cour des Comptes fut faite sur proposition d'un jury d'honneur, composé uniquement de fonctionnaires. Trois sanctions seulement furent prononcées : une mise en disponibilité d'office de cinq ans; une mise en disponibilité d'office de deux ans; une rétrogradation au tableau d'avancement. — Pour l'Inspection des Finances il fut prononcé un retrait d'honorariat et huit révocations sans pension; sur ces neuf mesures, deux furent rapportées et sept annulées par décision de justice.

(2) De nombreux pourvois furent formés devant le Conseil d'Etat contre ces mesures. Certains furent retirés par leurs auteurs. Huit aboutirent à des annulations soit en la forme, soit au fond. L'admission à la retraite de M. Alfred Porché, le 11 septembre 1944, deux ans avant qu'il ait atteint l'âge de la retraite, ne fut pas une mesure d'épuration. Lors de son installation, le 23 décembre 1944, M. Cassin, après le garde des sceaux, lui rendit hommage en adressant « un souvenir déférent et particulier à (son) prédécesseur immédiat qui, à la fin d'une carrière désintéressée entièrement vouée à la pratique de la justice et au culte des lettres, a porté dans la tourmente le lourd fardeau de la présidence du Conseil... ».

(3) Un maître des requêtes, par exemple, fut nommé conseiller à quarante ans.

(4) Les nombreuses vacances de postes d'auditeur ne purent être comblés qu'en 1946 à la suite de trois concours, dont deux réservés aux prisonniers et victimes de la guerre qui se déroulèrent en décembre 1945, mars et juin 1946.

(5) Le secrétaire du comité juridique fut nommé maître des requêtes au tour extérieur, le 31 juillet 1945.

de conseil législatif et administratif et de juridiction administrative, précisaient que ceux-ci étaient institués en raison de l'impossibilité pour le Conseil d'Etat d'exercer normalement ses fonctions; les attributions de ces organes étaient définies par référence à celles du Conseil d'Etat, qui devait normalement, une fois la France libérée, reprendre son rôle traditionnel.

Cette reprise fut seulement différée par l'installation à Paris et la prolongation provisoire de l'activité du Comité juridique. Dès le début d'octobre 1944 et au cours des deux mois suivants, plusieurs mesures intervinrent qui préparaient un complet retour à l'ordre de choses antérieur : le 2 octobre, le Gouvernement demandait au Conseil d'Etat de préparer un projet d'ordonnance validant, en y apportant les modifications nécessaires, la loi du 18 décembre 1940 sur le Conseil d'Etat (1); le 17 octobre, une ordonnance limitait au domaine législatif la compétence du Comité juridique, restituant ainsi au Conseil d'Etat toutes ses attributions administratives; le 22 novembre M. Cassin était nommé vice-président et quatorze nouveaux membres entraient au Conseil au mois de décembre.

La plupart furent installés, en même temps que le nouveau vice-président, à une assemblée générale qui se tint le 23 décembre 1944, en présence du général de Gaulle, président du Gouvernement provisoire et sous la présidence du garde des sceaux, M. François de Menthon, qui déclara notamment dans son allocution, en s'adressant aux membres du Conseil :

> « La présidence de votre assemblée constitue l'un des plus hauts attributs de ma charge; j'en ressens particulièrement l'honneur et la signification

(1) La lettre du garde des sceaux au président de section faisant fonction de vice-président du Conseil d'Etat, enregistrée sous le n° 236.202 était ainsi rédigée : « Je me proposais de soumettre aux délibérations du Gouvernement provisoire de la République Française un projet d'ordonnance validant la loi du 18 décembre 1940 sur le Conseil d'Etat et introduisant pour une période transitoire des dérogations aux règles normales concernant le recrutement des conseillers d'Etat et des maîtres des requêtes.

Des lacunes peuvent subsister dans la loi du 18 décembre 1940 et des modifications que justifie la situation administrative présente doivent sans doute y être apportées.

La loi du 18 décembre 1940 a d'ailleurs été complétée ou remaniée plusieurs fois par des lois postérieures.

Il me semble plus opportun, dans ces conditions, de vous prier de saisir le Conseil d'Etat pour qu'il me soumette un texte qui tiendrait compte des diverses modifications que la Haute Assemblée jugerait utile d'apporter à la loi du 18 décembre 1940 et qui permettrait de refondre en une seule ordonnance la législation intervenue depuis cette date.

Je vous envoie, ci-joint, l'exposé des motifs et le texte de l'ordonnance qui ont été préparés par mon département ». L'Assemblée générale en délibéra le 12 octobre 1944 et proposa au Gouvernement un projet d'ordonnance et un projet de décret validant, sous réserve de modifications concernant surtout les règles de recrutement, la loi du 18 décembre 1940 et son décret d'application du 7 janvier 1941. Le rapporteur fut M. Puget. Le texte de son rapport a été heureusement conservé au dossier. Les questions qui furent examinées par le Conseil y sont très complètement exposées : nécessité et opportunité d'une validation des textes de 1940 et 1941; modification de la composition du Conseil (nombre des conseillers en service ordinaire; le service extraordinaire); modification des règles de recrutement, etc. Le rapport s'achève ainsi : « Espérons que pour le Conseil commence un nouveau destin ». Ces projets n'eurent pas de suite. Le Gouvernement se borna à prendre l'ordonnance du 9 novembre 1944, assouplissant les conditions de nomination.

devant les devoirs qui sont aujourd'hui les nôtres et en cette première assise solennelle du Conseil après la Libération...

Vous constituez en même temps qu'une juridiction souveraine garantissant les droits de l'individu vis-à-vis de l'Etat, un corps de conseillers techniques assistant les gouvernants dans leurs fonctions administratives et demain, je l'espère, dans leurs fonctions législatives.

Messieurs, qu'il s'agisse de l'un ou de l'autre de vos attributs, le Gouvernement est particulièrement conscient de l'importance de la haute mission qui est la vôtre. Il vous fait totale confiance, assuré que vous la remplirez avec loyalisme, indépendance et efficacité...

La désignation de M. le professeur Cassin comme vice-président de votre haute Assemblée attesterait encore, s'il était nécessaire, la place éminente que le Gouvernement souhaite que vous occupiez dans l'Etat...

Il vous appartiendra de contribuer ainsi, en tant que premier Corps de l'Etat, à un prestige accru de la fonction publique, à une revalorisation de nos élites, à un renouvellement de notre esprit public et de nos institutions républicaines. Nous nous y emploierons ensemble, Messieurs, en pleine confiance dans votre dévouement au bien public. »

(*Arch. C.E.*).

Critiques et projets de réforme.

Le Conseil d'Etat, auquel le Gouvernement exprimait sa confiance, n'eut pas à subir d'attaques sérieuses de la presse ou des partis politiques. Le programme ambitieux du Conseil national de la Résistance ne le mentionne pas. Il faut dépouiller avec grand soin les publications de l'époque pour y découvrir des propos critiques ou désagréables à son égard. Le journal *Franc-Tireur,* encore alors clandestin, du 14 juillet 1944, le cite en l'englobant parmi les « notables » qui étaient alors la cible de nombreux mouvements de résistance : « A part quelques exceptions, ils (les notables) ont été vichystes : ce n'est pas le Conseil d'Etat qui a monté les maquis; ce n'est pas la Cour des comptes qui les a ravitaillés; ce n'est pas l'Académie des Sciences Morales qui a rédigé la presse clandestine; ce n'est pas à l'Ecole des sciences politiques que se sont recrutés G.F. et F.T.P. ». Un ouvrage d'André Ferrat, préfacé par André Philip et publié en mai 1945 aux éditions Gallimard, « La République à refaire » (1) reprend, sans tenter de les renouveler à la lumière des récents événements, les critiques formulées au début du siècle et en 1936 (2) contre le Conseil d'Etat, « caste traditionnellement antidémocratique, étroitement liée à l'oligarchie financière. », accusé de favoriser les « gros contribuables », de défendre les hauts

(1) Ce sont la qualité du préfacier et celle de l'éditeur de cet ouvrage qui lui valent d'être mentionné ici. Les critiques qui y sont adressées au Conseil d'Etat sont fondées sur une étonnante ignorance de ses attributions, de ses règles de fonctionnement et de sa jurisprudence.

(2) Cf. ci-dessus, p. 645 et p. 738.

fonctionnaires qui sabotent la politique des gouvernements populaires, de déformer dans l'application les lois de progrès social :

« Pour protéger les intérêts des « plus gros contribuables », le Conseil d'Etat a successivement interdit la création par les municipalités d'entreprises avantageuses pour la masse du peuple : création de pharmacies, de services de vidange, subvention d'une boulangerie coopérative, entretien d'un médecin municipal, etc.

A maintes reprises, aussi, le Conseil d'Etat résista victorieusement à la volonté du suffrage universel, notamment... à propos des syndicats de fonctionnaires qu'il déclara illégaux malgré la déclaration gouvernementale aux Chambres du 17 juin 1924. Au lendemain de la loi de séparation de l'Eglise et de l'Etat, il prit parti contre la politique de la Chambre et fit triompher finalement sa politique...

Grâce au Conseil d'Etat, les hauts fonctionnaires de l'administration centrale des ministères et, de plus en plus, tous les hauts fonctionnaires d'autorité sont en fait pourvus d'un statut de plus en plus semblable à celui du corps des officiers et de la magistrature : ils deviennent membres inamovibles d'une caste... Par ce moyen le Conseil d'Etat a voulu empêcher — et jusqu'à présent y a réussi — qu'un ministère représentant les partis populaires puisse avoir l'appareil de direction convenant à sa politique...

On a dit, sous une forme humoristique, que les lois françaises étaient conçues ainsi : l'article premier décide telle chose, l'article 2 abroge l'article premier. Si ce n'est pas souvent exact pour ce qui est du texte même de la loi, c'est bien souvent vrai pour les règlements d'administration publique qui l'accompagnent. Si le Conseil d'Etat n'est pas d'accord avec la loi votée, il peut facilement en altérer le texte primitif par ses règlements d'administration... C'est en fait le Conseil d'Etat qui a monté l'énorme machine bureaucratique des assurances sociales, faisant que celles-ci sont de moins en moins avantageuses aux salariés et deviennent tout simplement une charge, un impôt déguisé, sans contrepartie pour l'écrasante majorité d'entre eux... ».

(André Ferrat. La République à refaire. Gallimard 1945, pp. 167-186).

L'auteur de ces critiques concluait évidemment à la suppression du Conseil d'Etat, du moins comme conseil législatif et administratif.

Rares, semble-t-il, furent ceux qui proposèrent au cours des années de guerre de modifier la composition, le statut et les attributions du corps. M. Jules Moch présenta à la commission de la constitution formée au sein de l'Assemblée consultative d'Alger un projet qui instituait à côté d'une assemblée législative unique une Haute Cour de la République cumulant les fonctions de la Cour de cassation, du Conseil d'Etat, de la Cour des comptes et de l'Inspection des finances. Plus intéressant, parce que plus réaliste et émanant d'un membre même du corps alors engagé dans la Résistance, était le projet paru en avril 1944 dans une petite revue clandestine *Les cahiers politiques.* Ce projet dont l'auteur était M. Michel Debré, procédait d'une analyse très critique de la situation et du rôle du corps :

« Le Conseil d'Etat n'existe plus que de nom. Son rôle politique est nul; son rôle administratif de petite importance. Il n'exerce d'influence que par sa valeur en qualité de haute juridiction de droit public. De cette déviation du Conseil d'Etat on accuse souvent le régime parlementaire. Il est exact, en effet, que les assemblées élues admettent difficilement de partager la tâche législative avec un organe administratif. Mais il est une seconde cause de décadence, autrement importante.

L'historien s'étonne parfois des transformations qu'a subies au cours des siècles le Conseil du Roi et de cette évolution qui a fait qu'à différentes reprises l'organisme primitif a glissé hors de la politique et laissé place à une nouvelle formation. L'explication de ce phénomène, l'évolution en cent vingt cinq ans de l'institution consulaire la donne clairement. Au début du XIXe siècle, les conseillers d'Etat étaient nommés à la discrétion du chef du gouvernement. Celui-ci, maître de son choix, désignait ses collaborateurs, selon les qualités qu'il leur souhaitait, en fonction de la confiance qu'il leur accordait. Il n'était donc pas de mission dont il ne pût les charger, et, en premier lieu, celle d'être ses premiers associés dans le travail gouvernemental. Pour mieux marquer le caractère particulier de leurs fonctions, les conseillers d'Etat n'étaient même nommés que pour une durée de trois mois. Quatre fois par an, un décret énumérait, pour le trimestre à venir, les membres du Conseil et les répartissait dans les différentes sections de l'assemblée. A l'heure actuelle, à la suite d'une lente transformation, dont on retrouverait l'équivalent dans l'histoire du Conseil du Roi, la fonction de conseiller d'Etat est attribuée selon des règles rigides ou selon une tradition qu'il est difficile de rompre; en conséquence, pour cet emploi dont le caractère politique n'est pas douteux, le chef du gouvernement ne dispose pratiquement d'aucune liberté. En effet, la plus grande partie des conseillers est désignée à l'ancienneté parmi le personnel des maîtres des requêtes. Une autre partie est choisie parmi les fonctionnaires de l'extérieur dont un ministre veut récompenser le dévouement ou dissimuler la disgrâce; ainsi le Conseil d'Etat a cessé d'être une assemblée politique pour devenir une carrière...

Le temps est venu de reconstituer autour de la Présidence du Conseil un nouveau Conseil d'Etat, adapté aux besoins et aux responsabilités d'un chef de gouvernement moderne. La réforme est d'ailleurs plus aisée à réaliser qu'on ne pense d'ordinaire.

En effet, les grandes lignes de l'organisation du Conseil actuel peuvent être maintenues; il suffit d'abord d'adapter chacune des sections de travail aux problèmes actuels de l'Etat et aussi de diminuer l'importance de la section du contentieux, en augmentant pour nombre d'affaires la compétence des juridictions civiles. De même son personnel de rapporteurs peut être conservé, sauf à améliorer son recrutement par un concours plus largement ouvert et par un appel constant à des collaborateurs provenant d'autres administrations. Le seul problème est le choix des conseillers. Leur nombre traditionnel est d'une quarantaine au maximum : Vichy l'a augmenté pour des raisons qui n'ont rien de commun avec l'intérêt général. Il y faudra revenir. Mais on ne peut rétablir la règle consulaire de nominations trimestrielles. L'administration moderne exclut cet arbitraire; elle veut une stabilité mieux garantie et la démocratie se plaît à donner aux corps de l'Etat une indépendance qu'il serait dangereux de briser, surtout, comme c'est le cas pour le Conseil d'Etat, lorsqu'une fonction judiciaire est en cause. La sagesse conduit, semble-t-il, à diviser les conseillers d'Etat en deux catégories. Un certain nombre, le tiers, au maximum la moitié, serait choisi parmi les membres du corps, c'est-à-dire dans le personnel séculaire des maîtres des requêtes, comme il est fait actuellement, mais la nomination serait faite au choix et même selon un choix attentif. Les autres seraient librement désignés par le chef du gouvernement au moment où il accède au pouvoir et leurs fonctions dureraient au mieux autant que son gouvernement : ainsi seraient nommés des parlementaires, des syndicalistes, des magistrats, des fonctionnaires, des industriels, des universitaires qui apporteraient à l'assemblée leur compétence, leur autorité et la confiance du chef du gouvernement.

Dès lors le Conseil d'Etat serait le véritable Etat Major de la Présidence. Des légistes, des techniciens de l'administration, des hommes politiques, des économistes, des financiers : le chef du gouvernement sera, s'il le veut, parfaitement entouré. Il pourra être tenu au courant. Il pourra établir et imposer sa doctrine. Il pourra coordonner l'action des diverses administrations. La réunion, sous sa présidence, et avec la présence des ministres intéressés, des sections compétentes et de l'assemblée générale des conseillers, pourra assurer cette unité de vue, qui est, en paix comme en guerre, la première condition du succès ».

(*Les cahiers politiques C.G.E.*, n° *8, avril 1944).*

Moins audacieuses, mais importantes cependant, furent les propositions de réforme présentées au début de 1945 par la Commission d'études pour la réforme du Conseil d'Etat que M. de Menthon avait constituée dès son arrivée à Paris en 1944. Cette commission était présidée par M. Cassin; le rapporteur fut M. Puget, conseiller d'Etat (1). Elle tint douze séances, soit en réunion plénière, soit en sous-commission. Elle élabora quatre projets : un projet d'ordonnance et un projet de décret relatifs à l'organisation et au règlement intérieur du Conseil, destinés à remplacer la loi du 18 décembre 1940 et le décret du 7 janvier 1941 ; un projet d'ordonnance rattachant le Conseil d'Etat à la Présidence du Gouvernement provisoire et lui transmettant les attributions du Comité juridique; enfin un projet d'ordonnance modifiant, en vue de décharger le Conseil d'Etat, certaines règles de compétence en matière contentieuse. Les trois premiers de ces projets (2) examinés par le Conseil dans ses séances des 1er et 2 mars 1945 sont à l'origine des deux ordonnances et du décret du 31 juillet 1945 qui réorganisèrent le Conseil d'Etat rétabli dans la plénitude de ses attributions par la disparition du Comité juridique.

Les propositions de la commission traduites dans les projets de texte arrêtés par le Gouvernement et retenus pour l'essentiel par le législateur de 1945 respectaient les principes traditionnels d'organisation et de fonctionnement du Conseil. Le rapport établi par M. Puget le rappelait dès ses premières pages :

« La commission, dans les bornes de la tâche qui lui était assignée, n'avait pas à discuter de l'existence même d'un grand corps dont l'utilité est

---

(1) D'après les déclarations de M. de Menthon à l'assemblée générale du Conseil d'Etat du 23 décembre 1944, cette commission comprenait d'autres membres du Conseil et des membres choisis hors du Conseil. On n'a pu malheureusement retrouver le texte de l'arrêté créant la commission et on ignore la composition de celle-ci et la date de sa constitution.

(2) Le dernier, relatif à la compétence en matière contentieuse, n'eut pas de suite.

évidente et dont le Gouvernement entend accroître, non pas amoindrir, l'action. Mais parce que le Conseil assume une double fonction, elle devait se demander s'il n'y avait pas lieu, comme on l'a suggéré parfois, d'opérer une coupure et de confier à deux organes totalement distincts les deux catégories d'attributions, consultatives et juridictionnelles, exercées concurremment jusqu'à ce jour. Or il est apparu de façon nette que cette séparation... aurait en soi des inconvénients graves et ne pouvait être admise. La dualité dans l'unité a favorisé, depuis plus d'un siècle, la qualité du travail accompli; chacune des branches d'activité a concouru à la vigueur de l'autre et de son originalité de dyptique le Conseil d'Etat tire une part précieuse de sa valeur... La juxtaposition au sein du Conseil d'Etat de formations administratives et de formations contentieuses, les interpénétrations et emboîtements qui existent enre elles, le passage de leurs membres des unes aux autres, la présence de tous les conseillers à l'assemblée générale préviennent ou compensent les déformations de l'esprit, sinon chez l'individu, du moins au sein du groupe, élargissent les horizons et contraignent à fouiller les profondeurs. Le Conseil d'Etat doit conserver son double visage, dont l'un est tourné vers la construction de ce qui n'est pas encore, l'autre vers l'examen des réclamations que suscite ce qui est ou ce qui a été ».

(Rapport au garde des sceaux présenté au nom de la commission d'études pour la réforme du Conseil d'Etat, pp. 3-5, Arch. C.E.).

Même souci de continuité en ce qui concerne la composition du Conseil et le statut de ses membres :

« Les membres du Conseil constituent un corps peu nombreux, de physionomie caractérisée, à esprit particulariste assez net, imbu d'un certain sentiment de supériorité dû à la nature des fonctions et au sentiment du mérite, en même temps pénétré d'un très vif dévouement au bien public. L'organisation de ce personnel offre divers traits qui sont voisins de ceux des anciennes corporations, avec une hiérarchie à trois degrés principaux, auditeurs, maîtres des requêtes et conseillers, correspondant à beaucoup d'égards aux apprentis, compagnons et maîtres. Le corps est à la fois fermé et ouvert; il a pour base de recrutement un concours très sévère, avec ensuite avancement d'étage en étage, presque toujours à l'ancienneté; pourtant il reçoit dans la maîtrise et parmi les conseillers un apport important venu de l'extérieur. La commission a laissé subsister les règles essentielles qui ont donné des générations d'hommes de talent et d'utiles serviteurs du pays... ».

(Rapport au garde des sceaux..., p. 20, Arch. C.E.).

Il ne fut rien changé en effet à ces règles essentielles : proportion des membres issus du concours et des membres venus de l'extérieur; garanties de carrière; limites d'âge etc.

Il ne fut pas davantage porté atteinte aux structures traditionnelles du corps (1) malgré la création d'un organe nouveau, la commission

(1) Toutefois la section de législation supprimée en 1934, reconstituée en 1940 fut à nouveau supprimée et la section sociale créée en 1938 et supprimée en 1940 fut reconstituée.

permanente. Sur ce dernier point, les propositions de la commission et du Gouvernement ne furent pas complètement suivies par l'assemblée générale du Conseil d'Etat, dont le point de vue prévalut dans l'ordonnance du 31 juillet 1945. La création de cette commission permanente était liée dans l'esprit des membres de la commission de réforme au transfert des attributions législatives du Comité juridique au Conseil d'Etat :

« Des projets d'ordonnance présentant un caractère d'extrême urgence affluent depuis septembre dernier au Comité juridique. Il faut qu'elles puissent être examinées sans désemparer dans les délais les plus brefs. Le Conseil, par le fonctionnement de ses formations administratives, évacue promptement les affaires. Pourtant il y a lieu d'assurer pour les nécessités très pressantes une rapidité plus grande encore. Une commission permanente sera créée. Elle sera toujours prête à procéder à des études immédiates et à tenir séance; ses membres, ses rapporteurs seront toujours à pied d'œuvre et en alerte. Elle se prononcera, sans renvoi à l'assemblée générale, sur les projets d'ordonnances ou de décrets-lois dont l'urgence aura été expressément constatée par décision du Président du Gouvernement provisoire... ».

(Rapport au garde des sceaux..., p. 15, Arch. C.E.).

La composition proposée pour cette commission, « raccourci et substitut du Conseil en son entier », aurait accentué encore son importance au sein du Corps :

« Les formations non contentieuses autres que l'assemblée générale pourront comprendre ou ne pas comprendre des conseillers en service extraordinaire. A l'opposé, il y en aura obligatoirement dans la commission permanente. Celle-ci sera formée d'un président, de cinq conseillers en service ordinaire et de quatre en service extraordinaire. On notera que les extraordinaires seront là presque à égalité avec les ordinaires, alors que par rapport à ces derniers, leur nombre total au sein du Conseil en son entier, n'équivaudra qu'aux deux septièmes. Des motifs d'opportunité et sans doute la préoccupation de maintenir dans le nouvel organisme une physionomie voisine de celle du Comité juridique auquel il succède (1) ont incité à accroître ainsi, de façon peut être excessive, l'influence dont disposeront les extraordinaires dans la Commission permanente ».

(Rapport au garde des sceaux... p. 28, Arch. C.E.).

---

(1) La Commission permanente succéda bien en fait au Comité juridique : le président Andrieux qui fut son premier président avait été membre du Comité juridique, comme cinq autres de ses onze membres; elle siégea jusqu'à la fin de 1947 à l'hôtel Matignon et non au Palais-Royal; elle utilisa jusqu'au 1er février 1947 pour enregistrer les affaires dont elle était saisie le registre ouvert à cette fin par le Comité juridique. Pendant cette période la Commission permanente fut saisie de 556 projets d'ordonnances et de lois. Sa consultation n'eut donc pas en fait un caractère exceptionnel comme le prévoyait l'ordonnance du 31 juillet 1945. Tous les projets d'ordonnance et de loi furent alors tenus pour urgents.

La section des travaux publics visite les mines de potasse d'Alsace (en octobre 1973).

Discussion de la réforme.

Bien qu'on ne possède pas de compte-rendu des débats des assemblées générales des 1er et 2 mars 1945 au cours desquelles les projets de la commission furent examinées (1), il est certain que la question de la commission permanente fut une des plus discutées. Au dossier de l'affaire figure une note manuscrite écrite hâtivement, sans doute en séance, et qui résume les observations faites sur ce sujet par M. Cahen-Salvador, président de section et qui avait présidé la commission crée le 19 février 1945 au sein du Conseil pour examiner les projets du Gouvernement :

« M. Cahen-Salvador explique les raisons pour lesquelles la commission a dû modifier le texte du Gouvernement...

Le Conseil d'Etat se croit en mesure d'une manière générale à l'appel du Gouvernement (2).

Travail supplémentaire aussi rapide qu'on veut bien le demander, le Comité permanent est en réalité un Comité d'urgence qui ne doit répondre que dans les cas exceptionnels.

Sa composition est le reflet de l'Assemblée dont il est issu. Président Comité permanent, s'il avait une individualité propre, différente de celle des autres présidents de section deviendrait une sorte d'autre Président du Conseil d'Etat. Il faut éviter tout point de friction dans une maison où l'harmonie doit régner.

Si seulement lois exceptionnelles devant le Comité il est possible qu'un président de section puisse assumer cette tâche ».

(Arch. C.E.).

Ces préoccupations se trouvaient exprimées dans la note d'observations adoptée par l'assemblée générale :

« Le Conseil a admis qu'il était nécessaire dans les circonstances actuelles d'instituer une commission permanente chargée d'examiner les projets d'ordonnance qui ont été l'objet d'une déclaration spéciale d'urgence. En revanche, il ne lui est pas apparu qu'il fût indispensable de prévoir, par une création de poste à titre définitif, qu'un président de section devrait consacrer toute son activité à la présidence d'un tel organisme, alors surtout que les membres de cette commission permanente, sauf les conseillers en service extraordinaire, seront pris dans les différentes sections du Conseil et continueront à leur appartenir : l'existence de la commission permanente elle-même est liée à la situation qui résulte de l'état de guerre et aux pouvoirs exceptionnels dont dispose le Gouvernement provisoire; elle présente, en dépit de son appellation, un caractère temporaire. A l'ancien article 1er devenu article 2 le Conseil a donc maintenu au chiffre actuel de cinq le nombre des présidents de section; l'un des présidents des

(1) C'est seulement à partir du 3 mai 1945 qu'il fut à nouveau établi des comptes-rendus des débats d'assemblée générale.

(2) Les mots « de répondre » ont été manifestement omis par erreur.

sections administratives assumera la présidence de la commission permanente ».

(Arch. C.E.).

L'ordonnance du 31 juillet 1945 donna satisfaction au Conseil d'Etat : la présidence de la commission permanente fut confiée à l'un des quatre présidents des sections administratives; faculté fut donnée à la commission permanente de renvoyer à l'assemblée générale les affaires dont elle était saisie; enfin le caractère exceptionnel de son intervention fut soulignée par la rédaction définitive de l'article 25 de l'ordonnance du 31 juillet 1945 : elle fut chargée de l'examen des projets d'ordonnance et des décrets pris en vertu de pouvoirs spéciaux en matière législative « dans les cas exceptionnels » où l'urgence est signalée par le ministre compétent et expressément constatée par une décision spéciale du président du Gouvernement provisoire mentionnée dans les visas; l'expression « dans les cas exceptionnels » ne figurait pas dans le texte initial du Gouvernement.

La commission et, à sa suite, le Gouvernement proposèrent des réformes assez nombreuses et dont certaines étaient importantes. La plupart concernaient le Conseil en tant qu'organe législatif et administratif. « Comme tribunal, écrivait M. Puget dans son rapport, le Conseil s'enorgueillit d'une œuvre immense et à juste titre célèbre. Il ne prête guère à la critique; on s'en tiendra à certaines améliorations dans la procédure ou les règles de compétence ».

Le rôle législatif.

La première — et la plus importante — des réformes proposées était relative aux attributions du Conseil en matière législative.

L'accord fut, semble-t-il, unanime (1) pour lui transférer les attributions appartenant en la matière au Comité juridique : désormais les projets de lois, d'ordonnances et de décrets ayant force législative seront obligatoirement soumis pour avis à son examen préalable. Cette compétence — nouvelle dans la mesure où le Conseil doit désormais être consulté — résulte à la fois des deux ordonnances du 31 juillet 1945, l'ordonnance n° 45-1706 qui supprime le Comité juridique et l'ordonnance n° 45-1708 qui organise le Conseil d'Etat. La première dispose en son article 1 :

Le Comité juridique près le Gouvernement provisoire de la République française est supprimé.

Ses attributions sont transférées au Conseil d'Etat.

En conséquence, les projets d'ordonnance et les projets de décret ayant

(1) Il y aurait eu cependant quelque réserve de la part du chef du gouvernement provisoire ou dans son entourage.

force législative que des textes ultérieurs auraient autorisé le Gouvernement à édicter sont soumis à l'avis préalable du Conseil d'Etat.
Le Conseil d'Etat est également chargé, à l'invitation du président du Gouvernement provisoire ou des ministres, d'étudier la révision et la codification des textes législatifs et réglementaires en vue d'assurer l'uniformité de la législation et sa conformité avec les principes républicains.

(*Duvergier, Nlle série, t. 45, p. 349*).

La seconde reprend et développe ces dispositions :

Article 21. Le Conseil d'Etat participe à la confection des lois ou ordonnances dans les conditions fixées par l'ordonnance du 31 juillet 1945 (1). Il est saisi par le président du Gouvernement provisoire des projets établis par les ministres, il donne son avis sur ces projets et propose les modifications de rédaction qu'il juge nécessaires.
Il prépare et rédige les textes qui lui sont demandés.
Le vice-président peut, à la demande des ministres, désigner un membre du Conseil d'Etat pour assister leur administration dans l'élaboration d'un projet d'ordonnance déterminé.
Article 22. Le Conseil d'Etat est obligatoirement consulté sur les décrets ayant force législative que le Gouvernement pourrait être ultérieurement habilité à promulguer, ainsi que sur les règlements d'administration publique et les décrets en forme de règlement d'administration publique.
Il peut, pour l'élaboration de ces textes, être fait application des dispositions du dernier paragraphe de l'article précédent.

(*Duvergier, Nlle série, t. 45, p. 349*).

Ces dispositions, qui mentionnent le Gouvernement provisoire et son chef, ont été rédigées en fonction de la situation constitutionnelle existant en 1945. C'est également en fonction de celle-ci qu'elles paraissent avoir été conçues, comme il ressort du passage suivant du rapport du conseiller Puget :

« Comme corps consultatif, le Conseil a rendu d'éminents services; ceux-ci, accumulés dans la pénombre, privés de la publicité accordée aux arrêts, sont demeurés peu connus, sauf d'un petit nombre d'initiés; mais depuis longtemps cette activité du Conseil a diminué peu à peu... Il faut accroître dans le domaine consultatif le rôle du Conseil, réaliser là de larges réformes, en attendant que le peuple français, dans sa pleine souveraineté, ait fixé son régime à venir et décidé la création d'une ou plusieurs assemblées législatives. La réunion du pouvoir législatif et du pouvoir exécutif aux mains du Gouvernement provisoire conduit à faire participer obligatoirement le Conseil à l'élaboration des Ordonnances ».

(Repport au garde des sceaux..., p. 6, Arch. C.E.).

Et le rapport s'achevait sur ces mots :

« S'inspirant des résultats qu'aura donnée l'application du statut établi aujourd'hui, l'Assemblée constituante, lorsqu'elle aura été élue, fixera défi-

(1) L'ordonnance en question est l'ordonnance précitée n° 45-1706.

nitivement la place qui devra être réservée au Conseil d'Etat dans les constructions de demain; elle déterminera la structure qu'il conviendra de lui donner et le domaine qu'il conviendra de lui impartir au sein d'une nouvelle organisation de la République et du pays ».

(Rapport au garde des sceaux..., pp. 46-47, Arch. C.E.).

La Constitution du 27 octobre 1946 demeure muette sur le Conseil d'Etat (1). Celui-ci continue, sous son empire, d'être consulté sur les projets de loi en application des dispositions des ordonnances du 31 juillet 1945. Valeur de règle constitutionnelle leur fut donnée par l'article 39 de la Constitution du 4 octobre 1958 : « L'initiative des lois appartient concurremment au premier ministre et aux membres du Parlement. Les projets de loi sont délibérés en Conseil des ministres après avis du Conseil d'Etat et déposés sur le bureau de l'une des deux assemblées. Les projets de loi de finances sont soumis en premier lieu à l'Assemblée Nationale ».

Le rattachement du Conseil d'Etat à la Présidence du Conseil.

La seconde innovation de l'ordonnance du 31 juillet 1945 fut le rattachement du Conseil d'Etat à la Présidence du Conseil (2). La Commission d'études l'avait proposé, en suggérant en même temps de donner au vice-président le titre de président :

« Jusqu'à présent le Conseil a été rattaché au ministère de la justice, il a pour président, plus théorique que réel, le garde des sceaux; le président effectif porte le titre de vice-président. Le garde des sceaux, continuateur des Chanceliers de France, a été pendant longtemps, presque de droit, vice-président du Conseil des ministres. La présidence du Conseil d'Etat apparaissait comme un attribut attaché à sa dignité de principal ministre auprès du chef du gouvernement et se justifiait par les fonctions juridictionnelles du Conseil...

La Commission, après une discussion approfondie, a adopté le rattachement à la Présidence du gouvernement. Investi d'attributions législatives et administratives qui le mettent en rapport avec tous les ministres..., collaborateur du Président du gouvernement dans son action pour diriger, coordonner, concilier, trancher, le Conseil, en tant que corps consultatif, doit être relié étroitement à la Présidence et au Président. Il y a une nécessité qui paraît impérieuse, surtout à la lumière de l'expérience acquise dans les sections du Conseil et des conditions de fonctionnement du Comité juridique. Reste le caractère juridictionnel et le danger qu'une innovation soit interprétée comme une tentative pour restreindre l'indépendance du Conseil, spécialement au contentieux.

Une solution dualiste a été un moment envisagée. Elle consisterait à

(1) Il est toutefois mentionné à l'article 3 qui dispose : « Le Président de la République nomme en Conseil des ministres les conseillers d'Etat ».

(2) Il fut opéré par l'article 1 de l'ordonnance dont la rédaction initiale n'a pas été modifiée : « Le Conseil d'Etat relève du président du Gouvernement provisoire de la République française, en sa qualité de président du Conseil des ministres ».

rattacher le Conseil au Président du gouvernement pour l'exercice des fonctions en matière législative et administrative et à le laisser sous l'autorité du garde des sceaux pour ce qui a trait au personnel et à l'exercice des fonctions juridictionnelles. Ce partage, à première vue assez séduisant, aurait des inconvénients qui ont empêché de s'y résoudre... Cet écartèlement du Conseil d'Etat ne pourrait qu'inciter à opérer un jour la séparation complète du corps consultatif et du tribunal, séparation que, dans les premières pages du présent rapport, on a énergiquement condamnée. La commission, finalement, recommande le rattachement total au Président du Gouvernement provisoire (1). Elle ne pense pas qu'en ce qui a trait à l'indépendance des membres, les influences politiques soient dans la réalité des choses beaucoup plus redoutables à la rue Saint-Dominique (2) où à la rue de Varenne (3) qu'à la place Vendôme (4). Et le garde des sceaux ne deviendra pas étranger au Conseil. On a déjà dit qu'il en aurait la présidence, lorsqu'il y prendrait séance en l'absence du président du gouvernement, mais surtout les ordonnances ou les décrets concernant le Conseil — et les décrets de nomination sont du nombre — exigent à côté de la signature du Président du gouvernement un contre-seing du ministre, ce contre-seing sera celui du ministre de la justice. Le vieux lien ne sera pas rompu » (5).

(Rapport au garde des sceaux..., pp. 16 à 19, Arch. C.E.).

Le service extraordinaire.

La troisième innovation concerne le service extraordinaire. L'ordonnance du 31 juillet le réduisit à douze conseillers « choisis parmi les personnalités qualifiées dans les différents domaines de l'activité nationale »; la commission d'études avait proposé de limiter à ce nombre les conseillers en service extraordinaire et à ne plus accorder ce titre aux secrétaires généraux ou directeurs de ministères. C'était là l'abandon d'une règle plus que séculaire que la commission justifiait ainsi :

« L'institution des conseillers en service extraordinaire devait donner place au Conseil à des porte-paroles des ministères, hauts fonctionnaires de

---

(1) En même temps la commission proposait qu'un maître des requêtes fut placé à la Présidence pour assurer la liaison entre celle-ci et le Conseil d'Etat. L'article 31 de l'ordonnance du 31 juillet 1945 dispose : « Un membre du Conseil d'Etat, conseiller d'Etat en service ordinaire, maître des requêtes ou auditeur de première classe désigné par le président du Gouvernement provisoire, sur la proposition du garde des sceaux ministre de la justice et sur avis du vice-président du Conseil d'Etat, est chargé de suivre auprès du président du Gouvernement provisoire les affaires intéressant le Conseil d'Etat ». Cet article, abrogé en 1963, ne reçut d'application que pendant une brève période où la liaison fut assurée par M. Marion; il tomba sans doute en désuétude parce que depuis 1945 les fonctions de secrétaire général du Gouvernement furent toujours exercées par un membre du Conseil d'Etat.

(2) Le ministère de la guerre, où était alors installé le Général de Gaulle chef du Gouvernement provisoire, se trouve rue Saint-Dominique.

(3) L'Hôtel Matignon, siège de la présidence du Conseil, se trouve rue de Varenne. Les conseils des ministres s'y tenaient en 1944 et 1945.

(4) Le ministère de la Justice se trouve place Vendôme.

(5) De nombreuses dispositions de l'ordonnance du 31 juillet 1945 et du décret du même jour prévoient l'intervention, la plupart du temps sous forme de propositions, du garde des sceaux.

l'administration active... La Commission a été informée que depuis ces dernières années les secrétaires généraux ou directeurs qui recevaient le titre toujours envié de conseillers en service extraordinaire, une fois nommés, ne se montraient pratiquement jamais au Conseil, omettaient même fréquemment de s'y faire installer et y restaient d'ordinaire inconnus. Cet absentéisme privait du concours qu'on pouvait attendre d'eux. En revanche, les directeurs non conseillers s'en remettaient aux secrétaires généraux ou aux collègues parés de la qualité de conseillers du soin de suivre les affaires devant le Conseil. Finalement, ni ceux qui seraient venus volontiers, ni ceux qui avaient qualité pour venir ne paraissaient devant les sections ou l'assemblée générale... La Commission propose dans ces conditions de ne plus nommer conseillers en service extraordinaire des représentants de ministères ».

(Rapport au garde des sceaux... pp. 22-23, Arch. C.E.).

En revanche, l'ordonnance du 31 juillet 1945 ne retint pas la proposition de la commission — acceptée d'abord par le Gouvernement, puis, sous une forme un peu différente, par le Conseil d'Etat (1) — de créer douze postes de maîtres des requêtes en service extraordinaire et temporaire :

« Il s'agit avec eux, écrivait M. Puget dans le rapport de la commission, de favoriser un échange d'activité plutôt que de faire bénéficier le Conseil d'un appoint d'expérience et de savoir : ils viendront recevoir autant que donner. Fonctionnaires appartenant déjà depuis cinq ans aux administrations publiques, âgés de 30 ans au moins et de 40 ans au plus, ils s'initieront aux méthodes du Conseil, s'instruiront dans ses débats, s'imprégneront de son esprit, se pénétreront de ses méthodes. Le Palais-Royal sera pour eux une école supérieure et un stage dont ils profiteront ensuite dans leur carrière et dont ils feront profiter leurs services. Ils seront nommés pour une période de trois ans non renouvelable. A son expiration ils reviendront dans leur administration d'origine, à moins qu'ils ne réussissent à se faire nommer maîtres des requêtes de la catégorie normale au tour extérieur ».

(Rapport au garde des sceaux... pp. 25-26, Arch. C.E.).

Dans la pensée de la commission d'étude, la création de maîtres des requêtes en service extraordinaire n'était qu'un moyen parmi d'autres de créer des liens et d'instituer des échanges entre le Conseil d'Etat et l'extérieur. Cette préoccupation apparaît à de nombreuses pages du rapport :

« Entre les membres du Conseil, malgré les belles qualités dont ils ont constamment donné la preuve, une partie de ceux qui sont issus du concours et possèdent déjà une formation identique est restée enfermée trop longtemps et trop exclusivement, d'ordinaire sous le faix du contentieux, dans ce Palais-Royal que ses grilles et ses cours mettent un peu en retrait de la vie. Au champ d'action désormais accru doit correspondre un

(1) L'assemblée générale proposa de les appeler « assesseurs temporaires ».

personnel où sera rapprochée une variété de compétences ou de talents et dont la carrière ne se déroulera pas sans contacts fréquents avec l'extérieur ».

(Rapport au garde des sceaux... p. 7, Arch. C.E.).

A cet effet la commission proposait notamment que l'exercice à l'extérieur pendant une année de fonctions administratives fût exigée des maîtres des requêtes pour l'accès au grade de conseiller et que les auditeurs après deux années passées au Conseil accomplissent un stage de deux ans dans les conditions ci-après décrites :

« Ce sera véritablement un stage; l'auditeur, encore trop jeune et trop peu rompu à la vie administrative, ne sera pas nommément titulaire d'un emploi dont il assumerait seul la charge; il sera suivi et contrôlé par un directeur de stage, désigné par le président du Conseil d'Etat; il passera par différents services : on le notera dans chacun d'eux; il présentera un rapport à son retour. On a cherché à assurer, par le choix des services dans lesquels passeront ces stagiaires, le plus solide enrichissement intellectuel et la plus grande diversité des expériences pouvant donner des résultats utiles pour le déroulement ultérieur d'une carrière au Conseil. Les auditeurs iront pendant un an dans une préfecture ou dans une mairie de grande ville, ils y seront adjoints au secrétaire général...; ils participeront ensuite, pendant six mois, aux études et inspections d'un grand corps de contrôle; ... enfin, pour qu'ils sortent du cadre de la France métropolitaine et qu'ils connaissent par eux-mêmes certains aspects des problèmes de l'Empire ou des relations internationales, pendant les six derniers mois ils seront envoyés soit dans un territoire français d'outre-mer..., soit dans un pays étranger auprès du chef de la représentation française dans une organisation internationale ».

(Rapport au garde des sceaux... pp. 31-32, Arch. C.E.).

Conformément à l'avis de l'assemblée générale, l'exigence de l'exercice de fonctions extérieures pendant une année par les maîtres des requêtes fut supprimée; le Conseil avait fait observer que cette condition était presque toujours remplie en fait. Quant au stage des auditeurs l'ordonnance du 31 juillet 1945 n'en parle pas : les projets de création d'une école nationale d'administration avaient pris corps depuis que la Commission d'études avait rédigé son rapport et le problème de la formation des jeunes fonctionnaires s'en trouvait profondément modifié.

CHAPITRE XIV

LE CONSEIL D'ÉTAT DE 1945 A 1974

INTRODUCTION

L'évènement majeur de cette période de l'histoire du Conseil d'Etat est la crise provoquée, à la fin de 1962, par deux de ses actes : une décision de l'assemblée plénière du contentieux annulant un décret du chef de l'Etat qui avait créé une juridiction d'exception, un avis de l'assemblée générale déclarant contraire à la constitution le recours direct à la procédure référendaire pour le vote d'une loi qui modifiait le mode d'élection du Président de la République. Le Gouvernement estima que le Conseil d'Etat avait, dans l'un et l'autre cas, excédé ses pouvoirs et il dénia à ces deux actes toute valeur. Ainsi se trouvait ouvert un conflit sans précédent dans l'histoire du corps et qui faillit se reproduire en 1969 à l'occasion d'un nouveau référendum que le Conseil, pour les mêmes raisons qu'en 1962, déclara anticonstitutionnel. Le Gouvernement songea un instant à le dénouer par des mesures qui auraient modifié sérieusement les attributions, sinon la composition du Conseil.

Cet événement, si grave fût-il, n'a pas marqué une césure dans son histoire. Aucune décision ne fut prise sur le champ. Une commission fut constituée pour étudier une réforme du corps. Ses travaux se poursuivirent assez longtemps pour que l'apaisement se fasse. Les réformes édictées le 30 juillet 1963 ne furent certes pas négligeables, mais elles n'ont pas touché aux attributions du Conseil, ni modifié fondamentalement ses règles d'organisation et de fonctionnement. La période ouverte en 1945 continuait. Elle n'est pas encore close.

Deux faits essentiels la caractérisent. Le premier est le renouveau du rôle législatif du Conseil. Sous le régime de la loi du 24 mai 1872, le Gouvernement et le Parlement étaient libres de lui soumettre ou non projets et propositions de loi. Il fut en fait très rarement consulté pendant la IIIe République. Les ordonnances du 31 juillet 1945 rendirent sa consultation préalable obligatoire pour tout projet de loi. Cette règle fut confirmée par la constitution du 4 octobre 1958. Il a ainsi retrouvé une attribution qu'il n'avait détenue depuis sa création qu'à trois époques : le Consulat et le 1er Empire, la Seconde République, le Second Empire.

Le deuxième fait marquant est que le Conseil d'Etat a cessé d'être juge de droit commun du contentieux administratif. L'accroissement considérable de ce dernier au lendemain de la guerre a fait adopter en 1953 une réforme qui était envisagée depuis plus de trente ans. La compétence de premier ressort appartient désormais, sauf exceptions, aux tribunaux administratifs.

Ces deux réformes n'ont cependant pas renversé l'évolution qui depuis un siècle a donné une place prédominante à la fonction contentieuse parmi les activités du Conseil. Le renouveau de son rôle législatif, pour important qu'il soit, n'a pas pris l'ampleur que l'on pouvait imaginer en 1945 : seuls lui sont soumis les projets de loi — source essentielle il est vrai, mais en partie tarie depuis 1958, de la législation contemporaine ; les délais d'examen dont il dispose sont souvent très brefs : ses avis demeurent connus du Gouvernement seul. La réforme de 1953 n'a pas entraîné un déclin de son rôle juridictionnel : le nombre des litiges qu'il juge annuellement a diminué, mais reste élevé (3000 environ) ; il demeure compétent en premier et dernier ressort pour les recours en excès de pouvoir dirigés contre les actes administratifs les plus importants ; il exerce, par la voie de l'appel ou de la cassation, le contrôle de toutes les juridictions administratives. De sa section du contentieux, qui est toujours la plus nombreuse et la plus occupée de ses formations et où les jeunes auditeurs font leur apprentissage, le président Parodi pouvait dire au garde de sceaux en 1963 : « Si importantes que soient nos tâches administratives et malgré l'extension nouvelle qu'elles ont prise sous le régime de la constitution de 1958, le centre du Conseil d'Etat est la section du contentieux. Elle utilise à elle seule beaucoup plus de la moitié du personnel du Conseil. C'est à elle que nous devons, à de bien rares exceptions près, la formation de rigueur et d'équité à la fois et les méthodes de travail que beaucoup d'entre nous avons ensuite, dans le cours de nos carrières, utilisées pour d'autres tâches. Mais, plus que tout cela, elle est moralement au centre du Conseil, non pas tant parce qu'elle seule a un pouvoir de décision, mais parce que c'est à elle qu'appartient en propre l'héritage dont nous sommes fiers, cette grande œuvre jurisprudentielle progressivement élaborée depuis un siècle et demi et par laquelle notre pays a donné au monde une branche nouvelle du droit ».

I

"UNE ÉTAPE NOUVELLE ET FÉCONDE"

Changements et continuité — Une lettre du général de Gaulle — Vingt-trois nouveaux auditeurs — L'Ecole nationale d'administration — Le statut des membres du Conseil maintenu — MM. Cassin et Parodi — Le nouveau rôle législatif du Conseil — Son importance et ses limites — Interprétations constitutionnelles — La codification — La commission du rapport — Nouvelles méthodes de travail des sections administratives — De nombreux détachements — La revue « Etudes et Documents » — Le cent-cinquantième anniversaire du Conseil d'Etat.

CHANGEMENTS ET CONTINUITÉ

Présidant le 2 août 1945 l'assemblée générale, le garde des sceaux, Pierre-Henri Teitgen, exprimait son espoir que les ordonnances publiées la veille même marqueraient le début d'une « étape nouvelle et féconde » dans l'histoire du Conseil d'Etat.

D'importants changements venaient de s'y produire. Les vides dûs à l'épuration avaient été comblés en grande partie par des apports extérieurs, grâce à l'assouplissement provisoire des règles statutaires de recrutement, mais des promotions internes avaient aussi rajeuni le corps : plusieurs des maîtres des requêtes nommés conseillers à la fin de 1944 avaient à peine quarante ans. Une formation nouvelle, la commission permanente, avait été créée. Le Conseil était désormais rattaché à la Présidence du Conseil. Des perspectives nouvelles d'action et d'influence lui étaient ouvertes par l'obligation faite au gouvernement de soumettre à son avis tous les projets de loi.

Pour l'essentiel, le Conseil restait cependant lui-même. La plupart de ses membres demeuraient en place. Ses règles de recrutement et ses structures n'étaient pas altérées. Les attributions nouvelles qui lui étaient données s'ajoutaient, sans les modifier, à ses attributions antérieures. Le rattachement à la Présidence du Conseil ne rompit pas les liens qui l'unissaient traditionnellement à la Chancellerie (1). Leur maintien ne résulta pas seulement des dispositions législatives prévoyant que le garde des sceaux présiderait l'assemblée générale en l'absence du président du Conseil et proposerait toutes les mesures concernant le personnel du corps.

(1) A l'Asemblée générale du 2 août 1945, le garde des sceaux déclara : « J'aurais eu quelque peine à proposer au Gouvernement de la République les réformes consacrées par les deux ordonnances du 31 juillet, si ces réformes avaient dû rompre les relations traditionnelles de la Chancellerie et du Conseil d'Etat ».

La gestion quotidienne de ce dernier resta de la compétence du ministère de la justice, selon les instructions — toujours en vigueur — données le 5 décembre 1945 au garde des sceaux par le président du gouvernement provisoire :

« Mon cher Ministre,

Saisi de la question du transfert des crédits du Conseil d'Etat de la Chancellerie à la Présidence du Conseil au titre de l'exercice 1946, je crois devoir me prononcer dans le sens du maintien desdits crédits à votre ministère.

Cette décision, qui répond au souci de ne pas alourdir les services de l'Hôtel Matignon, ne me semble pas contraire aux termes de l'article premier de l'ordonnance du 31 juillet 1945. Si ceux-ci disposent que « le Conseil d'Etat relève du Président du Gouvernement Provisoire de la République Française », ils ne règlent pas, en effet, expressément la gestion des services administratifs et financiers du Conseil d'Etat.

Toutefois, je ne peux pas me prononcer en faveur du maintien du régime antérieur sans avoir attiré tout spécialement votre attention sur la situation qui doit être réservée au Conseil d'Etat auprès du ministère de la Justice, quel que soit son titulaire.

Si, comme cela a toujours été reconnu, l'indépendance traditionnelle de ce grand corps est incompatible avec sa subordination à l'une des directions de la Chancellerie, du moins ses affaires doivent-elles être centralisées et suivies sans interruption par le directeur du cabinet du garde des sceaux, en liaison avec le membre du Conseil d'Etat désigné à cet effet. Ce système semble adopté, d'ailleurs, place Vendôme, mais il mériterait d'être complété en vue d'éviter les perturbations résultant des changements ministériels. Il suffirait que le bureau du cabinet fût le dépositaire des dossiers intéressant le Conseil d'Etat.

D'autre part, il est désirable que le Conseil d'Etat soit associé réellement à la discussion de ses intérêts, notamment au point de vue budgétaire. Le rejet de ses demandes ou la réduction de ses crédits, au moins par le ministère des finances, sont prononcés à son insu et peuvent créer au Conseil d'Etat l'impression que ses intérêts n'ont pas été défendus en pleine connaissance de cause auprès du gouvernement. Au point de vue de la procédure, je vous suggère, en conséquence, soit d'attribuer au vice-président du Conseil d'Etat les pouvoirs d'ordonnateur secondaire, soit d'inviter le vice-président du Conseil d'Etat ou, à défaut, son secrétaire général, à débattre au ministère des finances les questions intéressant le budget du Conseil d'Etat.

En ce qui concerne le fond, j'attire tout particulièrement votre attention sur le rythme inusité des départs des membres du Conseil d'Etat, sollicités pour l'exercice de fonctions extérieures mieux rémunérées. Les traitements des membres du Conseil d'Etat font en effet l'objet d'un déclassement relatif et continu au sein de la fonction publique, ce qui ne se concilie pas avec l'importance des services que le gouvernement a demandés récemment et qu'il a toujours l'intention de demander à la Haute Assemblée. En particulier, l'exclusion du Conseil d'Etat, soit du champ d'application du projet de loi portant réforme de la magistrature, soit des mesures qui ont amélioré la condition des autres hauts fonctionnaires appelle de celui qui est leur défenseur qualifié des initiatives particulières.

Il me paraît enfin nécessaire de donner aux membres du Conseil d'Etat des moyens de travail modernes indispensables à la tâche qu'ils ont à accomplir (dactylographie, documentation, etc.).

Je connais trop votre attachement au Conseil d'Etat pour ne pas être persuadé que les observations qui précèdent recueilleront toute votre adhésion et votre entier appui.

Croyez, mon cher ministre, à mes sentiments cordialement dévoués ».

Charles de Gaulle

(Arch. C.E.).

Cette lettre, dans sa partie finale, abordait un problème qui, malgré les nombreuses nominations de conseillers (1) et de maîtres des requêtes faites à la fin de 1944 et au début de 1945 demeurait préoccupant, celui des effectifs du corps. Problème lié en partie pour les grades supérieurs à l'insuffisance des traitements (2), et pour l'auditorat à l'arrêt partiel du recrutement pendant la guerre. Vingt-trois postes d'auditeurs étaient vacants à la fin de 1945. Ils furent pourvus grâce à trois concours — dont deux concours spéciaux (3) — qui eurent lieu entre décembre 1945 et juillet 1946. Jamais, même au lendemain de la première guerre mondiale, le Conseil n'avait reçu en un laps de temps aussi bref autant de jeunes recrues issues du concours (4).

Ces trois concours devaient être les trois derniers concours de recrutement propres au Conseil. Les auditeurs furent ensuite recrutés par la voie

(1) Du moins en ce qui concerne les conseillers en service ordinaire. Les 12 postes de conseillers en service extraordinaire prévus par l'ordonnance du 31 juillet 1945 ne furent pourvus qu'avec un grand retard : deux seulement l'étaient en 1946, 4 en 1947, 6 en 1948 et 1949, 7 en 1950.

(2) Le président Cassin reviendra souvent sur cette question dans ses lettres de 1944 et 1945 au Président du Gouvernement provisoire et au garde des sceaux. En fait, il n'y a pas eu depuis 1945 de crise des effectifs. Les démissions, 13 au total entre 1945 et 1972, ont été moins nombreuses qu'entre les deux guerres. La création de nouveaux emplois de conseiller et de maître des requêtes, la réintégration des membres victimes des lois d'exception de 1940, puis, à la suite d'annulations contentieuses, de ceux frappés en 1944 par les mesures d'épuration, les intégrations en surnombre d'agents des anciens corps dissous de l'outre-mer, l'augmentation du nombre des détachements (qui donnent lieu à remplacement) ont entraîné au contraire un important accroissement des effectifs. Le Conseil d'Etat (conseillers en service extraordinaire exclus) comptait en 1940 121 membres; il en avait 160 en 1950, 220 en 1970 et 252 en 1974.

(3) C'est-à-dire réservés à certaines catégories de candidats qui n'avaient pu pour des raisons diverses se présenter aux concours organisés pendant la guerre.

(4) Un tiers environ de ces nouveaux auditeurs avait préparé le concours de l'auditorat, entre 1940 et 1945, dans des camps d'Allemagne où, détenus comme prisonniers de guerre, ils eurent la chance de bénéficier des leçons et des conseils de membres du Conseil d'Etat prisonniers avec eux. Ceux-ci organisèrent à leur intention, suivant la formule traditionnelle de l'Ecole libre des sciences politiques, des « écuries » de préparation, qui réunissaient les candidats éventuels aux concours, prévus pour l'après-guerre, du Conseil d'Etat, de la Cour des comptes et de l'Inspection des finances. Celle de l'Oflag IV D fut dirigé par Roger Grégoire, alors auditeur au Conseil d'Etat et par Philippe de Montrémy, inspecteur des finances; MM. André Moreau-Néret, maître des requêtes honoraire, Maurice Seydoux, maître des requêtes et Olaf de Louvencourt, inspecteur des finances, y donnèrent des enseignements appréciés. L'« écurie » de l'Oflag XVII A fut dirigée par Pierre Racine, auditeur au Conseil d'Etat, et Jean Le Vert, conseiller référendaire à la Cour des comptes; elle bénéficia des leçons de MM. Eisenmann et Hémard, professeurs des facultés de droit. La troisième « écurie », animée par Lionel de Tinguy du Pouët, auditeur au Conseil d'Etat, fut itinérante, comme ses membres : elle fonctionna à Lübben (Oflag III C) de 1940 à 1942, à Münster (Oflag VI D) de 1942 à 1944 et se transporta ensuite à Soest (Oflag VI A) où le manque de place, et aussi de forces réduisit beaucoup son activité.

de l'Ecole nationale d'administration, créée à la fin de 1945 et dont la première promotion sortit en 1947. C'était là une grande innovation (1). Le Conseil, en dehors duquel elle avait été conçue et qui ne l'avait pas désirée, l'accepta cependant et en apprécia vite les fruits, sans condamner pour autant le mode de recrutement antérieur. Une évocation de ce dernier, où perce quelque regret, fait suite, sous la plume du conseiller Puget, à l'éloge du nouveau système :

« Le Conseil, depuis la création relativement lointaine du concours de l'auditorat, recrutait ses plus jeunes membres par un concours spécial dont le jury était formé par quelques-uns de leurs aînés, conseillers et maîtres des requêtes. La préparation au concours n'avait pas de caractère officiel; elle se faisait presque exclusivement à l'Ecole libre des sciences politiques. Les candidats reçus ont toujours donné pleine satisfaction quant à leur valeur professionnelle; nul n'a jamais mis en doute l'impartialité des jurys et, d'après ce que l'on savait avant les épreuves de la valeur des concurrents, les échecs ou les succès n'ont pas comporté une part d'imprévu supérieure à celle que l'on doit toujours escompter. Avec l'Ecole nationale d'administration instituée en 1945, le régime de recrutement par concours pour les futurs hauts fonctionnaires a été complètement transformé. Il n'y a plus de concours spécial pour le Conseil, pas plus que pour les autres grands corps. Les auditeurs proviennent de l'Ecole nationale d'administration et des deux concours qui y donnent accès : celui ouvert aux étudiants et celui réservé aux fonctionnaires. Dans les jurys des concours d'entrée comme dans ceux des examens de sortie, il pourrait, à l'extrême rigueur et contrairement à l'esprit des textes, ne pas y avoir de membres du Conseil d'Etat. En pratique il y en a eu toujours depuis 1945 et il y en aura certainement toujours. La nomination aux fonctions d'auditeur dépend du rang de classement; les élèves reçus passent en principe, trois ans à l'Ecole ou dans des stages; ils sont fonctionnaires et perçoivent un traitement; dans les programmes, on a voulu établir la primauté de la culture générale.

On reprochait aux concours spéciaux d'attirer surtout les candidats parisiens, par le quasi-monopole de la rue Saint-Guillaume, d'accorder indirectement à ceux-ci la priorité, d'être peu démocratiques en raison du temps et des frais qu'exigeait la préparation et aussi par suite de l'impossibilité de les affronter où se trouvait, en fait, un jeune fonctionnaire de rang modeste, mais de mérite; on prétendait enfin qu'ils favorisaient à l'excès le particularisme des grands corps et qu'ils exigeaient des connaissances trop livresques et trop techniques. En réalité, le concours de l'auditorat, sans que son programme eût beaucoup varié, avait été progressivement aéré et vivifié. Les membres du Conseil issus de ce concours n'ont pas péché par défaut de culture générale, malgré la somme de droit administratif, constitutionnel et financier que l'on avait exigée d'eux. En revanche, il n'est pas niable que le Conseil, ainsi que l'Inspection des finances, la Cour des comptes, le personnel des Affaires étrangères, se sont recrutés principalement pendant près d'un siècle dans la haute bourgeoisie de Paris ou y ayant des attaches. Il a cependant toujours compté dans ses rangs des hommes de modeste extraction et venus de tous les coins de

---

(1) C'en sera une autre que l'entrée en 1952 de femmes au Conseil d'Etat. Il en compte quatorze aujourd'hui (mai 1974), parmi ses membres.

France; la proportion de ces éléments augmentait depuis 1914. La prédominance d'une zone géographique et d'une catégorie sociale provenait surtout de ce que les grands concours n'étaient guère connus en province et que les traitements de début furent longtemps infimes. On comprend que l'on ait voulu élargir les bases sur lesquelles doit s'opérer la sélection. Les résultats ne sont pas encore très différents. Une sorte de vitesse acquise, les traditions familiales, la qualité de l'enseignement donné par l'Institut d'études politiques de Paris, successeur de l'ancienne Ecole des sciences politiques, maintiennent par le canal du concours étudiants et son débit supérieur à celui du concours fonctionnaires, une similitude d'origines assez grande entre les récentes promotions d'auditeurs sorties de l'Ecole d'administration et celles que les derniers concours propres au Conseil avaient données. »

(*Conseil d'Etat, Livre jubilaire, pp.* 121-122).

La création d'une école nationale d'administration, chargée de recruter et de former les cadres supérieurs de la fonction publique, faillit porter atteinte à l'autonomie du statut des membres du Conseil. Il fut en effet envisagé, en 1945, de verser les anciens élèves de l'E.N.A. dans un corps unique dont les membres auraient servi indistinctement dans tous les corps et services dont le recrutement était désormais assuré par cette école. Ce projet fut abandonné. Il n'avait pas reçu bon accueil de la part du Conseil d'Etat, dont le vice-président écrivait à ce sujet, le 10 décembre 1945, au garde des sceaux :

« En réponse à vos lettres des 10 et 26 novembre 1945 par lesquelles vous me demandiez divers renseignements relatifs à l'application au Conseil d'Etat des textes portant réforme de la Fonction publique, j'ai l'honneur, après délibération avec mes collègues les présidents de section composant le bureau du Conseil, de vous donner les renseignements suivants, tant en ce qui concerne les membres du Conseil d'Etat que le personnel de ses bureaux.

La dite délibération a été prise en présence de M. Debré, Commissaire de la République, détaché à la Présidence du Gouvernement provisoire et de M. Grégoire, directeur de la Fonction publique (1).

Les membres du Conseil d'Etat tout d'abord ne doivent pas être intégrés dans les cadres des administrateurs civils : ils conservent le statut qui leur est propre, tel qu'il résulte de l'ordonnance du 31 juillet 1945, à laquelle je ne vois pas actuellement de modifications à apporter ».

(Arch. C.E.).

C'est donc sous le signe de la continuité beaucoup plus que du changement que le Conseil d'Etat entreprenait cette « nouvelle étape » dont parlait le garde des sceaux le 2 août 1945. Il allait la parcourir de 1944 à 1960 sous la présidence de M. René Cassin et de 1960 à 1971 sous celle de M. Alexandre Parodi. Présidences de deux juristes, issus le premier du corps des professeurs des facultés de droit, le second du

(1) MM. Debré et Grégoire étaient tous les deux maîtres des requêtes au Conseil d'Etat.

Conseil d'Etat même où, reçu en 1926 au concours de l'auditorat, il avait exercé pendant plusieurs années les fonctions de commissaire du gouvernement. Deux juristes, qui l'un et l'autre avaient assumé pendant la guerre d'importantes responsabilités politiques : le président Cassin fut commissaire national à la justice et à l'éducation nationale dans le Comité national français de Londres, puis dans le Comité français de la Libération nationale, présida le Comité juridique et siégea à l'Assemblée consultative d'Alger ; le président Parodi fut à partir de 1944 délégué général du Gouvernement provisoire de la République française pour la France occupée, membre de ce gouvernement en août 1944, puis ministre du travail et de la sécurité sociale.

UN RÔLE LÉGISLATIF NOUVEAU, IMPORTANT ET LIMITÉ

L'innovation la plus importante de l'ordonnance du 31 juillet 1945 concernait les attributions législatives du Conseil d'Etat désormais obligatoirement consulté pour avis sur tous les projets de loi d'origine gouvernementale. Il retrouvait ainsi une compétence qu'il n'avait possédée qu'à trois périodes de son histoire : sous le 1er et le 2e Empire et pendant la Seconde République.

Il l'exerça pendant plusieurs années dans des conditions assez particulières. De 1945 à 1949, la plupart des projets de loi furent considérés par le Gouvernement comme des projets urgents et soumis pour ce motif à l'examen de la commission permanente, qui ne fit jamais usage de son droit de renvoi à l'assemblée générale. Elle examina 473 projets en 1945/1946, 220 en 1946/1947, 243 en 1947/1948 et 215 en 1948/1949.

L'application extensive des dispositions de l'ordonnance du 31 juillet 1945 sur la commission permanente a été jugée favorablement par un de ses anciens membres :

> « La commission permanente s'est révélée un instrument particulièrement efficace pour l'examen des projets auxquels le gouvernement attache un intérêt politique particulier. Les faits sont trop récents pour appartenir à l'histoire; aussi n'est-il pas possible de citer des exemples. Mais il est permis d'évoquer plusieurs cas, notamment au cours des années qui ont suivi immédiatement la Libération, concernant des projets qui pouvaient paraître s'écarter le plus des principes généraux du droit, où l'action de la commission permanente, grâce au caractère plus confidentiel d'un débat limité à quelques personnes, à la technique de ce genre de discussion acquise par ses membres, à l'habitude de la commission de présenter ses suggestions moins comme des critiques que comme un apport constructif, peut-être aussi grâce au cadre simple et dépouillé de la modeste salle du troisième étage dans laquelle elle siège habituellement, a pu faire accepter par le gouvernement des amendements de portée considérable qui ont rétabli le texte présenté dans la ligne des principes généraux du droit. Il n'est pas évident qu'un débat plus solennel en assemblée générale, avec

le risque d'interventions accusant davantage les oppositions et prenant un tour plus critique, aurait permis d'obtenir des résultats comparables ».

(*Roland Maspetiol, Le Conseil d'Etat, Revue des Deux-mondes,* 1958, *pp.* 692-693).

Son activité diminua ensuite au profit des sections administratives et de l'assemblée générale et sa suppression fut même envisagée lors de la réforme du Conseil d'Etat en 1963 (1).

La compétence actuelle du Conseil d'Etat en matière législative est très large. Elle s'étend à tous les projets de loi sans distinction d'objet (projets de lois constitutionnelles ou de lois de finances lui sont soumis), sans distinction de procédure (il connaît des projets de lois référendaires comme des autres), sans autre distinction entre les projets urgents et les projets non urgents que la faculté pour le gouvernement de soumettre les premiers à l'examen de la commission permanente (2). Le rôle législatif du Conseil n'est cependant pas redevenu ce qu'il fut à diverses périodes du XIXe siècle. Le gouvernement ne choisit plus en son sein, comme il était tenu de le faire sous le Ier et le IIe Empire, les orateurs chargés de défendre ses projets de loi devant les chambres ; c'est aujourd'hui l'affaire des ministres (3).

Le Parlement n'a plus l'obligation, comme sous la Seconde République ou sous le Second Empire, de lui renvoyer certains textes pour examen et ni les gouvernements successifs de la IVe et de la Ve République, ni les chambres n'ont exaucé le souhait qu'exprimait le président Cassin en 1947 de voir soumettre pour avis au Conseil des projets d'origine parlementaire :

« La confiance des assemblées constituantes et de l'Assemblée nationale actuelle en l'impartialité et la sagesse du Conseil d'Etat, gardien des principes généraux du droit public français, ne s'est-elle pas manifestée à plusieurs reprises au cours de l'année 1945 par des demandes d'avis adressée à notre corps, de concert avec le Gouvernement provisoire, au sujet de questions capitales concernant l'exercice des pouvoirs publics pendant la période interconstitutionnelle transitoire qui doit s'achever le jour prochain de l'élection du Président de la République ?

---

(1) La réduction du rôle de la commission permanente fut progressive : elle examina encore 104 projets de loi sur un total de 283 en 1949-1950, 149 sur 167 en 1951-1952, 131 sur 200 en 1953-1954. Ce nombre tomba à 53 en 1957-1958 pour remonter à 220 (projets d'ordonnance et de lois) en 1958-1959 pendant la période de mise en place des institutions de la Ve république. Depuis lors, il est toujours demeuré inférieur à cent chaque année : 90 en 1961-1962, 47 en 1963-1964, 16 en 1965-1966, 27 en 1969-1970. Sauf exception, la Commission permanente n'est plus saisie aujourd'hui que de projets de loi urgents.

(2) Elle est donc plus étendue à certains égards qu'elle ne l'était sous la Seconde République; à cette époque la consultation du Conseil n'était pas obligatoire pour les projets de lois de finances, les projets de loi d'urgence, etc.

(3) Le gouvernement pourrait aujourd'hui encore choisir parmi les membres du Conseil d'Etat les commissaires du gouvernement qui assistent les ministres devant les chambres. Il le fit parfois sous la IIIe République. C'est ainsi qu'Edouard Laferrière, alors vice-président, soutint devant le Parlement en 1888 un projet de réforme du Conseil d'Etat.

Dès lors — et bien qu'en vertu de sa charte, la collaboration normale du Conseil d'Etat ne soit prévue que pour la préparation des projets de loi d'initiative gouvernementale — il n'est pas impossible de concevoir que, spontanément ou à la demande de l'Assemblée nationale elle-même, le Gouvernement de la République trouvera utile, en certaines occasions, de recourir au concours de notre corps, pour l'étude de propositions de loi d'origine parlementaire ».

(*Assemblée générale du* 8 *janvier* 1947, *Présidence de M. Ramadier, Garde des sceaux, Arch. C.E.*).

Le Conseil est demeuré le conseiller législatif du seul gouvernement et celui-ci l'a, depuis 1945, cantonné dans ce rôle. Il aurait pu en être autrement, si le pouvoir exécutif, spontanément ou à la demande des assemblées parlementaires, avait rendu publics ou, du moins, fait connaître aux chambres les délibérations et les débats du Conseil. Il en eut, à un moment donné, l'intention. Répondant le 1er juillet 1959 aux questions de MM. Valentin et Pleven, M. Michel Debré, alors premier ministre, les informait de la décision prise de publier les travaux du Conseil d'Etat relatifs au projet de constitution de 1958 :

« Le gouvernement est d'accord avec l'auteur de la présente question pour estimer utile une publication des principaux travaux préparatoires de la Constitution, utilité qui ne se limite pas à l'examen des règlements des assemblées et qui peut être grande pour tous les juristes désireux de se faire une opinion documentée sur l'interprétation des textes constitutionnels. J'indique donc que la décision a été prise de publier : 1° le compte-rendu analytique des séances du Comité consultatif constitutionnel; 2° le projet soumis au Conseil d'Etat, l'avis de celui-ci et le compte-rendu analytique de ses séances. Je rappelle que l'avant-projet soumis au Comité consultatif constitutionnel et l'avis de celui-ci avaient été publiés en août 1958. La publication de ces documents et comptes-rendus sera assurée par la direction de la documentation qui étudie actuellement sous quelle forme et dans quelles conditions financières ce travail pourra être effectué et qui en commencera très prochainement l'impression ».

(*J.O. Débats Ass. nat.* 1er *juillet* 1959, *p.* 1189).

Cette décision ne fut pas suivie d'effet. Huit ans plus tard, répondant à son tour à une question écrite d'un parlementaire, le premier ministre, M. Georges Pompidou, adoptait une position diamétralement opposée (1) :

« Il est exact que la publication ultérieure des travaux de la Commission spéciale constitutionnelle et de l'assemblée générale du Conseil d'Etat consacrés à l'examen du projet de constitution avait été annoncée lors de la parution des travaux préparatoires concernant les avis et débats du Comité consultatif constitutionnel. Il a semblé toutefois qu'une telle publication serait contraire à la nature même des travaux que le Conseil

---

(1) Déjà affirmée en 1960 par M. Frey, ministre délégué auprès du Premier ministre, en réponse à une question orale de M. Marcilhacy (*J.O.* Débats parlementaires, Sénat - 17 mai 1960 - p. 206).

d'Etat effectue lorsqu'il est consulté, comme il le fut en l'espèce, sur un projet du Gouvernement. Autant, en effet, il apparaissait indispensable d'assurer la publication des travaux du Comité consultatif constitutionnel, organisme de composition essentiellement politique, autant il apparaît peu souhaitable de rendre publics les travaux consultatifs du Conseil d'Etat, si l'on veut que les fonctionnaires qui composent la Haute Assemblée puissent, en toute circonstance, conserver l'entière liberté d'esprit indispensable à l'exercice de leur mission ».

(*J.O. Débats Ass. nat.* 19 *octobre* 1967, *p.* 3636).

Position qui a été maintenue depuis lors (1). En 1968, au lendemain de l'annonce d'un éventuel référendum, le premier ministre, M. Couve de Murville, refusait de publier l'avis émis en 1962 par le Conseil d'Etat sur le projet de loi référendaire concernant l'élection du Président de la République au suffrage universel (2). Sa réponse, bien qu'il s'agît de la publication d'un avis anonyme et non pas, comme en 1967, de débats où apparaissent les noms des intervenants, reprenait les termes de celle faite l'année précédente :

« La question posée par M. le sénateur Nayrou appelle une réponse identique à celle qui fut naguère faite (Journal Officiel, Assemblée nationale, débats, 19 octobre 1967, p. 3636) à la question écrite n° 1807 posée par M. Seres, député, au sujet de la divulgation de l'avis émis en 1958 par le Conseil d'Etat sur le projet de Constitution. Dans cette réponse il était indiqué que la publication des travaux consultatifs effectués par le Conseil d'Etat sur les projets du Gouvernement apparaissait peu souhaitable, si l'on veut que les fonctionnaires qui composent cette Haute Assemblée puissent, en toute circonstance, conserver l'entière liberté d'esprit indispensable à l'exercice de leur mission. C'est cette même préoccupation qui conduit le Gouvernement à ne pas envisager la publication de l'avis formulé en 1962 par le Conseil d'Etat sur le projet de loi concernant l'élection du Président de la République au suffrage universel, qui fut ensuite soumis au référendum. »

(*J.O. Déb. parl. Sénat,* 18 *déc.* 1968, *p.* 2138).

Cette pratique gouvernementale à peu près constante a pour effet que l'Assemblée nationale et le Sénat ignorent presque toujours, lorsqu'ils examinent un projet de loi, les observations et modifications dont il a pu être l'objet de la part du Conseil d'Etat.

Ignorance que l'on peut regretter, car souvent l'intervention de ce

(1) Il semble bien toutefois que la publication par le journal *Le Figaro,* le 26 mars 1969, du texte complet de l'avis émis par le Conseil le 17 mars précédent sur le projet de loi référendaire relatif au Sénat et aux régions, n'ait pu se faire sans l'accord — voire même le concours — du gouvernement.

Sous la IVe République, le gouvernement autorisa la publication d'avis interprétatifs émis par le Conseil en matière constitutionnelle et fit parfois état devant les chambres ou les commissions parlementaires de tels avis. M. Georges Bidault déclara ainsi à la tribune du Sénat que le Conseil avait jugé le traité de la Communauté européenne de défense conforme à la Constitution.

(2) Cet avis déclarait inconstitutionnel le recours direct à la procédure référendaire.

dernier, « non politique » par nature, ne se limite pas à l'aspect purement « rédactionnel ». Entre le « politique » qui n'est pas son affaire et le « technique » qui n'épuise pas toute sa compétence, il existe un large domaine où le Conseil peut faire et fait souvent porter son examen dans un esprit bien défini par l'un de ses membres :

> « Que le texte, écrit celui-ci, soit examiné par l'assemblée générale ou par la commission permanente, quel est exactement le rôle du Conseil dont la compétence s'étend aux projets d'origine gouvernementale à l'exclusion des propositions d'initiative parlementaire ? La Haute Assemblée doit veiller en premier lieu à ce que les dispositions envisagées ne soient contraires ni aux règles constitutionnelles, ni aux principes généraux du droit, ni aux garanties fondamentales des libertés publiques. Son contrôle va plus avant et concerne le fond du projet, notamment quant à l'adaptation de ses prescriptions au but poursuivi, à l'équilibre de ses dispositions, à l'harmonisation de celles-ci avec l'ensemble du système législatif, éventuellement à son opportunité.
>
> Par contre, le Conseil n'a pas à prendre parti sur les options politiques qui commandent parfois ces dispositions et qui doivent être regardées par lui comme des données qu'il n'a ni à approuver ni à critiquer. Le meilleur rapporteur est alors celui qui sait le mieux opérer une dissociation entre les options politiques et la construction juridique et administrative élaborée en partant de celles-ci. Quels que soient ses sentiments personnels à l'égard de ces dernières, le rapporteur est tenu à une loyauté absolue vis-à-vis des intentions du gouvernement.
>
> Ce que le Conseil est par contre en droit de demander, c'est que le gouvernement résiste à la tentation de se prévaloir de l'avis favorable donné sur le plan technique et juridique comme d'une approbation par le Conseil de l'inspiration du projet. Sur les options politiques de celui-ci, il n'y a pas, il ne peut pas y avoir d'avis du Conseil d'Etat, mais seulement les opinions individuelles, presque toujours divergentes, de certains de ses membres, opinions dont les usages ne permettent pas qu'elles s'expriment avec publicité. »
>
> (*R. Maspetiol, Le Conseil d'Etat, Revue des Deux-Mondes,* 1958, *pp.* 643-644).

AVIS, CODIFICATION ET ÉTUDES

En marge du rôle proprement législatif du Conseil d'Etat, une part importante de son activité a été occupée depuis 1945 par l'interprétation de règles constitutionnelles, la codification des textes législatifs et réglementaires et, plus récemment, à la suite de la création en 1963 de la commission du rapport, par l'étude de problèmes, voire de réformes, sur lesquels il entend appeler l'attention du gouvernement.

De 1945 à 1952, le Conseil fut sollicité à de nombreuses reprises de donner des avis sur des questions d'ordre constitutionnel. Les avis émis par lui en 1946 et 1947, à la demande soit du président de l'Assemblée nationale constituante, soit du président du gouvernement, soit des ministres, portaient sur le fonctionnement des pouvoirs publics pendant la période interconstitutionnelle et la mise en application des dispositions de la constitution du 27 octobre 1946. Les avis émis de 1947 à 1952 ont concerné pour la plupart l'organisation et le fonctionnement de l'Union française (1).

Depuis l'entrée en vigueur de la constitution du 4 octobre 1958 qui a établi par ses articles 34 et 37 une séparation nouvelle — et en principe rigide — entre le domaine de la loi et celui du règlement, le Conseil doit très souvent, à l'occasion de l'examen des projets de loi et de décret qui lui sont soumis, se prononcer sur la portée de ces règles de répartition des compétences entre le pouvoir législatif et le pouvoir réglementaire, travail auquel il consacre « un temps considérable, presque égal à celui consacré au fond des affaires soumises » (2) et que la compétence concurrente du Conseil constitutionnel rend particulièrement délicat.

L'ordonnance n° 45-1706 du 31 juillet 1945 citait expressément parmi les attributions du Conseil d'Etat « la révision et la codification des textes législatifs et réglementaires en vue d'assurer l'uniformité de la législation et sa conformité avec les principes républicains ». Disposition en partie de circonstance, au lendemain du rétablissement de la légalité républicaine, mais qui rappelait une des tâches traditionnelles du Conseil. Le foisonnement des textes lui a donné depuis 1945 une importance particulière. Le Conseil s'en acquitte en intervenant à plusieurs stades dans une procédure complexe ainsi décrite par M. Ettori :

> « La codification est l'aboutissement d'une procédure à trois degrés. Après le recensement des textes par la direction ministérielle compétente qui agit en liaison avec les départements ministériels intéressés, le projet de code est soumis à l'examen d'une commission spéciale instituée par arrêté ministériel pour chacune des codifications. Il est ensuite transmis à la commission supérieure de précodification dont le rôle est essentiel. Rattachée à la Présidence du Conseil, présidée par un secrétaire d'Etat, elle est vice-présidée par le président de la section de l'intérieur du Conseil d'Etat et comprend en petit nombre des membres qui appartiennent à des assemblées élues ou sont de hauts fonctionnaires ou magistrats. Elle est assistée d'un rapporteur général qui assure l'unité des méthodes. La commission supérieure a délimité les matières relevant de chaque ministère, défini les procédés de classement, prescrit la subdivision des codes. Elle règle les difficultés qui peuvent naître. On notera qu'en fait les grands codes que révisent des commissions de réforme, le code des impôts et le code des douanes qu'a établis le Ministère des finances, ont été hors de la compétence de la commission supérieure qui a appliqué son activité

---

(1) Le Président du Conseil ayant autorisé la publication d'un grand nombre de ces avis, ils ont été reproduits ou cités et, en tout cas, analysés et commentés dans la revue « Etudes et Documents » - cf. cette revue : 1e) année 1947 : L'organisation des pouvoirs publics depuis la Libération par A. Guillon, pp. 38-sq. 2e) année 1948 : Avis et notes du Conseil d'Etat concernant l'organisation des pouvoirs publics par A. Guillon, pp. 28-sq. 3e) année 1956 : Les problèmes de l'Union française dans les avis du Conseil d'Etat et avis publiés en annexe par Christian Chavanon, pp. 48-sq.

(2) R. Cassin dans « Etudes et Documents », année 1960, p. 17.

aux codifications administratives. Troisième degré de la procédure, le projet de code est, après son adoption par la commission supérieure, envoyé au Conseil d'Etat qui délibère en section sur les codes législatifs, en section puis en assemblée générale sur la partie du code règlementaire qui contient les règlements d'administration publique. Le code règlementaire est communiqué au Conseil, à titre d'information officieuse, pour les décrets simples car il n'a pas à en connaître. Le Conseil ayant délibéré, le projet est soumis à l'approbation de l'autorité compétente, puis publié ».

(*Ch. Ettori, Les codifications administratives, E.D.* 1956, *pp.* 41-*sq*).

Du pouvoir que l'article 24 de l'ordonnance n° 45-1708 du 31 juillet 1945 lui conférait d'appeler de sa propre initiative « l'attention des pouvoirs publics sur les réformes d'ordre législatif, réglementaire ou administratif qui lui paraissent conformes à l'intérêt général », le Conseil d'Etat ne fit, sous la IVe République qu'un usage très limité :

« Cette prérogative, écrivait le président Cassin en 1958, n'a été jusqu'ici exercée par lui qu'avec une grande, certains même diront une trop grande circonspection. On peut compter sur les doigts d'une main le nombre de fois où le Conseil a pris, en dehors de toute consultation concrète par les pouvoirs publics, une telle initiative ex officio délibérée en corps. Peut-être le Conseil qui a conscience d'être avant tout un organe régulateur hésite-t-il à s'ériger en organe moteur et à compromettre l'œuvre ordonnée et sereine qui est la sienne « au-dessus de la mêlée » par une pénétration indue dans cette mêlée. Une telle prudence ne saurait cependant être considérée comme une abdication. Pour maintenir utilement une attribution conférée par la loi, il vaut mieux attendre une occasion où son exercice sera à la fois très utile techniquement et pleinement efficace sur le plan national, que d'en user inconsidérément pour des objets de caractère trop lié à la politique et sans espoir sérieux d'obtenir un résultat ».

(*R. Cassin, Le Conseil d'Etat français depuis la seconde guerre mondiale in : Le Conseil d'Etat du Grand-Duché de Luxembourg, Livre jubilaire* 1856-1956, *Luxembourg* 1957, *p.* 87).

L'institution par les décrets de réforme de 1963 d'une commission du rapport et d'un rapport annuel, où le Conseil d'Etat « énonce les réformes d'ordre législatif, réglementaire ou administratif sur lesquelles (il) entend appeler l'attention du Gouvernement » lui a fourni l'occasion — et les moyens — d'exercer réellement cette prérogative. Les réformes proposées par les rapports des années 1964 à 1969 ont été pour la plupart des réformes de détail. Depuis 1969, la commission du rapport étudie des problèmes importants soumis à son examen par le gouvernement ou le bureau du Conseil d'Etat (par exemple, l'informatique et les libertés, les établissements publics, la déconcentration administrative, etc.). A la différence de celui de la Cour des comptes le rapport annuel du Conseil d'Etat n'est pas rendu public (1).

(1) Certaines de ces études ont cependant été publiées (l'étude sur les établissements publics l'a été en 1972 par la Documentation française).

ACTIVITÉS ADMINISTRATIVES

Dans le domaine proprement administratif, l'activité du Conseil d'Etat est caractérisée depuis 1945 par l'abondance des affaires. Le président Cassin relevait en 1958 qu'au cours des douze années précédentes le Conseil d'Etat avait été saisi d'un nombre deux à trois fois plus élevé qu'avant la guerre de projets de règlements d'administration publique, de décrets et de demandes d'avis en des matières particulières (nationalité, changements de nom, dons et legs, débets, tutelle administrative, etc.) ou sur des divergences entre ministères à propos d'interprétation de textes.

Les affaires de fonction publique, particulièrement nombreuses, ont occupé, jusqu'à sa suppression en 1963 (1), une commission spéciale, la commission de la fonction publique, composée de représentants des cinq sections du Conseil, qui a notamment examiné tous les statuts particuliers des corps d'agents publics créés en application de la loi du 19 octobre 1946 relative au statut général des fonctionnaires.

L'importance prise par les questions économiques et sociales dans la vie de la nation a incité les sections administratives à moderniser leurs méthodes de travail, en complétant souvent l'examen des dossiers par une étude sur place de grands travaux en cours ou d'institutions sociales.

Décrivant l'activité de la section des travaux publics, dont le premier déplacement collectif eut lieu en 1954 pour examiner le projet du barrage de Serre-Ponçon, M. Josse souligne l'utilité de ces visites :

> « Nombreux sont ceux qui croient que lorsqu'elles étudient une affaire — projet de loi, de décret ou avis sur une difficulté dont le ministre intéressé saisit le Conseil — les sections administratives du Conseil d'Etat n'ont du problème en discussion qu'une connaissance artificielle, tirée des pièces du dossier, dossier qui peut être inexact par erreur ou omission. Il n'en est pas ainsi; en tout cas il n'en est plus ainsi depuis que les progrès de la technique et l'audace des ingénieurs ont, en matière économique, fait surgir au premier plan des problèmes qui ne peuvent être vus « sur le papier ».
>
> L'importance du choix entre telle ou telle source d'énergie, l'implantation — ce choix une fois fait — des centrales hydrauliques, thermiques ou nucléaires, la recherche et l'exploitation des gisements d'hydrocarbures et le transport des produits extraits, le tracé des voies de communication et notamment des autoroutes, l'aménagement d'installations portuaires ou d'aéroports, la création de grands ensembles d'habitation, la modernisation de l'agriculture — pour ne citer que quelques uns des cas les plus typiques — ont conduit la section chargée d'étudier ces problèmes à se déplacer pour recevoir, sur les lieux mêmes, les explications des techniciens auteurs des projets et à suivre parfois ultérieurement la réalisation des

(1) Ses attributions ont été transférées à la section des finances.

travaux, pour constater d'abord l'exactitude des prévisions faites, ensuite les conséquences, notamment pour le rétablissement des communications, d'ouvrages qui peuvent modifier la structure même de certaines régions (aménagement du Rhin, de la Durance, complexe industriel de Lacq etc.)
Les enseignements retirés de cette vision directe dépassent le plus souvent l'objet du voyage. En premier lieu, ils donnent aux dossiers et aux questions que ceux-ci contiennent leur vraie grandeur; en second lieu, ils amènent, pour d'autres affaires qui seront ensuite soumises à l'examen du Conseil d'Etat, à voir les choses sous d'autres aspects que l'aspect strictement juridique. »

(*P. Josse, Le Conseil d'Etat devant les réalités économiques, ses méthodes de travail et son rôle, E.D.* 1960, *p.* 39-*sq*).

Le concours des membres du Conseil à l'administration active s'est depuis 1945 maintenu sous ses formes traditionnelles : participation à de nombreuses commissions, appartenance à des cabinets ministériels (1), détachements de plus ou moins longue durée dans des postes extérieurs. Ces détachements se sont multipliés. Ils atteignaient une quarantaine en 1960 et, depuis lors, ont été, à plusieurs reprises, plus nombreux encore. Leur diversité est très grande. Certains secteurs d'activités et certaines catégories de postes ont attiré ou attirent cependant, plus que d'autres, les membres du Conseil. Sans prétendre être complet, on citera (outre les postes où il est de tradition ancienne — ou naissante — de nommer des membres du Conseil d'Etat : Secrétaire général du Gouvernement, Secrétaire général du Conseil constitutionnel, Secrétaire général du Conseil économique et social, Directeur général de la fonction publique, etc.) : les juridictions internationales ou étrangères (Cour de justice des communautés européennes, Cours suprêmes de nouveaux Etats africains) ; les postes de conseiller juridique (auprès de ministères, d'ambassades, de gouvernements d'Etats nouveaux, d'organismes internationaux) ; les écoles et instituts de formation de fonctionnaires en France et à l'étranger (Ecole nationale d'administration ; Institut international d'administration publique...) ; le domaine social (directions ministérielles de la sécurité sociale, du travail et de la main-d'œuvre, de la population et des migrations, des hôpitaux...) ; les transports (S.N.C.F., R.A.T.P., Air-France...) ; l'information (O.R.T.F.) Les membres du Conseil sont moins souvent présents et moins nombreux dans l'administration préfectorale, le service diplomatique et les divers secteurs de l'activité économique (crédit, assurances, énergie, etc...), où essaiment davantage la Cour des comptes, l'Inspection des finances et les grands corps techniques de l'Etat.

Un autre trait caractéristique de l'histoire du Conseil d'Etat de l'après-guerre est le fait qu'un nombre relativement élevé de ses membres — plus élevé que dans le proche passé — s'est engagé dans l'action politique. Les uns, les plus nombreux, par la voie habituelle des mandats parlementaires. D'autres, depuis 1958, par l'accession directe à des fonc-

(1) On trouvera sur ce point d'intéressantes précisions dans l'ouvrage de Marie-Christine Kessler : « Le Conseil d'Etat » - Paris 1968 (notamment pp. 233-sq).

tions ministérielles. D'autres encore, en empruntant tour à tour ou simultanément ces deux voies. Au total plus d'une vingtaine de membres du Conseil d'Etat — mais les candidats furent bien plus nombreux — ont siégé au Parlement depuis 1945. Une douzaine, parlementaires ou non, ont été ministres et l'un d'entre eux, M. Michel Debré, premier ministre (1). Ces eaux mêlées de la politique et de l'administration ne furent pas sans péril pour le corps (2).

RELATIONS PUBLIQUES

La période ouverte en 1945 a été également féconde pour le Conseil d'Etat, parce que des initiatives heureuses ont mieux fait connaître à l'extérieur, en France comme à l'étranger, son rôle et son œuvre. On retiendra ici la création de la revue *Etudes et Documents* et la célébration, en 1950, du cent cinquantième anniversaire du corps.

« Etudes et documents ».

Présentée modestement lors de sa création en 1947 comme un fascicule spécial de l'annuaire du Conseil (3), cette revue annuelle fut, dès l'origine, beaucoup plus et beaucoup mieux que le remarquable « Compte général » qui, tous les cinq ans, de 1835 à la fin du siècle (4), décrivit et commenta les travaux du Conseil. Dans l'introduction du fascicule n° 1, le président Cassin disait les raisons de cette création :

> « Depuis longtemps... de bons esprits regrettaient qu'une institution aussi ancienne, aussi importante et aussi active (le Conseil d'Etat) ne fît pas connaître elle-même périodiquement quelques-uns des divers aspects de son histoire et de son labeur. Nous commençons sans tarder la publication, dans un fascicule spécial de l'Annuaire, d'études et de documents, publication ne portant pas atteinte à la discrétion traditionnelle de notre travail administratif et ne faisant pas double emploi avec les recueils ou les périodiques scientifiques qui, comme la Revue de Droit public, commentent notre jurisprudence.
>
> L'opportunité d'une telle initiative ressort encore mieux des évènements que des idées préconçues.

(1) MM. Léon Blum et René Mayer furent présidents du Conseil sous la IVe République et M. Georges Pompidou premier ministre sous la Ve République, mais ils n'appartenaient plus alors au Conseil d'Etat.

(2) Cf. ci-dessous p. 907.

(3) Cet annuaire contient le tableau des membres du Conseil, celui des avocats aux Conseils et donne la composition des diverses formations juridictionnelles et administratives du corps.

(4) La publication du Compte général fut interrompue à plusieurs reprises.

Après avoir cité et commenté ces événements, le président Cassin concluait :

« Que notre institution, façonnée par les siècles suivant le génie propre de la nation française, réponde aux besoins fondamentaux de l'Etat moderne en tant que protecteur des libertés fondamentales et du bien public et de régulateur des transformations se produisant dans les rapports entre l'individu et les collectivités publiques, cela apparaît clairement. Dans plusieurs pays qui, comme l'Egypte et la Belgique, étaient dépourvus d'un Conseil d'Etat, il a été jugé indispensable d'en créer ou rétablir un. Presque partout, une attention particulière est accordée à l'organisation et à l'activité du Conseil d'Etat français.

Le premier fascicule d'« Etudes et Documents » offrira donc certaines informations utiles à nos amis de l'étranger. Nous souhaitons à notre tour, recevoir des renseignements, des suggestions, des critiques, élargir le cercle de nos collaborateurs, provoquer, de la part de nos jeunes collègues, des études neuves touchant notamment l'histoire du Conseil d'Etat et le droit comparé. Il est salutaire de se regarder agir dans le temps même où l'on agit ».

(*Etudes et Documents n°* 1, 1947, *pp.* 9-*sq*).

Le cent cinquantième anniversaire du Conseil d'Etat.

Il fut célébré les 9 et 10 juin 1950 par trois manifestations : une séance solennelle, une réunion d'études de droit comparé, une exposition. M. Sauvel, conseiller d'Etat honoraire, président du comité chargé d'organiser l'exposition (1), les évoque dans les lignes suivantes :

« En 1900, nos aînés n'avaient point songé à célébrer le centième anniversaire de notre maison. Une exposition universelle suffisait cette année-là à occuper tous les esprits. Un demi-siècle plus tard, sur l'initiative du Président Cassin, nous avons fêté nos cent cinquante ans. Nous eûmes à cette fin, le 9 juin 1950, une assemblée générale solennelle, l'inauguration d'une exposition organisée dans les salles du Palais-Royal, et le soir une fête mondaine à l'hôtel de Beauharnais. Vint ensuite une médaille commémorative. Et l'année suivante la publication d'un livre jubilaire.

Le Président de la République, Vincent Auriol, connaissait déjà notre salle d'assemblées générales pour y avoir, en 1937, en qualité de garde des sceaux, ministre de la Justice, procédé à l'installation du vice-président Pichat. Il nous fit l'honneur d'y revenir le 9 juin. Parmi nos invités, un certain nombre venaient de l'étranger, ministres de la Justice ou très hauts magistrats du Royaume-Uni, de la Belgique, de la Hollande, de la Suisse. Ce fut l'une des premières manifestations de toute une politique de contacts et échanges de vues et d'idées, toujours fructueux, qui n'ont jamais cessé depuis et sont un des traits majeurs de la période actuelle.

(1) Ce comité comprenait en outre MM. Henry de Segogne, conseiller d'Etat; de Lavit, maître des requêtes; Soudet, auditeur et Julien, bibliothécaire-archiviste.

En droit strict, selon la Constitution de 1946, le Président de la République eût dû présider lui-même cette assemblée. Il en avait laissé l'honneur à René Mayer, lequel était non seulement garde des sceaux, ministre de la justice, mais ancien maître des requêtes et, cette année là, président de l'association des membres et anciens membres du Conseil.

Après que M. le vice-président Cassin eût rappelé les traits essentiels de notre histoire et les deux idées complémentaires, continuité de l'institution et évolution constante de celle-ci, René Mayer tint à rappeler, pour marquer la marche du temps, qu'il avait au début de sa carrière connu certain vieil huissier, lequel à la fin du Second Empire, avait selon la formule rituelle averti les membres du Contentieux que M. le Président était « au fauteuil ». Ce président était Rouher (et je me souviens fort bien de cet huissier). Et un peu après René Mayer, saluant la présence dans la salle du président Romieu, se trouvait évoquer par le seul nom de celui-ci tout le développement de notre jurisprudence.

Les discours terminés, M. le président Cassin fit au Président de la République les honneurs de notre exposition. Celle-ci était modeste et avait été organisée à peu de frais. On sait que nos archives et notre bibliothèque ont été détruites par la Commune de Paris en 1871. Nous avions demandé aide et assistance de divers côtés. Les archives nationales avaient généreusement répondu à nos demandes. La bibliothèque nationale (Département des imprimés, Cabinet des Estampes, Cabinet des Médailles), les bibliothèques de l'Assemblée nationale et du Sénat, la Bibliothèque Thiers, tous les grands musées, Louvre, Versailles, Malmaison, Musée de l'Armée, Carnavalet, Arts décoratifs, musée de la Préfecture de Police, Jacquemart-André, nous étaient venus en aide, et, bien entendu, nombre de collègues ou de familles d'anciens membres du Conseil. L'ensemble s'efforçait de rassembler des souvenirs et de préciser quelques idées.

Le soir du même jour on dansa, ou regarda danser. M. le Président Parodi, alors Secrétaire général du ministère des affaires étrangères, avait mis à notre disposition l'ancien hôtel de Beauharnais, qui dépendait à cette époque de ce ministère. Il a été rendu depuis à l'ambassade d'Allemagne. Il n'existe pas en France de plus beau décor remontant au Consulat. Décor parfait pour la date que nous voulions rappeler.

Une médaille commémorative, due au graveur Louis Muller, fut frappée par la Monnaie. Sur sa face Minerve, au revers une devise.

La devise des médailles et des jetons de l'ancien conseil du Roi, NIL NISI CONSILIO, ne pouvait être reprise. L'an VIII n'en avait pas eu. Le Président Cassin accepta les trois mots latins, CIVITATIS CIVIUMQUE JURA, que, sur sa demande, je lui avais proposés. »

(*Communication de M. Sauvel*).

Un livre jubiliaire édité par le Recueil Sirey parut au début de 1952. Le président Cassin le présentait ainsi :

« Les buts poursuivis par la publication du Livre jubilaire... ne sont... pas dénués d'ambition.

La première partie..., à laquelle ont contribué des personnalités françaises, vise, d'une part, à situer le Conseil d'Etat dans l'histoire, dans les institutions et dans la vie nationale et, d'autre part, à exposer dans une large synthèse ses domaines d'activité ainsi que ses méthodes et techniques de travail, une juste place étant faite à certains des hommes qui l'ont illustré.

Aux magistrats et savants de dix-sept pays étrangers appartenant aux systèmes les plus divers a été réservé le soin d'apprécier, dans la seconde partie du livre, le rayonnement plus ou moins intense que le droit administratif français et, plus spécialement, le Conseil d'Etat ont pu exercer sur les institutions et les conceptions en honneur dans leurs patries respectives ».

(*Le Conseil d'Etat, Livre jubilaire, pp.* 6-7).

II
LE CONTENTIEUX

25 000 dossiers en instance — Une crise imprévue — Ses causes — Nécessité d'une réforme profonde — Sa préparation — Débats, critiques et réserves — Les tribunaux administratifs juges de droit commun du contentieux administratif — Effets de la réforme.

La justice administrative en question — Son efficacité mise en doute — Les difficultés de l'accès au prétoire — « Le Huron au Palais Royal » — Un juge administratif trop timide ? — Ses arrêts sont-ils exécutés ? — Subtilité des solutions et hermétisme des décisions — Les « faiseurs de systèmes » — Le dialogue de la jurisprudence et de la doctrine.

Le rayonnement de l'œuvre jurisprudentielle du Conseil d'Etat à l'étranger — Elle est louée en Grande-Bretagne — Relations entre le Conseil d'Etat français et ses homologues étrangers — La Cour de justice des Communautés européennes.

Le contentieux mérite un chapitre particulier dans l'histoire du Conseil d'Etat depuis 1945. C'est en 1953 qu'est intervenue la réforme qui a retiré à celui-ci la qualité, qu'il possédait depuis sa création, de juge de droit commun du contentieux administratif. La jurisprudence a continué à s'enrichir. Son crédit et son influence à l'étranger ont augmenté, en même temps qu'en France était remise en question la valeur réelle de la justice administrative.

LES « VINGT CINQ MILLE DOSSIERS » ET LA CRISE DU CONTENTIEUX

Si surprenant qu'il puisse paraître, les problèmes du contentieux ne tinrent en 1944 et 1945 qu'une place très restreinte dans les préoccupations de la commission formée par le garde des sceaux pour étudier la réforme du Conseil d'Etat (1), comme dans celles du Conseil lui-même. On ne prévit pas alors la marée de recours qui, un an plus tard, allait submerger la section du contentieux :

« La nature et l'importance des mesures proposées, écrivait le conseiller Puget dans le rapport de cette commission, varient selon la catégorie des fonctions que l'on examine. Comme tribunal, le Conseil s'enorgueillit

(1) Cf. ci-dessus, pp. 830-sq.

d'une œuvre immense et à juste titre célèbre; il ne prête guère à la critique; on s'en tiendra à certaines améliorations dans la procédure ou les règles de compétence ».

(*Arch. C.E.*).

Les améliorations proposées étaient en effet modestes : transfert aux tribunaux judiciaires des litiges relatifs aux accidents de la circulation causés par des véhicules ; transfert aux conseils de préfecture des affaires de marchés de fournitures de l'Etat ; attribution à ces conseils d'une compétence en dernier ressort pour les contestations d'une importance minime en matière fiscale. Elles ne furent cependant pas adoptées. Lors de l'examen des textes qui devaient être signés le 31 juillet 1945, l'Assemblée générale repoussa la dernière comme « antidémocratique » et écarta la première — qui devait être réalisée douze ans plus tard par la loi du 31 décembre 1957 — pour le motif suivant :

« Par cette attribution d'une plénitude de compétence, les tribunaux judiciaires seraient appelés à connaître des conditions de fonctionnement des services publics; il serait ainsi fait échec au principe de la séparation des autorités administratives et judiciaires, sans que des motifs suffisants justifient cette dérogation. De très sérieux arguments militent au contraire en faveur du maintien de la compétence administrative. La jurisprudence établie par le Conseil d'Etat en cette matière est plus satisfaisante pour l'esprit, plus protectrice des intérêts pécuniaires des personnes publiques et donne plus de garanties aux fonctionnaires sans léser les particuliers, que ne l'est la jurisprudence des tribunaux judiciaires. Une unification au profit de ces derniers n'est donc pas souhaitable ».

(*Arch. C.E.*).

L'ordonnance du 31 juillet 1945 n'innova qu'en matière de procédure en édictant des mesures destinées à accélérer l'instruction des affaires et à forcer l'inertie ou la mauvaise volonté des parties. Elle ne donnait au Conseil aucun moyen de faire face au véritable raz de marée contentieux des années d'après guerre.

De 1940 à 1944, le nombre des litiges soumis au Conseil d'Etat avait diminué de façon très sensible (5 391 affaires en 1938-1939, 1 738 en 1939-1940, 1556 en 1940-1941, 1 677 en 1941-1942, 1936 en 1942-1943, 1 960 en 1943-1944), et seule cette diminution avait permis au Conseil de s'acquitter, avec des effectifs et des moyens réduits, de sa tâche.

La situation changea complètement dès 1946. La suspension des délais de recours devait prendre fin le 1er juin 1946, date légale de cessation des hostilités : 1 883 requêtes furent enregistrées au cours du mois de mai. Elle fut prorogée par la loi du 26 octobre jusqu'au 31 décembre 1946 : 1 387 requêtes furent enregistrées au cours de ce dernier mois. A ces pourvois « tardifs » devaient s'ajouter pendant les années suivantes beaucoup d'autres recours dirigés contre les mesures d'application des législations de guerre et d'après guerre (réquisitions, épuration, etc.). De

1946 à 1953, 6 000 affaires furent enregistrées en moyenne chaque année, avec un maximum de 7 201 en 1947-1948. Malgré le recrutement de 23 nouveaux auditeurs, issus des trois concours de 1946, la reprise des séances de jugement du samedi, l'augmentation du nombre des affaires inscrites aux rôles et la création en 1950 d'une 9e sous-section instruisant et jugeant les affaires d'accidents de la circulation, de réquisitions et de remembrement (1), le Conseil ne parvenait pas à juger un nombre suffisant d'affaires. Le nombre des dossiers en instance ne cessait d'augmenter ; il atteignit 24 150 au 1er août 1953, comme il ressort du tableau suivant :

Année judiciaire	1944 1945	1945 1946	1946 1947	1947 1948	1948 1949	1949 1950	1950 1951	1951 1952	1952 1953
Affaires entrées	2581	6893	6772	7201	5699	6665	5587	5542	6020
Affaires jugées	2307	2782	4308	4219	4777	4874	4022	4035	4531
Affaires en instance					13986 (1)	18641	20486	23390	24510

(1) Ce chiffre ne comprend que les affaires dites « de contentieux général ».

Cette situation ne pouvait se prolonger sans grave danger pour les intérêts des justiciables comme pour l'autorité et le prestige de la justice administrative. Des palliatifs auraient été insuffisants, car, ainsi que le disait M. Toutée devant l'Assemblée générale du 16 mai 1950 :

« Il n'y a pas à espérer que cette situation se retourne. On a beaucoup insisté, après la guerre, sur ce que pouvait avoir de transitoire l'afflux d'affaires provenant soit des réquisitions, soit de l'épuration. Cela est exact, mais ce sont là pour ainsi dire des épiphénomènes. Lorsqu'il n'y aura

(1) Il faut mentionner également parmi les mesures prises pour accroître le nombre des jugements par une meilleure organisation du travail, la création en 1946 de la commission des fichiers chargée de réunir et de conserver les textes des décisions rendues. La commission des fichiers fut remplacée le 23 avril 1953 par un centre de coordination et de documentation, créé par une décision du vice-président du Conseil d'Etat qui nomma ses deux premiers membres. Cette décision fut prise sur la proposition du président de la section du contentieux, à la suite d'un vœu de l'association des membres et anciens membres du Conseil d'Etat. Le centre, lors de sa création, a été confié à M. François Gazier, maître des requêtes, qui abandonna ses fonctions de commissaire du gouvernement pour en assurer la direction. Le centre diffuse rapidement à tous les membres du Conseil, aux avocats, aux membres des tribunaux administratifs et aux organismes universitaires intéressés, des fiches de jurisprudence. Ses membres assistent à tous les délibérés des formations de jugement. Ils rassemblent et conservent les conclusions des commissaires du gouvernement présentant un intérêt particulier. Ils jouent un rôle essentiel dans la composition du Recueil des arrêts du Conseil d'Etat. Ils publient souvent dans les revues juridiques des chroniques de jurisprudence d'autant plus appréciées que leurs auteurs connaissent bien, grâce à leur présence aux délibérés, les motifs et le sens exact des décisions rendues. Le centre a joué un rôle très important en 1954, en élaborant des directives pour le transfert aux tribunaux administratifs des 8 500 dossiers en instance dont la connaissance leur avait été attribué par la réforme de 1953. (Cf. Le *Centre de coordination et de documentation du Conseil d'Etat, par MM. Long et Braibant, Etudes et Documents 1955, p. 69*).

plus d'épuration, lorsqu'il y aura moins de réquisitions, il y aura autre chose. Nous sommes en présence d'un mouvement dont la raison profonde est le développement incessant des attributions de l'Etat.

Il est bien évident qu'il n'y a pas de rapport entre les relations qu'avaient les adminitrés et l'Etat en l'an VIII et celles qu'a maintenant un administré avec la puissance publique. Celle-ci intervient maintenant tous les jours dans la vie des administrés. Elle y intervient avec une insistance et avec des incidences de plus en plus profondes. Il est évident que les français de l'an VIII étaient moins acharnés à se défendre contre la contribution des portes et fenêtres que les commerçants d'aujourd'hui ne le sont à lutter contre des prétentions fiscales qui peuvent aller jusqu'à représenter pour ceux qui ont à les subir une question de vie ou de mort.

Ainsi donc, sur tous les plans, la vérité, c'est qu'on est en face d'un mouvement irrésistible qui postule des modifications profondes à notre organisation judiciaire ».

(*Arch. C.E.*).

LA RÉFORME DE 1953

Ces modifications profondes furent opérées par les décrets du 30 septembre et du 28 novembre 1953 qui ne virent le jour qu'au terme d'une longue et laborieuse procédure.

Son élaboration et ses principes.

Le 20 février 1948, un conseiller de la République, M. Charlet, déposait une proposition de loi tendant à faire des conseils de préfecture les juges de droit commun du contentieux administratif. Peu après, deux députés, MM. Grimaud et Prélot déposaient une proposition de loi relative à la réforme de ce contentieux (1).

De son côté, le gouvernement élaborait, à partir des travaux d'une commission de réforme du contentieux formée au sein du Conseil d'Etat, un projet de loi qui fut examiné par l'Assemblée générale le 16 mai 1950. Ce projet vint en discussion devant l'Assemblée nationale, sur rapport de M. Wasmer, en juillet 1951, puis en juillet 1952 (2), mais les débats ne furent pas achevés. Le gouvernement utilisa pour faire aboutir la réforme les pouvoirs que lui avait conférés la loi du 11 juillet 1953 portant redressement économique et financier et qui, grâce à une disposition heu-

---

(1) Dès le 27 janvier 1947, un député, M. Jacques Bardoux, avait déposé devant l'Assemblée nationale une proposition de loi relative au recrutement, des conseils de préfecture. Dans la pensée de son auteur, la réforme proposée devait être le préalable d'une redistribution des compétences.

(2) *J.O.* Documents parlementaires. Assemblée nationale. Annexe n° 67 à la séance du 11 juillet 1951, p. 1373 et Annexe n° 4084 à la séance du 10 juillet 1952, p. 1727.

reusement introduite dans le texte de cette loi, s'étendaient à la réforme du contentieux administratif.

Les principes en sont clairement énoncés dans l'exposé des motifs du décret du 30 septembre 1953 :

« Le principe essentiel de la réforme qui fait l'objet du présent décret, lequel s'inspire des rapports établis par les commissions compétentes de l'Assemblée nationale et des dispositions déjà votées par l'Assemblée elle-même, est de réaliser un aménagement de compétence entre les conseils de préfecture qui deviennent, sous le nom de tribunaux administratifs, juges de droit commun en matière administrative, et le Conseil d'Etat désormais juge d'appel des décisions rendues par ces tribunaux du premier degré. Le Conseil d'Etat ne garde compétence en premier et dernier ressort que pour connaître du contentieux contre les décisions prises en des domaines particuliers limitativement énumérés à l'article 2 du présent décret. Ces exceptions au principe de la compétence de droit commun reconnue aux tribunaux administratifs se justifient soit par la nécessité d'assurer un juge unique à des recours contre des actes administratifs dont le champ d'application s'étend au-delà du ressort d'un seul tribunal administratif, soit par l'importance des affaires à juger. Le Conseil d'Etat reste, naturellement, seul compétent pour statuer sur les recours en cassation.

Le bien-fondé d'une telle réforme ne peut être contesté. En effet, le nombre de pourvois introduits devant le Conseil d'Etat n'a cessé d'augmenter, et, malgré un effort très important et une amélioration de ses méthodes de travail qui lui permettent de juger chaque année beaucoup plus d'affaires qu'avant 1944, il est aujourd'hui dans l'impossibilité de faire normalement face à sa tâche. L'application de lois nouvelles importantes, telles que celle du 19 octobre 1946 sur les pensions, l'intervention de l'Etat dans des matières de plus en plus nombreuses motivent actuellement un nouvel afflux de recours. Ceci a pour conséquence, d'une part de constituer au Conseil d'Etat un arriéré d'affaires à juger qui ne cesse de croître (15 000 en 1947, 19 000 en 1949 et 24 000 au début de 1953), d'autre part d'obliger le juge à ne rendre ses décisions qu'après un très long délai qui leur fait perdre beaucoup d'efficacité et qui peut même aboutir parfois à un déni de justice.

Par ailleurs, les réformes successives apportées à l'organisation et à la composition des conseils de préfecture, spécialement l'amélioration de leur recrutement, ne permettent plus de maintenir à leur encontre les critiques qui leur ont été adressées dans le passé, mais les rendent au contraire aptes à remplir la nouvelle et importante mission qui va leur être confiée. Un statut particulier des membres des tribunaux administratifs qui fera l'objet du règlement d'administration publique prévu à l'article 14 du présent décret, accroîtra les garanties de compétences et d'indépendance que présente déjà le personnel des actuels conseils de préfecture.

La procédure suivie devant les conseils de préfecture régie notamment par la loi du 22 juillet 1889 est en outre, ainsi qu'il est désormais souhaitable, alignée par le présent texte sur celle prévue par l'ordonnance du 31 juillet 1945 sur le Conseil d'Etat ».

(*J.O.*, 1er *octobre* 1953, *p.* 8594).

Craintes et discussions.

Jugée nécessaire par la plupart, cette réforme fut faite sans enthousiasme et suscita de sérieuses craintes.

C'était en effet modifier sur un point essentiel le rôle traditionnel du Conseil d'Etat, auquel sa qualité de juge de droit commun avait permis d'élaborer la théorie du recours pour excès de pouvoir :

> « Faut-il déclarer, disait M. Renaudin à l'assemblée générale du 16 mai 1950, que le Conseil d'Etat n'est plus juge de droit commun et que les tribunaux administratifs le deviennent, le Conseil d'Etat n'étant plus qu'un juge d'attributions ? Pour ma part, j'y répugnerais. Le Conseil d'Etat a fait le contentieux administratif aux yeux de l'opinion ».
>
> (*Arch. C.E.*).

Les craintes étaient doubles : le cours de la justice administrative serait-il vraiment accéléré ? La qualité de cette justice n'allait-elle pas être atteinte ?

Sur le premier point, M. Gazier posait bien le problème lorsqu'il écrivait au lendemain de l'entrée en vigueur de la réforme :

> « La réforme est-elle propre à accélérer dans son ensemble le cours de la justice administrative ?... La réponse ne peut être que nuancée et finalement demeure bien incertaine... Cet encombrement qui mettait en péril au Conseil d'Etat le cours de la justice administrative, certains des nouveaux tribunaux ne vont-ils pas le connaître à leur tour ?... L'appel du moins, s'il est formé, ira-t-il plus vite ? Ceci suppose que le Conseil d'Etat, lui aussi, soit désencombré. Or, ce résultat, on l'a vu, ne saurait être atteint avant au bas mot une bonne dizaine d'années (1). Et encore en supposant que le nombre des appels ne soit pas trop élevé. Nous retrouvons là, une fois de plus, le nœud de toute l'affaire, le pari ou plutôt l'acte de foi sur lequel repose toute la réforme : le faible pourcentage des appels. Il est évident qu'à la limite, si appel était formé pour toutes les affaires touchées par la réforme, celle-ci, en insérant un degré de juridiction supplémentaire dans un mécanisme déjà surchargé, n'aurait fait qu'en accroître le poids et la lenteur. L'opération par contre est raisonnable si l'appel reste limité à une affaire sur quatre ou cinq ».

Et il concluait cet article en énumérant toutes les conditions auxquelles le succès de la réforme était subordonné :

> « L'année 1954 marquera un tournant décisif dans le cours de la justice administrative comme dans l'évolution du droit qu'elle applique.

---

(1) Sur les 25 000 dossiers en instance devant le Conseil d'Etat au 1er janvier 1954, un tiers seulement fut renvoyé pour instruction et jugement aux tribunaux administratifs; le Conseil d'Etat conserva donc la plus grande part de l'arrivée dont la résorption demanda en effet une dizaine d'années.

Sera-ce l'avènement d'une justice améliorée et d'un droit rénové ou la précipitation d'une décadence marquée par l'apport d'un surcroît de complication à une justice toujours aussi lente et d'une grande confusion à un droit nullement simplifié ?

Il faudra attendre au moins une dizaine d'années pour en décider, avant lesquelles le retard actuel ne saurait être résorbé, ni accomplie l'adaptation des juges et des praticiens à leurs nouvelles tâches.

Le succès est loin d'être assuré d'avance et il est au prix d'un immense effort convergent de tous ceux qui participent de près ou de loin à la justice administrative.

Si les membres des Tribunaux administratifs parviennent à assimiler toute la jurisprudence du Conseil d'Etat, sans se perdre dans ses mille nuances et en conservant une suffisante liberté d'esprit pour s'en affranchir à bon escient;

Si les membres du Conseil d'Etat savent voir en cette réforme autre chose que le seul désencombrement de leurs rôles et songent à assumer pleinement leur mission de juges d'appel;

Si les auxiliaires de la justice, formés au droit privé et exerçant leur ministère devant les nouveaux tribunaux, font l'effort nécessaire pour s'adapter à une nouvelle discipline;

Si les administrations font preuve de bonne volonté à l'égard de la réforme et appliquent de bonne foi les décisions des nouveaux juges de droit commun :

Si la doctrine prend conscience de son rôle éducatif et n'oublie pas que la seule critique valable est celle qui est résolument constructive;

Si les Pouvoirs publics enfin ne se désintéressent pas de la réforme accomplie et savent y apporter à temps les compléments et redressements nécessaires, alors la réforme de 1953 constituera un succès d'une immense portée. La justice administrative n'apparaîtra plus seulement comme l'effet, brillant et passager, de la conjonction assez fortuite entre les années 1860 et 1914 d'une institution autoritaire et d'un climat libéral. Elle aura manifesté son implantation réelle en nos institutions, prouvé sa vitalité, acquis ses titres à durer...

Mais tant de conditions, et si diverses, pourront-elles être simultanément réalisées ? ».

(*F. Gazier. De quelques perspectives ouvertes par la récente réforme du contentieux administratif. Revue de droit public* 1954, *p.* 673-675).

Certains — notamment les avocats au Conseil d'Etat — qui craignaient que ces conditions ne soient pas réalisées, auraient préféré une réforme plus limitée, accroissant les compétences d'attribution des tribunaux du 1er degré et laissant au Conseil d'Etat la qualité de juge de droit commun. Ils redoutaient notamment que les tribunaux administratifs, devenus juges en premier ressort de l'excès de pouvoir, n'aient pas l'indépendance nécessaire pour annuler les actes des préfets (1).

(1) Les adversaires de la réforme faisaient également valoir l'insuffisance des mesures prises pour résorber l'arriéré. Certains d'entre eux proposaient à cet effet des mesures beaucoup plus radicales, en particulier l'adjonction pendant quelques années au Conseil d'Etat de membres des tribunaux administratifs, d'administrateurs civils, de magistrats retraités, qui auraient rempli les fonctions de rapporteur

Leurs objections ne prévalurent pas et le pari fut fait. Il paraissait à la plupart inéluctable :

« Au premier abord, déclarait M. Lachaze à l'Assemblée générale du 16 mai 1950, il peut sembler paradoxal qu'au moment où le Conseil d'Etat s'apprête à fêter son cent-cinquantenaire, il envisage d'abandonner sa prérogative essentielle de juge des excès de pouvoir.

La réforme proposée entre certainement dans la ligne de l'évolution inéluctable : le Conseil d'Etat ne peut pas continuer indéfiniment à être le juge de premier et dernier ressort des actes administratifs.

Le régime actuel n'a que le caractère d'une survivance historique. Il remonte à une époque où le contentieux administratif avait le caractère d'un contentieux exceptionnel. Mais ce contentieux administratif a pris une place considérable dans la vie de tous les jours et il intéresse aujourd'hui tous les citoyens.

Dans ces conditions, il est absolument anachronique qu'il n'existe pour l'ensemble de la République française — y compris les territoires d'Outre-Mer — qu'un seul juge de droit commun devant lequel doivent être portés tous les litiges d'ordre administratif, même les plus minimes. Aussi est-il normal de faire un effort et de rapprocher le juge du justiciable. Une seule solution logique s'impose... : c'est de faire des conseils de préfecture des juges de premier ressort ».

(*Arch. C.E.*).

Une réforme moins radicale eût risqué d'entraîner au sein du Conseil une hypertrophie de la fonction contentieuse qui inquiétait plus d'un :

« Nous sommes aujourd'hui en présence, déclarait M. Latournerie, d'une institution parfaitement cohérente. Vouloir créer une hypertrophie de la section du contentieux, développer exagérément cet organisme, ceux d'entre nous qui l'aimons le mieux, qui la servons le mieux, qui constatons la maturité des efforts réalisés, seront les premiers à répugner absolument à s'engager dans cette voie.

Je considère que l'honneur de cette maison, son originalité, sa fierté, c'est d'avoir atteint un certain équilibre entre la fonction administrative et la fonction juridictionnelle. Il n'y a pas intérêt à transformer les meilleurs de cette maison, tout au moins quelques uns parmi les meilleurs de cette maison en hommes à qui la qualité de juge fera oublier certains actes administratifs ».

(*Assemblée générale du* 16 *mai* 1950, *Arch. C.E.*).

Les résultats.

Les craintes suscitées par la réforme se sont révélées dans l'ensemble infondées. Si elle n'a pas entraîné une liquidation rapide de l'arriéré, elle a donné à la justice administrative une organisation nouvelle lui permettant de s'acquitter convenablement de sa tâche. Le fait essentiel est que le nombre des appels a été constamment faible depuis 1954. M. Gilbert Weill, alors président du tribunal administratif de Marseille, donnait à cet égard les indications suivantes dans un rapport présenté à l'assemblée des tribunaux administratifs des 3 et 4 juin 1957 :

> « La proportion des appels, en ce qui concerne les recours relevant du nouveau contentieux, semble pouvoir être fixée entre 12 et 15 %, pourcentage nettement inférieur à celui de 25 % avancé au moment de la réforme.
>
> De ces éléments, on peut tirer les constatations suivantes :
>
> 1°) De toutes façons, malgré le considérable accroissement du nombre des recours depuis le transfert de compétence, la réforme aura eu pour effet un certain désencombrement du Conseil d'Etat qui perd plus de 2 000 affaires par an sur 5 700.
>
> 2°) Contrairement aux craintes nombreuses qui s'étaient manifestées, les administrations publiques, pas plus que les particuliers, ne font systématiquement appel, alors que, depuis la réforme de 1934, nous avons effectivement connu cette pratique de l'appel systématique de la part des municipalités à propos notamment de leurs litiges de fonctionnaires ».
>
> (*Etudes et Documents, 1957, p. 136*).

Rappelant deux ans plus tard ces indications devant la même assemblée, le président Cassin portait un jugement favorable sur les effets de la réforme :

> « Je ne voudrais pas donner à vos travaux un trop long prologue; mais il me sera bien permis de relever que, dans l'ensemble, l'appréciation favorable que contenait le rapport de M. Weill en 1957 doit être aujourd'hui confirmée. Certes, la juridiction administrative traverse une crise de croissance; mais une telle crise est un signe de vigueur. La proportion des appels dirigés contre les jugements de vos tribunaux est sensiblement inférieure à ce qu'on pouvait attendre et celle des arrêts d'infirmation rendus par le Conseil d'Etat par rapport au nombre total de vos décisions est vraiment faible. L'accélération de la justice administrative n'est donc pas une entreprise aussi incompatible avec sa haute qualité que certains le redoutaient ».
>
> (*Etudes et Documents, 1959, p. 183*).

Depuis lors, le nombre des appels — comme celui des infirmations par le Conseil d'Etat des jugements de première instance — est demeuré modeste. L'une des conditions essentielles du succès de la réforme s'est trouvé ainsi remplie. Tous les problèmes de la justice administrative ne sont pas pour autant résolus. Le rapprochement du juge et du justiciable a provoqué une augmentation notable des pourvois. En raison de l'insuffisance de leurs effectifs, la plupart des tribunaux jugent chaque année un nombre d'affaires inférieur — et souvent très inférieur — à celui des affaires entrées. Le stock des dossiers en instance augmente d'année en année (1) et avec lui la longueur moyenne des délais de jugement.

(1) Le nombre d'affaires enregistrées annuellement par les tribunaux administratifs de la métropole et des départements et territoires d'outre-mer a été de 18 018 en 1966-

Qu'un litige demeuré pendant trois années — ce qui n'est pas rare — en premier ressort donne lieu à appel, son règlement définitif peut demander au total six ou sept ans.

***

La réforme de 1953 a rapproché le Conseil d'Etat des tribunaux administratifs. Elle a entraîné tout d'abord l'adoption de mesures prévoyant l'entrée au Conseil d'Etat de membres de ces tribunaux. En 1950 déjà, M. Lachaze le laissait prévoir :

> « Il est bien certain que le jour où les conseillers de préfecture deviendront des juges de droit commun du contentieux administratif, par la force des choses se posera la question de l'unité de la carrière des conseils de préfecture et du Conseil d'Etat.
>
> Il ne serait pas normal, en effet, qu'il existât une séparation absolue entre le statut des juges de première instance et celui des juges d'appel. Dans l'administration judiciaire, pareille situation serait inconcevable. Jusqu'ici on n'a pas fait attention à ce paradoxe, mais, dès l'entrée en vigueur de la réforme, il faudra un jour envisager la question du passage des conseillers de préfecture au Conseil d'Etat ».
>
> (*Assemblée générale du 16 mai 1950, Arch. C.E.*).

On n'attendit pas pour prévoir et organiser ce passage la mise en vigueur de la réforme qui eut lieu le 1er janvier 1954. Le décret du 30 septembre 1953 créa un emploi de conseiller d'Etat et deux emplois de maîtres des requêtes dont les titulaires devaient être choisis parmi les présidents et conseillers d'un certain rang des tribunaux administratifs. La loi du 4 août 1956 alla plus loin en disposant qu'à partir du 1er juillet 1959 l'effectif total des conseillers d'Etat en service ordinaire et des maîtres des requêtes devrait comprendre deux conseillers et trois maîtres des requêtes nommés parmi les membres des tribunaux administratifs (1). Réciproquement, la même loi prévoyait que des maîtres des requêtes et des auditeurs de 1re classe pourraient être délégués pour cinq ans dans des postes de président de tribunaux administratifs devenus vacants par la nomination de leurs titulaires au Conseil d'Etat. Cette dernière disposition n'a pas reçu à ce jour (2) d'application, tout comme celle des mêmes textes permettant de détacher chaque année deux membres des tribunaux administratifs en qualité de rapporteur à la section du contentieux. L'interpénétration des deux corps est demeurée limitée.

1967; 17 947 en 1967-1968; 18 430 en 1968-1969; 20 794 en 1969-1970; 24 420 en 1970-1971 (année d'élections municipales) et 20 476 en 1971-1972. Le nombre des affaires jugées a été légèrement, mais constamment inférieur à celui des affaires enregistrées. D'où l'existence en 1972 d'un stock d'affaires à juger de 40 780, dont 32 % d'affaires enregistrées depuis plus de deux ans.

(1) En application de ces dispositions, dix membres des tribunaux administratifs ont été nommés au Conseil d'Etat de 1954 à 1973.

(2) Mai 1974.

ingénieur en chef adjoint ; de-nevray, chef de section principal à Nice, et Hennion, chef de division principal chargé de la direction des travaux de percement des tunnels ; Pautot, chef de gare, représentant la S.N.C.F. ; MM. Van Massenhowe, président-directeur général ; Heydacker, directeur ; Samion et Voise, ingénieurs à la Société des Travaux Souterrains ; MM. Mathieu, ingénieur en chef des Ponts et Chaussées à Nice ; Bollard, ingénieur en chef des Ponts et Chaussées du Var ; Gobert, ingénieur en chef des Ponts et Chaussées, et Eynard, ingénieur en chef adjoint ; Liautaud, ingénieur d'arrondissement ; des techniciens et des chefs de chantiers de Monaco.

De l'autocar descendirent MM. René Cassin, vice-président du Conseil d'Etat ; P. Josse, président de la commission des Travaux publics ; C. Brassart, président de la commission des Finances ; Tontei, Imbert, Cuvelier, Deschamp, Renaudin, René Martin, Reinach, Desprès, Aumiaud, Join-Lambert, membres du Conseil d'Etat ; MM. Watrin, Chardeau, Gazier, Querrien, maîtres des requêtes ; Mlle Fontaine, secrétaire de la section travaux publics du Conseil d'Etat.

L'exposé de M. Maury

Après les présentations et les souhaits de bienvenue en Principauté exprimés par M. René les

se terminer à un kilomètre environ de la gare de Roquebrune. Elle a été attaquée par trois côtés à la fois en partant du ravin Sainte-Dévote, en direction de Monaco et de Monte-Carlo et à Roquebrune.

La déviation s'amorce sous la rue des Bougainvillées qui a dû être barrée à la circulation, afin de permettre la construction de la première tête de tunnel, en béton armé, recouvert de pierres de taille.

Ce premier souterrain, long de 132 mètres, appelé souterrain de Sainte-Dévote, est entièrement perforé de part et d'autre, en petite section. Il aboutit dans le ravin Sainte-Dévote qui sera franchi sur un pont en maçonnerie de 21 mètres d'ouverture.

Un pont métallique provisoire est d'ailleurs en cours de construction afin de permettre le passage des engins mécaniques : jumbos, jumpers, camions, qui devront être utilisés pour le percement en grande section du tunnel de Sainte-Dévote.

Enfin, le souterrain dit de Monte-Carlo, long de 3.095 mètres, est l'ouvrage le plus important. Sa hauteur totale sera de 7 mètres environ au centre de la voûte, et sa largeur de 8 m. 60. Au centre, une rigole bétonnée de 60 cm. de large et de profondeur permettra l'écoulement des eaux de ruissellement. La voûte de ce tunnel, comme de celui de Sainte-Dévote, d'ailleurs, sera entiè-

M. René CASSIN (au centre) et M. JOSSE (à droite) viennent de revêtir la tenue de mineur.
(Photo Robert de Hoé)

Coupure du journal Nice-Matin du 29 novembre 1959 relatant une visite de la section des travaux publics au tunnel de Monte-Carlo. La photographie représente M. Cassin, vice-président, M. Josse, président de la section des travaux publics et M. Gazier, secrétaire général.

La réforme de 1953 a accru l'importance et l'activité de la mission permanente d'inspection des juridictions administratives instituée par l'Ordonnance du 31 juillet 1945 (1), et formée, sous l'autorité du vice-président du Conseil, d'un conseiller d'Etat et de deux autres membres du Conseil. Cette mission avait été créée sur la proposition de la commission d'études pour la réforme du Conseil d'Etat et malgré l'avis défavorable de l'Assemblée générale du 2 mars 1945 ainsi motivé dans sa note d'observations :

> « Le Conseil a été d'avis qu'il ne convenait pas de le charger, lui juge d'appel ou de cassation, d'une mission permanente et générale d'inspection sur les juridictions administratives inférieures. Mais rien ne s'oppose à ce que le ministre compétent confie à un membre du Conseil une telle mission pour telle ou telle catégorie de juridictions ».
>
> (*Arch. C.E.*).

Malgré cette réticence, à première vue assez surprenante, la mission fut rapidement constituée et déploya aussitôt une grande activité sous la direction de M. Lachaze. Celui-ci décrivait ainsi son rôle dans le numéro d'*Etudes et Documents* de 1950 :

> « L'institution nouvelle... présente une originalité certaine : c'est la première fois qu'un juge supérieur est investi d'une mission d'inspection, de caractère permanent, sur des juges subordonnés. Certes, la magistrature judiciaire a connu une inspection générale des services judiciaires... mais cette inspection, confiée à des magistrats spécialement désignés à cet effet par le garde des sceaux, s'exerçait au nom de celui-ci, ce qui suffisait à la faire ranger au nombre des organismes d'inspection dont disposent traditionnellement les ministres à l'égard des services placés sous leur autorité.
>
> ... A la vérité, les attributions nouvelles conférées au Conseil d'Etat n'offrent aucun précédent logique, et leur singularité explique leur étendue. La mission d'inspection exercée par un juge suprême, qui est déjà investi du pouvoir de censurer les décisions du juge subordonné, ne peut que se donner pour objectif idéal de rendre inutile cette censure; elle ne compte donc aucune des limitations dont, en règle générale, s'accompagne l'exercice d'une mission d'inspection du type ordinaire à l'égard d'un organisme juridictionnel. Le contrôle de la mission s'étend ainsi nécessairement à l'activité juridictionnelle elle-même, ce qui revient à dire qu'il lui appartient d'apprécier même le mérite des décisions rendues. Une seule limitation s'impose à elle : elle ne saurait s'immiscer dans le jugement des affaires en cours, ce qui reviendrait à empiéter sur les attributions mêmes du juge objet de l'inspection ».

---

(1) Le conseiller d'Etat chef de la mission d'inspection préside la commission d'examen des candidatures extérieures au corps des tribunaux administratifs, instituée par l'article 6 du décret du 30 septembre 1953. D'autre part, un décret du 11 juin 1954 a attribué au chef de mission le pouvoir de notation des présidents des tribunaux administratifs.

Après avoir décrit les résultats obtenus par la mission, M. Lachaze concluait :

> « Ce rapide coup d'œil jeté sur les débuts de l'inspection permanente des juridictions administratives fait bien augurer de l'avenir de l'institution. Son rôle est, selon toute vraisemblance, destiné à s'amplifier : elle aura un jour ou l'autre à faire porter ses investigations sur les multiples juridictions administratives spécialisées qui ne relèvent généralement du Conseil d'Etat que par la voie du recours en cassation et, dans ce domaine, il lui appartiendra peut-être de suggérer des mesures d'unification ».
>
> *(Etudes et Documents 1950, pp. 42-sq.).*

L'extension des activités envisagées par M. Lachaze, ne s'est pas produite jusqu'à ce jour (1). La mission n'inspecte donc que les tribunaux administratifs, y compris, depuis 1972, le tribunal administratif de Paris (2).

Une nouvelle étape dans la collaboration des tribunaux administratifs, tant entre eux qu'avec le Conseil d'Etat, fut franchie en 1957 par la réunion bisannuelle au Palais-Royal de l'assemblée des présidents des tribunaux administratifs. Le président Cassin, qui en avait pris l'initiative, prononçait les paroles suivantes lors de la séance d'ouverture de 1957 :

> « Les progrès réalisés rendent d'autant plus nécessaire, à l'intérieur de l'ordre administratif, la cohésion des juridictions et tout particulièrement des tribunaux juges de droit commun et du Conseil d'Etat.
>
> Cette cohésion, tout le monde sait que le Conseil d'Etat a été le premier, non seulement à la souhaiter, mais à la vouloir effective.
>
> Elle se manifeste notamment par les liens d'ordre administratif, scientifique, technique, et j'ose ajouter d'ordre affectif, que notre mission permanente et notre service de coordination et de documentation ont su créer et s'attachent à renforcer avec l'appui des pouvoirs publics.
>
> Elle se manifeste encore par la communauté de formation des auditeurs au Conseil d'Etat et des jeunes conseillers des tribunaux administratifs issus de l'Ecole nationale d'administration; par la présence de M. le conseiller d'Etat Vitalis, à la tête du tribunal administratif de Paris (3); par la garantie donnée à un nombre minimum de magistrats des tribunaux administratifs d'accéder aux hauts postes du Conseil d'Etat... »
>
> (*Etudes et Documents 1957, p. 129*).

Deux ans plus tard, lors de la séance d'ouverture de l'assemblée de 1959, à laquelle assistaient les représentants de plusieurs ministres, le président de l'Ordre des avocats au Conseil d'Etat, le bâtonnier de l'Ordre des avocats près la Cour d'appel de Paris et le président de l'association

(1) Mai 1974.

(2) Jusqu'en 1966, des comptes rendus d'activité, généralement très brefs, de la mission d'inspection ont été publiés dans la revue Etudes et Documents.

(3) C'est une tradition déjà ancienne que la présidence du tribunal administratif de Paris — et avant lui du Conseil de préfecture de la Seine qu'il a remplacé — soit confiée à un conseiller d'Etat. M. Landron a succédé à ce poste à M. Vitalis, en 1958.

nationale des avocats, le président Cassin pouvait déclarer avec satisfaction que la plupart des réformes de procédure — dont il donnait la liste fort longue — réclamées par l'assemblée précédente avaient été réalisées.

Depuis lors, l'assemblée s'est réunie régulièrement tous les deux ans au siège du Conseil d'Etat.

L'ACTIVITÉ DU CONTENTIEUX ET LA JURISPRUDENCE

Nombre et nature des affaires.

Malgré la réduction très sensible du nombre des pourvois due à la réforme de 1953 (3 000 affaires entrées en moyenne chaque année à partir du 1er janvier 1954), l'activité du contentieux n'a pas cessé d'être considérable. Les 2/3 des requêtes en instance à cette date étant restées à sa charge, la section du contentieux a dû juger un nombre d'affaires très élevé pour résorber l'arriéré : 4804 en 1954/1955, 4754 en 1955/1956, 4959 en 1957/1958, 4099 en 1958/1959, 4446 en 1959/1960. A partir de 1960, le nombre d'affaires jugées tombe au-dessous de 4000 ; il avoisine 3000 en moyenne au cours des années 1967 à 1973 (1).

Les appels et les pourvois en cassation constituent depuis le 1er janvier 1954 la part de loin la plus importante des affaires dont le Conseil d'Etat est saisi (environ 80 %).

La nature des affaires a beaucoup varié au cours des vingt-cinq dernières années. Réquisitions, mesures d'épuration administrative et professionnelle, réintégrations et reconstitutions de carrière des agents publics touchés de 1940 à 1944 par des textes d'exception, premières décisions d'application du statut général des fonctionnaires promulgué en 1946, ce contentieux de circonstance, mais d'une très grande abondance, a fourni le principal aliment des rôles pendant plus d'une dizaine d'années. Il a été relayé par un contentieux également de circonstance, mais issu d'opérations dont les effets devaient apparaître plus tardivement ou se prolonger plus longtemps : marchés de travaux ou de fournitures conclus pour la reconstruction, réparation des dommages de guerre dont connut jusqu'en 1963 une commission supérieure de cassation dont les attributions furent alors transférées au Conseil d'Etat.

Les contentieux plus « classiques » et de caractère permanent conservent cependant une place importante dans les rôles : les affaires

(1) Début 1974, il existe cependant encore un stock d'affaires en instance assez important, correspondant à deux années de jugement.

de fonction publique en premier lieu ; les affaires fiscales également qui, depuis qu'a été résorbée la plus grosse part de l'arriéré, représentent 20 à 25 % des affaires jugées ; les affaires de remembrement ; les affaires de responsabilité, très nombreuses jusqu'à la mise en vigueur de la loi du 31 décembre 1957 qui transféra aux tribunaux judiciaires la connaissance des litiges provoqués par les accidents de la circulation ; les litiges intéressant les ordres professionnels.

Une évolution se dessine dans la nature des litiges : l'intervention croissante de l'Etat dans la vie économique, les opérations de construction, d'urbanisme et d'aménagement du territoire donnent naissance à un contentieux qui pose souvent au juge des problèmes nouveaux. Problèmes et préoccupations de l'époque apparaissent ainsi bien visibles dans la jurisprudence du Conseil d'Etat, tout comme les grands événements qui ont mis leur marque sur ses rôles : guerre d'Algérie, application de l'article 16 de la Constitution de 1958, vote de lois référendaires, etc.

L'œuvre de la jurisprudence.

Le premier fait à noter est que le Conseil d'Etat a maintenu son contrôle juridictionnel sur tous les secteurs et toutes les manifestations de l'activité administrative auxquels il l'avait étendu par le progrès séculaire de sa jurisprudence. C'est par une loi, la loi du 31 décembre 1957, et non du fait d'un abandon de sa part, que les tribunaux judiciaires sont devenus compétents pour statuer sur les actions en responsabilité tendant à la réparation des dommages causés par un véhicule appartenant à une collectivité publique. Si sa compétence traditionnelle s'est trouvée un instant menacée au lendemain de la guerre, c'est sous l'effet de la conjonction d'un mouvement qui porta alors de nombreux plaideurs à demander protection aux tribunaux judiciaires contre les abus administratifs et d'un infléchissement momentané de la jurisprudence du Tribunal des conflits interprétant très largement les notions d'emprise et de voie de fait. Menace assez sérieuse pour que le président Cassin, dressant en 1956 le bilan de l'activité du Conseil d'Etat depuis la seconde guerre mondiale, ait tenu à la mentionner en indiquant ses causes et ses effets (1) :

> « Les nombreux abus commis par les administrations ou en leur nom au cours de la seconde guerre, conjugués avec les lenteurs de la justice administrative, ont, dans les années qui ont suivi immédiatement la Libération, incité les particuliers à porter leurs réclamations, au mépris du grand principe de la séparation de l'administratif et du judiciaire, devant les juridictions judiciaires à la fois plus proches et plus rapides. Que ce soit pour faire déclarer inexistant le titre de réquisition d'un appartement au profit d'un particulier, pour faire expulser, au besoin sous astreinte, un

(1) Cf. Delvolvé : Une crise du principe de la séparation des autorités administratives et judiciaires : la jurisprudence du Tribunal des Conflits de 1947 à 1950. Etudes et Documents. 1950, p. 21.

service administratif, ou pour obtenir des indemnitées sous différents chefs, les justiciables se sont tournés de plus en plus nombreux vers la juridiction des référés et ils ont obtenu fréquemment le conconurs des juges de l'ordre judiciaire. Ceux-ci ont en particulier donné aux notions « de voie de fait » et « d'emprise sur la propriété immobilière », déjà délimitées par la jurisprudence du Tribunal des Conflits, une extension que celui-ci a même acceptée, notamment dans l'arrêt Barinstein de 1947. A son tour, l'Administration, longtemps mise en échec par les tribunaux de l'ordre judiciaire dans l'exécution directe de ses ordres, paralysée même pendant des années sous le motif reconnu plus tard erroné que la loi du 11 mai 1938 sur l'organisation de la nation en temps de guerre lui permettait d'obtenir un châtiment pénal contre les personnes refusant de s'incliner devant un ordre de réquisition immobilière, a éprouvé le besoin d'obtenir des textes législatifs lui permettant tantôt de faire échec aux ordres d'expulsion donnés contre elle par les tribunaux, tantôt de recourir elle-même à la procédure de référé et à des astreintes contre un occupant récalcitrant.

Cette crise du principe de la séparation des autorités administrative et judiciaire s'est progressivement apaisée avec la diminution des abus, notamment grâce à un redressement de la jurisprudence du Tribunal des Conflits. Mais ses causes permanentes, résidant dans la lenteur excessive des instances au Conseil d'Etat et l'absence de procédure d'urgence dans le contentieux administratif, ne pouvaient être méconnues plus longtemps. C'est dans ces conditions que le décret du 30 septembre 1953 a complété sa réforme décentralisatrice en attribuant aux tribunaux administratifs le droit d'ordonner exceptionnellement qu'il serait, pendant l'examen du recours, sursis à l'éxécution d'une décision administrative autre que celles intéressant le maintien de l'ordre, la sécurité et la tranquillité publiques ».

(R. Cassin : Le Conseil d'Etat du Grand Duché de Luxembourg, Livre jubilaire, 1856-1956, pp. 89-90).

Le Conseil d'Etat a maintenu pour sa part, en les élargissant même parfois, les notions et les théories antérieurement élaborées par lui qui entraînent, avec sa compétence, l'application des règles du droit administratif aux opérations de service public, aux agents qui y participent, aux contrats conclus pour leur exécution, aux biens qui y sont affectés, comme à tous travaux poursuivis dans un but d'intérêt général (1).

Les solutions données par les principaux arrêts rendus depuis 25 ans (2) révèlent le souci du Conseil d'Etat de maintenir les droits et prérogatives essentiels de la puissance publique, tout en assurant, par le contrôle de leur exercice et l'octroi de compensations adéquates, le respect des droits et des légitimes intérêts des citoyens et administrés.

---

(1) Cf. notamment les arrêts Affortit et Vingtain du 4 juin 1954. Recueil Lebon 1954, p. 342 sur la définition de l'agent de droit public;

— Société « Le Béton » du 19 octobre 1956. Recueil Lebon 1956, p. 375, sur la définition du domaine public;

— Epoux Bertin et Ministre de l'Agriculture contre consorts Grimouard (2 arrêts) du 20 avril 1966. Recueil Lebon, pp. 167-168, sur la définition des contrats administratifs et la notion de travail public.

(2) La plupart de ces arrêts sont reproduits et commentés dans l'ouvrage de MM. Long, Weil et Braibant : Les grands arrêts de la jurisprudence administrative. Paris - Sirey.

Citons en ce qui concerne le premier point les arrêts Rubin de Servens (1), Dehaene (2), Teissier (3) et Laruelle (4). Par l'arrêt Rubin de Servens, le Conseil d'Etat s'est déclaré incompétent pour connaître d'un recours dirigé contre la mesure par laquelle le président de la République, agissant en vertu des pouvoirs exceptionnels qu'il tenait alors de l'article 16 de la Constitution du 4 octobre 1958, avait créé un tribunal militaire à compétence spéciale : il a considéré que la décision de mise en application de l'article 16 constituait un « acte de gouvernement » dont le Conseil d'Etat ne pouvait ni apprécier la légalité, ni contrôler la durée d'application. Appelé à se prononcer à de nombreuses reprises sous la IVe, comme sous la Ve République, sur la légalité de mesures prises par le gouvernement en vertu de lois d'habilitation, le Conseil a le plus souvent interprété largement la portée de celles-ci (5).

Les arrêts Dehaene, Teissier et Laruelle sont relatifs au régime de la fonction publique. Tous trois rappellent que celle-ci est gouvernée par les principes d'autorité, de hiérarchie et de responsabilité. L'arrêt Dehaene a reconnu au gouvernement le pouvoir de fixer lui-même, en ce qui concerne les services publics, la nature et l'étendue des limitations qui doivent être apportées à l'exercice du droit de grève, à défaut de la réglementation législative prévue par la Constitution et non encore intervenue. L'arrêt Teissier a admis la légalité d'une sanction disciplinaire prononcée contre le directeur du Centre national de la recherche scientifique qui s'était solidarisé avec les signataires d'une lettre ouverte, diffusée dans la presse, où le gouvernement était attaqué de manière violente et injurieuse. L'arrêt Laruelle a renversé la jurisprudence antérieure concernant la responsabilité des agents publics vis-à-vis de l'Etat. Cette jurisprudence ne reconnaissait pas à l'Etat le droit de se faire rembourser par ses agents les sommes qu'il avait dû verser à des tiers en réparation des dommages causés par leurs fautes. Désormais il peut le faire. Ce changement de jurisprudence a été motivé par le souci de restaurer chez les agents publics le sens de la responsabilité personnelle.

Le contrôle du juge sur l'activité des autorités administratives a conservé toute son étendue, conservant, en la développant, la jurisprudence élaborée entre les deux guerres à propos des décrets-lois; le Conseil d'Etat se reconnaît toujours compétent pour apprécier la légalité des actes pris par le pouvoir exécutif, en vertu des lois d'habilitation parlementaires ou référendaires, dans des matières législatives (6).

---

(1) 2 mars 1962, Recueil Lebon, p. 143.
(2) 7 juillet 1950. Recueil Lebon, p. 426.
(3) 13 mars 1953. Recueil Lebon, p. 133.
(4) 28 juillet 1951. Recueil Lebon, p. 469.
(5) A noter également que la jurisprudence en matière de sursis à exécution des décisions administratives demeure restrictive. Le sursis reste une mesure rare, sinon exceptionnelle. Les tentatives de certains tribunaux administratifs pour octroyer plus facilement des sursis n'ont pas été encouragées par le Conseil d'Etat.
(6) Le Conseil d'Etat se reconnaît compétent parce qu'il considère que ces actes, jusqu'à leur ratification éventuelle par le Parlement, sont des actes administratifs et sont par suite soumis au contrôle du juge. Il considère que le gouvernement n'est pas alors investi du pouvoir législatif, mais seulement habilité, pour une période limitée

Il a affirmé d'autre part dans l'arrêt Ministre de l'Agriculture contre Dame Lamotte (1) que le recours pour excès de pouvoir est ouvert de plein droit, même sans texte, contre tout acte administratif, parce qu'il a « pour effet d'assurer, conformément aux principes généraux du droit, le respect de la légalité ». Il ne peut donc être écarté que par une disposition législative sans équivoque. N'a pas été considéré comme tel en l'espèce — où le litige concernait l'octroi d'une concession de terre par l'autorité administrative — le texte suivant : « L'octroi de la concession ne peut faire l'objet d'aucun recours administratif ou judiciaire ».

Le contrôle est devenu plus sévère. On attribue souvent à cet égard une très grande importance à la place prise dans la jurisprudence par les principes généraux du droit : droits de la défense, égalité devant le service public, non rétroactivité, etc. (2). En réalité le Conseil d'Etat appliquait depuis longtemps ces principes — ou la plupart d'entre eux — sans le dire ou, du moins, sans employer l'expression « principes généraux du droit ». L'apparition de cette formule n'a cependant pas été sans conséquences. Elle a offert aux requérants, en dégageant une notion à la fois claire et extensive, un point d'attaque commode contre les décisions administratives.

Mais c'est surtout par deux autres voies que le contrôle a gagné en efficacité. La première concerne le fond du droit, la seconde l'administration de la preuve.

Le juge reconnaît toujours l'existence du pouvoir discrétionnaire de l'administration, dans tous les cas — et ils sont nombreux — où celle-ci n'a pas compétence liée. La liberté d'appréciation est cependant enfermée dans des limites plus étroites qu'autrefois. Il n'est pas possible de définir exactement ces limites qui varient selon les matières : ainsi le contrôle du juge est plus strict — on parle alors de « contrôle maximum » — lorsqu'il s'agit de mesures coercitives ou répressives, il reste plus léger — on parle alors de « contrôle minimum » — lorsque l'administration a besoin de disposer d'une grande liberté d'action dans des domaines où ses interventions ne menacent pas trop directement des droits privés ou publics essentiels. De toute manière, la théorie de « l'erreur manifeste », récemment forgée par le juge administratif, permet à celui-ci d'exercer son contrôle sur des erreurs d'appréciation des faits d'une gravité particulière.

---

ou des objets déterminés, à régler par des actes qui restent des actes administratifs, des matières qui sont du ressort de la loi.

Le Conseil d'Etat se reconnaît par contre incompétent lorsqu'il y a transfert au gouvernement du pouvoir législatif : ainsi lorsque le chef de l'Etat prend des mesures législatives, en vertu de l'article 16 de la constitution de 1958.

(1) 17 février 1950. Recueil Lebon, p. 110.

(2) Sur les principes généraux du droit : cf. M. Letourneur : Les principes généraux du droit dans la jurisprudence du Conseil d'Etat. Etudes et Documents 1951, p. 19. Arrêt syndicat général des ingénieurs conseils, 26 juin 1959. Recueil Lebon, p. 394 et commentaire dans Long, Weil et Braibant : Les grands arrêts de la jurisprudence administrative, p. 468.

Sur le terrain de l'administration de la preuve, un pas en avant plus important encore a été fait. L'administration ne peut plus s'abriter derrière le laconisme d'actes non motivés ou son inertie procédurale. Le juge peut employer contre elle l'arme que lui donne l'article 56 de l'ordonnance du 31 juillet 1945 : tenir son silence pour un acquiescemment aux faits exposés dans la requête. Mais il va plus loin encore et deux arrêts ont marqué à cet égard un progrès décisif : l'arrêt Barel et l'arrêt Société « Maison-Genestal ».

Saisi dans l'affaire Barel (1) du recours d'un candidat écarté pour des motifs, politiques selon lui, du concours d'entrée à l'Ecole nationale d'administration, le Conseil d'Etat a mis l'administration en demeure de fournir l'ensemble des documents au vu desquels elle avait pris sa décision ; devant sa carence, il a tenu pour établies les allégations de la requête appuyées de faits précis constituant des présomptions sérieuses. Plus audacieux encore dans l'affaire Société « Maison-Genestal » (2), le Conseil a estimé que, faute par le ministre d'avoir indiqué de façon précise les raisons de fait et de droit qui pouvaient justifier sa décision, celle-ci devait être annulée.

Dans le domaine de la responsabilité administrative, le champ d'application de la théorie du risque s'est étendu : c'est sur son fondement que sont désormais réparés les dommages provenant de l'usage par la police d'objets dangereux (Arrêt consorts Lecomte, 24 juin 1949. Rec. Lebon, p. 307), les dommages subis par des collaborateurs occasionnels des services publics (Arrêt Commune de Saint-Priest-la-Plaine, 22 novembre 1946. Rec. Lebon, p. 279), les dommages subis du fait de lois de validation (Arrêt Lacombe, 1er décembre 1961. Rec. Lebon, p. 674) ou causés par l'application de certains actes internationaux (Arrêt Compagnie générale d'énergie radioélectrique, 30 mars 1966. Rec. Lebon, p. 257).

Les administrés bénéficient aussi d'une garantie supplémentaire de réparation, depuis que l'arrêt Dame Mimeur (18 novembre 1949. Rec. Lebon, p. 492) leur permet de se faire indemniser par l'Etat des dommages causés par une faute personnelle d'un agent, commise hors du service, dès lors que la faute n'est pas dépourvue de tout lien avec ce dernier. Enfin le préjudice résultant de la douleur morale, si longtemps considéré comme non indemnisable, est aujourd'hui réparé (Arrêt Ministre des Travaux publics contre consorts Letisserand. 24 novembre 1961. Rec. Lebon, p. 661) et les indemnités sont évaluées non plus au jour où le dommage est apparu, mais à la date où il a pu être réparé, (Dame veuve Aubry. 21 mars 1947. Rec. Lebon, p. 122), solution nouvelle qui permet aux victimes d'échapper, en partie au moins, aux effets de l'érosion monétaire.

---

(1) 28 mai 1954. Recueil Lebon, p. 308.
(2) 26 janvier 1968. Recueil Lebon, p. 62.

LA JUSTICE ADMINISTRATIVE DISCUTÉE

Aux critiques si vives dont la juridiction administrative avait été l'objet au cours du XIXe siècle succéda au début du siècle suivant un concert d'éloges. Concert si unanime que le professeur Rivero, s'interrogeant en 1953 sur la valeur du système français de protection des citoyens contre l'arbitraire administratif, introduisait prudemment son propos :

> « Au moment de hasarder quelques remarques critiques sur le recours pour excès de pouvoir, on éprouve un certain malaise; tant de maîtres ont loué sans restriction le chef-d'œuvre de la juridiction administrative que la critique, ici, prend facilement allure de blasphème. De la part des membres de la Haute Assemblée, cette unanimité dans l'admiration ne saurait surprendre : le Conseil d'Etat, justement fier de son œuvre, est, comme tout corps, peu enclin à l'autocritique; on lui ferait volontiers application de la parole du psalmiste : « De la bouche de ses enfants, il s'est suscité une louange parfaite ». Mais la doctrine, elle aussi, est sans réticence : « la plus merveilleuse création des juristes », disait du recours Gaston Jèze, peu porté à l'admiration béate, en 1928; et encore : « l'arme la plus efficace, la plus économique, la plus pratique qui existe au monde pour défendre les libertés ». A cet unisson, l'étranger s'est joint, non seulement pour admirer, mais pour adopter : sur le marché international des produits juridiques, le recours pour excès de pouvoir est un de nos meilleurs articles d'exportation ».
>
> *(J. Rivero : Le système français de protection des citoyens contre l'arbitraire administratif à l'épreuve des faits, in « Mélanges en l'honneur de Jean Dabin ». Paris, Sirey 1953, p. 824).*

Le professeur Rivero n'a pas été seul à hasarder quelques remarques critiques. Bien des voix se sont jointes à la sienne dans le débat ouvert depuis 1945 sur la justice administrative française. La Faculté tient tout naturellement le premier rôle dans ce débat qui doit pour une grande part son intérêt et son éclat à la valeur et au talent des maîtres qui enseignent aujourd'hui le droit public dans l'Université française.

L'existence d'une justice administrative n'est pas sérieusement remise en cause. Le vœu présenté en 1963, au congrès de l'Union fédérale des magistrats, pour la reconstitution de l'unité de juridiction (1), quelque charge ici et là contre le système dualiste, des critiques un peu acerbes contre « les juridictions administratives formées de juristes... imbibés de l'esprit de l'Administration dans les cabinets ministériels, dans les services étatiques ou para-étatiques (et qui) n'ont pas pu se soustraire à cette ambiance fiscale et autoritaire » (2), constituent des manifestations isolées,

(1) Le pouvoir judiciaire. Mai 1963, n° 179.

(2) Julien Le Clère : L'improbité du contentieux administratif. Revue administrative. 1958, p. 158.

empreintes d'un certain « don quichottisme » (1). Le transfert par la loi du 31 décembre 1957 aux tribunaux judiciaires des litiges causés par les accidents d'automobiles fut d'autre part une mesure de circonstance, qui avait d'ailleurs été préconisée dès 1945 dans le rapport présenté par M. Puget, conseiller d'Etat.

Réserves et critiques.

C'est essentiellement sur la valeur réelle de la justice administrative que portent les critiques et les interrogations. Cette valeur ne serait-elle pas d'abord limitée par un champ d'action trop étroit ? Le professeur Vedel relève et regrette que celui-ci, déjà étroitement cantonné par les principes constitutionnels français, ait été encore réduit par le juge lui-même. Au lendemain de l'arrêt Canal et à la veille de la publication des décrets de réforme du Conseil d'Etat de 1963, il écrivait :

> « Pour avoir donné au monde la Déclaration des Droits de l'homme la France passe pour le pays où les garanties de ces droits sont les mieux assurées.
>
> Or, de régime en régime (car cet état de chose ne date ni de 1962, ni de 1958), la règle a été de soustraire au juge toutes les grandes affaires qui sont aussi malheureusement celles où les droits des individus et des groupes sont les plus engagés. Sous quelque forme qu'il ait existé, le contrôle de constitutionnalité en France n'a été qu'un moyen de régler au profit de tel ou tel organe les querelles qui séparent les princes; il n'a jamais servi à défendre les libertés ou les droits.
>
> Une des premières choses qu'apprend un étudiant, Place du Panthéon (2), c'est la liste de ces fameux « actes de gouvernement » qu'aucun juge ne peut censurer, dont aucun juge ne peut réparer les conséquences : tout ce qui se rattache à la politique internationale (et par les temps qui courent, cela fait beaucoup de choses); tout ce qui concerne les rapports du gouvernement et des Chambres; tout ce qui touche au référendum ou à l'article 16. Les lacunes juridictionnelles — pour parler le langage technique —, le déni de justice — pour être clair — couvrent des pans entiers de notre vie nationale. Et nous ne nous sommes guère empressés à emprunter à l'ordre international les garanties absentes de nos institutions. Ni la 4e , ni la 5e République n'ont accepté la juridiction de la Cour européenne des droits de l'homme.
>
> Alors, il ne faut pas nous raconter des histoires. Jamais chez nous, l'Etat n'a été mis en péril par un excès de protection des individus. Il faut au contraire que les Français sachent que, par rapport aux Etats-Unis, à la Grande-Bretagne, à l'Allemagne (eh oui, l'Allemagne !), ils souffrent d'un sous-développement juridique ».
>
> (*L'Express, 30 mai 1963 :* « *L'Etat doit être jugé* »).

---

(1) Le terme est de M. J. C. Groshens : Réflexions sur la dualité de juridiction. Actualité juridique. Octobre 1963, pp. 536, sq.

(2) Place du Panthéon : place de Paris où se trouvait la Faculté de droit de Paris, siège aujourd'hui des Universités Paris I et Paris II.

Mais, lors même que le juge administratif peut intervenir, il est fait reproche à la justice qu'il rend d'une action tenue pour trop limitée, parfois pour trop timide et souvent pour peu efficace.

Action trop limitée : le nombre annuel de recours est apparemment élevé, 30 000 environ (1), mais ce chiffre est faible, si on le rapproche de ceux de la population et des interventions administratives. Disproportion qui conduit le professeur Groshens à poser la question suivante :

> « La première question que l'on peut se poser est celle de savoir si le Conseil d'Etat est reconnu par les citoyens comme le protecteur de leur liberté. Une enquête serait la bienvenue à ce propos; peut-être révèlerait-elle ce que certains sondages ont laissé entrevoir : le Conseil d'Etat n'est connu que d'un nombre très réduit de citoyens, la classe politique, les gens de robe, et certaines catégories de fonctionnaires (2). En dehors de ces cercles, au total très restreints, le Conseil d'Etat est inconnu ou, dans tous les cas, n'est pas considéré comme étant l'organisme devant lequel tout un chacun peut défendre ses droits et sa liberté.
>
> Mais si les citoyens n'ont ainsi pas conscience de l'importance de son rôle, cela ne signifie-t-il pas précisément que ce rôle a été mal rempli, ou plus précisément que ce rôle n'a été rempli qu'à l'égard de ceux qui connaissent le Conseil, c'est-à-dire les membres de la classe qui nous gouverne et de la caste qui nous administre. On pourrait même se demander si la manière dont cette élite vante les mérites du juge administratif en tant que protecteur des libertés n'est pas une sorte d'alibi au travers duquel elle essaie de se convaincre que tous les citoyens peuvent revendiquer le bénéfice de règles en fait réservées à quelques privilégiés; à moins qu'il ne s'agisse plus banalement d'une de ces opérations magiques où ce qu'on voudrait faire est rêvé et non accompli, opération qui a le grand mérite d'être à tout le moins rassurante pour celui qui l'effectue ».
>
> (*L'Actualité juridique, Droit administratif, 20 oct. 1963*).

Le Huron au Palais-Royal.

Action jugée trop timide par beaucoup, notamment par les professeurs Rivero et Vedel. Au premier elle a inspiré, sous forme d'un apologue intitulé « Le Huron au Palais-Royal » (3), ces réflexions « naïves » sur le recours pour excès de pouvoir.

---

(1) Chiffre total des recours au Conseil d'Etat, aux tribunaux administratifs et aux juridictions administratives spécialisées.

(2) Une enquête de ce genre a été faite en 1965-1966 sous la direction du professeur Drago. Elle a porté sur les décisions rendues par le Conseil d'Etat au cours de cette année judiciaire. Il en ressort que : « Parmi les requérants, les membres des catégories les plus aisées de la population occupent une place prépondérante. Compte tenu des professions qui ont pu être déterminées (41,82 % des cas), il apparaît que 49 % des requérants sont des cadres supérieurs publics et privés » (Sociologie du contentieux administratif. Séminaire d'études sous la direction de R. Drago. Ecole nationale d'administration, mars 1967. Multigraphie, p. 47). Le phénomène ne peut être expliqué par le coût de la justice administrative : le recours pour excès de pouvoir est toujours dispensé du ministère d'avocat, les droits fiscaux sur les actes de procédure sont peu élevés et le bénéfice de l'assistance judiciaire est largement accordé.

(3) Le Palais-Royal : siège du Conseil d'Etat

« C'était un Huron, mais un Huron juriste; assis au pied d'un hêtre pourpre, dont une feuille, parfois, détachée par le vent, venait poser sur son épaule comme l'amorce d'une épitoge rouge, il enseignait le droit public aux futurs guerriers de sa tribu. Les cœurs sensibles de ces jeunes hommes bons et vertueux s'exaltaient, lorsque sa parole savante leur retraçait les merveilleuses inventions par lesquelles des Sages, de l'autre côté du grand Océan, avaient réussi à protéger les hommes contre les excès du pouvoir. Il rêvait de se rendre en pèlerinage à la ville d'où rayonnait sur le monde le flambeau du contentieux administratif. Une bourse d'études offerte par l'U.N.E.S.C.O. lui permit de réaliser son rêve. Il s'envola vers Paris.

A Orly, où j'allais l'accueillir, ses premiers mots furent : « Conduisez-moi, s'il vous plaît, au lieu où siège votre grand Conseil ». Lorsque nous fûmes dans la cour du Palais-Royal, il se prosterna la face contre terre en disant : « Je baise la terre sacrée dans laquelle s'enracine le grand arbre du recours pour excès de pouvoir, la plus merveilleuse création des juristes, l'arme la plus efficace, la plus pratique, la plus économique qui existe au monde pour défendre les libertés », comme l'a écrit votre Gaston Jèze; rempart de l'opprimé, terreur de l'oppresseur qui, au moment où son bras va s'abattre, s'arrête en entendant la voix redoutable du juge clamer : « Tu n'iras pas plus loin ! ».

Je l'interrompis doucement : « Ne perdez pas de vue, mon cher collègue, que la sagesse du législateur n'a pas voulu accorder au recours le caractère suspensif; il n'appartient donc pas au juge d'arrêter le bras de l'Administration au moment où elle exécute; c'est après coup qu'intervient sa censure redoutée ».

« Je ne l'ignore point, répondit-il; mais vous, oublieriez-vous le droit que possède le juge d'ordonner le sursis à l'exécution ? — Non certes; mais la loi enferme ce pouvoir dans des limites bien étroites ». Un sourire malicieux plissa son visage : « Je le sais; mais je sais aussi quelle merveilleuse ingéniosité votre juge sait mettre, contre la lettre d'une loi oppressive, au service de la liberté; là où le texte relatif au sursis ne laissait passage qu'au rat musqué, la jurisprudence a dû, j'imagine, élargir la brèche pour qu'un troupeau de bisons la franchisse à l'aise. »

« Des juges inférieurs, dis-je, tentèrent naguère de s'engager dans cette voie; mais le juge suprême, dans sa sagesse, a reconnu leur imprudence; il ne s'est pas contenté d'assurer le strict respect des conditions mises par les textes à l'octroi du sursis, il leur a ajouté quelques exigences supplémentaires; on l'en a généralement loué ».

Il parut déçu, mais se reprit aussitôt : « Qu'importe, après tout ! L'essentiel n'est-il pas cette décision finale qui, d'un mot, annihile l'acte injuste, efface toutes ses conséquences comme le soleil fond la glace sur nos grands lacs, et donne à la victime tout ce que le droit lui accorde, tout ce que l'Administration lui refusait ? ».

Un scrupule me fit reprendre la parole : « Attention ! Le pouvoir du juge ne saurait aller jusque là ! De manière générale, vous le savez, il ne lui est pas permis d'imposer à l'Administration une obligation de faire, ni, à plus forte raison, de substituer sa décision à celle qu'il a censurée; même dans le plein contentieux, il ne peut la condamner qu'à payer; dans le contentieux de l'excès de pouvoir, il lui est interdit d'aller au-delà de la pure et simple annulation de l'acte ».

« C'est une interdiction rigoureuse, soupirait-il; quel est donc le texte qui l'a édictée ? ».

Je souris : « Il n'est pas besoin d'un texte lorsque la nature des choses commande; et la nature des choses veut que la fonction de juger soit, au sein de l'exécutif, distincte de celle d'agir. Où irions-nous si le juge administratif tirait, de l'annulation, les conséquences nécessaires, dictait à l'Administration la conduite à tenir pour rétablir le droit, ou osait substituer lui-même, à la décision annulée, une décision juridiquement correcte ? ».

(*Dalloz, 1962, Chronique, pp. 37-sq*).

Pour sa part, le professeur Vedel déplore la timidité, excessive à ses yeux, de nombreuses règles de fond dégagées et appliquées par le juge :

« Sur certains points, le juge administratif est demeuré très peu exigeant à l'égard de l'Administration. Citons-en quelques uns :

Mise à part la règle des droits de la défense qui ne joue que lorsqu'une mesure a un caractère de sanction, le juge administratif n'a pas admis le minimum des règles de « procédure non contentieuse » qui forment pourtant l'une des conquêtes essentielles du droit administratif dans nombre de pays étrangers. Le problème est le suivant : lorsque l'administré se trouve en présence de l'Administration, n'a-t-il pas — mise à part l'hypothèse des droits de la défense — des droits à une procédure comportant une certaine publicité ou, du moins, une certaine contradiction ? Doit-il être traité comme un simple administré en présence d'une puissance supérieure ou comme un citoyen faisant valoir ses droits en face de l'organe des Pouvoirs Publics qui est tout de même, lui aussi, soumis au droit ?

A cet égard, l'on peut dire que la perfection même du contrôle juridictionnel a posteriori dans de nombreux domaines a fait négliger ce problème qui est, cependant, fondamental.

Un autre exemple des lacunes du droit administratif est fourni par l'extrême timidité du juge administratif en ce qui concerne l'obligation de motiver qui pourrait incomber à l'Administration. La règle admise par le juge administratif est la suivante : c'est que, normalement, l'Administration n'est pas tenue de faire connaître les motifs qui sont à la base des décisions qu'elle prend, à moins qu'un texte ne l'y oblige ».

Après avoir regretté, comme le professeur Rivero, que le Conseil d'Etat n'assortisse pas ses décisions d'injonctions de faire adressées à l'Administration pour qu'elle prenne les mesures nécessaires au rétablissement de la légalité, le professeur Vedel conclut ainsi ce chapitre de son cours :

« Ces diverses notations commencent à apparaître de toutes parts chez ceux qui ont la pratique du droit administratif ou, plus généralement, du problème de la soumission de l'Administration au droit.

Mais de pareilles remarques sont généralement assez mal prises de la part du juge administratif qui y voit une sorte de tentative de dénigrement. En réalité, il ne s'agit pas de dénigrement, puisqu'au contraire il s'agit de restaurer l'autorité du juge, de lui permettre d'étendre son emprise et de se soumettre plus complètement (sous l'angle exclusivement juridique, il faut le préciser) l'Administration. C'est précisément dans la mesure où le droit administratif et la juridiction administrative ont été une réussite qu'il faut que cette réussite ne s'arrête pas. Elle ne doit pas être seulement une réussite intellectuelle, goûtée par des spécialistes, mais une réalité sociale imprégnant toute la vie juridique de l'Etat ».

(*Cours d'institutions administratives. Licence 2me année. Faculté de droit de Paris. 1961-1962 : « Les cours de droit » pp. 433-sq*).

L'exécution des décisions.

C'est enfin et surtout l'efficacité des décisions rendues par le juge administratif qui est mise en doute — et elle l'est à l'intérieur comme à l'extérieur du Conseil d'Etat. Un de ses membres, M. Braibant, écrivait à ce sujet dans *Etudes et Documents,* en 1967 :

« A ces limitations d'ordre juridique, qui résultent de la jurisprudence du Conseil d'Etat s'ajoutent des limitations de fait, qui contribuent à diminuer dans la pratique l'efficacité des annulations contentieuses.

Ces limitations de fait proviennent — dans une certaine mesure — de la pratique juridictionnelle elle-même : les annulations tardives, comme on l'a déjà maintes fois souligné, sont souvent dépourvues de toute utilité réelle. L'on en a vu plus haut des exemples : un fonctionnaire dont la révocation est annulée, ne pourra pas être réintégré si, entre temps, il a atteint l'âge de la retraite ou s'il a été victime d'un accident le rendant inapte à son emploi.

La méconnaissance de la chose jugée par l'Administration n'est pas un phénomène nouveau. Elle a été dénoncée à de nombreuses reprises par la doctrine. Elle a été également évoquée plusieurs fois au cours des années récentes par des membres du Conseil d'Etat. Il suffit malheureusement de parcourir les recueils d'arrêts pour constater que les cas d'inexécution des annulations pour excès de pouvoir demeurent fréquents. Dans certains cas, l'Administration prend, pour faire échec à l'arrêt d'annulation, une nouvelle décision qui est exactement identique à la décision annulée ou qui, de nature différente, a pratiquement des effets analogues... L'inexécution de la chose jugée prend, le plus souvent, la forme passive de l'inertie : l'Administration ne procède pas aux mesures qui seraient nécessaires pour donner une suite pratique à l'annulation prononcée... Il n'est pas possible, dans l'état actuel de notre information, de mesurer l'ampleur de ces résistances. Il ne faut pas les exagérer, et parler, comme on l'a fait parfois, de rébellion ou d'insurrection des administrations contre les décisions du Conseil d'Etat. Il ne faut pas non plus les minimiser. Vers 1950, deux auteurs ont eu sur ce point des opinions très différentes : l'un se faisait l'écho de déclarations selon lesquelles la moitié des arrêts demeurerait inexécutée; l'autre estimait au contraire qu'ils étaient respectés dans leur quasi-totalité. La vérité se situe sans doute quelque part entre ces deux extrêmes (1)...

La violation pure et simple de la chose jugée n'est plus aujourd'hui

---

(1) A l'instigation, semble-t-il, du professeur Rivero — qui tirait ainsi profit des réflexions de son Huron juriste — les auteurs de la réforme de 1963 ont cherché à remédier à cette situation en permettant aux requérants, « après l'expiration d'un délai de six mois à compter de la date à laquelle une décision leur accordant une satisfaction, même partielle, a été lue, (de) signaler à la commission prévue à l'article 3 du présent décret (commission du rapport) les difficultés qu'ils rencontrent pour obtenir l'exécution

la seule forme de la résistance de l'Administration à l'éxécution des annulations contentieuses. Depuis plusieurs années, et de plus en plus fréquemment, le gouvernement, en utilisant la technique des validations législatives, fait appel du juge au Parlement.

Ce procédé est parfois justifié. Il arrive que des annulations juridiquement fondées, et qui demeurent de toute façon utiles, par les solutions de droit qu'elles comportent, ne pourraient être suivies d'effets pratiques sans inconvénients graves. L'exemple le plus typique en est fourni par l'affaire du concours d'entrée à l'Ecole centrale en 1947. Les délibérations du jury ont été annulées par le Conseil d'Etat, deux ans plus tard; si cet arrêt avait été exécuté, les 225 candidats reçus, qui n'étaient pas responsables des erreurs du jury, auraient perdu deux années d'étude et se seraient trouvés dans l'obligation de se présenter à un nouveau concours; l'on conçoit que, dans ces conditions, le gouvernement ait préféré demander au législateur de valider le concours annulé. Mais le système des validations est aujourd'hui employé de façon abusive par certaines administrations qui y voient un moyen commode d'échapper aux annulations contentieuses. Cette tendance est dangereuse (1) ».

(*Remarques sur l'efficacité des annulations pour excès de pouvoir.* « *Etudes et Documents* ». *1961, pp. 53-sq.*).

Subtilité, laconisme, empirisme.

Cette brève analyse des débats sur la justice administrative serait incomplète si l'on ne disait un mot de discussions contemporaines plus « techniques » sur trois caractères de la jurisprudence du Conseil d'Etat : la subtilité de ses solutions, cause d'hermétisme ; le laconisme de ses décisions, source d'incertitude ; l'empirisme de son inspiration, qui rend malaisé tout effort de systématisation logique.

---

de cette décision ». (Décret n° 63.766 du 30 juillet 1963, art. 58). Le rapport annuel établi par cette commission signale, s'il y a lieu, au gouvernement, les difficultés rencontrées dans l'exécution des décisions des juridictions administratives (art. 3 du même décret). Depuis dix ans que cette procédure est en vigueur, la commission n'a été saisie que d'un très petit nombre de cas, quelques dizaines chaque année. Il serait imprudent d'en conclure que les arrêts du Conseil d'Etat et des tribunaux administratifs sont toujours exécutés. L'existence de cette procédure est encore très peu connue des justiciables. On ne dispose pas aujourd'hui (1974) de statistiques plus abondantes et plus précises qu'en 1961 pour déterminer la quantité de décisions suivies d'exécution.

(1) Il a été beaucoup écrit sur la question de la non-exécution des décisions des juridictions administratives. Cf. notamment :

M. Waline : La résistance de l'Administration contre les décisions contentieuses du Conseil d'Etat. R.D.P. 1951, p. 478. Le mauvais vouloir manifeste de l'Administration à exécuter une décision du Conseil d'Etat. R.D.P. 1963, p. 279.

A. Bidou : L'Administration applique-t-elle la décision du juge administratif ? La Vie judiciaire 1963, p. 902.

S. Laby : L'inexécution par l'Administration des décisions du juge administratif. Le Droit ouvrier 1963, p. 248.

Cf. également :

— Les déclarations de M. Louis Joxe, Ministre, à l'Assemblée nationale. *J.O.* Déb. parl. Ass. nat., 28 avril 1965, p. 908.

— Questions écrites de parlementaires au gouvernement :

Question de M. Legaret, n° 4520 du 26 février 1960. *J.O.* Déb. parl. Ass. nat., 16 mars 1960, p. 7.

Question de M. Thorez, n° 293 du 3 janvier 1963. *J.O.* Déb. parl. Ass. nat., 24 février 1963, p. 2304.

Que cette jurisprudence soit subtile, et le soit sans doute à l'excès, tout le monde en convient, et en premier lieu ses auteurs :

« En fait de jurisprudence, écrit M. Odent, président de la section du contentieux, la modestie s'impose : la subtilité des solutions et des raisonnements jurisprudentiels tend à devenir décourageante... La responsabilité en incombe pour partie à la prolifération des textes législatifs et réglementaires et aux mauvaises conditions dans lesquelles ils sont préparés et rédigés. Elle tient, pour partie également, à la nature même des choses : une solution jurisprudentielle déterminée n'a pas de valeur propre en elle-même : elle est fonction des considérations sur lesquelles elle est fondée et les mêmes considérations peuvent fort bien, dans une situation pourtant voisine, justifier une solution qui risque de paraître inconciliable avec celle antérieurement adoptée... La complexité de la jurisprudence tient aussi aux hommes qui élaborent cette jurisprudence. Celle-ci est l'œuvre de quelques spécialistes éminents, lesquels, comme tous les spécialistes, ont tendance à raffiner. A certains égards cette tendance est heureuse : elle assure le progrès du droit public; elle le préserve de l'immobilisme. Mais elle présente aussi de sérieux dangers : elle fait du contentieux administratif une matière trop byzantine dont les administrations et les justiciables ne parviennent plus à saisir les lignes directrices. Les spécialistes se complaisent dans une sorte de jeu intellectuel accessible seulement à quelques initiés qui en polissent avec soin les règles très savantes ».

(*R. Odent. Contentieux administratif. Fascicule I pp. 38-40. 1970-1971. Les cours de droits, Paris*).

Lors de la réforme du contentieux de 1953, qui faisait des tribunaux administratifs les juges de droit commun et du Conseil d'Etat, juge d'appel, le régulateur du contentieux administratif, on souhaita unanimement que la jurisprudence « donne moins à la finesse, à la subtilité, à la nuance, qu'elle cherche la simplicité et la clarté » (J. Rivero). M. F. Gazier indiquait en 1954 les raisons de cette nécessaire simplification qui, vingt ans après la réforme, n'est — il faut bien le reconnaître — ni faite, ni en cours, ni même en vue :

« Le Conseil d'Etat ne manquera pas de prendre conscience de l'obligation où il va se trouver, s'il veut que sa jurisprudence soit appliquée par les 31 nouveaux juges de droit commun, d'entrer franchement dans la voie des simplifications... Il faut bien prendre garde que dorénavant, la jurisprudence administrative ne sera plus le monopole presque exclusif des arrêts du Conseil d'Etat. Ce sont d'abord et parfois définitivement — si les appels sont peu nombreux — les jugements des tribunaux administratifs qui vont la constituer.

Or il est douteux que les nouveaux juges de droit commun suivent le Conseil d'Etat en tous ses errements et respectent notamment avec fidélité la très grande subtilité de beaucoup de ses arrêts ».

(*F. Gazier : De quelques perspectives ouvertes par la récente réforme du contentieux administratif. R.D.P. 1954, p. 681*).

C'est le même souci des difficultés rencontrées par les tribunaux administratifs qui inspirait et inspire toujours à beaucoup — car là aussi la situation n'a pas ou guère changé — le souhait de voir le Conseil d'Etat modifier le style traditionnel de ses arrêts, et se montrer moins laconique pour être mieux compris :

« Le style traditionnel du Conseil d'Etat, écrit M. Rivero, est bien connu; sur sa fameuse imperatoria brevitas, on a tout dit; trop même; car il lui arrive parfois d'expliciter sa pensée, d'indiquer, au moins de façon schématique, les articulations du raisonnement. Malgré tout, la concision domine; un coup d'œil jeté sur n'importe quel recueil de jurisprudence est convaincant : l'arrêt du Conseil d'Etat y paraît grêle auprès de l'arrêt de la Cour suprême, qui fait un bien autre volume. Laferrière, déjà, le soulignait : « Le Conseil d'Etat, à la différence de la Cour de cassation, n'a pas l'habitude d'exposer, dans ses arrêts, toutes les déductions juridiques qui les motivent »; la tradition s'est maintenue, et M. Latournerie, dans une récente étude (Livre jubilaire pour le 150e anniversaire, p. 220 et 221), en faisait en quelque sorte la théorie...

Cette différence est (ou plutôt : était) toute naturelle; dans l'arrêt du Conseil d'Etat, juge unique, ce qui importe avant tout, c'est la décision elle-même, et la solution qu'elle donne au litige; il ne doit compte à personne des cheminements de sa pensée; l'essentiel est qu'il les connaisse lui-même; saisi à nouveau d'une question semblable, il parviendra, par le même itinéraire — qui lui est familier — au même résultat; quelques jalons, quelques formules ramassées dont il sait exactement le sens et la portée, suffisent à motiver la décision...

La sauvegarde de l'unité du Droit exige sans doute que le juge suprême, désormais, rédige ses arrêts, non pour lui-même, non pas seulement pour les plaideurs, mais aussi, et peut-être d'abord, pour les juridictions du premier degré; il lui faut, dorénavant, non plus seulement bien décider, mais encore expliquer en toute clarté le pourquoi de sa décision; il lui faut rompre, dans une certaine mesure, avec sa méthode séculaire, effacer la différence que Laferrière relevait entre elle et celle de la Cour de cassation, exposer les « déductions juridiques qui motivent ses arrêts »; c'est plus qu'une réforme, c'est une révolution. Mais à cette condition seulement, la bonne volonté du tribunal administratif pourra se donner libre cours; face aux pentes abruptes du contentieux qui lui est confié, le juge du premier degré fait figure d'alpiniste novice; il n'évitera les faux pas que si le Conseil d'Etat, familier de l'escalade, rompu à la délicate acrobatie qu'elle exige parfois, consent à sacrifier les joies de l'ascension solitaire pour se plier aux rudes tâches du guide, du premier de cordée, qui montre les prises, plante les pitons et, pas à pas, hisse la caravane. Certes la justice administrative risque d'y perdre quelque chose de son allant, de sa souplesse, de son ton assuré, de son brio : ce sont des traits qui conviennent à la jeunesse; n'atteint-elle point, avec la réforme, à une maturité qui réclame d'autres vertus, et qui exige quelque renoncement ? ».

(*J. Rivero. Le Conseil d'Etat, Cour régulatrice. Dalloz 1954. Chronique, pp. 157-sq*).

C'est un débat de caractère plus académique qu'ont suscité en 1950 les conclusions (1) où M. Chenot, commissaire du gouvernement, exposant

(1) Conclusions dans l'affaire Gicquel. Conseil d'Etat. 10 février 1950. Recueil Lebon, p. 100.

la jurisprudence sur l'intérêt pour agir, déclarait : « Cette jurisprudence... en ne précisant pas les motifs théoriques de son choix laisse dans l'embarras les faiseurs de systèmes... ». Ceux-ci n'auraient sans doute pas relevé cette remarque incidente, si M. Chenot n'avait publié peu après dans *Etudes et Documents* un article consacré à la notion de service public et où, analysant l'attitude pragmatique du juge dans l'emploi de cette notion, il écrivait :

> ... « On nous change notre Etat », écrit Hauriou, lorsque la jurisprudence affirme que des groupements formés entre propriétaires voisins pour exécuter des travaux d'intérêt collectif sont des établissements publics. Et de crier au socialisme ! Quarante ans plus tard, en revanche, quand le Conseil d'Etat refuse de voir dans les comités chargés d'organiser la production industrielle des établissements publics, de bons auteurs s'en scandalisent. Ils diraient volontiers qu'on nous change le Droit...
>
> A vrai dire, quand on considère le flot tourmenté des décisions qui, en quelques années, font et défont ce qu'on appelle, après coup, la jurisprudence, on a le sentiment que le juge administratif reste étranger à ces inquiétudes doctrinales. Si ses arrêts contrarient des théories générales ou démentent des notions fondamentales, nul d'ailleurs n'en tient rigueur à une juridiction qui s'attache moins à élaborer des concepts ou des règles qu'à résoudre, au jour le jour, des problèmes dont les données sont aussi mouvantes que les lignes d'une évolution sociale qui commande souvent aux constructions de l'esprit, et bien rarement les suit...
>
> ... Certains auront sans doute la nostalgie d'une notion « institutionnelle » et à priori du service public, qui assurait à la fois la tranquillité des professeurs et la stabilité des catégories juridiques ».
>
> (*La notion de service public dans la jurisprudence économique du Conseil d'Etat, Etudes et Documents. 1950, p. 77*).

La Faculté releva le gant. Le professeur Rivero publia au Recueil Dalloz (1) une « Apologie pour les faiseurs de systèmes », « examen de conscience » de ceux-ci, qui « n'a point engendré la contrition, mais, tout à l'opposé, le ferme propos de persévérer dans la voie traditionnelle ».

Ainsi se poursuit le dialogue de la doctrine et de la jurisprudence, sur lequel M. Odent présente de pertinentes remarques :

> « La discussion est passionnante sur le plan intellectuel et probablement sans issue; sur le plan pratique, le problème se pose dans des termes très différents : d'abord parce que, entre les positions extrêmes, il en est beaucoup d'autres intermédiaires et que, entre les tendances doctrinaires et les tendances pragmatistes, des compromis sont souvent possibles; ensuite parce que l'empirisme peut fort bien « être au service d'une doctrine ». Une jurisprudence qui ne se fonderait que sur des raisonnements purement logiques serait trop inhumaine pour être acceptable, mais une jurisprudence qui n'aurait comme ligne directrice que l'arbitraire de ses auteurs serait incohérente ».
>
> (*Raymond Odent. Contentieux administratif 1970-1971. Fascicule I, p. 36*).

---

(1) Recueil Dalloz - Juillet 1951 - Chronique, pp. 23-sq.

LE RAYONNEMENT A L'ÉTRANGER DE L'ŒUVRE DU CONSEIL D'ÉTAT

L'un des traits saillants de l'histoire du Conseil d'Etat depuis 1945 est le rayonnement de son œuvre juridictionnelle au-delà des frontières, ainsi que la multiplication de ses rapports avec les institutions judiciaires et juridiques étrangères et en premier lieu avec les Conseils d'Etat d'autres pays.

L'opinion des juristes anglo-saxons.

Le fait le plus notable est peut-être le changement d'attitude des juristes anglais à l'égard du Conseil d'Etat et de son œuvre. L'un et l'autre, lorsqu'ils n'étaient pas ignorés, y faisaient l'objet de sérieuses préventions, qui se trouvaient bien exprimées par le mot de Dicey, professeur de droit constitutionnel à Oxford, à la fin du XIXe siècle : « Nous ignorons tout du droit administratif et nous voulons tout en ignorer ». Aux yeux de Dicey « le caractère essentiel du droit administratif... c'est (d'être) un corps de droit destiné à protéger les privilèges de l'Etat » :

> « Tous les tribunaux administratifs, depuis le Conseil de préfecture jusqu'au Conseil d'Etat, ont plus ou moins nettement le caractère de corps de fonctionnaires ou d'autorités gouvernementales; ils sont composés de fonctionnaires et il résulte des motifs mêmes invoqués pour enlever aux tribunaux judiciaires la connaisance des questions de droit administratif que ces corps se placent à un point de vue gouvernemental pour statuer sur les affaires qui leur sont soumises et les tranchent dans un esprit bien différent de celui qui anime les juges judiciaires » (1).

Ces vues furent communément admises en Grande-Bretagne jusqu'à la parution en 1954 de l'ouvrage de C.J. Hamson, professeur de droit comparé à Cambridge : « Executive discretion and judicial control - An aspect of the French Conseil d'Etat » (2). Cet ouvrage réunit des confé-

---

(1) Ces citations de Dicey sont extraites de son ouvrage : « Introduction à l'étude du droit constitutionnel », dont la 1re édition anglaise parut en 1885. Dans les éditions suivantes, Dicey atténue ces jugements, mais l'évolution de ses idées se manifesta seulement dans des notes annexes. Il ne modifia pas le texte de l'ouvrage même (Traduction française par Batut et Jèze. Paris 1902).

(2) London, Stevens and Sons, 1954. L'ouvrage n'a pas été traduit en français. M. Meric, maître des requêtes au Conseil d'Etat, en a donné une analyse dans « Etudes et Documents » de 1955, pp. 146-159 sous ce titre : « Le Conseil d'Etat vu par un anglais ». La traduction des passages cités ici a été faite par Madame Questiaux, maître des requêtes au Conseil d'Etat.

Cf. également de M. Hamson : « Vues anglaises sur le Conseil d'Etat français », R.D.P. 1956, pp. 1049-sq.

rences prononcées sous l'égide du Hamlyn Trust. Le professeur Hamson rappelle avec humour au début de son livre l'inspiration de ce groupement :

« L'admirable miss Hamlyn, dont les exécuteurs testamentaires m'ont invité à faire ces conférences, a légué le reste de sa fortune pour promouvoir le droit comparé. Son intention, non moins admirable, était que « le peuple du Royaume-Uni comprenne à quel point il était privilégié dans ses lois et ses coutumes, par comparaison avec les autres peuples d'Europe » — intention parfaitement raisonnable, car ces principes existent, sans aucun doute, et sont considérables. Mais, puisqu'il m'a été demandé de faire dans ce cadre des conférences sur le Conseil d'Etat français, j'ai fait remarquer aux exécuteurs testamentaires que le sujet ne paraissait pas aller directement dans le sens de la volonté de la testatrice. Ils m'ont répondu que le fait, ou du moins son apparence immédiate, étaient de peu d'importance. »

(*Executive Discretion and judicial Control. p. 3*).

M. Hamson prend aussitôt le contrepied des idées de Dicey :

« Le caractère inébranlable de nos droits est le témoignage visible de notre détermination; nous sommes parfaitement décidés à ce que justice soit faite, soit faite purement et simplement, de façon manifeste, soit faite non seulement dans notre cas, mais de façon égale pour tous, paraisse être faite avec sûreté et sans défaillance...

C'est dans ce contexte que je vous invite à considérer avec moi le Conseil d'Etat français. J'ai, comme on le pense, une grande admiration pour cette institution; je pense qu'elle a achevé le résultat que doit atteindre une communauté civilisée et qui n'est pas atteint chez nous, ou du moins, ne l'est pas de façon aussi évidente et aussi significative. Je prends donc sur bien des points le contrepied des vues de Dicey... ».

(*Executive Discretion and judicial Control pp. 4-5*).

Après avoir cité et longuement commenté, à titre d'exemple, l'arrêt Barel et constaté l'indépendance de la section du contentieux, dont les membres ne sont cependant pas inamovibles, M. Hamson, au terme d'une analyse très fine de « l'esprit » du Conseil d'Etat, se déclare fermement partisan, dans l'intérêt même du droit et des justiciables, du maintien du caractère dualiste du Conseil d'Etat, à la fois conseil du gouvernement et juge administratif :

« Il me paraît essentiel que la section du contentieux demeure, comme il en est actuellement ainsi, une partie, une section du Conseil d'Etat et ne devienne pas un agent complètement séparé, à vocation purement juridictionnelle, ne serait-ce que pour que les organes consultatifs persistent à prendre à leur propre compte les jugements de la section du contentieux comme la voix authentique du Conseil d'Etat, un tout dont ils sont également partie.

Sans doute a-t-il été vital pour l'institution qu'une autonomie juridictionnelle se constitue au sein du Conseil d'Etat et que le public prenne confiance en cette autonomie, mais maintenant, il est aussi vital, me semble-t-il, de maintenir l'unité au-delà de la diversité qui s'est établie, car si juges et conseillers devaient se séparer et en venir à s'opposer, l'avenir de la juridiction administrative française serait gravement en péril. »

(*Executive Discretion and judicial Control p. 94*).

M. Hamson ne va pas cependant jusqu'à proposer la création en Grande-Bretagne d'un organisme identique ou analogue :

« Que l'on ne s'y méprenne pas, je redis ici ce que j'ai dit ailleurs : je ne suggère pas que la réponse à nos propres difficultés consiste à mettre en place en Angleterre une institution calquée sur le modèle du Conseil d'Etat. Les affaires humaines et les études de droit comparé ne se règlent pas aussi simplement. Le Conseil d'Etat est la création d'une certaine évolution historique; il est marqué par son propre environnement; il apporte la réponse particulière à un état de choses particulier qui existe en France. Il ne peut être transplanté de l'autre côté de la Manche; en tant que tel, il ne serait pas adpté à nos problèmes, à nos traditions et à nos préjugés. »

(*Executive Discretion and judicial Control p. 21*).

M. Hamson n'est pas un isolé (1). D'autres juristes anglais sont même allés plus loin que lui, tel M. Mitchell, professeur à l'Université d'Edimbourg, qui a tiré de l'exemple français la conclusion qu'il serait peut-être bon de soumettre l'administration anglaise, afin qu'elle soit mieux contrôlée, à un droit propre, sinon à des tribunaux propres :

« Le malaise, écrit-il, que le public général continue à éprouver à l'égard de la situation actuelle du contrôle de l'administration, témoigne du fait que lui aussi prend conscience du problème. Ce malaise s'exprime sous forme de pressions en faveur de nouveaux remèdes administratifs ou parlementaires, au moyen d'un Ombudsman à la danoise ou de quelque chose de ressemblant. Il est possible que ces pressions en vue de la création d'un poste de ce genre puissent révéler la conséquence — et la plus préjudiciable — de l'absence chez nous d'un système de droit public. C'en est bien une conséquence, puisque, à défaut d'un tel système, le droit s'est montré incapable de subvenir aux besoins de l'Etat moderne et puisque les insuffisances du droit, telles qu'elles existent, sont appréciées ou senties, ne serait-ce qu'instinctivement; les gens ne s'adressent plus au droit pour y trouver remède, mais à des palliatifs administratifs... La crise existe. Reste à savoir si nous devons rester prisonniers des fâcheuses conséquences de certains aspects d'un passé par ailleurs heureux. Indubitablement, la création d'un système efficace de droit public serait une entreprise majeure, du fait même qu'elle entraînerait le rejet de bien des notions fermement établies et universellement reçues. Elle exigerait sans doute

(1) Cf. Neville Brown. La récente évolution du contentieux administratif en Grande-Bretagne. Etudes et Documents 1959, p. 201.

la création d'un nouveau système de tribunaux dans le but de rompre les entraves de ceux qui existent actuellement ».

(*J.D.B. Mitchell. L'absence d'un système de droit administratif au Royaume-Uni : ses causes et ses effets. Etudes et Documents. 1964, p. 225*).

De fait, dès 1955, la Grande-Bretagne s'est préoccupée d'une réorganisation de ses 207 juridictions administratives (1) fonctionnant chacune dans un domaine particulier. La commission créée à cet effet, la commission Francks, invita en 1957 un membre du Conseil d'Etat français, M. Letourneur, à venir exposer devant elle les règles d'organisation et de fonctionnement des juridictions administratives françaises. Quelques années plus tard, le président de la Law Commission, M. Scarmann, vint à Paris s'informer auprès du Conseil d'Etat de ces problèmes et convia ensuite plusieurs de ses membres à participer à des colloques organisés à Oxford sur le contrôle juridictionnel de l'Administration (2).

Les Conseils d'Etat étrangers.

Les rapports du Conseil d'Etat avec ses homologues étrangers, revêtent davantage le caractère de rapports de parenté. Il y joue tout naturellement, en raison de son ancienneté, le rôle de frère aîné d'une famille qui n'a cessé de s'accroître. Aux Conseils d'Etat créés au XIXe siècle — italien, grec, hollandais, luxembourgeois — plusieurs autres sont venus s'ajouter depuis 1919, les Conseils d'Etat turc (1927), belge (1945), égyptien (1946), libanais (3), dans l'organisation et le fonctionnement desquels on retrouve les traits essentiels du Conseil d'Etat français. Les Etats autrefois placés sous le protectorat français ou issus de l'empire colonial français n'ont pas créé de conseil d'Etat, mais la plupart, à l'imitation du premier d'entre eux devenu indépendant, le Maroc, ont institué des cours suprêmes au sein desquelles une chambre administrative juge les recours en annulation pour excès de pouvoir contre les actes administratifs (4).

Entre ces diverses juridictions et le Conseil d'Etat français, relations et échanges ont été nombreux et variés : séjours de stagiaires au Palais-Royal, détachement de membres du Conseil d'Etat à la tête des chambres administratives des cours suprêmes, visites réciproques, etc.

(1) Au 31 décembre 1948.

(2) Jusqu'ici, les Etats-Unis d'Amérique sont demeurés assez ignorants du système administratif français et du rôle qu'y joue le Conseil d'Etat.

(3) Sur les Conseils d'Etat étrangers, cf. Livre jubiliaire du Conseil d'Etat, pp. 481 à 693. Henry Puget. Les institutions administratives étrangères. Dalloz 1969. Germain Watrin : Le Conseil d'Etat égyptien. Etudes et Documents 1948, p. 119.

(4) Cf. Lampué : « La justice administrative dans les Etats d'Afrique francophone ». Revue juridique et politique, Indépendance et coopération. 1965, p. 3.
« La justice administrative en Algérie » - même revue. 1969, p. 167.

Le Conseil d'Etat, les Communautés européennes et la Cour de justice de Luxembourg.

Mention particulière doit être faite des rapports du Conseil d'Etat avec ses homologues (1) des autres Etats membres des Communautés européennes dont l'existence leur a fourni une occasion de se rencontrer, de se connaître, d'échanger des informations et de s'enrichir mutuellement. Dans le cadre d'abord des Communautés elles-mêmes, grâce aux colloques organisés par la Cour de justice de Luxembourg. Mais des relations bilatérales ou multilatérales se sont aussi établies vers 1963 en dehors de ce cadre. L'initiative est venue du Conseil d'Etat italien, dont le président, M. Bozzi, après avoir rendu visite à Paris à M. Parodi en 1963 et de retour à Rome, écrivait à ce dernier :

> « Je trouve que notre rencontre pourra constituer un point de départ pour les buts que je me propose d'atteindre. C'est une tâche à laquelle je tiens particulièrement : celle du rapprochement de nos pays par nos communes expériences juridiques ».
>
> (*Arch. C.E.*).

De nombreuses réunions se sont tenues depuis lors, et notamment à Paris en 1970, un colloque réunissant les six institutions, qui fut consacré à l'étude du contrôle du juge administratif en matière économique (2).

La création d'une Cour de justice parmi les institutions des Communautés européennes a été saluée par des juristes français comme « une conquête du droit administratif français ». Tel est le titre d'une chronique parue dans le recueil Dalloz de 1953, où le professeur L'Huillier écrivait :

> « C'est une juridiction appelée à statuer sur un contentieux de caractère administratif qui, aussi bien par la nature des recours qu'il comporte que par les règles de fond dont il entraîne l'application, procède, par une filiation évidente, du contentieux administratif français, tel que l'a édifié depuis un siècle et demi la jurisprudence du Conseil d'Etat... C'est un sujet de satisfaction pour les publicistes français que de constater que ce contentieux administratif « supranational » constitue une réplique fidèle de notre contentieux administratif national dont il ne fait que transposer, mutatis mutandis, la plupart des solutions. Similitude qui n'est sans doute pas le résultat d'un parti pris délibéré d'imitation, mais seulement du fait que ces solutions se sont montrées particulièrement adéquates aux besoins auxquels elles répondent ».
>
> (*Recueil Dalloz. 1953, Chronique XII, pp. 13-14*).

---

(1) Des six pays membres originaires des Communautés européennes, il en est un, la République fédérale d'Allemagne, qui ne possède pas de Conseil d'Etat, mais un tribunal administratif supérieur, dont les fonctions sont uniquement juridictionnelles (Oberverwaltungsgericht).

(2) Cf. L. Fougère. Rapport présenté aux journées d'études organisées à Strasbourg les 15 et 16 octobre 1971, sur les Communautés européennes et le droit administratif français, pp. 401-sq. Pichon et Durand-Auzias - Paris 1972.

Opinion empreinte de quelque « triomphalisme », et qui doit être nuancée. M. Lagrange, conseiller d'Etat, qui occupa pendant 14 ans l'un des deux postes d'avocat général près de la Cour — dans lequel lui ont succédé depuis lors, sans interruption, trois de ses collègues — a noté dans l'article publié par lui en 1963 dans la revue *Etudes et Documents* et les points, fort nombreux, où les droits des six Etats membres se ressemblent et les caractères originaux de la Cour et de sa jurisprudence (1).

La Cour doit certainement au « modèle » français l'institution de « l'avocat général », sous lequel on reconnaît aisément le « commissaire du gouvernement » du Conseil d'Etat et l'organisation du recours pour incompétence, violation des formes substantielles, violation du traité ou détournement de pouvoir contre les actes du Conseil et de la Commission, qui est bien une « réplique fidèle » du recours pour excès de pouvoir français. L'influence du modèle ne s'est pas arrêtée là, si l'on en croit les propos par lesquels M. Donner, président de la Cour, saluait, lors de son départ, l'avocat général Lagrange, le 8 octobre 1964 :

« Si nous recherchons le secret de votre grande influence, deux éléments sautent aux yeux.

Vous êtes issu de la pratique du droit administratif français. Ce droit (notamment la jurisprudence du Conseil d'Etat) a acquis parmi les praticiens du droit public l'autorité qui s'attacherait à une sorte de droit administratif naturel, non pas tant parce qu'il serait meilleur que celui des autres pays, mais parce qu'il est tellement plus limpide. Il se présente comme la mise en œuvre de quelques notions et distinctions claires, appliquées à la lumière de principes universellement admis. La solution des questions concrètes fait chaque fois un nouvel appel à ces notions, distinctions et principes, et l'on a vraiment l'impression que la conclusion ne se dégage pas que d'une instruction approfondie des faits concrets, mais bien plutôt d'une analyse très fouillée de ces conceptions quasi-universelles. A première vue, cela rend votre droit beaucoup plus accessible à l'étranger que le droit des autres pays, qui met plus l'accent sur le jus in causa positum et ne peut donc être compris qu'à l'aide d'une connaissance approfondie de la législation positive.

C'est en suivant cette méthode française que, dans vos conclusions, vous avez abordé le droit communautaire. On a prétendu qu'en présentant ainsi le droit communautaire, vous en faisiez une sorte de projection de votre droit national et des conceptions qui vous sont particulièrement chères. Cette objection tombe à faux parce qu'elle méconnaît l'essentiel; or, le point essentiel consiste dans le fait qu'en introduisant cette méthode vous avez grandement contribué à rendre la masse disparate des traités accessible à la compréhension juridique. Sous vos doigts, le droit européen a acquis un peu de cette même limpidité et, par conséquent, de cette force de persuasion intellectuelle, qui sont propres au droit français et qui constituent une des conditions majeures de sa réception par les juristes des six pays ».

(*Arch. Cour de justice des Communautés européennes*).

(1) Etudes et Documents. 1963 - La Cour de justice des Communautés européennes, pp. 55-sq.

III

LA CRISE DE 1962
LA RÉFORME DU 30 JUILLET 1963
ET LA CRISE AVORTÉE DE 1969

La naissance de la Ve République et le rôle du Conseil d'Etat — L'avis défavorable du Conseil sur un projet de loi référendaire — L'arrêt Canal — Le Conseil jugé par le Général de Gaulle dans ses « Mémoires d'espoir » — Naissance et développement de la crise — Réactions de la presse — Opinions de juristes — Les travaux de la Commission de réforme — Les décrets de réforme du 30 juillet 1963 — Leur portée limitée.

La crise de 1969 — L'avis du Conseil d'Etat sur le projet de loi référendaire — Utilisé par l'opposition, il est critiqué par le gouvernement — Une déclaration du Général de Gaulle sur les « juristes engagés » — Un sondage d'opinion publique.

Devant le Conseil d'Etat, assemblé pour l'accueillir au Palais-Royal, le 28 février 1960, le général de Gaulle s'exprimait ainsi :

> « Je tiens à vous dire... combien je me sent honoré de me trouver dans votre Assemblée. L'expérience que j'ai pu faire, à diverses reprises — en particulier dans les deux dernières années — m'a rempli de considération pour vos travaux et pour le concours que vous donnez à la République ».
>
> (*Arch. C.E.*).

Depuis dix-huit mois, le Conseil d'Etat se trouvait, en effet, associé — du fait même de ses attributions et des activités habituelles de ses membres — à l'œuvre institutionnelle et législative de la Ve République. Il l'avait été d'abord indirectement par plusieurs de ses membres qui, au cours de l'été 1958, participèrent à la rédaction de la nouvelle constitution et, notamment par son secrétaire général, Raymond Janot, qui fut commissaire du gouvernement devant le Comité consultatif constitutionnel (1). L'assemblée générale examina ensuite, pour avis, le projet de constitution dont elle approuva l'économie d'ensemble.

(1) Un avant-projet fut établi par un groupe de travail dirigé par M. Debré, ministre de la justice, assisté de M. Raymond Janot, qui avait déjà participé à l'élaboration de la loi du 3 juin 1958 chargeant le Gouvernement d'établir un projet de loi constitutionnelle. Ce groupe de travail comprenait 18 membres. Quinze d'entre eux appartenaient au Conseil d'Etat, la plupart siégeant en qualité de membres des cabinets ministériels dont ils faisaient alors partie (MM. Aurillac, Bertrand, Boitreaud, Belin, Chandernagor, Galichon, Michel Guillaume, Guéna, Guldner, Janot, Mamert, Massenet, Plantey, Querrien, Solal-Céligny).

L'avant-projet fut examiné par un conseil interministériel réunissant, sous la présidence du Général de Gaulle, les quatre ministres d'Etat (MM. Houphouët-Boigny,

Le large usage par le gouvernement des pouvoirs étendus que lui avait donnés la loi du 3 juin 1958, puis de la faculté, résultant pour lui de l'article 92 de la nouvelle constitution, de promulguer pendant une période transitoire qui prit fin le 5 février 1959 toutes les « mesures qu'il jugera nécessaires à la vie de la nation, à la protection des citoyens ou à la sauvegarde des libertés », imposa au Conseil d'Etat un travail considérable (1) que le garde des sceaux, M. Michelet, évoquait en ces termes le 12 mars 1959 devant l'assemblée générale :

> « Je veux revenir sur votre activité consultative au cours de ces derniers mois. Votre œuvre fut considérable. Sans doute, ce n'est pas la première fois qu'un effort considérable vous était demandé. Mais cette fois, on peut affirmer, sans crainte d'être démenti, que c'est une véritable somme que vous avez dressée avec toutes les lois organiques, les ordonnances et les innombrables décrets qui ont été présentés à vos sections et à votre assemblée générale, depuis juin dernier.
>
> Si j'osais employer une expression anglo-saxonne, irrévérencieuse par surcroît pour un corps aussi vénérable que le vôtre, je dirais que vous avez pratiqué depuis le mois de juin un véritable « forcing ».
>
> J'ai souvent admiré la conscience — faut-il dire la résignation ? — que vous avez apportée à examiner, dans des délais exagérément courts, des textes d'une importance capitale. Et non seulement à les examiner, ce qui serait peu, mais encore à les améliorer, ce qui était beaucoup ».
>
> *(Arch. C.E.).*

Le concours du Conseil d'Etat prit également une autre forme : c'est de ses rangs que sortent alors plusieurs membres du Gouvernement et des titulaires de hauts postes administratifs. Lorsqu'il rendit visite au Conseil d'Etat le 28 janvier 1960, le général de Gaulle était accompagné de trois de ses membres : M. Debré, Premier ministre, M. Chenot, ministre de la Santé publique et de la Population, M. Chatenet, ministre de l'Intérieur. Certains y virent-ils alors comme l'annonce d'une nouvelle forme de gouvernement des juges ? Le président Cassin, s'adressant au Président de la République, tint à rappeler le rôle propre du Conseil :

> « L'extension du nombre des postes d'autorité confiés à des membres du Conseil d'Etat trouve une seconde limite, distincte de celle résultant des possibilités matérielles, parce qu'elle tient au rôle particulier du Conseil d'Etat dans une répartition harmonieuse des pouvoirs publics. Celui-ci est, suivant l'expression d'Hauriou, « la conscience de l'administration; il conseille

---

Jacquinot, Mollet et Pflimlin) et le garde des Sceaux, M. Debré. Prirent part aux travaux de ce conseil M. Cassin, vice-président du Conseil d'Etat, M. Pompidou, directeur du cabinet du Général de Gaulle, M. Janot et M. Belin, secrétaire général du Gouvernement.

Le projet fut ensuite soumis pour avis au comité consultatif institué par la loi du 3 juin 1958. M. Janot représentait devant ce comité, en qualité de commissaire du gouvernement, le Général de Gaulle. Il était assisté de cinq autres commissaires du gouvernement, MM. Chandernagor, Foyer, Guldner, Luchaire et Solal-Céligny, représentant respectivement MM. Mollet, Houphouët-Boigny, Pflimlin, Jacquinot et Debré. Le secrétaire du comité consultatif était M. Mamert, auditeur au Conseil d'Etat.

(1) La commission permanente qui n'avait examiné que 53 projets en 1957/1958 en examina 222 en 1958/1959 pour revenir à 73 en 1959/1960 et 66 en 1960/1961.

et il juge », mais il ne gouverne pas. Il ne pourrait participer en corps au gouvernement sans contribuer à compromettre ses attributions propres. La Constitution de 1958 ne contient heureusement aucune disposition qui ait porté atteinte à l'équilibre crée depuis 1945. Et, pour l'autorité permanente et pour l'indépendance du Conseil, il demeure indispensable que la participation de certains de nos membres aux conseils du gouvernement, comme à la direction des cabinets de ministres, continue à avoir, publiquement, un caractère individuel et personnel et ne revête jamais, ni en droit, ni en fait, un caractère de représentation collective ».

(Arch. C.E.).

Le rôle du Conseil, tel qu'il avait été défini en dernier lieu par l'ordonnance du 31 juillet 1945, n'était pas contesté. Les rédacteurs de la nouvelle Constitution le reconnurent et, en quelque sorte, le consacrèrent en y mentionnant la consultation obligatoire du Conseil — prévue jusque là par une simple loi — pour tous les projets de loi. Ils répondaient ainsi au vœu exprimé par le président Cassin, le 26 juin 1958, en accueillant le nouveau garde des sceaux, M. Michel Debré :

« Nous avons la fierté de croire à l'utilité continue du Conseil d'Etat pour la vie nationale. Il ne viendra à personne — nous en sommes convaincus — l'idée d'amputer un Etat dont on veut restaurer la force d'un de ses éléments les plus solides. C'est pourquoi, sans réclamer pour le Conseil d'Etat dans le texte de la future Constitution une place en disproportion avec les exigences de l'équilibre des pouvoirs, nous souhaitons que la Charte en gestation de la République n'omette pas de faire, au moins, état de la présence de notre grand corps et du rang éminent des conseillers d'Etat... Le temps ne serait-il pas venu, en outre, de constitutionnaliser la règle législative en vigueur en vertu de laquelle les projets de loi ne sont déposés par le Gouvernement qu'après avis du Conseil d'Etat ? »

(Arch. C.E.).

La confiance ainsi faite au Conseil lui était accordée en pleine connaissance de la nature de ses fonctions de conseiller et de juge et de l'esprit dans lequel il les exerçait. Au cours de la séance du 12 mars 1959, le garde des sceaux le félicitait d'avoir su en matière juridictionnelle :

« conserver sa traditionnelle maîtrise pour adapter la jurisprudence aux exigences du monde moderne afin que soit maintenu l'indispensable équilibre entre l'intérêt supérieur de l'Etat et celui des particuliers ».

(Arch. C.E.).

Il saluait en même temps dans ses membres qui venaient d'examiner de nombreux projets « les gardiens vigilants du Droit et des principes juridiques fondamentaux qui sont l'orgueil légitime de notre société française contemporaine » et terminait son allocution en disant :

« Le Gouvernement, plus que jamais, désire que le Conseil lui donne son avis sur le fond même des dispositions qui lui seront soumises ».

(Arch. C.E.).

NAISSANCE DE LA CRISE

Ces relations — qui avaient été altérées par la révocation, au mois de novembre 1960, de M. André Jacomet, maître des requêtes (1) — furent gravement troublées à la fin de l'année 1962.

Le 1er octobre 1962, le Conseil d'Etat émettait un avis défavorable sur le projet de loi référendaire, jugé par lui contraire à la Constitution, qui prévoyait l'élection du président de la République au suffrage universel (2). Le 19 octobre suivant, l'assemblée plénière du contentieux annulait, sur recours d'un nommé Canal, dirigeant de l'O.A.S. (3), condamné à mort par une cour militaire de justice, l'ordonnance du président de la République qui avait institué cette juridiction d'exception (4). Le gouvernement se trouvait ainsi mis en échec, à quelques jours d'intervalle, dans une période difficile pour lui, à propos de deux affaires

---

(1) M. Jacomet, détaché dans les fonctions de secrétaire général de l'administration en Algérie, fut relevé de ces dernières fonctions le 9 novembre 1960, puis révoqué de ses fonctions de maître des requêtes le 12 novembre suivant, à la suite de déclarations qu'il fit sur la politique algérienne du gouvernement, au cours d'une réunion de hauts fonctionnaires. Cette dernière mesure souleva une vive émotion au Conseil d'Etat. L'association des membres et anciens membres du Conseil d'Etat l'annonça en ces termes dans son bulletin : « 12 novembre - Par décret, M. André Jacomet, maître des requêtes, est révoqué de ses fonctions. - N.B. Nous reproduisons ici, sous leur forme officielle et sans commentaire, les principaux incidents de carrière qui intéressent nos collègues. Ce n'est pas au moment où la mesure qui a frappé l'un de nous fait l'objet d'un recours contentieux (recours formé par M. Jacomet devant le Conseil d'Etat), que nous dérogerons à cette coutume. Nous ne pouvons pas, toutefois, ne pas relater le sentiment douloureux et l'émotion profonde qui ont été provoqués dans notre maison par l'annonce de cette révocation, en dehors de toute appréciation des faits qui en sont l'origine ». L'association publia également un communiqué reproduit dans le journal « Le Monde » du 15 novembre 1960 (cf. également la chronique de M. Morange in Revue de droit public 1960, pp. 1191 sq). M. Jacomet devait être réintégré dans ses fonctions de maître des requêtes et à son rang, près de huit années plus tard, par décret du 30 juillet 1968.

(2) Cet avis n'a pas été rendu public, mais ses motifs, connus à l'époque par des indiscrétions, le sont aujoud'hui avec certitude grâce à la publication de l'avis formulé en 1969 par le Conseil d'Etat sur le projet de loi référendaire concernant les régions et le Sénat, qui soulevait le même problème juridique. Le Conseil d'Etat estima en 1962, comme en 1969, que les dispositions du projet de loi référendaire entraient — parce qu'elles modifiaient la Constitution — dans le champ d'application de l'art. 89 de celle-ci et exigeaient donc l'intervention du Parlement.

(3) O.A.S. : ce sigle signifie : Organisation de l'armée secrète, groupement clandestin constitué pendant le conflit algérien pour lutter contre la politique algérienne du général de Gaulle.

(4) L'ordonnance n° 62.618 du 1er juin 1962, avait été édictée par le chef de l'Etat en vertu de la loi référendaire du 13 avril 1962 l'habilitant à arrêter par voie d'ordonnance ou, selon le cas, de décrets pris en conseil des ministres, toutes mesures législatives ou réglementaires relatives à l'application des déclarations gouvernementales du 19 mars 1962 concernant l'Algérie. Elle instituait une Cour militaire de justice pour juger les auteurs et complices des infractions énumérées à l'art. 1 de l'Ordonnance n° 62.430, du 14 avril 1962 et des infractions connexes commises en relation avec les événements d'Algérie. La procédure applicable devant la Cour était expéditive; aux termes de l'article 10 : « Aucun recours ne peut être reçu contre une décision quelconque de la Cour militaire de justice, de son président ou du ministère public. En conséquence, nul ne peut enregistrer ou transmettre un tel recours ». C'est en raison notamment de cette disposition que le Conseil d'Etat jugea que l'ordonnance portait atteinte aux principes généraux du droit et, par suite, l'annula.

d'une grande importance politique. Sa réaction très vive ouvrit pour le Conseil d'Etat une crise grave où furent mis en question ses attributions, son organisation et le statut de ses membres.

De cette crise l'histoire gardera le souvenir, car le général de Gaulle lui a consacré plusieurs pages de ses « Mémoires d'espoir ». Il y évoque d'abord la position prise par le Conseil d'Etat sur le projet de loi référendaire :

« ... Le projet de loi à soumettre à la nation et qui est élaboré, suivant mes directives, par les soins du Premier ministre, est soumis, comme il est normal, à l'examen du Conseil d'Etat. Mais celui-ci, au lieu de s'en tenir à proposer les rectifications de texte qui lui paraîtraient souhaitables, se fait juge abusivement de la façon dont le Chef de l'Etat, garant de la Constitution, a décidé de l'appliquer et formule un avis défavorable au recours à l'article 11 et à l'emploi du referendum. Or, ce Corps, composé de fonctionnaires qui tiennent leur poste de décrets du gouvernement et non point d'une élection quelconque, est qualifié pour donner au pouvoir exécutif les appréciations juridiques qui lui sont demandées, mais nullement pour intervenir en matière politique, ni à plus forte raison dans le domaine constitutionnel. Connaissant les tendances du Conseil dont sont absents de ses réunions ceux des membres qui se trouvent détachés auprès de moi ou du gouvernement, tandis qu'y siègent et se font bruyamment entendre des partisans notoires et déclarés, parlementaires ou ministres d'hier et candidats de demain, je ne suis nullement surpris de l'attitude de son assemblée. Je ne le suis pas non plus d'apprendre qu'au mépris de toutes les obligations et traditions du Conseil, le secret de la délibération et du vote est trahi à l'instant même où sa séance est levée. En effet, sans le moindre délai, les agences de presse publient ses conclusions et les partis s'en emparent pour soutenir leur campagne. C'est pourquoi, au vice-président Alexandre Parodi, qui vient me les apporter quand je les ai déjà lues dans les journaux, je réponds que je ne tiendrai aucun compte d'un « avis » de cette sorte et qui, au demeurant, suivant la loi, ne m'engage à rien. Dès le lendemain, le Conseil des ministres adopte le texte du projet. A chacun, successivement, j'ai demandé s'il l'avalise. Tous l'ont fait sans restriction, à part Pierre Sudreau qui, en conséquence, quittera le governement. »

(*Mémoire d'espoir, Paris 1971, tome II, pp. 45-sq*).

Mentionnant ensuite les actes d'opposition au projet de loi, le général de Gaulle y comprend l'annulation par l'arrêt Canal le 19 octobre 1962 de l'ordonnance instituant la Cour militaire de justice :

« A toutes ces oppositions, le Conseil d'Etat rappelle avec fracas qu'il joint la sienne. Le 21 octobre (1), il renouvelle la charge que, quelques jours avant, à propos de l'article 11, il avait poussée contre le Président de la République. Son assemblée du contentieux rend, en effet, un arrêt aux termes duquel serait tout bonnement « annulée » la Cour militaire de justice. Celle-ci a été instituée par ordonnance, le 1er juin, en application des pouvoirs d'ordre législatif ou réglementaire que m'a conférés le referendum

(1) Erreur de date - La décision de l'assemblée plénière du contentieux fut prise le 19 octobre et lue séance tenante.

d'avril sur l'indépendance algérienne et qui mettent le gouvernement en mesure de faire juger rapidement les criminels de l'O.A.S.

Depuis bientôt cinq mois, cette juridiction, remplissant son office, s'est prononcée sur nombre de procès sans que le Conseil d'Etat ait contesté sa valeur. Or, voici qu'il le fait soudain et, du même coup, me met moi-même en cause, sept jours avant la consultation nationale. L'occasion est le cas d'un certain « Canal », trésorier de l'O.A.S., qui vient d'être, à son tour, condamné. Le Conseil se proclame compétent en cette affaire qui, suivant lui, serait « d'ordre administratif » ! Il s'en saisit donc et déclare que la procédure prévue pour le fonctionnement du tribunal « n'est pas conforme aux principes généraux du Droit », parce qu'elle ne comporte pas le recours en cassation et que, par conséquent, mon ordonnance comporte « un excès de pouvoir ». Le Conseil prétend donc que la Cour de justice est dissoute et que ses sentences sont annulées.

Céder à une telle injonction, surtout en pareille matière, serait évidemment souscrire à une intolérable usurpation. Chef de l'Etat, investi par la plus dure Histoire d'une légitimité, par ma fonction d'un mandat, par le vote référendaire du peuple d'une mission législative qui ne sont et ne sauraient être justiciables d'un Corps que rien n'y habilite, qui, au contraire, s'insurge contre ce qui est la loi et dont il est clair que l'ambiance politique le fait sortir de ses attributions, je tiens pour nul et non avenu l'arrêt du Conseil d'Etat. En quoi, d'ailleurs, les « principes généraux du Droit » seraient-ils violés par le fait que la Cour de cassation n'est pas saisie de certains jugements, alors que le peuple souverain a voulu qu'ils soient exceptionnels et expéditifs au point de me donner la faculté d'instituer par la loi un tribunal spécial pour les rendre ? En combien de circonstances de guerre ou de danger public la justice française, militaire ou civile, comme celle de tous autres pays, a-t-elle été organisée déjà de manière à agir rapidement sans que l'instance suprême ait chaque fois à entrer en ligne ? Le Conseil d'Etat, depuis cent soixante-deux ans qu'il existe, y fit-il jamais opposition ? L'a-t-il fait même pour le Haut-Tribunal militaire qui précédait la Cour de justice et dont les sentences n'étaient pas non plus soumises à cassation ? Enfin, n'est-il pas scandaleux de voir ce Corps, fait pour aider l'Etat, se signaler sous une forme pareille au sujet de la cause d'un criminel à ce point notoire ? Aussi, trois jours après, le Conseil des ministres condamne-t-il sévèrement « le caractère d'une intervention dont il est clair qu'elle sort du domaine du contentieux administratif, qui est celui du Conseil d'Etat, et telle que par son objet, ainsi que par les conditions et le moment dans lesquels elle survient, elle est de nature à compromettre l'action des pouvoirs publics à l'égard de la subversion criminelle qui n'est pas encore réduite ». En même temps, la décision est prise d'apporter par la loi à ce Corps abusif la réforme qui s'impose. Mais la prise de position de l'aréopage du Palais-Royal, publiée à grand bruit par toutes les trompettes de l'information, est exploitée à fond par le « Cartel » (1).

(*Mémoires d'espoir, tome II, pp. 74-sq*).

Des deux interventions du Conseil d'Etat, c'est la seconde en date — l'arrêt Canal — qui fit le plus de bruit : la prise de position du Conseil

(1) Le Général de Gaulle désigne ici par le terme « Cartel » l'ensemble des organisations politiques qui faisaient campagne contre la loi référendaire.

sur le projet de loi référendaire était un simple avis, incomplètement révélé par des indiscrétions dans l'agitation d'une campagne politique ardente ; l'arrêt Canal était une décision de justice rendue publiquement en dernier ressort, annulant une ordonnance du chef de l'Etat sur pourvoi d'un adversaire du régime, condamné à mort, dont l'exécution était — pensait-on — imminente. Le 24 octobre, M. Christian Fouchet, ministre de l'information, lisait devant la presse, à l'issue du conseil des ministres, le communiqué officiel suivant : (1)

« Le président de la République et le gouvernement ont constaté que l'intervention du Conseil d'Etat visant à rendre inopérante une ordonnance prise sur un point essentiel, dans l'esprit et en application de la loi votée par le pays le 8 avril dernier, sortait du domaine du contentieux administratif qui est celui de ce Conseil; qu'en outre l'objet, les conditions et le moment de cette intervention étaient de nature à compromettre l'action des pouvoirs publics à l'égard de la subversion criminelle qui n'est pas encore réduite.

Le prochain conseil des ministres aura à connaître des moyens qui doivent être pris conformément à la Constitution, pour qu'en dépit de tous incidents le fonctionnement des pouvoirs, notamment celui de la justice, continue à être assuré dans le présent et dans l'avenir. »

(Le Monde, 26 oct. 1962).

La presse quotidienne dans sa majorité approuva ou analysa sans la critiquer la décision du Conseil d'Etat : « décision saine, logique, morale et heureuse », écrivait l'éditorialiste de *Combat* ; « Ce qui a été en question devant le Conseil d'Etat, affirmait *L'Aurore,* ce n'est pas la culpabilité, ce n'est pas l'innocence de tel ou tel ; c'est la notion même, fondamentale, du droit hors duquel il n'est pas de liberté ». Quant au *Figaro,* après avoir constaté que l'ordonnance du 1er juin 1962 « doit être réputée n'avoir jamais existé », il formulait le souhait que soit rendu au plus tôt à la Cour de cassation « l'exercice de la mission qui est la sienne depuis plus de cent cinquante ans ».

La Nation, organe officieux du parti gouvernemental, exprimait dans son numéro du 22 octobre, sous le titre « Le vrai scandale », une opinion tout opposée :

« Le Conseil d'Etat est le suprême recours du citoyen et dans une démocratie ce recours doit toujours exister. Cela dit, on est d'autant plus à l'aise pour faire un certain nombre de remarques.

Une ordonnance du 1er juin 1962 créait une Cour de justice militaire. Consulté en juin (2), le Conseil d'Etat ne fait pas d'objection sur son

(1) Dès le 20 octobre, le cabinet du Premier ministre avait publié un communiqué où il était dit notamment : « Le gouvernement tient au moins pour anormale la jurisprudence qu'une telle décision tendrait à instaurer et qui substituerait l'appréciation du juge administratif aux droits des autorités constitutionnelles issues du suffrage dans un domaine qui touche à leur responsabilité fondamentale et à l'existence même de la nation ».

(2) La consultation dont il est ici question est celle du Conseil d'Etat dans ses formations administratives. Le projet d'ordonnance fut soumis pour avis à la commission permanente. L'avis de celle-ci n'a pas été rendu public. Si les informations du journaliste

existence; il n'en fait que sur la composition du tribunal et sur l'absence de recours...

Le gouvernement passe outre. Les circonstances sont exceptionnelles, la justice doit être exceptionnellement rapide et efficace.

Des hommes sont donc jugés, condamnés, l'un d'eux est exécuté (1). Silence. Un autre est depuis de longs jours dans la cellule des condamnés à mort. Silence. Mais tout d'un coup, le 20 octobre (2) quatre mois plus tard, le Conseil d'Etat annule l'Ordonnance et nomme enfin ce qu'il appelle le droit. Quel mépris pendant tout ce temps des hommes et de leur sort dont on prétend se préoccuper !...

Tout se passe comme si l'arrêt prononcé par le Conseil d'Etat était rendu à la veille du referendum, au moment jugé le plus opportun (3) pour troubler les esprits. Eh bien ! on doute que les esprits soient troublés par autre chose que le procédé employé et l'horaire choisi par la haute juridiction administrative...

Le danger est passé ? Tout le monde sait qu'il n'en est rien. Les circonstances, d'après le Conseil d'Etat, ne sont pas encore exceptionnelles. De quel droit, comme dit le communiqué du gouvernement, en décide-t-il, quand les autorités constitutionnelles en ont jugé autrement ?

Le scandale, décidément, n'est pas celui que l'on proclame et que, dans une sinistre jubilation, on exploite.

Le scandale est de mettre la démocratie en péril, parce qu'on est d'accord avec ses pires ennemis pour dire « Non » à une démocratie rénovée. » (*La Nation, 22 octobre 1962*).

Certains journaux de gauche, hostiles ou peu favorables au gouvernement, mais plus encore opposés aux milieux de « l'Algérie française » et de l'O.A.S., critiquèrent également la décision du Conseil. Ainsi *France-Observateur,* dans son numéro du 25 octobre, par la plume de Georges Suffert et sous le titre suggestif « Le Petit Clamart (4) d'un grand corps ».

« ... Il importe de bien préciser... à quel point la décision du Conseil d'Etat est scandaleuse. Il n'y a pas d'autre mot. On ne fera comprendre à personne pourquoi le Conseil d'Etat n'a pas pris sa décision avant l'exécution de Degueldre. Les conseillers font remarquer qu'ils n'avaient été saisis d'aucune requête, qu'ils ne pouvaient du même coup pas statuer. Mais

---

de *La Nation* sont bien exactes, l'avis de la commission permanente et la décision de l'assemblée plénière du contentieux auraient concordé : la loi du 13 avril 1962 habilite le chef de l'Etat à créer une cour militaire de justice, mais les règles d'organisation et de fonctionnement de celle-ci sont illégales.

(1) Allusion ici au Lt Degueldre, condamné à mort par la Cour militaire de justice et exécuté peu auparavant. Il n'avait pas formé de recours devant le Conseil d'Etat contre l'ordonnance du 1er juin 1962.

(2) Erreur de date : la décision est du 19 octobre 1962.

(3) Le Conseil d'Etat ne se saisit jamais lui-même et ne peut statuer que sur les pourvois régulièrement formés devant lui. Il fixe les mesures et les délais d'instruction et décide de l'inscription des affaires à son rôle. Le pourvoi du sieur Canal, condamné à mort le 17 septembre 1962, avait été déposé au Conseil d'Etat dès le lendemain. L'instruction fut très rapide et l'affaire inscrite à un rôle dès l'instruction terminée, en raison de l'urgence qui était évidente. En 1947, le Conseil d'Etat avait instruit et jugé en moins de deux semaines le pourvoi d'un sieur Gombert, condamné à mort, contre la décision du chef de l'Etat rejetant son recours en grâce (Sieur Gombert, 28 mars 1947 - Recueil Lebon 1947, p. 138).

(4) Le Petit Clamart est une localité des environs de Paris où avait eu lieu le 22 août 1962 l'attentat organisé contre le Général de Gaulle par le colonel Bastien-Thiry.

hors du plan juridique l'argument ne vaut rien... Décidément l'Assemblée plénière du Conseil d'Etat a sans doute fait une gaffe; il est regrettable que les vieux conseillers n'aient pas regardé la situation française du 1er juin 1962 avec les yeux de Delphine Renard (1). »

Georges Suffert posait ensuite une question :

« Que va faire de Gaulle ? S'il est battu au referendum, le Conseil est dans une bonne situation. Mais si les « oui » l'emportent, il y a gros à parier que de Gaulle n'en restera pas là. Deux voies s'ouvrent à lui :
— ou bien réduire la compétence du Conseil et l'empêcher de statuer pour excès de pouvoir;
— ou bien abaisser d'un coup l'âge de la retraite des conseillers et faire basculer du jour au lendemain la plupart des hommes qui ont pris la décision du vendredi 19... ».

(France-Observateur, 25 oct. 1962).

Les milieux politiques, judiciaires, administratifs considéraient alors une telle décision comme imminente ou très probable. C'est dans cette atmosphère que le professeur Rivero publia le 31 octobre, dans le journal *Le Monde,* sous le titre « Le rôle du Conseil d'Etat dans la tradition française », un article qui fut salué comme un « manifeste », par ceux que les déclarations gouvernementales avaient choqués ou inquiétés. Après avoir rappelé les origines et les développements de la juridiction du Conseil, il écrivait :

« Contre ces développements, les différents régimes qui se sont succédé depuis l'an VIII auraient pu réagir en tentant de peser sur l'indépendance du Conseil ou en restreignant sa compétence; aucun n'a cédé à la tentation. Le Second Empire lui-même, qui ne passe point pour un modèle de libéralisme, a facilité aux plaideurs l'accès de la juridiction administrative suprême.

Cette harmonie séculaire entre nos successifs régimes et leur juge s'explique : ils savaient que celui-ci, pleinement initié aux nécessités de leur action, loin de l'entraver par maladresse ou par système, s'efforçait, selon la formule répétée dans une longue suite d'arrêts, de « concilier les exigences de l'action administrative avec les droits et libertés des citoyens ».

Ils savaient, d'autre part, que rien n'est plus étranger au Conseil que l'esprit de fronde; par son rôle consultatif, par sa position auprès du gouvernement, il lui est intimement lié; ses maîtres de requêtes et ses auditeurs fournissent à tous les ministres de tous les gouvernements, l'ossature de leur cabinet; ses conseillers, détachés, assument fréquemment de hautes fonctions dans l'administration active.

Le Conseil d'Etat n'était pas « clérical » lorsqu'après 1905 il aménageait, au fil de ses arrêts, la séparation de l'Eglise et de l'Etat de façon à en faire, non une arme contre les croyants, mais un régime de paix religieuse et de liberté; il n'était pas communiste, lorsqu'en 1954 il annulait le refus d'autoriser à se présenter à l'E.N.A. un candidat suspect de sympathies marxistes; dans un cas comme dans l'autre, il suivait sereinement sa ligne,

(1) Delphine Renard avait été, peu auparavant, rendue aveugle par l'explosion d'une charge de plastic posée par l'O.A.S.

défendant contre l'arbitraire les libertés du citoyen. De cette ligne il ne s'est départi, ni sous le régime de Vichy — où il avait quelque courage à affirmer, notamment face à la législation raciale, les principes des droits de l'homme — ni face à certains excès de l'épuration.

Telle est sa tradition : elle se confond avec la sauvegarde des libertés fondamentales; les Français dans leur quasi-totalité, ignorent sur ce point ce qu'ils doivent au Conseil. L'étranger en est mieux averti : l'institution a été imitée par maint pays; elle possède, hors de nos frontières, un rayonnement et une autorité qui font partie du prestige national.

Les régimes successifs ont pensé, à juste titre, qu'en définitive, ce prestige et cette sérénité servaient leur autorité, même lorsque, sur un point précis et dans l'immédiat, la décision du juge pouvait leur paraître gênante; c'est que, dans la tradition libérale, l'autorité s'enracine dans la règle; affaiblir la règle, discréditer le juge, c'est pour le pouvoir saper ses propres bases; il est d'autant mieux obéi, lorsqu'il entend faire respecter la loi par les citoyens, que lui-même donne l'exemple; de plus, la décision que le pouvoir entend soustraire au contrôle du juge devient par là-même suspecte; la franche acceptation, par l'exécutif, de ce contrôle coupe court à l'inquiétude latente du citoyen face aux décisions du pouvoir et le raffermit par là même.

Ainsi le Conseil d'Etat, depuis plus de cent cinquante ans, réussit ce singulier tour de force : servir à la fois l'autorité vraie du pouvoir en le gardant contre sa naturelle propension à l'arbitraire, et la liberté des citoyens; non sans erreur, certes; il est des arrêts discutés et discutables; mais l'arbre ne doit pas cacher la forêt; l'action du Conseil d'Etat, envisagée dans la durée, est une réussite historique exceptionnelle. Telle quelle, elle s'est en tout cas incorporée à notre conception de l'Etat; c'est un fait d'expérience; les régimes totalitaires qui se sont instaurés dans des pays où il existait un contrôle de l'exécutif par le juge administratif se sont immédiatement débarrassés de ce censeur; il a reparu lorsqu'ils ont sombré ou décliné.

Ainsi, par-delà sa valeur propre, l'institution prend en quelque sorte figure de symbole : elle est une des pièces maîtresses de l'Etat libéral. Toute atteinte à son indépendance et à sa compétence ne pourrait pas ne pas apparaître comme une menace virtuelle contre les principes qu'elle concrétise.

La libre et franche acceptation de ses décisions est, au contraire, le signe d'une autorité assez sûre d'elle-même pour n'avoir rien à craindre, ni du droit, ni du juge. »

(Le Monde, 31 oct. 1962).

Quelques jours plus tard était annoncée la constitution d'une commission chargée de « procéder à l'examen des problèmes posés par le fonctionnement et les activités du Conseil d'Etat », auxquels, dans l'attente du rapport de cette commission, il n'était apporté aucune modification (1).

(1) Le gouvernement prit deux mesures qui confirmaient la position adoptée par lui à l'égard de la décision du Conseil : il fit voter par le Parlement la loi du 15 janvier 1963, dont l'article 50, de portée interprétative, disposait : « Les ordonnances prises en vertu de l'article 2 de la loi du 13 avril 1962 ont et conservent force de loi à compter de leur publication »; d'autre part, le Président de la République commua la peine de mort prononcée contre Canal, mesure qui n'avait évidemment de sens que si cette condamnation était regardée comme toujours valide, malgré la décision du Conseil d'Etat.

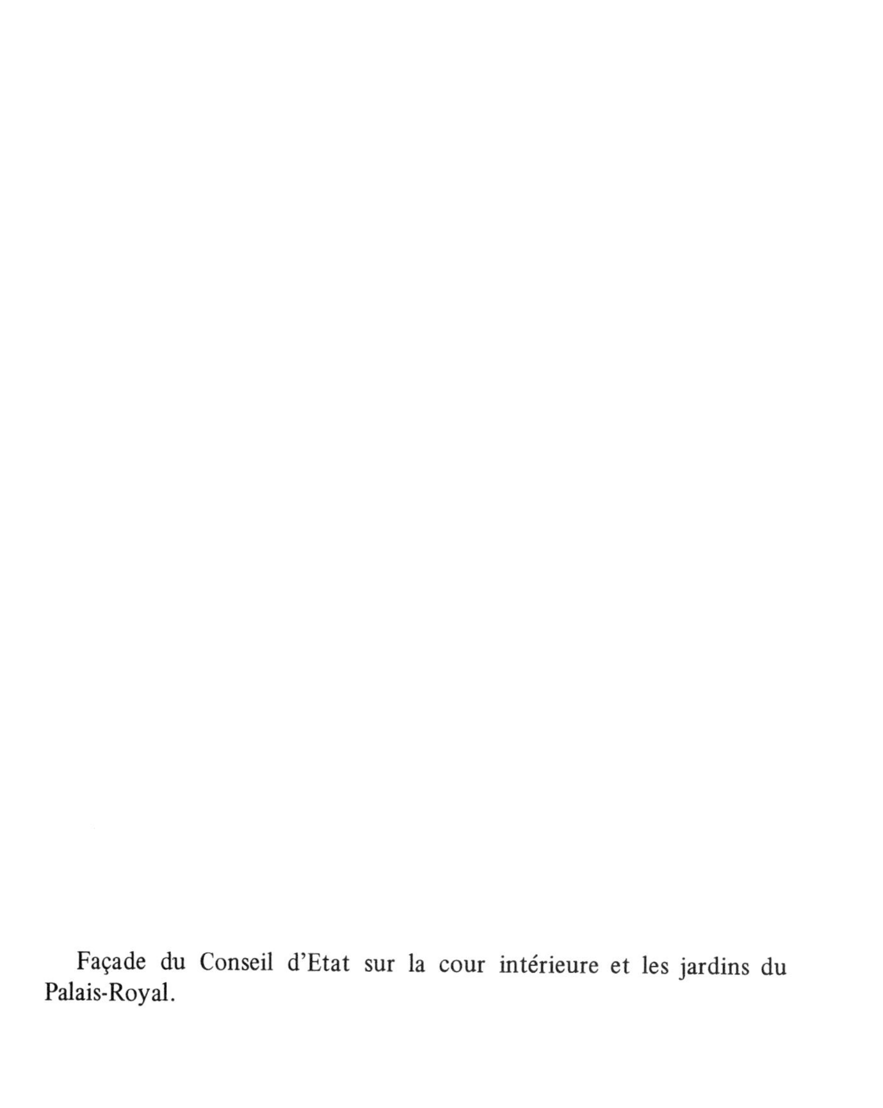

Façade du Conseil d'Etat sur la cour intérieure et les jardins du Palais-Royal.

La commission était présidée par M. Léon Noël, président du Conseil constitutionnel, conseiller d'Etat honoraire. Elle comprenait trois anciens ministres, MM. Guillaumat, Jeanneney et M. Chenot, conseiller d'Etat, membre du Conseil constitutionnel ; un professeur de droit, M. Rivero et huit autres membres du Conseil d'Etat : les conseillers Toutée, président de la section des finances, et Odent, président-adjoint de la section du contentieux, les maîtres de requêtes Belin, Secrétaire général du gouvernement, Lasry, Gazier, Secrétaire général du Conseil d'Etat, Boitreaud, conseiller technique à la Présidence de la République, Grévisse, directeur des affaires civiles et du sceau au Ministère de la Justice, Marcel, chargé de misson au cabinet du Garde des sceaux.

La commission fut installée le 4 janvier 1963, au Ministère de la Justice, par M. Foyer, Garde des sceaux. M. Parodi, vice-président du Conseil d'Etat, assistait à cette réunion.

DÉBATS ET HÉSITATIONS

La commission acheva ses travaux le 18 avril 1963. Son rapport fut remis au gouvernement à la fin de ce mois. Les projets de réforme furent examinés par le Conseil d'Etat les 20 et 21 juin. Les décrets de réforme, signés le 30 juillet, parurent au Journal Officiel le 1er août 1963.

Le début de cette période avait coïncidé avec un fait qui doit être mentionné ici, car il fut à l'origine de certaines dispositions du projet de décret relatif au statut des membres du Conseil. Quatre maîtres des requêtes : MM. Arrighi, Brocas, Lacoste-Lareymondie et Legaret, qui étaient membres de l'Assemblée nationale, ne furent pas réélus aux élections législatives de décembre 1962. Ils demandèrent leur réintégration au Conseil. Elle était de droit à la première vacance. Le gouvernement, bien que les vacances nécessaires se fussent ouvertes presqu'aussitôt, n'y procéda pas de suite, estimant que l'opposition déclarée et vivement manifestée de ces quatres parlementaires à sa politique — et notamment l'attitude prise par eux en 1960, lors de la révocation de leur collègue Jacomet (1) — faisaient obstacle à ce qu'ils reprennent leurs fonctions au Conseil. Ils furent réintégrés à la veille de l'expiration du délai de quatre mois au terme duquel le rejet implicite de leur demande pouvait être déféré au contentieux.

Le problème ainsi soulevé était celui de la compatibilité — qui avant la guerre n'était pas admise par le statut du corps — de l'appartenance

(1) MM. Arrighi, Lacoste-Lareymondie et Legaret avaient publié un communiqué (reproduit dans le journal « Le Monde » du 11 novembre 1960) protestant contre la révocation de M. Jacomet « qui, pour des raisons dont il est seul juge, a, sans faire aucune manifestation publique, sans inciter quiconque à l'imiter, démissionné des fonctions d'autorité pour l'exercice desquelles le gouvernement l'avait placé hors du Conseil d'Etat ». M. Brocas fit de son côté une déclaration en affirmant que les sanctions prises étaient illégales (cf. également « Le Monde » du 11 novembre 1960).

au Conseil d'Etat, organe de conseil du gouvernement et juge de l'administration, avec l'exercice d'un mandat politique pouvant conduire son titulaire, couvert par l'immunité parlementaire, à prendre parti sans réserve contre ce même gouvernement. La commission proposa et les décrets du 30 juillet édictèrent plusieurs dispositions nouvelles en vue de limiter les conséquences éventuelles d'une telle compatibilité, que l'ordonnance du 31 juillet 1945 avait admise et organisée.

Au cours de cette même période, des revues juridiques publièrent, sous la plume notamment de MM. de Laubadère, Liet-Veaux et Debbasch, professeurs des facultés de droit, des commentaires de l'arrêt Canal, où étaient examinées les diverses questions juridiques soulevées par cette affaire :

1) recevabilité du pourvoi dirigé contre une Ordonnance du chef de l'Etat qui, selon les termes de la loi d'habilitation du 13 avril 1962, était une mesure législative ;

2) possibilité pour le chef de l'Etat de créer, en vertu des pouvoirs à lui conférés par cette loi, une juridiction d'exception ;

3) obligation pour le chef de l'Etat de respecter dans l'organisation de cette juridiction les principes généraux du droit ;

4) existence de circonstances exceptionnelles l'autorisant à déroger à ces principes.

Les questions 2) et 3) ne faisaient guère difficulté. Interprétant les termes de la délégation de pouvoirs consentie au chef de l'Etat par la loi référendaire du 13 avril 1962 (« Toutes mesures législatives ou, selon les cas, réglementaires relatives à l'application des déclarations gouvernementales du 15 mars 1962 » concernant l'Algérie), le Conseil d'Etat avait admis que cette délégation était assez large pour permettre la création d'une juridiction d'exception.

Quant au respect des principes généraux du droit, il s'imposait sans conteste dès lors qu'on reconnaissait aux dispositions de l'Ordonnance contestée le caractère de dispositions réglementaires. Mais c'était ce dernier point qui, avec l'appréciation des circonstances exceptionnelles, pouvait prêter sérieusement à hésitation et à discussion.

Problèmes juridiques difficiles qui exigeaient, pour être bien compris, une connaissance approfondie du droit administratif et de la jurisprudence du Conseil d'Etat. Il n'est donc pas surprenant que des non-juristes, au lendemain de l'arrêt et plus tard, aient exprimé à ce sujet des opinions sans fondement solide. Les trois commentateurs ne se trouvèrent d'ailleurs pas en tout d'accord (1), mais ils le furent sur l'essentiel, considérant que

(1) Le professeur de Laubadère assimilait les ordonnances prises en vertu d'une délégation consentie par une loi référendaire aux ordonnances prises, conformément aux dispositions de l'article 38 de la Constitution, en vertu d'une loi d'habilitation du Parlement. Le professeur Debbasch jugeait cette assimilation impossible et justifiait la décision du Conseil d'Etat d'une autre manière : le Conseil d'Etat, afin d'assurer le respect des dispositions constitutionnelles sur la séparation des pouvoirs devait, comme il l'a fait, interpréter de la manière la plus restrictive possible la nature et la portée d'une délégation donnée par le législateur au pouvoir exécutif.

le Conseil d'Etat s'était reconnu à bon droit compétent et n'avait fait qu'appliquer, en annulant l'ordonnance attaquée, les règles traditionnelles de sa jurisprudence. Le professeur de Laubadère posait bien le problème essentiel en écrivant au début de son commentaire :

« Bien entendu, on pourrait n'être pas d'accord avec la solution donnée en l'espèce par le Conseil d'Etat sans que, pour autant, une telle position du commentateur différât dans sa portée des « commentaires critiques » qui ne sont pas chose exceptionnelle. On peut dire du reste qu'à faire des réserves sur la solution finale de l'arrêt, on ne serait en tout cas pas le premier puisque, la décision ayant été rendue contrairement aux conclusions du commissaire du gouvernement, il s'est trouvé au moins un excellent juriste pour n'être point tombé d'accord avec l'Assemblée.

Mais la question est ici plus grave que celle de savoir si telle ou telle des appréciations portées par le Conseil et qui ont abouti à la solution de l'arrêt est discutable; elle est de savoir si, en acceptant de connaître d'une ordonnance signée par le Président de la République sur la base d'une habilitation donnée par la Nation elle-même par voie de referendum et d'apprécier, non seulement la conformité aux principes généraux du droit des mesures contenues dans cette ordonnance, mais encore le caractère de « nécessité » de ces mesures par rapport aux circonstances de l'époque, le Conseil d'Etat n'est pas, comme certains le lui ont reproché, « sorti de son domaine ».

Prononcée au moment que l'on sait, dans les circonstances que l'on sait, cette annulation pouvait difficilement ne pas se prêter à l'exploitation que l'on sait aussi. Pour le juriste, la question ne peut porter que sur l'analyse et l'appréciation juridique des divers éléments du raisonnement suivi par le juge. A recenser ces éléments, il apparaît que, dans l'ensemble, ils ne sont en définitive que la consécration de principes déjà dégagés depuis assez longtemps par le Conseil d'Etat et dont les acquisitions successives dans le passé ont toujours été considérées comme des progrès de l'Etat de droit... »

(Actualité juridique Droit administratif, novembre 1962. Chronique générale de jurisprudence administrative française, p. 612-sq).

Le professeur de Laubadère était d'ailleurs d'accord avec le professeur Debbasch pour dire que la rédaction de l'arrêt n'était pas entièrement satisfaisante et avait pu favoriser des interprétations erronées :

« Intervenant, écrivait le professeur Debbasch, à la veille d'un référendum portant révision constitutionnelle des dispositions relatives au Président de la République, la décision Canal, sanctionnant la violation par le chef de l'Etat d'une habilitation à lui consentie par referendum, ne pouvait pas ne pas être utilisée comme un argument politique dans la campagne électorale. L'utilisation politique de la sentence Canal était d'autant plus aisée qu'aucune motivation solide n'appuyait la solution donnée. Certes, les spécialistes du droit administratif savent qu'il est de tradition pour la Haute-Assemblée de motiver ses décisions avec discrétion. Mais la décision Canal était offerte à l'opinion publique et il était difficile à celle-ci de forger une motivation de l'arrêt rendu. Il lui était beaucoup plus facile d'admettre que cette décision constituait un acte politique du Conseil. D'où les approbations; d'où les improbations. La décision Canal choquait d'autant plus le sens commun que des condamnations prononcées par la Cour Militaire de Justice avaient déjà été exécutées. Aux yeux de l'opinion publique, l'arrêt intervenait donc ou trop tôt — pourquoi ne pas avoir attendu le déroulement des opérations de referendum ? — ou trop tard — pourquoi avoir attendu l'exécution de certaines des condamnations prononcées par la Cour Militaire de Justice pour statuer ? Il était difficile aux spécialistes du droit administratif d'expliquer que la Haute Assemblée jouit d'un pouvoir discrétionnaire pour fixer les dates auxquelles les affaires sont jugées. Il leur était difficile d'expliquer les difficultés des procédures d'urgence en cette matière qui touchait de si près l'ordre public. Il leur était difficile d'enseigner que les avocats des personnes exécutées n'avaient pas, eux, formé un recours devant le juge administratif. D'où la signification de revirement du Conseil d'Etat prêtée par l'opinion publique à la décision Canal. En réalité, c'est ici tout un dossier qu'il faudrait dresser : celui des incompréhensions et des erreurs d'interprétation nées de l'arrêt Canal, mais il dépasserait de trop loin le volume annuel de la Semaine Juridique. On ne peut ici que signaler en terminant les leçons de la décision du 19 octobre 1962.

La première est que l'arrêt Canal manifeste la continuité de la méthode du Conseil d'Etat, mais que cette permanence s'est révélée inadaptée à l'enjeu de la décision. Le juge administratif s'est toujours montré attaché au respect des principes généraux du droit. Il a souvent assuré leur triomphe sur les termes de la loi. Le juge administratif n'a jamais accepté de donner une longue motivation à ses décisions. Mais, il est permis de penser qu'une telle attitude ne s'imposait pas dans une affaire où il s'agissait d'apprécier la portée d'une loi adoptée par le peuple français, loi qui qualifiait de « mesures législatives » les ordonnances prises par le Président de la République. Dire sans autre motivation que des mesures législatives sont des mesures réglementaires résultait sans doute d'un raisonnement très subtil, mais qui aurait mérité d'être au moins exprimé pour que le sens commun n'attachât pas à la décision du Conseil une portée qu'elle n'avait pas ».

(Semaine juridique. Jurisclasseur périodique, II, Jurisprudence (1963), 13068).

L'opinion publique continuait à s'intéresser à l'arrêt Canal :

« Au dialogue jusqu'ici classique du juge administratif et de la doctrine, disait encore le professeur Debbasch, se joint un nouveau contact, celui du Conseil d'Etat et de l'opinion publique. Pour la première fois, la presse toute entière commente et discute longuement une décision du Conseil d'Etat; pour la première fois également, les spécialistes du droit administratif voient s'ouvrir à eux des colonnes de périodiques qui ne sont ni la Semaine juridique, ni le Dalloz. Quel renouveau ! ».

(Semaine juridique. Jurisclasseur périodique. II. Jurisprudence, 1963, 13068).

Mais au-delà de l'arrêt Canal, l'opinion publique s'intéressait au Conseil d'Etat lui-même. Les organes de la grande presse décrivaient l'atmosphère du Palais-Royal, y décelaient des tendances, classaient les générations, nommaient les « chefs de file » (1). Un corps, discret par nature et tenu à la plus grande réserve, se trouvait ainsi « pour la première fois (2) de sa longue existence offert aux gros plans et aux premières pages des journaux » (Jean Rivero).

Pendant ce temps, la commission de réforme poursuivait ses travaux (3). Elle tint vingt-deux séances, au cours desquelles elle entendit des rapports et discuta des propositions sur les sujets suivants : réformes de structure destinées à rapprocher sections administratives et section du contentieux ; modifications éventuelles de la compétence juridictionnelle du Conseil ; conditions d'avancement et de rémunération ; situation administrative des membres du Conseil appartenant ou ayant appartenu au Parlement. Le rapport définitif fut adopté le 18 avril.

Le 18 mai 1963, le journal *Le Monde* donnait de ce rapport l'analyse suivante :

> « En dehors de modifications de détail, généralement acceptées, le rapport porte sur les points suivants les plus importants :
> 1) En ce qui concerne le contrôle juridictionnel exercé par le Conseil, deux réformes sont proposées :
> Le gouvernement pourra, par une décision en conseil des ministres, faire juger toute affaire, même pendante devant un tribunal administratif, par le bureau du Conseil d'Etat. Ce bureau, composé du vice-président et des cinq présidents de section (contentieux travaux publics, intérieur, finances, section sociale), n'avait jusqu'ici que des tâches de gestion administrative du corps, les affaires les plus importantes étant jugées par l'assemblée plénière du contentieux, composée d'une vingtaine de personnes, dont une majorité de conseillers appartenant à la section du contentieux. L'assemblée plénière subsisterait mais sa composition serait profondément modifiée puisqu'elle serait constituée en majorité — six sur dix — par des membres du bureau, les présidents des sous-sections contentieuses étant éliminés.
> 2) En ce qui concerne le rôle consultatif du Conseil d'Etat, l'assemblée générale, qui examine pour avis les projets de lois, d'ordonnances et de décrets, serait également transformée. Au lieu de comprendre, comme c'est le cas actuellement, tous les conseillers d'Etat, elle serait divisée en deux formations : l'une de trente membres, l'autre composée de tous les conseillers, sans que la répartition des tâches entre ces deux formations soit précisée à l'avance. Mais on peut penser que les affaires urgentes seraient soumises à l'assemblée restreinte, l'assemblée générale ne se réunissant qu'une fois par mois.
> 3) En ce qui concerne la carrière des conseillers d'Etat, le rapport de la commission contient une innovation sans précédent dans la fonction

(1) Cf. notamment L'Express du 28 avril 1963. Brigitte Gros : « Le Conseil d'Etat, une « poignée de juristes », dont l'influence ne cesse pourtant de croître ».

(2) « Pour la première fois » n'est pas exact. D'autres arrêts du Conseil d'Etat avaient dans le passé provoqué d'importants remous politiques : en 1879, la déclaration d'abus contre l'archevêque d'Aix-en-Provence; en 1895, l'arrêt des compagnies de chemin de fer qui entraîna la démission du gouvernement et du Président de la République.

(3) Les procès-verbaux des séances de la commission sont conservés au siège du Conseil constitutionnel.

publique. A soixante et à soixante-cinq ans les conseillers d'Etat devraient en effet solliciter du gouvernement le renouvellement de leurs fonctions (la limite d'âge est actuellement fixée à soixante-dix ans).

Un gouvernement qui voudrait modifier la composition du bureau dont les membres sont en fin de carrière pourrait donc y parvenir en refusant simplement de renouveler les fonctions des présidents de section qui en sont membres ».

(*Le Monde, 18 mai 1963*).

Cette analyse était précédée en première page d'un article où Jacques Fauvet, rédacteur en chef, écrivait :

« ... le document comporte... des modifications qui, sans toucher à la compétence proprement dite, changeraient profondément, si elles étaient adoptées, le rôle du Conseil d'Etat... A cet égard, la réforme proposée pose un problème plus politique que juridique ».

(*Le Monde, 18 mai 1963*).

La publication de ces informations ouvrit aussitôt un débat de principe. Le Conseil d'Etat paraissait à nouveau menacé, comme au lendemain même de l'arrêt Canal. La plupart des grands organes de presse exprimèrent leur inquiétude. Les titres mêmes de leurs articles étaient révélateurs : « Menaces sur le Conseil d'Etat » (*Réforme*) ; « L'Etat doit-il être jugé ? » (*L'Express*) ; « Conseil d'Etat ou Conseil du Roi ? » (*Le Monde*) ; « S'en prendre au Conseil d'Etat, c'est s'en prendre aux droits du citoyen » (*L'Aurore*) (1), etc. Leurs auteurs soulignaient le danger de réformes qui pourraient ruiner la confiance des citoyens dans la plus haute juridiction administrative.

Le vice-président du Conseil d'Etat, M. Parodi, intervint en s'adressant publiquement au garde des sceaux, M. Foyer, venu présider le 30 mai 1963 l'assemblée générale du Conseil. La personne de son auteur, la gravité des propos, le lieu même où ils étaient tenus, donnaient une valeur particulière à cette intervention consacrée essentiellement à la nécessité de l'indépendance du juge administratif :

« ... Parce que son rôle de juge est essentiel, le Conseil d'Etat est ... jalousement attaché à son indépendance — ce qui appelle d'ailleurs cette immédiate correction que l'indépendance n'est qu'une condition de la qualité plus haute du juge qui est son objectivité et son impartialité, c'est-à-dire, pour nous, la juste appréciation des deux termes dont l'équilibre est le principe du droit administratif : l'intérêt supérieur de l'Etat, qui est l'intérêt général, et la protection des droits individuels.

---

(1) Cf. notamment : Le Monde, 24/25 mai 1963 « La réforme du Conseil d'Etat », (Pierre Marcilhacy); 6 juin 1963 « Conseil d'Etat ou Conseil du Roi ? », (Maurice Duverger); L'Express, 30 mai 1963 « L'Etat doit-il être jugé ? » (G. Vedel); L'Aurore, 18/19 mai 1963 « S'en prendre au Conseil d'Etat, c'est s'en prendre aux droits du citoyen » (Robert Bony); Réforme, 15 juin 1963 « Menaces sur le Conseil d'Etat »; Carrefour, 22 mai 1963 « Le Conseil d'Etat bon pour la réforme », (Jean Dannenmuller).

Souci jaloux de l'indépendance du juge, orgueil de l'œuvre jurisprudentielle dont nous sommes les dépositaires, cela explique l'attention inquiète, voire la susceptibilité avec lesquels ont été accueillis par certains les projets de réforme élaborés par la commission qu'a présidée M. Léon Noël et dont je veux maintenant dire un mot.

Je n'ai pas voulu, vous le savez, être entendu par la commission pour réserver complètement ma liberté d'appréciation sur le résultat de ses travaux dont je vous ai déjà indiqué, Monsieur le garde des sceaux, que ces recommandations appelleraient, sur un point au moins, des réserves de ma part. Je suis donc parfaitement à l'aise pour m'exprimer aujourd'hui sur l'ensemble des réformes proposées...

Je veux dire que la Commission a fait un travail qui est sans rapport avec l'interprétation arbitraire, et à beaucoup d'égards tendancieuse, qui s'est exprimée dans divers articles de presse.

Le Conseil d'Etat, qui n'est pas un Parlement d'ancien régime, a conscience qu'il y a, en effet, des réformes à apporter à nos méthodes de travail. L'essentiel, comme l'a bien vu la Commission, c'est d'éviter que la section du contentieux, qui est le cœur du Conseil d'Etat, ne puisse apparaître comme un organisme de trop pure science juridique et qu'elle manque jamais de cette compréhension précise des réalités administratives qui est le fondement de son action et de sa compétence. C'est à quoi se ramène à mes yeux l'essentiel des propositions de la Commission.

Aussi, je tiens à rendre hommage à ceux de nos collègues qui ont été membres de la Commission et à les remercier d'avoir rendu au Conseil d'Etat, avec courage et lucidité, le service de réfléchir sur son organisation...

Nous sommes, je l'ai dit, les héritiers d'une grande tradition. Elle est de servir l'Etat comme doit le faire le juge ou celui qui conseille, c'est-à-dire en pleine liberté de jugement. L'Etat républicain attend de nous une exacte compréhension des nécessités de l'action gouvernementale et administrative. Mais il attend aussi de nous que nous lui donnions tort avec impartialité, quand il manque aux règles du droit. »

(*Arch. C.E.*).

Ces mises en garde furent entendues. Le professeur Rivero, membre de la commission de réforme, pouvait, sans démentir les informations données par la presse, publier dans le journal *La Croix* des 7 et 8 juillet un article d'apaisement. Sous le titre « Une mise à jour, non une mise au pas », il ramenait les réformes proposées à des dimensions assez modestes et défendait l'œuvre de la commission :

« Le rapport élaboré par la Commission... théoriquement confidentiel, fut passé au crible sans bienveillance et parfois sans objectivité. On isola deux ou trois de ses propositions détachées de leur contexte et parfois mal interprétées, pour dénoncer dans le projet un instrument de mise au pas d'un corps trop indépendant, en attendant de pouvoir s'en prendre à la réforme elle-même... La voici réalisée, sauf incident de dernière minute... (Elle) n'a pas d'autre objet, en définitive, que d'assurer le meilleur fonctionnement du Conseil d'Etat. Le gouvernement ne se dérobe en rien au contrôle du juge; il cherche par un ensemble de retouches dont aucune n'est spectaculaire mais qui convergent, à permettre au Conseil de mieux jouer son rôle dans la vie nationale ».

Il n'y eut pas d'incident de dernière minute. Lorsque cet article fut publié, le gouvernement avait déjà, semble-t-il, renoncé à adopter certaines des propositions qui lui avaient été faites. Le professeur Rivero y écrivait en effet :

> « ... la réforme (est) importante par ce qu'elle est, importante aussi par ce qu'elle n'est pas. Il faut insister, le gouvernement a eu la sagesse d'écarter les limitations qu'il aurait pu être tenté d'apporter à la compétence du juge. Demain, comme hier, ses ordonnances et ses décrets pourront être soumis à la censure du Conseil sans aucune restriction. Même le recours pour les décisions les plus graves à une formation spéciale de jugement composée des plus hautes autorités du Conseil, proposé par la Commission, n'a pas été retenu ».
>
> (*La Croix 7-8 juillet 1963*).

LA RÉFORME DE 1963

La réforme fut faite par deux décrets (1) du 30 juillet 1963 : le premier pris pour l'application de l'ordonnance du 31 juillet 1945 qui demeurait donc la charte du Conseil, et relatif à l'organisation et au fonctionnement du Conseil d'Etat ; le second relatif au statut des membres du Conseil d'Etat (2).

Comme l'avait annoncé le professeur Rivero, elle devait décevoir « les amateurs d'émotions fortes » : alors « qu'on guettait un texte aux résonances politiques, on tomba... dans la grisaille du droit administratif peu propre à susciter les passions des non spécialistes » (3).

La réforme n'était pas révolutionnaire ; les attributions du Conseil demeuraient intactes ; les principes essentiels de son organisation et du statut de ses membres étaient respectés (4). Les innovations furent cependant nombreuses et d'une importance non négligeable (5).

---

(1) Deux autres décrets relatifs à la compétence juridictionnelle du Conseil furent signés le même jour. Ils sont sans rapport avec la crise de 1962-1963.

(2) La réalisation de cette réforme par décret provoqua quelques protestations dans les milieux parlementaires. M. Delorme, député, posa au gouvernement le 5 juin 1963 une question orale avec débat, demandant « s'il est bien exact que le gouvernement, faisant fi une nouvelle fois des dispositions constitutionnelles, de la tradition républicaine et des droits des citoyens, envisage de prendre, sans consulter le Parlement, une mesure aussi grave » (*J.O.* Deb. parl., séance 6 juin 1963, p. 3208). Une proposition de loi organique fut déposée le 4 juillet 1963 par M. Le Bellegou et les membres du groupe socialiste du Sénat tendant à ce que soit ajouté à l'article 34 de la Constitution, qui énumère les matières de la compétence du législateur, une disposition mentionnant « l'organisation, le fonctionnement et le statut du Conseil d'Etat ».

(3) *La Croix*, 7/8 juillet 1963.

(4) Avaient été écartées des innovations très importantes qui avaient été envisagées, telles que : soustraction au contrôle juridictionnel de certains actes du jouvoir exécutif, possibilité pour le gouvernement d'évoquer devant un Haut Comité contentieux, créé au sein du Conseil d'Etat, toute affaire pendante devant toute juridiction administrative; confirmation des conseillers d'Etat dans leurs fonctions par le gouvernement à 60, puis à 65 ans, etc.

(5) Une analyse très complète et un bon commentaire des décrets du 30 juillet

Les unes concernaient l'organisation du corps dans ses formations administratives et contentieuses : l'assemblée générale se réunit désormais, soit en formation plénière, soit en formation ordinaire (1); l'assemblée du contentieux ne comprend plus que dix membres : le vice-président, les présidents de section, les présidents adjoints de la section du contentieux, le président de la sous-section d'instruction et le rapporteur de l'affaire (2); il est créé une commission, dite commission du rapport, qui prépare un rapport annuel sur l'activité du Conseil, où sont en outre énoncées les réformes d'ordre législatif, réglementaire ou administratif sur lesquelles le Conseil entend attirer l'attention du gouvernement, et où sont signalées les difficultés rencontrées dans l'exécution des décisions des juridictions administratives ; enfin, sauf exception, tout membre du Conseil doit appartenir en même temps à une section administrative et à la section du contentieux.

Des modifications apportées au statut des membres du corps, les unes s'expliquent par les circonstances politiques du moment : les membres du Conseil élus au Parlement et mis en détachement pour exercer leur mandat doivent, au cours de celui-ci, et dans toute la mesure compatible avec son libre exercice, respecter les obligations découlant de leur statut d'agent public; à l'expiration de leur mandat, ils sont réintégrés au Conseil d'Etat, mais peuvent — et même doivent, s'ils ont siégé au moins neuf ans au Parlement — être placés en position de délégation pour être mis à la disposition d'un ministre ; enfin l'article 4 du décret n° 63.767 du 30 juillet 1963 rappelle que « tout membre du Conseil d'Etat, en service au Conseil ou chargé de fonctions extérieures, doit s'abstenir de toute manifestation de nature politique, incompatible avec la réserve que lui imposent ses fonctions ». Les autres modifications du statut tendaient à renforcer les garanties de carrière des membres du Conseil : promotion des auditeurs au grade de maître des requêtes et des maîtres des requêtes au grade de conseiller, après accomplissement dans le grade inférieur respectivement de 8 ans et de 18 ans de service ; création d'une commission consultative auprès du vice-président devant donner son avis sur les mesures individuelles concernant l'avancement et la discipline ; règles disciplinaires plus précises.

Les décrets de réforme, publiés au mois d'août, en pleine période de vacances, furent peu commentés par la presse. La plupart des mesures adoptées concernaient les structures internes du Conseil ; elles étaient difficiles à apprécier pour les profanes et même pour les juristes extérieurs

---

ont été faits par le professeur Drago dans l'Actualité juridique du 20 octobre 1963, pp. 524-536. On se borne à indiquer ici les modifications les plus importantes au régime antérieur.

(1) L'assemblée générale plénière, qui se réunit au moins une fois par mois, comprend tous les conseillers d'Etat. L'assemblée générale ordinaire comprend, outre le vice-président et les présidents de section, l'un des présidents adjoints de la section du contentieux et 21 conseillers d'Etat (cf. art. 15 du décret n° 63.766 du 30 juillet 1963).

(2) Avant la réforme, l'assemblée plénière du contentieux comprenait, outre le vice-président et les présidents de section, les présidents adjoints de la section du contentieux, les présidents des sous-sections du contentieux, quatre conseillers membres des sections administratives, le rapporteur de l'affaire, soit, suivant les cas, 23 ou 24 personnes.

au corps, et ne pouvaient soulever beaucoup d'émotion, ni même d'intérêt. Une analyse en fut faite par M. Foyer, garde des sceaux, sous forme d'une déclaration publiée par *Le Monde* du 2 août, où il exposa ses vues sur les raisons, l'esprit et le but de la réforme.

Quelques mois plus tard, l'inscription à l'ordre du jour de la séance de l'Assemblée Nationale du 6 décembre de la question orale posée au gouvernement, le 3 juin précédent, par M. Delorme (1), donna lieu à un bref débat qui eut peu d'échos, car il venait trop tard (2).

UNE CRISE AVORTÉE

Six ans et demi plus tard, le 3 mars 1969, était soumis pour avis au Conseil d'Etat un nouveau projet de loi référendaire, dont le rejet par le corps électoral, le 27 avril suivant, devait entraîner la démission du Général de Gaulle. Ce projet, qui modifiait sur plusieurs points importants la constitution du 4 octobre 1958, soulevait la même question juridique que le texte relatif à l'élection du Président de la République, sur lequel le Conseil d'Etat s'était prononcé en 1962 : le chef de l'Etat pouvait-il soumettre directement au référendum un projet de loi portant sur l'organisation des pouvoirs publics qui comportait révision de la constitution ?

Cette question ne se posait pas en 1969 exactement dans les mêmes conditions qu'en 1962. Le peuple français avait adopté en 1962 le projet de loi référendaire ; conformément à ce texte, le Président de la République avait été réélu en 1965 au suffrage universel et l'opposition, bien qu'elle eût combattu en invoquant son caractère anticonstitutionnel, la réforme du mode d'élection du chef de l'Etat, avait alors présenté des candidats. Des juristes tenaient ces faits pour créateurs, contre la lettre de la constitution, d'une règle coutumière qui rendait légal à leurs yeux, en 1969, ce qui ne l'était pas en 1962. Ainsi, le professeur Georges Vedel qui écrivait :

> « Malheur à celui par qui le scandale arrive ! L'auteur qui écrit ces lignes est donc bien malheureux, car les propos que voici quelques mois il tint dans ce journal (1) ont scandalisé. Evoquons-les d'un mot :
>
> En 1962, une controverse juridique s'éleva. Il s'agissait de savoir si une révision constitutionnelle pouvait résulter d'un référendum directement proposé aux électeurs sans vote préalable du texte par les chambres. A l'unanimité, moins quelques silences clairement significatifs, la « doctrine » répondit non. Consulté (on ne pouvait faire autrement), le Conseil d'Etat fit la même réponse à l'unanimité moins une voix. Les enfants — c'est du peuple français qu'il s'agit — ne connurent pas l'avis de la Haute Assemblée : en cette matière, le carré blanc couvre tout l'écran.

---

(1) Cf. ci-dessus p. 914, note 2.
(2) Cf. *J.O.* Débats parl., Ass. nat., 2e séance du 6 décembre 1963, pp. 7734-sq.
(1) Cf. *Le Monde*, des 26-27 juillet 1968.

Et voici qu'à propos de la réforme du Sénat et des institutions régionales un nouveau référendum va être proposé par le chef de l'Etat par-dessus la tête des assemblées. Les textes n'ont pas changé. Comme en 1962, tout juriste de bon sens doit se refuser à chercher le droit écrit de la révision constitutionnelle hors du titre XIV de la Constitution, précisément intitulé « De la révision » et qui ne permet le référendum en matière constitutionnelle qu'après un vote positif des chambres. Comme en 1962, il doit écarter l'application de l'article 11 qui concerne les « lois » et non la « Constitution ». En bref, les textes sont les mêmes et ni leur lettre ni leur esprit ne se sont modifiés. Le texte d'un article « change moins vite, hélas ! que le cœur d'un mortel ».

Pourtant, depuis 1962, il s'est tout de même passé quelque chose : d'abord le vote populaire dont on rappelait plus haut les résultats; puis une campagne présidentielle au cours de laquelle les candidats opposants ne soutinrent jamais qu'ils briguaient un pouvoir illégitime; une élection du chef de l'Etat, qui fut sans doute la consultation la plus démocratique au sens plein du terme que nous ayons connue depuis bien longtemps. Compte tenu de ces minces détails, nous avions cru pouvoir soutenir que les données du problème juridique avaient changé, et qu'une coutume constitutionnelle s'était formée qui rendait régulier dans son principe, mais non nécessairement dans ses modalités, le nouveau recours au référendum qui nous est annoncé ».

(*Le Monde, 22-23 décembre 1968*).

Cette opinion ne fut pas partagée par la grande majorité des juristes (1). Elle ne fut pas celle du Conseil d'Etat. Il émit le 17 mars 1969 un avis où il jugeait contraires à la constitution les dispositions du projet tendant à sa révision et critiquait sur le plan de l'opportunité certaines des réformes proposées.

Sur le premier point, l'avis déclarait :

« ... Le Conseil d'Etat ne peut que rappeler l'avis qu'il a émis le 1er octobre 1962 et par lequel il a constaté qu'aucun projet de révision constitutionnelle ne peut être soumis au référendum que selon les règles fixées à l'article 89 de la constitution (2). En l'absence de toute modification constitutionnelle intervenue depuis 1962 en ce domaine, le Conseil d'Etat ne peut que confirmer l'avis défavorable qu'il a émis précédemment.

Le Conseil d'Etat doit rappeller le principe général traditionnel du droit public français, principe formellement consacré à l'article 72 de la constitution, aux termes duquel les collectivités territoriales « s'administrent librement par des conseils élus et dans les conditions prévues par la loi ».

Ces dispositions s'opposent à ce que des conseils régionaux chargés de régler par leurs délibérations les affaires de la compétence des régions puissent comprendre des membres non élus; il en est de même en ce qui concerne les assemblées délibérantes des territoires d'outre-mer.

Ces objections d'ordre constitutionnel conduisent le Conseil d'Etat à émettre un avis défavorable à l'ensemble du projet ».

---

(1) Cf. l'article de Marcel Prélot, sénateur, professeur des facultés de droit : « Sur une interprétation coutumière de l'article 11 » in *Le Monde*, du 15 mars 1969 et la Tribune libre du professeur André Hauriou in *Le Monde*, des 9-10 mars 1969.

(2) C'est-à-dire après que le projet de révision ait été soumis aux deux chambres et voté par elles.

Le Conseil d'Etat ne s'en tenait pas là et ajoutait :

« Pour le cas où le gouvernement croirait ne pas devoir se ranger à cet avis, le Conseil d'Etat présente les observations d'ordre général ci-après :

1) Par sa longueur et sa complexité, le projet est peu adapté à un vote populaire : il risque ainsi de porter préjudice dans l'opinion au principe même du référendum;

2) La réduction du rôle du Sénat à celui d'une assemblée consultative aura pour effet de priver les institutions de l'élément de stabilité que leur assurait la participation d'une seconde chambre à l'exercice de la souveraineté. Elle est en outre de nature à compromettre la qualité du travail législatif;

3) Le Conseil d'Etat reconnaît le très grand intérêt qui s'attache à ce que des représentants des activités économiques, sociales et culturelles puissent être réunis en corps consultatifs pour apporter aux pouvoirs publics leur expérience et leurs points de vue respectifs. Mais il estime qu'il est dangereux d'introduire, avec voix délibérative, dans des assemblées dotées d'un pouvoir de décision relevant de la puissance publique, des représentants d'intérêts de groupe, dont les conditions de désignation comportent en outre inévitablement une grande part d'arbitraire.

La même critique vaut également à l'égard d'une assemblée même simplement consultative dès lors que cette assemblée fait partie du Parlement »(1).

L'avis proposait enfin diverses modifications de forme et de fond que le Conseil d'Etat estimait propres à améliorer le projet, si celui-ci devait être maintenu.

Un tel avis — s'il était connu — ne pouvait laisser indifférents les acteurs de la bataille politique déclenchée par le référendum. Après quelques hésitations, le gouvernement avait présenté ce dernier comme « une grande affaire politique et nationale »(2), et le chef de l'Etat, dans son allocution radio-télévisée du 10 mars 1969, déclara : « C'est... une grande décision nationale que vous allez avoir à prendre... Par la force des choses et des actuels événements, le Référendum sera pour la Nation le choix entre le progrès et le bouleversement. Car c'est bien là l'alternative ». De leur côté, les différents éléments de l'opposition espéraient du succès du « non » le départ du général de Gaulle ou un net infléchissement de sa politique.

L'avis du Conseil d'Etat ne demeura pas longtemps secret. Dès le 15 mars, avant même donc qu'il ait été émis par l'assemblée générale, le secrétaire général du Centre démocrate, M. Abelin, faisait état des propositions de la commission spéciale (3) chargée de le préparer et qui, « com-

(1) Le texte de l'avis fut publié par le journal « Le Figaro », le 26 mars 1969. Il se trouve reproduit en annexe dans l'ouvrage de J.R. Tournoux « Jamais dit » Paris 1971, pp. 469-sq.

(2) Déclaration de M. Couve de Murville, Premier ministre, devant les députés U.D.R., le 6 mars 1969.

(3) L'examen préalable du projet de loi référendaire avait été confié, non pas à une section du Conseil, mais à une commission de 21 membres, spécialement constituée à cette fin.

prenant 21 membres, s'était prononcée contre le référendum par 18 voix contre 3 » (1). Le 19 mars, le journal *Le Monde* titrait en première page : « Le Conseil d'Etat juge sévèrement le recours au référendum pour la réforme du Sénat et plusieurs points du projet », et donnait une analyse exacte et assez détaillée de l'avis. Celui-ci est dès lors invoqué par les nombreux adversaires du projet de loi : formations politiques, hommes politiques, conseils municipaux, associations de maires, etc. (2). Sa publication, et même son insertion dans les documents remis aux électeurs, est réclamée avec insistance, notamment par une question écrite d'un député, M. Chazelle, au premier ministre :

> « M. Chazelle indique à M. le Premier ministre que le devoir du Gouvernement qui va prochainement proposer au Président de la République, conformément à l'article 11 de la Constitution, de soumettre un projet de loi au référendum est d'informer les citoyens le plus complètement et le plus objectivement possible.
> ... il lui demande s'il envisage de prendre les mesures suivantes : 1° la publication intégrale, en annexe au projet de référendum, de l'avis rendu sur l'avant-projet par le Conseil d'Etat avec un tableau comparatif des amendements proposés par la haute juridiction et des amendements retenus par le Gouvernement. Bien que le Gouvernement ne soit pas tenu de rendre public cet avis, il apparaît indispensable que la note du Conseil d'Etat soit adressée à chaque électeur en raison d'une part, des indiscrétions parues dans la presse, qui le présentent donc d'une manière incomplète et tronquée, et, d'autre part, de la nécessité d'informer totalement les Français sur « une grande affaire nationale » qui les concerne tous, afin qu'ils soient en mesure d'exercer librement leur jugement ».
>
> (*Question n° 4836, du 19 mars 1969. Annales de l'Ass. nat. 22 mars 1969, p. 665*).

---

(1) « Le Monde », du 18 mars 1969.

(2) Cf. notamment les déclarations suivantes : « Avec le Conseil d'Etat (le conseil politique du Centre démocrate) dénonce l'inconstitutionnalité d'un referendum... » (22 mars 1969).

Le Comité central de la Ligue des droits de l'homme « rend hommage à l'esprit d'indépendance des membres de la Haute Assemblée administrative qui, en formulant un avis défavorable au projet, ont été fidèles à leur devoir de sauvegarde des principes élémentaires de droit public et des libertés publiques » (23 mars 1969).

Le Conseil national du Centre national des indépendants et paysans « exprime son hostilité... pour un texte qui a été jugé inconstitutionnel et illégal par le Conseil d'Etat » (25 mars 1969).

Le président du Sénat, M. Poher : « Qui oserait contester, nous dit M. le Premier Ministre, la légitimité de la procédure référendaire ? En ma qualité de président du Sénat, j'ose le faire et je le fais, en toute tranquilité d'esprit d'ailleurs, puisque je ne fais que rappeler, du haut de cette tribune, ce que pense l'assemblée plénière du Conseil d'Etat, dont la sagesse et la compétence sont bien connues de tous » (Discours au Sénat, le 3 avril 1969).

Vœu du Conseil municipal de Lyon : « Prenant par ailleurs acte de l'avis défavorable du Conseil d'Etat, il ne peut se déclarer favorable à une opération qui ne résoudra pas les problèmes auxquels elle est censée devoir apporter un remède » (1er avril 1969).

L'Association générale des maires et élus de la Haute-Vienne « marque son hostilité à un projet dont l'illégalité a été démontrée par le Conseil d'Etat... » (23 mars 1969).

Le Gouvernement ne donna à ces demandes qu'une satisfaction partielle en laissant publier le texte de l'avis par un grand journal quotidien : le *Figaro* du 26 mars publia le texte de la note du Conseil d'Etat, en plaçant, en regard, les arguments du Gouvernement.

Mais dès avant cette publication, il avait fait connaître qu'il tenait cet avis pour sans valeur et passerait outre, sauf sur quelques points accessoires (1). Les déclarations gouvernementales furent aussi nombreuses et aussi vives que celles de l'opposition (2).

Le chef de l'Etat devait prendre parti, lui aussi, sur ce point, au cours de son entretien télévisé du 10 juin avec Michel Droit. Celui-ci lui avait posé la question suivante :

« Mon général, je voudrais que nous parlions maintenant de l'aspect constitutionnel de ce référendum, et plus exactement, du recours à l'article 11. Que vos adversaires des différents partis de l'opposition aient déclaré que le recours à l'article 11 était inconstitutionnel, voici qui n'a rien de très surprenant. Mais qu'une haute assemblée juridique administrative — comme le Conseil d'Etat — se soit rangée à leur avis, leur ait donné raison en déclarant que le recours à l'article 11 pour justifier le référendum était anticonstitutionnel, voilà qui est autre chose et de nature à émouvoir et troubler un certain nombre de Français.

Je vous pose donc la question suivante : comment justifiez-vous, après l'avis du Conseil d'Etat, le recours à l'article 11 pour expliquer le référendum ? ».

Le général de Gaulle répondit en ces termes :

« Pour un bon nombre de professionnels de la politique qui ne se résignent pas à voir le peuple exercer sa souveraineté par-dessus leur intermédiaire, ainsi que pour certains juristes qui en sont restés au droit tel qu'il était au temps où cette pratique éminemment démocratique n'existait pas dans nos institutions, le référendum apparaît comme fâcheux et anormal. C'est malgré ces objections que je l'avais institué en 1945, pour qu'il rouvre la porte à la démocratie, mais aussi pour qu'il devienne la sanction obligatoire de toute constitution.

En 1958, comme le danger public contraignait leurs habitudes en même temps qu'il foudroyait le régime des partis, ces opposants de principe et ces juristes engagés se sont, sur le moment, pliés à l'inévitable. J'ai établi alors une constitution nouvelle et l'ai soumise au pays par un référendum. Mais dès lors que le référendum s'était imposé, d'abord comme le moyen éclatant de rétablir la République au lendemain de la Libération, ensuite comme la

(1) Cf. le journal « La Nation » du 29 mars 1969, qui releva ces points où le Gouvernement, tenant compte de l'avis du Conseil, a modifié le texte initial de son projet.

(2) Dès le 18 mars, M. Jeanneney, ministre d'Etat chargé de la réforme constitutionnelle, se déclarait « profondément convaincu que la réforme envisagée est conforme à la constitution ». Il devait exprimer à plusieurs reprises la même opinion, affirmant notamment le 16 avril à Nogent-sur-Marne : « Le Conseil d'Etat est resté attaché à une conception périmée de notre droit et n'a pas respecté l'esprit et la lettre de la constitution de 1958 ». Le Premier ministre et d'autres membres de la majorité exprimèrent le même point de vue.

source des institutions de notre actuel régime, tout commandait de le prévoir désormais comme un recours normal en matière constitutionnelle.

De fait, c'est ce que la constitution de 1958 a prévu d'une manière tellement explicite qu'il est incroyable qu'on puisse le nier. L'article 11, en tête de ceux qui fixent les pouvoirs du Président de la République, attribue à celui-ci le droit de soumettre au référendum, sur la proposition du Gouvernement, tout projet de loi. Je souligne tout projet de loi portant sur l'organisation des pouvoirs publics. Or, qu'est-ce qu'une constitution, sinon précisément l'organisation des pouvoirs publics ? Si bien que la loi constitutionnelle de 1875, d'où naquit la République, était intitulée tout justement « loi sur l'organisation des pouvoirs publics ». Par conséquent, prétendre qu'un changement à la constitution portant sur l'organisation des pouvoirs publics ne peut être proposé au peuple en vertu de l'article 11, c'est nier que ce qui est écrit est écrit. C'est ne tenir aucun compte de l'évènement capital suivant lequel, depuis 1945, le peuple détient directement le pouvoir constituant. C'est refuser d'admettre ce que 75 % des Français ont décidé par leur vote. C'est fermer les yeux sur le fait qu'étant moi-même le principal auteur de l'actuelle constitution — puisque c'est moi qui étais chargé de l'élaborer avec mon gouvernement et de la soumettre au pays — j'ai arrêté et proposé le texte, parce que l'article 11 signifie ce qu'il signifie et qu'autrement je ne l'aurais évidemment ni arrêté ni proposé ».

(*Le Monde, 12 avril 1969*).

L'expression « juristes engagés » visait manifestement les membres du Conseil d'Etat. Elle fut relevée de divers côtés, et notamment par M. Jacques Duhamel, député, qui déclara le 11 avril :

« J'ajoute, étant moi-même membre du Conseil d'Etat, qu'il ne me paraît pas acceptable, au terme d'une analyse constitutionnelle acrobatique, de traiter les membres indépendants de cette assemblée unanimement respectée de « juristes engagés », alors qu'ils ont simplement « dit le droit ».

(*Le Monde, 12 avril 1969*).

Selon les résultats d'un sondage de l'Institut français d'opinion publique (IFOP), l'avis du Conseil exerça sur les résultats de la consultation une influence qui fut loin d'être négligeable. Les questions posées et les réponses données furent les suivantes :

« A propos du référendum, avez-vous eu connaissance de la prise de position du Conseil d'Etat, des centrales syndicales, des partis politiques ? Si oui, est-ce que cela vous a plutôt incité à voter « oui », à voter « non », ou ni l'un ni l'autre ?

1er au 7 avril 1969

Ont eu connaissance des des prises de position :	%	Ont été incités à voter		Ni l'un ni l'autre ou ne répondant pas	Total
		oui	non		
— du Conseil d'Etat . .	31	0	11	20	31
— des centrales syndicales	49	0	17	32	49
— des partis politiques	48	0	16	32	48

Sur 100 personnes ayant l'intention de voter; ont eu connaissance des prises de position :

	oui	non	indécis
— du Conseil d'Etat	31	49	23
— des centrales syndicales	52	71	38
— des partis politiques	50	72	36

(Revue Sondages 1969, n° 3, pp. 15-16.)

ANNEXES

ANNEXE I

PRÉSIDENTS ET VICE-PRÉSIDENTS DU CONSEIL D'ÉTAT

Sous le Consulat, le Conseil est présidé par Bonaparte 1er Consul, à son défaut par le second Consul, Cambacérès, à défaut de celui-ci par le troisième Consul, Lebrun.

Sous l'Empire, le Conseil est présidé par l'Empereur, à son défaut par l'Archichancelier Cambacérès, à défaut de celui-ci par l'Architrésorier Lebrun. A la fin de l'Empire, l'Impératrice Marie-Louise présida parfois, en sa qualité de régente.

Sous la Première Restauration, le Conseil, lorsqu'il ne délibère pas en présence du Roi, est présidé par le Chancelier de France ou, en l'absence de celui-ci, par un ministre désigné par le Roi.

Sous la Seconde Restauration, quand le Roi ne juge pas à propos de présider, la présidence appartient au président du Conseil des ministres et, en son absence, au garde des sceaux. Lorsque l'un et l'autre ne peuvent présider, ils sont remplacés par le plus ancien des ministres secrétaires d'Etat présents et, à défaut de l'un d'eux, par le sous-secrétaire d'Etat au département de la justice. Les comités du Conseil attachés aux ministères sont présidés par les sous-secrétaires d'Etat faisant partie de ces ministères, toutes les fois que les ministres ne les président pas eux-mêmes. Dans le cas d'empêchement des sous-secrétaires d'Etat, le ministre désigne un autre président pris parmi les membres du comité. Lorsque deux ou plusieurs comités se réunissent ensemble, la présidence appartient au garde des sceaux, à son défaut à celui des ministres secrétaires d'Etat qui a provoqué la réunion et, à défaut de l'un et de l'autre, au sous-secrétaire d'Etat au département de la justice.

Sous la Monarchie de juillet, le Conseil d'Etat fut présidé successivement par le duc de Broglie, M. Merilhon — l'un et l'autre ministres de l'Instruction publique et des Cultes —, puis par les gardes des sceaux, ministres de la justice (Barthe, Persil, Sauzet, etc.).

Un poste de vice-président du Conseil d'Etat fut créé en 1839 et confié à Girod de l'Ain (1839-1847).

Sous la Seconde République, avant l'entrée en vigueur de la constitution du 4 novembre 1848, le Conseil d'Etat fut présidé par les gardes des sceaux Crémieux, puis Vivien et eut pour vice-président Cormenin. Après l'entrée en vigueur de la constitution et conformément à ses dispositions, la présidence du Conseil appartint au vice-président de la République, Boulay de la Meurthe.

La Commission consultative créée par décret du 2 décembre 1851, à laquelle fut confié provisoirement l'exercice de certaines des attributions de l'ancien Conseil, était présidée par le Président de la République et, en son absence, par M. Baroche, nommé vice-président. M. Baroche fut nommé président de la section dite d'administration créée le 15 décembre 1851 au sein de la Commission consultative et qui fut chargée d'exercer partie de ces attributions.

Le Conseil d'Etat réorganisé par la constitution du 14 janvier 1852 était présidé par le Président de la République et, en son absence, par la personne désignée par lui comme vice-président. Baroche fut nommé vice-président le 25 janvier 1852. Le sénatus-consulte du 25 décembre 1852, au lendemain du rétablissement de l'Empire, disposa : « L'Empereur préside, quand il le juge convenable, le Sénat et le Conseil d'Etat ». Un décret du 30 décembre 1852 nomma Baroche et Rouher (président de la section législative), respectivement président et vice-président du Conseil. Baroche fut nommé en 1860 ministre sans portefeuille tout en conservant la présidence du Conseil. A partir du 23 juin 1863, le président du Conseil d'Etat fut appelé « Ministre présidant le Conseil d'Etat ». La fonction fut tenue successivement par Rouher, Rouland, Vuitry, Chasseloup-Laubat, Parieu et Busson-Billaut. D'octobre 1863 à janvier 1867 existèrent trois postes de vice-président, ramenés à un seul en janvier 1867.

La Commission provisoire créée le 15 septembre 1870 pour remplacer le Conseil d'Etat suspendu fut présidée par Ferdinand de Jouvencel, qu'elle avait élu en son sein (1870 à 1872).

La loi du 24 mai 1872 réorganisant le Conseil confia la présidence au garde des sceaux et, en son absence, à un vice-président nommé par décret parmi les conseillers d'Etat en service ordinaire. Ont été vice-présidents depuis 1872 :

MM. Odilon Barrot : 30 juillet 1872-6 août 1873.
Paul Andral : 6 août 1874-8 février 1879.
Faustin Hélie : 14 juillet 1879-22 octobre 1884.
Charles Ballot : 3 mars 1885-29 décembre 1885.
Edouard Laferrière : 19 janvier 1886-15 juillet 1898.
Georges Coulon : 12 septembre 1898-20 février 1912.
Alfred Picard : 27 février 1912-8 mars 1913.
René Marguerie : 15 mars 1913-15 avril 1919.
Henri Hébrard de Villeneuve : 15 avril 1919-1er septembre 1923.
Clément Colson : 6 septembre 1923-20 novembre 1928.
Théodore Tissier : 20 novembre 1928-1er octobre 1937.
Georges Pichat : 19 octobre 1937-12 octobre 1938.
Alfred Porché : 12 octobre 1938-11 septembre 1944.
René Cassin : 22 novembre 1944-4 octobre 1960.
Alexandre Parodi : 6 octobre 1960-31 mai 1971.
Bernard Chenot : depuis le 1er juin 1971.

L'ordonnance du 31 juillet 1945 a confié la présidence du Conseil d'Etat au Président du gouvernement provisoire (aujourd'hui le Premier Ministre) et, en son absence, au garde des sceaux.

ANNEXE II

LE COSTUME DES MEMBRES DU CONSEIL D'ÉTAT

Les honneurs ou du moins certains d'entre eux n'étaient rendus qu'aux membres du Conseil revêtus de leur costume.

L'arrêté des Consuls du 14 nivôse de l'an VIII portait « règlement des costumes des consuls, des ministres, des conseillers d'Etat et des secrétaires ». Ce texte, pris le Conseil d'Etat entendu, traduisait la décision des « Consuls de la République » de « régler leur costume, celui des ministres, des conseillers d'Etat et des secrétaires (le secrétaire d'Etat, le secrétaire général des Consuls et le secrétaire général du Conseil d'Etat) avec l'éclat convenable au gouvernement d'une grande nation ».

L'économie de cet arrêté est significative. Il vise seulement les Consuls et ceux qui les assistent directement dans l'exercice du pouvoir exécutif. D'autres textes, définissant des uniformes différents de tissu, de couleur, de coupe et de broderies, fixeront l'uniforme des sénateurs, des membres du Corps législatif, du Tribunat, l'habit des préfets et des membres de l'Institut. L'arrêté du 14 nivôse de l'an VIII ne dispose que pour le gouvernement, au sein duquel il comprend les conseillers d'Etat.

Pour les consuls, les ministres, les conseillers d'Etat les habits ne diffèrent que par la matière des broderies : or pour les consuls, argent pour les ministres, soie pour les conseillers d'Etat. Consuls, ministres et conseillers d'Etat ont un habit rouge « destiné pour les grandes cérémonies du gouvernement » et un habit bleu qui « sera porté dans l'exercice des fonctions ordinaires ».

L'article 2 de l'arrêté précise que « le costume d'hiver » est réglé ainsi qu'il suit (pour les consuls) :

« 1) Habit à la française, non croisé et à un rang de boutons; collet montant, velours ponceau, broderie en or, veste et pantalon bleu brodés en or, écharpe en serge bleu foncé, les franges en or, baudrier en velours bleu foncé, brodé en or.

2) Habit croisé à collet rabattu en velours bleu; veste blanche, culotte et pantalon blancs ou bleus, écharpe et baudrier ponceau même broderie; sabre dans le style français.

Chapeau à trois cornes brodé en or.

Les costumes pour l'été seront dans les mêmes couleurs, mêmes broderies et établis en drap ou casimir.

Les Consuls porteront une décoration mobile ».

L'article 4 a trait au costume des conseillers d'Etat :

« Les costumes pour les conseillers d'Etat seront les mêmes que ceux des consuls avec la broderie en soie de la couleur de l'habit, mais de plusieurs nuances.

Le chapeau brodé en noir avec bouton et ganse d'acier.

Ils ne porteront pas de décoration mobile, leur arme sera le sabre, qui ne fera partie essentielle du costume des conseillers d'Etat que dans les cérémonies publiques ».

Cet article 4 de l'arrêté du 14 nivôse an VIII, dont les dispositions doivent être combinées avec celles citées plus haut de l'article 2 du même arrêté, est le seul texte que nous connaissions sur l'uniforme des conseillers d'Etat sous l'Empire. Comment a-t-il été appliqué ?

Il semble bien que l'habit rouge, s'il a peut-être été porté, ne l'a été que fort peu. Il n'en subsiste à notre connaissance aucun. L'iconographie de l'époque n'en comporte aucune représentation (1). Alors qu'il était destiné « aux grandes cérémonies du gouvernement », il ne sera pas porté pendant les cérémonies du sacre; l'article 7 du décret du 29 Messidor an XII prévoit, en effet, que les ministres, les membres du Sénat, du Conseil d'Etat... porteront leur costume ordinaire, c'est-à-dire pour ces derniers, l'habit bleu. « En soie, velours ou drap », précise le même article 7.

Reste l'habit bleu. Le musée de La Malmaison en possède un. Il est représenté dans la série de Chataigner et Poisson et dans celle, plus médiocre, de Basset par deux gravures, celles qui montrent le « costume des conseillers d'Etat » et celles consacrées au « costume du Secrétaire d'Etat ». Ce dernier, en effet, portait (article 5 de l'arrêté du 14 nivôse an VIII), « le costume des conseillers d'Etat ».

Une série de gravures anonymes consacrées aux costumes civils de l'Empire vers 1811 montre également un conseiller d'Etat en grand uniforme avec le mantelet. Il faut citer enfin la gravure du recueil de Isabey et Percier sur le Sacre. C'est à peu près tout, à notre connaissance.

L'habit représenté a la forme d'une redingote, assez longue; ses pans coupés carrés tombent jusqu'à la naissance du mollet. Il est croisé sur le torse et les revers sont rabattus sur la poitrine. Le collet est également rabattu sur les épaules, dégageant la large cravate blanche et une veste blanche brodée de bleu clair. La doublure est de soie, de la même couleur que l'habit. Celui-ci, qu'il soit de velours ou de drap, est de cette couleur bleu foncé qu'on a successivement appelée « bleu de roi », puis « bleu national » et qui était alors qualifiée, naturellement, « bleu impérial ». Les broderies, en « soie de la couleur de l'habit, mais de plusieurs nuances », représentaient, en couleurs contrastées du blanc au bleu clair, des rameaux entrelacés de chêne et d'olivier (la guerre et la paix). Ce motif, le même pour les Consuls, les ministres et les conseillers d'Etat, est qualifié dans certains textes de « dessin du gouvernement ». Il décore, en une bande d'une vingtaine de centimètres, le col, les parements des poignets, les revers et sur toute la longueur les deux bords de l'habit. Les poches (en largeur) et les écussons de la taille sont également richement brodés. Une baguette, large d'un demi-centimètre et qui présente des feuilles ressemblant à des feuilles d'érable, juxtaposées l'une au-dessous de l'autre, court sur le bord extérieur du col, des parements et des deux bords de l'habit sur toute leur longueur. Les boutons sont de bois, recouverts de soie blanche et bleu ciel.

Sur cet habit est portée une ceinture qualifiée aussi écharpe, que les

(1) Voir toutefois l'article du Président Sauvel « Un général en civil ». Mercure de France, 1953, page 154.

gravures de Chataigner — en accord avec les textes — montrent rouge, alors que sur la gravure du Sacre et sur celle du recueil mentionné plus haut elle est blanche. L'article 7 du décret du 29 messidor an XII prévoit expressément cette couleur pour le Sacre. A cette ceinture était, pour les « grandes cérémonies publiques », suspendue ce que l'arrêté de nivôse appelle un « sabre », c'est-à-dire en réalité une épée assez forte.

Avec l'habit était portée outre la veste (qui était plutôt ce que nous appelons aujourd'hui un gilet, mais pourvu de manches), blanche ou bleue avec des broderies plus sobres que l'habit, une culotte de soie ou de « tricot » blanche ou bleue l'hiver et des bas de soie dans des souliers à boucle d'argent. Le Secrétaire d'Etat de Chataigner porte une sorte de pantalon collant bleu avec des bottillons non lacés, qui s'arrêtent au-dessus de la cheville.

La tenue de grande cérémonie, portée notamment avec l'habit « ordinaire » au sacre de l'Empereur, comportait en outre un mantelet de cour brodé, mêmes couleurs que l'habit pour le fond et les broderies, la doublure de soie blanche et une ceinture de soie blanche brodée d'or; le chapeau de feutre était alors décoré de longues plumes flottantes (1).

L'habit croisé de l'an XII subsista-t-il, sous cette forme, jusqu'à la fin de l'Empire ? La gravure du Sacre paraît avoir représenté un habit à la française avec un collet droit, de la même coupe que celui qui fut donné en 1806 aux auditeurs. Nous ne connaissons pas d'autre représentation iconographique qui permette d'élucider cette question.

Les auditeurs avaient d'abord reçu « l'habit de velours ou de soie noire à la française, complet avec broderie de soie noire au collet, au parement et aux poches, dessin du gouvernement » (article IX de l'arrêté du 19 Germinal an XI). Mais ils furent dotés de l'habit bleu à partir de l'an XIII, semble-t-il. Les maîtres des requêtes, créés par le décret du 11 juin 1806, portèrent aussi « l'habit bleu avec les broderies pareilles à celles des conseillers d'Etat » (article 9 du décret du 11 juin 1806). Il semble bien que cette formule doive être interprétée comme signifiant que, si le dessin des broderies était semblable, leur ampleur et leur distribution sur le fond de l'habit étaient différentes de façon à permettre l'identification des grades. Les larges broderies sur le devant de l'habit ont dû être réservées aux conseillers.

Locré, en sa qualité de Secrétaire général du Conseil d'Etat, est représenté dans les tableaux et gravures du temps, d'abord vêtu de noir, puis portant l'habit bleu, probablement à partir de 1806.

Il a dû exister, outre la tenue ordinaire et la tenue de cérémonie, une petite tenue, au moins pour les membres du Conseil d'Etat qui suivaient l'Empereur en campagne ou lui apportaient le « portefeuille ». Sans doute une sorte de « surtout » comme ceux des officiers de l'armée, en drap de la couleur du fond, boutonné jusqu'à la ceinture par un seul rang de boutons, avec un rappel des broderies au collet et aux poignets. Une gravure ancienne, qui représente les auditeurs présents à l'armée organisant les ambulances après Wagram, semble bien montrer un tel vêtement, porté avec une culotte de peau ou de tricot et des bottes à l'écuyère.

Nous ne connaissons pas de règlement précisant pour chaque tenue ou combinaison de tenue les circonstances de leur emploi. Une chose paraît

(1) Cf. le frontispice du présent ouvrage, mais pour le dessin seulement. A l'origine cette planche était en noir, le coloris qui lui a été donné à une date plus récente que le Ier Empire est inexact pour certains détails, notamment les bordures qui devraient être bleu-pâle.

certaine cependant, compte tenu des habitudes de l'époque : en service, c'est-à-dire pendant presque tout le temps de la journée, les membres du Conseil d'Etat devaient être en habit de fonctions.

La Restauration donna aux membres du Conseil d'Etat un habit entièrement nouveau. L'habit était coupé droit et boutonné entièrement jusqu'à la ceinture. Les broderies étaient d'or et représentaient des tiges de lys; la baguette qui court le long de toutes les coutures est faite de rameaux de gui.

Pendant la Monarchie de juillet, les membres du Conseil d'Etat reprirent — sans qu'un texte l'ait, jusqu'en 1845, autorisé expressément — l'habit aux broderies de soie de l'Empire. Il semble bien que pour les habits confectionnés à cette époque, la coupe plus moderne déjà prescrite sous la Restauration — l'habit dit coupé droit avec une seule rangée de boutons — fut adoptée. Cette innovation fut consacrée en 1845. C'est cet habit que porte le président Girod de l'Ain sur son portrait en pied, qui figure dans la salle de la section sociale du Conseil d'Etat, place du Palais Royal. Tous les auteurs s'accordent pour admettre que, sous la monarchie bourgeoise de Louis Philippe, les règles imposant l'habit d'uniforme furent moins strictes — ou moins strictement respectées — que celles en vigueur sous l'Empire.

La Seconde République réduisit le costume des membres du Conseil d'Etat à des écharpes et à des insignes.

Napoléon III, qui ne voulait sans doute pas rétablir pour les membres du Conseil d'Etat l'uniforme du Premier Empire, parce qu'il avait été, à peu de chose près, celui porté sous la Monarchie de juillet, dota (1) conseillers, maîtres des requêtes et auditeurs d'habits entièrement nouveaux. La couleur du fond en était le bleu de ciel foncé, qui était porté par la Maison impériale, notamment par les aides de camp de l'Empereur. Les broderies étaient en or, faites de rameaux de chêne et d'olivier entrelacés, brodés en cannetilles brillantes ou mates contrastées sur un habit à deux basques, coupé droit et boutonné par un seul rang de boutons dorés.

L'habit de grande tenue était porté avec l'épée et un pantalon blanc garni d'une bande d'or (2). Les différents grades étaient distingués par la distribution et la plus ou moins grande abondance des broderies, comme sur l'habit du Premier Empire. L'habit des conseillers d'Etat comporte une baguette sur les bords, des broderies au collet, aux parements des manches, sur la poitrine, les poches et entrées de poches et les écussons de taille. Les maîtres des requêtes ont les mêmes broderies que les conseillers, moins les broderies sur la poitrine; les auditeurs n'ont ni la baguette, ni les broderies sur la poitrine, ni les broderies sur les poches, ce qui paraît constituer une différence avec les distinctions adoptées sous le Premier Empire, qui, ainsi que le montre le document cité plus haut, donna aux auditeurs les broderies des poches, mais pas celles aux écussons de taille.

Outre l'habit de grande tenue existait un habit de petite tenue qui ne comportait des broderies qu'aux collets et parements, les conseillers ayant en plus la baguette sur les bords de l'habit. Il se portait avec un pantalon noir sans broderies.

Le chapeau, de feutre noir, était orné de plumes blanches pour le vice-président et les présidents de section, de plumes noires pour les conseillers, maîtres des requêtes et auditeurs.

(1) Décision insérée au Moniteur du 11 février 1852 et décret du 23 février 1852.

(2) Le seul document que nous connaissions sur ce costume est une gravure en couleur publiée chez Martinet-Hautecœur, rues Vivienne 41 et du Coq 15.

CONSEILLER D'ÉTAT

en grand Costume

A Paris chez Basset Md d'Estampes et Fabriquant de papiers peints rue Jacques au coin de celle des mathurins N° 670

Conseiller d'Etat en costume. Image de facture populaire.

Le réglement intérieur du Conseil d'Etat prévoyait que, pour les assemblées générales, administratives ou contentieuses, l'habit de petite tenue était obligatoire; le port de l'habit civil — dans certaines circonstances le frac noir avec cravate blanche — était permis à l'intérieur des sections. La tradition relative au port du frac a subsisté jusqu'en 1939 pour les commissaires du gouvernement devant les formations contentieuses du Conseil.

Les uniformes du Conseil d'Etat du Second Empire connurent un triste destin. Ils étaient naturellement confiés aux armoires du Conseil d'Etat par leurs propriétaires qui n'en avaient que faire à la ville. Le 28 avril 1871, sur un ordre émanant de la Délégation de l'Intérieur de la Commune, tous les habits brodés furent enlevés pour être vendus. Les marchands à qui ils furent proposés refusèrent, dit-on, de les acheter. Ils furent alors entreposés au ministère de l'Intérieur, et leurs broderies d'or décousues pour être fondues. Cette circonstance explique, sans doute, qu'aucun habit de membre du Conseil d'Etat du Second Empire ne soit parvenu jusqu'à nous. Les broderies de soie des habits du Premier Empire ont suscité moins de convoitises !

Il semble que, faute d'aucun autre texte régissant la matière, les costumes prévus par Napoléon III pour le Conseil d'Etat soient encore ceux des membres du Conseil d'Etat d'aujourd'hui. En 1945, un maître des requêtes mobilisé et affecté dans un poste administratif au cabinet du général commandant en chef français en Allemagne, désireux de marquer sa qualité de membre du Conseil d'Etat dans un état-major fortement galonné, a porté, avec l'autorisation du vice-président du Conseil d'Etat, des pattes d'épaules bleu ciel, attachées sur l'uniforme kaki d'officier et portant une interprétation des broderies d'or de l'habit défini en 1852.

Pierre Ordonneau
Conseiller d'Etat

ANNEXE III

LE SERVICE EXTRAORDINAIRE

Sauf deux brèves périodes — de la création du Conseil d'Etat au 7 fructidor de l'an VIII, puis sous la IIe République de 1848 à 1851 — il a toujours existé au Conseil d'Etat un « service extraordinaire ». Mais ces mots ont désigné, suivant les époques, des réalités différentes.

Le « service extraordinaire » a varié dans sa composition, son importance et son rôle.Il y eut jusqu'en 1848 des conseillers et des maîtres des requêtes en service extraordinaire et même sous le Ier Empire des auditeurs en service extraordinaire; depuis lors ce service n'a plus existé que pour les conseillers. Jusqu'en 1845, le service extraordinaire était la position des membres du Conseil chargés temporairement de fonctions ou missions extérieures (1); il devint ensuite une institution permettant d'associer aux travaux du Conseil des personnes étrangères à celui-ci et y représentant le plus souvent l'administration active. Leur nombre a été tantôt illimité, tantôt, et le plus souvent, fixé par les textes. Leurs pouvoirs ont varié : la tendance générale a été de les écarter des formations contentieuses et de limiter leur droit de vote dans les formations administratives.

CONSULAT ET Ier EMPIRE

Arrêté du 7 fructidor an VIII.

Art. Premier. — Le service des conseillers d'Etat sera distingué en service ordinaire ou service du Conseil d'Etat et en service extraordinaire consistant soit en fonctions permanentes, soit en missions temporaires.

Art. 3. — Les conseillers d'Etat chargés d'un service extraordinaire conserveront leur titre.

Art. 4. — Lorsqu'un membre du Conseil d'Etat sera chargé d'un service extraordinaire, il cessera d'être porté sur la liste des conseillers d'Etat en service ordinaire.

Art. 6. — Les conseillers d'Etat en service extraordinaire qui seraient de retour de leur mission ne pourront prendre séance au Conseil d'Etat qu'au commencement du trimestre où ils seront portés sur la liste des conseillers d'Etat en service ordinaire.

---

(1) Théoriquement du moins à partir de la Seconde Restauration, car, de 1815 à 1845, de nombreuses nominations de conseillers et de maîtres de requêtes furent prononcées pour obliger ou récompenser leurs bénéficiaires, qui, dès leur nomination, étaient placés dans le service extraordinaire.

A cette époque, amorce du service extraordinaire tel qu'il fut compris par la suite, des personnes étrangères au Conseil d'Etat furent invitées à prendre part à certains travaux (ainsi pour le Code Civil).

Décret du 11 juin 1806 (créant les maîtres des requêtes) :

ART. 5. — Les maîtres des requêtes seront distribués en service ordinaire et en service extraordinaire suivant la liste qui sera... arrêtée le 1er de chaque trimestre.

RESTAURATION

Ordonnance du 29 juin 1814.

ART. 13. — Les directeurs généraux des diverses administrations que nous nommerons conseillers d'Etat en service extraordinaire pourront, sur la demande de chaque ministre, assister en plus et avec voix délibérative aux divers conseils et comités attachés au département duquel ils dépendent.

S'ils venaient à quitter les directions générales dont ils sont chargés, ils deviendraient de droit conseillers d'Etat ordinaires...

Ordonnance du 23 août 1815.

ART. 2. — Il sera dressé un tableau général de toutes les personnes à qui il nous aura plus de conserver ou de conférer le titre de conseiller d'Etat ou celui de maître des requêtes.

ART. 3. — Le tableau comprendra tant nos conseillers d'Etat et maîtres des requêtes en service actif que nos conseillers d'Etat et maîtres des requêtes honoraires.

ART. 4. — Nos conseillers d'Etat et maîtres des requêtes en service actif seront distribués en service ordinaire et service extraordinaire.

ART. 6. — Le nombre des conseillers d'Etat et des maîtres des requêtes mis en service ordinaire ne pourra s'élever, pour les premiers au dessus de trente et pour les seconds au dessus de quarante (1).

MONARCHIE DE JUILLET

Loi du 21 juillet 1845.

ART. 9. — Le service extraordinaire se compose :

1) de trente conseillers d'Etat;

2) de trente maîtres des requêtes.

Le titre de conseiller d'Etat ou de maître des requêtes en service extraordinaire ne peut être conféré qu'à des personnes remplissant ou ayant rempli des fonctions publiques.

ART. 10. — Les conseillers d'Etat en service extraordinaire ne peuvent prendre part aux travaux et délibérations du Conseil que lorsqu'ils y sont autorisés.

---

(1) Le nombre des membres en service extraordinaire était donc illimité.

Chaque année, la liste des conseillers d'Etat auxquelles cette autorisation est accordée est arrêtée par ordonnance royale.

Le nombre des conseillers d'Etat ainsi autorisés ne peut excéder les deux tiers du nombre des conseillers d'Etat en service ordinaire.

DEUXIEME REPUBLIQUE

Décret du 18 avril 1848 :

Art. 1. — Le service extraordinaire du Conseil d'Etat est supprimé.

Art. 2. — Les chefs de service, désignés par les ministres de chaque département, seront appelés à prendre part aux travaux des comités et de l'Assemblée générale du Conseil d'Etat, quand leur concours sera jugé nécessaire.

Loi du 3 mars 1849.

Art. 52. — Le Conseil d'Etat et les sections de législation et d'administration peuvent appeler à assister à leurs délibérations et à y prendre part avec voix consultative les membres de l'Institut et d'autres corps savants, les magistrats, les administrateurs et tous autres citoyens qui leur paraîtraient pouvoir éclairer les délibérations par leurs connaissances spéciales.

Art. 53. — Le Conseil d'Etat et les sections ont le droit de convoquer dans leur sein, sur la désignation des ministres, les chefs de service des administrations publiques et tous autres fonctionnaires pour en obtenir des explications sur les affaires en délibération.

SECOND EMPIRE

Décret organique du 25 janvier 1852 (1).

Art. 1. — Le Conseil d'Etat est composé :

1) d'un vice-président du Conseil d'Etat nommé par le Président de la République;

2) de quarante à cinquante conseillers d'Etat en service ordinaire;

3) de conseillers d'Etat en service ordinaire hors section dont le nombre ne pourra excéder celui de quinze;

4) de conseillers d'Etat en service extraordinaire dont le nombre ne pourra s'élever au delà de vingt.

Art. 7. — Les conseillers d'Etat en service ordinaire hors sections sont choisis parmi les personnes qui remplissent de hautes fonctions publiques.

Ils prennent part aux délibérations de l'Assemblée générale du Conseil d'Etat et y ont voix délibérative.

Art. 9. — Les conseillers d'Etat en service extraordinaire assistent et ont voix délibérative à celles des assemblées générales du Conseil d'Etat auxquelles ils ont été convoqués par un ordre spécial du Président de la République.

---

(1) L'Empire n'était pas encore rétabli à cette date, mais ce texte régira le Conseil d'Etat pendant le IIe Empire.

LA LOI DU 24 MAI 1872

ART. 1. — Le Conseil d'Etat se compose de vingt-deux conseillers d'Etat en service ordinaire et de quinze conseillers d'Etat en service extraordinaire (1).

ART. 5. — Les conseillers d'Etat en service extraordinaire sont nommés par le Président de la République (2). Ils perdent leur titre de conseiller d'Etat de plein droit, dès qu'ils cessent d'appartenir à l'administration active.

LA LOI DU 18 DECEMBRE 1940

Art. 1. — Le Conseil d'Etat se compose de :

....

4) quarante conseillers d'Etat en service extraordinaire.

ART. 6. — Ont le titre de conseillers d'Etat en service extraordinaire :

1) de plein droit, et tant que durent leurs fonctions, les secrétaires généraux des ministères et secrétariats d'Etat;

2) en vertu de leur nomination par décret pris en conseil des ministres :

a) pour la durée de ses fonctions, un haut fonctionnaire de chaque ministère ou secrétariat d'Etat qui ne serait pas représenté au Conseil par un secrétaire général;

b) pour la période fixée par le décret de nomination, des personnalités qualifiées dans les différents domaines de l'activité nationale.

ORDONNANCE DU 31 JUILLET 1945

ART. 2. — Le Conseil d'Etat se compose de

....

3) 45 conseillers d'Etat en service ordinaire.

4) 12 conseillers d'Etat en service extraordinaire.

ART. 8. — Les conseillers d'Etat en service extraordinaire sont nommés par décret pris en conseil des ministres... et sont choisis parmi les personnalités qualifiées dans les différents domaines de l'activité nationale.

La qualité de conseiller d'Etat en service extraordinaire est incompatible avec l'exercice d'un mandat parlementaire.

---

(1) Le chiffre de quinze fut augmenté à plusieurs reprises sous la IIIe République.

(2) Les conseillers d'Etat en service ordinaire étaient élus par l'Assemblée nationale. En 1875, leur nomination fut rendue au Chef de l'Etat.

ANNEXE IV

LES ATTRIBUTIONS LÉGISLATIVES DU CONSEIL D'ÉTAT AUX DIFFÉRENTES ÉPOQUES DE SON HISTOIRE

CONSULAT ET PREMIER EMPIRE

Constitution du 22 frimaire an VIII.

ART. 52. — Sous la direction des Consuls, un Conseil d'Etat est chargé de rédiger les projets de lois et les règlements d'administration publique et de résoudre les difficultés qui s'élèvent en matière administrative.

ART. 53. — C'est parmi les membres du Conseil d'Etat que sont toujours pris les orateurs chargés de porter la parole au nom du gouvernement devant le Corps législatif.

Règlement du 5 nivôse an VIII.

ART. 8. — Une proposition d'une loi ou d'un règlement d'administration publique est provoquée par les ministres, chacun dans l'étendue de ses attributions.

Si les Consuls adoptent leur opinion, ils renvoient le projet à la section compétente pour rédiger la loi ou le règlement. Aussitôt le travail achevé, le président de la section se transporte auprès des Consuls pour les en informer.

Le Premier Consul convoque alors l'assemblée générale du Conseil d'Etat. Le projet est discuté sur le rapport de la section qui l'a rédigé. Le Conseil d'Etat transmet son avis motivé aux Consuls.

ART. 9. — Si les Consuls approuvent la rédaction, ils arrêtent définitivement le règlement; ou, s'il s'agit d'une loi, ils arrêtent qu'elle sera proposée au Corps Législatif. Dans le dernier cas, le Premier Consul nomme, parmi les conseillers d'Etat, un ou plusieurs orateurs qu'il charge de présenter le projet de loi et d'en soutenir la discussion.

Les orateurs, en présentant les projets de lois, développent les motifs de la proposition du gouvernement.

ART. 10. — Quand le gouvernement retire un projet de loi, il le fait par un message.

ART. 11. — Le Conseil d'Etat développe le sens des lois sur le renvoi qui lui est fait par les Consuls des questions qui leur ont été présentées.

Loi du 16 septembre 1807. (qui détermine le cas où deux arrêts de la Cour de cassation peuvent donner lieu à l'interprétation de la loi).

ART. 1er. — Il y a lieu à interprétation de la loi, si la Cour de cassation annule deux arrêts ou jugements en dernier ressort, rendus dans la même affaire, entre les mêmes parties et qui ont été attaqués par les mêmes moyens.

ART. 2. — Cette interprétation est donnée dans la forme des règlements d'administration publique.

ART. 3. — Elle peut être demandée par la Cour de cassation avant de prononcer le second arrêt.

ART. 4. — Si elle n'est pas demandée, la Cour de cassation ne peut rendre le second arrêt que les sections réunies et sous la présidence du Grand-Juge.

ART. 5. — Dans le cas déterminé en l'article précédent, si le troisième arrêt est attaqué, l'interprétation est de droit, et il sera procédé comme il est dit à l'article 2.

RESTAURATION ET MONARCHIE DE JUILLET

Ordonnance du 6 juillet 1814.

ART. 8. — Le Conseil d'Etat sera composé de nos ministres-secrétaires d'Etat, de tous les conseillers d'Etat et maîtres des requêtes ordinaires.

Il examinera les projets de lois et règlements qui auront été préparés dans les divers comités.

ART. 10 — Le comité de législation préparera tous les projets de loi et de règlement sur toutes matières civiles, criminelles et ecclésiastiques, lesquels projets devront ensuite être délibérés en Conseil d'Etat avant de nous être définitivement soumis.

Ce comité sera composé de six conseillers d'Etat et de douze maîtres des requêtes; il sera présidé par notre chancelier, ou, en son absence, par un ministre d'Etat que nous aurons nommé. Notre chancelier pourra le diviser en deux bureaux.

Il aura un commis-greffier.

Ordonnance du 27 août 1815.

ART. 7. — Nos conseillers d'Etat et nos maîtres des requêtes en service ordinaire seront distribués en cinq comités, savoir :

— le comité de législation,
— le comité du contentieux,
— le comité des finances,
— le comité de l'intérieur et du commerce,
— le comité de la marine et des colonies.

ART. 11. — Nos comités de législation, des finances, de l'intérieur et du commerce et de la marine et des colonies, d'après les ordres et sous la présidence de nos ministres secrétaires d'Etat, prépareront les projets des lois, ordonnances, règlements et tous autres relatifs aux matières comprises dans les attributions des départements ministériels auxquels ils sont attachés.

Loi du 21 juillet 1845.

ART. 12. — Le Conseil d'Etat peut être appelé à donner son avis sur les projets de loi ou d'ordonnance, et, en général, sur toutes les questions qui lui sont soumises par les ministres.

DEUXIÈME RÉPUBLIQUE

Constitution du 4 novembre 1848.

ART. 75. — Le Conseil d'Etat est consulté sur les projets de loi du gouvernement qui, d'après la loi, devront être soumis à son examen préalable et sur les projets d'initiative parlementaire que l'Assemblée lui aura renvoyés.

Loi du 3 mars 1849.

ART. 1. — Le Conseil d'Etat est consulté sur tous les projets de loi du gouvernement.

Néanmoins le gouvernement pourra se dispenser de consulter le Conseil d'Etat sur les projets de lois suivants :

1) les projets de loi portant fixation du budget des recettes et des dépenses de chaque exercice;

2) les projets de loi de crédits supplémentaires, complémentaires et extraordinaires;

3) les projets de loi portant règlement définitif du budget de chaque exercice;

4) les projets de loi portant fixation du contingent annuel de l'armée et appel des classes;

5) les projets de loi portant ratification des traités et conventions diplomatiques;

6) les projets de loi d'urgence.

L'Assemblée nationale renverra à l'examen du Conseil d'Etat les projets qui ne rentreraient point dans les catégories précédentes et dont elle aurait été saisie par le gouvernement sans que le Conseil d'Etat ait été consulté.

ART. 2. — Le Conseil d'Etat donne son avis sur les projets de loi émanant soit de l'initiative parlementaire, soit du gouvernement, que l'Assemblée nationale juge à propos de lui renvoyer.

ART. 3. — Le Conseil d'Etat prépare et rédige les projets de loi sur les matières pour lesquelles le gouvernement réclame son initiative.

Il donne son avis sur les projets d'initiative parlementaire à l'égard desquels il est consulté par le gouvernement.

ART. 29. — La section de législation est chargée de l'examen, de la préparation et de la délibération des matières énoncées dans les art. 1, 2, 3, 4, 7 et 8 de la présente loi.

ART. 31. — Sur la demande des commissions ou comités de l'Assemblée nationale, elle (1) désigne des conseillers d'Etat ou des maîtres des requêtes pour exposer l'avis du Conseil d'Etat dans les comités ou commissions de l'Assemblée nationale.

---

(1) La section de législation.

RÉPUBLIQUE PRÉSIDENTIELLE ET SECOND EMPIRE

Constitution du 14 janvier 1852.

ART. 40. — Tout amendement adopté par la commission du Corps législatif chargée d'examiner un projet de loi sera renvoyé, sans discussion, au Conseil d'Etat par le Président du Corps législatif.

Si l'amendement n'est pas adopté par le Conseil d'Etat, il ne pourra pas être soumis à la délibération du Corps législatif.

ART. 50. — Le Conseil d'Etat est chargé, sous la direction du Président de la République, de rédiger les projets de loi et les règlements d'administration publique et de résoudre les difficultés qui s'élèvent en matière d'administration.

ART. 51. — Il soutient au nom du gouvernement la discussion des projets de loi devant le Sénat et le Corps législatif.

Les conseillers d'Etat chargés de porter la parole au nom du gouvernement sont désignés par le Président de la République.

Décret organique du 25 janvier 1852.

ART. 1. — Le Conseil d'Etat, sous la direction du Président de la République, rédige les projets de loi et en soutient la discussion devant le Corps législatif.

ART. 15. — Le Président de la République désigne trois conseillers d'Etat pour soutenir la discussion de chaque projet de loi présenté au Corps législatif ou au Sénat.

L'un de ces conseillers peut être pris parmi les conseillers en service ordinaire hors sections.

Décret impérial du 31 décembre 1852.

Titre premier

DU CONSEIL D'ETAT

ART. 1. — Les projets de lois et de sénatus-consultes, les règlements d'administration publique préparés par les différents départements ministériels sont soumis à l'Empereur, qui les remet directement ou les fait adresser par le ministre d'Etat au président du Conseil d'Etat.

ART. 2. — Les ordres du jour des séances du Conseil d'Etat sont envoyés à l'avance au ministre d'Etat, et le président du Conseil d'Etat pourvoit à ce que ce ministre soit toujours avisé en temps utile de tout ce qui concerne l'examen ou la discussion des projets de loi, des sénatus-consultes et des règlements d'administration publique envoyés à l'élaboration du Conseil.

ART. 3. — Les projets de loi ou de sénatus-consulte, après avoir été élaborés au Conseil d'Etat, conformément à l'article 50 de la Constitution, sont remis à l'Empereur par le président du Conseil d'Etat, qui y joint les noms des commissaires qu'il propose pour en soutenir la discussion devant le Corps législatif ou le Sénat.

Art. 4. — Un décret de l'Empereur ordonne la présentation du projet de loi au Corps législatif ou du sénatus-consulte au Sénat et nomme les conseillers d'Etat chargés d'en soutenir la discussion.

Art. 5. — Ampliation de ce décret est transmise avec le projet de loi ou de sénatus-consulte au Corps législatif ou au Sénat par le ministre d'Etat.

Sénatus-consulte du 20 avril 1870.

Titre VII

Du Conseil d'Etat

Art. 37. — Le Conseil d'Etat est chargé, sous la direction de l'Empereur, de rédiger les projets de lois et les règlements d'administration publique et de résoudre les difficultés qui s'élèvent en matière d'administration.

Art. 38. — Le Conseil soutient, au nom du gouvernement, la discussion des projets de loi devant le Sénat et le Corps législatif.

LOI DU 24 MAI 1872

Art. 8. — Le Conseil d'Etat donne son avis :

1) sur les projets d'initiative parlementaire que l'Assemblée nationale juge à propos de lui renvoyer;

2) sur les projets de loi préparés par le gouvernement et qu'un décret spécial ordonne de soumettre au Conseil d'Etat...

Des conseillers d'Etat peuvent être chargés par le gouvernement de soutenir devant l'Assemblée les projets des lois qui ont été renvoyés à l'examen du Conseil.

LOI DU 18 DÉCEMBRE 1940

Art. 19. — Le Conseil d'Etat participe à la confection des lois, dans les conditions fixées par la Constitution. Il prépare et rédige les textes qui lui sont demandés et donne son avis sur les projets établis par le gouvernement.

Art. 21. — Le Conseil d'Etat peut, de sa propre initiative, appeler l'attention des pouvoirs publics sur les réformes d'ordre législatif ou réglementaire qui lui paraissent conformes à l'intérêt général.

ORDONNANCE DU 31 JUILLET 1945

(portant transfert des attributions du Comité juridique au Conseil d'Etat)

Art. 1. — Le Comité juridique près le Gouvernement provisoire de la République française (1) est supprimé. Ses attributions sont transférées au Conseil d'Etat.

---

(1) Ordonnance du 6 août 1943, instituant un Comité juridique auprès du Comité français de la libération nationale :

Art. 2. — Le Comité juridique...

2° — étudie, à l'invitation du Comité de la libération nationale ou des commissaires

En conséquence, les projets d'ordonnances et les projets de décrets ayant forme législative, que des textes ultérieurs auraient autorisé le gouvernement à édicter, sont soumis à l'avis préalable du Conseil d'Etat.

Le Conseil d'Etat est également chargé, à l'invitation du président du Gouvernement provisoire ou des ministres, d'étudier la révision et la codification des textes législatifs et réglementaires en vue d'assurer l'uniformité de la législation et sa conformité avec les principes républicains.

ORDONNANCE DU 31 JUILLET 1945

(relative au Conseil d'Etat)

Art. 21. — Le Conseil d'Etat participe à la confection des lois ou ordonnances dans les conditions fixées par l'ordonnance du 31 juillet 1945.

Il est saisi par le président du Gouvernement provisoire des projets établis par les ministres, il donne son avis sur ces projets et propose les modifications de rédaction qu'il juge nécessaires.

Il prépare et rédige les textes qui lui sont demandés.

Le vice-président peut, à la demande des ministres, désigner un membre du Conseil d'Etat pour assister leur administration dans l'élaboration d'un projet d'ordonnance déterminé.

Art. 22. — Le Conseil d'Etat est obligatoirement consulté sur les décrets ayant force législative que le Gouvernement pourrait être ultérieurement habilité à promulguer, ainsi que sur les règlements d'administration publique et les décrets en forme de règlement d'administration publique.

Il peut, pour l'élaboration de ces textes, être fait application des dispositions du dernier paragraphe de l'article précédent.

Art. 24. — Le Conseil d'Etat peut, de sa propre initiative, appeler l'attention des pouvoirs publics sur les réformes d'ordre législatif, règlementaire ou administratif, qui lui paraissent conformes à l'intérêt général.

CONSTITUTION DU 4 OCTOBRE 1958

Art. 38. — Le Gouvernement peut, pour l'exécution de son programme, demander au Parlement l'autorisation de prendre par ordonnances, pendant un délai limité, des mesures qui sont normalement du domaine de la loi.

Les ordonnances sont prises en conseil des ministres après avis du Conseil d'Etat. Elles entrent en vigueur dès leur publication mais deviennent caduques, si le projet de loi de ratification n'est pas déposé devant le Parlement avant la date fixée par la loi d'habilitation.

Art. 39. — L'initiative des lois appartient concurremment au premier ministre et aux membres du Parlement.

Les projets de lois sont délibérés en Conseil des ministres après avis

---

intéressés, la révision des textes législatifs ou réglementaires appliqués dans les divers territoires relevant de l'autorité du Comité, en vue d'assurer l'uniformité de la législation et sa conformité avec les principes en vigueur le 16 juin 1940;

3° — procède à la mise en forme juridique des projets d'ordonnances ou de décrets réglementaires qui doivent être soumis aux délibérations du Comité français de la libération nationale.

du Conseil d'Etat et déposés sur le bureau de l'une des deux assemblées. Les projets de loi de finances sont soumis en premier lieu à l'Assemblée nationale.

ART. 92. — Les mesures législatives nécessaires à la mise en place des institutions et, jusqu'à cette mise en place, au fonctionnement des pouvoirs publics seront prises en conseil des ministres, après avis du Conseil d'Etat, par ordonnances ayant force de loi.

Pendant le délai prévu à l'alinéa 1er de l'art. 91, le Gouvernement est autorisé à fixer par ordonnances ayant force de loi et prises en la même forme le régime électoral des assemblées prévues par la constitution.

Pendant le même délai et dans les mêmes conditions, le Gouvernement pourra également prendre en toutes matières les mesures qu'il jugera nécessaires à la vie de la nation, à la protection des citoyens ou à la sauvegarde des libertés.

ANNEXE V

LES ORGANES D'INSTRUCTION ET DE JUGEMENT DU CONTENTIEUX ADMINISTRATIF AU SEIN DU CONSEIL D'ÉTAT

Ces organes ont été fréquemment modifiés dans leur nombre, leur agencement et leur appellation. Il est cependant facile d'y voir clair en dégageant les grandes lignes de l'évolution.

A l'origine, pendant une courte période, de 1799 à 1806, il n'existe pas d'organe spécialisé du contentieux. Les sections et l'assemblée traitent indistinctement toutes les affaires, contentieuses ou non.

En 1806, est créée une commission du contentieux qui, sous des noms divers, sera pendant longtemps l'organe d'instruction des affaires contentieuses. Celles-ci sont jugées, sur rapport de cet organe d'instruction, par l'assemblée générale du Conseil, puis à partir de 1852, par une formation plus réduite, l'assemblée générale du Conseil d'Etat délibérant au contentieux. Cette formation est conservée par la loi du 24 mai 1872; elle existe encore aujourd'hui sous le nom d'assemblée plénière du contentieux, mais ne juge plus, sur renvoi, qu'un petit nombre d'affaires très importantes (1).

Les modifications intervenues après 1880 eurent toutes pour cause l'accroissement continu et considérable des affaires. Elles ont consisté dans l'augmentation du nombre des formations d'instruction et de jugement. Des formations créées initialement pour l'instruction ont d'autre part reçu ultérieurement compétence pour juger certaines catégories d'affaires.

De 1799 à 1806, les affaires contentieuses étaient instruites par l'une ou l'autre des cinq sections et délibérées par l'Assemblée générale.

Le décret du 11 juin 1806 créa une commission du contentieux présidée par le Grand Juge, ministre de la Justice, composée de six maîtres des requêtes et de six auditeurs qui fait l'instruction et prépare le rapport sur toutes les affaires contentieuses examinées par le Conseil.

(1) Il faut faire dans cette évolution une place à part à la brève période de la IIe République. La justice administrative cesse d'être « retenue »; charge de la rendre est confiée, au sein du Conseil, à une section du contentieux administratif, qui instruit et juge les affaires elle-même; il n'y a plus intervention, dans le règlement des affaires contentieuses, d'une formation de niveau plus élevé réunissant les membres de la section du contentieux et la totalité ou une partie au moins des conseillers membres des sections administratives (sauf dans le cas d'un pourvoi du ministre de la justice devant l'assemblée générale).

Sous la Première Restauration, un comité contentieux, présidé par le Chancelier et, en son absence, par un conseiller d'Etat vice-président, composé de 6 conseillers et de 12 maîtres des requêtes, instruit les affaires contentieuses et rédige en forme d'arrêts ou de jugement ses avis qui sont délibérés en Conseil d'Etat.

Sous la Seconde Restauration, le comité du contentieux, présidé par le garde des sceaux, et, en son absence, par le sous-secrétaire d'Etat au Département de la Justice, composé de conseillers et de maîtres des requêtes, instruit les affaires contentieuses; ses avis, rédigés en forme d'ordonnances sont délibérés et arrêtés en Conseil d'Etat. L'ordonnance du 26 août 1824 rétablissant l'auditorat affecte 12 auditeurs au comité et le divise en deux sections.

Sous la Monarchie de juillet, l'ordonnance du 20 août 1830 dispose que pour les décisions à rendre sur les affaires contentieuses sont exclusivement comptées les voix des conseillers d'Etat en service ordinaire et des maîtres des requêtes rapporteurs.

L'ordonnance du 2 février 1831 ne modifie pas le mode d'examen préalable des affaires contentieuses qui continue d'être assuré par le comité de justice administrative, mais introduit la publicité au niveau de la procédure de jugement. Le rapport des affaires est fait en assemblée générale en séance publique; les avocats des parties peuvent présenter des observations orales; la décision est lue en séance publique.

L'ordonnance du 12 mars 1831 prévoit la désignation au début de chaque trimestre de 3 maîtres des requêtes qui exerceront les fonctions du ministère public.

La loi du 21 juillet 1845 substitue au comité de justice administrative un comité spécial, présidé par le vice-président du Conseil, composé de 5 conseillers d'Etat en service ordinaire dont le vice-président, de maîtres des requêtes et d'auditeurs, qui dirige l'instruction écrite et prépare le rapport des affaires contentieuses délibérées en Conseil d'Etat.

Sous la Deuxième République la loi du 3 mars 1849 crée à côté de la section de législation et de la section d'administration une section du contentieux administratif. Cette dernière, composée de neuf membres, instruit et juge les affaires contentieuses. Le ministre de la justice défère à l'Assemblée générale du Conseil les décisions de la section du contentieux qu'il estime entachées d'excès de pouvoir ou de violation de la loi.

A la fin de la Deuxième République et sous le Second Empire, en vertu du décret organique du 25 janvier 1852, une section de contentieux, présidée par un conseiller d'Etat en service ordinaire, dirige l'instruction écrite et prépare le rapport des affaires contentieuses qui sont délibérées en séance publique de l'assemblée du Conseil d'Etat délibérant au contentieux; cette assemblée, composée des membres de la section du contentieux et de dix conseillers d'Etat pris en nombre égal dans chacune des cinq autres sections, est présidée par le président de la section du contentieux.

Le décret du 19 septembre et l'arrêté du 3 octobre 1870 maintiennent la section du contentieux et l'assemblée générale délibérant au contentieux dans le cadre de la Commission provisoire qui remplace de 1870 à 1872 le Conseil d'Etat suspendu.

Sous le régime de la loi du 24 mai 1872, la section du contentieux dirige l'instruction et prépare le rapport des affaires contentieuses qui sont jugées par l'assemblée publique du Conseil d'Etat statuant au contentieux, composée des membres de la section et de six conseillers en service ordinaire des sections administratives. Toutefois, la section du contentieux peut juger les affaires sans avocats, dont le renvoi n'a pas été demandé à l'assemblée publique.

La loi du 26 octobre 1888 crée une section temporaire du contentieux pour juger les affaires électorales et fiscales.

Les lois du 13 avril et du 17 juillet 1900 créent au sein de chacune des deux sections du contentieux (section du contentieux et section temporaire du contentieux) deux sous-sections qui instruisent les recours et jugent les affaires d'élection et de contributions.

La loi du 6 avril 1910 pérennise la section temporaire sous le nom de section spéciale. Section du contentieux et section spéciale sont divisées chacune en trois sous-sections. Celles de la section spéciale jugent les affaires dites de « petit contentieux » (élections, contributions); celles de la section du contentieux instruisent les affaires du grand contentieux jugées soit par la section du contentieux, soit par l'assemblée publique du Conseil d'Etat statuant au contentieux. La section du contentieux juge un nombre croissant d'affaires (marchés, pensions, etc), qui, sauf renvoi spécialement demandé, ne vont pas à l'Assemblée.

La loi du 1er mars 1923 maintient deux sections du contentieux : la section spéciale du contentieux, divisée en trois, puis en six sous-sections (D. 22 avril 1930), qui instruit et juge les affaires de petit contentieux; la section du contentieux, qui instruit les affaires du grand contentieux et juge certaines catégories d'entre elles, qui, sauf renvoi, ne vont pas à l'Assemblée.

Le décret du 5 mai 1934 supprime la section spéciale du contentieux et divise la section du contentieux en huit sous-sections, quatre chargées d'instruire et de juger les affaires de petit contentieux, quatre instruisant les affaires de grand contentieux et se réunissant deux par deux pour constituer des formations de jugement (les sous-sections réunies), qui jugent les affaires qui ne sont pas renvoyées à la section du contentieux ou à l'assemblée plénière du contentieux.

Il fut créé en 1950 et les années suivantes trois sous-sections supplémentaires, dont la 9e qui instruisait et jugeait les affaires de remembrement, de réquisition et d'accidents de la circulation. Elle fut supprimée en 1963.

Le décret du 30 juillet 1963 a modifié la composition de l'assemblée plénière du contentieux. D'autre part les sous-sections fiscales ne font plus que l'instruction des affaires et se réunissent par deux pour les juger.

ANNEXE VI

L'ORDRE DES AVOCATS AUX CONSEILS

L'histoire de l'Ordre des avocats au Conseil d'Etat se caractérise par une remarquable permanence de l'institution, qui est faite non seulement de la stabilité de son statut depuis un siècle et demi, mais de la fidélité du législateur à des traditions qui avaient fait leurs preuves dans les Conseils du Roi de l'ancienne France. Plus encore que le Conseil d'Etat lui-même, son barreau porte cette empreinte, au point que la pratique judiciaire moderne a toujours maintenu aux avocats au Conseil d'Etat la dénomination d'« avocats aux Conseils » qu'ils portaient sous l'ancien régime.

Cette stabilité s'est notamment manifestée à trois points de vue :

a) L'indivisibilité des fonctions d'avocat au Conseil d'Etat et à la Cour de cassation (art. 2 de l'ord. du 10 juillet 1817).

Alors que le principe de la séparation des autorités administrative et judiciaire, issu de la Révolution, entraîna la division définitive entre la Cour de cassation et le Conseil d'Etat des attributions contentieuses des anciens Conseils du Roi, l'Ordre des avocats, au contraire, cumula dès 1817 la représentation des plaideurs auprès des deux juridictions suprêmes, en matière judiciaire comme en matière administrative.

Cette réunification de l'Ordre fut grandement facilitée par le fait que la plupart des avocats aux Conseils de l'ancien régime avaient continué à exercer leurs fonctions comme défenseurs officieux pendant la période révolutionnaire. Lorsque la loi du 27 ventôse an VIII (18 mars 1800) et un arrêté consulaire du 8 prairial rétablirent cinquante avoués près le Tribunal de cassation, bon nombre d'entre eux furent nommés à cette fonction; ils recouvrèrent leur titre d'avocat par le décret du 25 juin 1806.

C'est précisément cette même année que le décret du 8 juillet 1806 institua un Barreau distinct auprès du Conseil d'Etat; d'emblée, la moitié des vingt-deux charges nouvelles furent attribuées à des avocats à la Cour de cassation.

Le lien ainsi créé entre les deux Ordres par l'Empire devait être resserré par la Restauration. L'ordonnance du 10 juillet 1814 porta de 22 à 60 le nombre des avocats au Conseil du Roi, en faisant entrer dans cette compagnie 37 avocats à la Cour de cassation. Certains avocats au Conseil du Roi et à la Cour de cassation ayant inopportunément manifesté leur intention de céder séparément leurs deux titres, l'ordonnance du 13 novembre 1816 en proclama l'indivisibilité. Enfin l'ordonnance du 10 septembre 1817 fusionna les deux Ordres en une seule et même compagnie de 60 membres. Parmi ceux-ci se trouvaient encore 7 avocats qui étaient déjà inscrits en 1789 au Tableau des avocats au Conseil du Roi; ce sont Cochu (reçu le 4 décembre 1771), Badin (26 juin 1774), Bosquillon

(20 septembre 1776), Champion de Villeneuve (26 juin 1786), Gérardin de St-Rémy (6 octobre 1786), Lavaux (25 septembre 1787), Molinier de la Moline de Montplanqua (26 juin 1789).

b) La stabilité du statut.

L'ordonnance de 1817 est toujours en vigueur et elle n'a été modifiée que sur des points de détail, soit pour élargir l'accès à la fonction, soit pour assurer une plus grande indépendance de l'Ordre par rapport au pouvoir politique, soit pour accroître ses attributions.

1) Le nombre des avocats au Conseil d'Etat est toujours demeuré fixé à soixante (art. 3 de l'ordonnance).

Ce nombre était en effet très excessif en 1817, compte tenu des besoins de l'époque. Et l'on vit pendant toute la durée du XIXe siècle subsister de nombreux « titres nus », dont les possesseurs consacraient la majeure partie de leur temps à la vie politique du pays. Une cinquantaine d'entre eux siégèrent dans les assemblées parlementaires, tandis qu'une dizaine (parmi lesquels Herold, Ledru-Rollin, Crémieux, Odilon Barrot, Bonjean, Mathieu Bodet et Mazeau) occupèrent des fonctions ministérielles. Nul n'a oublié le rôle de Ledru-Rollin dans l'établissement du suffrage universel.

C'est dans le cadre de cette activité parlementaire que Dalloz, comme rapporteur du projet de loi de 1840, combattit en matière administrative la thèse de la justice retenue, alors soutenue par le gouvernement et que de Ramel fit voter l'article 4 de la loi du 17 juillet 1900 décidant, pour mettre fin à un déni de justice, que le silence conservé par l'Administration pendant un certain délai vaudrait décision implicite de rejet et permettrait de lier le contentieux.

Au XXe siècle, l'éveil du droit public et du droit privé aux questions sociales suscita un développement de l'activité contentieuse au Conseil d'Etat comme à la Cour de cassation et la disparition corrélative des « titres nus ». En 1953 toutefois, la réforme du contentieux administratif, qui fit des tribunaux administratifs le juge administratif de droit commun, vint renverser la tendance et réduire très sensiblement l'activité des avocats aux Conseils en droit public, tandis que l'accroissement du contentieux de la Cour de cassation augmentait leur activité en matière judiciaire.

L'Ordre ayant toujours pu faire face sans difficulté au volume du contentieux, le législateur n'a pas eu à modifier la règle numérique qu'il s'était posée à lui-même; et la modicité du prix des charges d'avocats aux Conseils, comparé à ceux des autres offices ministériels, a toujours empêché que le recrutement de l'Ordre ne se fît en fonction d'un critère financier. La reconnaissance généralisée par le droit, au XXe siècle, de la cession des clientèles civiles dans toutes les professions libérales a retiré à ce mode de transmission son caractère exceptionnel.

2) Les conditions légales d'accès à la fonction ont également subi peu de modifications depuis 1817. Pour être admis dans l'Ordre, il faut avoir la qualité de français, jouir de ses droits civils et civiques, avoir atteint l'âge de 25 ans sauf dispense, avoir exercé les fonctions d'avocat à la Cour d'appel depuis au moins trois ans, n'occuper aucune fonction incompatible avec le titre d'avocat et avoir fait auprès de l'Ordre un stage de 3 ans au moins, organisé par une délibération de son Conseil du 5 janvier 1973. Il convient en outre d'être reçu par le Conseil de l'Ordre des avocats aux Conseils à un examen spécial portant sur les matières dont la connaissance est indispensable à l'exercice de la fonction, de recevoir l'admittatur de la Cour de cassation, d'être présenté à l'agrément du Chef de l'Etat par l'avocat démis-

sionnaire auquel on doit succéder, d'être nommé en charge par arrêté du garde des sceaux et de prêter le serment d'avocat en audience publique devant le Conseil d'Etat et devant la Cour de Cassation.

Il convient de souligner que la Chancellerie s'est toujours abstenue d'exercer un contrôle allant au-delà de la simple vérification des conditions légales d'admission et qu'il est sans exemple qu'un candidat agréé par le Conseil de l'Ordre n'ait point été nommé ensuite par le garde des sceaux. Les avocats, ici comme à la Cour d'appel, sont donc en fait maitres de leur Tableau et leur indépendance à l'égard du gouvernement est donc totale. Le décret du 28 octobre 1850 (Duvergier p. 447) a d'ailleurs modifié l'article 8 de l'ordonnance de 1817 en supprimant l'intervention du garde des sceaux dans la désignation du président de l'Ordre, qui est désormais librement élu par ses pairs.

Notons d'autre part que, comme l'a jugé la Cour de cassation dans un arrêt du 6 juillet 1813, l'avocat aux Conseils est libre de ne soumettre aux Tribunaux les causes dont il est chargé « qu'autant qu'elles lui paraissent justes et fondées »; simple officier ministériel, il est en droit de refuser son ministère, au contraire de l'officier public qui, tel le notaire, doit accorder son concours aux intéressés, lorsqu'il en est requis. Son indépendance à l'égard des justiciables est donc toute aussi grande que son indépendance à l'égard du pouvoir politique.

Les conditions d'admission ainsi définies ne diffèrent de celles prévues par l'ordonnance de 1817 que sur trois points : l'accès à l'Ordre est ouvert à tous les français, fussent-ils de sexe féminin, depuis que la loi du 20 mars 1948 a admis les femmes à exercer les fonctions d'officier ministériel; l'obligation du cautionnement, prévue par l'art. 6 de l'ordonnance de 1817, a été supprimée par le décret-loi du 24 avril 1940; enfin le serment de l'avocat aux Conseils, autrefois reçu par le garde des sceaux (art. 15 de l'ordonnance de 1817), est désormais reçu par la Cour de cassation et par le Conseil d'Etat, depuis que ce dernier s'est vu reconnaître la justice déléguée par la loi du 24 mai 1872. Corrélativement le garde des sceaux est devenu incompétent pour statuer sur les avis pris par le Conseil de l'Ordre en matière disciplinaire, cette compétence n'appartenant plus qu'au Conseil d'Etat pour les faits relevant de l'activité de l'avocat aux Conseils en matière administrative.

Ces conditions d'admission ne sont, bien entendu, que des conditions minima : si l'avocat aux Conseils est admis à traiter dès l'âge de 25 ans, il ne traite guère en fait avant l'âge de 30 à 33 ans et rarement après l'âge de 40 ans; l'obtention par concours du titre de secrétaire de la Conférence du stage des avocats aux Conseils et une longue collaboration avec un ou plusieurs Cabinets sont en effet recommandables pour acquérir les connaissances pratiques nécessaires à l'exercice correct de la fonction; et d'autre part, celle-ci n'a jamais été une carrière de repli ou de retraite pour les avocats à la Cour d'appel ayant atteint un certain âge, les techniques d'exercice des deux fonctions étant profondément différentes.

3) Les avocats aux Conseils sont seuls habilités à représenter les plaideurs devant les sections administratives et la section du contentieux du Conseil d'Etat, sous réserve d'un certain nombre de dispenses légales notamment pour les recours pour excès de pouvoir, les recours en matière de pensions ou en matière fiscale, pour lesquelles le législateur a voulu politiquement que l'accès du prétoire fût aussi facile que possible, dût le sérieux des requêtes en souffrir quelque peu. En fait d'ailleurs, nombre de recours en ces matières sont présentées par des avocats aux Conseils, qui de toute

façon, restent seuls habilités à présenter des observations orales à l'appui de la requête.

Par ailleurs le décret du 30 octobre 1935 supprimant les référendaires au Sceau de France a décidé que les avocats au Conseil d'Etat les remplaceraient désormais pour la présentation des requêtes tendant à la reconnaissance et à la confirmation des titres de noblesse, sur lesquelles la section de l'Intérieur du Conseil d'Etat est appelée à donner un avis.

Dans l'exercice de son ministère, l'avocat aux Conseils jouit de la plus grande liberté, sauf à noter que devant le Conseil d'Etat — comme d'ailleurs devant la Cour de Cassation — la procédure est essentiellement écrite. La seule borne qui lui soit imposée est de s'abstenir dans les mémoires qu'il dépose de propos diffamatoires dépassant les limites d'une libre discussion, et de ne présenter au Conseil d'Etat des recours en révision de ses propres décisions que dans les trois cas définis par le législateur (V. actuellement art. 75 de l'ord. du 31 juillet 1945). Une disposition assez pittoresque, qui s'est perpétuée à travers les textes successifs, fait cette dernière défense à l'avocat aux Conseils « sous peine d'amende et même, en cas de récidive, sous peine de suspension et de destitution » (art. 75 précité). L'avocat aux Conseils, après avoir mis tout en œuvre pour instruire l'affaire qui lui est confiée, doit savoir s'incliner devant la décision rendue par la Haute Assemblée, fût-elle défavorable à sa thèse; il est avocat, il n'est pas juge.

c) La stabilité du personnel.

Si le statut de l'avocat aux Conseils est demeuré, à travers les époques, d'une remarquable permanence, le personnel de l'Ordre est lui-même resté très stable; et cette stabilité s'est manifestée à trois points de vue :

1) Sauf pendant une brève période au début du XIXe siècle, la durée des carrières dans l'Ordre a toujours été longue. On a déjà souligné (supra a) que les avocats aux Conseils nommés en 1817 avaient longtemps exercé leur ministère, soit comme avocat au Conseil d'Etat, soit comme avocat à la Cour de cassation, soit même comme avocat aux Conseils du Roi sous l'ancien régime. Cette tradition fut bouleversée pendant quelques années, puisqu'en treize ans, de 1817 à 1830, l'Ordre connut 72 mutations et qu'après la Révolution de 1830, l'Ordre se renouvela du quart en deux ans. L'instabilité politique, l'appel par les administrations et les juridictions à des hommes ayant une expérience du droit public, l'existence à l'époque de nombreux titres nus, exclusifs de l'attachement à une clientèle, expliquent ces mutations fréquentes et cette évolution qui fit, pendant quelque temps, des charges d'avocat aux Conseils des titres négociables à court terme. La disparition de ces titres nus par le développement du contentieux administratif et judiciaire, l'amoindrissement des fortunes privées fondées sur la rente et l'instabilité monétaire ne pouvaient que faciliter le retour à une conception faisant de la charge confiée à l'avocat aux Conseils une profession remplissant toute une vie d'homme. Telle est bien la situation au XXe isècle, où les carrières de trente à quarante années ne sont pas rares et sont le gage d'une expérience sérieuse de la fonction.

2) Cette stabilité du personnel a trouvé, de tout temps, un prolongement dans la vocation familiale de certaines charges. Il est assez remarquable en effet que, bien que le statut moderne des charges et offices en ait aboli l'hérédité et que les cessions extra-familiales soient économiquement plus tentantes, l'attachement à la fonction et au milieu ait déterminé la cession au sein d'une même famille d'un quart environ des charges, les cessions à des tiers infusant au contraire à l'Ordre un sang nouveau et permettant de

répondre à des vocations venues de l'extérieur. Cet amalgame a permis tout à la fois la conservation de certaines traditions judiciaires et un nécessaire rajeunissement au gré des évolutions sociales et des époques.

3) Enfin, alors même que l'Ordre a connu certaines mutations de son personnel, ce fut souvent dans la fidélité à une stabilité plus subtile, par des échanges de personnels entre l'Ordre et les juridictions auprès desquelles il est accrédité.

Sans qu'il soit utile de citer ici les nombreux membres de l'Ordre qui appartinrent à la Cour de cassation, et la tradition à peu près ininterrompue qui fit siéger l'un de ses anciens membres à la Chambre civile, on rappellera qu'au siècle dernier un certain nombre d'avocats aux Conseils devinrent membres du Conseil d'Etat : Legraverend (admis dans l'Ordre en 1817, au Conseil d'Etat en 1819), Rives (admis dans l'Ordre en 1820, au Conseil d'Etat en 1829), Mongalvy (admis dans l'Ordre en 1824, au Conseil d'Etat en 1830), Quenault (admis dans l'Ordre en 1829, au Conseil d'Etat en 1833), Edmond Blanc (admis dans l'Ordre en 1825, au Conseil d'Etat en 1832), Macarel (reçu dans l'Ordre en 1822, au Conseil d'Etat en 1830), Bonjean (reçu dans l'Ordre en 1838, au Conseil d'Etat en 1852), Tournouer (reçu dans l'Ordre en 1819, au Conseil d'Etat en 1830), Tambour (reçu dans l'Ordre en 1864, au Conseil d'Etat en 1872), Groualle (reçu dans l'Ordre en 1849, au Conseil d'Etat en 1872), Herold (reçu dans l'Ordre en 1854, au Conseil d'Etat en 1871), Fournier (reçu dans l'Ordre en 1858, au Conseil d'Etat en 1872), Odilon Barrot (reçu dans l'Ordre en 1814, au Conseil d'Etat en 1830), Lenoël (reçu dans l'Ordre en 1852, au Conseil d'Etat en 1876), Collet (reçu dans l'Ordre en 1861, au Conseil d'Etat en 1879), Monod (reçu dans l'Ordre en 1863, au Conseil d'Etat en 1879), Duboy (reçu dans l'Ordre en 1848, au Conseil d'Etat en 1879), Valabrègue (reçu dans l'Ordre en 1873, au Conseil d'Etat en 1880), Gonze (reçu dans l'Ordre en 1866, au Conseil d'Etat en 1887). Macarel, Tournouer, Bonjean, Groualle et Collet occupèrent les fonctions de président de section, Odilon Barrot fut vice-président du Conseil d'Etat. Locré, avocat aux Conseils sous l'ancien régime, devint sous l'Empire secrétaire général du Conseil d'Etat et a publié les travaux préparatoires des codes napoléoniens.

A l'inverse, l'Ordre des avocats aux Conseils a accueilli dans ses rangs des membres du Conseil d'Etat : Quenault (entré au Conseil en 1833, reçu dans l'Ordre en 1848), Reverchon, entré dans l'Ordre en 1852 après avoir été révoqué pour avoir, comme commissaire du Gouvernement, refusé avec courage de prendre dans l'affaire de la confiscation des biens de la famille d'Orléans une position conforme aux vues du gouvernement, Chauffard (entré au Conseil en 1873, reçu dans l'Ordre en 1885), Chaudé (admis au Conseil en 1878, reçu dans l'ordre en 1892), Hannotin (admis au Conseil en 1897, dans l'Ordre en 1906), Léon Labbé (entré au Conseil en 1928, dans l'Ordre en 1938).

Des liens plus subtils se sont d'ailleurs tissés entre les deux corps, des avocats aux Conseils ayant donné l'un de leurs fils au Conseil d'Etat (tels Sauvel, de Segogne, Tetreau, Labbé, Gaudet, Nicolay), tandis qu'à l'inverse des membres du Conseil d'Etat donnaient leurs fils à l'Ordre (tels Chareyre ou Gilbert). La même osmose s'est d'ailleurs manifestée à la Cour de cassation : le Président Celice, MM. Peignot, Boulloche, Lyon-Caen, Brouchot, Calon, pour ne citer qu'eux, sont fils ou petits-fils de conseillers à la Cour de cassation. Ces liens sont caractéristiques de l'attachement à une œuvre commune et du souci de transmettre certaines traditions de pensée. Ces échanges humains, au cours d'une vie où à travers les générations, sont aussi l'éloge le plus discret mais le plus sûr que le Conseil d'Etat pouvait adresser à son Barreau et que l'Ordre des avocats aux Conseils pouvait témoigner à la Haute Assemblée.

Jacques Boré
Avocat aux Conseils

ANNEXE VII

LES POLYTECHNICIENS AU CONSEIL D'ÉTAT

La contribution des anciens élèves de l'Ecole Polytechnique au Conseil d'Etat est une des plus importantes et cela dès les origines, à peu près contemporaines, de ces deux institutions si fortement marquées, l'une et l'autre, du sceau napoléonien.

Non seulement la liste des polytechniciens qui ont été membres du Conseil d'Etat est assez longue, mais nombre d'entre eux s'y sont illustrés, soit en y occupant les plus hautes fonctions, soit par leurs travaux personnels.

Pour les polytechniciens, l'entrée au Conseil d'Etat se fait, en principe, par les voies normales, c'est-à-dire — sans parler des conseillers en service extraordinaire — d'une part par le concours (ancien concours de l'auditorat permettant l'accès direct jusqu'à la création en 1945 de l'Ecole nationale d'administration, puis concours de sortie de cette école), d'autre part, au niveau des maîtres des requêtes et des conseillers, par le « tour extérieur » ouvert aux hauts fonctionnaires de toutes origines et toutes compétences.

Toutefois, il faut signaler que leur est actuellement offerte une nouvelle voie d'accès, spéciale mais indirecte, dans la mesure où, à la sortie de l'X (1), ils peuvent, dans certaines conditions, entrer directement à l'ENA (2) et où ils réussissent ensuite à se classer en rang utile au concours de sortie de cette dernière école. Ce privilège s'explique sans doute par le prestige particulier que l'Ecole Polytechnique s'est acquis dans l'administration française. Ayant longtemps été la seule école de recrutement et de formation des hauts fonctionnaires pour l'ensemble des services techniques de l'Etat : Ponts et Chaussées, Mines, Génie Maritime, etc., elle a largement servi de modèle aux fondateurs de l'actuelle Ecole nationale d'administration, comme il en avait déjà été de l'éphémère Ecole d'administration de 1848, dont le créateur et premier directeur, Henri de Sénarmont, était d'ailleurs un polytechnicien.

Cette vocation des polytechniciens à siéger au Conseil d'Etat a été confirmée, avec force, lors des débats parlementaires de 1845 sur la réforme du Conseil. Le rapporteur Vivien, lui-même membre du Conseil, s'exprimait ainsi à l'occasion d'un amendement de Berryer proposant d'ouvrir le Conseil aux scientifiques :

« Le Conseil d'Etat possède en ce moment, dans les rangs des auditeurs, des jeunes gens qui ont passé les examens de l'Ecole Polytechnique, qui rendent les plus grands services et qui sont chargés de certains rapports qui ne pouraient être donnés à d'autres » (3).

---

(1) X : cette capitale est couramment utilisée pour désigner l'Ecole Polytechnique.
(2) E.N.A. : sigle désignant l'Ecole nationale d'administration créée en 1945.
(3) Chambre des députés, 26 février 1845 - *Le Moniteur,* p. 443.

Au surplus, il y a toujours eu traditionnellement, de jeunes polytechniciens pour se présenter avec succès aux « grands concours » du Conseil d'Etat, de la Cour des Comptes et de l'Inspection des finances. Ces grands corps eux-mêmes, soucieux de s'enrichir en éléments de formation scientifique, étaient les premiers à s'en féliciter. Aussi a-t-il paru nécessaire d'éviter que la création de l'ENA ne tarisse cette source de recrutement. D'où l'ouverture de cette voie qui leur est propre.

En fait, malgré cette disposition exceptionnelle en leur faveur, le nombre des polytechniciens entrés au Conseil d'Etat, au niveau de l'auditorat, depuis la création de l'Ecole nationale d'administration, n'est encore que de 3 contre 11 à l'Inspection des finances et 4 à la Cour des Comptes. Sur ces trois auditeurs et maîtres des requêtes, deux sont issus du concours d'entrée normal à l'ENA, et le troisième de cette « botte » X-ENA. Toutefois, avec les deux derniers, le rythme semble s'être accéléré — 2 en deux ans, mais 0 l'année suivante — et l'on y compte un major de l'X !

En ce qui concerne les affinités électives entre l'Ecole Polytechnique et le Conseil d'Etat, on peut indiquer que les polytechniciens sont, plus souvent qu'on ne le croit, férus de droit. C'est que, malgré des divergences apparentes, le raisonnement scientifique et le raisonnement juridique — tel du moins qu'on le conçoit au Conseil d'Etat, c'est-à-dire non pas en « l'air », mais sur des « cas concrets » — ne sont pas sans présenter de profondes analogies. A certains égards, un problème contentieux s'apparente à un problème mathématique : même rigueur logique, même plaisir esthétique, même « air des cimes »... D'abord, il faut poser le problème — un problème bien posé n'est-il pas presque résolu ? —, en rassemblant et ordonnant toutes les données, en les rapprochant de tout ce que l'on sait déjà de plus ou moins analogue; il faut ensuite réduire au minimum les questions douteuses; il faut enfin, pour trancher celles-ci, faire appel aux principes fondamentaux qui sont autant d'axiomes et aux grandes règles qui sont autant de théorèmes.

Mettant ainsi en œuvre les préceptes mêmes du « Discours de la Méthode », le raisonnement juridique, tout comme le raisonnement mathématique, est un raisonnement déductif qui exclut tout effet de manchette. Procédant par degrés, du général au particulier, il finit par déboucher sur la solution, qui, en l'affaire, va s'imposer à tous, sans hésitation.

Si, parfois, il reste une alternative entre deux solutions également envisageables, que seule la « sagesse » de la majorité des voix pourra alors départager, il ne faut pas oublier qu'en mathématiques aussi un problème peut avoir plus d'une solution finale, selon la valeur des paramètres : parabole ou hyperbole, voire ellipse...

Enfin, comment ne pas signaler l'identité de satisfaction quand il est possible de conclure : « Nous voici ramenés au problème précédent » !

Ceci dit, il faut cependant ajouter que les problèmes juridiques, de législation ou de contentieux, ont un poids humain et social que n'ont évidemment pas les problèmes mathématiques.

Le Conseil d'Etat en tient le plus grand compte, tout son art consistant à savoir concilier les intérêts privés avec ceux de la collectivité publique, sous l'empire de la règle de droit.

Art subtil en vérité, mais passionnant; celui-là même de la Justice et de la Bonne Administration; art qui ne manque pas de séduire, précisément, les polytechniciens rigoureux et sensibles.

Quant à la rédaction des arrêts, c'est un peu l'art du sonnet mallarméen avec quelque chose de Proust... Mais ceci est une autre histoire qui intéresserait plutôt les poètes...

Pour illustrer ces propos, il n'est que d'évoquer quelques grandes figures, depuis Chabrol de Volvic, major de la première promotion de l'Ecole Polytechnique (1794) (1).

Malgré l'insuffisance des archives et l'incertitude concernant les conseillers en service extraordinaire (2), on peut estimer que l'Ecole Polytechnique a fourni au Conseil d'Etat, depuis sa création, au moins une soixantaine de ses membres du service ordinaire.

Sur ce nombre, quatre accédèrent à la responsabilité suprême de vice-président du Conseil d'Etat : Adolphe Vuitry (1832), fils d'un ancien polytechnicien et qui, après s'être illustré comme commissaire du gouvernement près la section du contentieux, présida le Conseil avec le titre de ministre, de 1864 à 1869; Ferdinand de Jouvencel (1822), qui présida la Commission provisoire remplaçant le Conseil d'Etat de 1870 à 1872, et dont le fils fut également à la fois polytechnicien et membre du Conseil d'Etat; Alfred Picard (1862), ingénieur des Ponts et Chaussées qui fut vice-président en 1912 et 1913, après avoir été le commissaire de la grande exposition universelle de 1900, et qui reçut des funérailles nationales; enfin Clément Colson (1873), également ingénieur des Ponts et Chaussées, qu'un désaccord public sur la politique monétaire opposa au Gouvernement en 1924.

Neuf d'entre eux accédèrent aux fonctions de président de section, généralement de la section des Travaux Publics, comme Alfred Picard, ou de la section des finances, comme Vuitry ou Colson, voire de la section de l'Intérieur, comme Maillard, et même de la section du contentieux comme Maillard et Romieu.

Dressons-en la liste complète, ce sont :

Maillard (1794) (3)
Legrand (1809)
Général Allard (1815)
Gendarme de Bevotte (1829)
Blondeau (1844)
Général Mojon (1847)
Alfred Picard (1862)
Colson (1873)
Romieu (1877)

Quant aux personnalités les plus marquantes en raison de leur action ou de leurs travaux personnels, on peut citer notamment :

le philosophe, saint-simonien d'origine, Jean Raynaud (1825), ingénieur des mines, qui joua un rôle important dans la création de la première école nationale d'administration;

l'historien des ducs de Bourgogne, Guillaume de Barante (1798);

et surtout une pléiade d'économistes :

Michel Chevalier (1823), également saint-simonien et ingénieur des mines, grand connaisseur des Etats-Unis (« Lettres sur l'Amérique du Nord » 1836), principal instigateur, avec Cobden, du traité de commerce libre échangiste de 1860 avec l'Angleterre, premier partisan de la création du tunnel

---

(1) Les millésimes indiqués entre parenthèses dans la présente annexe sont ceux des promotions de l'Ecole Polytechnique auxquelles ont appartenu les personnes citées.

(2) Lesquels, en effet, ne sont pas toujours distingués des conseillers en service ordinaire dans les listes de personnel dont on dispose.

(3) Il démissionna en 1852, pour protester contre l'attitude du gouvernement qui avait voulu forcer le jugement du Conseil d'Etat dans l'affaire des biens de la famille d'Orléans.

sous la Manche et du percement de l'isthme de Panama;

Frédéric le Play (1825), ingénieur des mines, organisateur des expositions universelles de 1855 et de 1867, père du patronat social (« La réforme sociale » 1864), et premier auteur de monographies sur les budgets familiaux (« L'ouvrier européen » 1855);

Lamé-Fleury (1843);

Clément Colson (1873), célèbre par ses enseignements et par son « Traité d'Economie Politique » (1912-1933).

Mais le plus éminent de tous, aux dires de ses pairs du Conseil qui le considèrent même volontiers comme le premier d'entre eux, fut essentiellement un juriste, Jean Romieu, en qui l'on s'accorde à voir l'un des plus grands commissaires du gouvernement que le Conseil d'Etat ait jamais connus et l'un des maîtres du contentieux administratif français. Encore de nos jours, c'est avec infiniment d'admiration et de respect qu'on cite son nom au Conseil où sa mémoire reste des plus vivantes. Comme le disait le garde des sceaux lors des cérémonies du cent cinquantenaire du Conseil d'Etat, « il a incarné l'institution et il l'a élevée ». Et le président Cahen-Salvador de résumer son action en ces mots :

« Ouvrir le prétoire aux organisations collectives; en faciliter l'accès aux requérants; multiplier les moyens que peuvent invoquer les citoyens pour obtenir le respect de leurs droits; développer le contrôle sur les actes des administrations; mettre en jeu les responsabilités des services publics; étendre le domaine du contentieux administratif; c'est en bref, protéger les libertés publiques. En revanche assurer le fonctionnement régulier des services publics, soustraire à l'application du droit privé la gestion des intérêts et la satisfaction des besoins de la Cité; reconnaître et sanctionner le droit pour les collectivités administratives de pourvoir aux nécessités urgentes; justifier les mesures d'exécution administratives indispensables à l'exacte application des décisions législatives ou réglementaires, c'est garantir le respect de l'autorité.

Telles sont les orientations nouvelles que Jean Romieu a su au cours de son commissariat faire accepter par la Haute Assemblée, dans l'intérêt supérieur de la société... Effort de pensée hardie, de synthèse et de dialectique généreuse autant que prudente, poursuivie avec persévérence et courage ».

Cette allusion au courage nous incite, pour finir, à indiquer que les camarades et collègues de Romieu, généralement doués comme lui de l'indépendance d'esprit et de la force de caractère qui sont de tradition à Polytechnique et de règle au Conseil d'Etat, eurent parfois, à l'occasion de désaccords avec le pouvoir, à le manifester clairement, même à leurs dépens, qu'il s'agisse de Maillard et Jouvencel au lendemain du coup d'Etat du 2 décembre, ou de Colson, avons-nous vu, en 1924. Ce n'étaient pas les moindres.

Michel Pomey
Maître des requêtes au Conseil d'Etat
Ancien élève de l'Ecole Polytechnique
(1948)

ANNEXE VIII

LES RÉSIDENCES SUCCESSIVES DU CONSEIL D'ÉTAT

Formé le 4 nivôse an VIII (25 décembre 1800) au Palais du Luxembourg où il demeura quelques semaines, le Conseil d'Etat s'installa le 30 pluviôse an VIII (19 février 1800) au Palais des Tuileries. Il y siégea jusqu'à la fin de l'Empire. L'assemblée générale se réunissait au château de Saint-Cloud, lorsque l'Empereur s'y trouvait.

En 1814 le Conseil d'Etat s'installa à la Chancellerie, place Vendôme et y demeura jusqu'au 28 octobre 1824. A cette date il s'installa au Palais du Louvre, dans des locaux situés entre la Cour carrée et la place du vieux Louvre. Il y demeura jusqu'en avril 1832. Pendant cette période (1814-1832) les comités administratifs du Conseil siégeront dans divers hôtels du centre de Paris appartenant aux ministères auxquels ces comités étaient rattachés (1)

En avril 1832, le Conseil s'installa à l'hôtel Molé, 58, rue Saint-Dominique (aujourd'hui, 246, boulevard Saint-Germain). Les comités administratifs continuent de siéger dans des hôtels dépendant des ministères. Le 14 mai 1840, le Conseil s'installa au Palais d'Orsay sur le quai d'Orsay où toutes ses formations se trouvent peu après regroupées. Il y demeura jusqu'à sa suspensoin le 15 septembre 1870.

La Commission provisoire, qui remplace le Conseil de 1870 à 1872, siége d'abord au Palais d'Orsay, puis, pendant la Commune, dans l'aile du midi du Palais de Versailles. De retour à Paris après la Commune, elle occupe l'hôtel de Rothelin (101, rue de Grenelle Saint-Germain). Le Conseil d'Etat, réorganisé par la loi du 24 mai 1872, lui succéda dans cet hôtel où il reste jusqu'au 21 novembre 1875, date de son installation au Palais-Royal, qui est depuis lors son siège.

Depuis 1875, le Conseil d'Etat a quitté temporairement à plusieurs reprises le Palais-Royal en raison des circonstances de guerre (2). Il siègea pendant quelques mois à Bordeaux en 1914, à Angers en 1939. En juin 1940, il fut replié d'abord sur Angers, puis sur Monségur (Gironde) où il séjourna du 16 juin au 7 août. D'août 1940 à juin 1942, le Conseil a siégé à Royat (Puy-de-Dôme).

---

(1) Cf. p. 259 et p. 364.

(2) Ses bureaux ou une partie de ceux-ci sont cependant toujours restés au Palais-Royal.

GUIDE BIBLIOGRAPHIQUE

Les dimensions de cet ouvrage ne permettent pas d'y insérer une bibliographie exhaustive. On se borne à offrir au lecteur un guide qui lui indiquera les bibliographies existantes, les sources essentielles, les ouvrages et articles principaux classés par périodes et par sujets.

I

BIBLIOGRAPHIES

AUCOC (Léon). — Le Conseil d'Etat avant et depuis 1789, Paris, Impr. Nat. 1876. In-8°. IV-435 p.

Dans sa deuxième partie cet ouvrage contient un tableau chronologique des lois et règlements sur le Conseil d'Etat avant 1789 et de 1789 à 1876, une liste de documents sur les travaux du Conseil d'Etat depuis l'an VIII et une notice bibliographique sur les ouvrages imprimés et manuscrits concernant le Conseil d'Etat composés avant 1789 et de 1789 à 1876.

BOURDON (Jean). — La législation du Consulat et de l'Empire. *T.I.* : La réforme judiciaire de l'an VIII. Rodez, Carrere, 1942.

Ce tome contient une importante bibliographie s'étendant sur une assez longue période.

Dans une première partie consacrée à la préparation des lois, règlements, arrêtés consulaires, décrets impériaux et sénatus-consultes de 1800 à 1814, une place importante est réservée au rôle du Conseil d'Etat et à ses travaux (sections et assemblée générale) ainsi qu'à un certain nombre de mémoires de membres du Conseil (p. 545).

Il y est fait mention également d'exposés des motifs des projets de lois et de discours faits par des conseillers d'Etat et publiés au Moniteur ou aux Archives parlementaires.

Dans les autres parties consacrées aux Archives du Ministère de la Justice, aux Archives Nationales ou à d'autres fonds d'Archives, des indications sont données sur des documents provenant de la Secrétairerie d'Etat dont certains ont trait au Conseil d'Etat.

Enfin un bref répertoire des bibliographies juridiques termine ce chapitre.

DURAND (Charles). — Etudes sur le Conseil d'Etat Napoléonien. Paris, P.U.F., 1949. In-8°.

Au début de l'ouvrage, en une vingtaine de pages, sont signalées les sources historiques essentielles relatives à la période du Consulat et du Premier Empire :

1) Pièces d'archives (cartons, liasses et registres);

2) Publications concernant des actes, documents et discours officiels;

3) Mémoires, souvenirs et correspondances de contemporains;

4) Ouvrages divers sur le Conseil d'Etat en général et sur le Conseil d'Etat consulaire et impérial, ouvrages de droit et ouvrages historiques intéressant partiellement le Conseil d'Etat napoléonien.

JULIEN (Pierre). — Bibliographie des études relatives à l'histoire du Conseil d'Etat depuis l'an VIII jusqu'à 1947. Paris, 1947. In-4°, 48 p. multigraphiées.

SAUVEL (Tony), JULIEN (Pierre). — Bibliographie des travaux relatifs à l'histoire du Conseil d'Etat, publiés depuis 1876 jusqu'en 1948 :

in : Conseil d'Etat : Etudes et Documents n° 2, 1948, pp. 129-139. Premier supplément : Etudes et Documents n° 6, 1952, pp. 180-187 (Travaux antérieurs à 1948). Deuxième supplément : Etudes et Documents, N° 9, 1955, pp. 161-171 (De 1950 à 1955). Troisième supplément : Etudes et Documents, n° 13, 1959, pp. 213-220 (De 1955 à 1959).

SAUVEL (Tony), JULIEN (Pierre), RABANT (A.M.). — Bibliographie des études relatives à l'histoire du Conseil d'Etat depuis l'an VIII. (Refonte multigraphiée des bibliographies précédentes mises à jour au 30 mars 1971, complétées par un additif de M. Charles DURAND).

On pourra consulter utilement à la rubrique Conseil d'Etat le Catalogue général de la Librairie Française par Lorenz (1840-1875) et la Bibliographie générale des Sciences juridiques, politiques, économiques et sociales de 1800 à 1926 de A. GRANDIN dont le tome III est constitué par une table alphabétique des matières; 19 suppléments jusqu'à l'année 1950 possèdent chacun une table.

CATALOGUES DES BIBLIOTHEQUES.

Les catalogues de plusieurs bibliothèques comportent une rubrique Conseil d'Etat, notamment à :

La Bibliothèque nationale.

1) Un catalogue sur fiches reliées s'étendant sur 3 périodes : 1882-1894, 1894-1925, 1925-1935.

2) Un catalogue sur fiches en tiroir pour la période 1936-1959.

3) Un catalogue sur fiches en tiroir depuis 1960.

4) Un catalogue systématique sur fiches de l'histoire de France.

La Bibliothèque de l'Assemblée nationale.

La Bibliothèque du Sénat

La Bibliothèque administrative de la Préfecture de Paris.

II

SOURCES ESSENTIELLES

A) LES ARCHIVES DU CONSEIL D'ETAT.

Le fait essentiel est que les archives du Conseil d'Etat, ainsi que sa bibliothèque, ont été entièrement détruites dans l'incendie du Palais d'Orsay en mai 1871.

Ont été détruits notamment tous les registres de délibérations du corps antérieurs à cette date et toutes les correspondances et documents divers concernant l'organisation et le fonctionnement du Conseil d'Etat.

Les archives actuelles ne comprennent donc d'une façon continue que des documents postérieurs à 1871.

Après la disparition de la bibliothèque et des archives, il a fallu reconstituer pour le service du Conseil les instruments de travail qui lui étaient nécessaires; le Président Léon Aucoc s'y est employé autant qu'il lui était possible. Par ailleurs, grâce à des générosités nombreuses de sociétés savantes, de membres du Conseil d'Etat, ont été permis achats ou récupérations de documents anciens.

Aussi peut-on trouver dans les archives actuelles des documents antérieurs à l'incendie de 1871.

Période antérieure à 1871.

a) Quelques dossiers isolés d'affaires administratives des années 1830-1871.

b) Les comptes généraux des travaux du Conseil d'Etat et de ses comités pour les années 1830 à 1844 et 1852 à 1865 (1).

c) Des procès-verbaux de séances du contentieux de 1869 à 1871.

d) Les procès-verbaux des travaux de la commission chargée par ordonnance royale du 20 août 1830 de préparer un projet de loi de réforme de l'organisation et des attributions du Conseil d'Etat (Un projet de loi en 245 articles fut rédigé sur la compétence et la juridiction en matière de contentieux administratif et sur les fonctions et l'organisation du Conseil d'Etat).

e) Une collection « d'imprimés » du Conseil (il s'agit des exemplaires imprimés pour distribution en séance des projets de lois, de décrets, d'ordonnances, soumis au Conseil d'Etat depuis l'An VIII), formée par M. de Gerando.

Des séries plus complètes de ces collections d'imprimés se trouvent à la Bibliothèque de l'Assemblée Nationale, aux Archives Nationales et au British Museum.

---

(1) La publication des comptes généraux existe pour les années 1872-1877 et 1883-1887.

Pour la période de 1815 à 1848, une autre collection de documents imprimés provenant des papiers de M. Vivien.

Pour la période 1849-1852, deux collections d'imprimés : celle formée par M. Vivien, et celle donnée par M. Boulatignier, qui s'étend jusqu'à 1870.

f) Un certain nombre d'autographes et pièces d'archives réunis par Aucoc et augmentés depuis par quelques dons et achats.

C'est donc, en dehors du Conseil d'Etat que l'on trouve des documents afférents à la période 1799-1871, essentiellement :

— aux Archives Nationales, où les documents sont répertoriés principalement sous les cotes :

- AF IV, AF V, F, Flb, AB XIX, BB, C 1032, 1037, 1041, 1045.
- CC 11 à 22. Procès-verbaux du Sénat.
- AD XVIII 13. Procès-verbaux des Assemblées (1).

— accessoirement dans d'autres dépôts (Bibliothèque Nationale, Bibliothèque Thiers, Bibliothèque de l'Institut, Archives des Ministères : Affaires Etrangères, Marine, Guerre, Justice, Intérieur, Archives Daru, Archives Cambacérès (un don récent d'une partie de ces archives a été fait aux Archives Nationales), Archives de la Légion d'Honneur).

D'autres découvertes peuvent être faites dans les Archives d'autres corps, en dehors des collections d'imprimés précédemment cités. Ainsi dans l'ouvrage de MICHEL (Henry) : La loi Falloux, 4 janvier 1849 - 15 mars 1850, Paris, Hachette 1906 (1905), p. 297-298, est-il fait mention du procès-verbal manuscrit, retrouvé aux Archives de l'Assemblée Nationale, des séances consacrées par le Conseil d'Etat au projet de loi sur l'enseignement secondaire.

Période postérieure à 1871 (2) :

a) Les travaux de la Commission provisoire de 1870-1872 :
  1. Procès-verbaux des séances.
  2. Débats des séances.

b) Travaux d'assemblée générale de 1872 à nos jours :
  1. Procès-verbaux d'assemblée générale de 1872 à 1954 en volumes reliés et de 1954 à nos jours en dossiers non reliés.
  2. Débats des séances d'assemblée générale :
     - de 1872 à 1908 en volumes reliés;
     - de 1872 à 1904 sous dossiers non cartonnés (1 fascicule par affaire, numérotation annuelle);
     - de 1885 à 1920 en fascicules cartonnés (1 fascicule par affaire, numérotation annuelle);
     - de 1921 à 1939 sous dossiers non cartonnés (numérotation annuelle);
     - de 1945 à nos jours sous dossiers non cartonnés (numérotation annuelle);

     (De 1939 à 1945, faute, semble-t-il, de moyens matériels, les débats n'ont pas été enregistrés).

---

(1) Mr Tony Sauvel prépare actuellement un travail sur « Les Archives du Conseil d'Etat Napoléonien » visant à déterminer le degré d'intérêt des différentes cotes des Archives Nationales.

(2) L'article 3 du décret du 21 juillet 1936 rendant obligatoire le versement des Archives administratives aux Archives nationales laisse le Conseil d'Etat libre de ses versements.

c) Les dossiers des affaires administratives depuis 1872 jusqu'à nos jours (n° 1 du 9 octobre 1872 jusqu'à la série des 300 000...).

d) Les archives du Contentieux dans lesquelles on peut distinguer :

1. Les procès-verbaux des séances depuis 1871, comportant les décisions intégrales;
2. Les minutes des décisions depuis 1871;
3. Les dossiers des affaires jugées depuis 1954 (les dossiers antérieurs couvrant la période 1870-1954 sont dans les dépôts des Archives Nationales).
   Ces dossiers sont numérotés par séries ininterrompues de 1 à 100 000, depuis le 1er août 1806. La première série se termine en 1900, le dernier numéro enregistré de la 4e série en cours actuellement est le n° 93 549 (17 décembre 1973).

e) Les travaux du Comité juridique d'Alger : 26 août 1943 - 1er août 1945 :

1. Les dossiers des affaires (numérotés de 2 à 1 468).
2. Les avis du Comité juridique (n° 1 à 550).

f) Les travaux de la Commission permanente :

1. Les procès-verbaux en volumes reliés à partir du 6 août 1945.
2. Les dossiers des affaires numérotés de 1 (2 août 1945) à 2 943 (6 décembre 1973).

Depuis le 22 février 1947 existe une double numérotation, correspondant à un double enregistrement (celui de la Commission permanente et celui du Secrétariat général). Ainsi le n° 569 porte également le n° 240 427, et le n° 2 943, le n° 312 039.

g) Les archives du Secrétariat général contenant :

- des documents concernant l'auditorat;
- une collection de textes concernant le Conseil d'Etat (ses membres et son personnel de 1871 à 1940);
- la correspondance avec les ministres.

h) Les archives du Service de la Comptabilité.

i) Les archives de l'Association des membres et anciens membres du Conseil d'Etat.

B) ACTES - DOCUMENTS PUBLICS.

a) Pour les textes (lois, décrets, arrêtés, avis, etc.), on aura recours aux recueils classiques : Moniteur, Bulletin des Lois, Journal Officiel, Duvergier, Bulletin législatif Dalloz.

Le ministère de la justice a constitué un fichier signalant tous les textes relatifs au Conseil d'Etat (1 exemplaire aux Archives du ministère de la justice, 1 exemplaire à la bibliothèque du Conseil d'Etat).

b) Pour les décisions du Conseil d'Etat statuant au contentieux on se réfèrera aux principales revues juridiques qui réservent une place aux matières administratives et au contentieux :

- Recueil général des arrêts du Conseil d'Etat communément désigné sous le nom de Recueil Lebon.
- Recueil Sirey (sans oublier pour les années 1818 à 1825 : 5 volumes consacrés uniquement à la jurisprudence du Conseil d'Etat).

- Recueil Dalloz.
- Gazette des tribunaux.
- Actualité juridique - Droit Administratif (depuis 1944).

c) Les débats parlementaires se trouvent dans :
- Le Moniteur.
- Les Archives parlementaires : 1828 - 1833 - 1834 - 1835 - 1836 - 1837 - 1840 - 1843 - 1845 - 1848 (débats de la Constitution, débats sur la loi organique 1849).
- Les Procès-verbaux des Assemblées (Tribunat, Corps législatif).
- Débats de la Chambre des députés.
- Débats du Sénat.

d) Les discours « d'apparat ».
- Discours prononcés en Assemblée générale par les gardes des sceaux et les vice-présidents du Conseil d'Etat (en fascicules imprimés par l'Imprimerie Nationale).
- Allocutions prononcées à l'occasion d'obsèques ou autres événements.

C) MEMOIRES ET CORRESPONDANCES.

Parmi les nombreuses correspondances et mémoires publiés par des membres du Conseil d'Etat ou par des personnalités ayant pris part à la vie publique de la France, on relèvera :

CAMBACERES : Lettres inédites à Napoléon, 1802-1814, 2 tomes. Présentation et notes par J. Tulard, Paris, Klincksieck, 1973.

Mémoires de BARANTE, BARTHELEMY (H.), BERLIER, BROGLIE, DUMAS (M.), MIOT, MOLE, PASQUIER, PELAT, REAL, ROEDERER, THIBAUDEAU (tous ces mémoires sont signalés dans : Tulard (Jean) : Bibliographie critique des mémoires sur le Consulat et l'Empire. Cf. au chapitre des bibliographies).

SPIRE (André). — Mémoires à bâtons rompus. Paris, Colin, 1962.

D) LES SOURCES BIOGRAPHIQUES.

Quelques fichiers spécialisés sont à signaler :

— Fichier biographique de la Sorbonne.

— Fichier biographique de la Bibliothèque administrative de la Préfecture de Paris.

— Catalogue de biographie française à la Bibliothèque nationale.

— Fichier des membres du Conseil d'Etat de 1800 à 1944 à la bibliothèque du Conseil d'Etat (ce fichier, quoiqu'important, ne semble pas parfaitement complet. Il ne donne que des indications de carrière et mentionne toutefois la date, le lieu de naissance, parfois seulement la date de décès).

— Archives de la Seine et Archives départementales.

— Tableau des membres du Conseil d'Etat depuis le 19 septembre 1870 jusqu'au 10 septembre 1940, comprenant les noms de 503 membres du Conseil d'Etat, à l'exclusion de tous les conseillers d'Etat en service extraordinaire (registre manuscrit à la bibliothèque du Conseil d'Etat).

Recueils biographiques.

Recueils où peuvent se trouver des renseignements sur les membres du Conseil d'Etat :

— Almanach royal, impérial ou national (selon les époques).

— Annuaire du Conseil d'Etat, imprimé depuis 1873 sans discontinuité à l'Imprimerie Nationale (excepté les années 1944 et 1945. Un fascicule de 37 pages a été multigraphié en août 1944 ainsi qu'un additif en janvier 1945 contenant seulement la composition des différentes formations et sections du Conseil d'Etat).

Son contenu s'est quelque peu modifié au cours des années. Plus succinct à l'origine, il présente la liste des membres du Conseil d'Etat par ordre de rang au tableau (conseillers, maîtres des requêtes, et auditeurs), la liste des membres honoraires, ainsi que la composition des sections. Viennent ensuite l'administration et les bureaux du Conseil d'Etat et le tableau des avocats au Conseil d'Etat et à la Cour de cassation.

Plus complet aujourd'hui, il contient la liste des morts pour la France des deux guerres et, outre la liste par ordre de rang au tableau, une liste alphabétique complète, la composition des commissions rattachées et la nomenclature des membres du Conseil en délégation.

Antérieurement à l'année 1873 d'autres annuaires ont paru sous une forme assez différente. Ils offraient, outre les listes des membres du Conseil, celle des députés, des Pairs de France, des membres des Maisons royales, des Préfets et quelques textes de lois ou décrets concernant de près ou de loin le Conseil d'Etat (annuaires de 1842 et de 1848) :

— BOREL D'HAUTERIVE (André, François Joseph). — Les Grands corps politiques de l'Etat. — Paris, Dentu, 1853. 2e édit.

— Dictionnaire de biographie française par BARROUX, PREVOST et ROMAN d'AMAT. — Paris, Letouzey et Ané, in-8°, 1932 (s'arrête malheureusement pour l'instant à la lettre F, mais continue à paraître régulièrement).

— Dictionnaire des parlementaires français contenant des notices biographiques sur les ministres, députés et sénateurs français de 1889 à 1940.

— Citons pour mémoire les biographies classiques telles que : la biographie universelle de Michaud, la nouvelle biographie générale de Firmin-Didot et le Dictionnaire universel des contemporains de Vapereau.

Pour la période contemporaine on peut noter :

— Who's who in France. Dictionnaire biographique paraissant tous les 2 ans depuis 1953. Paris, Laffont, in-4°.

— Encyclopédie périodique économique, politique et administrative. Série Conseil d'Etat. Paris, Société Générale de Presse (publication à feuillets mobiles pour mise à jour existant depuis 1957. Les anciens feuillets conservés sont une bonne source d'information).

III

OUVRAGES ET ARTICLES

A) OUVRAGES GENERAUX.

a) Livres imprimés.

AUCOC (Léon). — Le Conseil d'Etat avant et depuis 1789. Ses transformations, ses travaux et son personnel. Etude historique et bibliographique. Paris, Impr. Nat., 1876. In-8°. IV-435 p.

Le CONSEIL D'ETAT. — LIVRE JUBILAIRE publié pour commémorer son Cent-cinquantième anniversaire : 4 nivôse an VIII - 24 décembre 1949. Paris, Sirey, 1952. In-4°. 693 p.
Cet ouvrage présenté par M. René Cassin, alors vice-président du Conseil d'Etat, est le résultat d'une importante collaboration de membres du Conseil d'Etat français et de Conseils d'Etat étrangers, ainsi que de juristes français et étrangers. Il est divisé en deux parties, l'une consacrée à la continuité, l'évolution et les méthodes du Conseil d'Etat au contentieux et dans son activité législative et administrative, l'autre traitant du rayonnement du Conseil d'Etat et du droit administratif français à l'étranger.

DUCROCQ (Th.). — Le Conseil d'Etat et son histoire, conférence faite à Angoulême le 4 février 1867. Niort, L. Clouzet, Paris, E. Thorin, 1867. In-8°. 36 p.

ESCOUBE (Pierre). — Les Grands Corps de l'Etat. Paris, P.U.F., 1971.

KESSLER (Marie-Christine). — Le Conseil d'Etat. Paris, Colin, 1968. In-8°. 390 p. (Cahiers de la Fondation Nationale des Sciences Pol., n° 107).

LETOURNEUR (M.), BAUCHET (J.), MERIC (J.). — Le Conseil d'Etat et les Tribunaux administratifs. Préf. de R. Cassin, Paris, Colin, 1970. In-8°. 294 p. (Collection « U »).

LOSCHAK (Danièle). — Le rôle politique du juge administratif français. Paris, L.G.D.J., 1972. In-8°. XV-349 p.

REGNAULT (A.). — Histoire du Conseil d'Etat, depuis son origine jusqu'à ce jour. Vatan, 1re édit. 1851. 2e édit. 1853.

TISSIER (Th.). — Le Conseil d'Etat, son organisation et son fonctionnement. Leiden, A. Vilders, 1931. In-8°. 8 p. non chiffrées.

b) Principaux articles.

Les articles publiés sur le Conseil d'Etat étant très nombreux, un petit nombre seulement a été indiqué. On s'est borné aux articles essentiels. On trouvera des articles sur l'organisation et les activités du Conseil d'Etat dans les grandes revues juridiques et spécialement dans la Revue « Etudes et Documents » publiée annuellement par le Conseil d'Etat depuis 1947, la Revue de Droit public, l'Actualité juridique, etc.

VARAGNAC. — Le Conseil d'Etat et les projets de réforme. in « Revue des Deux Mondes ». 15 août 1892, t. CXII, pp. 711-810. 15 septembre 1892, t. CXIII, pp. 288-318.

LEROY (Maxime). — Le Conseil d'Etat in « Revue de Paris », 15 sept. 1908, t. V, pp. 311-337.

VIVIEN. — Le Conseil d'Etat in « Revue des Deux Mondes », 15 oct. 1841, pp. 161-196, 15 nov. 1841, pp. 601-633.

WALINE. — L'Action du Conseil d'Etat dans la vie française in « Le Conseil d'Etat ». Livre jubilaire. Paris, 1952. In-4°, pp. 131-140.

MASPETIOL. — Grands corps et grand commis. Le Conseil d'Etat in « Revue des Deux Mondes », 15 juin 1958, pp. 636-650.

B) PAR PERIODES.

a) Premier Empire.

BOURDON (Jean). — La Constitution de l'An VIII. Rodez-Carrère, 1941. In-8°, 125 p (Thèse complémentaire Lettres. Paris. Autre édition du même ouvrage 1942).

BOURDON (Jean). — Napoléon au Conseil d'Etat. Notes et procès-verbaux inédits par J. G. Locré. Paris, Berger-Levrault, 1963. In-8°, 330 p.

DURAND (Charles). — Les auditeurs au Conseil d'Etat de 1803 à 1814. Aix-en-Provence, La Pensée Universitaire, 1958. In-8°, 200 p.
Les auditeurs au Conseil d'Etat sous le Consulat et le Premier Empire. Aix-en-Provence, Impr. Universitaire Fourcine, 1937. In-8°, 208 p. (extrait des « Annales de la Faculté de Droit d'Aix-en-Provence », 1937, nouvelle série, n° 28, pp. 71-272).
Le Conseil d'Etat napoléonien. L'emploi des conseillers d'Etat et des maîtres des requêtes en dehors du Conseil.
Aix-en-Provence, Impr. des Croix Provençales, 1952. In-8°, 142 p. (Extrait des « Annales de la Faculté de Droit d'Aix-en-Provence », nouvelle série, n° 45, année 1952).
La Coopération entre le Gouvernement et le Conseil d'Etat sous le Consulat et le Premier Empire.
in « Le Conseil d'Etat, Livre jubilaire... » — Paris, 1952. In-4°, pp. 77-93.
Etudes sur le Conseil d'Etat napoléonien, Paris, P.U.F., 1949. In-8°, 789 p.
(Bibliothèque de l'Université d'Aix-Marseille, Série I Droit Lettres 6).
Etudes sur le Conseil d'Etat napoléonien. Création. Organisation.
Aix-en-Provence, Impr. Universitaire Fourcine, 1940. In-8°, 181 p. erratum. (Annales de la Faculté de droit d'Aix-en-Provence 1940).
Etudes sur le Conseil d'Etat napoléonien. Les attributions du Conseil d'Etat. Les séances du Conseil d'Etat.
Aix-en-Provence, Impr. des Croix Provençales, 1944. In-8° 127 p. (Extrait des « Annales de la Faculté de Droit d'Aix-en-Provence », nouvelle série, N° 37, année 1944).
L'exercice de la fonction législative de 1800 à 1814.
Aix-en-Provence, Impr. des Croix Provençales, 1955. In-8°, 187 p. (Extrait des « Annales de la Faculté de Droit d'Aix-en-Provence », nouvelle série, n° 48, année 1955).

La fin du Conseil d'Etat napoléonien.
Aix-en-Provence, La Pensée Universitaire, 1959. In-8°, 192 p.
(Extrait des « Annales de la Faculté de Droit et des Sciences économiques » nouvelle série N° 51).

Le fonctionnement du Conseil d'Etat napoléonien.
Gap, Impr. Louis-Jean, 1954. In-8°, 304 p.
(Bibliothèque de l'Université d'Aix-Marseille. Série I. Droit-Lettres).

Les intérêts commerciaux et le recrutement du Conseil d'Etat sous le Consulat et l'Empire.
in « Etudes et Documents » — XV, 1961, p. 189 à 206.

Napoléon et le Conseil d'Etat pendant la Seconde moitié de l'Empire.
in « Conseil d'Etat. Etudes et Documents », XXII, 1972, p. 270 à 285.

La Procédure contentieuse devant le Conseil d'Etat de 1800 à 1814.
in « Annales de la Faculté de Droit d'Aix », nouvelle série, n° 46, 1953, 30 p.

Le régime de l'activité gouvernementale pendant les campagnes de Napoléon.
Aix-en-Provence, 1957. In-8°, 66 p. (Extrait des Annales de la Faculté de Droit d'Aix, 1957, N° 49).

Le régime juridique de l'expropriation pour utilité publique sous le Consulat et le Premier Empire.
Aix-en-Provence, Impr. d'Edit. Provençales, 1948, In-8°, 104 p.
(Extrait des « Annales de la Faculté de Droit d'Aix-en-Provence », 1948. Nouv. série, N° 41, pp. 5-104).

Une application de la « garantie des fonctionnaires » sous le Premier Empire.
in « Annales de la Faculté de Droit d'Aix », Nouv. série, n° 39, 1946, pp. 3-20.

LOCRE (Baron Jean-Guillaume). — Du Conseil d'Etat, de sa composition, de ses attributions, de son organisation interne, de sa marche et du caractère de ses actes.
Paris, 1807. Première édition.
Paris, Garnery, 1810. Deuxième édition. In-8°, 304 p.

MARTINEAU (A.). — Idées sur l'organisation du Conseil d'Etat.
Paris, 1806. In-8°, 78 p.

PUGET (Henry). — Le Conseil d'Etat au temps de Napoléon.
in « Revue des Sciences Politiques », t. XLIV, juillet-septembre 1921, pp. 385-408.
(Existe en tirage à part).

ROEDERER (Comte Paul Louis). — Œuvres. 8 vol. Gr. In-8° sur 2 colonnes. Edité en 1853 par la famille et non mis dans le commerce. Le rôle de Roederer au Conseil d'Etat et le fonctionnement de ce corps de 1800 à 1802 tiennent une place importante dans le tome II.

VARAGNAC. — Napoléon et son Conseil d'Etat.
Paris, Alcan, 1921. In-8°, 23 p.
(Extrait du « Bulletin de l'Académie des Sciences morales et politiques »).

PETIT DES ROCHETTES. — Esprit de la jurisprudence inédite du Conseil d'Etat sous le Consulat et l'Empire, en matière d'émigration, de déportation, de remboursements, de domaines nationaux.
Paris, 1827. 2 vol.

Mémoires de BARANTE, BARTHELEMY (H.), BERLIER, BROGLIE, DUMAS (M.), MIOT, MOLE, PASQUIER, PELAT, REAL, ROEDERER, THIBAUDEAU (tous ces mémoires sont signalés dans TULARD (Jean) Bibliographie critique des mémoires sur le Consulat et l'Empire. Genève-Paris, Droz, 1971).

b) Restauration et Monarchie de Juillet.

CHABIN. — Le Conseil d'Etat sous la Restauration — Thèse de l'Ecole des Chartes. 1972, 299 p. dactyl. (Résumé imprimé dans : Ecole des Chartes. Position des thèses. 1972, pp. 43-50).
Cette thèse contient un bon relevé des sources, une bibliographie exhaustive pour la période de la Restauration et une liste de tous les membres du Conseil d'Etat pour cette période.

BAVOUX. — Conseil d'Etat. Conseil Royal. Chambre des Pairs. Vénalité des charges. Duel et peine de mort.
Paris, J. P. Aillaux, 1838. In-8°, XIII-328 p. (pp. 1-105, Conseil d'Etat).

CORMENIN (Louis, Marie de la HAYE, Baron puis Vicomte de). — Du Conseil d'Etat envisagé comme Conseil et comme Juridiction dans notre Monarchie constitutionnelle (ouvrage paru sans nom d'auteur).
Paris, Pillet et Delaunay, 1818. In-8°, 238 p.

HENRION de PANSEY (Baron Pierre Paul Nicolas). — De l'autorité judiciaire en France.
Paris, J. Barois Père, 1818. In-4°. VIII-587 p.

LA ROCHEFOUCAULD (Gaston de). — Des attributions du Conseil d'Etat
Paris, Tétot Frères, 1829. In-8°. VI-219 p.

LEONARDI (Ch.). — Le Conseil d'Etat sous la Restauration.
Paris, Girard et Brière, 1909. In-8°, 261 p. (Thèse. Droit. Paris, 1909).

LOCRE (Baron Jean-Guillaume). — Quelques vues sur le Conseil d'Etat considéré dans ses rapports avec le système de notre régime constitutionnel.
Paris, Gosselin, 1831. In-8°, VII-104 p.

OLIVIER-MARTIN (Bernard). — Le Conseil d'Etat et la Restauration.
Paris, Sirey, 1941. In-8°, 256 p. Préf. de G. PICHAT. Thèse. Droit. Paris.

PISTOYE (Alphonse de). — Du Conseil d'Etat, de son organisation, de son autorité, de ses attributions.
Paris, Dupont, 1845. In-8°, VI-78 p.

RECUEIL DES ORDONNANCES... Recueil des ordonnances et règlements de Louis XVIII sur la Charte constitutionnelle, sur l'organisation, les attributions du Conseil d'Etat et sur la nature des affaires qui doivent être portées à chacun de ses comités.
Paris, Firmin-Didot, 1814. In-16. XXXVI-266 p.

SIREY (J.). — Du Conseil d'Etat selon la Charte constitutionnelle.
Paris, Sirey, 1818. In-4°.

VIDAILLAN (A. de). — De la juridiction directe du Conseil d'Etat, de ses attributions et de sa composition selon le projet de loi du 1er février 1840 et les amendements de la commission de la Chambre des Députés.
Paris, Dufay, 1841. In-8°, IV-288 p.

c) La Seconde République.

De l'organisation du Conseil d'Etat.
Paris, Impr. Duverger, 1849. In-8°, 16 p.

FABAS (Th.). Du Conseil d'Etat dans la nouvelle constitution. 2e Ed.
Paris, Impr. Martinet, 1848. In-8°.
Du pouvoir consultatif et spécialement du Conseil d'Etat dans la République.
Paris, Impr. Martinet, 1848. In-8° (Extr. du « Magasin politique », 17 juin 1848).
Un dernier mot sur l'organisation du Conseil d'Etat dans la République...
Paris, Impr. de Lange Levy, 1848. In-8° (Extr. du « Siècle »).

d) IIe Empire.

BESNARD (Jean). — Le Conseil d'Etat du Second Empire.
Paris, Thèse de Droit, 1943, soutenue sur manuscrit.

Le CONSEIL D'ETAT. — Un ancien membre du Conseil d'Etat. Le Conseil d'Etat sous le Second Empire et la Troisième République.
Paris, 1880. In-8°.

MIGNERET. — Le Conseil d'Etat du Second Empire (1852-70).
Paris, Dentu, 1872. In-8°, 47 p.
(Souvenirs et Etudes historiques).

REVERCHON (E.). — Le Conseil d'Etat. Décret organique. Le décret du 25 janvier 1852 peut-il être modifié par de simples décrets ?
Paris, A. Marescq aîné, 1864. In-8°, 24 p. (Extr. de la Revue pratique de droit français - 15 avril; 1864).
Les Décrets du 22 janvier 1852.
Paris, Ch. Douniol et Cie, 1871. In-8°, 91 p.

WRIGHT (V.). — Le Conseil d'Etat sous le IIe Empire.
Paris, Colin, 1972. In-8°, 273 p.

e) La IIIe République.

BOYER de SAINTE SUZANNE (Baron de). — Les actualités administratives... La Réorganisation du Conseil d'Etat.
Paris, E. Lachaud, 1872. In-16, III-172 p.

BRUGERE (René). — Le Conseil d'Etat, son personnel et ses formations, évolutions, tendances.
Toulouse, Impr. Toulousaine, 1910. In-8°, 168 p. (Thèse. Droit. Toulouse).

DELARBRE (Jules). — Le Conseil d'Etat, son organisation et ses attributions sous la Constitution de 1875. Texte des lois constitutionnelles et organiques concernant les Pouvoirs publics.
Paris, Berger-Levrault, 1876. In-8°, 328 p.

DELARBRE (Jules). — Organisation du Conseil d'Etat. — Loi du 24 mai 1872, annotée d'extraits de l'exposé des motifs, de la discussion au sein de l'Assemblée nationale et des références aux lois de 1815 et 1849 et suivie du texte de ces lois, ainsi que de la composition du Conseil d'Etat.
Paris, Marescq aîné, 1872. In-8°, 188 p. 2e Ed. 1873.

LEROY (Maxime). — Le Conseil d'Etat.
in : « Revue de Paris » 15 sept. 1908 T.V. pp. 311-37.

PISTOYE (Alphonse de). — Du Conseil d'Etat, de sa réorganisation.
Paris, A. Marescq aîné, 1872. In-8°, 77 p. erratum. (Extrait de la « Revue pratique de droit français »).

f) IVe République.

LE CONSEIL D'ETAT, LA COUR DES COMPTES, L'INSPECTION GENERALE DES FINANCES.
Paris, Aux Etudiants de France, S.d., In-16, 96 p. (Coll. Sillages, N° 11).

RECLUS (Maurice). — Le Conseil d'Etat.
in « Revue de Défense Nationale », Nouv. série, 3e année, janv. 1947, pp. 3-18.

CASSIN (René). — Le Conseil d'Etat français depuis la 2e guerre mondiale.
in « Conseil d'Etat du Grand Duché de Luxembourg ».
Livre Jubilaire 1856-1956.
Luxembourg, 1957, In-8°, pp. 79-98.

CAHEN-SALVADOR (Georges). — Le Conseil d'Etat et les libertés publiques.
in « Hommes et Mondes », Août 1950, pp. 565-580.

g) Ve République.

NEGRIN (J.P.). — Le Conseil d'Etat et la vie publique en France depuis 1958. Préf. de Charles Debbasch.
Paris, P.U.F., 1968. In-8°, 173 p.
(Travaux et Mémoires de la Faculté des sciences économiques).

LOSCHAK (Danièle). — Le rôle politique du juge administratif français.
Paris, L.G.D.J., 1972. In-8°, XV-349 p.

C) PAR MATIERES.

a) Attributions et rôle législatifs du Conseil d'Etat.

AUBOYER-TREUILLE (Jacques). — L'évolution des attributions législatives du Conseil d'Etat, Paris, L. Rodstein, 1938. In-8°, 284 p.
(Thèse. Droit. Paris, 1938).

FRANCO (Joseph). — Des attributions du Conseil d'Etat en matière législative et réglementaire. Rennes, Impr. des Arts et Manufactures, 1897. In-8°, 127 p.
(Thèse. Droit. Rennes).

TARBOURIESCH (Ernest). — Du Conseil d'Etat comme organe législatif.
Paris, Chevalier-Marescq, 1894. In-8°.

CASSIN (René). — Du nouveau rôle du Conseil d'Etat dans la préparation des lois.
in « La République française », vol. VII, N° 10, octobre 1946, pp. 4-6.

b) Contentieux.

ALIBERT (Raphaël). — Le contrôle juridictionnel de l'administration au moyen du recours pour excès de pouvoir. Paris, Payot, 1926. In-8°, 391 p.

AUBY et DRAGO — Traité du contentieux administratif. Paris, L.G.D.J., 1962, 3 vol. In-8°.

BATAILLER (Francine). — Le Conseil d'Etat, juge constitutionnel. Préf. de G. Vedel. Paris, L.G.D.J., 1966. In-8°, V-675 p. (Bibliothèque de Droit Public).

CASSIN (René). — L'évolution récente des juridictions administratives en France.
in « Revue Internationale des Sciences administratives », 1953, N° 4, pp. 833-59.

DARESTE (Rodolphe). — La justice administrative en France ou traité du contentieux de l'Administration. Paris, A. Durand, 1862. In-8°, VIII, 688 p. (2e édition rev. et compl. avec la collaboration de Pierre Dareste. Paris, Larose, 1897. In-8°, XII-680 p.).

DESFORGES (Ch.). — La compétence juridictionnelle du Conseil d'Etat et des tribunaux administratifs. Paris, L.G.D.J., 1961. In-8°, 276 p. (Bibliothèque de Droit public).

HAURIOU (Maurice). — Notes d'arrêts sur décisions du Conseil d'Etat et du Tribunal des Conflits publiées au recueil Sirey de 1892 à 1928 par Maurice Hauriou. Réunies et classées par André Hauriou, Paris, Sirey, 1929. In-8°, 3 vol.

JACQUEMART (Denis). — Le Conseil d'Etat, juge de Cassation. Préf. de R. Drago. Paris, L.G.D.J., 1957. In-8°, VIII-287 p. (Bibliothèque de Droit public).

LAFERRIERE (Edouard). — Traité de la juridiction administrative et des recours contentieux. Paris, Berger-Levrault, 1re éd. 1887-1888, 2e éd. 1896. 2 vol. In-8°.

LONG (M.), WEIL (P.), BRAIBANT (G.). — Les grands arrêts de la jurisprudence administrative. Paris, Sirey, 1956. In-8°, VI, 425 p. 5e édition en 1969 (Collection du Droit public).

ODENT (Raymond). — Contentieux administratif. Paris, Les Cours de Droit, 6 fasc. + 2 fasc. de tables, 1971. (Première édition 1949).

c) Affaires religieuses.

ANCHEL (Robert). — Napoléon et les juifs. Essai sur les rapports de l'Etat français et du culte israélite de 1805 à 1815. Paris, P.U.F., 1928. In-8°.

d) Bâtiments.

CHAMPIER (Victor), SANDOZ (Roger G.). — Le Palais Royal d'après des documents inédits (1629-1900). Paris, 1900, t. II.

FOUQUIER (A.). — Les diverses résidences du Conseil d'Etat depuis le commencement du siècle.
in « Journal Officiel », 1er décembre 1875, pp. 9881-9882.

SAUVEL (Tony). — Le Conseil d'Etat au Palais Royal.
in « Guide du visiteur », 1968.

SAUVEL (Tony). — Du Palais de la Cité au Palais-Royal.
in « Livre Jubilaire » 1952.

VACHON (Marius). — Le Palais du Conseil d'Etat et la Cour des Comptes.
Paris, 1879.

e) Costumes.

Musée du costume de la Ville de Paris (annexe du Musée Carnavalet). Costumes de Cour et de Ville du Premier Empire. Février-mai 1958, Paris, Les Presses artistiques, 1958. In-8°, non paginé, nombreuses illustrations (costume du Conseiller Frochot).

Anne-Marie Rabant
Conservateur de la Bibliothèque
et des Archives du Conseil d'Etat

INDEX

INDEX GÉNÉRAL (1)

A

(1) L'abréviation (biog.) fait référence à une biographie.

B

C

T

(1) Les textes principaux sont seuls mentionnés ici. La plupart d'entre eux sont cités en tout ou partie dans l'ouvrage.

INDEX DES NOMS PROPRES (1)

(1) Le nom des personnes décédées est suivi de l'indication de l'année de leur naissance et de l'année de leur mort. Lorsqu'il n'a pas été possible de retrouver l'une ou l'autre de ces dates, un astérisque précède le nom.

L'appartenance au Conseil d'Etat ou l'exercice de certaines fonctions au Conseil d'Etat ont été indiqués par les initiales ou abréviations suivantes : Pt C.E. (président du C.E.) ; Vpt C.E. (vice-président du C.E.); C.E. (conseiller d'Etat); C.E. s.e. (conseiller d'Etat en service extraordinaire); secr. gén. C.E. (secrétaire général du Conseil d'Etat); M. d. R. (maître des requêtes); A. (auditeur); Bibl. C.E. (bibliothécaire du C.E.). Les majuscules A.C. signifient : avocat au Conseil d'Etat.

L'abréviation (cit.) fait référence à une citation; l'abréviation (biog.) à une biographie.

D

E

M

N

O

P

Q

R

S

T

V

W à Z

TABLE DES ILLUSTRATIONS

La médaille qui figure sur la couverture reproduit la médaille gravée par Duvivier et frappée en l'an VIII lors de la création du Conseil d'Etat (cf. p. 48, note 1).

Les culs de lampe ornant l'ouvrage reproduisent des jetons du Conseil du Roi, dont les outillages, conservés au musée monétaire, ont été aimablement prêtés par l'administration des Monnaies et Médailles.

TABLE DES PRINCIPALES ABRÉVIATIONS UTILISÉES DANS L'OUVRAGE

A.	Auditeur au Conseil d'Etat, Arrêté.
A.C.	Avocat aux Conseils.
Arch. C.E.	Archives du Conseil d'Etat.
Arch. nat.	Archives nationales.
Ass. const.	Assemblée constituante.
Ass. nat.	Assemblée nationale.
Ch. dép.	Chambre des députés.
Ch. pairs	Chambre des pairs.
C.E.	Conseiller d'Etat.
C.E. (s.e.)	Conseiller d'Etat en service extraordinaire.
C.r.	Compte rendu.
D.	Dalloz, Décret.
D.H.	Dalloz hebdomadaire.
D.P.	Dalloz périodique.
Duvergier	Collection complète des lois, décrets, etc.
E.D.	Etudes et documents.
Gaz. Trib.	Gazette des tribunaux.
Impr. nat.	Imprimerie nationale.
Impr. roy.	Imprimerie royale.
J.O.	Journal officiel.
L	Loi.
M.d.R.	Maître des requêtes.
O	Ordonnance.
Pt C.E.	Président du Conseil d'Etat.
P.v.	Procès-verbaux.
P.v. ann.	Procès-verbaux annexes.
R.D.P.	Revue de droit public.
Rec. Lebon	Recueil des arrêts du Conseil d'Etat, statuant au contentieux.
S.	Recueil Sirey.
Secr. gén. C.E.	Secrétaire général du Conseil d'Etat.
Vpt C.E.	Vice-président du Conseil d'Etat.

TABLE DES MATIÈRES

CHAPITRE III

LA PREMIÈRE RESTAURATION (1814-1815)

CHAPITRE IV

LES CENT JOURS
(20 mars - 28 juin 1815)

CHAPITRE V

LA SECONDE RESTAURATION
(1815-1830)

CHAPITRE VI

LA MONARCHIE DE JUILLET
(1830-1848)

CHAPITRE VII

DE LA RÉVOLUTION DE 1848 AU COUP D'ÉTAT DU 2 DÉCEMBRE 1851

CHAPITRE VIII

LA RÉPUBLIQUE DÉCENNALE ET LE SECOND EMPIRE (1852-1870)

CHAPITRE IX

LA COMMISSION PROVISOIRE (1870-1872)

CHAPITRE X

LE CONSEIL D'ÉTAT DE 1872 A 1879

CHAPITRE XI

LE CONSEIL D'ÉTAT DE 1879 A 1919

CHAPITRE XII

LE CONSEIL D'ÉTAT DE 1919 A 1939

CHAPITRE XIII

LE CONSEIL D'ÉTAT DE 1939 A 1945

CHAPITRE XIV

LE CONSEIL D'ÉTAT DE 1945 A 1974

L'IMPRIMERIE LOUIS-JEAN A GAP
POUR LA TYPOGRAPHIE
LA SOCIÉTÉ VICTOR-MICHEL A PARIS
L'IMPRIMERIE MAZARINE A CACHAN
POUR LES PLANCHES EN QUADRICHROMIE,
LES FILS DE PIERRE GINOUX A MONTROUGE
POUR LA RELIURE
ONT COLLABORÉ A LA RÉALISATION
DE CET OUVRAGE ACHEVÉ D'IMPRIMER
EN OCTOBRE 1974

Dépôt légal n° 430-1974